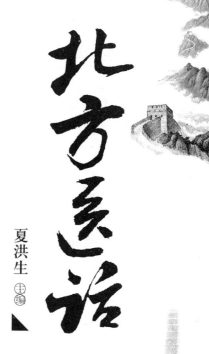

北方医话

夏洪生 主编

北京科学技术出版社

图书在版编目（CIP）数据

北方医话 / 夏洪生主编. —北京：北京科学技术出版社，2014.12（2021.10 重印）
ISBN 978-7-5304-7499-0

Ⅰ.①北… Ⅱ.①夏… Ⅲ.①医话—汇编—中国—现代 Ⅳ.① R249.7

中国版本图书馆 CIP 数据核字（2014）第 249904 号

策划编辑：侍　伟
责任编辑：章　健　赵　晶　王　微
责任校对：贾　荣
装帧设计：蒋宏工作室
责任印制：李　茗
出 版 人：曾庆宇
出版发行：北京科学技术出版社
社　　址：北京西直门南大街16号
邮政编码：100035
电　　话：0086-10-66135495（总编室）　0086-10-66113227（发行部）
网　　址：www.bkydw.cn
印　　刷：三河国新印装有限公司
开　　本：710 mm × 1000 mm　1/16
字　　数：663 千字
印　　张：37
版　　次：2014年12月第1版
印　　次：2021年10月第3次印刷
ISBN 978-7-5304-7499-0

定　　价：78.00元

《北方医话》

编辑委员会

胡　序

中华全国中医学会中医理论整理研究会组织编写的《北方医话》《南方医话》《燕山医话》《长江医话》《黄河医话》等五部反映我国近代中医学术进展的著述，经过两年多的时间，已经完成。

这五部医话，全国有五千余人参加撰稿，最后审定近三百万字。撰稿者，既有名老中医，又有学术上已近成熟的中年中医科技工作者，这个事实本身，就标志着我国中医界学术上的兴旺繁荣，是十分令人欣喜的。

我希望：像这样的理论和临床实践相结合的整理研究工作，今后能够继续开展下去。

当本书即将出版之时，编委会要我写几句话，特书之以共勉。

胡熙明

1985 年 10 月

谭　序

为了继承现代名老中医的学术经验，总结学有卓识的中年中医师的学术成就，中医理论整理研究会组织全国中医师参加征稿，编著《黄河医话》《长江医话》《燕山医话》《南方医话》《北方医话》，这项工作的意义十分重大而深远。

中国，是世界文明古国，中医药学就是我国古代文明中的一颗璀璨夺目的明珠。历史的发展将继续证明，勤劳智慧的中华民族对世界作出的新贡献，中医药学将是其中重要的组成部分。

希望中医药学术界的专家，不断创造出新的成绩，及时地将这些成就加以总结，升华为理论，丰富发展中医药学术体系，更好地为我国人民的保健事业服务，为人类健康长寿作出贡献。

中华人民共和国卫生部副部长　谭云鹤

1984年10月1日　北京

裴　序

中医药学典籍浩如烟海，绚丽夺目。总结现代中医实践经验，编著成书，无疑地是为祖国医药瑰宝增光加彩。

这项总结、整理、研究工作，全国中医约有五千余人参加，经过了严格的审稿、统稿程序，在短短的两年多时间里，完成近三百万字著述，这实在是集体智慧的结晶。我为这部书的出版，感到由衷地高兴。

我希望中医药学界的科学技术工作者，继这部书出版之后，在不久的将来，还有新的著述问世。当此巨著出版之际，仅写上面一些话，表示祝贺。

中国科学技术协会副主席　裴丽生

1985 年 10 月 28 日

前　言

为了从多方面总结交流全国各地名老中医、部分中年中医师的各科临床经验和理论，中华全国中医学会中医理论整理研究会决定组织编写：

《燕山医话》（北京地区）。

《黄河医话》（陕、甘、宁、晋、鲁、豫、青、蒙）。

《长江医话》（川、藏、滇、鄂、湘、赣、皖、苏、沪）。

《北方医话》（辽、吉、黑、津、冀、疆）。

《南方医话》（浙、闽、黔、粤、桂、台）。

全国各级医疗、研究、教学单位的中医工作者，积极总结自己的临床经验，踊跃参加征稿活动。

医话内容，包括内科、妇科、外科、儿科、方药、针灸……，凡能用医话形式表达的，皆可撰写。

《五部医话》运用医话随笔体裁；所收载的文稿，大多具有短小精悍、内容充实、学术上有新的建树和较强的实用价值等特点。

作者除55岁以上的名老中医外，还收录了部分中年中医师（指1966年前高等中医院校毕业或具同等学历者）的文稿。

本丛书的编写，得到了卫生部谭云鹤副部长的鼓励和支持；书稿完成后，卫生部胡熙明副部长应本书编委会邀请，为之作序。

各部医话均成立了编委会，施行主编负责制。编委们认真审稿，层层把关，在提高书稿质量方面，作了大量工作。

在编写经费方面，得到了辽宁省本溪市第三制药厂对各部医话编委会的经费赞助。

五部医话在编写过程中，得到了各省、市、自治区卫生厅（局），各级中医学会以及主编所在单位的积极支持。各部医话的主编、副主编、编委，克服种种困难，创造条件，出色地完成了组稿、编审等各项工作。从本书的报批选题开始，一直到完稿，全过程中，得到了北京科学技术出版社傅亿伸社长和韩丽娟副总编辑的热情指导，在此一并致谢。

各编委会统定稿后，中医理论整理研究会学术秘书组又聘请若干位国内中医各学科的专家，认真审阅，提出了宝贵的删修意见。

尽管在编写过程中作了多方面的努力，但由于时间仓促，水平有限，错误和缺点在所难免，深望海内外热心中医药学术的专家、读者，随时提出批评指正意见。

学术秘书组

1985 年 12 月 3 日

目录

诊余论教

勾直平

为教者，非博学无能胜其任。矧医教，乃医医之教也。语曰：“人之所病病疾多，医之所病病道少”，而教之所病病知穷。盖中医源远流长，上自轩岐，下迄仲景，历代名医辈出。论著之广，汗牛充栋；医理之奥，非深研难明。苟非博览群书、精通道艺者焉为人师？更非不学经书、不通字义、妄自矜夸、欺世盗誉辈所能为。古往今来诚如斯言。

吾闻求木之长者，必固其本；欲流之远者，必浚其源，故学不可以已也。青出于蓝而胜于蓝，是故木直中绳，其曲中规。木受绳而直，金就砺则利。吾人应博学而参省乎已，则知明而行无过矣。

盖闻终日而思，不如须臾之学也。吾固不敏，素尚不耻从而问也。溯自1945年夏，悬壶故里，问疾诊病，以谋生计而已。虽有立言立行之志，良医良相之愿，弗之能也。

解放后，投身革命，聆党之教育，方悟业医精难。从医有年，兢兢业业，非敢一日虚废。十年动乱，历经坎坷，不堪回首。落实政策，方得医专任教，何幸如也，竟得圆以夙愿！

盖古之为师者，所以传道受业解惑也。既为师而不专攻术业，能胜其任者未之闻也。鉴于斯，凡任教者莫不孜孜攻读，究医理之秘，考教育之论，敏于学而不耻于问，恒兀兀以穷年，方识教之与学何其密切。且夫医教之师也，必精于医而更兼达于教。然教育学科自当从师而学。恒求教育理论，遵循教学原则，履行教学计划，详究教学大纲，倍悉教材内容，明确教学目的，考究教学方法。参阅名著择善而从以匡不逮。由博返约以教后来。然则学生不必不如师，师不必贤于学生。闻道有先后，术业有专攻，如是而已矣。老朽不才，宿志足矣。

运用比较，搞好教学

于沧江

比较是将两种事物进行对比分析，找出其共同属性和不同特点，从而认识事物本质的方法。这是一种重要的认识方法。可以说人们对任何事物的认识都是在比较中进行的，如没有“上”就无所谓“下”，没有“大”也就无所谓“小”，只有通过对比才能有所了解，无怪乎有人说：“没有比较就没有认识。”

在《中医诊断学》的教学中合理运用比较，指出各种证候间的共性和差异，并说明其道理，也是启发式教学的一种，可加深学生对各种证候的准确理解和牢固记忆。如在讲解心与小肠病辨证时，证候共有十种之多，若不加联系地单一讲解，则很容易混淆，也不易记住。但如果根据这十种证候的内在联系划分为五组，在授课时加以比较，指出各证候间的共性和个性，并阐明所以有此相同和区别的道理，则学生就易于理解而且印象深刻。如指出心气虚与心阳虚都有心悸、气短等心气不足的共同主证，但心阳虚则更因气虚失煦而出现畏寒肢冷，是前者的进一步发展，心血虚与心阴虚都有心悸健忘、失眠多梦等心血不足、心神失养的共性症状，但心阴虚则更因阴虚生热而出现潮热盗汗，亦较前者为重；心气郁滞与心血瘀阻同属胸痹范畴，具有心胸憋闷疼痛的共性主症，但前者偏于气滞，故有抑郁易怒、脘闷腹胀等气郁表现，而后者偏于血瘀，可见舌质紫黯或有瘀斑、脉涩等血瘀症状；痰迷心窍与痰火扰心都属心神失常，以精神错乱为主要表现，但前者属阴证，以痴呆喜静为特点，而后者属阳证，以狂躁妄动为特征；心火亢盛与小肠实热都有心烦失眠、口舌生疮、舌红脉数等心火偏旺的表现，但前者以心火内扰心神的神志改变为主症，而后者则以心火下移小肠所致的小便短赤灼痛、甚则尿血为主要表现。通过对比，既可使学生掌握各证候的内在联系，又可认识它们之间的不同之处，还可以理解为什么会有这些共性和差别，抓住证候的本质，达到理性认识，同时也可避免混淆、加深记忆。所以，在教学中合理运用比较一法，对帮助学生掌握教材内容是大有裨益的。

考试方法琐谈

张金良

《太医局诸科呈文》是论述宋代考试内容的书籍。那时对于一个医生的考核，主要从六个方面进行：一曰墨义，试以记问之博；二曰脉义，试以察脉之精；三曰大义，试以天地之奥与脏腑之源；四曰论方，试以古人制方佐辅之法；五曰假令，试以证候方制之宜；六曰运气，试以一岁阴阳客主与人身感应之理。由此可见，古人对于一个临床医生的考核是多方面的，从其记忆能力、知识的深度广度、诊断的方法、方药的选定、证候的辨别、中医的基本理论等各个方面都要逐一考核。联想到目前各地中医院校在考试制度和方法上，存在着很大的弊端，尚有改革的必要。现行的考试方法，基本上采取百分制、闭卷考试，内容偏重于记忆。结果是鼓励学生去死记硬背老师的笔记，没有时间和精力去进行广泛阅读。

较为理想的考试制度，首先应当实行学分制，设必修课与选修课。必修课不仅应当包括传统的专业基础课，还应适当开设现代科学技术讲座，如生物医学、遗传工程、光电技术、控制论等。广开选修课，例如《难经》《针灸甲乙经》《诸病源候论》、文献检索、论文写作指导等课程。鼓励学生选修与专业相关的课程，有助于开阔学生的知识面。只有这样广泛地交叉选课，才能培养出基础扎实、知识面宽的临床医生。

考试的方法，应该闭卷与开卷结合，笔试与口试结合。闭卷考基本知识，开卷考基本理论和方法；通过笔试考深度，通过口试考广度。废止现在通行的一个学科结业时只考一次的办法，采取多种形式、多种层次的综合考核。但这种考试也不是无止境的。实行学分制，学生达到规定的学分即可毕业。学分制的优越性主要表现在有利于因材施教，可以调动学生的学习积极性。在服从国家需要的前提下，学生结合个人专长和兴趣进行选修，可充分发挥其智能，也有利于调动教师的积极性，有利于建立和发展新兴学科和边缘学科。这充分体现了培养人才的灵活性，可以达到早出人才、快出人才、出好人才的目的。

名医轶事

彭静山　孙启凤

20世纪的20年代至60年代，沈阳曾经出了一位鼎鼎大名、妇孺皆知的一代名医马二琴先生。马先生名英麟，字浴书，生前有医学巨匠、文坛名宿之称。因爱古琴，早年藏有一张七弦琴，以后又得明代严嵩之子——严世藩的一张古琴，琴名“一天秋”，古香古色，斑斓可爱，遂自号“二琴”。

马老幼年家贫，聪颖异常，才华横溢。学医之时，闻鸡而起，午夜方眠，黄卷青灯，口诵心唯，真所谓“三更灯火五更鸡，正是男儿立志时”。马老学医，能举隅反三。例如：有一次他正读王孟英的《温热经纬》：“温邪上受，首先犯肺，逆传心包”。老师走来，突然用手掩书问曰：“逆传心包，顺传当传何处?”这一突然发问，颇不易回答。当时马老正襟危坐，深思熟虑，很快就答道：“书上有几种解释，但根据五行学说，温邪由肺传至心包，是金反克火，叫做逆传。从经络学说来讲，肺经‘下络大肠，还循胃口’，顺传应传胃府。”老师听后，赞不绝口。

还有一次，老师问诸生曰："泽泻能利水通淋，为什么在补肾阴的六味地黄丸中用之?"诸生张口结舌。马老站起来应声答道："泽泻利水除积，通淋去浊，积浊已去，肾阴可补。"老师鼓掌称善。

马老22岁行医，于沈阳大南关广生堂药房坐堂。青年医生，成名不易。马老读书吟诗，怡然自乐。岁暮感怀诗云："飘泊风尘又一年，依然瘦骨耸吟肩"，笔名瘦吟馆主，经常在报纸发表诗文，成为沈阳知名诗人。某公80岁，久患便秘，名医不离门，好药不离口，但百用罔效。后聘请马老诊治，马老诊察以后，侃侃而谈："久患便秘，面色微黑，舌质干而无苔，频频饮水，一口即止，自述腰痛，脉来两尺无力，诊为肾阴亏虚，津枯便秘。"乃用肉苁蓉60g、郁李仁1.5g、当归15g、枸杞子12g、番泻叶3片。服后患者大便自通。该公逢人说项，激扬不已。通过救死扶伤，马老一跃而成名医。

马老医术高明，有胆有识。一次，遇一手背异常高肿的病人，慕名求治，恰有两位名医好友前来议事，乃共磋商。一友提议应活血化瘀，一友主张用清热解毒。马老毅然用利水重剂十枣汤，甘遂加量9g，二位友人摇头认为万万不可。马老说："肿而不红，按之凹陷，为积水无疑，屡用化瘀之药不消，即未驱水，其水愈甚，宣可决壅，宜用峻猛之剂，不可养痈成患，泛滥成灾。"乃毅然投药，果然药到病除。

解放后，马老被选为辽宁省人大代表及政协委员，并被中国医科大学聘为副教授，是解放后全国的第一位中医教授。马老藏书甚多，古玩罗列，著作多种，对传授中医经验作出了积极的贡献。十年动乱中，马老惨遭迫害，愤死于1969年，终年76岁。一代名医，著述只字无存，古玩古籍及心爱的两张琴均荡然无存。但马老济世利人的光辉事迹却永远留在人民的心中。

治医之道在于精医理笃实践

——从苏轼和薛雪的医事得到的启发

孟庆云

宋代著名文学家苏轼，虽创名方"圣散子"，又著有包含医学内容的《东坡杂记》，但因其医理浅尝又缺乏实践，不能称之为医家，也不能被列入名医谱。温病学家薛雪，平生虽写过不少诗文，但终是医家而进不了文学家的行列。相传薛雪与当时的文学家袁子才为密友，薛平生自认医为贱务，不如文学地位高，平生不自言医，死后其孙请袁氏为其作墓志铭，冀图揄扬先祖的诗文之才。

岂料受到袁的批评，指出，尔此意正是继承乃祖之缺点，薛能传世是医学而非文章。事实正是如此。

医家之贵在于“精研医理，临证实战”；患家需要的是“手到病除”而不是“妙手华章”。医有理论和实践两把尺子，二者虽可有职业上的专工，但不可废一。近人张松耕为高鼓峰《增评医家心法》写的跋中道：“尝闻昔者两医相訾，一谓：‘汝舞文弄墨，轻言撰著，而临证罔然，纸上谈兵耳!’一谓：‘尔读书半页，目无全牛，日诊百人，非欺世盗名而何?’。余谓两造各有所据，终乃一偏之见也。”张氏跋文之妙，在于指出理论与实践必须密切结合才具有医学和社会意义。文中所论的相讥相嫉的情况，并非臆撰，实有其人其事，有不临证而高产医案的笔墨中医，也有锡饧不辨而门庭若市的名医。此二者皆因务虚不务实而误人。此为医家之大忌。在振兴中医之今日，既需要理论家，更需要实践家，但两者结合方有生命力。中医能在世界医林中独树一帜，并发展至今，也是因其有独特的理论和解决实际问题的能力。因此，只有理论和实践相结合，才是治医和振兴之道。

医之基，在习文

|韩百灵|

余跻身医林，已五十余载，时而回首，却无多少成功之经验可谈，但在曲径多歧、碰壁受挫之后，也常得到启发，而有所得。余之学医，是以攻读四书五经开始，然后精研《内经》《难经》而涉猎百家之言，从源到流。余之学医经历，可概括为“少年立下终身志，勤学好问得真知，博览群书专若一，精通谦虚访良师。”

纵观古今一切自然科学领域，很少有一门学科像中医学那样与文字关系那么密切，古人早就认识到“医家奥旨，非儒不能明”。孙思邈在《千金要方》中指出：“不读庄老，不能认真体运，则吉凶拘忌，触涂而生。至于五行休王，七曜天文，并须深赜，若能具而学之，则于医道无所滞碍而尽善尽美者矣。”《外科正宗》的作者陈实功更明确指出：“先知儒理，然后方知医理。”

祖国医药的巨大成果，除一部分掌握在老年中医手中外，绝大部分都记载在中医的文献典籍中，这些书籍都是前人用各个不同时期的语言文字记录下来的，成书年代愈远，语言文字就愈古奥艰深。医学文献更是其文简，其意博，其理奥，其趣深。《内经》《难经》成书年代早，而且将古代文学、政治、天文、地理知识均包括在内，只有了解当时的政治、文化等背景，才能理解其原义，运用其理论，得心应手。余精读四书五经，攻读了《灵枢》《素问》《难经》等原著几十载，明天地人纪，而发现其专泥医论之弊，缺少方药之论。《内经》后面几篇关于五运六气的理论，没有文字的基本功，没有古典文学的基础，是难以解其义的。《素问·灵兰秘典论篇》中，用当时政治体制制度的十二种官职，形象地说明人体十二脏腑的主要功能和它们在统一领导下分工合作的整体系统。这样的例子，在经典著作中是很多的。如果缺少文学基础知识，不了解关于古代政治、天文、地理等有关书籍的内容，那么就不能或者不完全能掌握中医学的理论。所以，通过几十年的临证，深感医之基在于熟通文学知识，有了坚实的文学知识基础，就可以敲开医学理论之大门，更好地为人民服务。

医之精，在于勤 |韩百灵|

学习中医的门径，不外两端。一者，从源到流，先从《内经》《难经》《伤寒论》《金匮要略》入手，而后学习方药及临床各科；再者，从流到源，先以诵读《药性赋》《汤头歌诀》《濒湖脉学》起步，经过一段临床实践，再钻研中医的经典著作。

无论走哪一条途径，都需要依靠个人的勤奋努力，这是必然的。谈到具体的学习方法，不外以下几点。

首先，要熟读深思，重要的典籍必须熟读精读。其中精要的部分，最好能背诵。只靠泛泛的浏览是不够的，这是我几十年来行之有效的经验。苏轼说过：“旧书不厌百日读，熟读深思子自知”。《内经》《伤寒论》《金匮要略》《医宗金鉴》等书，应当重点攻读熟诵。余初读时，忘食而诵，灯油耗尽，时或有已，终而达到得心应手。读书不仅要多获得知识，而更应当深入思索，发现疑难问题加以解决，这才是读书的目的。宋代理学家朱熹说过，“学者读书，须是无味处当致思焉。至于群疑并兴，寝食俱废，乃能骤进。”熟读深思，发现疑难问题之后，就要利用已有的知识，用比较、联想的方法，查找线索，多方论证，如剥果皮，如解连环，层层深入，常能发前人之所未发，获得可靠的创见。要做到这一点，就要求我们既有广博的知识，又有丰富的临床实践，更要有丰富的联想、敏锐的观察和灵活的思路。只有如此，才能达到熟读深思的目的。

其次，要博览专精。中医典籍，洋洋大观，汗牛充栋。现存古医籍有八千余种，诸籍皆览，恐不实际。但高以下为基，积土木石玉，以成大厦。欲学而有成，必读之书，不可不读；须知之事，不可不知。放宽视野，而立于专攻，是学而有进的关键。在泛读的基础上，必细审玩味各家之言，归纳之使其条理化，精思之得其独到之处。读古人书，勤者多有所得，惰则必有所失。如《内经》《难经》及仲景学说，皆应通读之，不可寻章摘句，以玄其学，需全面领悟，心有灵犀，可避局隘破碎，守一隅之说教，知杂病而不晓六经，知医理而不知脉法，知古言而不知今说，知一家而不知百家之论，通河间不晓丹溪，专泥东垣之论，而不知从正之学，所谓学识破碎者也。守一世之说，宗一家之言，遵一派之偏，难以贯通整体而窥其全貌，虽攻读数载而有所得者鲜。若专精基于博览，博览必识主体之学，临证有所宗而有所舍，而后必有独识而独得，必由博返约，是学贵于专精，而放眼于宽，方不致一叶障目，两豆塞耳。勤者，既学又专，既博又精，既访又录，既采又舍，可谓善学者也，故而医学之精，全在于勤。

再次，读书要坚持提要勾玄。在学习过程中，要不断地写学习笔记和心得，把文章的重要内容摘抄下来，并简述自己的见解，持之以恒，必有所得。同时要不断地搜集期刊杂志中自己所需要的资料，以类相从，这样应用时检索就十分方便了。

最后，要坚持实践提高。中医学本身就是一门实践性很强的科学，我们学习中医理论的目的，就是为了应用。所以在学习中医理论的基本规律之后，就要在临床实践中勤于探索，勇于创新，通过实践不断发掘中医学术的精华，不断积累新的临床经验，应用现代科学的方法和手段，使中医的临床疗效达到一个新的水平。

西为中用小议

姚生林

中医如何治疗经西医确诊的疾病？这个问题对初学中医和西医学习中医的人士尤为重要，它直接关系到中医药的治疗效果。

中医治疗西医已确诊的疾病时，西医的诊断及化验结果仅可供治疗参考，不要为西医病名所束缚。中、西医是两个理论体系，目前还未能将这些理论汇通起来，因此，在现阶段，我们必须根据中医的理论进行辨证施治，绝不能轻易用西医的诊断和理论来用中药。如西医诊断的“肝炎”，治疗上主要保肝，以治肝为主，但从中医理论上讲，虽为肝病，但治疗上不能单独治肝，必须根据中医的四诊审察与肝相关的脏腑虚实，予以综合治疗，才能获效。目前治疗肝炎，对谷丙转氨酶升高的患者，有盲目用中药五味子的偏向，这就有失中医的辨证施治。因五味子酸甘有敛阴之功，若患者舌淡苔腻脉滑而数，此为湿热之象，用之能敛邪，使湿热留恋不去，反使谷丙转氨酶不降，肝病迁延不愈；如患者湿热已清，舌红苔薄，用五味子补阴柔肝，谷丙转氨酶自然下降，这说明只有通过辨证施治，才能提高中医的疗效。否则，仅根据西医辨病用药，效果可能适得其反。《皇汉医学》中也提到，汉医在于辨证施治，往往获得不可想象的疗效。

有些肝炎患者没有临床症状，但化验结果不正常，中医运用“四诊”详为辨析而后施治，往往获得较好的疗效。

中医能不能参考西医所作的诊断呢？问题在于能否正确对待，若能正确对待西医的诊断，有时可以帮助中医进一步认识某些疾病的性质、发展及转归。参考西医的诊断应防止似是而非地理解西医的一些术语。如西医诊为炎症，中医便盲目运用苦寒，结果往往不能达到“消炎”的目的。因中医对西医的炎症，有虚、实、寒、热之分，若不辨证地死搬硬套，就达不到预期的疗效。

总之，中医对西医确诊的疾病，必须用中医的理、法、方、药来治疗，西医的诊断和化验结果，仅作为治疗参考。这样西为中用，中西合参，才会收到良好效果。

仲景学说浅议

| 张绚邦 |

仲景学说由我国东汉医学大师张机（字仲景）所创立。《伤寒杂病论》十六卷反映了他的全部学术思想，包括仲景学说的三个来源、两个组成部分和一个理论核心问题。

三个来源：一是全面地总结并继承了汉以前中医药学理论；二是广泛地吸取了汉和汉以前一些医家的有效方药和各具特色的医疗经验成果，并把它上升为医学理论；三是系统地总结了仲景本人长期的临床实践经验。三个来源也就是《伤寒论·自序》中所强调的“勤求古训”“博采众方”和“平脉辨证”三个重要方面。

两个组成部分是“伤寒”和“杂病”。即后世整理编次、分别命名的《伤寒论》和《金匮要略》，两者既可独立成书，又是互相联系、不可分割。仲景以六经论伤寒，以脏腑论杂病，六经表里寒热的辨证施治概念，不仅适用于伤寒，而且适用于杂病。同样，脏腑虚实补泻的辨证施治原理不仅适用于杂病，也适用于伤寒。

因此，仲景学说的理论核心，集中到一点，就是《伤寒杂病论》所全面确立的辨证施治理论，以及在此辨证施治理论指导下，所制定的理法方药相统一的基本原则。

《伤寒论》的篇名是“辨××病脉证并治，”《金匮要略》各篇也都冠以“××病证并治第×”。病名、辨证和施治，前后呼应，一以贯之。如《伤寒论》全书以六经分证，六经证候，有主有次。仲景制方特点是结构严谨，选药精炼，配合有度，煎服得法，比更早出现的《内经》十三方，《五十二病方》，有了飞跃的发展，如伤寒太阳表实用麻黄、表虚用桂枝、蓄水用五苓散、蓄血用桃核承气汤等，随病而异，随证而异，纹丝不乱。如果说《伤寒论》六经和《金匮要略》杂病的主证提纲确立了辨证施治的基本纲领，那么，《伤寒杂病论》中方剂的组成就抓住了辨证施治的重点，方中用药剂量的大小以及随着证情变化而加减化裁药品，都有高度的原则性和灵活性。原则性和灵活性又都建立在辨证施治的共同基础上。

《伤寒论》原文第16条说得好：“观其脉证，知犯何逆，随证治之”。它进一步阐明了仲景所强调的辨证施治原则，首先根据病人的实际情况（观其脉证）；然后作出正确的辨证分析（知犯何逆）；最后确定治疗的对策，即主方的选择以及灵活运用药品的加减和剂量的变化（随证治之）。

医易同源话阴阳

孟庆云

“医者易也”。医家必须“法于阴阳，和于术数”，方能掌握医学的基本原则，而这个原则出自《周易》的阴阳之理。宋代以后，理学家、医家、道家都以太极图为徽志。在孔府大成殿上、医书上、道观的门上及丹家所戴的阴阳帽上，皆画有太极图像。太极图源于后汉魏伯阳所著的《周易参同契》一书，问世虽晚，但它却高度地集中概括了“易以道阴阳”的精神实质，它既是古人认识世界的宇宙模型，也是中医基本原则、阴阳学说的图示。

太极图的抽象思维反映着古代学者的高度智慧。其外的圆圈寓意太一（或太乙），又称为太虚图或无极图，即《道德经》中的“道生一”，并示意宇宙万物的运动与循环。中分流线型黑白的两仪，形象地表示幽阴明阳的气化升降开合的妙理，还说明阴阳的对称不是静止的，系“一阴一阳谓之道”之意。先秦时代，气一元论已渐脱筮卦之外壳，始为本源论。太极是道，“道据其一，一即元也”（刘歆《三统历》）。太极的一法天元，是宇宙的玄元妙理：元为天，天为气，气为化，化成形，形为神，神为妙，妙为玄。太极动则为阳，静则为阴。每当这两种力量之一达到自己的极端时，它早就孕育着自己对极的种子，是为阴阳互根，阴中有阳，阳中有阴。黑色的阴与白色的阳以“S”形曲线相隔，又表明阴阳运动是无穷的螺旋式，阴阳间的平衡是离合的关系，而不是对称的一刀切两个半圆式的平衡。

从阴阳学说而论，“偏阴偏阳谓之疾”。治病就是调节阴阳的过程，这也要合乎阴阳互根之理。例如根据阴阳开合之意，有三补三泻的六味地黄丸；据阴生阳长、阳亦生阴之意，肾气丸以阴中求阳，益火重在补肾水，后世张景岳创六味回阳饮，在回阳救急之际，又用熟地黄发回阳不忘补救真阴之蕴义。中医学既然是以阴阳五行学说和气一元论为理论基础，它自然也用太极图为徽志。

浅谈“春夏养阳，秋冬养阴”

| 郝洪江 |

“春夏养阳，秋冬养阴”源于《素问·四气调神大论篇》，其义是以天人相应的观点来论述人体养生的原则。

吾师张继有对此理解颇深，他说：“春生，夏长，秋收，冬藏”是自然界四时变化的正常规律。人体不论养生防病，还是治疗用药都应顺从四时阴阳的自然变化，使之阴阳平衡，气血调和，才能健康长寿。

在摄生上，他的看法是，四时之春夏主升浮，春温夏热，其性属阳；秋冬主沉降，秋凉冬寒，其性属阴。以人体而言，春夏之季本为阳升，但阳盛于外，而虚于内；秋冬之令本为阴升，但阴盛于外，而虚于内。因此，他主张平人在饮食上，春夏应食辛凉，但忌过食寒凉，以求养于阳。如贪食寒凉，中阳受损，运化失常，升降失司，易生腹痛、泄泻等疾。秋冬须慎过食温热，应适食甘寒，以养于阴。北方之人，久居寒冷之地，体盛脂肥，腠理致密，阳气内实，且喜食辛辣、浓酒厚味之品，故中满易滞，内热乃生。

在辨证施治上，张老认为，做一名好医生，既要通晓四时阴阳的变化，又要掌握病人气血阴阳的盛衰，才能辨证准确，治合阴阳消长之机而无误。故诊治病人时，不可胶执一端。如素体阳虚者，春夏易愈，秋冬易剧，其治需于盛夏阳旺之时，予以培补，至秋冬其症可减可缓；若属阳盛之体，每于春夏阳气生发之季，其病易剧，其治不可再施温热之品以火上浇油，而宜用甘寒之品以壮水制火，使其阳平。正如“阳强不能密，阴气乃绝，阴平阳秘，精神乃治”

之训。

同样，一般阴虚病人，每遇冬去春来，易发头晕目眩之疾。这在仲景书中早有类似记载。如《金匮要略·血痹虚劳篇》中说："劳之为病，其脉浮大，手足烦，春夏剧，秋冬瘥，阴寒精自出，酸削不能行"。所言之疾，虽然秋冬易愈，春夏易剧，但是，若在秋冬之时给予滋补肝肾之品，常可减缓春夏之复发或使其症状减轻。这正是《内经》所谓"冬藏于精者，春不病温"之义。

明乎此，则吾辈养生防病，治疗用药，都可顺从四时阴阳的自然变化，视人体气血之盛衰而调之。则大法既明，庶免贻误。

"木克土"小议

郝洪江

从"五行学说"来看，肝脾之间存在"相克"的正常关系，即所谓"木克土"。这种"木克土"是生理性制约的正常关系，不发生任何病理反应和表现，可称为生理上的"木克土"。

病理上的"木克土"，即所谓"相乘"。它反映病理变化和表现，人们习惯上也称为"木克土"。

在五行上肝胆都属木，且相为表里；脾胃皆属土，亦互为表里。在正常情况下，肝主升而胆主降。脾的升清作用必赖以肝木升发之气的制约，而胃的降浊作用必赖以胆木的下降之气的制约，这样才能"升降调和"。若肝胆之气失调，则能影响脾或胃而发病。这类疾病，一般都称为"木克土"。肝木太旺则克脾土，而胆木太旺克胃土，其克又有"太过"与"不及"之分，也就是说，肝胆之气的"太过"与"不及"，均能影响脾胃的运化功能。如肝气郁结、肝气横逆皆能影响到脾，而出现不同的临床表现。如"四逆散"证、"逍遥散"证的脘胁不舒、抑郁不乐、善太息、饮食不香等是"肝气郁结"所致。其"郁结"即是肝气不及。而"痛泻要方"证的腹痛、泄泻、肠鸣等就是"肝气横逆"乘克脾土的表现。横逆者，肝气太过也。又如"温胆汤"证的脘痛、嘈杂、泛酸，甚至呕吐酸苦、睡眠不安等，一般称为"胆胃不和"，其实是由于"胆热太过"影响了脾胃。"温胆"者，以竹茹、枳壳清其胆热，二陈和其胃气。"胆气郁结"也能影响到脾胃，如患黄疸病胆汁不能正常排泄，胆汁溢于皮肤，因而出现纳呆、厌油腻、大便秘结等。"茵陈蒿汤"用茵陈疏利胆道，大黄降其胃气，就是此意。

在木克（乘）土的见证中，首先必须分清肝木乘土的主从，一种是由肝气横逆而乘克脾土；另一种由脾虚而招致的肝木来克。前人有“实则乘其所胜或反侮其所不胜，虚则所胜乘之或不胜反侮之”之训。因此，在临床上非辨明主从不可。“木乘土”之证，有的是由“肝实”而乘脾土，其主要矛盾在“肝实”，有的是因为“脾虚”而招致肝木来克，其主要矛盾在“脾虚”。

由“肝实”而致木克（乘）土之证，其脾未必即虚，而由“脾虚”所致者，其肝木未必横逆。因此，在治疗中应用“扶土抑木”法时，“扶土”和“抑木”应各有所偏重。如以“肝实”为主者，其治应重在“抑木”而佐以“扶土”，若以“脾虚”为主者，则应重在“扶土”而佐以“抑木”，所以，一般统称为“扶土抑木”是不够确切的。

“抑木扶土”的代表方剂可谓刘草窗的“痛泻要方”。方由防风、白芍、陈皮、白术四药组成。其中防风、白芍敛肝，陈皮则理脾胃之气，这三味药均无“扶土”的作用。“扶土”之药只有白术一味，从这个配伍来看，可知此方是以“抑木”为主的方剂。从其主治的腹痛、泄泻、痛则欲便、便则痛减、肠鸣、脉弦见于右关等来看，都是一派肝气横逆乘克脾土的表现，脾土受害是很明显的，但并无虚证，因此，该方是以“抑木”为主。因为肝实乘脾，最后可能导致脾虚，故佐以健脾祛湿的“白术”，以防脾虚发生。

如由于“脾虚”而招致“肝木”来克的“木克土”，使用“痛泻药方”就不适宜了，而应以“扶土抑木”的黄芪建中汤为宜。方中以黄芪、甘草、大枣、桂枝、饴糖补脾建中，而佐以抑敛肝气的白芍，正符合“扶土”为主，佐以“抑木”的原则。所以，在临床上对“木克土”的辨证施治要慎重从事。

养生静坐法

彭静山

练气功有各种方法，而养生静坐法是清朝沈三白学习运用苏东坡的经验而创立的调息静坐法。

余每日静坐数息。调息之法，不拘时候。下身端坐，摄身如木偶。解衣缓带，务令适然。口中舌搅数次，微微吐出浊气，不令有声，鼻中微纳之，或三五遍，有津咽下，叩齿数遍，舌抵上腭，唇齿相着，两目垂帘，令朦胧然，渐次调息，不喘不粗；或数息出，或数息入，从一至十，从十至百，摄心在数，勿令散乱，子瞻（苏东坡）所谓随也。坐久愈妙。若欲起身，须徐徐舒放手足，勿得遂起。能勤行之，静中妙趣，可以全神，自能养生。

漫话养生延寿用药

杨书章

养生学说在我国有悠久的历史。如何延缓衰老，保持健康长寿，这是医学领域里的一门科学，它包括防病、保健、生理、病理以及药物学等内容，把防病、治病、强身、延年四个方面统一起来，这是个很大的特点。健康长寿与早衰夭亡多是依存于先天禀赋形体之强弱，但虽有优越的先天禀赋条件，在后天数十年的漫长岁月里，不善于养生防病，也难免于早衰或夭亡；而先天禀赋条件差的人，只要后天善于调养，注意精神生活的养生、饮食营养的调补，注意节制不良嗜欲，锻炼形体功能，以及早期用药物滋培，仍然可以强身延寿。

人的一生有发育期、成熟期、渐衰期和衰老期四个阶段，四十岁初是渐衰初期，在此以前而见衰老，可称之为早衰，早衰亦属于疾病之先兆。欲治未老早衰，必遵循祖国医学理论。《素问·四气调神大论篇》说："不治已病治未病，不治已乱治未乱""夫病已成而后药之，乱已成而后治之，譬犹渴而穿井，斗而铸锥，不亦晚乎"。这种防重于治的思想，在医疗实践过程中，收到显著成效，不仅创造出一套具有我国特点的养生方法，而且其中有不少已进一步成为后世治疗疾病的有效措施。这里谈的治未病，就是在未衰老之前适当服用一些药物，以防止早衰而延长寿限。在历代文献中，确有很多养生防病滋补方药，其主要作用是补元阳，活气血，健脏腑，多以滋补先后天精气为主。但已衰而服，不亦晚矣，因之收效较少，甚至全无效果。早期用药物滋培，就是在渐衰期之始，每年春季服用经余验证的方药——五中颜止丹。服用40天，连服3个春季。方名五中颜止丹，是因药效而命名。五中，是滋补五脏中的精气；颜止，是使颜面气色停止在壮年面容较长一段岁月，而不致过早苍老。其方剂组成：丹参、茯苓、茵陈、黄精、何首乌各等份，为极细面，水泛小丸，如绿豆大，日服2次，每服10g。

方中取丹参入心经，滋营心血，通脉活络，可防心脏疾病；茯苓味甘性平，入心、脾、肺经，兼补肺气，肃化津液，增强气化功能，可防气阴损伤，又令气机宣畅；茵陈入肝经，清肝利胆，加强肝的疏泄功能，可防肝阳偏亢从而平衡阴阳；黄精入脾经，补益脾胃，增强吸收转输功能，可防慢性消化不良从而补中益气；何首乌入肾经，滋肾益髓，填精补脑，可防肾的虚衰而令精充神全。总之，早期用此药，有补益五脏精气，防止因慢性疾病所致的早期衰老，从而达到延缓衰老、强身延年的效果。

人到五十岁初，每年冬季服用补益精、气、神之丸药，服用两个月，连服三冬，晚年就再不需服用其他药品。这样，除了暴病恶疾及由于精、气、神的突然阻闭而引起的猝死以外，一般是能够延长寿命到自然老死的。

处方：黄芪750g、何首乌50g、冬虫夏草20g、枸杞子100g、淫羊藿叶（酒制）100g、熟地黄100g、神曲40g、丹参200g、巴戟天100g、肉苁蓉100g、麦芽50g、红花50g、生地黄100g、广砂仁20g、五加皮100g、乳香40g。

先以适量水煎黄芪3次，去滓取汁再浓缩至少半数，下群药加热，使黄芪的浓液完全吸着于群药之内，无汤为度，晒干，共为极细面，炼蜜为丸15g重。日服2次，每次服1丸。

养生之道，就是对人体精气神的蓄养法则。精是基础，气是活力，神是主导。服用是药确能滋补肾精、培补元气、聪明神志，使老者生机稳固，益寿延年。

阴火新解

|南　征|

李东垣在《脾胃论》中曰："脾胃气衰，元气不足，而心火独盛。心火者，阴火也。起于下焦，其系系于心，心不主令，相火代之，相火，下焦包络之火，元气之贼也。火与元气不两立，一胜一负，脾胃气虚则下流于肾，阴火以乘其土位。"可见东垣所谓之"阴火"是虚火，是离位之相火，是包络之火，是指心火，也是指元气之贼的阴火。阴火之机制如何？其关键在于"脾胃气虚"。脾胃气虚，一者本脏气虚，即中焦脾气虚，导致脾胃之功能失调，脾气不升，胃气不降，中焦停运，清浊相干，元气不行，日久化火，火性炎上，上冲为太阴脾经之火；二者，脾气不升反而下陷，下流于肾，肾之阴阳失调，相火离位而上冲，成为足少阴肾经之火；三者，元气不足，土不制水，水湿泛滥，阴盛逼阳，相火离位，离位之火，上行于胸，相连于心包络，成为手厥阴心包络之火。这种起于足少阴肾，固于足太阴脾，紧紧相连于手厥阴心包络之三阴有关的阴经之火叫做阴火。故东垣治疗阴火，不用清法，而用甘温除热法，方用补中益气汤。此法已成为祖国医学治疗阴虚发热之大法。我曾遇一女性患者，发热3个月，用青霉素和链霉素无效。就诊时症见发热汗出，头胀痛，无恶寒，劳累后加重，素易感冒，心悸气短，怕冷喜热饮，胃脘胀满，时有便溏，舌质红苔薄白，脉虚而无力。余认为该患者发热日久，既无表证，又无里实证，而怕冷气短，劳累后加重，素易感冒，此乃气虚发热，可用甘温除热法，投补中

益气汤原方 10 剂，热退，症状消失，病愈。

东垣之“阴火”论，实为经验之精华；其甘温除热法，确系行之有效之大法；补中益气汤，则更具有妙手回春之力。

五脏生理制约小议

任继学

人体内脏正常生理上的制约关系，可以维持生长变化之机。如：

肝得肺之阴精、津液以养其体，则阳气得润，动而不热，肝火不亢；得肺清阳收敛之气，则肝阳动而疏泄功能受约，使其发挥温柔和缓之力，以达上升下降之能，此谓：“制则不横泄”。

心得肾之阴精以养其体，则心阳得滋温柔动而不越，能推动血液循行于机体内外、上下、左右，此谓“制则不致涣散”，即心肾相交之意。

脾得肝阳之气，以借其疏泄之机，促使脾阴得肝阳之宣动，而健运之机旋转，以运输水精上下循行，此谓“制而有动，动而不郁”。

肺得心阳之煦，以济其用，则肺阴化气，呼吸得行、津液得布，营卫得以循行机体上下、内外，此谓“肺阴得制，则下降之令得行。”故制则生化。

肾得脾阳之助，以填命火，则阳能化气，开合功能得利，水液代谢得畅，不能泛滥无归，此谓“制有所防而不滥。”

医暇随笔谈脑神

杨书章

脑者神之府，是人的神志思维的发源地，《颅囟经》说：“太乙元真在头，曰泥丸……”。《黄帝内经译释》词释：“太乙元真即脑神，泥丸宫即脑室”。脑神是指人的精神、意识、思维活动及这些活动所反映的聪明智慧而言，是大脑功能活动的表现。古人由于受科学发展水平所限，把大脑对客观事物而发生的思维活动，说成是与心有关，故有“心藏神”的理论。心脏的功能，是推动血液在脉管内运行以营养全身各组织器官，心主血脉，非神之所在，何能主司神志思维，发挥聪明智慧？实则主神者当属脑髓，脑髓与意志相连，构成人体主宰系统，凡属思想、意识、情志、记忆均由脑神主宰。脑神生成的物质基础，来源于父母先天的肾气，随着父精母血的媾合，胚胎的形成，生命的产生，脑神亦同时得到孕育。《灵枢·经脉》篇说："人始生，先成精，精成而脑髓生"。《灵枢·本神》篇又说："故生之来谓之精，两精相搏谓之神"。这就是说，生命的来源，是基于阴阳两气相交而产生的物质——精，精即胚胎，由精发育而生脑髓，肾气之精与水谷之精两精结合，成为生命的活动力谓之神。脑为髓之海，髓海在先天的基础上，不断得到水谷精微的培养，因而能与生命长存。神离不开形体而独立存在，故有"形者神之质，神者形之用"的理论，也就是脑者是神之质，神者是脑之用的道理。脑髓是神的物质本源，全神是脑的功能表现，有物质才有功能，它是随着胚胎而逐渐成长，到气血和、营卫通、五脏成的阶段，脑神亦跟着生成，其虚灵之精一直到足月分娩出生后，才有良好的生活能力，如吮乳、消化、啼哭等，这些功能仍属于低级的本能活动，至于更高级的精神活动，是随着身体组织器官的发育，特别是大脑神志的发育健全，才能逐渐由低级到高级，从简单到复杂地进行神机活动。神机发自于脑，是人类精神活动的源泉，其最高调节功能，是通过大脑来统帅、支配、协调身体各部的生理功能，调节七情的变动，而对感觉、印象，通过记忆，使之准确而不散，保持机体内部与外在环境的协调统一，维持"人之常平"。意、志、思、虑、智是脑神活动的一部分，有所动机而未见诸行动的叫做意；立意已定，有所专注并决心去作的叫做志；有了立志和决心，为了付诸行动，进行反复思考的叫做思；思考的进一步深化，由近及远地作深谋远虑的研究叫做虑；考虑成熟，定出处理方法，虑而后动处事灵巧叫做智。这些变化活动，虽各有区别，但总的还是大脑分析综合神机活动的作用，是谓之脑神功能，从而构成人的精神生活全貌，为人身之全神也。

漫话升降开阖

王廷璋

升降开阖之说，《灵枢》《素问》早有阐述，而《周易·系词》也有"阖户谓之坤，辟户谓之乾，一阖一辟谓之变"之说。升降之理，首先见于《素问·六微旨大论篇》，如曰："非出入则无以生长壮老已，非升降则无已生长化收藏。"可见升降开阖之说，既有医理之内容，又有哲理之所指。从医理方面来看，升降开阖之说，可有生理、病理、治法各方面的含义。就概念而言，所谓升降，当包括生长、增加、合成、上升、发散、前进以及衰退、减少、分解、下降、后退等诸多方面。例如饮食的出入，脾胃的升降，体温的高低，血压的升降，脉象的浮沉，气血的衰旺，治疗的升提与降逆等等，均有升降之理。其中开阖之机与升降出入，不可分割。故张景岳说：“开则从阳而主上，阖则从阴而主下。”而在《灵枢·根结》篇中，对开阖之理，立论尤精。五脏六腑，有开阖枢，阴阳相移，一辟一阖，知开知阖，把握枢要。开阖之妙，相反相成，枢为枢机权衡。开可以推陈，阖可以致新，一辟一阖，生生不息。运用升降开阖之理于临床治疗中，代不乏人。李东垣注重升阳补中，创有补中益气、升阳益胃诸方，堪为后世法。而李时珍则强调开阖论治，如曰：“仲景地黄丸，用茯苓泽泻者，乃取其泻膀胱之邪气，非引接也。古人用补药必兼泻邪，邪去则补药得力，一辟一阖，此乃玄妙，后世不知此理，专一于补，所以久服必致偏胜之害也。”这是应用开阖论治的典范。多年来我根据五脏者藏而不泻，六腑者泻而不藏之理，以及脾主升清，胃主通降之义，在临床之际，对慢性胃炎、胃下垂、慢性肝炎、胃肠功能紊乱、慢性胆囊炎、慢性胰腺炎等脾胃证候，常用升降开阖法，收效甚佳。举例来说，患慢性胃炎或胃下垂时多有中气下陷、脾虚胃弱、心下痞满、腹胀少食、水气内停、漉漉有声、腹满喜按、形体日瘦、脉沉无力、舌苔白腻、大便稀溏或虚秘等证，单用补中法往往壅滞，中央不运。四肢不举，中焦不化，血无以生，火不生土，胃气一败，百药难施。当此之时，急宜补脾益胃，升清降浊，开阖并用，其效必佳。在遣方用药时，可加用通降开气之药，如木香、砂仁、枳壳、槟榔、紫苏子等品以开之降之，以通为补，以开济阖，相反相成，互为利用，是为升降开阖之妙。它如肾为胃关，主司开阖，把握关门户枢，尤为关键。关门之中，内为气海血海，把握气血开阖，肾关开阖得宜，推陈致新，故慢性肾炎，补肾泻邪，开阖并用，其他如治疗心衰、胃炎、肝硬化等病时，均常用开阖之法，收效甚佳。因之乃有得于心，故论之如斯。

生血之源的管见

任继学

人出生后，造血之源究竟是来源于心、脾、肝，还是来源于肾和髓的问题，至今尚未很好地加以澄清。因此个别不了解中医的学者，就造血之源是本乎心与脾，而有不正确的看法。笔者为了纠正对上述问题的不正确看法，特对中医的造血之源提出管见，供同道们斧正。

中医认为由胚胎至初生前，血液生成之源是由心、脾完成的，即古人所谓：“血生化于脾总统于心”也，盖人生后它的造血过程是：“中焦受气取汁、变化而赤是谓血”。此处中焦是指脾胃而言，就是说饮食入胃，经过胃的腐熟、消化、分解，转化出水谷精微物质，借脾的转输之功渗入营血。其浊气（精微）归心，再由心运送至肾，即肾受五脏之精而藏之，肾精得脾胃之精充养，则肾精充足，精足则生髓，髓得命火之温润，相火之温化，则精髓生化出赤液而为血，血之所以色赤是因为火色赤使然。故李中梓曰：“血之源头，在乎肾，气之源头，在乎脾。”林佩琴亦曰“禀水谷之精华，出于中焦，以调和五脏、洒陈六腑者，血也，生化于脾，宣布于肺，统于心，藏于肝，化精于肾。”黄宫绣曰：“肾中之水……泌其津液、注之于脉、……周流一身为血，则是肾中之水实为养命之源、生命之本。”即是上述之义。因而在临床上治疗血虚病、血泣病，主要关键在于补脾益肾、益气养血，同时也应注意治本病：“补不在水而在火”。所以药用紫河车、鹿角胶、龟版胶、白术、茯苓、牛髓、鹿骨髓、巴戟肉、白何首乌、山茱萸肉、仙茅、熟地黄、黄精之类治之，就是上述道理。

“怒则气上”琐谈

查文安

怒而成病，诚属多见。《内经》曰：肝气实则怒，怒伤肝；暴怒伤阴，盛怒者，迷惑而不治；甚则大怒则形气绝，而血菀于上，使人薄厥。历代医家，亦无不戒之以怒。因怒而头痛眩晕者有之，因怒而不思饮食者有之，甚则因怒致中风或心痛而一蹶不振者有之。尝治一王姓患者，素有胃疾。某日因其子违教，匿事招祸，盛怒之下，饮酒数盅。旋即呕血不止，约盈一盏，面色顿现苍白，头晕目眩，脉见细数，时有昏厥之势。急予生大黄粉6g，以少许淡盐汤冲服。以后每次3g，日3服。嘱之以恬情畅性，静卧禁食。次日患者畅行黑便3次，又次日便色转黄。停服上药，再予归脾汤化裁，历二旬患者面色转润，胃痛亦告消失。盖肝火大作，怒则气上，酒性慓疾，血随气行，血之与气，并走上逆则伤肝动血，是以骤发呕血。大黄直折气火，导气下行，清血行瘀。

由是观之，怒之为害可谓之矣。故《灵枢·本神》篇有论曰：“故智者之养生也，必须四时而适寒暑，和喜怒而安居处”。

然而，怒乃人之常情也，即所谓肝在志为怒。若永不生怒之人，反失生理常态。路遇不平，谁不愤恼？外霸犯我，能不满腔怒火？观岳飞之“怒发冲冠”，鲁智深之“怒打镇关西”，鲁迅之“怒向刀丛觅小诗”，均以怒气伸张正义。医史上尚有名医文挚激怒齐闵王，华佗激怒一太守，均以怒气治愈其顽疾之例。可见怒之为用大矣哉，此又不可以无怒矣。总之，怒可致疾，然未可因此而“遇事莫怒”；怒可致用，亦未可因此而动辄生怒，要以理智处之。

“思则气结”小议

查文安

事物均含阴阳刚柔、动静缓急之道。体之劳作，神之思虑，均需劳逸适度，否则可致气耗气结之变。《素问·举痛论篇》云：“思则心有所存，神有所归，正气留而不行，故气结矣”。此言凡沉思之际，必境寓静谧，身安心静，方能思想集中，思绪条理，思考切当，进入深思熟虑之境。然则久思久静，必致气之留而不行，血之壅滞不畅，血郁气结，着而为病也。

思维者，人类特有之功也。“心有所忆谓之意，意之所存谓之志，因志而存变谓之思，因思而远慕谓之虑，因虑而处物谓之智”（《灵枢·本神》篇）。故“思则气结”未可概全也。细辨之，有因学而思，因业而思，此二者若非过思，于身无害。有兴趣所向而思，犹如娱乐，可裨益身心。若因忧而思，或有妄思，则于养生大忌矣。

试观动乱之秋，无辜受冤者，大多忧心伏案冥思，百思而又不得其解。当此之时，往往气结伤脾，食少成疾，甚或因疾含冤长逝。至于妄思胡想者，害亦匪浅。正如《素问·痿论篇》所言：“思想无穷，所愿不得，意淫于外，入房太甚，宗筋弛缓，发为筋痿及为白淫”。此言胡思而淫乱伤精者，可致筋痿滑精或带下等症。

是故人不可不思，贵在适度。摒弃忧思，力戒妄思，方为智者养生之道也。

“邪之所凑，其气必虚”小议

黄永生

这句话首见于内经《素问·评热病论篇》。凑，聚集接近的意思，凡是引起机体阴阳失衡的各种因素都称之为“邪”，而各种因素之所以使机体的阴阳失衡，是因为机体内的某处存在这种因素能够聚集和停留的环境，这个环境就是所谓的“虚”。根据这一理论，就能清楚地把祖国医学的六淫七情等致病因素作用于机体而产生不同的疾病加以理解。

就内科疾病中同是湿热这一因素就可以产生好多种不同的病证，如湿热蕴于脾胃可发生黄疸、胁痛；湿热结于肝脾可发生臌胀；湿热结于大肠可发为痢疾、便血；湿热结于膀胱可发为淋证；湿热下注扰动精室可发为遗精；湿热浸淫筋脉，使筋脉肌肉弛纵不收可发为痿证；湿热蕴积肠道可发为虫证；湿热阻于腰部经脉而发为腰痛；湿热内蕴，上蒸于肺，再感外邪（风热病毒）可发为肺痈；湿热结于胃肠可发为湿阻、泄泻等等。虽然湿热之产生有外感、内伤的不同，但同是湿热之邪，在体内却可引起不同病证，究其机制，皆可归咎于“邪之所凑，其气必虚”也。

治病之要，贵在辨证

| 李兴培 |

昔年笔者曾遇一例“慢性咽炎”之男性农民患者，检阅罹病半年来的病志，历用青霉素、链霉素、四环素及土霉素等西药，中药则或养阴清热或苦寒直折，皆无寸效。彼时虽值炎夏，然患者仍着绒衣、绒裤。细询尚有畏寒肢凉，乏力思睡，舌苔薄白，脉沉细弱，遂断为少阴咽痛，疏以麻黄附子细辛汤。未及两旬患者告瘥。若不细加辨析，死于“炎”字下，再施苦寒重剂，一误再误，后果势将难以设想。

笔者又治一例反复血尿达 4 年的男性患者，所服中西药不少，遍阅中药处方不越滋阴降火、补气收敛，后又进利尿通淋止血方数帖。症兼右侧腰痛，尿时频痛，舌淡红苔薄黄，按下焦热结投小蓟饮子化裁，罔效。复加生蒲黄、花蕊石化瘀止血，患者尿血更甚，且夹有大瘀块，多所滞碍，痛苦不堪。尿三杯试验：全程血尿。余细加思忖，前贤有言：“见血休止血。”今患者尿出大量血块，示离经之血殊多。瘀血不去，焉能复还故道？病势如此急迫，岂容稍存懈怠！径投王清任少腹逐瘀汤增损（当归、川芎、没药、赤芍、延胡索、生蒲黄、炮姜炭、醋五灵脂、川牛膝、地龙）。3 剂未效，原方佐太子参 60g、黄芪 30g 补气摄血。2 剂后患者血尿减，再剂后白天尿清澈，早晚仍尿血，旋即改投血府逐瘀汤。服 3 剂，患者即肉眼血尿消失，除感乏力及腰部微痛外，余无不适。尿检：蛋白微量，高倍视野红细胞 10 ~ 12 个。因静脉肾盂造影见右侧肾盂充盈缺损，疑占位性病变而转泌尿外科。手术证实为右侧肾癌。是例尿血块频多，显系瘀血使然。倘揖让救火、优柔寡断，势将贻误病机。肾癌自非短期治疗可以为功，但能消弭其至为苦恼之肉眼血尿和血凝块，吾人孜孜于辨证论治收益匪浅。

有鉴于上述实例，余益加笃信辨证论治乃祖国医学治疗学之精髓和灵魂。即使若干年后中西医学合璧，形成新医学，它仍将是诊断学和治疗学的重要组成部分，永远闪烁着耀眼的光辉。

时间医学临床运用谈

高玉琽

时间医学在我国有悠久的历史，在经典著作中亦有比较详细的论述。《灵枢》认为一年之中日、月与周天之星辰，相互呼应，阴阳昼夜与人体经脉循行一致。至《伤寒论》问世，其中亦有关于时间对疾病预后之记载，如“太阳病欲解时，从巳至未上”；“阳明病欲解时，从申至戌上”等等。自金元之后，时间医学在诊断与治疗上应用更为广泛，如《针灸大成》十二经络地支歌“肺寅大卯胃辰宫，……”用时间诊断脏腑疾患是有实用价值的。余临证时，对于定时发病之患者，即根据其症状与发病时间确定治疗方法。

1976年10月曾治一武姓患者，左侧胁痛两年，每于夜间两点半钟从睡中痛醒，到天明疼痛自然缓解，常年如此。大便稍干，日行一次，脉沉弦，舌质暗红苔白。胁肋属于肝经之循行部位，夜半两点属于丑时肝经当令，因其肝经邪气亢盛，气机不畅故疼痛。奈因丑时治疗不便，在患者就诊之巳时，选取肝经原穴太冲，用泻法留针30分钟。数月后此患者又来就诊，云上次针后，痛未再作，昨日忽然又发，故来求治。复针上穴，手法同前。后于1980年在路上相遇，询其病情，言经第2次治疗后，病未再发。

此患者疼痛有时间性，故根据脏腑气血流注次序取穴治疗，从而收到较好的效果。

诈　病

傅国治

张景岳曰：“夫病非人之所好，而何以有诈病？盖或以争讼，或以斗殴，或以妻妾相妒，或以名利相关，则人情诈伪出乎其间，使不有以烛之，则未有不为其欺者。其治之之法，亦惟借其欺而反欺之，则真情自露而假病自瘳矣！此亦医家所必不可少者。”可见诈病并非今人时弊，而是古今通弊。对于诈病如何识别，如何处理？作为医者不可不晓。

癸亥年仲秋，某厂青工帮助收发室一老叟送冬贮菜，误工半小时，被车间主任罚款5元，该青工怒不可遏，大打出手。事后车间主任佯装腰痛甚剧，要求住院，门诊以腰痛待查收入院。住院数日，经多方面检查，各项检查结果均无异常，欲通知出院。翌日查房，车间主任主诉尿血，嘱其留尿送检，化验结果红细胞满视野。复详诊之，面无病容，六脉平和，因何突然尿血？余又检其尿常规，并密嘱其随行人员暗中监视，注意留尿时是否作弊？果然发现其留尿时，刺伤齿龈出血，将血混入送检尿中。余若当面直言，他必不肯认账，则正言厉色谓曰：因你突然尿血，经会诊系泌尿道严重损伤，脏器内出血，决定手术治疗。“患者”闻之，惊恐不已，方吐真情。

巳酉年孟春，余在哲盟巡回医疗，我们医疗队住在哲盟奈曼某卫生院，隔壁贾宅，婆媳不睦，其儿媳为人奸诈，虐待婆母，时常装疯佯痴。某日，余等往诊刚返回住处，闻贾宅呼喊救人，至其所，见其儿媳蓬头垢面。僵卧于地，两手紧握，双目不睁，牙关紧闭。余以手拭其鼻。气息如常，气口平和，脉不应证，虽然僵卧而四末不冷，双手握固而不挛急，复诊其脉，安然如故，余乃大声谓曰：此疾危厄，速用火针，艾灸十宣，如不醒是为服毒，可取狗尿灌胃解救。该妇闻之，长嘘一声，随即起坐，似泣似唱：我没病，不用针！我没病，不用针！余等归而笑议：对此等诈病者，以其人之道，还治其人之身，方能获针未行而病已瘳之效。

“有形者的痰”小议

葛武生

清代名医何梦瑶在《医碥》中说：“凡病有形者是痰，无形者是火，如红肿结块，或痛或不痛，皆形也，痰也。”又说：“头面颈项身之中，下有结核，不红不痛，不硬不作脓，皆痰核，脾肺气逆，痰滞于内，顺气消痰自愈。亦有郁怒伤损肝脾，血病结核者，宜养血清肝火。”此说甚合道理。余临床曾遇多例痰核患者，均按此法治疗而获愈。曾治一周姓妇女，臂上结核，形如鸡卵，在皮里膜外，不红不热已十余日，此为痰注经络所致。治以活络化痰，药用：白芥子12g、竹茹4.5g、赤芍4.5g、酒黄芩4.5g、炒瓜蒌9g、海浮石6g、连翘6g、三棱4.5g、莪术5.5g、杜仲4.5g、威灵仙3g、通草3g、生姜3片，水煎服，每日1剂。5剂服完即肿块全消。另一李姓妇女，59岁，自1980年10月始，发现前胸后背及面部有十余枚如豆粒状结块，逐渐增多加大，臂部亦出现，局部有酸楚感，伸屈受限，曾在本地几所医院治疗，其效不著。并伴有心烦、心悸、头晕等，舌淡苔薄白，脉右弦滑左沉细。1982年9月来诊，此为肝失疏泄，脾肺气逆，水湿不化而成痰，结于肌肤。给予化坚二陈汤合柴胡清肝饮加减，以疏肝解郁，涤痰通络散结。处方：柴胡10g、栀子10g、菊花10g、钩藤

10g、连翘10g、牡蛎12g、陈皮6g、清半夏10g、茯苓10g、白芥子10g、胡黄连6g、木通6g、蝉蜕6g、僵蚕10g、玄参10g、海浮石15g、甘草6g，水煎服，每日1剂，后随证稍有增损，共服药28剂，结块全部消失。

须发眉毛望诊琐谈

| 张金良 |

人之须发眉毛虽均属毫毛，因其所在的部位不同而命名各异。在头曰发，在目曰眉，在颊曰髯，颐下曰须，口上曰髭，统由心、肾所主。余临证过程中，细分析其变化，其中含有深刻的医理，值得研究和发掘。根据须、发、眉毛的变化，可以了解人之体力和智力状况，常可引导出诊断的线索。

须发的脱落，有肾虚、血热、瘀血之别。因于肾虚者，头发细软，干燥无华，呈均匀脱落，日见稀疏；因于血热者，血热生风，风动发落，大多成片脱落，头皮光亮，眉部微痒；因于瘀血者，血不养发，而见脱落，其症状特点为须发部分或全部脱落，日久不长，常伴有头痛、口渴、漱水不欲下咽、面色晦黯等症。

须发早白，有肝郁、肾虚和营血虚衰之别。因于肝郁者，多由忧愁思虑过度，或强烈的精神创伤，发失所养而变白，症见短时间内须发突然大量变白。因于肾虚，须发不荣而过早的变白，多见于中年以后须发由花白而渐至全部变白。因于营血虚弱者，须发失养而变色，其证须发多呈花白。

观察眉毛的情况而确定气血的盛衰由来已久，《灵枢·阴阳二十五人》篇有“足太阳之上，血气盛则美眉，眉有毫毛，血多气少则恶眉”的记载。毫毛即是指眉中的长毛，也就是俗说的长寿眉。恶眉，指眉毛无光彩而枯瘁。眉毛的分布情况，对诊断疾病也有特殊的意义。

如果眉毛干燥、无光、易折，或见不规则脱落，或外侧脱落明显，兼见面广唇厚，苍白虚肿，表情淡漠，智力下降，性欲减退，多为脾肾阳虚。如短时间内出现眉毛稀疏、脱落，可见于产后或男子阳痿等肾阳虚症状。

眉毛稀疏尤以外三分之一为甚，卷曲易折断，多见于失眠证，为精血亏虚的表现。

“证”“病”结合，相得益彰

贾卜斋

近年来，愈来愈多的应诊病人是经过西医诊断的，如何运用中医的理法方药正确对待和治疗这些疾病，即处理好“证”和“病”的关系，是需要研究的新问题。

证和病是中医和西医两个不同医疗体系对疾病过程的认识。各有所长，又各有所短。辨证和辨病相结合，绝不是按照西医的诊断应用中药，而是立足于中医的理论，发挥中医整体观念和辨证论治的优点，并且吸收现代医学对病因、病理的认识和科学的现代检查方法，帮助自己认识病机，观察疾病进退和疗效。因而对西医诊断的疾病，必须运用中医四诊，根据中医理法进行辨证，重新作出中医的诊断，也就是把疾病全过程的统一性和各阶段证的特殊性结合起来，既考虑到病的各阶段证的变化，在辨证的同时，又不要忽视病的本质。如冠心病心绞痛的治疗，中医是有自己的特点，就是从气血和脏腑相关的整体观点，进行辨证施治。《内经》云：“心得温则痛止”“寒则凝温则行”，遇寒而发的应用温通药其痛可止。《金匮要略·胸痹心痛短气篇》治疗胸痹心痛用了不少和胃的药。临床对不少患者餐后剧痛或餐后规律性发作的心律紊乱，用调整脾胃的方法获效。对心绞痛随情绪变化加重，两胁不适、憋闷不舒、脉弦者，用疏肝解郁、调整气机获愈。由上可以看出，如果能发挥中医的长处，又吸收西医的理论和心电图等检查方法指导中医治疗，便会相得益彰。余根据西医证明冠心病心绞痛的冠状动脉狭窄、心肌缺血这一病理，结合中医“不通则痛”的道理，于1972年便提出：活血化瘀、通脉的治疗方法，并在报刊上发表。尽管中医治疗方法很多，如益气、温阳、祛湿、豁痰、和胃调气等等，但着眼应该是“通”，在去除病因、兼证的同时，应配合活血化瘀药物。再如根据病毒性肝炎的病原是肝炎病毒这一事实，自1965年起便于治疗各型肝炎的基本方剂中，加入金银花、蒲公英。多年的实践证明这对缩短疗程、降酶确有很好的疗效。在临床中多次治疗一些疑难病症如艾森门格综合征、特发性肌萎缩、深部血栓静脉炎、再生障碍性贫血等，都是采用辨证和辨病相结合的方法而奏效的。

绛舌小议

肖永林

叶天士说："其热传营，舌色必绛。绛，深红色也。"（《外感温热篇》《温病学》三版教材），在该条的释义中说："温病邪热传营，舌色必现深红的绛舌，这是营分证的一个辨证关键。"这是对的。但现在中医界有一种说法，认为邪在营分，舌色必绛。意思是，舌绛就是营分证独有的舌象。实际并非如此。关键在于搞清绛舌与营分证的关系。

温病邪热入营，出现绛舌，这一般是无疑的。但绛舌并非为营分证所独有，患其他证时也可出现。当温邪初犯卫分时，舌色就开始变红，随着病势的深入和热势的加重，舌色必然加深，由红舌转为绛舌。即或邪在气分，尚未入营，其舌质亦往往变深红（绛）。只不过邪在气分时，由于舌苔布满于舌面，与邪热入营之绛舌无苔者不同而已。

舌绛而上有苔垢，有营分证兼见卫分证、气分证者，也有全非属于营分证者。如阳明燥热亢盛时，舌质多呈绛色，只不过舌上苔色或黄或黑，且焦干燥裂，甚或起刺罢了；湿热证中湿遏热伏，郁蒸气分时，常出现绛舌上罩有白腻苔垢；湿热疫邪伏膜原，其舌象之特点往往为白苔厚腻如积粉而舌质紫绛，此证完全属于气分证。当其伏邪溃后，或游溢于三阳之经，或里结于阳明胃肠而为阳明经、腑证，方可用白虎汤、承气汤治疗。及至于此，也还是气分证，可想而知，当邪在膜原时，虽舌质紫绛，也不过由于湿遏热伏而已，与营分证毫无关系。

舌绛无苔，虽为营分证的主要舌象，但也有不属于营分证者。如镜面舌，虽舌色红绛，光亮如镜，却非营分证之舌象，而为胃阴亡之表现，温病中固可见到，杂病中亦不少见。治之，只需滋濡胃阴，无需清营泄热。再如肾阴耗竭者，常出现舌绛不鲜、干枯而萎的舌象，亦与营分证无关。

总之，热邪入营，舌色必绛。但绛舌的出现，不论有苔无苔，并非营分证所独有。辨其是否属于营分证，应根据各种临床表现综合判断，不能只根据舌绛这一点，始较全面。

脉诊一得

韩学信

洪脉的脉象在指下感觉是极其粗大的。它的搏动在来时显得充盛，去时则是缓缓减弱。《脉经》形容洪脉“指下极大”，《素问》形容洪脉“来盛去衰”。伤寒阳明经证及温病气分阶段，多能见到洪脉，故凡见洪脉之出现，其病多主阳盛火热，在治疗上应当清凉泻热，首当重用石膏。

本人在临床上每遇到诸多杂病而见洪脉者以火热论治，常获得桴鼓之效。曾治一女患者，来诊前8天全身瘙痒，继则颜面、四肢、全身遍出红疹，大小不一，奇痒难忍，搔之则溃烂流黄水，进一步全身肿胀，尤其颜面肿胀特甚，目肿难睁，十指肿得不能握物，皮肤呈紫红色，唇肿高凸。西医诊断为“过敏性皮炎”，给予“钙剂”及其他药物治疗4天未效。患者求治于余，经查六脉洪大，舌质红，口干，溺赤便秘，以脉证相参，系湿毒热郁，治当清热利湿，拟防风通圣散加减：防风10g、荆芥10g、麻黄10g、赤芍10g、连翘15g、川芎10g、当归10g、生石膏30g、薄荷6g、苍术10g、蝉蜕5g、浮萍15g、滑石15g、黄芩15g、甘草10g，水煎服，2剂。

上药煎服1剂后患者痒止，水疱已平塌，能安睡；2剂后肿尽消，水疱结痂，肿退后，遍身遗留白屑，层层下落，原方略有加减，再投2剂，患者已康复如常。

本例仅用药4剂，5天治愈，揣在辨证明确。本例辨证要点，在于六脉洪大，口干舌红，溺赤便秘。

回忆1963年冬，某综合厂干部赵某，患剥脱性皮炎，其症状较上项病例还要严重，屡用西药无效，且日趋严重，后来我院门诊时，已遍体流水，几无完肤，当即收住院治疗。笔者当时阅历未深，但病人要求甚切，不得不勉为治之，查其六脉洪大，口舌均呈一派热象，经再三考虑，决定凭脉用药，投予大剂量白虎汤加减：生石膏60g、山药30g、知母18g、苍术13g、薏苡仁30g、蛇蜕3g、浮萍15g、黄柏15g、甘草6g，水煎服。患者服两剂后肿消，水疱结痂，热退，安睡；按原方再投两剂，患者除遍身遗留白屑外，余则健如常人，再服调胃养阴之药数剂，病愈出院，共计9天。

需要说明，洪脉按阳盛火亢论治，这是言脉证之常，然则病有宜与不宜者，辟若虚劳、失血、泄泻诸病脉应为小弱，反而洪大无力，为脉症不符，也就是正虚邪盛的征象，这种脉往往容易发生骤变，治宜在养血、止血、止泻的同时，重用参术补脾益气之品则脉自复。《素问·三部九候论篇》曰："形瘦脉大多气虚者死"。《脉诀汇编》曰："凡失血下利久嗽、久病之人，俱忌洪脉。"，所以在临证时遇见洪脉要通常达变，相机灵活运用，以策万全。

漫谈兼脉

|王廷璋|

诊脉是中医察病的重要手段，《内经》早有"微妙在脉，不可不察"等记载，张机有"平脉辨证"的条文，而王叔和复有"脉理浩繁，其体难辨，在心易了，指下难明"之说，在《伤寒论》中更有"观其脉证，知犯何逆，随证治之"的平脉辨证的精句。这一切都说明诊脉在中医临床诊疗过程中，占有极重要的位置。然而在临床平脉辨证过程中，常有因脉学不精，脉象定义不确，概念不清的情况。例如在某些杂志或教材中，不时可以见到在辨证时为使症与脉合，而随意套用脉象的现象。因之在介绍脉象时，常常出现自相矛盾的兼脉。如介绍病人患肝炎或肝硬化时，必套用弦脉，说脾虚时均为缓脉；不但如此，为了说明病人具有肝脾不和、气滞湿阻的证型时，多套用脉见弦缓之象；更有甚者，为说明证属肝强脾弱，不但套用兼脉，而且还把寸关尺肝强脾弱的相应特异改变机械地加以套用。例如某杂志报道治疗克隆病，为说明证属肝强脾弱，介绍病人："左关脉弦细数，右关脉柔软而弱，脉弦细数无力"云云，类似这种自相矛盾的兼脉，加上左右关脉的大相径庭，实在是使人陷入五里雾中去了。现在剖析一下上述的兼脉，何以自相矛盾。因为弦脉之象如张弓弦，紧张而有力，如弦绷紧，而濡弱之脉恰恰与此相反，乃是柔细而无力之象，一有力， 无力，如何兼见？至于所谓弦细数且无力云云，也就更不能自圆其说。查中医之肝病脉弦，多指肝气、肝风、肝火、肝阳上亢之经病而言，而不可套用弦脉必见之于肝炎或肝硬化之脏病。临床实践证明，肝之脏病，肝病传脾，腹胀食少，四肢无力，营血不足，气血虚亏，脉多沉而无力，濡弱之脉多见，有此病理改变，如何能见状如弓弦强而有力的弦脉呢？故在临床之际，应当认真体验脉象，从实际出发，不可削足适履，按图索骥，滥用兼脉，牵强附会，而套用脉象。

脉诊指法技巧小议

|张绚邦|

中医脉象诊断是一门精深的科学。它的全部实践，来自医生手指切按病人

脉搏时指下的触觉变化。如何运用一定的技巧，获得灵敏的指感，以辨别各种脉象的变化，就称为指法。如同乐师操纵胡琴，脉诀脉理好象乐谱，指法技巧好比持弓运指。乐师只记曲谱，不擅持弓运指，绝不可能奏出动听的乐章；医生只知脉诀文字，不谙指法技巧，也不可能正确体会指下真实的脉搏形象。所谓“心中了了，指下难明”，只知理论，缺乏实践，就像古人告诫的“熟读王叔和，不如临证多”一般。

初学脉诊时，运用三指诊脉，通常的流弊是“四误”，即“定位不准，指目不清，移指太乱，指力不匀。”而指法实践的技巧要领是“四要十六字诀”，就是“布指要准，指目要清，移指要密，指力要匀，”试分析之：

1. 布指要准：正确的布指定位是取得正确脉象数据的先决条件。以寸口脉为例，诊脉下指时，首先以中指指端对向掌后高骨（桡骨茎突）以确定关脉的位置，随后食指在前为寸脉，无名指在后为尺脉，若上下之部定位不准，则不能获得正确的脉象概念。

2. 指目要清：布指定位后，须设法用医生手指最灵敏的部位去体察病人的脉搏波形变化。指目，就是指端感觉最灵敏的部位，好像人的眼睛善于识别，所以叫指目。指目的位置前人各说不一，我认为有二：其一，是指端最前缘切线；其二，是指甲两边前角连线处，相当于指端螺箕纹稍前部分。二者各有所取，前者适用于诊取阴类脉象如沉、细、涩、虚、弱及应指不清之脉，后者适用于阳类脉象如浮、大、滑、实、弦及应指充盈之脉。如指目运用不清，反以手指感觉迟钝部位去切取脉象，又怎能得到正确的答案？

3. 移指要密：诊脉时，常须挪移切脉之指，挪移手指时，宜上下依循，指指相移，细细体会，不可跨越跳跃。我的体会是上下指指相移时，寸关尺三部鸡啄式换指更替（指指交替，节奏轻柔明快），若跨度太大，移指太乱，则难辨上溢（过寸上鱼际）下垂（过尺部本位）之脉，且不易潜心静志，细细体会指下脉象的变化。

4. 指力要匀：轻取为举，重取为按，一指持脉，两指虚悬不离肌肤，为单指；三指齐下为总按。指目顺应脉波动势，左右微微推动，谓之推；静息停指体会，谓之持；举而复按，按而复举，抑扬反复印证，谓之操纵；三指轻重依次相倚，由寸至尺渐举为俯；由寸至尺渐按为仰。凡此种种，下指切脉时，三指指力轻重或同或异，应随机变换，调匀而处。若下指指力不匀，则独大，独小，三部九候的不同变化必难区别清楚。

数脉不尽主热

王德安

"迟寒数热"似乎是定论，岂不知，寒证、虚证见数脉者，亦屡见不鲜。如表寒可见浮数；里寒之少阴寒盛，可见沉微细数；阴竭于下，可见沉数细涩；阳浮于上，可见浮数空软；精血耗甚，元气虚极，可见六脉无力之极数脉。又如，现代医学之窦性心动过速，还有长期服用激素类药物产生应激反应而出现的数脉，既没有实热的体征，也没有虚热之表现，而是由元气亏虚所产生的一派虚寒象。余常应儿科邀请会诊，所见之肾病综合征患儿，多有长期服用激素类药物后产生应激反应而出现沉微细数脉，其表现的证候，多为脾肾阳虚之寒证。故统言数脉主热，实属片面。仅举一例，以见一斑。曾治李某，男，13岁。患儿于1979年患肾小球肾炎，1982年11月在我院儿科住院，诊断为肾病综合征、氮质血症。住院两个月，病情不见明显好转，请笔者会诊。查患儿脸如满月，面色皖白，畏寒怕冷，四肢欠温，恶心呕吐，头晕目眩，纳呆脘胀，身重倦怠，便溏尿频，腰酸痛，无浮肿，舌淡胖大，苔微腻，脉沉微细数。按其脉症相参，病属虚劳、关格，位于脾肾三焦，证似脾肾两虚，阳气虚衰，浊邪壅盛，侵犯三焦，以致正气不得升降。此证之脉数为服激素类药物后的反应，非真实的脉象。此病证情复杂，本虚标实，虚实交错。急则治其标，投以温脾汤加减，攻下浊邪，温健脾阳。人参15g、炮附子15g、干姜7.5g、甘草7.5g、当归10g、半夏5g、生姜15g、黄芪35g、大黄15g。服上方，炮附子逐渐加量至每剂50g，黄芪最多每剂100g，大黄最大量30g。服药21剂，呕止，改用实脾饮以温阳健脾，加减化裁，守法用药4个月，至1983年5月15日痊愈出院。

舍脉从症之失

张廉卿

余阅古人医案，特别强调脉诊，从两手寸关尺，诊出病在何脏何腑；根据脉之动态，说明病因病理，其精其细，实堪钦佩。余临诊偏重于症，忽略于脉，曾因此导致治疗上的失误，至今耿耿于心，引以为训。

患者是一位老媪，年已72岁，患腹泻已两月之久，经中西名医诊治乏效。经其孙婿，邀我诊治，检阅前医方药，益气、升阳、升举、固涩，俱已用过，毫不见效。余观其形态，神色尚充；诊其脉，大而有力；察其舌，苔净不腻；询其饮食，稀粥素蔬；问其苦，进食即泻，起立欲泻，日夜泻下七八次。余以为年老久泻，虚证无疑，起立欲泻，显属气虚下陷，初用补中益气汤，加重其量。并用外治坐填法，用升麻、葛根、木香、麸皮研为细末，炒热置布袋中，乘热坐于其上，如得嗳气，便是见效。坐半小时，居然得嗳一声，患者大喜，因久不见嗳，得嗳则舒，次日如法而行，不再得嗳。患者厌汤剂水多，增加便次，于是改汤剂为散剂，意欲减少进水，岂知送散入腹，所进之水更多，便次增加，日有十几次，遂改方用赤石脂禹余粮方，预告服后可以止泻。服后果然泻止，但数小时之后，腹部膨胀，胸膈饱闷，极为苦恼，难以忍受，患者不得已解衣饮冷，求其泻下。泻下之后，才告舒适。患者信我甚笃，求我继续治疗，余则黔驴技穷，辞不复治。

两个月之后，其孙婿来告，老媪已故，并云媪之死于虚痨，遗有人参粉5磅，装在饼干箱内，媪背人而服，死后启阅，已空空无余矣，余闻此，恍然而悟，媪之病，误在服人参，医之错，误在以实为虚，回想治疗经过，得嗳舒快，止泻不适，即当从实考虑。特别是脉大有力，更当考虑为实。由于我重症轻脉，舍脉从症，以致造成治疗上的过失。

今写此则，一告同道，以我为鉴，重视脉诊；一告患者，人参补人，误服杀人。

回光返照小议

勾直平

回光返照或谓残灯复明，乃久病极虚、阴竭阳脱之兆。先贤告诫不可孟浪。若无经验初临病榻者，虽目睹回光返照之征，反不识其象之危。故医者必慎在辨也。

丁亥年秋，一妇中年病痢，四旬不已。医数易而无效，延至临危。诸医皆告即备后事。一日延余往诊。时余方初临证，趾高气扬，入室诊视，见患者面色苍白，目陷神疲，舌淡少津，下痢稀薄，滑脱不禁，日夜无度。旬余不进食饮，脉反虚大。此乃阴竭阳越之证。如此一派危厄之候，诸医均谓不治，余本当明告不宜遣方。然则不识危象，不辨真脏脉象，竟遣方投药，并谓翌日再诊。

次日往视，见病者由家人扶持而坐，朗声谈笑。并云服粥半盏。诊其脉虚大无根，命在旦夕，回光返照毕现。但余对此征兆不仅不识，反谓得效。无怪病家无知，欣喜若狂，误以为患者得救。继续投药。及至黄昏，药饵未服，绝命寿终。此所谓虽晓残灯复明之戒，却不明面临复明将灭之机。嗟夫！医者戒之在慎，吃一堑长一智，宁不为此而铭记哉！嗣后临证，每当疑难固宜审慎，就常见诸症亦三思而行。数十年间，对先贤告诫铭刻心中，或遇回光返照，记忆犹新，明告学者，不无裨益于后来。

明辨阴阳，不施尽剂 | 贾卜斋 |

疾病发生发展的根本原因在于阴阳失调，吾业师曾言："医者众多，真能辨阴阳者有几？有为医几十年不明阴阳者。"余初不以为然，认为师言过偏，自恃经言已背诵无遗，分阴阳何难。业医几十年，方感师言有据，辨阴阳难矣。因为发生疾病的过程是十分复杂的：病因有风、寒、暑、湿、燥、火、气、血、痰、食、虫、郁、疫疠、七情、劳伤之异；病位有表、里、卫、气、营、血、三焦、六经、脏腑之别；病性有寒、热、温、凉、燥、湿之分；病机有虚、实、盛、衰、出、入、升、降、进、退之不同；更有真热假寒、真寒假热、下虚上实、真虚假实、寒热错杂、宿疾新感之辨。能从这样复杂的情况和不断变化之中加以综合、归纳，概括出阴阳属性，需要根基扎实，积累经验，耐心细致，四诊详尽。要善于抓住带有本质性的症状和体征，不为假象所惑。四诊必须合参，不可偏废。"不用病家开口，便知病情分晓"，以脉定证者，实为江湖庸医，骗人之举。

既然疾病发生、发展的根本原因是阴阳失调，诊断应分辨阴阳；治疗的基本原则就是"谨察阴阳所在而调之，以平为期，"促使"阴平阳秘"，恢复阴阳的相对平衡。这是人所共知的调节阴阳的原则。在具体方法上，绝不是见热证用药一派寒凉，见寒证用药大辛大热，虚则峻补，实则猛泻。动辄附子、肉桂、犀角、地黄，而不知附子、肉桂温阳尚可食气；犀角、地黄用过病所，尚可诱邪深入。用药必须趋利避弊，中病则止，"无使过之，伤其正也"，药不在重，而在力专和配伍得当。若矫枉过正，物极必反，就会造成人为的新的阴阳平衡失调。我推崇李中梓的"假令病宜用热，亦当先之以温，病宜用寒？宜当先之以清，纵有积宜消，必须先养胃气……不得过剂。"因为人体是一个有机的整体，而不是病和药、寒和热中和反应的场所。机体本身有进行调节、祛除外邪、恢复平衡的能力。用药的目的是促进、扶助这一功能的发挥，而不是对其加以抑制和扰乱。余在临床除非认证十分准确，病情十分需要，一般不用大寒大热、峻补猛泻之剂。外感热证余善用金银花、桑叶、芦根等轻清之品；温肾常用菟丝子、补骨脂；养阴善用鳖甲、百合、麦冬；益气多用白扁豆、焦白术；解表透热、清泄里热时常佐以敛阴养阴之品，防其刚燥伤阴；疏肝理气时常配以白芍防止辛散走窜；养阴寓之动，稍加助阳和胃之品防其腻；助阳寓之静，稍加养阴之品防其亢。取其“善补阳者必欲阴中求阳，阳得阴助；则生化无穷，善补阴者，必欲阳中求阴，阴得阳生，则源泉不竭”。

要注重天之阳气

| 张世英 |

我在治疗慢性腹泻病中，有一例治验，颇感惊疑。精读中医典籍之后，又颇受启发，深感对祖国医学的理论理解和运用得很肤浅。

曾治一老年患者，体弱，腹泻已十余年，神疲肢倦，肢冷畏寒，脘腹微胀，黎明前腹部作痛，迫不及待地登厕，便后方能安宁。查看患者舌苔薄白，脉细弱。确诊为五更泻，以参苓白术散和四神丸加减治疗。患者服十余剂后，虽有所减轻，但效果不明显。我在病室处方之时，感觉屋内阴冷潮湿，联想患者长期不愈是否与居处有关？于是，我建议患者迁到朝阳病室治疗，继续用此方加减，仍然用肉桂、附子、补骨脂、炮姜、炒白术、党参、山药等药。连服周余，患者病情迅速好转，腹泻次数减少，手足转温，而获大效。此乃天之阳气助人体之阳气，而使疾病速愈。可见，医生只顾对人体的辨证施治，而忽视了人与气候环境的辨证关系，也不能取得良好的效果。《内经》曰“必先岁气，无伐天和”，要时刻注意气候环境的变化，才不至于助长病邪。

切忌不加辨证而施治

| 吴化林 |

辨证施治是祖国医学的理论核心，是治疗一切疾病的准则。临床上不加辨证而施治者并非少见。例如，有人治疗感冒不加辨证，辄以银翘解毒丸投之，而不管是风寒感冒、风热感冒，还是挟暑、挟湿、体虚等证，一律应用，致使疾病不能速愈。应当明确，银翘解毒丸只适用外感风热之热较重者，症见发热、微恶风寒、咳嗽、咽痛、口渴、舌苔薄白或薄黄、脉浮数者。对其他外感均不适宜。即使是风热感冒，身不热，但咳，热较轻，且仅在肺者，也不宜服用银

翘解毒丸，而应以桑菊饮疏散风热，宣肺止咳。

其次，治疗咳嗽不加辨证。咳嗽一证，一年四季，男女老幼都有发生。最多见的是以各种“止咳糖浆”统治咳嗽。糖浆味甜，无论大人、小儿均易于服用，所以不分此证是外感、内伤，也不顾该止咳糖浆是何地产品，何种成分，有何功效，而不加辨证地投药。黑龙江某医院自制一种“止咳糖浆”，系清热化痰之剂，主治肺热咳嗽。可是有些风寒咳嗽者，也常用之，造成咳嗽久治不愈，只好更换他药，医者尚不明其理。

还有，导致不寐的原因有多种，而医者往往不加辩证，即以安神丸、补心丹等养心、重镇、补益之法治之，而不辨是否为气郁、肝火、痰扰等所致。因而治之无效者，亦屡见之。

另外，还有治疗慢性肝炎不加辨证者。肝炎一病，现代医学认为是肝炎病毒所致，由于板蓝根、大青叶等药有抗病毒的作用，因而误认为是治肝炎的“有效”“常用”药，而不详细地加以辨证。尤其是慢性肝炎，其证并不都是热毒，许多慢性肝炎属于脾虚或寒湿为病，治疗应补气健脾或温化寒湿。此亦属于不辨证而施治之例。

又如单用五味子以降转氨酶，此经验很值得商榷，应弄清它是降什么类型的转氨酶。五味子酸温而敛，补肾助水，有碍湿邪之排除。故凡属湿热内蕴而致的肝病，虽出现转氨酶值增高，亦不应服用，笼统地用五味子降转氨酶，不符合中医辨证施治的原则。

谈“扶正祛邪”

李允昌

祖国医学认为，正气与邪气是决定疾病发生、发展的两个基本因素。如正气充沛，就会预防或减缓疾病的发生和发展；如正气不足，邪气过盛，疾病就会发生和发展；所谓“正气存内，邪不可干”“邪之所凑，其气必虚”。

余曾治一患者，患肺结核病 15 年，虽反复应用抗痨疗法，但病情却不见好转，遂转请中医治疗。

病人体质消瘦，面色皖白，神倦乏力，食欲不振，胃胀便溏，午后低热，舌体胖，舌边有齿痕，脉虚无力。此系肺病日久，中气耗伤所致。用补中益气汤、六君子汤辨证调治两个月，症状明显改善，且体重增加，精神及体质状况亦明显好转。经防痨科拍片检查，肺部病灶竟显著改善。

用补中益气汤、六君子汤，意在“补土生金”，扶正培本。脏腑学说认为

“脾胃为后天之本”，五脏六腑皆秉气于脾胃，脾胃虚衰则生化无源。因此，病程日久，正气不足时，常导致病情缠绵，故临床治病，不仅要注意祛邪，而且需要重视扶正。

祛邪三要

袁世华

实邪在身，务须及早清除。除邪之法甚多，举其要者有三：

1. 一要因势利导：即要顺应事物的发展趋势加以推动引导。春秋时大儒家孟子云：“虽有知慧，不如乘势”。同时代的大军事家孙武曾将此法作为战术列入《孙子兵法》，云：“善战者，因其势而利导之。”稍后的汉代大医学家张仲景将其作为攻邪之法用于临床，千百年来的医疗实践证明，这是一种事半功倍的好方法。邪气一旦进入人体，正气便会自动起来与之抗争，此时便要顺应机体的抗病趋势，促使当去不去，或欲去不能的邪气得以完全彻底地排除，而绝不能倒行逆施。否则，非但邪气不能除，正气反被大伤。张仲景曾告诫：“病人欲吐者，不可下之”“酒疸心中热，欲吐者，吐之愈”，即是此理。他如宿食，如停于上脘，泛泛欲吐者，自然以涌吐为最便捷，停于肠中，而有便意者，则又以下法取效最快，亦为明证。

2. 二要开门逐邪：即设法为邪气的排除找到出路。实邪排出的途径很多，或从玄府随汗而解，或从口腔吐出，或从尿道随小便利出，或从肛门随大便排出。搐鼻法则可使邪气随涕嚏流出或喷出。总之要想邪气去，必须给邪气以出路，如有阻碍邪气排除之路者，必先予以清除。如《金匮要略》“溢饮”为饮停皮肤肌腠，本可随汗而解，但因风寒外束，“当汗出而不汗出”，故用大青龙汤先祛其风寒，而后饮随汗泄。

3. 三要就近除邪：就是在距病位最近之处为邪气找到出路。邪气侵入人体，总要停在特定的部位。因邪气种类各异，疾病发展阶段不同，邪气停留的部位亦有表里、上下、经络、脏腑之异，只有就近除邪，才能使邪速去，而正不伤。前述之宿食在上脘者，吐之。即《内经》所述“其高者，因而越之”。宿食在肠者，下之，就是“其下者，引而竭之”。如反其道行之，不仅祛邪之路过于迂远，难以生效，且可使生理功能受到干扰。又如《金匮要略》有“腰以下肿，当利小便；腰以上肿，当发汗乃愈”，亦是就近除邪之法。腰以下肿，病在下在里，故利之最宜；而腰以上肿，则为在上在表，则以汗法最速，即《内经》所云“其在皮者，汗而发之”。

上述三法既有不同，又有联系。如就近除邪亦属因势利导之法，只不过就近除邪主要考虑邪正交争之形势，因势利导主要考虑正气抗邪之趋势，上述均为审时度势之法也。

去瘀方可生新 |侯　林|

近年来，活血化瘀法在临床应用日益广泛，研究成果喜人，为多种疾病的治疗展示了一条新的途径。对于血证的治疗，尤其是对有内出血的患者，活血化瘀更不容忽视。通过对1例再生障碍性贫血的治疗过程，余感受颇深。

患者黄某，入院前1个月在打井时，不慎被绳子击中眼部，引起充血肿胀。经服药（磺胺、土霉素）十余日后肿消，视力如前。因系工伤，照顾休息。在此期间，家人发现其面色苍白，本人亦感头晕、耳鸣、乏力、食欲不振、失眠、盗汗、稍劳即心悸、气短，并有齿龈出血，胸背、下肢有散在出血瘀斑。黄某来沧州市某医院检查：血红蛋白42g/L，骨髓穿刺符合再生障碍性贫血。入院后采取综合治疗：用中药补肾健脾、益气滋阴养血。先后用人参归脾丸、左归丸、右归丸、金匮肾气丸等方加减，于方中广加血肉有情之品，诸如阿胶、鹿角胶、紫河车之类；用验方“牛骨髓丸”（牛骨髓、生山药、冬虫夏草、胎盘粉、蜂蜜），以及炖服胎盘、甲鱼等；同时配合服用西药丙酸睾酮。住院3个月，虽经多方治疗，病情不能控制，贫血进行性加重，靠间断输血维持。患者适在中年，病程虽久，精神尚佳，对余很寄期望，然余实感束手。

恰值地震发生，患者带药回家。一日，持一方来访。言乃本乡一老中医所书，问能用否？视其方，乃生地黄、赤芍、红花，牛膝、当归等，皆为活血之品。询其诊病情况，则曰：“彼已年近八旬，根本不晓何为再生障碍性贫血，乃对症下药耳。言吾系外伤引起，体内必有瘀血，因处此方。”余颇不以为然，但又别无良方可遣，于是嘱曰：“老中医经验丰富，所讲不无道理，或许有独到之处，且试服看。”因其有热、烦燥，于方中又加犀角6g，仿犀角地黄汤意，嘱服7剂再复诊。不意服后效果良好，不但出血停止，瘀斑渐消，血红蛋白亦有增加。乃信有瘀之说。于是，以犀角地黄汤（加丹参、红花、牛膝、鸡血藤）、人参归脾汤（加阿胶，鹿角胶）二方交替使用，前者重在去瘀，后者意在生新。患者病况日渐好转。逾两个月复查：血红蛋白110g/L，自觉无不适，已参加劳动。其间未加任何西药，竟达缓解。一年后随访，一切正常，身体健康。

唐容川说：“瘀血不行，则新血断无生理……然又非去瘀是一事，生新另是一事也。盖瘀血去则新血已生，新血生而瘀血自去。”本证属中医“虚劳”“亡血”范畴，“虚则补之”，补骨生髓、益气养血，此为正治，然当详察有无瘀血见证。因离经之血，已失其生理作用而成致病因素，若不及时祛除，则会变证百出。瘀血不去新血不生，故补虚祛瘀应当兼顾。

小议大病后暂不宜峻补

袁今奇

《内经》曰：“虚则补之”“损者益之”“形不足者，温之以气，精不足者，补之以味”，此皆虚候当用补益耳。俗说小虚稍补，大虚大补，重虚峻补。然大病后暂不宜峻补，乃因大病后正与邪、功能和物质仍有偏颇也。一则胃阴匮乏，濡降失司；二则脾失健运，输转无力；三则余邪未尽，惟恐闭门留寇。凡此三端，于大病后急于峻补，安能纳之、运之、收之？甚或病情反复，变生他证。余临证有验，不吝书此，聊作引玉之砖。

周某，患严重支气管感染，西医用大剂量青霉素静脉滴注，次日发生过敏反应，遂致喉头、支气管痉挛及心肌炎，经抢救痉挛迅速消除，心肌炎表现和心电图改变亦逐渐好转，病情转危为安。但患者心悸气短，头昏汗出，纳呆乏力等诸症未解。延余诊之，舌稍红而苔腻，脉细软而数，乃断为病危后气阴两伤，虚不化湿，拟用生脉散加味，以益气养阴，健脾祛湿。处方：红参、麦冬、五味子、茯苓、白术、炙甘草、陈皮、藿香、焦三仙、苍术，重用红参为 9g。两剂后上述症状加重，患者语音低微，身体困重，卧床不起，其家属惊惶不安。复诊以党参易红参，加鱼腥草、黄芩、青蒿，每日 1 剂，药后两天，诸症悉减。效不更方，再进 10 剂，其效益彰。后嘱用初诊处方，纳红参 6g，连服半月，诸症遂安。

本例系大病后致虚，先投红参，急以峻补，则虚不受补，病势加重。后更以党参，增入驱除余邪之品，转瞬之间，病已向安。盖脾气振，胃阴足，余邪尽故也。后半月复投初诊时重用红参之处方，患者诸症消失，病乃告愈。由此观之，大病后暂不宜峻补，实属临床心得，掌握这一原则，则无有不验。

软坚散结法小议

吴化林

软坚散结法是使人体的肿物、癥块消散或软化的方法，属八法中的消法。凡气郁血积的肿物、瘿瘤、癥块、瘰疬等，都应结合软坚散结法治疗。清医程钟龄所创之消瘰丸可谓此法的代表方剂。近年来随着对肿瘤疾病的研究，软坚散结法成为攻治癌症的重要方法。

具有软坚散结作用的中药，首选鳖甲和牡蛎。鳖甲味咸平，能滋阴清热，软坚散结；牡蛎味亦咸平，有敛阴潜阳、止汗涩精、化痰软坚之功。其次如连翘、蒲公英、天葵、半枝莲、蜈蚣、全蝎、马钱子能解毒散结；瓦楞子、海蛤壳、半夏、白附子、海浮石等能化痰散结；还有的药物可行气散结，如青皮、枳实、橘核、荔枝核等；而芒硝、玄参、大贝母能清热散结。尤以独角莲具有解毒散结、消瘀之功，能治毒蛇咬伤、瘰疬、跌打损伤。独角莲膏外敷，对肝炎、肝硬化、癌肿初起均有较好疗效。其次，山慈菇、猫爪草、硇砂、黄药子均有不同的软坚散结和解毒作用。

瘿瘤、癥块的产生有因风火热毒壅遏而成，有因气滞血瘀凝聚而生，也有因痰气凝结郁阻而致。故软坚散结应针对疾病产生的原因，采用相应的治法，以图其本。除常用鳖甲、牡蛎外，常有以下几种配伍。

1. 疏散风热、软坚散结：用于上焦风热挟痰而成之痰核。经常配伍牛蒡子、薄荷、柴胡、连翘等药。

2. 清热解毒、软坚散结：用于热毒内壅，痈肿疮毒之初期。常配伍天葵子、蒲公英、独角莲、连翘、白花蛇舌草、玄参等药。

3. 理气化痰、软坚散结：用于气郁挟痰、流注肌肤而成之瘰疬、痰核，常伍以昆布、青皮、夏枯草、橘核、白芥子等药。

4. 活血化瘀、软坚散结：适用于瘀血停滞之、癥瘕痞块、癌肿等，可配伍穿山甲、麝香、乳香、没药、三七、赤芍等。

上述诸法，应针对病机，或两法同用，或数法联合。曾遇一女，三十余岁，患乳疬数年。乳房疼痛，内有硬块，皮色不变。去某医院就诊，医者皆以活血祛瘀法治之，皆用桃仁、红花、当归、丹参等药，服药数剂，略有好转，疗效不佳。余稍减活血之品，加牡蛎50g、玄参20g，服药6剂，即见肿块明显缩减，疼痛减轻。调治月余而痊。以后每逢此证，多以软坚散结法配合行气、活血、化痰治之，其效甚佳。

开展对软坚散结法的研究，对攻克肿瘤难关，保障大众身体健康将大有裨益。

溯本求源补先天，后天得助病可安

| 栗德林 |

患者李某，经胃镜检查诊断为萎缩性胃炎，几年来经过中西药物治疗，临床症状和胃镜复查始终未见改善。来诊时纳少乏味，日食200g（3～4两），食后胃胀不适，并伴有尿余沥、少寐畏冷之证，苔灰白而滑，脉沉细而无力。余认为此证乃由肾阳虚失温煦脾阳之功，脾阳虚而致水谷难化，健运失职。因其病在中下二焦，病程较长，故治疗亦当以缓图之，用熟地黄150g、牡丹皮75g、山茱萸100g、茯苓75g、山药100g、泽泻75g、肉桂30g、五味子75g、人参75g、白术60g、砂仁50g、生麦芽100g，共为细末，炼蜜为丸15g重，每次服1丸，日3次。服用3个月时，患者症状有明显改善；服用6个月时，饮食已增至300g（6～7两），胃脘部胀感消失，灰苔已去；服用9个月后临床治愈，嘱再做胃镜检查，结果胃黏膜已恢复正常。后余对凡有肾阳不足的萎缩性胃炎，皆用此方，均取得治愈效果。

肾为先天之本，脾为后天之本，二者息息相关，往往肾阳虚与脾阳虚并见，故治后天不忘先天，治先天可以说是治愈萎缩性胃炎的关键。即使没有明显的肾阳虚的典型临床症状，在治疗本病时用釜底加薪之法，用补肾阳的药物也有助于本病的早日康复。

“阳虚阴必走”论之应用

| 南　征 |

“阳虚阴必走”，是指脾胃阳虚而不能统血所致下血证的一种重要病理机制。下血证，一般来说，多由于胃肠之火，用凉药炒炭以止血。但“阳虚阴必走”的下血证，以温中健脾，养血止血为主，方用附子理中汤加减为宜。笔者曾把“阳虚阴必走”理论用于吐血一证，同样奏效。一男患姓刘，年46岁。症见吐血绵绵不断，时轻时重，体倦神疲，形色憔悴，心悸头晕，大便溏薄，唇舌俱淡，形寒肢冷，脉沉细无力。辨证为脾虚失统，血不循经。法宜益气健脾，养血止血。方用归脾汤加减。但病情不但不减轻，反而其血愈多，形体消瘦，

面色苍白，四肢欠温，腰膝酸软等，出现一派阳虚寒盛证候。此时，笔者恍然大悟，此乃“阳虚阴必走”，不治阳，血不止。于是改用附子理中汤加减，药用：附子10g、干姜10g、生晒参15g、白术20g、白及10g、仙鹤草20g，服药2剂，患者症状好转，头晕减轻，吐血减少。再服10剂，未再吐血。后继服四君子汤、归脾丸善其后，至今未犯。方中附子、干姜温中壮阳，白术健脾，人参补气益脾，甘草和中补土，白及、仙鹤草止血。总之，以振奋脾肾阳气，可达增强止血功能之目的。可见“阳虚阴必走”的理论对血证治疗是何等重要。但是，在具体应用时必须审慎，辨证要准确，确属虚寒阳虚者方可应用。同时做到奏效即止，不可常用，以免病情恶化或他变。

治湿几法浅见

任继学

湿虽为邪气之称，但亦不能一概而论。因有生理之湿和邪气之湿。所谓生理之湿，系指精、水、津、液、血、营气。内而滋润脏腑，外而濡养经络、皮毛、肌肉、筋骨。否则为燥病。所谓邪气之湿，则为毒。因无毒不伤人。故古人云：“邪者，毒之名也。”然湿之为邪有内外之分。外湿者，系因梅雨太过，或雾露之气，或卑下之域而成。又有清湿和浊湿之别。清湿多伤上，由呼吸而入；浊湿多伤下，由皮肤、肌肉、经络，筋骨入侵。内湿者，多因饮食不节，生冷硬食，瓜果乳酪之品以及七情内郁，脾胃受损，损则表里不温，使脾气虚而不运，胃虚不化，引起中州气化之机不利，水津不布，内停聚而为湿。故内外之湿邪浸及于外者，则皮腠、筋骨、肌肉、经络为病。伤及于内者，则脏腑、气血为患。然湿邪为病，有轻重、深浅之异，因而治法不尽相同。

湿邪微而致病者，正虽虚而祛邪乏力，法宜渗湿为主。渗湿是指药力甘淡之味，有淡渗和开达气机之能，以导湿邪从皮毛、水道缓缓而去。药用：通草、土茯苓、茯苓、淡竹叶、薏苡仁、五苓散之类。

湿邪盛而毒轻致病者，正虽伤而能与之相持者，法宜利湿为主。利湿药味多重浊，势虽猛而不烈，有开上启下之功、通达水湿之能，使湿从小便而去。药用：泽泻、木通、车前子、防已、地肤子、猪苓、滑石、实脾饮、茯苓导水汤之类。

湿邪内甚毒盛而致病者，壅闭三焦、经络、水道，正气不支，法宜逐湿，也谓泻水为主。逐湿者，是指药味厚、极苦、极辛、极咸、极寒、极热、有决渎之能，夺关将军之力，荡涤性猛不缓之势，使湿速去，则正得复。药用：大戟、芫花、甘遂、商陆、葶苈子、续随子、十枣汤之类。

补泻必辨虚实

彭静山

辽宁中医学院附属医院儿科名医张岫云为铁岭市人，专长儿科，辨证极精。一患儿，经X线检查为膀胱结石。张老徒弟处方用排石汤。张老触按患儿腹部，改用补中益气汤，徒弟颇不能理解。连用3剂，患儿病情毫无变化。徒弟有得意之色，看老师改用排石汤，将何以自圆其说。而张老师按患儿腹部以后，仍用补中益气汤，服至6剂未效，徒弟颇不服气，但不敢改方，静观其结果。患儿一连吃了12剂，结石竟排出，经作X线检查已痊愈。

徒弟莫明其妙，询问老师，补可扶弱，未闻补可排石，何以生效？张老笑道："病有虚实，方有补泻。此患儿腹部柔软喜按，面黄肌瘦，呼吸微弱，皆属虚证之象，排石汤是泻剂，不可用也。必先大补气血使体健气足，身强血旺，膀胱之功能加强，结石自然排出。如果不按腹检查，不望色、闻声，贸然使用排石汤，其结果将不堪设想。若腹硬拒按，身体强壮，方是排石汤证。治病不辨虚实，滥施补泻，岂能愈病，而往往庸医误人。医生不明辨证，不能为上工。"徒弟叹服。

"补""宣"兼用可疗痼疾

葛武生

"补可去弱"，是指用补益之剂以治虚弱之证；"宣可去壅"，是指用宣散之药以除壅郁之疾。两者一补一散，似乎是水火不能相容，认为补益之剂可阻塞气机，对壅郁之疾不利；宣散之药能散气耗血，对虚弱之证有损。故二法常多单独应用，兼用者鲜见。余早年随父临证，常见父亲多以"补宣"兼用治疗痼疾，并收到良好的治疗效果。余临证二十余载，反复运用亦每收奇效，细细玩味，其理甚妙。宣散之药易耗正气，补益之剂易增壅阻，二者同用实有相辅相成之效。补益剂与宣散药相伍，可使补而不滞；宣散药与补益剂相配，宣散而不耗正气。用于气虚兼壅之证，可使虚损得补，壅滞得散，取效甚捷，相得益彰。现举家父所治验例以见一斑。城内西街一老妇，年过花甲，患肋疽于右侧第5、7肋间，肿胀有掌大，坚硬，皮色不变，牵痛不适，已有月余。家父治以四君子汤加青皮、木通，柴胡、连翘。服用3剂则患者之肿块消去大半。我问此证为何要宣补兼用？父答曰："该证由于体虚、暴怒、气结壅滞所得，所谓'壮者气行，弱者著而成病'。故用四君子汤以益气，留者行之用青皮、木通，结者散之用连翘，引用柴胡以走肝经。"患者服3剂，肿块大消，但尚留一底畔未化。嘱其仍将原方加昆布为末，炼蜜为丸，早晚饭后各服6g，仅服药十余日肿消而愈。沙河县一李姓农民于农历四月前来就诊：左侧胸部突起如杯，右侧腋下靠前亦结聚一条，隐痛坚牢已数年，其脉右寸结代，系因气滞又为寒邪所闭塞。故拟以十宣散增损，处方：紫苏12g、白糖参9g、乌药9g、茯苓9g、桂心3g、白术12g、川芎9g、当归9g、白芷6g、桔梗9g、连翘9g、甘草6g，水煎服。每日1剂，连续服用20余剂，患者于5月初来复诊，肿块消去十分之七八。数年痼疾用药月余就消去大半，彼非常感激。自述服上药后，大便有时干燥难解，故让其按上方加倍，再加玄参60g、番泻叶6g共碾为末，分为10份，袋盛煎水喝，继用则化于无有。两月余患者前来探望，告之已愈。又邻乡徐仲礼，年过半百，胸骨高突，皮色不变，已十余日。自感状似岔气，形若顽石，其脉关弦至寸，诊为冲气上逆所结，仿冲脉饮子之意试拟一方：醋炙龟甲24g、白果4.5g、茯苓12g、紫苏梗4.5g、沉香4.5g、通草1.5g。水煎，食前服，连服3剂，肿胀即消散。本方用龟甲补阴，茯苓淡渗，余药降而通之，可为该法之活用。

脾贵在调，胃贵在养

贾卜斋

"脾为后天之本""民以食为天"，盖脾居中州，是升降之枢纽；阳明胃土是气血生化之源，五脏六腑借此生养。脾胃伤败，岂有得生；中气旺，则气血充盛，升降有序，脏腑和谐，病安从来？目前，国泰民安，一般生活富裕，营养充足，饮食不节，损伤脾胃者多。据我所见，现今法当补益者，十具一二；法当调理者十具八九。余在临床治疗中，十分重视脾胃，不论何疾均以调脾胃为先，逢沉疴痼疾，证情复杂者，则用"上下交病治其中"之法，但多用调养的办法。

脾贵在调，缘因脾性升而恶湿，体阴而用阳，最易湿阻。《内经》言："脾苦湿，急食苦以燥之""脾欲缓，急食甘以缓之，用苦泻之，甘补之。"这是治疗脾病的原则。单讲脾病，从理论上讲有虚实之分，但临证中，总是虚和实羁滞在一起。寒湿、湿热之邪外侵（邪气盛则实）引起湿困脾阳，阳气不运（正气不得伸展，功能减弱属虚），同时外邪直中和正气不足是相联的，故薛雪有“中气虚则病在太阴”之说。反之，脾阳虚（虚证），脾失健运，水湿内停，或为水或为痰，做为新的病邪又可困脾凌心阻肺（实）。所以，脾阳不运，不管是原因还是结果，总伴有湿，治脾离不开祛湿。据余经验，益脾最忌峻补，以防壅塞气机；祛湿最忌燥烈，以防耗散气机。治脾应当调理，以恢复脾运。调理的方法可有调、益、温、化，往往两法或三法并用。余在临床调中理脾多用苏梗；益脾多用白扁豆、焦白术；温阳多用干姜；化湿多用陈皮、半夏。一般不妄投参芪及燥烈之品。

胃贵在养，“保得一分胃气，便有一分生机”。然胃何以伤，何以养，往往不为医家深究。常见有医者临证冥思苦想，辨证精微，但不重调食养胃，结果“胃气一败，百药难施”。胃气伤败，一责于食，二责于医。若贪生务饱，瘀塞难消，气机不畅，病体难复，责之于食也。药有偏胜，既可治病，亦可致病，凡中虚之体，药量宜轻，苦寒克削，滋腻峻补均弊多利少，伤败胃气，此责之于医也。故有“食伤人易知，药伤医多不识”之说。养护胃气，则在食不在药。余临证处方中虽多加神曲、麦芽、鸡内金和胃消食，但始终注意对患者进行饮食指导，强调贵在能节，保冲和而顺颐养。节美食，务不饱甚，则每餐必无伤，食物皆为益。在疾病基本痊愈后，则调节饮食，适当增加营养，采用食补，巩固疗效，以溲便有时，消化完善为度。切忌乱投补药善后。在辨证用药治疗时，尽量不施尽剂，不伤胃气，遇有病情危急或病旷日久，胃气已败的，“保命留病”专以养胃，往往胃气一复，病可望转。

关于“治标”“治本”之我见

王启英

祖国医学对疾病的治疗，前人曾有“治标”“治本”之说，即根据病情缓急之不同，采用标本分治之法，提出“急则治其标、缓则治其本”的论点，颇受一些医家的重视。但通过长期临床实践及考诸医林史料，凡临证之立法处方在实践中有显效者，多是采用标本同治之法，绝不能因其病急单纯治标，或因其病缓单纯治本。例如感受寒邪之痛经，其行经腹痛为标，血因寒凝为本，治宜温经散寒，活血止痛，可用少腹逐瘀汤（小茴香、干姜、延胡索、五灵脂、蒲黄、没药、当归、川芎、赤芍、肉桂），是以温经散寒治其本，活血止痛治其标，此乃标、本同治之法。若单纯以止痛治其标，而不散寒治其本，其病必不愈。如热在血分之崩漏，其阴道下血为标，血热妄行为本，治宜清热凉血，固摄止崩，可用清热固经汤（龟甲、牡蛎、阿胶、生地黄、地骨皮、栀子、黄芩、地榆炭、棕榈炭、藕节炭、甘草），是以清热凉血治其本，固摄止崩治其标，此亦标、本同治之法。若单纯以止崩治其标，而不凉血治其本，其崩必不止。又如外感寒湿之头痛，其头部疼痛为标，寒湿阻络为本，治宜散寒除湿，通络止痛，可用川芎茶调散（羌活、防风、荆芥、薄荷、白芷、细辛、川芎、甘草），是以散寒除湿治其本，通络止痛治其标，此亦标本同治之法。若仅以通络止痛治其标，而不散寒除湿治其本，其痛必不祛。似此证例，不胜枚举。盖标、本同治之法，不分病之缓急尽皆适用。《素问·阴阳应象大论篇》云："治病必求其本"，此乃千古不变之大法，医家应牢记之座右铭，舍本而逐末，非所宜焉。夫本者病之因也，实践证明，若病因不除，其疾病能痊愈者，未之有也。

操与纵

| 韩葆贤 |

清末太医李曰伦，于1959年曾在天津中医学院作关于"不寐"治疗的学术报告，从脏腑升降论述不寐病机，将治法归结为"操纵"二字。他说："历代设方颇多，然尽为操法。岂不知《内经》已明'甚者从之'、'从者反治'之理。欲令安卧，操之不效，当遵经旨用反治，即纵法。"李曰伦老师例举数方，精析方义，证实诸方确属操法，不外养心安神，敛肝镇静之类。他在充分肯定前贤之后，又指出其不足。惟《伤寒论》桂枝甘草龙骨牡蛎汤及《韩氏医通》交泰丸敢于用辛燥之品，只惜仍未尽去清肃之药。虽合"从多从少，观其事也"之理，但终不能突破成规。于是李老师指出对久治不愈、症情甚重者当"三而不下，必更其道"，以纵求操。

铭记教诲，我曾按此法治一不寐病人，系六旬老妪，近月不寐，烦燥不甚，但入夜则精神，昼则昏蒙，诊之脉细舌淡。曾服安神丸、地黄丸之类方药，虽有大量龙骨、牡蛎、酸枣仁诸药，终未获效。想起以纵求操之教，试通其阳，振奋其神，开出真武汤与四逆散合方，并加石菖蒲、麝香。一方3剂，患者长睡通夜。此方绝无安敛，多所温烈，岂非抱薪救火？然此一纵反得十操之效，可见治病不可执一。

缘此，将操纵法扩展于其他疾病，也曾得到印证。曾治一心悸怔忡病人，心率持续在140次/min以上，数易处方，终于在补中益气汤中见效。补益未增其速，亦当属以纵求操也。

漫话逆流挽舟

|牟全胜|

“逆流挽舟”是中医治疗方法之一。《辞海》谓逆流为倒流之水，挽为牵引。顾名思义，“逆流挽舟”就是于逆流之中挽舟上行。此法常用于痢疾初起而兼有表证者。清代喻嘉言推崇《小儿药证直诀》方，人参败毒散为代表方剂。雷丰在《时病论》中说“嘉言每以（此方）治痢，亦屡奏效”“诚良方也”。因本法所治之痢原系表邪内陷，人参败毒散可疏散表邪，使表气得以疏通，里滞随之亦除，以其不治痢而痢自止，邪从外入，仍从外出，犹如逆水挽舟，故谓之。

余于1979年曾遇一黄姓患者，值仲夏之日，餐食生冷，次日下痢赤白，里急后重，日十余行，胸膈痞闷，憎寒壮热，头痛无汗，肢体困楚。医者以藿香正气水、痢特灵、干酵母、颠茄片等予之，不效。3日后求治于余，查其脉浮紧，舌白苔滑。此乃盛暑之邪侵淫于外，饮食生冷积滞于内，系痢疾兼表之证。3日，患者元气已亏，不得延误，仿喻氏之法，逆流挽舟，方取人参败毒散。以羌活、独活、薄荷、柴胡、川芎疏散在表之邪；枳壳、桔梗宽胸利气，升降气机；茯苓、生姜、甘草扶中健脾；少许人参扶正祛邪，使邪从汗而解。1剂而效，3剂患者痢止而愈。

其后又逢两例，皆以此法治愈。可见治病贵在辨证，究其病机，相应立法，法随证立，治之何难。余以为医林之中称“此法较之见痢即导滞，胜似一筹”，是谓不谬矣。

运用古方，师而不泥，灵活变通

|贾卜斋|

先贤遗留之方，配伍组织严谨，久经临床锤炼，若能循其准绳，运用得当，每可获取捷效。然而社会是发展的，自然环境和生活条件是不断变化的，人们对疾病的认识是不断深入的，因而应用古方亦应灵活变通。今有一怪现象，即唯古为上，一味死板地套用古方，连药味、剂量都不得变通，不管证情是否完全相符，甚至不惜削足适履，尚以为荣，实则害人非浅。我们在临床运用古方时，必须分析主证、主药，同时也必须根据具体病情加减，在前人的基础上不

断创新，总结自己的经验、用药规律和验方。我自拟治疗肾炎基本方：生地黄、山药、牡丹皮、阿胶、茯苓、泽泻、菟丝子、鹿角霜、金银花、陈皮、炒神曲，对消除水肿、血尿、蛋白尿效果较好，实际就是根据六味地黄丸和左归丸化裁而来。

不泥古方并不是不习古方，化裁并不能失先贤法度。一个新的经验方剂的产生，更需要对古方有深刻的理解，并反复在临床实践中加以检验和不断修订。必须博采众家之长，不固守一家，在学术上不应有门户之见，应撷名家精华而自出新意。要能灵活变通古方，首先应认证准确，熟练地掌握基本治法以及组方和用药经验，了解药物之间配伍的作用。立方效法仲景，用药效法东垣。这样才不致于心中无数，见证加药，把一个方子搞得庞大混杂而方向不明。如东垣的补中益气汤，是在脾胃不足、中气下陷、喜甘恶苦、喜补恶攻、喜温恶寒、喜升恶降、喜燥恶湿的情况下，用黄芪、人参、甘草补其气，升麻、柴胡升其阳，以生血的当归和之，理湿的白术健之，疏气的陈皮调之。医者临床应分析病机，这些条件是否悉具，何有何无，应如何加减。具备某一条件，也不是必用这一组药，有的可不全用，有的可根据情况变通他药，有的则是在剂量上进行调整。如我治疗胃下垂，没有明显气虚见证的不用参芪，有气虚而食欲尚好的只加黄芪，气虚中阻，食少纳差的换白扁豆健脾益气，升阳常加枳壳。而治疗子宫脱垂则常加木瓜、益母草。这便是在熟悉补中益气汤理法方药的基础上，循其法而不拘其方，知其常又知其变，做到目标明确，主次分清，配合严密。反之，若见有中气虚或胃下垂、子宫脱垂便原方照搬，效可能寥寥，甚或反误。

服药时间与疗效

焦秀兰

科学的服药时间是保证临床疗效的必要条件之一。在这方面古人积累了不少的经验。例如，《伤寒论》中桂枝汤、大承气汤的服用方法，《温病条辨》中银翘散的煎服法，还有鸡鸣散的服用记载，都说明服药时间及服药方法对治疗效果有一定的影响。

为了提高疗效，应在给药时间方面进行必要的研究，改革“一剂药日服两次”的传统给药时间，根据病程、病情确定具体的给药方法。

本人在临床上常选以下几种给药方法，颇为应手：凡重危或急性病患者4小时服用1次，这样服药才能使药物在血液内的有效浓度维持均衡，有利于温热病邪的截断和病势的扭转；凡重危病、急性病患者，经积极治疗后，病情稳定或病邪渐去时，可以每日早、中、晚3次给药；凡慢性虚弱性疾病，可每日两次给药以图缓效，这样既可使慢性疾病患者长期接受药物治疗，又可防止因长期服药对肠胃产生的不良反应；凡病程长、缠绵不愈或中年肥胖患者，均可以频服法给药。如慢性传染性肝炎患者，可用茵陈、黄芪、大枣煎汤频服；慢性咽炎患者以胖大海、玄参、麦冬等泡水代茶以滋阴利咽；中年形体肥胖者以决明子、山楂、番泻叶、何首乌等煎水频服，可减肥、降血脂。或急救时也可以快速给药，不必拘泥时间。

莫唯药械论

阎怀林

药械以愈疾，古今中外皆然。然重药械可，唯药械则不可。睹医界之事，实可深思，有至病死不明其病、其因者，有知其病、明其因而束手无策者，然亦有医认为不治之症而自愈者。盖知药械而不知人之故也。大凡生物皆具有保存自己之本能，况人乎！动植物之中人工精心栽培饲养者，皆较之野生者娇弱，娇养之幼童不及一般幼童健壮，余见闻多矣。曾遇石姓男子，年近四旬，患结核性腹膜炎3年之久，广用中西药治疗，腹水随抽随长，终无消时，痛苦难忍，对治疗失去信心，索性中断治疗。后忍痛操练拳术，量力而行，循序渐进，腹水渐消，食欲渐佳，体力渐增，两年后竟康复。1974年冬，余出差偶遇此人，见其身健如常人。余亦有亲身体验，简录于下，或可对读者有所补益。

余幼年体弱，患风湿久治不愈。自习中医后，即依其理论为指导与疾病抗争，风湿自愈，身体健壮，精力充沛。1979年孟夏，余下肢有外伤，红肿热痛，体温常在38℃左右，因过于自信，未休息，亦未治疗，坚持正常教学近两个月，继患类风湿病。自患该病，体会颇深，疼痛自不待言，至其关节僵硬变形，功能障碍，乃因其疼痛，屈伸不得，即使忍痛而为，亦不由己。欲屈伸而不能，如此日久，岂有不废之理。余悟此理则常忍痛作被动运动，至症状少有缓解时，则酌情加大活动量，由慢走至快走，至慢跑，又配合以自身按摩、练气功、健身球、冷水浴等法，其效卓著。至1981年复发间隔益长，症状益轻，从1982年至今安然无恙。关节无变形，功能无障碍，其耐寒热之力亦高于常人。1982年冬季检查身体，虽发现左束支传导阻滞，未经任何治疗，亦安然无恙。斯后多有代亲友索问余愈此疾之法者，余一向直言相告，皆当前常用之治法也，唯正确对待，坚定必胜信念，重药械不唯药械，配合以适当的体育疗法，调动机体自身之能动作用，以顽强的毅力，持之以恒，与之搏斗而已。

温毒外透预后诊断小议

| 王宏琳 |

20世纪60年代，余初从医时，曾有机会在齐齐哈尔市传染病医院进修，从师朱广盛（当时任该院院长）。在首次查房时，遇一春温气血两燔型的男患者，16岁，发病两天，高热、神昏、抽搐、喷射状呕吐、角弓反张。反张时，后背离床一掌，双目内视，脉弦紧，苔黄腻，西医诊断为“暴发性流脑”“脑膜脑炎型”脑压高，血常规白细胞 $36 \times 10^9/L$，有明显的脑膜刺激征，按中医的“反张离席一掌亡”的预后诊断，该患者病情危重。但经查房后，师训：“该患者预后良好，大约7天可脱险，10～15天可出院，按一般常规治疗即可。”

言后众学者皆疑之，议论纷纷，但在7天后，该患者果然转危为安。学者皆惊，言为师之高，众举余面师请教。师曰：“此患虽重，但有温毒外透之征，故可断以预后良好，非吾之高。”

余请师明教。师曰：“凡春温（暴发型流脑），气血两燔型（脑膜脑炎型）不论病情如何险重，只要在口唇、耳下、两颊出现疱疹（口唇疮疹）者，皆为温毒外透，此征标志预后良好，多于7天内脱险。

此后余在传染科工作的数年中，细心观察，在春温气血两燔型中，共遇23例口唇、耳下、两颊出现疱疹的患者，以此法断之预后，皆验，并皆于7天内脱险，有的在疱疹出现后二三天即转危为安。可见口唇、耳下、两颊疱疹之温毒外诱的预后诊断经验，实为可贵。余在历次授温病课时，亦向学生提起此事，作佳话传授。

升阳益胃汤治气虚外感

| 段其忠 |

李东垣为治内伤设有升阳益胃汤。余临床凡见脾肺气虚兼湿而出现的证候，每投原方，在药量上加以调整，疗效甚佳。

1984年初，一五十余岁之男患者，咳喘，咳声低微，痰多色白，易咯出，胸脘作闷，纳呆食少，乏力，舌淡苔白腻，脉弦滑无力。余诊为脾肺气虚、痰湿上壅于肺之证，投升阳益胃汤加杏仁，生姜为引，两剂。方中重用六君益脾肺之气，羌活、独活、防风、柴胡胜湿，痰浊可化，加杏仁宣肺止咳定喘。

自以为得意，谁知下午其妻与其子扶之而来，其子大声对余言：“吾父服药两小时后，病未减轻，却反而加重!”余见其状，闻其声，大吃一惊，心中暗想：“何故病情加重?”复诊脉问病，方知诸症加重之时，又新加了“发热恶寒”等症，并脉兼浮象。此时余心中明了，复告知曰：“请回，继续服用此药。不过，要热服，并须加盖衣被，取微汗，更要避风寒。”其子又曰：“服此药家父病情反而加重，不可再服!”余言：“人命关天，余焉能轻率对之？请不必多虑，服之无妨。”并嘱之：“汗出，‘发热恶寒’去，再服之时，不再取汗，温服即可。”翌日，患者笑颜来诊，告之：“非独‘发热恶寒’去，余症亦皆减轻。”

此乃患者诊病去后，因素体气虚，感受风寒而致，适值服药，故药后病情反而加重。思之方中有辛温发散之羌活、独活、防风，又嘱其热服，温覆取微汗，故风寒去，而表解。此不必更方换药，而病去之理明矣。

从此之后，余非但用此方治内伤脾肺气虚兼湿之证，亦用以治疗气虚外感证。方中羌活、独活、防风，无外感者升发胃中阳气，有外感者又能解表（热服、温覆）。可见升阳益胃汤诚治气虚外感之良方也。

辛凉煎剂经验琐谈

左公任

余治外感风热乘肺诸症，贯遵吴瑭氏“治上焦如羽，非轻不举”之理论，曾仿银翘散之法，自拟经验方，取名“清肺饮”，以金银花、黄芩、前胡、桔梗、陈皮、枳壳、薄荷（后下）、荆芥穗（后下）、白茅根、甘草为基本方，剂量多寡根据病人体质和病情轻重制拟，随症另有加减。煎剂法效吴氏又有新意，吴氏煎煮法云：“香气大出，即取服”，一般医家认为药味煎熬最浓郁之时即为“香气大出”，那么究竟需时若干方为恰到好处呢？后世医家各抒已见，各有千秋。有些医家认为煎熬20分钟为宜，还有些认为15分钟为好，另有些医家认为10分钟为最佳。余通过临床反复试验，更有新的体会。取剂清肺饮，温水浸泡群药30分钟，煎群药15～20分钟后再下荆芥穗、薄荷，要严封其盖，勿使漏气，煎煮1分钟后，即取下，待揭其盖方闻得辛香之气大出，遂取而饮之。服法：一般按重者每4小时1次，日3次，夜1次；轻者6小时1次，日2次，夜1次。此法用于临床屡试屡验。轻者，1剂病祛；重者，2或3剂即愈。

按：清肺饮能发表清热佐以疏利气机，此方用治风温、春温诚为妙方。据现代药理研究，辛凉剂中荆芥穗、薄荷等含有大量挥发油，疗效卓著与否大多取决于药液中所含挥发油的多少。按一般煎法，或敞其盖，或不严其盖，待煎15~20分钟时虽“香气大出”，但药中挥发油已损失大半，故而药效受到很大影响。若按余之煎法，因密封其盖，使挥发油充分溶于药液之中，不致挥发丢失，因而临证效如桴鼓，屡屡获验。临床案例颇多，俯拾皆是，不必赘举。愿同道们于临床验证，仅供借鉴。

鼻塞证治

陈瑞英

鼻塞，起源于肺内蕴热，外感风邪。常年鼻塞乃重复外感，邪气侵内，致使肺气不宣，久之酿成沉疴。在治疗上首先要散风解表兼清内热，故首选银翘散加减。表邪既解，则转用宣肺通窍法，方用苍耳子散加减，以细辛为主药。细辛由初用5g逐渐增量至10g，观察症状明显好转。对于细辛一药曾有无稽传说：“细辛不过钱，过钱命相连”。近代的有关教科书及杂志中对细辛一药在用量上也鲜有过钱者。但追溯前人医籍如《普济方》《金匮要略》《伤寒论》诸书，对细辛的用量则无严格限制，有的用到“两”以上。当然，用药应辨证用量。不过细辛性温为阳药，能驱寒气，疏散上下之风邪，有无微不入、无处不到之功，升而不沉，气清而不浊，善降浊升清。此在鼻塞症中细辛适当加量，兼以群药佐使，颇为得力之君药。

曾治一男患，63岁，因鼻不通气、流涕、喷嚏寻医。两年来长期鼻堵塞，经常感冒而觉精神不爽，十分痛苦。曾多方寻医检查，后诊为慢性鼻炎，经治无效。视病人精神不振，对话时鼻塞音明显，流涕，时而喷嚏，除此之外无其他异常。脉浮数无力，舌质红，苔薄白。此乃内有蕴热，加之老年阳虚并兼有常感时邪，致使肺气不宣之故。宜采用辛凉解表、宣肺通窍法。方用：橘红10g、薄荷10g、桔梗6g、当归10g、半夏10g、桑叶10g、芦根15g、甘草6g、杏仁10g、连翘10g、牡丹皮10g、金银花15g。服2剂后，患者喷嚏、流涕明显好转，唯鼻塞不减。原方去橘红、半夏、桑叶、芦根、连翘、牡丹皮、金银花，另加防风10g、荆芥10g、紫苏10g、白芷10g、细辛5g、辛夷10g、苍耳子10g、菊花10g、紫菀10g、前胡10g、桑白皮10g。同时并用穴位按摩。取穴：囟会、迎香、四白、阳白、风池、印堂、太阳、列缺。每日按摩1次。再服3剂后，患者明显好转，喷嚏消失，鼻塞也渐轻。原方细辛加量，至7剂后，细辛加至10g，患者鼻塞明显好转。继续配合穴位按摩，增加到每日2次。原方再连续服用13剂后，患者已痊愈。停药后正值深秋，追访未见复发。

四时感冒之良方

李国平

柴葛解肌汤原载于陶华的《伤寒六书》，是治疗四时感冒的良方。《医宗金鉴·伤寒心法要诀》云："此方陶华所制，以代葛根汤。凡四时太阳阳明少阳合病轻证，均宜以此汤增减治之。"笔者经临床实践反复体验，如能根据四时六气、正邪盛衰和体质强弱随证加减，皆能取得满意的疗效。

柴葛解肌汤由柴胡、葛根、羌活、白芷、桔梗、白芍、石膏、黄芩和甘草9味（一方有生姜、大枣）组成。具有驱风散寒、通经解肌之功能。本方主治外感发热恶寒无汗，头痛腰痛，遍身肢节酸痛，颈项强急，胸胁苦满，寒热往来，心烦欲呕，鼻塞流涕，脉象浮数，舌苔薄白等症。

方中柴胡和解表里，可除胸胁满闷、往来寒热、心烦喜呕，为少阳经之圣药；葛根有解肌止渴生津、除颈项强急之功；白芷为芳香化浊之品，二味均为阳明经之引经药；羌活乃太阳经药，可除头目眩晕、肢节酸痛，驱太阳经之邪；黄芩清肺经郁热；桔梗泻火散寒，为舟楫之药，可载诸药上浮；芍药(《医宗金鉴》作赤芍，笔者验之临床，认为用白芍较宜）有敛阴和营之功；甘草安脾，调和诸药；寒邪稽留日久郁而化热，故用石膏以清之；如于原方中加入生姜、大枣调和营卫、扶正祛邪则对提高疗效更为有利。

加减法：本方在临床应用时，如无太阳经证者可减羌活；无阳明经证者减葛根、白芷；无少阳经证者减柴胡；脾胃虚寒下利者减石膏；恶心呕逆胃气上冲者加半夏和生姜；恶寒甚者减黄芩；冬月加麻黄；春月加金沸草、款冬花；夏月加麦冬、五味子；秋月加瓜蒌仁、沙参；兼咳嗽者加橘红、杏仁。以上不过略举其大概，而临床见证至为繁复，可随证增损为治。我用本方已治疗50多例四时感冒患者，无不应手取效。如患者吴某，于冬月患重感冒，辗转延医调治无效，邀余诊治。其症头痛，发热恶寒无汗，颈项强急，咽干口燥，遍身骨节作痛，心烦欲呕，乍寒乍热，身倦无力。望诊：颜面红赤，舌苔薄白；闻诊：语声壮厉，呼吸息粗；切诊：六脉均浮数有力，体温38.5℃。证属风寒之邪袭入经络肌肤所致，治宜驱风散寒、疏经通络之法。柴葛解肌汤加减，方药：柴胡15g、葛根15g、羌活15g、麻黄10g、桔梗10g、黄芩10g、生石膏15g、半夏10g、白芍10g、生姜3片、甘草10g。服药1剂，患者汗出热退脉静身凉，体温下降至36.7℃，唯觉咽干口渴，尚有轻微不适感。遂依前方减麻黄加麦冬15g、天花粉15g，再服1剂，其病霍然而愈。总之，只要辨证准确，灵活加减，证药相符，每可收到 1 剂知，2 剂已的疗效，真不愧为四时感冒之良方。

外感勿须尽用解表发散药

|张 林|

外感虽为小疾，却系百病之源，若诊治不当，必致变重。阳虚外感乃外感之表虚证，临床每每遇见，余多年来常用补中益气汤加减调治，实为得心应手，如应桴鼓。其病多为体质素虚，或因饮食劳倦伤其脾胃，或因久病正气不足、卫阳不固、复感风寒，或误服辛散之品耗伤正气所致。

曾治一男，其人年近五旬，旧病十二指肠球部溃疡。患者于 10 日前，因教务劳累，衣薄感寒，随觉发热，恶风畏寒，头晕头痛，周身及肢节酸痛，时有汗出却寒热不减，咳轻无痰，倦怠乏力，饮食无味，脘腹不舒，口干，尿频，大便不爽，逐日加重。曾服银翘丸等解表药均无疗效。诊见：形体消瘦，面白无华、发焦，身倦，精神萎靡，语声低微，舌淡红，苔白腻，脉虚大无力，体温 38.1℃。审其脉症，此乃阳虚外感，治宜益气和营，扶正祛邪，以补中益气汤调治。药用：黄芪 50g、陈皮 10g、升麻 5g、当归 20g、柴胡 5g、甘草 5g，水煎，早晚各服 1 次。服 2 剂后，患者热退，恶风寒及头、身、肢节痛俱减而食增，但脉尚虚，它证同前。此乃表证渐退而未尽，正气渐生而未复，仍按原方加大枣 7 枚，生姜 3 片。又服 2 剂患者表证俱罢，唯觉倦怠乏力，嗜卧懒言，查舌苔薄白，脉弦大无力。仍以扶正固本为主，投补中益气丸，日 3 服，以善其后，又 3 日患者康复。

阳虚外感之寒热，身痛，乃邪少虚多之候；若此证亦用解表发散药，则为误治。正如李东垣《脾胃论》所说：“内伤不足之病，苟误作外感有余之病而反泻之，则虚其虚也。”余遵《内经》“劳者温之，损者益之”之意选用甘温之品，升阳补虚，达到扶正祛邪之目的。方中人参、白术大补中气；黄芪温分肉，实腠理；当归和血脉而调营；陈皮调理气机；甘草和中；升麻、柴胡升举脾胃之清气，生姜、大枣和营卫。此方为阳虚外感之妙方。

因地制宜治感冒

|王振海|

感冒一病，无人不知，无人不晓。在人的一生中几乎没有不患感冒者。感

冒属于常见病之一。由于我国幅员辽阔，地域不同，人们的生活习惯、生理功能特点有别，所以感冒治之有异。例如新疆地处祖国西北，地高多燥，一天内温差很大，室内外温度相差悬殊。夏天久晴少雨，气候干燥。中午和早晚的气温相差10~15℃，俗称“早穿皮袄午穿纱，围着火炉吃西瓜。”人们居住在这种环境中，稍有营卫不和，抵抗力不足就易感冒，所以新疆地区夏天感冒的发病率很高。因燥气盛行，伤津耗液，所以感冒的特点突出了燥证。临床所见：除恶寒发热、头痛身痛脉浮外，每每见到咽干口燥，咳嗽少痰，小便黄，大便干，舌红少苔。《素问·五常政大论篇》曰：“必先岁气，无伐天和。”治疗应以辛散邪，甘凉润燥，达到辛润开之的效果。笔者常用疏风解表、清肺润燥之法，桑菊饮、桑杏汤加减，多可取效。重者，热盛津伤则合入白虎汤。若失治误治，忽视燥气的特点，妄投辛温发散、辛苦通降之剂，则邪虽去，而津已伤，往往留有咽喉干痛，声音嘶哑，久久不愈症。病虽不大，实属顽疾。新疆患慢性咽炎者颇多，究其所因，大抵因燥邪伤肺、“肺系咽嗌”之故。

冬天，气候寒冷，白雪皑皑，室内温暖，腠理开泄，室外寒气逼人，毛骨悚然。室内外温度可相差40~50℃，人们从室内步向室外，几步之差，几秒之际，机体不能适应骤然的变化，腠理开而未闭，寒邪急速侵入，造成寒束于外，热郁于内，临床出现外寒内热的特点。可见，恶寒无汗、头痛、身痛、骨节痛、咳嗽、胸闷、心烦、咽痛、小便黄、舌苔薄黄、脉浮紧或浮数等。邪在表者宜汗宜散，邪在里者宜清宜泄，今外有风寒，内有郁热，故当外散内清。轻者葱豉汤、香苏饮加减，发表散热即可治愈；重者，寒力足蔽其热，一方面辛香表散，一方面泄热以救内热之燔，大青龙汤、九味羌活汤、麻杏石甘汤等皆可随证选用。

感冒是容易被人轻视的常见病。临床医师必须因地制宜、辨证施治，方能解除患者的疾苦。

小议益气生津

何连庆

曾治一男患林某，年30岁，1982年夏初诊。患者先天不足，后天失养，幼年屡遭二竖困扰，因而形体瘦弱，精气不充，邻里嘲讽称之为年轻的小老头。炎夏酷暑，烈日当空，劳动于田野，突因受暑而发病。邪热炽盛，气津两伤。临床表现头痛面赤，心烦口渴，恶热自汗，背微恶寒，脉洪大而芤。诊为中暑气津两伤，治以白虎加人参汤。立方甫毕，当即有人提出疑问：一是此症头痛恶寒为邪在肌表，为何舍解表而大清里热？其二是日前李某患暑伤津气，为何选用王氏清暑益气汤而不用白虎加人参汤？其理安在？答曰：外感风寒邪在肌表虽有头痛恶寒，必然无汗而脉必浮，并且无口渴引饮症状。今证虽有头痛、背微恶寒，但脉洪大而芤，口渴多汗，很明显此为里热炽盛伤及气津，非属邪在肌表。正如吴鞠通在《温病条辨》上焦篇22条指出："形似伤寒，但右脉洪大而数，左脉反小于右，口渴甚面赤汗大出者名曰暑温，在手太阳白虎汤主之；脉芤甚者白虎加人参汤主之。"此处"形似伤寒"一语，着重指出暑温初起与太阳伤寒两者相似而实非，告诫后人要予鉴别。第二，王氏清暑益气汤与白虎加人参汤均为清暑益气之剂，因治气津两伤，前者适用于暑热内郁，证见心烦、自汗、溺黄体倦、脉象虚弱之暑伤津气者；后者则用于暑热炽盛蒸腾于外，汗出口渴等暑热之邪充斥内外，正气受伤阴液被耗之证。两者相比，前者热邪较轻，而津气受损较重；后者则暑热较甚，而津气所伤较轻。从药物组成分析，王氏清暑益气汤有西洋参、石斛等着重养阴液而生津，配西瓜翠衣、荷梗、知母等清热而涤暑邪，更用黄连、竹叶清热除烦。而白虎加人参汤则以人参补气生津，石膏、知母以清暑热。一有黄连以去热，一有石膏以达表，而益气养阴则一。正如《会心录》所谓："暑热伤气，益气而暑自消，暑热伤阴，益阴而暑热自退。"

太乙紫金锭内服治验

| 陈玉峰 |

太乙紫金锭是《外科正宗》的方剂，本方由山慈菇、五倍子、千金子、红芽大戟、朱砂、雄黄、麝香等药组成。徐大椿谓其内服能治18种无名怪病，但现在一般均作外涂治疗痈肿疖疮，鲜有用为内服者。

我多年运用本药内服治病，深有体会。凡属阳证热毒所致之恶心呕吐，服用本药有解毒之功，效果甚好。临床可用于：①小儿麻疹疹毒内陷，症见高热烦躁，喘促鼻煽，恶心呕吐者，可用本药与梅花点舌丹合服，奏解毒之效。一般5岁以上小儿可服1片，5岁以下小儿酌减。②因外感秽浊不正之气或饮食不洁所致之急性恶心呕吐，特别是小儿患者，服用本药疗效很好。③因外感风热之邪或肺胃蕴热、火毒上攻所致之急性咽喉肿痛。如乳蛾、喉痹等，可用本药，一次2片（成人）含服，慢慢含化咽之。④急性克山病属阳证者，症见头晕、心中烦热、恶心呕吐，服用本药亦效。⑤尿毒症属阳证者，症见头晕、恶心呕吐、泄泻，服用本药可缓解呕吐症状。

白虎汤加人参、青蒿汤退热效果好

段钦权

白虎汤治疗阳明经证，有清气泻热保津功效，是一首著名方剂。温病学中用于治疗气分高热，当临床上兼见伤津耗气的表现时，宜加人参益气生津，名为白虎加人参汤。为了增强退热的功效，再加青蒿，则称之谓白虎加人参青蒿汤。

本方临床辨证要点：以阳明经的大热、大渴、汗大出、脉洪大为基础，兼见汗出过多、或脉洪滑重按无力、或体质素虚、或病程较长、或固疾感邪者。总之，兼有伤津耗气或正虚明显者，均可辨证应用。1981 年 5 月曾治一患者，西医诊断为急性淋巴细胞型白血病（L_2 型），经用化疗方案治疗，完全缓解。1 个月后突发高热，伴有恶寒，经多项检查未查到感染灶，考虑与隐性感染有关。持续用药 4 天高热不退。病人表现高热烦躁、汗多口渴、索冰水饮、面赤目赤、小便赤、大便不干、脉洪大、舌质红、苔黄糙。

综合患者之病史及脉症，属白虎汤证，只因宿疾在身，病程较长，加之持续高热，伤津耗气是必然结果，治宜清气泄热、益气生津，方用白虎加人参青蒿汤：生石膏 100g、知母 25g、山药 25g（代粳米）、生甘草 15g、人参 15g（另包煎兑服）、青蒿 25g（后下），水煎 500ml，每日 2 剂，6 小时服 1 次。服药后第 1 天，患者体温开始下降，第 3 天体温降至 37.5℃以下。

白虎汤的功效是清气泻热保津，人参益气生津，二者配合应用，对高热同时出现伤津耗气者，能同时增强扶正与祛邪的协同作用。青蒿是传统的抗疟药，用于治疗疟疾，疗效甚佳，治疗脑性疟疾已达当代最高水平。但青蒿除抗疟外，还有清热解暑、退虚热的功效。青蒿既能清实热，又能退虚热是其特点。因此，把青蒿加入白虎加人参汤中，更能增强清热之功效。临床已有报道，对风湿热、系统性红斑狼疮、白血病等长期依赖激素而难以摆脱的病例，应用青蒿也收到了明显的退热效果。可见，临床上治疗高热，青蒿是一味首选之药物，把青蒿再加入白虎加人参汤中，其治疗高热效果更佳。

脾切除后发热辨治一得

张耀宗

脾切除后发热，是一种常见的并发症，目前尚缺乏有效的治疗方法。笔者遵照《内经》“劳者温之”“损者益之”之意，以甘温除热之法，运用补中益气汤加减治疗本病，取得良好效果。几年来，每于治后，随笔录之。

1975 年曾治一严姓病人，因外伤致脾破裂，于当日行切脾术。术后发热，长达 3 周不退。体温在 36 ~ 39℃之间。发热时间每于午后，至夜晚即退。用西药治疗罔效，邀余会诊。患者面色萎黄，形体消瘦，肢体倦怠，气短无力，卧床难起，腹胀，食少纳呆，大便溏薄。舌淡无苔，脉缓大无力，右关虚弱尤甚。中医辨证为脏腑损伤，脾胃虚弱，因虚发热。治用甘温除热法，以补中益气汤加减：黄芪、党参、焦白术、炙甘草、当归、柴胡、升麻、青蒿、地骨皮等，每日 1 剂，连服 3 剂。服药后患者体温降至 37℃以下，食欲渐增，大便转稠，脉显充实，舌苔见复，日能下床数次。前方又加阿胶、山茱萸，再进 6 剂。患者体温稳定在 37℃以下，未再升高，面色回复，食欲著增，日食斤余，精神转佳，脉舌恢复正常，痊愈出院。后随访 6 年，情况良好。

祖国医学认为，脾胃为后天之本，脾脏切除术后，脾胃大伤，运化失常，升降失调，气血生化之源受损，而致脾胃虚弱，因虚致热及其他诸症。故治疗之法，既不可苦寒泻热，也不宜滋阴退热，而应以甘温除热之法，方用补中益气之剂，以益其损，补其虚，退其热。

理在法先，药在方后

陈景河

邻县壮年患者李某，1971 年初秋患外感，纷然杂治，丨余日不效，来齐齐哈尔市住我院观察室 7 日，中西药迭进，仍不效，邀余会诊。现证：身壮热（体温 40℃），头痛，目有赤脉，鼻孔如烟煤，腹部满硬，大便十余日未行，小便短赤而少，神昏谵语，时而循衣摸床，脉弦缓有力，舌苔边黄中黑燥裂。投大承气汤 1 剂（大黄 25g、芒硝 40g、枳实 25g、厚朴 25g，水煎服），6 小时服两次，患者下燥矢半痰盂，旋即安然入睡。次日复诊，诸症悉减，体温 36℃，脉和缓，亦欲食，唯感乏力。投《温病条辨》益胃汤加减：沙参 50g、麦冬 25g、生地黄 15g、玉竹 20g、山药 20g、焦栀子 10g、甘草 10g，水煎服。服 3 剂后，患者身心俱佳，欣然出院。

时有一实习生侍诊始终，启问前医所以不效，今药所以立效之故。余喜其好学，乃以“理在法先，药在方后”作答：医贵精医理，辨病，辨证，在治疗上谨守病机，把握空间与时间的推移，组方、用药符合病情，方不致延误病机。此例，病本外感，当从表解，由于医治之失，热传阳明，胃燥肠枯，便结不通，病机为热结于腑，当以通下法治之。前医反用消炎和清热解毒药，皆是扬汤止沸，药不中肯綮，如矢不中的。今以急下存阴，投大承气汤，泄热通结，乃釜底抽薪。然病势虽减，而阴未复，恐去而复聚，重用《温病条辨》益胃汤方加减，养阴清热，急复阴液。若止步于已得之效，邪热必入肝肾，证属下焦，治尤棘手。大承气汤之用原方，自有仲景条文可据；而益胃汤加玉竹，意在养心之阴液；加焦栀子，清三焦屈曲之火；加山药养胃液，调和胃气。理法方药的关系，大抵如此。实习生颔首详记而去。

湿温证治一得

于雅权

湿温是外感湿热病范畴内常见的一个大证。临床上以持续发热，身重体痛，胸脘痞闷，苔腻脉濡为主要证候。病程较长，缠绵难愈，治疗上颇为棘手。为什么湿温病比较难治？这里面主要有个“湿”的问题，湿属阴邪，与热相合，热处湿中，湿热互结，如油入面，难解难分，湿不去则热难清，湿去则热即不能独存了。因此，如何有效地分离湿邪，使其与热分离开是治疗湿温病的关键。

1982年余曾治一肠伤寒并发肠出血、胆囊炎、肝炎、肾炎及酸中毒的患者，发热（体温在39～41℃之间）半月不退，经青霉素、链霉素、氨苄青霉素、激素等治疗不见显效而邀余诊视。当时患儿因发热半月有余，体力消耗较甚，神情萎顿，表情淡漠，面色微黄，壮热不恶寒，汗出热臭，头痛身重，疲乏无力，胸脘痞闷，呕恶不食，口干不思饮，时烦躁不眠，右上腹呈阵发性疼痛，右下腹隐痛不适，不便垢腻色黑，小便短赤，脉象濡数无力，舌质红，苔厚燥欠润。综观其脉症乃属湿温病，湿已化热化燥，窜入营分血分，持久不解，热邪灼伤阴络而致肠内小量出血。至此阶段，病情已属危重，阴液亏损，恐再动下血，必须育阴清营，凉血止血，遂投清营汤去丹参合犀角地黄汤再加枳实、半夏、瓜蒌，以辛开苦降，祛湿清热、止呕和胃。前后加减服药30余剂，患者热退身凉。又治1例金黄色葡萄球菌感染之败血症女性患者，持续畏寒、发热二十余日，经本大队卫生院用青霉素、链霉素、庆大霉素等治疗不效，遂住我院，由中医治疗。症见畏寒，发热，昼轻暮重，倦怠乏力，头昏身重，胸闷泛恶，纳呆食少，口渴不喜欢，脉弦数，苔黄腻，此亦湿温病也。湿热并盛，宜清热化湿并用，用甘露消毒丹化裁，3剂热退，调理脾胃月余而痊愈。

湿温病，近人有的认为即西医之肠伤寒。笔者认为此二病绝不能划等号。中医治病以辨证论治为主，着重在证候上分析，上两例一为肠伤寒，一为败血症，均按湿温病辨治而取效，足以证明中医辨证论治的优越性。

湿温发热

于万贵

甲子年春，同事与余叙述其长女近两个月发热，经用各种辅助检查，西医未能明确诊断。曾按风湿、感染、病毒、结核、肝炎治疗，效果不显。体温经常波动在37.9～39.6℃之间，令人发愁。余说："我专用中药治疗这种病"。次日她带来长女，邀余诊治。

患者症见发热恶寒，逾旬日，肢体倦怠，体温增高，重于申酉，余无所苦。查舌苔黄腻而厚，脉弦滑而数。

心中揣摸，此为湿温发热证。因湿热之邪留恋三焦所致，既不能外解，更不能苦寒清热。故拟方如下：藿香40g、厚朴20g、半夏15g、茯苓50g、杏仁15g、薏苡仁50g、猪苓15g、泽泻15g、砂仁15g，3剂。

同事提出异议：方中无苦寒清热药，恐不能奏效。余谓以此清宣化湿，上下分消，使湿一去，热必解，但服无妨。服此方2剂后，患者热势有减，体温再未超过38℃。其母甚喜，信心大增。续按原方增减，继服8剂后，患者脉静身凉。唯觉乏力，用党参、白术、茯苓、甘草、半夏、陈皮等药健脾益气调理，旬日痊愈。此后凡遇长期发热，西医未明确诊断，查舌苔黄腻而厚，脉弦滑而数，肢体倦怠者，用之多效。

善哉，医者意也

王增济

甲子季夏，一日长子身大热（体温39℃），恶寒，周身肌肉痛，少有清涕，头晕目痛，口苦，舌红，苔薄黄，脉弦数。此阴暑兼里热也。缘素有里热，又因暑纳凉，夜卧当风而致。当用黄连香薷饮。然仓促之际，无法取用。思之，阴暑者，主因寒邪为患。"夏日之麻黄"香薷，亦不过辛温发表之意，遂以生姜4片代之；暑病之热多在阳明，径可用现有的生石膏50g以代黄连。因无湿邪只取此两味水煎服之。1剂取微汗后，长子病若失，停服。此仿黄连香薷饮而制的生姜石膏汤，体现了简、便、验的特点。长子隔日后又身热，口渴，头晕，小便黄，此里热未尽，死灰复燃也。当用白虎汤，仍取其意，用生石膏50g

许，糯米一把，水煎服。3剂尽，病愈。

以上两方，有定法而无定方，治法已定，以法选方，可也；又表明“医者意也”，临证要圆融活泼，不可胶柱鼓瑟。

治在“枢”疗寒热往来有奇效

张大宁

临床上常见得一种西医称之为“无名热”的发热，每表现为午后发冷，而后发热，至傍晚开始汗出，慢慢热退，往往迁延多日。我常称之为“冷、热、汗、解”，化验白细胞、血沉均正常，其中有以“冷”为主，亦有以“热”为主者，多伴有口苦、恶心、呕吐、脉弦等证。

这种“冷、热、汗、解”，实际上是中医所指“寒热往来邪居少阳”的一种表现。太阳为开，阳明为阖，少阳为枢。所谓枢者，枢持也。张景岳云：“枢，枢机也；持，主持也。少阳居三阳表里之间，始枢之运，而持其出入之机。”盖太阳病以恶寒为主，阳明病以发热为主，故居于其间如枢的少阳病当以寒热往来为主。所谓以“冷”为主者，枢朝外开也；以“热”为主者，枢朝里开也。正如李时珍所说：“卫与邪相并则病作，与邪相离则病休。其并于阴则寒，并于阳则热，离于阴则寒已，离于阳则热已，至次日集而并合，则复病矣”。至于傍晚汗出而解者，实因傍晚酉戌之时，阴阳盛衰交替，恰似少阳半表半里，天人相应之故也。其余口苦、恶心、呕吐、脉弦等均系少阳见症，无须赘述。

对于本病治法，有些医生常以一般辛凉解表之剂，多不奏效。笔者遵仲景之法，以和解少阳之小柴胡汤治之。方中柴胡、黄芩配伍同用，发热为主加石膏，发冷为主佐桂枝，再予随症加味，每每获得意想不到的功效。

本来小柴胡汤计有7味药，主治少阳病，但在“寒热往来”问题上起重要作用的当是柴胡、黄芩两味药。柴胡疏散，使半表之邪得以外解，黄芩清火使半里之邪得以内清。以“发热”为主者枢朝里开，应加阳明经主药石膏；以“发冷”为主者枢朝外开，当加太阳经主药桂枝。三药合用，确能收到很好效果。

用量上，柴胡一般在30g左右，黄芩15～20g，石膏30～40g，桂枝10～15g。每日服药两次，一次在午时，一次在酉时，以掌握病症时机，充分发挥药效。

发热小议

陈仲廉

发热之证临床颇多，不外恶寒发热病在表，寒热往来病少阳，但热无寒阳明传。然定时发热或高或低，每每午后多见，久治不愈便成痼疾，逆手缠绵者何哉？各种化验、检查均非阳性，谓无名热也。中医辨证有云“湿温”“湿毒”者，有云“阴虚”“血虚”“气虚”者。吾五十余年临床，审证细辨，观舌查脉，在错杂的证候中观查有表邪内伏，命名“风热内郁”。风为阳邪，外袭束表，宣散不当，潜伏内郁，日久化热；风温内伏，脾困湿聚，热与湿恋而致低热绵绵，经久不退，体温一般在37.5～38℃间浮动，心悸盗汗、手足心热、身乏肢酸、项背强、妇女多月事不调、带下。若阳盛之体或素体肝旺者，风热内郁，燥热伤阴，炼津成痰，痰热交阻，气伤壅滞。或素体气虚、阳虚，风湿壅遏，郁久化热，灼阴耗气，湿炼成痰，热盛成火，痰火盛实，气阴虚惫，正虚邪实病势危笃矣。症现壮热（39℃以上），头晕，口干舌燥，身乏肢酸，烦躁呕恶，唇红，舌赤苔黄厚腻，脉弦滑数或濡数。但有热重于湿或湿重于热者，又当详辨。

盖风热内郁，气化失常，风湿（痰）热（火）互结，必宣、散、清、消方祛其邪，单一力不能达之。无宣、散则风扰，无清、消则痰热恋邪。此拟“和”剂之谓也。理脾健胃益气育阴以扶正祛邪也。吾临床常用香薷饮和柴葛解肌汤加减。曾治一少妇，1973年患低热（37.1～37.8℃），午后3点始热，多方治疗，住院半年未愈，病因未明，然已体衰面苍，心慌气短，身乏肢瘦，脘痞纳呆，苔白腻，脉濡数，经介绍来诊，拟以和解育阴益气清热法：

香薷12g、厚朴10g、柴胡12g、半夏12g、常山12g、黄芩5g、青蒿15g、炙鳖甲30g、葛根15g、太子参30g、秦艽30g、茯神20g、酸枣仁30g。只两诊、服6剂汤剂，患者热退症消，又配丸剂巩固月余痊愈。

一般低热加龟甲、鳖甲、青蒿；高热加羚羊角粉、生石膏、黄连、板蓝根；痰盛呕恶加半夏、旋覆花、代赭石、胆南星、瓜蒌；湿浊困脾加藿香、佩兰、苍术、炮姜、白扁豆；气虚加黄芪、党参、五味子；阴虚加沙参、石斛；大便燥结加枳壳、瓜蒌子、大黄、番泻叶。审其邪恋深浅，病热轻重，病程长短，观其体质、年龄，选药用量灵活运用，无不效者。

术后发热证治

|郑　侨|

庚申年5月，诊一男性住院患者，所罹肺痈之疾，行肺切除3叶。术后8个月余，终有发热。复患感冒，热加重，体温在38.5～39℃之间，治疗皆以抗生素静脉点滴、口服消炎解表之剂，已治1个月余，仍高热不减。现五心烦热，烦躁不安，夜热加重，咯痰有味，面红舌赤，脉寸尺细数、关弦滑。证属蕴热内结，毒邪未尽，复感外邪之阴虚发热兼外感。治以益阴制阳、清热解毒、消痈散结驱邪法。药用：生地黄、玄参、金银花、连翘、芦根、桔梗、麦冬、焦栀子、蒲公英、生甘草。两剂患者热退，5剂起床行动。

癸亥年9月，又诊一住院患者，系中年妇女，所罹之疾，膀胱肿瘤。术后引流6个月之久，发热已两月余，体温持续在38℃左右，有时高达39℃，静脉点滴诸抗生素，口服多种消炎解热剂热难退。日久消瘦，心烦，少腹按痛，小便黄浊，面红、舌赤、苔黄腻，脉弦细数。证属阴虚蕴热，邪移下焦，残毒未尽之阴虚发热病。治以益阴制阳、清热解毒、利尿驱邪法。药用：生地黄、玄参、金银花、连翘、萹蓄、石韦、滑石、白茅根、蒲公英、生甘草。5剂患者热退，10剂起床行动。

此两案皆为蕴热内结，气阴大伤，术后重伤阴津血液，以致阴亏阳旺，而形成阴虚发热病。治阴虚发热，虽有外感，治疗忌过汗。因阴亏阳必旺，治必滋阴以制阳为主，阴平阳秘，邪自除，热自止。

湿热发白痦，延误遗憾事

|勾直平|

丁亥季夏，阴雨连绵，湿热交蒸，病多湿温。一妇年方21岁，初病恶寒头痛，身重体疼，身热不扬但午后热盛，胸脘痞闷，口不渴，面色淡黄，舌红苔白而腻，脉濡缓。此证本为湿温初起，湿邪郁遏卫气所致。请某老中医诊治，见其恶寒头痛，身重体疼，证似伤寒，遂投辛温兼苦寒双解之剂。药后3日，患者汗出、恶寒虽止，余症不除，且脘腹胀闷更甚，遂另请其医。此时病程周余，症见身痛，渴不多饮，汗出热减，继而午后复热，脘腹胀闷，舌红苔淡黄

而滑腻，脉缓。本为湿热郁结所致，应当清化湿热，而其医见午后发热，又投白虎汤大剂，致使湿热交结，汗出而热势不解。时已半月，又请某西医，诊为肺结核，给鱼肝油丸、钙片、维生素类。服药又旬余，患者病势日趋严重，延余待诊。

此时病程较长，热势不减，汗出热不衰，脘闷欲呕，舌苔黄腻，胸部发出散在白痦，脉濡缓，精神萎靡，面容憔悴。诊毕，语其夫曰：本病湿热留连不解，又经前医治未中肯，致使湿热郁蒸，胶结不解，发为白痦。胸脘痞闷欲呕，亦白痦郁发之兆。但痦色不鲜，尚无浆液，且发热汗出月余，津液已耗，恐预后不佳。勉拟清泄湿热，透邪外达之法，投薏苡竹叶散加人参15g，服2剂。药后白痦透发，胸腹背密布，色如枯骨，空壳少浆，身热不退，神志恍惚，汗出如油，脉微，津气俱竭，正不胜邪，邪毒内陷，危象毕现，虽养阴益气，亦恐无济于事，遂以前方加人参至30g、沙参30g，水煎频饮，以期挽救于万一。并嘱其家属，病情笃急，倘药后若有转机，尚可再诊，否则立即准备后事。5日后果然不起。

治湿热病一得

张克俊

余在临床，尊《温病条辨》告诫，一曰：不可见其头痛恶寒，误“以伤寒而汗，汗伤心阴”；二曰：不可“见其中满不饥，以为停滞而大下之，误下伤阴”；三曰：更不可“见其午后身热，以为阴虚而用柔药润之，湿为胶滞之邪，……遂有锢结而不解之势”。三点告诫，对吾教育很大，临证每见“低温发热”或“午后发热”患者，多从湿温论治，以宣通气机，渗利湿热为法，用三仁汤加减变化治疗，而获较好效果，尤其对低热病人，更可谓效果彰然。

基本方剂组成：光杏仁15g、薏苡仁15g、紫豆蔻10g、通草5g、厚朴15g、甘草10g、半夏15g、藿香15g、紫苏15g、茯苓20g、苍术15g、滑石15g。

加减法：若头痛重者加菊花、白芷；若往来寒热、热重于湿者，加黄芩、青蒿；兼有秽浊者，加石菖蒲、佩兰；腹胀者，加枳壳、陈皮。

余每遇低热患者或午后发热患者，结合脉症，只要具有湿热之象，即用此方治疗，兹举一例介绍如下：

李某，27岁，年幼时曾患过结核性脑膜炎，半月前，赴杭州学习，至杭5日即发头晕，肢体痠楚而痛，脘腹胀满，恶心呕吐，徐徐发热，热势不张，体温37.5℃左右，虽治而不效，遂辍学返里医治。经某医院以发烧待查收住院，经化验、透视摄片，尚未定诊。此期间用氨苄青霉素、链霉素、异烟肼及清热解毒、滋阴清热药治疗，而其热不减，日趋加重，后邀余诊治。诊察所见：病人面色淡黄，头晕而痛，其痛绵绵，神倦少言，肢体酸重乏力，食少纳呆，日内吐止，虽觉发热，扪之其热不著，体温37.6℃，舌质淡苔白腻，脉沉细而数。余以证求因，是其发热之际，夏末秋初，时值秋金当令，易感湿热之病，加之，南北气候所异，病人初居异地，难适温凉湿热之变。治以宣通气机、清热利湿为法，宗三仁汤之意，加减治之。

杏仁15g、薏苡仁15g、紫豆蔻15g、茯苓20g、川厚朴15g、半夏15g、紫苏15g、藿香20g、滑石15g、淡竹叶10g、苍术15g、焦三仙45g。

上药连进5剂，病人头晕头痛大减，饮食增加，体力渐复，再进3剂，发热即平，体温降至37℃以下，舌质淡苔白，脉沉缓。嘱其续服原方又3剂，药尽病愈，又返杭学习。

甘温除热，重在升清

何连庆

曾治一女患者，因发热心悸，气短失眠，伴有颜面浮肿，先就诊于某一医院，诊断为心肌炎。住院月余，好转出院。出院后低热不退，至今已有两年半之久，一般体温在37.5～38℃之间，从未降至正常，多次检查原因未明。

患者体质消瘦，气短神疲，面色萎黄，持续发热，饥时热增，稍劳热亦增，食少乏味，食后腹满而胀，伴有心慌口渴，头面烘热，时作时止，大便稀溏，日3或4次，有时多达6次，食后即泻；白带多，带色微黄，溲赤，舌胖、苔白腻中间微黄，脉浮数按之无力。考虑再三，诊为脾虚失运阴火致热。治用补气健脾升清祛湿法。方用补中益气汤去当归，加茯苓、黄柏，3剂。

患者持方出门，随诊同学立即提出疑问："该病人持续发热两年半之久，体瘦面黄，心悸气短，证似阴虚，而口渴头面烘热，又像火热上炎，不用滋阴和寒凉清热，而取人参、黄芪、升麻、柴胡补益升提之品，其理为何？"

此案为甘温除热之法，此理先贤早有论述。综观患者整个病情，的确复杂，症状反映寒热虚实都有，归纳起来，有以下几点：①体弱面黄，食少乏味，腹满而胀，大便稀溏，食后即泻等，为脾阳不足，气虚下陷，这是此病重点，辨证关键。②虚人脾失运化，导致湿热留连，饮食不能化为精微，反生湿郁热，故而低热不退。③白带多、小便黄、苔黄腻为脾虚湿困所致。④至于身热口渴，头面烘热，脉数等，似属实热，实为心胃阴火之虚热。其特点是身虽热而不甚，口虽渴而饮后作胀，虽然头面烘热而时作时止，脉虽数而按之无力。此与白虎汤所主之阳明实热相似而实非。正如李东垣在当归补血汤治疗虚热证时所指出的“证象白虎唯脉不长实有辨耳，误服白虎必死。”脾胃之阴火，主要表现在两方面：一是脾虚中气下陷的气短神疲，肢倦嗜卧，大便溏泻的虚寒证；一是心胃阴火上冲的身热口渴，头面烘热之胃热脉大的虚热证。这些正与此例患者相吻合。此方用人参、黄芪以健脾益气，因脾虚则清气不得升腾上养心神，导致心的阴火炽盛。加入茯苓、黄柏以祛湿邪，减当归者，防其滑泻也。方中柴胡舒解肝郁，升麻宣发脾胃之郁结，凡脾胃气虚，清气下陷者欲升举清阳，非升麻不可，而柴胡为升麻之辅佐，其效更彰。此病治疗重点就在于升清降浊，补气健脾。临床上凡属脾虚气陷而大便不实或久泻者以致心胃阴火上冲，而身热口渴者，投以补中益气升清降浊之补中益气汤，疗效很佳。

该病人按上方服用3剂后，收效不明显。继服5剂，自觉症状好转，大便次数减少，发热时间缩短。又宗原方服5剂，食欲已有起色，精神增加，大便成形，日1或2次，体温在37～37.3℃之间。后在原方基础上加入当归减去黄柏，处方重点仍然是升清降浊，前后共服药30余剂，患者自觉症状基本消失，低热全平，面色好转。后以补中益气丸与香砂六君子丸调理善后。观察月余未复发。

“灯笼病”治验

吴惟康

灯笼病，又称心里热。王清任《医林改错》曰：“身外凉、心里热，故名灯笼病。”余在临证时，曾治一患者，自述患病十余年，心中烦热，且阵阵全身烘热，上冲牙齿，夜间尤甚，但触体并不热，略有凉感，夜不能寐，大便时稀，两胁胀痛。屡用滋阴清热药不效，而每服舒肝丸则自觉稍舒，但诸症不除。望其舌苔薄黄、舌质暗红，脉沉弦而数。诊毕，余处方为：柴胡10g、赤芍15g、桃仁10g、红花10g、川芎10g、生地黄15g、枳壳15g、桔梗10g、牛膝10g、当归15g、青皮15g、淡竹叶5g，2剂，水煎服。是时学生问道：何以用血府逐瘀汤治之？余曰：若诊此证为虚热，则愈补愈瘀；诊为实火，则愈凉愈凝。该患者虽夜间心中烦热，全身烘热，似阴虚火旺，应服滋阴降火之品，但其不效若何？若确为阴虚，服辛燥之舒肝丸，势必致火势更焰，病情益重。但每服之却觉舒。此非真阴不足可知矣。再望其舌质暗红，为有瘀血之象，说明此证是气郁日久，血行不畅，而成血瘀。故仅以疏肝理气之品，则虽肝气疏而瘀血不除，故病不愈。因此应投用活血祛瘀之剂，内加竹叶一味，促进邪热和瘀血从水道排除。

数日后，患者喜告服上方两剂，已不热，夜寐得安，惟仍觉两胁胀痛，望其舌质已不暗。此瘀血虽去而气郁不除，应侧重疏肝理气。处方：柴胡15g、清半夏10g、黄芩15g、桂枝10g、茯苓20g、党参15g、龙骨10g、牡蛎20g、甘草10g、生姜5g、大枣3枚。4剂，水煎服。患者服此方4剂后，胁已不胀痛，精神大爽。余嘱其注意情志调摄，并服用10袋逍遥散，以竟全功。

热厥证治琐谈

薛昌森

热厥又称阳厥。由于热邪过甚，津液大伤，阴气衰于下所致。这里的下是指肾经，肾为水火之脏，阴阳之宅。温邪热毒逆传心包，下竭肾；或热邪直中少阴；或久病、怀妊伤肾，肾阴亏虚，阴不涵阳，孤阳浮越，而致阴阳气机不相顺接，逆乱于内，剧变于外。轻者症见眩晕面赤，神志时明时昧，心烦口渴，四肢时厥时温，脉象沉细而数，舌质红，血压升高；重者神识昏迷，不省人事，烦躁谵语抽搐，四肢厥冷，脉象沉伏重按有力。倘若救治不当，危在顷刻。

余治此证，首重审因辨证，尤须与四肢厥逆、恶寒踡卧、脉象沉伏无力的寒厥证严加鉴别；更不可与温病或其他热证后期，邪热久羁，精血耗伤，水不涵木，虚风内动的虚证相混淆；还要与热极似阴，寒极似阳的假象区别清楚，否则以热治热，以寒治寒，会犯火上加油、雪上加霜之祸。1981年12月，本院内一科收一赵姓男患者，患昏迷、阵发性抽搐已两天，肢冷汗出，体温不升，血压低，诊断为大叶性肺炎、感染性休克。邀中医配合抢救治疗。切脉时患者扬手踯足无法寻按，在三人按助下，方诊得其脉象沉伏有力。正要处方时，有随诊某进修医师问："参附四逆汤可用否?"余答曰："断不可，此热厥，热深厥深，热药下咽则毙。"遂以羚羊角粉1.5g，分3次给患者鼻饲，4小时1次。以平肝舒筋熄风。佐以西洋参、麦冬、五味子益气生津固脱。再以龟甲、生地黄、白芍、牡丹皮、知母、石膏、淡竹叶等大剂复方填补肝肾、清气凉营。服药后患者抽搐稍平，血压升高，惟体温升至39.8℃，家人十分惊恐，于当日下午再次邀余复诊，察其色按其脉，嘱以原方继服。次日上午，患者体温降至38.5℃，晨间神志转清，能对答简单问话，早饭后又见烦躁不安。于原方去人参、麦冬、五味子，加清心化痰之味，羚羊角粉减至0.3g，日2次服，配合西药对症治疗。3天后，患者体温降至正常，神清，再未抽搐，调治月余，病愈出院。随访半年，已参加轻工作。

热厥之证，在温热病过程中确为常见，然在妇科妊娠临产或产后，亦屡见不鲜。余观察了不少产后痉厥病人，其症多见头晕眩，面红赤，血压升高，甚则抽搐肢冷，脉弦滑，舌质红等，其病机亦属肾阴大伤，虚阳浮越，气血阴阳逆乱所致。治疗之法，每以羚羊角粉 0.3～0.4g，日二三次服，轻者得服此药，血压很快降至正常，厥止搐平；重者配合辨证方药，其效亦甚满意。

通腑泄热治出血热

张淑贤

曾有人把流行性出血热叫做虎林热，这是因为虎林发现此病年代较早，发病多。此病中医还没有一个统一的病名，但大家一致认为它属于中医的温病范畴，可用卫气营血辨证方法施治。

由于流行性出血热比较复杂，给治疗带来很大的困难，尤其是在少尿期，患者病势急迫，邪无出路，一耽误时机便会导致动风或动血的严重后果。但此时若能针对气机阻滞这个主要矛盾，投以苦寒泄热的大承气汤，往往随着大便的通泄小便也通，邪有出路，热势顿减，转危为安。脾胃升降是脏腑功能的枢纽。胃之浊气降，脾之清气升则诸气皆通，因此大便通、小便也随之而通，达到不利尿而小便通的妙用。通腑泄热对流行性出血热少尿期有速效、显效。少尿期又是流行性出血热治疗过程中的最困难的时期。从这种意义上说，通腑泄热又是对整个流行性出血热最重要的治疗方法。

曾治一男性患者，50 岁。他突然发热，全身不适、头痛、腰痛、腹胀痛，恶心，神疲体倦，面色潮红，左肩及前臂内侧有出血点，眼睑轻度水肿，24 小时无尿，大便秘结，腹部拒按，舌赤、苔虽白而干，脉沉迟有力。正处于流行性出血热少尿期。药用：大黄 50g（后下）、厚朴 30g、枳实 25g、芒硝 30g（冲服）、代赭石 50g，急煎。服后 3 小时，患者连续排稀便 3 次，色略红，随便排尿约 600ml，继而诸症减轻，转危为安。以通腑泄热治流行性出血热其他期虽然也可用，但更多的还是用在少尿期。

血府逐瘀汤治疗灯笼热

赵振国

血府逐瘀汤是清代王清任所著《医林改错》中用途最广的一个方子。在其治疗项下有灯笼热一病。灯笼热又称“心里热”。

有一女患者于1979年1月来我院门诊就医，自述心里发热已达4年之久，近1年来日渐加重，胸腹部热得夜不能着被、日不能穿衣，纳谷尚好，大便日一行，冬夏都需用毛巾沾冷水擦胸部或冷敷于胸部，方能缓解灼热之苦，否则如焚难忍，而皮表体温正常。曾经两大医院诊治，尽管打针、服药等进行多种治疗，仍无明显效果。据患者女儿诉说其母平时脾气不好，爱生气。脉象沉弦，脉搏88次/min、体温37℃，舌质紫，舌苔黄兼黑。

对本证四诊合参，为郁在气分，深入血络，以致血府不畅，瘀血留着胸部，瘀积日久则化热，故不能近被着衣。治以理气逐瘀活络清热之法。《素问·脉要精微论篇》说：“脉者血之府也”，故采用血府逐瘀汤加味治之，药物组成：当归15g、川芎15g、柴胡10g、桔梗15g、牛膝25g、牡丹皮15g、浮萍10g、青皮15g、生地黄10g、桃仁20g、红花15g、枳壳15g、赤芍20g、甘草5g，水煎服，日1剂，连服4剂。

患者复诊时自述，服完4剂药，心里发热明显减轻，周身也觉舒适。本着效不更方的原则，患者又按前方服两剂，心里发热症状完全消失，一切恢复正常。以后再没有复发，精神一直很好。

清营治热一谈

高树人

曾治少女任某，年方17岁，发热21个月，体温经常在37.2～40℃之间。先后经几个医院按结核、风湿热、胆道感染等疾病治疗，均无效。又延中医诊治，有从阴虚论治者，有从气虚论治者，热仍不解。其父惶恐，于1984年9月2日急邀余诊治。症见：发热夜甚，心烦不寐，口干不甚渴，头痛，眩晕，形体不衰，舌质红绛，苔薄黄，脉细数。实验室检查：白细胞5.6×10^9/L，中性0.6，淋巴0.4，血沉2～3mm/h，血小板90×10^9/L，抗“O”正常。肝功能正常，乙型肝炎表面抗原阴性。X线胸片正常。查此证实属罕见，余冥思苦想，始悟此乃邪热入营，失于清透所致。遂拟大剂清营泄热、透邪达外之法，药用：水牛角50g（先煎）、生地黄25g、玄参20g、淡竹叶10g、麦冬20g、丹参25g、黄连10g、金银花50g、连翘25g、生石膏100g（先煎）、板蓝根50g、蒲公英50g、紫背天葵15g、知母15g，3剂，每剂水煎400ml，每2小时服100ml。服药后患者热势受挫，体温下降（37.9℃），头痛、心烦、口渴等症皆减，睡眠转安。守服前方两剂，石膏减半，日服3次，11日下午患者皮肤微似汗出，身热渐去（37.1℃），自觉轻快，饮食有加。前方去水牛角、石膏、板蓝根，加石斛15g、陈皮5g。又进两剂，患者诸症消失，体温恢复正常。患者父母欣喜若狂，齐谓：发热630天不退，今用药1周，竟获痊愈，实中医科学之功也。

此乃温邪久羁，邪热入营，非清营泄热不能透除，故攻邪是为上策，在服药方法上，采取量少频进的方法，从而做到量不过重。清不伤正，药力专一，攻邪迅速的目的，如此则邪去正安，诸症悉除。

越婢加半夏汤治疗肺胀

田兴国

余尝治一患者，哮喘反复发作二十余载，每逢季节更换时加重，冬季尤甚。犯病时胸部憋闷气喘，甚则不能平卧，自觉痰多阻塞气道，痰气上壅，咳吐黄痰，质稠而黏，不易排出。常靠氨茶碱、抗生素和激素维持治疗，然仍反复发作，故前来就诊。

察其形色，面黄消瘦，喘促气短，唇有疮痂。脉浮微滑，舌质淡红，舌苔黄腻。此乃肺胀，热重于饮。治以越婢加半夏汤加味治之。方用炙麻黄9g、生石膏30g、炙甘草6g、生姜9g、大枣7枚、半夏10g、川贝母9g、葶苈子（熬）12g、杏仁10g、射干9g，3剂，水煎服。

闲时学生中有谓用小青龙加石膏汤治之，何不用？余曰："二方虽同治饮热俱见之肺胀，然各有侧重。《金匮要略》曰："肺胀，咳而上气，烦躁而喘，脉浮者，心下有水，小青龙加石膏汤主之"。既云'心下有水'，说明小青龙加石膏汤证是以饮邪为主。因饮为阴邪，故用细辛、干姜、半夏，温药和之，以散寒涤饮；因兼郁热，复加少量石膏治之。观此患者，胸部憋闷，烦热口燥，痰多色黄，质稠而黏，唇有疮痂，舌苔黄腻，脉象浮滑，此为肺胀热重于饮无疑。若用小青龙加石膏汤，更有麻黄、桂枝配合细辛、干姜，则有伤阴动阳之弊病。依据'寒者热之，热者寒之'之旨，宜越婢加半夏汤加味治之。方中麻黄、石膏宣肺清热；生姜、半夏、川贝母降逆化痰；甘草、大枣调中健胃。配合葶苈大枣泻肺汤者，正合《金匮要略》之'支饮不得息，葶苈大枣泻肺汤主之'之意，泻肺气以逐痰饮；复加杏仁、射干佐上方以宣肺平喘。全方具有启上泻下，清肺涤饮，宣降肺气的功能，使肺气清，饮邪除，则肺之宣降功能趋于正常，故以本方治之。"

越3日，患者复诊，服药后胸闷气喘减轻，吐痰较前清利，色白，时或吐黄痰。前方既效，毋庸更方，复以上方3剂治之，患者诸症悉减。后继续用上方加减调治3周，患者基本痊愈，可参加一般劳动。

五味子、暴马子花煎剂治疗咳喘病 |张启明|

余于10年前曾用长白山区盛产的五味子、暴马子花，以其煎剂治疗咳喘病（慢性支气管炎）多获显效。如能长期坚持服用，可获痊愈。方用五味子、暴马子花等量（鲜者加倍），先煎五味子，煮沸后20分钟下暴马子花，煎好后滤出，加少许冰糖，也可当茶饮用。如曹某，咳喘二十多年，每年入冬即不能外出，感冒后加重，咳吐泡沫样黏痰，重时喘息抬肩、汗出。1973年冬开始服用五味子、暴马花煎剂代茶饮。坚持数年，不但咳喘大为减轻，感冒次数明显减少，近两年来冬季也可外出参加劳动了。

咳嗽、喘息之病，与肺、肾有关，尤其是源于老年慢性气管炎。五味子酸温，敛肺滋肾，对肺肾两亏所致的久咳虚喘，可收到止咳平喘之效；暴马子味苦微寒，祛痰平喘，镇咳利水，其花轻清上浮肺经，直达病所。故二者配伍，可获止咳、定喘、益肺、补肾之功。

巧配葶苈子治危候 |邹　旭|

临床医生多尊古方。张仲景的方剂虽隔千年，但今日用在临床仍有可观的效果。运用古方时，不要泥古，尊方调剂在于灵活，但必须审因辨证论治，更不要畏其证候险危，用之得当，必当化险为夷。笔者曾用小青龙汤减去干姜加葶苈子使一垂危病人得救。早在3年前，应一空军医院邀同道二人前往会诊。一男性患者，飞行员，经西医诊断为肺心病。该病人患喘咳，心悸病近10年，因喘咳病反复发作已停止飞行工作数年之久。此次发病加重，因北方天寒，气候变化无常，外感风寒而诱发。虽经中西医抢救，疗效不显，已嘱其家属做后事准备。症见：发热恶寒，头昏，无力，胸闷，心悸气喘，心烦不宁。口似渴而不欲饮，而唇紫绀，动则喘甚，下肢浮肿，气急不能平卧，舌紫苔白，脉结代。按其脉症所见系心、肺、肾皆虚。阴虚阳衰，风寒外束，水饮内停，血运无力，为本虚标实之危候。治宜：解表利肺蠲饮。急用小青龙汤去干姜加葶苈子以泻气行水破坚除痰定喘，方药：炙麻黄15g、桂枝15g、白芍15g、细辛5g、半夏 15g、五味子 10g、炙甘草 5g、葶苈子 15g、沉香 10g、（葶苈子、沉香共研细面，两次汤药冲服）。3 剂后观其效果，如有变化随时再议。临走之时同道对我言："此病人命在旦夕，恐不会再来复诊。"越 4 日，家属又来邀我往诊，并说病人已好大半，可半卧，咳喘减轻，恶寒发热已解，并能稍进食。二诊继调其方以真武汤加葶苈子、沉香、黄芪 4 剂，患者服后病情基本稳定，继而自来门诊，以滋补心肾清肺为主，共治两周而愈。

对该病人，事后笔者想：①本病人主要是久病各脏皆虚，复外感风寒，多因邪实痰瘀而起，起病急骤，肺虚不能主气，肾虚不能纳气，脾虚不能化谷，宗气化源不足。因肺、肾皆虚，势必累及心脏，心气不足，血运无力，故发绀、心悸、水肿接连发生，危及生命。虽患者病情危笃，但医生决不能慌乱，详细问诊，查清病史是重要一环。②小青龙汤是《伤寒论》为治疗外感风寒、因停水饮而设。该患者虽然是里实证突出，但有表证，故小青龙汤是首选方剂，考虑干姜辛热对此证不利，故去干姜加性苦寒的葶苈予以泻气行水，配沉香以增强行气平喘之功。近年对用葶苈子治疗喘、心悸均有报道。同时用葶苈子时，最好研面冲服效果较好。因葶苈子皮坚不宜加热浸出，故本方收效之大，在于去干姜、加葶苈子面冲服所起的作用。二诊时患者表邪已解，痰饮水气已解其半，故继用真武汤加减，温阳、益气、利水。最后滋补心肾，以善其后，达到临床治愈。

咳喘证治小议

尤荣辑

《客尘医话》云："咳嗽大半由于火来克金，谓之贼邪，最难速愈。因风寒外袭，而内生实火，急宜泻之。若失于提解，久之传变生疾。误服阴药，反成劳瘵。"此数语甚对。咳嗽有寒热之别、虚实之分，不可误治。余治一位年已半百之孔某，患咳喘病反复发作已 5 载，立冬后病情加剧。今由于起居不慎，旧病又作。恶寒发热，咳嗽气喘，无汗不渴，痰稀色白，身体疼重，胸痞干呕，苔白脉浮。据证立解表散寒、温肺化饮之法。方用小青龙汤，以麻黄、桂枝发汗解表，宣肺平喘；白芍配桂枝调和营卫；干姜、细辛内以温肺化饮，外可辛散风寒；五味子温敛肺气以止咳，并防肺气之耗散；半夏燥湿化痰，蠲饮降浊；炙甘草调和诸药，配芍药缓麻桂辛散太过。水煎连服 6 剂，而咳止喘平。该患者素有咳喘之疾，今感受风寒，外寒引动内饮。风寒束表，腠理密闭，故恶寒发热不渴、无汗、身疼、脉浮。《难经・四十九难》曰："形寒饮冷则伤肺"。

外寒内饮相搏，水寒射肺，则咳嗽喘息；水停心下，阻滞气机，则胸痞；水留胃中，则干呕；水饮外溢，则肢体疼重。是证宜解表散寒、温肺化饮，而获佳效。

“心咳”一得

左公任

《内经》谓“五脏六腑皆令人咳，非独肺也”，并列举五脏六腑咳之状。然以肺咳临床多见，以其肺合皮毛，每因外感，皮毛先受邪气，邪气以从其合发为肺咳。后世为发《内经》之理，多有论述“肾咳”“肝咳”者。对“脾咳”论述亦不为鲜。唯“心咳”涉及者少。

余每复习经文，对“心咳之状，咳则心痛，喉中介介如梗状，甚则咽肿喉痹”一条难于理解。遂于临床中留心观察，以求一解。余于数十年临床工作中，诊治心病者不计其数，如“脉痹不已，复感于邪，内舍于心”是为“心痹”。而“心痹”一病亦每伴咳嗽一症，但未见经文所述：“喉中介介如梗状，甚则咽肿喉痹”者。

1985 年 1 月中旬，病房收治一心悸、气短、呛咳导致暴厥抽搐病人。西医诊为“高血压性心脏病，心房纤颤，心力衰竭”。住院后，病人除心悸、气短、下肢水肿外，时发呛咳无痰。每于呛咳数声后，即突然昏厥，肢体抽搐，持续 1 分钟左右后，则周身乏力，然一旦平作，精神如常，诊其脉细弱、疾数、三五不调。一次正当余为其诊脉时，指下突感其脉气不继，一止不复。此时病人呛咳突作，抽搐又发，但顷刻脉复，人醒，抽搐亦止，遂知此呛咳之作，因有感气上冲咽，乃心气不继，心血不充之故也。

该病人经注射西药西地兰急救处理，又服参附五苓散汤剂，两日后，脉转结象，心率 90 次/min。此后即未见呛咳、抽搐发作。旬日后，病人下床步履行走如常。

由此可见，其呛咳顿作，气上冲咽，脉气不继，发自于心明矣。虽无“心痛”“咽肿喉痹”等症，但诊此病患也可谓心咳一得。

喘病证治一得

刘士俊

喘证是高寒地区多发病之一。此病外因风寒，内因痰饮，由风寒与痰饮互相胶结而成。故罹此病者，寒难散而饮难除，久而久之遂成痼疾。本病每至秋冬感寒辄发，暴发之时，多挟表证。故对本病的治法，唯小青龙汤外解表邪、内化痰饮，能安内攘外两擅其长，实为表里兼治之要方。我治此证在使用小青龙汤时，凡遇年老或体质素弱者，常令其先煮麻黄（去上沫）至30分钟以减其峻猛之性，后下诸药同煮，较为稳妥而有效。表邪已解而喘嗽未平者，于小青龙汤中加杏仁、橘红、茯苓、款冬花、紫菀、炙桑白皮，收效较好。如果平时痰多食少气短而喘者，用六君子汤合三子养亲汤加五味子、杏仁、厚朴、炙桑白皮，标本兼治，较为有益。如气短促、肾元不足者，用金匮肾气丸以固其先天之本，实为治本之要法。

由于寒邪可以化热，所以寒邪包热之喘，虽在高寒地区，也并不少见。此种寒邪包热之喘病，以青壮年为多。因为青壮年阳气方刚，阳性易于化热之故。治此病，我常以既往从民间所得一验方，用之较好。其方即煅石膏30g、麻黄9g、杏仁9g、炙桑白皮12g、甘草9g、红糖120g。其实，本方即麻杏石甘汤，石膏煅用，加炙桑白皮、红糖而成。此方妙在用麻黄散肺寒；石膏清肺热，且石膏煅用又不伤胃；桑白皮、杏仁清降肺气，能除热痰而平喘咳；红糖味甘性温，合甘草甚得甘缓调中之理，亦寓“温药和之”之旨。且红糖甘能益脾，温能和中，能健中州而助运化，以杜生痰之源。因此，本方是治寒邪包热，为平喘化痰、益脾和中之佳方。

喘证又见久泄，多属脾肾两虚之重证。恐有下竭、上越脱绝之虞，因此急宜固肾扶脾，兼顾其先天、后天之本。药用补骨脂、诃子、五味子、附子、肉豆蔻、肉桂、炮姜、土炒白术、砂仁拌炒熟地黄、茯苓、山药、人参、黄芪、罂粟壳、大枣和炙甘草，能令泄止喘平，使病向愈。

谈“冬病夏治”

李允昌

慢性气管炎，秋冬两季复发率较高，夏季大多缓解。根据“急则治其标，缓则治其本”的原则，对临床缓解期的病例，采取“冬病夏治”的方法，即在夏季未发病季节，进行补脾益气的整体治疗，常可减缓或防止秋冬两季旧病复发，提高疗效。

笔者曾对50例慢性气管炎病人进行“冬病夏治”的疗效观察，结果38例痊愈，12例减缓。如余治一病人，患慢性气管炎15年，每年秋冬两季复发，近几年来，病情加重，每次发作均持续4个月以上。经常用抗生素、麻黄素、氨茶碱等药维持，但始终未能控制病情，遂转用中药治疗。

病人体质消瘦，呼吸喘促，喉间痰鸣，咳嗽阵作，痰黏不爽，黄白相间。并伴心悸目眩，盗汗失眠。查其舌红苔白，脉象弦滑。证属久咳伤阴，痰热郁肺。拟养阴清热祛痰法（主方：生地黄、石膏、瓜蒌、桔梗、玄参、桑白皮、甘草）。经辨证治疗1个月，患者病情基本缓解。为巩固疗效，当年将其列入“冬病夏治”组，继用益气健脾、消痰理肺法（主方：党参、白术、茯苓、陈皮、桂枝、五味子、甘草）。治疗1个月，患者咳喘痰多等症状消失，精神、体力、饮食、营养等状态均有明显改善。经3年随访，未见复发。

祖国医学认为，脾为生痰之源，肺为贮痰之器。慢性气管炎，大多病程日久，反复发作。故多以脾肺俱虚为本，咳嗽痰喘为标。在其临床发作期，当以止咳、祛痰、平喘为主；临床缓解期，当以健脾益气、消痰理肺为主。因此，治疗慢性气管炎，切忌求末舍本。紧抓缓解期的扶正治疗，实为治疗之关键。

治病必求其本

高桂郁

治病必求其本，是辨证论治必须遵守的法则。当病人来就诊，许多症状展现在医生面前，何为本呢？是孤立地去分析主次，还是相联系地去看待各证，这个问题应具体分析，因人因病而异。但是人体内在的统一性是不可忽略的，笔者曾治袁翁之疾，患者年过六旬，平素患高血压、动脉硬化、慢性支气管炎（喘息型），入冬以来喘息更重，遍服利肺化痰汤剂、丸剂，用后非但不效，反使痰涎增多。余诊时，见其头胀眩晕，咳嗽气短，胸痛发闷，夜不能卧，痰涎黏稠，吐痰成线不断，大便秘结，六七日一行，舌苔腻而平，脉弦有力。阅前医用方实发人深省，笔者按药物功能将所用药物分为3组：一为龙胆草、黄芩、生石决明、赭石、菊花、钩藤，可清热平肝治高血压头眩；二为桑叶、贝母、杏仁、麦冬、桑白皮，可润肺化痰治气管喘息诸症；三为厚朴、青皮、木香、瓜蒌，可降逆气下行，为前两组药之辅。真可谓面面俱到之方，但连用若干剂毫无疗效。

笔者追溯病源，知病人做豆腐出身，壮年即患咳嗽，此证年深日久，久在湿热蒸蕴之中，必有顽痰宿疾内结，痰涎成线不断即是明证。又见其胸闷咳嗽、大便秘结，显然系痰热化火之证，湿热上蒙于头，清阳被阻则头眩胸闷便秘，故知病之本实为痰涎作祟，非一人而有三歧之证。遂投以礞石滚痰丸每日两管，

5日后再诊，患者诸症均见大效。

如果不看各症之间的内在联系，而误为肝阳上亢，肺热痰阻，气逆不降三种病机作祟，其结果则用药不专。滋柔之品不足胜邪反增生痰之源，归根结底还是头痛医头，足痛医足，失于治本之弊病，医生应引以为戒。

治痰小议

| 刘万山 |

百病皆因痰作祟，又称痰生百病。先贤有训于前，后世有验于证。偶遇怪病别无良策之时，笔者本此说，在临证中时有所得。

曾治一名5岁男孩，平素其喜动不欲静，学步以来，与同龄无异。近1个月来突然步履蹒跚，时时跌倒，有如醉酒之状。多方求治，有人诊为“小儿多动症”，以此医之无效。又经内、儿、神经科检查，无异常所见。仅五官科检查发现其眼球震颤，但施治无策，请中医会诊。观患儿于母亲怀中手足躁动，无有安时。令其下地，以物引之，则三步一倒，两步一跤，难于平稳，与母亲所述无异。患儿平素不哭不闹，饮食如常，睡卧则安。偶见其在朦胧之中，或有躁扰不宁，似有所苦。我欲辨其证，可又百思不得其解。细察其脉，脉来濡数，观其舌淡红，苔微黄而有滑腻之象。于是猛然醒悟：按痰论治！遂开导痰汤清热涤痰，重用半夏、胆南星、枳实，配伍陈皮、茯苓、竹茹、知母、甘草等味，令其连服4剂。

复诊时，其母大悦。患儿服药后，虽走路仍不平稳，但已无跌仆之虞。遵前方继投两剂，患儿病症若失。复查时患儿眼球震颤近于消失。后又调理治之，服药不过10余剂，病痊愈。经随访年余，未再复发。

一病治愈，相传百里。时隔不久，又有一患儿求治。病症与上述雷同，又用上法收功。

脾位中州，司运化，主四肢肌肉。脾健则津液输布，气血流通，体健身轻。脾虚则津液不化而为痰湿，内困脏腑，外滞经脉。小儿为稚阳之体，发育快而营阴不足，脾弱则肝强，故筋脉或纵缓或挛急而不能收持，出现是证。治疗中紧紧抓住痰湿这一环节，燥湿涤谈，则中焦转枢得利，一通百通。方中主药，涤痰之力较强，配枳实行气化滞，消积散结以逐痰浊，胆南星、竹茹配合，导痰而对痰浊郁久化热者尤宜，知母除烦清热，故初战获胜，一举成功。

变化三子汤，痰热哮喘尝

康广盛

三子养亲汤原为韩懋所立，药味少而药力专，以其降气消痰定喘之功较优，故为临床治疗痰喘证之常用方剂之一。然方中3味药性皆偏温，特别是白芥子温热之性更强，故用本方治疗寒喘或一般痰喘而无热象者较为适宜。然临床所见之痰喘证，并非都是寒喘。常见一些慢性痰喘病人，每因兼挟火热之邪而使痰喘加重（此时与西医所称的“肺内感染”颇近似）。在这种情况下，再刻板套用三子养亲汤，就不太适宜了。有感于此，余将韩氏三子养亲汤稍事变化，即以葶苈子易下白芥子，如此则使该方由温变凉，用治痰喘而兼有火热证候者，药病相当，力专效宏。

葶苈子，味辛苦，性寒，入肺、膀胱经。《药性论》谓其“利小便，抽肺气上喘息急，止嗽”。《开宝本草》谓：“疗肺壅上气咳嗽，定喘促，除胸中痰饮”。总括其功效为：泻肺行水，消痰定喘。因而可代白芥子而用之。但此二药的功效并不完全相同，除了药性一温一寒外，葶苈子偏于泻肺行水，降泻之力大于白芥子，而白芥子偏于利气豁痰，快膈消痰则略胜一筹，是以变化后的三子养亲汤降气定喘之效更速。

或问，韩懋在《医通》中云：凡老人苦于痰气喘嗽，胸满懒食，不可妄投燥利之药，反耗真气。此用葶苈子之快利，岂不违背韩氏之宗旨？答曰：葶苈子虽较白芥子快利，但亦并非峻烈之品。对此《本草正义》早有议论……其亦知实在性质，不过开泄二字，且体质本轻，故能上行入肺，而味又甚淡，何至猛烈乃尔。证之于临床，余每用葶苈子10g，甚至有用至15g者，并未见有类似大黄的“推墙倒壁”之功，很少有泻者，顶多稀便而已，所以葶苈子的开破之力并不甚猛。再者，“有是病当用是药”，正如《本草正义》云：然肺家痰火壅塞，及寒饮弥漫，喘急气促，或为肿胀等证，亦必赖此披坚执锐之才，以成捣穴犁庭之绩。另外。就三子养亲汤本身而言，亦是旨在开破，泻实祛邪，乃为标急而设，一俟痰气开通，喘急渐平，自应从本图治。

余多年临床体会，用变化三子汤治疗痰喘见有火热征象者，泻肺利气、消痰定喘，见效为快，疗效亦更佳。

咳喘简议

|邓维滨|

北方地区冬季气候寒冷，咳嗽气喘病的发病人数较多。余多年来对咳嗽气喘病辨证论治，探索到一条基本规律，即人的体质不同，因而在治疗上也要有所区别。在临床上，余以“急则治其标，缓则治其本”的法则，当患者已发病时以祛邪为主，必须治其标；未发病时，宜以扶正气为主，必须补肾益肺培本，取得满意疗效。曾治患者董某，半月来其咳嗽胸痛、咽痒喉干唾白痰，发热恶寒身痛，舌质淡红，舌苔薄白，脉数。本证属肺热咳嗽，由肺虚外感风邪、蕴肺日久所致，治宜清肺祛邪化痰。处方：杏仁 15g、紫苏叶 10g、前胡 15g、桔梗 30g、枳壳 10g、桑白皮 15g、黄芩 15g、甘草 5g、橘红 15g、知母 10g、白前 10g、百部 15g，水煎服。按上方加减，共服 6 剂，患者痊愈。

再如邢某，1 个月来咳喘，胸闷气短，唾黄痰，胃胀纳呆，全身不适，服药不见效，活动时气短加重，形体消瘦，面色皖白，舌质淡红，舌苔白腻，脉沉数。此属肺肾两虚，风寒之邪袭肺日久所致。治宜宣肺平喘，处方：麻黄 10g、杏仁 15g、生石膏 40g、甘草 5g、葶苈子 15g、紫苏子 15g、白芥子 10g、桑白皮 15g、桔梗 30g、款冬花 15g、五加皮 15g、知母 10g，水煎服，每日早、午、晚 3 次服。患者服上药后诸症悉减。照上方化裁，获临床治愈。给患者继服扶正固本、补肾益肺之丸药。处方：蛤蚧 1 对，紫河车 1 具，牛膝 15g，肉苁蓉 20g，当归 15g，五味子 10g，黄柏 10g，杜仲 10g，天冬 15g，枸杞子 20g，生地黄、熟地黄各 25g，山药 25g，牡丹皮 10g，泽泻 15g，茯苓 30g，山茱萸肉 20g，共研细面炼蜜为大丸，每丸重 10g，每日早、午、晚各服 1 丸。

多年来在临床实践中，对凡患咳喘者，在急性期治愈后，必给服此丸药1 ~ 2 个月，治愈者甚多，疗效显著，随访复发者甚少，复发者亦咳喘轻微。

己椒苈黄丸加味治痰饮

|马德孚|

“己椒苈黄丸”方出《金匮要略 · 痰饮篇》：“其人素盛今瘦，水走肠间沥沥有声。”“腹满，口舌干燥，此肠间有水气，己椒苈黄丸主之。”昔读时对“水走肠间沥沥有声”不得要领，今于临证之中方才领悟仲师形容腹中鸣响之

状，即今之肠鸣音亢进是也。仲景之书历近二千年而不衰，正是他重实践，轻妄谈，治学上求实的结果。故而教诲、活人之著作是产生于实践而被实践所检验的真理。如丁姓患者，42 岁，1982 年元月来诊。据诉，胃内嘈杂闷胀，饮食无味、量少，形体日瘦，腹部时鸣，大便硬，夜寐不宁，口干不多饮，从 1959 年起病二十余年，断断续续按慢性胃炎治疗。急性发作时吐黄绿色胆汁，颜面晦黄呈慢性病容，形体干瘦，苔薄黄而滑，右脉弦滑而大，左濡滑。诊为痰饮。治以己椒苈黄合四君子加薏苡仁、法半夏、鸡内金、山楂。共进 5 剂，患者二十余年之病霍然而愈。再如患者赵某，1982 年 5 月就诊。自述从 1981 年夏天开始经常左腹（降结肠上段）疼痛，腹内作响，大便稀，日 2 次。某医院诊为慢性肠炎。脉弦滑右大于左，苔净舌尖红，诊为痰饮，治以己椒苈黄合导赤散化裁。患者服第 2 剂药后才开始腹泻，泻出脓样黏液。复诊继进 3 剂，左腹疼痛消失，大便仅日 1 次，成形。

以上两例除有“水走肠间沥沥有声”之主证外，都是右手脉弦大于左。《金匮要略》痰饮篇“……脉双弦者，寒也，皆大下后喜虚，偏弦者欲也。”余在临证之中常体验到痰饮病者脉多右手偏弦，故脉症都恰合仲师明训。

见痰休治痰，治气痰自消

李佃贵

痰证之状，变化无穷，一般的医生多不察其标本，而只处消痰之方，此见痰治痰之法，往往不能奏效，于是不少人称其为怪病。善治者，只要治疗生痰之源，那么不用消痰之药，即可获除痰之效。痰属湿，为津液所化。古人谓之“行者为液，聚者为痰。”其流行或停聚，皆依靠气的推动功能。气不能运行津液，即可聚而成痰。所以，在治痰时，除痰闭于喉者，不得不暂用豁痰之药以开其窍外，余皆当先行气以治其本，气顺则津液随气而行于周身，痰即无生化之源。见痰即消痰，此治痰之误。吾每治痰时必加用行气之药，如枳实、陈皮、广木香、砂仁之类，往往能获满意疗效。如王某 52 岁，咳吐白黏痰两年余，每天吐痰约碗许，伴胸闷，纳呆，舌苔白滑而厚腻，脉象滑而有力。曾用二陈汤、礞石滚痰丸效不著。余以枳实 10g、陈皮 9g、广木香 9g、瓜蒌 12g、清半夏 9g、紫苏子 9g、莱菔子 9g、茯苓 12g、白术 6g、甘草 6g，服 3 剂，患者痰去大半，胸闷消失。继以上方加山药 12g、薏苡仁 12g，连服 10 剂咳痰基本消失，食欲大增。

顽痰巧治

王德光

痰证是因痰所产生的多种病证。其中一些系疑难怪证。王隐君曾指出："痰之为物，随气升降，无处不到……或背心常作一点冰冷。"这种背心局部冰冷即属于顽痰怪证之一，往往非一般理气化痰、通经活络之品所能奏效。必要时，需用甘遂、大戟、芫花等逐水药以荡涤之。此等药物快利通下，能搜剔顽痰巢穴，尽管顽痰潜伏于皮里膜外，或胶着于经络之中，只要正气尚充，多能一鼓而下，痼疾随之而愈。但因药性猛峻，非体实痰饮内积者，不可妄投。因而峻下逐水药用之者日少。其实，有病则病受之，用之得当，常能收桴鼓之效。

吾曾治单某，因郁怒日久，常觉脘闷胁痛，纳呆泛酸，头晕耳鸣，失眠乏力。诊其脉弦而沉，舌赤苔薄黄。予疏肝理气、健脾和胃之品调理之。月余，诸症逐渐缓解，唯觉左背寒冷如掌大。初起尚不介意，两个月后局部冷感难于忍受。吾用丹溪"郁痰则开之"之法，予疏肝解郁、化痰通络之剂治之。月余患者寒不减。其人身躯略肥胖，脉沉滑，舌淡苔薄白，余反复斟酌，以上治法本无差错。其所以无效，是因药力尚微，此时非攻下逐痰之猛剂，不足以触动久着经络之顽痰。于是用煨甘遂细末2g，装胶囊内，命其晨起空腹时一次顿服，连服3日，并嘱患者如症状缓解则停服。3日后患者来诊，自云首次服药后，腹泻约十余次，背部寒冷感顿减；第2、3日服药后泻下虽不似第1日之频繁，但左背局部之冰冷感已完全消失。

峻下逐水，多用于结胸、臌胀、水肿、癫痫等证，很少施之于"痰郁停滞"者，但当化痰通络之剂无效，患者体质不明显虚弱时，也可用甘遂之类攻下之。《内经》曰："大毒治病，十去其六；常毒治病，十去其七"。此患者服第1剂后，症状已明显缓解，本应停后服，以免伤及正气。然据余临床观察，初服甘遂大便次数均增多，至于连续服用能耐受之，不必多所顾虑。病去后，只要患者不虚，无须再用补剂，"糜粥自养"自能恢复。

肺热喘嗽证治小议

申海明

余业医多年经验，所遇温病以风温最为多见。昔言内温多于春发，然四时皆有之也。清代医家林佩琴谓“其病温复感风者为风温”，风为阳，温化热，两阳相合则邪气上犯而伤肺为病。初在肺卫，病尚轻浅，治以辛凉宣肺，故前贤指出“初病投剂，宜用辛凉”，甚为恰当。若病情发展，顺传阳明气分，若逆传心包是温邪内陷，又为变证危候，亟宜清心开窍法施治。知其大法，临证用之不误，可谓治温有术也。

肺炎喘嗽本是急证，多求治于西医。前年冬初，曾收治一壮年男患者，因咳嗽咳痰、高热、咯铁锈色痰入院。望之面色红赤，烦躁不安，咽红，两乳蛾可见，舌边尖红，苔白腻，气急息促，闻语音嘶哑，触之肌肤灼热，脉呈滑数之象。测体温40℃，血沉快。X线胸部透视为右中下叶肺炎。中医辨证诊为风温病，属肺热喘嗽候。

患者入院初，对单服中药能痊愈，颇疑虑，多次要求用西药青霉素、链霉素治疗，而余坚持用中药调治之。方用麻杏石甘汤加味：炙麻黄15g、杏仁15g、生石膏50g、生甘草10g、金银花20g、连翘15g、鱼腥草30g、芦根30g、桔梗10g、桑叶15g、炙枇杷叶15g、沙参15g、牡丹皮10g，日1剂。共进16剂，患者热退身凉，咳止喘平，胸痛消失。后改用沙参麦门冬汤以清养肺阴，调理善后，进服5剂而告愈，病家颇为叹服。

昔日临床，余按风温辨证，采用中药治疗肺炎喘嗽，每获良效，退热快，缓解症状明显。恢复正常血象，消退病灶多在两周左右。中药诚可治急症，非我所欺尔。

痰热哮喘要诊察有无便燥

李贺林

临床多见痰热阻肺引起的哮喘气急诸症，当并存便燥不通时，采用清肺兼通腑攻下法，则疗效显著。说明肺与大肠相表里，关系至为密切。故“上有病，取之下”，这一辨证观点是发人深思的。

曾见痰热哮喘患者吴某，喘急7天，用药少效。我院孙老医师查其哮喘并存腹满硬痛、大便5日未行，遂采用肃肺兼通下法，取白果定喘汤加大黄，药后燥屎排出，喘急大减渐愈。

笔者多次诊治喘急之证，兼便燥时药物增用通腑攻下之品，亦屡获良效。

如果见喘只治肺，不察其有无便燥，则辨证不详。痰热阻肺易见食少、大便燥结不通，糟粕久留、腑气不通更影响肺气的肃降，二者互相关联、互为因果。《素问·五脏别论篇》说：“凡治病必察其下，适其脉，观其志意与其病也”，指出诊病一定要审察清楚患者的大、小便情况，辨别脉象，观察精神状况和其他征候，故患者的二便情况是问诊的主要内容。但日常诊治哮喘诸证时，往往着眼于严重的喘急主症，而忽略其次症便燥与否，这关系到辨证立法，必须引起重视。

漫谈咳嗽病

谢振芳

咳嗽为临床常见之病。古人谓之：咳谓无痰而有声，肺气伤而不清也；嗽谓无声而有痰，脾湿动而有痰也；“咳嗽”谓有声有痰，因肺气伤，复动脾湿也。盖肺为华盖以覆诸脏，其二十四空窍，虚如蜂窝，吸之则满，呼之则虚，最喜清凉，不耐烦热；只受得脏腑中固有元气，受不得一分邪气，故邪侵于肺即可发生咳嗽。外感之咳，多先由肺而后涉及他脏，故肺为本而他脏为标；内伤之咳，多先由他脏而后涉及于肺，所以他脏为本，而肺为标。明确标本缓急，对治疗咳嗽实有一定的积极意义。

我曾治一赵姓产妇，患有咳嗽病，更医 3 人治疗罔效。询及病史，产后旬余，恶露甚少，经常腹痛，发冷发热。继则咳嗽，日渐加重，腹痛且胀。余诊断本病为产后瘀血所致之内伤咳嗽病。投与生化汤加浙贝母、杏仁数剂而愈。

另治一张姓男患者，咳嗽业逾半月，痰黄而稠，口苦，自觉胸闷腹满，便秘尿黄，服各类止咳药多次罔效。查其脉滑数，苔黄，此为上中二焦热邪炽盛，肺被热灼所致，投与凉膈散而愈。

咳嗽一证，立论虽繁，但应抓住关键环节，即可由博返约。其一是辨别外感与内伤：一般是外感咳嗽起病较急，有表证，病程较短；内伤咳嗽发病较慢，无表证，病程较长。其二是辨别痰的特点：寒痰清、湿痰白、火痰黑、热痰黄、老痰胶；连嗽而痰难出者多为肺燥；一咳痰即出者，多为脾湿；痰少面赤者多为火嗽。其三是辨别兼证：鼻流清涕者为寒邪；流涕及口苦、咽干、口渴者多为热邪；咳引胁痛为肝火犯肺；咳而脘闷为脾虚湿盛；咳而痰少为肺津不足或肺肾两虚；咳而兼恶心者多为气虚；夜嗽日久多为肾的真阴亏损；咳嗽暴重，引动百骸，自觉有气从脐下上逆者，多为肾不纳气；咳而便秘多为胃肠有热；先有他证而后有咳嗽，多为他脏及肺；先咳而后有他证，多为肺病而及他脏。例一患者诊为瘀血咳嗽，投以生化汤加味治之，是从恶露不行，发冷发热，继则咳嗽等推论而来。方中当归为养血活血，逐瘀生新之主药；川芎活血行气；桃仁活血祛瘀；炮姜性温入血，一面助川芎、桃仁通瘀血，一面和甘草温中止痛。浙贝母清热止咳；杏仁宣肺利气。诸药配合可使瘀血疏通，并能清热止咳，故收效较快。例二患者，治疗的着眼点是其胸闷、腹满、便秘。“肺与大肠相表里”，肺为脏、肠为腑，腑气不通，势必影响肺气上逆而为咳。此证单从肺治，则徒伤肺气，投与凉膈通便之凉膈散，便通气降、咳嗽自止，可谓药少效捷。

同是咳嗽，治法迥异，效果皆佳，说明治病欲知其内者当观乎外，知其外者斯以知内为辨证之要诀。信不诬矣。

治喘后议

| 王雨亭 |

张介宾尝谓：“气喘之病，最为危候。治失其要，鲜不误人。”喘分虚实，治法迥异。余曾治一虚喘似实，先误后正案，愿与同道研讨。

1972 年春，19 岁的女学生吴某，喘促旬日，痰鸣气促，咳逆胸闷，喘而抬肩，夜不能卧，兼恶心纳呆，体温 37.4℃，舌苔白腻，脉浮数。按痰热阻肺证，投三子养亲合麻杏石甘汤。两剂后，喘促加重，动则尤甚，汗出肢冷，烦闷，脉浮大、左尺无力。经追询其母，知其幼禀体弱，5 岁曾患麻疹合并肺炎，后每逢外感痰喘即作，今又恰值月经来潮 3 日。《景岳全书》有“实喘者，气长而有余；虚喘者，气短而不续……慌张气怯，声低息短，惶惶然若气欲断……此其一为真喘，一为似喘。真喘者，其责在肺；似喘者，其责在肾。”本案素有喘根，又逢经期月水下行，肾阴虚惫，误投辛寒降气之品更促其虚喘益著。遂改投都气丸加减：熟地黄 20g、山药 15g、山茱萸 15g、五味子 15g、沙参 10g、肉桂 5g、补骨脂 15g，水煎服。6 剂后，喘促大减，汗止肢温，依前方加麦冬 10g、龟甲 15g，继服 7 剂，喘平疾愈。嘱其常服六味地黄丸以固其效。1975 年随访，无复发。

罗国纲说：“虚实不清，误在一似字。”经此案前后之辨治，使余获益匪浅。盖万病不外虚、实两端，治不越补、泻两法。经渭分明之典型病证，常不难辨识，可是在实际临床中少有如此典型者，况喘证本已错综纷杂，其虚实寒热较难判定，更给明确诊断带来困难。仅就本案论之，一发热喘促，一脉象浮数，没能细询病史，深入追究气促之何来，脉诊没分寸关尺，即按痰热阻肺证治之。药下证愈重，经重新诊查，方悟此乃“假实”之征。虚虚实实，差之分毫，谬至千里。我们地处北方，历年来患喘证者颇多，其中确以邪气壅肺之实喘型为多，医者临床师承则较少顾及气阴两虚的虚喘，殊不知“真元损耗，喘出于肾气之上奔”，亦非鲜见。实喘治宜祛邪利气，虚喘则培摄补肾纳气以平喘。故临证时，切忌因循守旧，不能知常达变，易造成误治偾事。本案，一患者虽体虚但并未成痼疾；二虽误治但迅被纠正；三患者正当年轻，生机蓬勃，故一当药证相符，疾去颇速；更资以丸药常服固本，自能拔除病根而无反复。

审证是很细致的功夫。凡一病当前，必先对病机深入探索，四诊合参，入细辨证，证诊相宜，方可提笔处方，何忧疾之不瘥。

奇效良方话生脉

郑艺钟

生脉散原名“参麦散”，初载于唐朝孙思邈《千金要方》中。流传于金元时代，经易水学派首创者张元素实践运用，苦心研究，发现它有生脉作用，遂更名“生脉散”，后为其门生李东垣师承辑于《内伤辨惑论》名著中。由于它组成精炼（人参、麦冬、五味子），具有益气复脉、救逆固脱之功，故为古今医家所常用。

15 年前，余行医民间，常本《难经》“独取寸口”脉法，左以候心，右以候肺，按景岳“独处藏奸”之说，断定病位所在。症有心悸、气喘者，凡切得双寸脉沉弱或涩，则取生脉散之意，每获奇效。现举心肺治验，以窥一斑：

1971 年深秋，经人介绍一王姓女患者，年 46 岁，患咳喘证 19 年。问其所苦，则曰：“常年反复咳喘不已，痰多色黄，时带血丝，心悸胸闷，气短自汗，渐渐恶风，五心烦热”。闻其语声无力，望舌苔薄黄，质淡红少津，切脉右寸细数无力。诊毕告曰：证属咳喘，气虚阴亏，化热伤津。法拟益气养阴、清肺平喘。方宜生脉散加味：人参 20g、麦冬 40g、五味子 20g、生甘草 20g、桔梗 15g、瓜蒌 50g、枳壳 15g，3 剂水煎，日 3 服。再诊：药后前症悉减，原方去生甘草、桔梗，加沙参 50g。继服 11 剂，咳喘痊愈。嘱其防止感冒，注意调养，以善其后。

1977 年冬，学院老师介绍一位挚友患者赵某，曾被确诊为感染中毒性心肌炎，应用抗感染药、激素、能量合剂等治疗两个半月，病人卧床不起，动则心悸，汗出如水流漓。病人卧床无力从命，私下驱车来院求余。望之舌苔微黄薄腻，质红体瘦。切脉左寸沉弱小数。四诊合参，证属心悸，气阴双亏，法拟益气养阴、清心解毒。方宜生脉散加味：党参 50g、麦冬 50g、五味子 25g、百合 50g、红花 20g、丝瓜络 20g、金银花 100g、陈皮 25g、竹茹 20g，3 剂水煎，日 3 剂。服药后顿时身轻有力，心悸大减，汗出少。再诊以后，随证加减生黄芪、肉桂、赤芍、路路通等味，共进 15 剂渐愈，继服原方 24 剂，心悸痊愈。半年后上班，1984 年春季随访，身心仍无恙。

“肺嗽治肾论”之新用

|南 征|

余曾治一王姓女患者，年七旬。夙患咳喘病，每届严冬辄发。来我处就诊时，因重伤风寒，复发尤剧。症见咳嗽，气息短促，呼多吸少，夜间喘甚，口吐痰涎，其质黏稠，头晕心悸，五心烦热，腰酸腿软，尿黄，舌红苔剥，脉细数。此乃肺阴虚之咳喘证，法当滋养肺阴，佐以清肺化痰，方用养阴清肺汤：生地黄 40g、麦冬 15g、玄参 20g、川贝母 15g、牡丹皮 15g、薄荷 5g、白芍 5g、甘草 5g，投 10 剂无效。余思：诊断用药无误，为何不奏效？于是翻书求教，当阅到清代陈士铎所著《石室秘录》时有一段论述对余启发甚大。陈士铎曰：“肺嗽之症，……奈何兼治肾也？盖肺金之气，夜卧必归诸肾之中。譬如母子之间，母虽外游，夜间必返子家，以安其身。今肺金为心火所伤，必求教于己子，以御外侮。倘其子贫寒，何以号多人以报母仇哉？今有一方治之。”故余照此方加减如下：熟地黄 40g、山茱萸 20g、麦冬 15g、天冬 10g、玄参 30g、紫苏子 5g、牛膝 10g、沙参 15g、紫菀 5g、甘草 5g，服 10 剂奏效，共服 20 剂病邪得解，咳喘宁息，调养数日，遂得复常。此方之妙正如陈士铎所云：“全在峻补肾水，而少清肺金。财子盛于母，而母仇可报。”方中虽有祛邪之品，但用之得当，全不耗散肺金。譬如：“子率友朋，尽是同心之助，声言攻击，全不费老母之资，则子之仇虽在未复，而外侮闻风退舍，不敢重犯于母家。”此又肺肾双治之妙法也。陈士铎之“肺嗽治肾沦”颇可取法。

悬饮证治一得

|郑玉清|

患者孙某，女性，年 26 岁。两年前曾患肺结核，经治疗后痊愈。1975 年 4 月自感恶寒发热，咳嗽头身疼痛。某医按感冒治疗，恙情减轻。数日后突发胸痛，痛势难忍，短气不得卧，咳嗽转侧痛甚。诊断为“结核性渗出性胸膜炎”。经治半月无疗效，而且病情日益加重，故来求治于中医。症见：患者胸胁胀痛，痛引缺盆，咳嗽短气不得卧，面色晦暗，大便干，小溲短赤、舌质红、苔微黄。辨证为悬饮，治以峻下逐水法，方用十枣汤治之。以枣煎汤，以药为面，用汤

送药面1.2g，日1次内服。服药半小时许，患者自觉腹中肠鸣，继则出现微痛感和吐泻，呕吐二三次，腹泻水样便四五次。遂减药量每日0.5g，继服3日停药，嘱以米粥调养。数日后胸部摄片对比，治疗前胸水在第4肋间，治疗后胸水完全被吸收。

《金匮要略·痰饮篇》：“饮水流在胁下，咳嗽引痛，谓之悬饮”“脉沉弦者，悬饮内痛”“病悬饮者，十枣汤主之”。悬饮一证，或由外感、或由内伤所致，三焦气化失职，水湿停留于内，聚为痰饮。由于饮邪停留的部位不同，而形成不同的证型。此证乃水饮停留于胸胁。因水湿停留，气机阻滞，则胸胁疼痛；肺居胸中，其气清肃下降，今水湿上迫于肺，肺气宣降失职，故咳嗽短气甚则不得卧。仲景方后注谓：“得快下后，糜粥调养”。其意为一以补谷之气；二以防邪之复作，此乃仲圣制方论治奥妙之处。吾30年来尊医圣之意，治此疾甚多，无不应手取效。

漫话悬饮治法

于沧江

结核性渗出性胸膜炎属悬饮范畴，病因系正虚邪侵，邪客胸胁，气机被阻，水饮内停所致。症见胸胁胀痛，咳唾痛甚，转侧呼吸牵引作痛，或有气短等。历来医者治疗本证多主张采用十枣汤攻逐水饮，但本方泻下力猛，且可引起恶心、呕吐等不良反应，易伤正气，体虚者显非所宜。

对于体弱及年老病人，我临床应用《医醇賸义》之椒目瓜蒌汤加减，每取得较好疗效。基本方如下：椒目15g、瓜蒌25g、桑白皮15g、葶苈子15g、橘红15g、半夏15g、茯苓50g、紫苏子15g、车前子15g（包煎）、泽泻20g、杏仁10g、桂枝10g，生姜、大枣为引，水煎服。病人服用本方后可见尿量增多，胸水逐渐消退，且无腹痛、腹泻、恶心、呕吐等不良反应，疗效和缓可靠。

若病人胸水较多，超过前第3肋以上，引起呼吸困难，不能平卧，发热较高时，则单服本方往往不能马上解除标证之急，且胸水量多，吸收后易引起胸膜粘连，造成胸痛、胸廓塌陷等后遗症。而单纯应用胸穿抽液方法虽可较快解除呼吸困难和减少胸膜粘连，但又因术后胸水再生，往往须多次作胸穿抽液，造成患者痛苦，也易引起胸腔感染。故治疗此种病人可采用中西医两法之长而避其短：在胸水较多、标证较急时先进行一次胸穿抽液（不超过600ml）。呼吸困难缓解后不再胸穿，而接服椒目瓜蒌汤以控制胸水再生，并使剩余胸水逐步吸收以至消失。这样既可较快解除标证之急，减少胸膜粘连，又可避免因多次穿刺造成病人痛苦或引起胸腔感染，有利于病人较快地康复。

以“温药和之”治痰饮的辨证法

孟庆云

仲景以“温”“和”二字为纲治痰饮的方法，是深具辨证法思想的。从病机上讲，痰饮是阳气不足，水停寒聚，当用温药发越阳气。但痰饮又系本虚标实之证，不可纯用温补或过于温燥。否则饮热相搏，煎为稠痰，耗伤正气，造成张子和所说的“温补反剧”的结局。故在诸治饮剂中，每在用麻黄、桂枝、人参等助少火之品之外，又用行气消导之药，还常用细辛合五味子取一散一收之功，共同达到振奋阳气以扶阳，开发腠理以发汗，化气行水以利尿的作用。这种以温药和之的方法，见痰不治痰，有条件的使用温药，既化饮又给邪以出路，补中有消，温中有行，开中有阖，是运用辨证法思想组方的一种艺术。

仲景此法源于《内经》。《素问·阴阳别论篇》说：“阴之所生，和本曰和”。阴可以生阳，阳本于阴，阴病用阳药调节，阴阳平衡即是“和本曰和”。《内经》的此种论述又渊薮于先秦诸子的“保合大和”的思想，如《老子》第42章曰：“万物负阴而抱阳，冲气以为和。”第50章又说：“知和曰常，知常曰明”，皆含有对立统一的认识。《内经》只有论治阴阳的一般原则，尚无痰饮之名，只有积饮。仲景运用了《内经》的原则，通过药物的巧妙配伍，灵活的加减化裁，确立了20首治痰饮之方。并以小青龙汤、苓桂术甘汤、肾气汤三方，分别从肺、脾、肾、三焦论治痰饮，开后学之蒙昧。

继仲景之后，历代学者对温药和之的方法，不断地加以继承和发展。例如王叔和在《脉经》中有肾寒多唾之说。至薛立斋演为补肾治痰。陈言《三因方》中有三因皆致痰饮之论。李东垣依小青龙汤法创参苏温肺汤。明代张景岳创金水六君煎，治肾水不足的痰饮咳嗽，解开了地黄腻膈生痰惧之禁约。清代叶天士除提出了内饮外饮之论外，又依仲景之理，发“通阳不在温，在于利小便”的粹论。之后吴鞠通又在《温病条辨》中提出了热饮及饮家渴、饮家阴吹的辨证。近人岳美中用真武汤治尿毒症，刘渡舟受陈修园注解苓桂术甘汤为“脾虚而肝乘之，故逆满”的启发，用白芥子易白术，以协桂枝疏肝下气，开凝消饮，疗痰饮挟气之嗳气胀眩证。在北方，用治痰饮诸方治肺心病，均获较好疗效。在继承中发展，这本身就是辨证法。张仲景继承发展了《内经》，我们何以不应该继承发展张仲景的治疗经验呢！

经方治痰饮效如桴鼓

金 友

痰饮一病最为缠绵，溯其源为肺、脾、肾之气不足，究其症甚多，查其方亦众。仲景有四饮之说，后世有痰饮之分。余在临床上遇一老妪，自述昔有冬秀咳嗽史，近1周来因有小劳又感风寒，出现头晕目眩，胸满，腹胀，咳嗽，吐白痰，面浮身肿，无明显发热恶寒。当即予以胸部透视心肺未见著变，心电、尿常规均无异常。虽病人有头晕目眩，胸满腹胀，咳喘身肿等症，查其苔白脉滑。证候虽多，但用痰饮二字即可概括。此系正虚邪实之候，虚在脾肾，实在肺有积饮，故投以苓桂术甘汤合葶苈大枣泻肺汤。药用：茯苓40g、桂枝30g、白术40g、甘草20g、葶苈子25g、大枣10枚，水煎服。嘱其早晚各服1次。服3剂后病人来诊，自述头晕目眩、胸满腹胀、咳喘大减，唯有身倦肢肿尚存，效不更方，再投原方3剂。服后再诊，病势转愈，除身倦乏力、气短微咳外余无不适。拟原方去葶苈子、大枣，用茯苓、桂枝、白术、甘草4药调理，又进3剂，病乃愈。

痰饮一病，正虚邪实，症状错综，辨证复杂。但本患者服药后效如桴鼓，令人不解。查《医方集解》曰："治心下有痰饮，胸胁支满，目眩，茯苓四两，桂枝三两，白术三两，甘草二两，此太阴药也。喻嘉言曰茯苓治饮伐肾，渗水道。桂枝通阳气、开经络和营卫。白术燥痰症，除胀满治风眩，甘草得茯苓则不资满而泄满"。葶苈子、大枣治水饮积聚于肺。本患者虽正虚，但葶苈子与大枣相伍，和苓桂术甘相配，和衷共济，是其证用其药，其效自著。由此余想起清代名医徐灵胎关于用药如用兵之说，令人深省："是故兵之设也以除暴，不得已而后兴；药之设也以攻痰，亦不得已而后用，其道同也。故病之为患，小则耗精，大则伤命……一病而分治之，则用寡可以胜众，使前后不相救，而势自衰；数病而合治之，则并力捣其中坚，使其离散无所统，而众悉溃……"。此两方合用则取其并力捣其中坚，使离散无所统之意也。

"温药和之"与临床

范国樑

"病痰饮者，当以温药和之"为仲景治疗痰饮病之大法。余以仲师之训，结合临床，略陈小议。

痰饮病总由阳虚阴盛，气机失调，水津停聚于局部而成。总属阳微阴盛、本虚标实之疾。治法之核心，即是“温”与“和”二字。所谓温者，即以温化为主，言其温通气机为先；所谓“和”者，即和其不平为要。合而言之，其义有三：一是，温能助阳，以胜阴邪。即《临证指南》“驱阴邪以复阳”之理。阳通则气机得畅，三焦得通，水津循环无滞而病愈；二是以温运为主，然又不能过于刚燥，因刚燥亦能伤正；三是本病虽属本虚，但又谓标实之患，故不能一味温补，若补之太过则闭邪，因而必以行消开导为宜。其所以言“和之”而不谈“补之”，即调和之谓。系和其阴阳，和其虚实，和其标本，总谓调和气机，以复水津代谢之平衡。临床上即以温肾健脾以治本，化饮利水以治标，内饮治肾以金匮肾气丸、真武汤主之；外饮治脾以苓桂术甘汤治之。是为古今之常法。余以越鞠汤调节气机，继以苓桂术甘汤善其后治疗溢饮病，效果显著。

曾治一朴姓女患者，42岁，近5年来四肢浮肿，午后尤甚，颜面虚浮，烦躁易怒，时轻时重。几经多家医院求治，诊断明确，效果不佳。于1984年5月至余诊。即给服越鞠汤4剂，病愈大半，遂以苓桂术甘汤6剂收功。前者以调气机为先，气顺血畅百病皆愈；遂以温通健脾和中之苓桂术甘汤增强气化之力，患者气机通畅，脏腑、气血、阴阳和谐而病痊愈。

椒目瓜蒌汤治愈“悬饮”小议

陈义珊

饮证是体内水液停积、不得输化的一种疾病。余曾治一患者，10多天前，咳嗽气短，咳嗽时牵引胸胁疼痛，稍一活动，气短而喘，口干但不欲饮。舌苔薄，略黄，脉象沉细而数。据其咳嗽，胸胁痛，气短咳唾引痛，口干不多饮，只能侧卧，确认此为胸肺气机不畅，水饮停积于胸胁之悬饮证。以椒目瓜蒌汤加减治疗。余认为，治疗饮证要从肺、脾、肾入手。治肺是导水必自高源，治脾是“筑以防堤”，治肾是“水归其壑”。对于水饮结积日久者，还要兼用消饮破痰之剂攻之。前人曾有“治饮之法，顺气为先，分导次之，气顺则津液流通，痰饮运下，自小便而出”的说法，又有“其结而未成坚癖，则兼以消痰破饮之剂攻之”的原则。该患者，水饮积于左胸胁，虽未成坚癖，但积有大量的水饮，故应在顺气、分导的基础上，以消除水饮为当务之急。因而笔者选用《医醇賸义》中的椒目瓜蒌汤，方中川椒目、瓜蒌、葶苈子、桑白皮逐水消饮；杏仁、枳壳顺气降逆；茯苓、冬瓜皮利湿健脾；又以泽泻、猪苓、车前子导水下行。另加桂枝温阳化气，使患者小便明显增多。本例治疗采用“导水必自高源”的原则，从治肺、顺气、消痰入手，结合利水治肾、化湿治脾，故取得满意的治疗效果。

扶正法治结核

李允昌

肺结核属虚劳范畴，吾在长期临床实践中，常以滋阴补肺或益气补脾之法治疗，每每取得良好效果。其主要作用是通过补益气血，调理阴阳而达到扶助正气、抗病达邪之功。医家认为，正气和邪气是决定疾病发生、发展的基本因素。如果正气充沛，机体抗病能力增强，就会阻止或控制疾病的发生和发展；如果正气不足，邪气过盛，疾病就会发展和恶化。所以我在临床治疗肺结核病时，常用扶正以达邪之方法。

余曾遇一肺结核患者，病达 15 年之久，由于日久正虚，虽经多次抗痨治疗，而无明显效果，故改用中药治疗。

病人体质消瘦，面色㿠白，神倦乏力，语声怯弱，胃脘胀闷，食欲低下，咳痰呈白沫状，尿频便溏，午后低热，舌质胖，舌边有齿痕，脉象虚数无力。

证系肺病日久，耗伤中气，脾虚失于运化，以致体质虚衰。治宜补气健脾，运化中州。拟补中益气汤：黄芪 30g、党参 20g、白术 15g、陈皮 15g、当归 15g、山药 20g、茯苓 15g、甘草 10g、生姜 3 片、红枣 5 枚。用本方调治两个月，患者诸症悉除，并且精神状态、体质状态均有明显好转，体重增加 5kg。经防痨科鉴定，肺部体征竟有明显改善。

本方用补中益气汤化裁，意在“补土生金”，扶正固本。其理论根据是使用具有补益强壮作用的方药，可以改善人体脏腑的功能，提高机体的抗病力，从而达到战胜疾病、恢复健康的目的。中医脏腑学说认为“脾胃为后天之本”，五脏六腑皆秉气于脾胃，全身营养精微皆由脾胃生化而来。脾胃虚衰，则生化无源。因此，当病程日久，正气消耗，或体质虚弱，正气不足时，常因无力抵抗病邪而导致病势缠绵，日趋恶化。所以，临床治病，不仅要注意攻逐邪气，而且要重视扶助正气。所谓“正气存内，邪不可干”“邪之所凑，其气必虚”。因此，掌握正、邪矛盾双方的变化趋势，辨明正邪矛盾双方的主要方面，实为辨证论治之精要。

肺阴虚治验

王增济

一男性患者公某，自言6年前，夏季劳作，身受烈日暴晒，大汗出，以后渐渐出现周身皮肤灼热，背部尤甚，犹如沸水烫伤一般。经常面红、身热。思之，肺主皮毛，背为肺所主，上证为肺热也。又思其病程已久，久病多虚，遂问其灼热感何时为甚？答曰午后、晚上重。值此，上证为肺阴虚而生内热明矣。证之有慢性咽炎而经常咽干、舌苔薄黄、脉沉细，此肺阴虚无疑。望之舌淡红有齿痕，还有腹胀，此证兼脾虚气滞。治当养阴清肺，兼以健脾理气，方用玄麦甘桔汤加味：玄参15g、麦冬20g、桔梗15g、山豆根15g、陈皮10g、白术15g，水煎服。

患者因煎药不便，用开水浸渍上药，进2剂，有小效。后用水煎服2剂，肺阴虚证即愈。

该患者皮肤灼热，6年未愈，实属罕见。何能治愈此疾？凭辨证施治。所用玄麦甘桔汤（玄参、麦冬、桔梗、甘草），系《伤寒论》桔梗汤加味而成。此方药简效宏，善治肺阴虚诸证，历验不爽。如白求恩医科大学一学生，在劳动中于机器轰响环境中，与距他50米左右的另一学生高喊对话，而致音哑、喉痒，咽痛。余诊为肺燥（西医诊为喉炎，声带充血、结节），投玄麦甘桔汤加蒲公英、连翘，4剂即愈。可见对此方不可小视。

苦于痛，乐于食

徐级三

俗话说：民以食为天。人不能食，体不能健。我治一位患者冯某，胃痛已有七八年之久，平时自觉胃脘胀闷不舒，食欲不振，每遇寒凉则胃疼频作，心情不舒时痛楚难忍，形体消瘦，精神苦闷。时值1978年春，胃痛又加重。这次复发，食不能进，食下即痛，痛甚呕吐，卧床不起，双手捧胸，呻吟不已，当即收入院。检查大便潜血（++），钡餐透视见1.9cm×1.9cm大小的溃疡面，曾去大医院进行会诊，亦诊为胃溃疡，动员本人行手术治疗，家人恐于手术而转中医科求治。

查其面色萎黄，形容憔悴，舌苔微黄少润，呼吸急促，大便色黑，其脉弦数有力。我诊为肝郁气滞，郁久化热证，随拟处方：蒲公英50g、金银花100g、甘草25g、竹茹15g、陈皮20g。服至10剂，不仅胃痛明显减轻，呕吐亦止，并能进食。后又按原方加减，继服10余剂，大便潜血消失，疼痛已止。以补中益气汤、香砂养胃汤调理善后。以后再经胃镜复查时，溃疡面消失。8年来未上班，现又重新工作，随访时亦未复发。本病虽然平时有遇冷时则疼痛加重的趋势，世人皆以温经止疼为法，误在只见其寒，不见其郁。时值春天，胃气壅滞，脾运艰难，胃气郁久，七情之火内蕴，胃火上炎，吐不能食，急当清热止疼，倍用甘草，甘缓调中而止疼；陈皮、竹茹清热和胃止呕。药虽平凡，其效不凡。虽属清胃热，但未必皆用芩连之辈，我遵此法，每获良效。

升陷须助真气

孙润斋

“陷者举之”，医之大法也。陷者，气虚下陷者是也；举之乃其治法。东垣一生，注重脾胃，责气虚下陷者指中气，制补中益气汤以奠升陷方之基。近人张锡纯对气陷者，阐述为大气下陷，定升陷四方，治法更臻完备，足为临证借鉴。然病有常变，效无死方，临证多有陷者举之不应，乃医者弃本求末所误。不知一身之气，皆发源于肾。肾间动气，自下而上，达于周身，激发推动，诸气由生。至于中州所化水谷精气，乃培补而已。今气陷之不应，非人参、白术、黄芪助气不足，实为肾气式微，鼓动无力所致，故需加补肾之品，可奏全功。

余曾治一男性，食后即吐，脘腹胀满已两年，举凡和胃降逆，疏肝理脾，重镇疏达诸法，用之尽矣，鲜有疗效。西医各项检查亦未见异常。症见形体消瘦，神疲肢倦，面色不华，少气懒言，舌淡苔白，脉沉缓无力。诊为脾虚胃逆证，拟大半夏汤治标，合补中益气汤治其本，少佐理气之品，药后诸症悉减。自认为药已中病，勿庸更张，病时日久，守方再服，10剂后疗效不增，又认为痼疾非短时所能全功，又服10剂，病缓而不尽除。细虑良久，当脾肾同治，佐以和胃，原方加补骨脂、紫石英两味，温下焦以助气化之源，服5剂而愈。

嘈杂证轻者治胃，重者治脾

李佃贵

嘈杂一证，临床经常遇到，古人多言此病属于胃，治当以和胃为主。其实，未必尽然。《内经》云“饮入于胃，游溢精气，上输于脾，脾气散精，上归于肺。”又云“脾与胃以膜相连耳。”二者互为表里，合而为后天生化之源。本证症状虽然表现在胃，但病机与脾也有密切关系，临床上不能单纯治胃而忽视脾。年轻体壮者，脾胃升发之气与肾阳皆充盛，食易消磨，临床表现多食易饥而嘈，得食即止，症状轻，病程短，此多属胃中燥热太盛，治当以清胃为主。其重者，病程较久，以致脾胃阳虚，而致痰饮内聚，水气泛溢，似酸非酸，似辣非辣，饮食减少，乏力倦怠，治当温补脾胃。笔者遵此辨证规律治疗本证多例，效果尚较满意。

曾治中年男姓王某，因吃辣椒较多而致胃中嘈杂难忍，口中干而有臭味，便结，困倦，多食易饥，口渴喜饮，时有吞酸，微烦，眩晕少寐，似饥非饥，舌红苔黄燥而厚，脉洪有力。此乃辛热伤阴，胃津不充，难以自润。当以甘寒清胃，养阴濡润。方用生石膏 15g、石斛 12g、知母 9g、大生地黄 15g、玄参 12g，水煎服，同冲鸭梨汁 200ml，连服 3 剂。二诊：患者嘈杂减，便通渴止，舌红苔薄黄而润。继用上方加柏子仁、酸枣仁各 12g、乌梅 12g、浮小麦 15g，服 7 剂而诸症悉除。

又治 70 岁老妪张某，胃中嘈杂难忍十余年，多方医治，效果不佳。每于午后自觉胃中似酸非酸，似辣非辣，难以名状，饮食减少，倦怠乏力，便溏时有不化之物，有时吐清水，四肢不温。舌淡苔薄白而滑，脉沉细无力。此乃脾胃阳虚，痰饮内聚，水气泛溢。治宜温中健脾和胃，稍佐降痰化饮之品。方用二陈汤合理中汤加减，药用陈皮 9g、清半夏 9g、茯苓 12g、甘草 3g、党参 9g、白术 9g、干姜 6g、葶苈子 9g、竹茹 6g，连进 3 剂，患者吐清水已止，嘈杂略减，但仍倦怠，便溏。又以上方加黄芪 9g、桂枝 6g，连服 10 剂其病渐愈。

胃癌治疗小议

李恩复

胃癌为常见病，我国每年死于本病的患者有 10 万之多。我在治疗萎缩性胃炎的同时遇有胃癌患者不愿手术、化疗、放疗者，就予以中药治疗。曾治河北交河县干部王某，1981 年来诊时 4 人抬入诊室，患者已卧床不起，骨瘦如柴，每天仅食 100g 稀粥，尚且时时呕吐，腹痛，腹部如舟状，板结，压痛明显，并影响到腰背部亦疼痛，大便干结。经河北省医院作胃镜检查亦为胃底癌。脉弦细，舌紫暗苔薄黄。拟和胃降逆，通络定痛法。处方：瓜蒌 15g、清半夏 15g、黄连 6g、三棱 6g、乌梅 9g、五灵脂 15g、蒲黄 9g（包）、威灵仙 15g、紫苏叶

6g、石菖蒲 12g、仙鹤草 15g、川芎 9g、鸡内金 9g，水煎服，每日服 4～6 次，每次 30～150ml。同时配合服用摩罗丹 1 丸，日 3 次；紫金锭 1 片，分 4 次服，每天服 1 次。自服药后呕吐、疼痛日渐减轻，饮食日增。随信改方，紫金锭加到每次半片，每天 3 次；摩罗丹 2 丸，日 3 次。瓜蒌、清半夏、威灵仙、乌梅均用至 30g。服药一年半之后，疼痛等症状全部消失，体重增加，居然自己坐火车去沧州看女儿。因邀其来院住院复查，见面时患者与先前判若两人，亦无家属伴来。住院后作胃镜检查，示癌肿消失、胃窦部黏膜苍白、血管显露（萎缩性胃炎征）。住院检查 10 天。出院后继续服药巩固疗效。1984 年底来信说已参加老干部旅游去北京，至今仍健在。

再如正定县患者王某，56 岁，主因胃脘部疼痛较甚，恶心呕吐 3 个月，日渐消瘦而来就诊。

患者胃脘疼痛、拒按，胸闷，腹满，纳差，呕吐，嗳气，大便溏，脉弦细，舌紫暗苔黄厚腻。1984 年 11 月作胃镜检查，示为贲门下胃体上部有一约 3cm×2cm 浅溃疡，边缘不清，上有白苔，黏膜水肿，触之易出血；胃体中下部黏膜红白相间，皱襞细小；胃角红白相间，窦前壁及大弯侧呈灰白色，小弯及后壁红白相间，以白为主，黏膜下血管显露。病理报告病人患腺癌。治以和胃降逆，通络定痛法。处方：瓜蒌 30g、清半夏 30g、当归 9g、黄连 6g、茯苓 20g、泽泻 9g、川芎 9g、仙鹤草 30g、鸡内金 9g、板蓝根 20g、石菖蒲 12g、威灵仙 20g、乌梅 12g，水煎服，每日 2 次，每次 150～200ml；紫金锭半片，每日 1 次，渐增至 3 次；摩罗丹 2 丸，每日 3 次。本方加减共服药 4 个月，患者的疼痛、呕吐等临床症状逐日减轻，饮食每日增加到 600g，体重增加。1985 年 3 月，患者的临床症状全部消失。4 月下旬作第 2 次胃镜复查：齿状线以下，至休小弯胃角以上黏膜充血、水肿，不规则隆起，表面糜烂、溃疡，组织硬，易出血，胃窦黏膜红白相间，以白为主。这次胃镜检查结果与上次比较明显好转，与患者症状、体征的消失是一致的。说明中医药不但能缓解症状，消除体征，也确能治愈胃癌，但对其规律应该进一步探讨。

急性胃脘痛方药偶拾

魏雅君

胃脘痛为临床所常见，及论其治，寒以小建中汤，热以一贯煎，食滞用保和，气郁用疏肝散，阴虚用养胃汤，瘀血用丹参饮，皆为常用之方。然其间有有效，有不效者，亦有置良方而不用者，亦有层次欠明者。

虚寒胃痛，小建中汤加黄芪本属对症之施，但有的患者服之不应而脘痛如故。遇此，余每投小柴胡汤而取效甚速，此乃仲景之法，《伤寒论》第100条云："伤寒，阳脉涩，阴脉弦，弦当腹中急痛，先予小建中汤，不差者，小柴胡汤主之"。一曰"主之"当为治痛之主方，仲景书中多处以小柴胡汤治痛证，昔今所及不多，本方所以治脘腹之痛，其义在以疏为导，以通为主，更有和胃降逆，扶正之功，故虚劳内伤，中气不足，土受木克之见阳涩阴弦脉象者皆可用之，是方可疏肝之郁，补中之虚，宣胃之滞，使枢机升降，仲景曰"上焦得通，津液得下，胃气因和。"用时应遵仲景的原则，即柴胡量宜大，黄芩可易白芍。

胃脘痛而见偏热者，百合乌药汤亦是良方，是方为陈修园"从海坛得来，用之多验"，载《时方妙用》中。方即百合30g、乌药9g，配乌药行气止痛，凉润清热，治气郁化火，热积中脘之胃痛颇效，与叶天士"胃宜润则降"的观点相符，胃阴虚而致木贼者，甘凉濡养阴液，少佐利气，以理气机，药精义深，西苑医院步玉如老中医为擅用此方者，余仿效而用之，询为不诬。

又地丁散亦为肝郁化火伤津、久痛未愈之良方，为上海朱镂山先生所制：丁香2.4g、鲜生地黄30g、白术4.5g、陈皮6g、姜川黄连2.4g、厚朴花4.5g、党参1.8g、麦冬4.5g、五味子2.4g、乌梅3g、甘草2.4g。是方疏肝解郁、滋润生津、缓急止痛，配伍极当，余变通其义，仅用生地黄、丁香、乌梅、甘草、党参各15g、五味子10g、麦冬10g、甘松6g、鲜蜂蜜30g。治萎缩性胃炎亦有疗效。

再则寒痛散：九香虫9g，砂仁、木香、檀香、甘草各3g，共碾细末，分成9包，每次1包，每日3次，治寒滞作痛、神经性胃痛取效甚捷。其中九香虫为止痛妙品，余皆为醒脾利气温中缓急之品，备散用之，热饮送下，即可止痛，此方为南通朱良春老中医所制，临床亦可用于肝胃气痛。

方不在多而在精，以上治胃痛诸方若于临床辨证用之，自有新的境义。

"经"言片语挽沉疴

严玉林

余于1977年5月，曾治1例胃扭转患者。该患者，赵姓，患病四旬余。自称：两个月前因食牛肉致腹部剧痛，并向背部放射、呕吐，随即虚脱。后经钡餐透视拍片，诊为胃扭转。当地医院建议作手术，时因疼痛略有好转，不愿手术，改由某医院施保守疗法。先后用针刺、理疗与中药治疗，经治四十余日，未明显好转，遂来此求治。余查体，见其体丰，面微黄，脉沉紧滑，舌质红，薄白苔，舌体胖大有齿痕，上腹部压痛（+）。钡餐透视及X线所见：心肺、食道正常，胃呈虾状，大弯侧在上，小弯侧在下，球向下，排空过速。临床诊断为：慢性胃扭转。

余因思：胃扭转系腹部外科手术适应症，此症国内外均不多见，进行非手术治疗尤为少见。而该患者已经四十余日保守治疗，常用耳部及腹部穴位几已试遍而罔效，今复来此求治于针灸，故道岂可复取？而另辟蹊径则谈何容易！苦思中，《针灸甲乙经》中“络满经虚，灸阴刺阳”一语忽呈脑际。细玩味，所谓“络满经虚”，非此而何？经络者，表里也，脏腑也，阴阳也。此“络满经虚”，乃指里虚外实证或脏虚腑实证。而此例胃扭转正属胃腑实而脾脏虚，治宜“灸阴刺阳”。此语一悟，茅塞顿开，法定然后方乃可出。艾灸可选阴经之关元与三阴交：灸关元以温煦丹田，培补元气；灸三阴交以温脾经，振脾阳。刺阳经之穴选孰为当？忽忆刘冠军教授与余闲聊中道及伊尝治一严重胃痉挛患者，在百治不效、诸医束手时，一针“筋缩”则效如桴鼓。筋缩穴，位于第9胸椎棘突下。籍皆称筋缩穴主“心痛”，按现代各种性质之胃痛均属古代“心痛”范围，故穴之名“筋缩”，或乃可使诸筋收缩故耶？胃之平滑肌，古人或称“筋”，故针之能作用于胃耳。思及此，乃定筋缩穴为刺阳经之主穴。

“络满经虚，灸阴刺阳。”“经”言无虚。当余灸罢关元、三阴交，进针筋缩穴，患者口称针感十分强烈，并向胃部扩散。片刻，即觉胃在抽动、挛缩。此种感觉为以前所无有。余以为此种抽动、挛缩感，或系胃在复位中之感觉。如此针灸10次，患者已无任何不适之感；针灸20次后钡透拍片，结果胃呈瀑布型，大弯侧在下，小弯侧在上，各种理化指数均已正常，胃扭转已告痊愈。岂非《灵枢》“气至而有效”“效之信若风之吹云”不谬乎！

纵谈胃脘痛之恶变

李玉奇

胃脘恶痈（肿瘤）先期，往往与患胃实热、胃虚冷、胃寒肠热、胃热肠寒、脾胃不和、肝胃不和、胃心痛、虫心痛、心腹痛、膈气痰结、哕逆、痞气、酒癖、胃中风等所反应的消化障碍证候颇为相似。只有晚期所出现的反胃、噎膈屡治不验，医家才认为疑难棘手、徒叹奈何！

就胃脘恶痈而言，方书早有论述，于此不再赘言。但是按通常治疗胃病的大法，诸如平胃、疏肝理气、宽胸利膈、豁痰开郁、温胃散寒等等未必有益。

若遵循如是法则治疗下去，无异是养痈为患。按余多年临床观察，本病之演变有五大特征：一曰胀满胜于痛楚；二曰乏酸纳呆而不吞酸；三曰体重剧减胜于其他胃口病；四曰大便秘结居多；五曰胃气上逆，下转矢气。这在直观诊断上较为重要。这些证候反应在四诊方面可见下列特点：一谓望诊，病人面垢无华，形容憔悴，唇干，一派苦楚表情。唯与其他胃病所不同的是舌诊，患者的舌体随着病情加重由胖变瘦、变薄，舌质呈鲜红色，全无苔。此为胃阴已败、胃气濒绝，难以化生水谷之精微，无以益舌之本，故呈先兆险性舌象。临床证明，一旦经治疗病情好转（包括手术治疗），胃气得以来复，舌质复转为浅淡，舌面披以薄白苔，或白黄苔，舌面有神，显示生机复萌。这里要着重指出的是，病人体重的变化可为临床一鉴，病情越加重，体重越剧减。临证切不可归咎于食少纳呆所致，实则乃与胃气衰败、津液、血液恶性消耗有关。而体重的变化与其他胃口病所带来的消瘦截然不同。二谓切脉，脉来有力。患者病重按理脉来当虚，今脉来反而刚劲有力，如此脉证不相切符，从证从脉何所依之？按脉来有力并不能证明元气未损，然则是强弩之末，正邪交争，两相角逐极端见诸于脉，此乃预后不良之兆。临床经验证明，恶痈一旦经药物治疗或手术成功，其脉亦随之转为细弱无力。如果再度复发，其脉又伴之浮大起来，这可与其他胃口病的脉象相鉴别。三谓治疗，如果能把握住望诊、问诊、切诊的诀窍，可为下一步的治疗奠定基础。上述脉症的出现，首应检查是否肿瘤已成，既或未查到肿瘤实体，也应视为先兆肿瘤发病的象征，进行预防性早期治疗。设若一旦确诊为肿瘤，应立刻停药，求诸手术治疗。切不可姑息，以免延误病机。待手术后，仍要沿用中医方法治疗，以防复发。因为术后并不等于根治，尚有复发问题。经验证明，用中医方法抗复发有很好的苗头。对尚未发生癌变，但有上述脉证存在者，应进行严密监护，做预防性抗癌治疗。在辨证施治方面，必须清醒地认识到，本病是痈之为患，气化失调，恶变致危，勿失治期。按余之经验，应采取扶正、消痈、去腐生新三大法则。

对本病早期的治疗，第一步要考虑消癌，以 3 个月为 1 个疗程，进行辨证施治。经验方：蚕茧 15 个、煅田螺 25g、青黛 10g、鸡内金 15g、薏苡仁 15g、五瓜子 10g、香橼 15g、五倍子 15g、白蔹 15g、莪术 15g、白花蛇舌草 50g，水煎服。第二步重在祛腐生新。可投茯苓 20g、枯矾 5g、重楼 10g、贯众 15g、马兜铃 15g、蚕砂 15g、三棱 15g、当归 20g、羊角屑 10g、楮实子 15g、柿蒂 15g 为主导方药，余者随症加减。第三步在肿瘤术后，防止复发，重在扶正固本。方药可用黄芪 40g、山慈菇 15g、炙刺猬皮 15g、乌梅炭 20g、荜登茄 10g、生侧柏 40g、白茅根 50g、茯苓 20g、白术 15g、羊角屑 20g、炮穿山甲 15g、陈皮 15g，水煎服。连服 100 ~ 300 剂，停药 1 年，进行追踪观察。当胃痈未曾恶变之前，按上法服药进行监护治疗，每收良效。实践证明，凭借药物治疗仅是一种治疗手段，而更重要的是对本病进行原始的分析和判断。判断若是正确，就会发挥药物的作用，所以说临证审因辨证尤为重要。这也同兵家作战一样，知彼知己，才能百战不殆。

吴茱萸汤治疗反流性胃炎

杜钰生

胃大部切除术后，并发反流性胃炎是胃外科常见的并发症。其临床表现为胆汁性呕吐，制酸药或进食不能缓解的上腹痛及体重下降等症。此证最早出现，可在术后一周，亦可出现在几个月乃至术后20年之后。本证一般经内科保守治疗不效时，需作外科手术治疗，病人痛苦较大。

余在临床上用吴茱萸汤治疗胃大部切除后的反流性胃炎，获得了较满意的效果，现举一病案说明。

1983年7月治一刘氏老妇，因溃疡病合并出血，急行胃大部切除及胃十二指肠吻合术，术后两周病人开始出现上腹部疼痛，呕吐胆汁及发黏之涎沫，食后症状加剧，饮食量极少，体重日渐下降，精神萎靡，卧床不起，服制酸剂及解痉药物后，上腹痛、呕吐不减，舌淡苔白腻，脉沉而弦细。据此脉证，考虑胃肠手术后体质虚弱，厥阴寒邪上逆而致。经胃镜检查及临床表现，诊断为胃手术后并发反流性胃炎。投以吴茱萸汤治疗，方如：吴茱萸10g、党参15g、生姜5片、大枣5枚。每日1剂，水煎至200ml，频频温服。服1剂后腹痛、呕吐明显减轻；3剂后腹痛、呕吐已除，食量渐增；又连服6剂巩固疗效，精神好转，体力因饮食增加而逐日恢复，下床活动；后以调补气血之十全大补丸收功。经1年后随访，呕吐未见复发，全身情况良好。

此案虽不足以论证吴茱萸汤治疗所有的反流性胃炎，但如能辨证确当，抓住阴寒上逆，口吐涎沫这一关键，投以吴茱萸汤是非常有效的。从此案治疗外科术后并发症中，我们得到较大启示，即中医中药在治疗现代外科手术后并发症方面，是大有用武之地的，可以在这一领域中填补国内外空白。

师古不泥古，经方起沉疴

班世民

为医之道，当师古而不泥古，知常达变，融汇贯通。前贤为医门立律，集临证之所得，警误治之所失，遂乃立书《黄帝内经》。至张仲景“博采众方”，撰用诸说，为“《伤寒杂病论》合十六卷”，始集辨证论治、理法方药于一书。其方严谨，用药精当，所传之方为历代医家所推崇，沿称“经方”。倘辨证精确，投之于病，则每效如桴鼓。

然岁月光阴，时移人换。且人体有素质不同，何况疾病错综，九州方圆，南疆北域，纵横万千，风水各异。经方实难尽治百病矣。盖谙熟医经，“庶可以见病知源，若能寻余所集，思过半矣”。此实乃仲景立说之本意也。

余行医四十余载，时诵医经。每于临证，细加体会，变通经方，鲜于不效。仅以治反胃寒呕为例叙。余于6年前治一中年妇女曹某，言称曾在沈阳某医院就诊，始朝食暮吐，后则呕吐频繁，甚则食入即吐。诊断为“幽门梗阻”医生欲施刀以解，无奈患者因恐惧而拒绝。只得保守治疗，并以输液维持多日，苦不堪言。经人介绍求余诊治。证见其面色皖白，倦怠无力，喜暖恶寒，频欲呕吐，上腹饱满，舌质淡苔厚腻，脉微而弦。四诊合参，此为中焦寒滞，脾胃升降失司，即阳明寒呕也。宗仲景之法，以吴茱萸汤原方加三蔻（草豆蔻、紫豆蔻、草果）投之。1剂呕轻，腹满锐减；2剂吐止，诸症渐退。遂感饥饿，向女索食。竟顿餐面条4两，仍嫌不足。众亲皆愕然，慌延余请定夺之。余谓之曰：大病初瘥，脾胃尚弱，骤然暴食，有损无益，当节度。病家言然，守前方再服两剂，诸症霍然，饮食如常。病者亲属皆雀跃而称谢。

盖脾与胃相为表里，“实在阳明，虚在太阴”。脾胃虚寒，健运失职，气逆不降，而致恶心呕吐。吴茱萸汤辛开温降，补中和胃，故能治之。用三蔻其量宜小，取其温脾助胃之功，量大恐燥伤中气，反为不美。

似此类病证，余前后共治20例有余，每证用此方略有不同加减，无有不效，且鲜有再发者。余每自谓：勤求古训，经方变通以应天、地、人之移换，可谓得仲景之心法乎？如《丹溪心法》之左金丸治呕吐吞酸，可谓得仲景之心法，灵活变通矣。

鼻头色青，腹中痛，苦冷者可治愈

王德安

“鼻头色青，腹中痛，苦冷者，死。”出于《金匮要略》脏腑经络先后病脉证第一，此言面部望诊。鼻为面王，脾之外候。脾者，后天之本。青为肝色，主痛。鼻头色青为土受木贼之象，故腹中痛。如出现四肢厥冷，则是阴寒内盛、阳气不运，亦有不死者。在科学发展的今天，昔日不治之证，今天也有办法治愈。余临证20多年，所见鼻头色黑者多，色青者少。而鼻头色青，腹中痛，苦冷者更少。余曾治李某，男，54岁。因患原发性心肌病，阵发性室上性心动过速，先后5次在我院内科住院，前3次都伴心源性休克，第3次是1981年9月住院，经抗休克、抗心律失常治疗，次日休克即得纠正，于10月请笔者会诊。翻阅病历，这次发病前数日，患者因郁怒以致胸闷，纳呆，心悸。第5天下午，突然心悸加重，脘腹疼痛，自汗，四肢厥冷而住院。详查其现症：面色萎黄，鼻头色青，口唇微青而紫，腹痛隐隐，四肢欠温，胸闷隐痛，心悸少寐，舌淡，左边、尖部有紫斑，脉沉细而数。按此脉证合参，恰与《金匮要略》之“鼻头色青，腹中痛，苦冷者，死”一证相符。病属厥证，证属土受木贼，少阴寒极，阳气不运，血脉瘀滞，治宜温阳生脉活血，处方以四逆汤合生脉散加减，另配散剂。药物有：炙甘草35g、炮附子25g、干姜10g、红参20g、麦冬25g、五味子15g、丹参15g、木香5g、砂仁10g，水煎温服，每日1剂。散剂组成有：红参500g、附子300g、丹参300g、黄芪300g、琥珀300g。上药共为细末，顿服5g，每日两次。

在上方基础上加减化裁，仍谨守温阳生脉活血法则，服药24剂，于11月4日出院。查鼻头色青诸症皆已，只觉倦怠乏力，舌紫斑未退，脉沉细。心率由180次/min减为72次/min，血压、体温、心电皆正常。据检查所见，寒邪已祛，阳气复运，血脉已通，但脾气未复，心气亏虚，故嘱其继续服用所配散剂，直至诸症皆愈。从而可见本病不但可治，且用中药治疗后，前证再作亦未发现休克。其温阳生脉活血之力不言而喻。

治腹部剧痛一得

金明义

腹痛是临床常见的症状之一，同时又是一种常见病，多数患者属于急证范畴。祖国医学对于急证的治疗有其独特的经验，并非中医不能治疗急证。对有些急证，中医的疗效还是非常显著的，这也有其历史根源。古代医书中就有不少关于这方面的记载。所以中医治疗急证是大有发展前途的。余于临床时，曾治疗一患者。半月前突然出现腹部剧痛，来我院内科检查，发现两下肢布满鲜红色出血点，以“过敏性紫癜”，收住院治疗。静脉点滴氢化可的松，患者每天均有疼痛发作，用阿托品及镇痛药物都无效果，必须肌注杜冷丁疼痛才能缓解，连续治疗十余天，因恐长期用杜冷丁成瘾，请中医会诊。据检查：患者疼痛难忍，坐卧不宁，两手轻按于腹，上身不停晃动，舌质暗红、舌边有瘀斑无苔，脉象弦而有力，腹部拒按，有肌紧张，无反跳痛，两下肢布满鲜红色和紫暗色出血点。

余认为此乃瘀血阻于脉络，血流不畅溢于脉外，停于皮下则见肌衄，血蓄于腹，脉络不通，不通则痛，因而出现剧烈性腹痛，舌质紫暗、脉弦有力均为血瘀之象。中医诊断：肌衄、腹痛（血瘀）。治则：祛瘀止血定痛，方药以失笑散加味：蒲黄15g、五灵脂15g、当归15g、桃仁15g、茜草15g、丹参15g、川芎15g、土鳖虫15g、白芍25g、藕节15g，水煎服。配用三七粉5g，每日3次。连服3剂，患者腹痛明显好转，又服3剂腹痛消失。改用蒲黄15g、五灵脂15g、当归15g、桃仁15g、茜草15g、川芎15g、鸡血藤15g、生地黄15g、香附15g、党参15g、白术15g、茯苓15g，水煎服，连服两周，患者再未出现腹痛。

余体会，本病的辨证为瘀血腹痛，是由于血瘀络脉，血液旁溢于外，停于腹中所造成，所以以血瘀为本，出血、疼痛为标，瘀散血止疼痛自然消矣。其次，在治疗上应选用既能活血、又能止血的药物，如蒲黄、五灵脂、茜草、三七等，不要选用单纯活血或活血力量很强的药物，以防出血过多或出血不止。也不要选用单纯止血或固涩止血的药物，以防瘀血加重。

用活血化瘀法治疗结肠炎

张万芳

余在20世纪60年代，曾遇一朋友患腹痛病3年有余，久治不愈。发作时痛不欲生，终日用吗啡、杜冷丁等药止痛，曾服用西药磺胺，氯霉素、痢特灵以及中药厚肠止痢类药物均无效。发作时重按疼痛加剧。便溏且黑常带少量脓血。余观其面青唇紫，舌紫绛苔薄白，脉沉弦而涩。结合病史及临床所见，诊为瘀血腹痛。以活血祛瘀治之。处方：当归30g、赤芍20g、炙大黄15g、生地黄15g、土鳖虫20g、乳香15g、没药15g、乌药15g、枳壳15g、陈皮15g、延胡索10g、甘草10g，水煎日2剂。另将三七50g、藏红花25g、血竭25g、金银花炭50g、地榆炭25g，共为细面，每次5g，随汤药服下。服药2剂，腹痛减轻，便次减少，可减少服止痛药次数。效不更方，在原方基础上加水红花子20g、片姜黄15g，连进16剂腹痛基本消失，大便恢复正常。将上药制成水丸5g，日3服，以巩固疗效。随访17年未见复发。

腹痛有虚寒型，其症状多腹痛绵绵，喜按，喜热恶寒，得温则缓；有气滞型，多胸腹胀满，两胁闷痛，气逆不降。脉多沉弦有力；有实热型，多表现为痞、满、燥、实、坚等实热症状，其脉多沉实有力；而瘀血腹痛，多腹痛拒按，面青唇紫，多见沉弦而涩脉。本方以活血祛瘀行气止痛药组成。方中当归、赤芍、土鳖虫、乳香、没药、三七、血竭、藏红花有活血祛瘀作用；生地黄、炙大黄有凉血、活血作用；金银花炭、地榆炭有清热、凉血、止血、解毒作用；乌药、枳壳、陈皮有调气健脾作用；延胡索活血止痛；甘草调诸药。

我认为，瘀血腹痛之证，若有腹痛、便脓血、便次增多之表现，不宜以温补收涩之法治之。因为血瘀多气滞，经络阻塞不通，肝气必郁结，导致脾失健运，传化失常。温补收涩不但病邪不除，反而会留邪，致使病变缠绵不已。只有活血祛瘀加以行气之法，才能使血瘀消散，肝气得疏，脾胃功能恢复正常，腹痛便脓血之病必自除。

大黄甘草汤治呕吐速效

王乃一

呕吐一证，皆为胃失和降而致。治以和胃降逆为其常法。临证时，辨其虚、实、寒、热等因，随证施治常能取效。但有食入即吐一证，以常法治之多不愈。余用大黄甘草汤，每投辄效。

《金匮要略》呕吐哕下利病脉证治篇云：“食入即吐者，大黄甘草汤主之。”原文只 12 字，药仅大黄 9g、甘草 6g2 味，无更多论述，但师其法用之，往往手到病除，所以每叹经方之奇效。

余曾治一杨姓少女。她患食入即吐证，已 9 个月余，多方求治无效。经西医检查未见器质性病变，诊为“神经性呕吐”。其症状除饮食即吐外，伴有大便干燥，体弱神疲，脉沉弦细，舌苔薄黄，其他无所苦。初用降逆止呕药无效，随考虑用大黄甘草汤治之。但又虑其久病体弱，恐伤其正，因而有所踌躇。后思之，《内经》云；“有故无殒亦无殒也”，遂经投此方，竟 1 剂而愈。

又治一老妪，患食入即吐二十余日，经治疗无效前来就医。因年事已高，恐有癌变，经有关检查无器质性病变。其症状，除食入即吐外，别无不适，二便正常，脉象沉弦，舌质正常无苔。经投大黄甘草汤治之，取药两剂，嘱其 1 剂瘥，停后服。5 日后其家属来云服 1 剂而吐止，未再复发。

用大黄甘草汤治疗食入即吐证，诸家皆以热论之。余临证多年，治愈此证甚多，其中伴有便秘、脉数、苔黄等热象者有之，体弱、便可、无苔、脉沉弦细无热象者亦有之。然皆投此方而愈。由是观之，本病不独因热。胃热能致吐，胃实亦可致吐。热者性急而上冲，不能容食故食入即吐，胃实者腑气不通，拒纳水谷，饮食入后亦可即吐。故此，余认为食入即吐者，因于热，亦可因于实。

再以方论之，大黄气味苦寒，能推陈致新，通利水谷，调中化食，安和五脏，故以为君荡其实或泄其热。臣以甘草缓其中，使清升浊降，胃气顺而不逆，使热者可清，实者可泄，不治吐而吐自止矣。故临床实践验之，不拘热象有无，只要症状为“食入即吐”者，即可用大黄甘草汤治之，必立见其效。

乙肝解毒片治急性乙型肝炎疗效好

田国栋　杜宏伟

患者孔某，1984 年 11 月从盖县到浑江探亲，自觉旅途疲劳，头晕，右胁痛，四肢困重，口苦，遂到市医院治疗。经检查：谷丙转氨酶：150U，HBsAg（+），超声：肝于右锁骨中线肋下 2cm，未经治疗转来我院中医科。主症：头晕，右胁痛甚，胸闷，嗳气，尿黄，全身无黄染，舌红，苔黄，脉弦。拟诊为急性无黄疸型乙型肝炎。中医辨证：肝胆湿热，疏泄不利。治疗上予以清泻肝胆湿热。

处方：乙肝解毒片，每次口服 2 片，每日 3 次。患者连服 1 个月后，四肢困重，头晕等症消失，右胁痛减轻；继服 1 个月，胸闷口苦不显，嗳气减除，体力稍有恢复，化验：HBsAg（+）。肝胆仍有湿热余邪。患者又服乙肝解毒片 1 个月，症状基本消失，胁痛减除，饮食明显增加。经化验：麝浊：2U，锌浊：10U，谷丙转氨酶，40U。HBsAg（-）。临床痊愈。

乙肝解毒片，系全国肝炎科研攻关协定方，由吉林省晨光制药厂生产。余运用该药治疗乙型肝炎，中医辨证属于实证、肝胆湿热内蕴者皆能显效。

宣降肺气治便秘

梅子英

王翁近逾六旬，于月余前偶感风寒，遂恶寒发热，四肢酸楚，咳嗽微喘，鼻流清涕，服“去痛片”后，微汗出，诸症悉除，惟轻咳不已，旋即大便燥结。曾服白蜜及“润肠片”之类，虽便秘稍有改善，但嗣后又复如故。观其面微红，苔黄，脉沉数。余认为此乃燥热内结、伤津耗液、气滞不通、糟粕不行所致，法当养阴增液，泄热通便，拟用增液承气汤，增水行舟。然在处方之时，念其年事已高，恐不胜攻伐，不敢遽用芒硝、大黄，仅仿其意而加以变通。其方为：麦冬20g、玄参25g、生地黄20g、郁李仁15g、火麻仁20g、当归15g、甘草3g。余自认为此方极为稳妥，祛邪而不伤正，通便而不伤津，实为万全之策，可药到病除。

然患者取药3剂，竟杳如黄鹤，6日不至。至8日，天刚破晓，王翁忽气喘嘘嘘而至，自言服上药后，排便1次，但仍干硬，其后则大便燥结益甚，今已3日未行。昨晚猝胸闷心烦，咳嗽甚剧，气喘频作，痰稠黏咯出不爽，致夜不能寐，口干微渴。查其脉沉略数，重按有力。真乃一波未平，一波又起。此证为邪热蕴肺，肺失宣降所致。治以清肺降逆，止咳平喘，处方：生石膏30g、炙麻黄9g、炒杏仁9g、黄芩10g、地骨皮10g、桑白皮10g、大贝母10g、瓜蒌12g、紫苏子9g、沉香6g、甘草6g，取药3剂。3日后复诊，言其进药1剂，咳喘已衰其大半，解便1次，其便稍软；进药3剂，咳喘悉除，大便亦通畅而不燥。查其苔黄，脉仍带数象，知其余热未清。效不更方，再进前方两剂，以巩固疗效。

余自知此方除瓜蒌仁外，余无润下之药，况所用为全瓜蒌，其仁之含量无多，何以有此效果？实感困惑不解。是夜辗转于床，恍然而悟其理：肺与大肠相表里，二者之经脉互相络属，其病可互相影响。肺主肃降，肺气降则大肠得以传化，粪便排出通畅。本证之始为外感风寒，内舍于肺，故见“咳嗽稍喘”。余只注意其大便燥结，而忽略其肺逆喘咳。用润肠通便之品，虽能取效于一时，然终因肺失宣降未复，致使大便燥结益甚。大便燥结不通，亦可影响肺之肃降，故可致喘咳急剧发作。

便秘一证，多由肠胃积热、气机郁滞、气血双亏、阴寒凝滞所致。其为肺失肃降所致者，甚为罕见。余治愈此证，虽出偶然，但偶然之中，却寓有必然之理。

消疳理脾汤与培土生金法

范国樑

本方以培土生金，每于临床，效果满意。

20年前，有幸在实习中接受老师之验，用消疳理脾汤治疗脾疳，几乎治之即效。此后令我治儿病时，往往服一两剂即可痊愈。或因本病而久嗽不愈、易感冒者，效果亦佳。药物组成：芜荑5～10g、三棱3～5g、莪术3～5g、青皮3～5g、陈皮3～5g、芦荟10～15g、槟榔3～5g、使君子10g、甘草25g、川黄连

10～15g、胡黄连10～15g、生麦芽15～25g、神曲10～15g。若久嗽痰多不易出者加钟乳石5g，榧子5g；有热加生石膏15g，水煎服，日2～4次。该方为消疳积理脾胃之剂。疳积得消，脾胃得复，肺金得助，肺体得养，即培土生金。故肺气宣发，肃降能行，治节有权，呼吸有制，表卫有司，津液得布，何病之有。

曾治林姓5岁患儿。自幼喂养，嗜零食，脘腹不适、疼痛，哭闹，厌食，纳呆，消瘦，易感冒，咳嗽，发热，常以抗生素治疗，平素钙片常规服。然而，其病如故。1975年春来诊，面色皖白，瘦小，肋骨枝枝可见，腹略膨隆，咳嗽不已，痰少，腹痛时作，俯卧而眠，潮汗而出，毛发憔悴，大便干，舌红少苔，脉滑数，投上方两剂，症状大减，家长悦，又服1剂而愈。百用百验。

姜盐汤治干霍乱

王庆冬

1956年7月，时至大雨连绵，平地积水没膝。一日午夜，有人叩门甚急，邀我涉水出诊。至其家，见一妇人约二十余岁，俯卧土炕，蓬头散发，绕炕翻滚，面青惨，头汗出，手足逆冷，时而干呕不吐。自言欲泻不能，腹内上下攻冲，痛如刀绞。诊其脉弦紧而伏。审其病情诊为干霍乱，业已延数医诊治无效。余急用毫针刺其上脘、中脘、下脘、足三里，又刺尺泽、委中出血。针后症虽少缓，但少时仍作如初，如此持续至黎明，仍不愈。余突然想起有一偏方：姜盐汤（大盐30g，生姜15g切丝同炒变色）又加碱砖末一撮，以童便两盏煎服，服后须臾即吐出酸水数升，少时腹中一声雷鸣，大小便俱下，未几痛止而愈。

干霍乱，一名绞肠痧。其主要症状是卒然腹中绞痛，欲吐不得，欲泻不能，上下攻冲，四肢厥冷，面青头汗，烦闷逆乱，脉象沉伏弦紧。此乃夏令秽积疫疠之邪壅遏中焦，气机滞塞，升降格拒，上下不通，故而腹胀痛，欲吐不出，欲泻不下。浊邪闭塞，热格于上，阳气不得宣通，则烦躁闷乱，复因腹中剧痛，故而面色青惨，头汗淋沥，四肢逆冷。用姜盐汤，咸能软坚，辛能宣阳，童便咸寒无毒能治癥瘕腹满，利大肠而推陈出新。碱砖末亦咸寒软坚之品，服后阳气宣通，则能呕吐。上窍一通，则下窍自利，故二便俱下。又刺尺泽、委中出血，经脉得以通畅，故而其病须臾若失。诚谓中医治病，有不可捉摸之效。

炙甘草汤加减疗重病呃逆

刘沛然

炙甘草汤为仲景治伤寒脉结代、心动悸而设，《外台秘要》用治肺痿涎唾多，《千金翼方》复脉汤用治虚劳，《卫生宝鉴》用治呃逆不绝。笔者以炙甘草汤治疗老年、危重病人呃逆，收效较速。所收治病例，有脑溢血并呃者 7 例（其中 3 例有脑外伤史），脑血栓并呃者 3 例，蛛网膜下腔出血并呃者 2 例，肝癌并呃者 2 例。以上 14 例皆为男性患者。年龄在 64 ~ 79 岁。服药少者 1 剂，多者 3 剂，呃逆停止。

曾治赵某，79 岁。1980 年 2 月入院，诊断为脑血栓形成。患者于 3 月 5 日不停呃逆，病房给予肌内注射、针灸、中脘封闭、中药等处理罔效。呃逆频繁加剧，日夜不分，近两天以夜为重，辗转不寐，并牵引剑突部疼痛。患者形体虚瘦，口干无涎沫，头痛，视物不清，无发热，无呕吐，食欲不振，二便难，舌面光如猪腰，舌体成球，舌质红如涂朱，脉弦数。老年肾气虚竭，失其奉纳，戊癸失合而败呃。红参 10g、炙甘草 12g、肉桂心 6g、麦冬 15g、附子 6g、车前子 15g、生地黄 10g、火麻仁 6g、阿胶珠 20g（烊化）、肉苁蓉 12g、紫苏子 10g、大枣 10 枚，煎服，每 6 小时 1 次，每次 200ml。服药 1 剂后呃逆即止，舌亦能伸展，并觉有食欲，渐进食，愿继续服用。

景岳云："呃逆一证，古无是名，其在《内经》本谓之哕。"《金匮要略》有哕无呃。《中国医学大辞典》云："哕即呃逆，喉胸间呃呃作声而无物也。"《诗经》："鸾声哕哕。"谓声有节奏也。呃证均匀而来，亦有节奏，哕者呃也。呃逆重证多危候，呃虽有热呃、寒呃之分，更有逆呃、虚呃、败呃之别。膈寒气逆谓逆呃；绝其谷气谓虚呃；戊癸不合，火无生原谓败呃。老年，重病而呃者多为虚呃、败呃。本病特点是年老、病重、多发脑血管疾患，其证多舌红、便难、头痛、呃逆。正如《素问・阴阳应象大论篇》云："年六十，阴痿，气大衰，九窍不利，下虚上实，涕泣俱出矣。"年老，病重，真阳之气大衰，相火寄于肝肾，因君火不主令而代君以行。又因腑气不通，浊气上攻是呃逆、舌红，头痛之主因。《素问・六微旨大论篇》："君位臣则顺，臣位君则逆。"由此形成阳气上亢，君火外浮，老年气惫内夺，为邪火贼其元气。炙甘草汤功在顾元气（人参、甘草），扶君火（干姜、肉桂心），补北纳肾（阿胶、生地黄、麦冬）。叶氏云："舌红是津伤而气无化液，顾阴液，须投复脉。"用药，变味、变量是其关键。案例 1 中，二便难，形瘦脉弦数，乃肾气虚。阿胶用珠加苁蓉、苏子咸温，温降。脉细微、微汗、遗尿，谓肾气不纳。阿胶、生地黄量宜重，加白前、旋覆花，变咸寒，寒降。此肾气虚与肾气不纳又不同用药也。但均非张洁古以丁香、柿蒂之属，香涩劫阴，辛散耗气戕伐之味所能收功者也。

吴茱萸汤治验一得

钱贵荣

吴茱萸汤系医圣张仲景所制。方载《伤寒论》《金匮要略》，该方治厥阴、少阴、阳明三经之头疼、吐利、呕吐甚验，可谓治阴寒内盛、浊阴不降之佳方。余学用多年效若桴鼓。然仲师教诲，应学其法，不在其方，拓其未备，济世于民，乃仲师之旨也。余仅举呃逆一案，管窥仲师之法。

某患者前因风寒小恙，经治将愈，复因家务琐事不悦，卒发呃逆，日作三五次，每作辰许。曾用大量安眠、镇静、解痉药治之无效，复行头针、耳针、体针、电疗皆无效，又投旋覆代赭汤、血腑逐瘀汤亦不瘥。近日呃逆加剧，每作达两辰之久，并阵发急呃，发作时呃频连声，胸闷欲厥，面赤唇青，甚为恐惧。诊其脉弦有力，苔白腻微黄。余思良久，遂投吴茱萸汤加黄连，药用吴茱萸10g、党参30g、生姜30g、黄连5g、大枣10个，令急煎服，剂尽而愈。

一方治多病，乃仲师之法，非方也。吴茱萸汤治三经（厥阴、少阴、阳明）之头痛、吐利、呕吐。究其哲理，源于辨证。概三经不同，见证各异，何以治之？然阴寒内盛，浊阴不降之病机相同，此之谓也。余深思仲师之法，该方虽未言治呃逆，然肝郁寒阻、浊阴不降之病机相符，确属吴茱萸汤证无疑。但因郁久化热，故加黄连，启辛开苦降之法，肝郁得解，寒湿得化，清阳得升，浊阴得降，呃逆除矣。

呃逆证治小议

焦增文

经书有哕无呃，唐宋言呃，明清称谓呃逆，沿用至今。从性论之，有逆呃，虚呃，败呃。此证实中有虚，虚中有实。逆者，胃虚也，或谓邪实正虚；虚者，气滞也；败者，阳虚阴实。故攻补偏施不可言治。

有败呃者，主心脾。《素问·痹论篇》言之“心痹者，脉不通”。《脉解篇》又谓“阴盛而上走于阳明，阳明络属心。故曰上走心为噫也。”李东垣之《脾胃胜衰论》云及“至而不至者，谓从后来者为虚邪，心与小肠来乘脾胃也。”厥心痛、真心痛、心痹等常出现败呃，“乃水气凌心包络也”。余在临床制定一穴组，疗疾60余例，应用效捷，愿献拙识，望师者教正。

膻中者；臣使之官，心包络是也。举阳宣气为之使。

公孙与内关者，为八脉交会穴。两穴相配为父母相应，主心脾胸腹之疾，属窦氏《流注八穴》之配法。

余曾诊治男性中年患者李某。西医诊断：心源性休克；冠心病心衰；室上性早搏伴室内差异性传导以及陈旧性前壁心肌梗死。呃逆频频，状呈震颤，用中西药及其他疗法无效，9月6日邀余针刺。其亡阳之汗如洗，四维相代，下肢肿如橡胶，舌质暗红，苔白腻，脉细散数（毛脉也，不从大论，细者为生），宜举阳宣脾，取穴膻中（持针布气）、内关（双）、公孙（双）。15分钟刺毕拔针，2小时后汗止呃停。适越一时，效然。后因吃饭、饮水又发，9月7日针第2次，渐缓。9月8日针第3次患者痊愈。

又治一史姓中年男性患者。因中风入院，11月19日犯哕呃，频频不停，进食水即吐，服中西药及经他人针内关、巨阙、中脘、足三里无效，故于11月24日邀余治疗。其卧床输液，痰涎连口；心电图示间歇性早搏，脉弦涩，舌质暗红，苔黄厚而腻。证属心脾瘀结，治宜开胸泻脾，取公孙（双）、内关（双）、膻中（持针布气）。运针5分钟，患者呃逆次数减少，强度减弱，至留针15分钟呃止。于3小时后因进食复发。11月25日针第2次，呃逆即止，已能进食。26日针第3次患者病愈，饮食良好。

升因升用

周铭心

陷者举之，为升法之常；升因升用，当属升法之变。常法易用，变法难行，盖非躬亲经验，多不敢取法于变，或明知当用变法时亦多先试之以常，以期万全。据我肤浅认识而论，使用变法的难处有三：一为审证不详；二为重“病”而轻“证”；三为被中西医两种理论不恰当对比的成见所束缚。我有两例病案，似可对升因升用的运用有所启迪。

1. 用补中益气法治呃逆：曾治王某，男，29岁，因患结核性胸膜炎、胸腔积液，经西医治疗病情好转，唯呃逆频作，愈见加重，应邀会诊，为疏二陈汤加旋覆花、代赭石、丁香。经服5剂，患者呃逆依然。询知病人呃逆已近1年，前后服中药不下60余剂无效，出示药方，类皆旋覆代赭汤、橘皮竹茹汤、丁香柿蒂汤等，无非理气降逆，且方中杂以全蝎、蜈蚣等所谓“解痉药”因思既已屡经通降，不便复蹈故辙。察知病人有舌淡苔少、脉细寸沉、纳呆肢困等症，遂萌起用补中益气汤的念头。但深惧呃逆之“逆”，不敢尽用升补，只在首诊原处方中加黄芪，并加服补中益气丸以探消息。结果5日后患者呃逆见减，于是放胆予补中益气汤加味，药用黄芪30g，党参、白术各15g，陈皮6g，升麻、柴胡各4.5g，当归、桔梗各9g，甘草6g，川芎3g。服至10余剂后，患者呃逆基本消失。复以补中益气丸善后而愈。追访半年未见复发。

2. 用补中益气法治梅核气：曾治叶某，女，45岁，数年来咽部时觉干痛，似有黏痰阻滞，西医检查有慢性咽炎，门诊就医时声言要“六神丸”，检看所携数册病历，中医、西医皆开六神丸一药，西医则合以抗生素，中医则配以半夏厚朴汤。询察病人，见其面色皖白，咽部稍红，脉沉细，舌淡，边多齿痕，苔薄白，易生闷气，但很少发作。知为郁火所致梅核气。气滞固郁火之常因，而气虚亦可致郁，已用降气开郁清火不效，遂疏以补中益气丸，嘱以米醋少许引服，日4丸。服药40丸，喜得症去大半。再减为日2丸，月余患者基本告愈。

呃逆为气逆动膈的症状，梅核气为气火结聚于上，治用补中益气，为升举之法，是“升法”因“升病”而施，即升因升用。谨就此谈几点体会：首先凡呃逆、头痛、咽痛、发热、咳喘等病证，当其直接病机（直接引起该病证之病机）与根本病机（引起直接病机之上级病机）的气机趋向相反时，可用升因升用法。其次，当上述病证病史较长，屡投潜降而不效者，虽无明显脾虚气弱脉证，亦可使用本法。第三，使用补中益气汤重用黄芪，而不必因求全而杂以他药，以免扰乱药物阵营。第四，摒弃中西两法不恰当对比的某些成见，以解放辨证论治的手脚。注意此四点，则用升因升用法不难。

承气攻下，免开刀之苦

郭士奎

邢台陈某，因感冒发热而住院，经西医治疗罔效。呕吐、腹痛剧增，遂转某医院外科，决定进行手术治疗。患者惧而未从，到中医科求治。诊其身体羸弱，腹胀，饮食不下，腹痛阵作，心中懊侬，苦痛面容，10日未有大便，昨日早晨仅便点滴稀水，味臭。触之四肢发凉，脉弦缓。苔黄质地干燥。血压不高。余乃恍然大悟，患者几经发汗呕吐，其津液伤，汗虽出而邪未除，入里与阳明燥屎相结。热结旁流是其证也。夫小肠为火腑，胃为阳土，大肠为阳明燥金。

三者喜润恶燥，以津液为重，热邪盘踞于肠胃，以致水液旁流，其多恶臭。治阳明无形之邪，清热可愈，若热邪与燥屎互结则非承气汤荡涤不可。

思春温，邪实于腑，舌苔黄燥，纯利清水，理应调胃承气汤治之。今察患者腹胀痛较甚，予以急下，以图转危为安，方用大承气汤。大黄、芒硝峻下积滞，以荡涤肠胃燥屎；厚朴、枳实行气破结。

3日后复诊，患者谓1剂尽，腹痛加重。2日后下粪，质干燥，坚硬如羊屎十二三枚。3剂尽，其证大减，调理1周而愈。患者感激称谢，并说："三帖中药免我刀下之苦！"

逐瘀温下法治疗肠梗阻

杜钰生

目前外科临床上用中药治疗急性机械性肠梗阻，关键在于通结，常以大承气汤、硝菔通结汤、复方大承气汤、甘遂通结汤之类的峻下剂，以通为用，使肠腔内容物通过正常为目的。这些方剂用之对证，确有奇效，然而临床上有部分病人在峻下剂作用下，一时内容物通过，病因仍未彻底解除，若一下再下易伤及正气，致使病情加重，故临床上在辨证与辨病相结合的同时，还当突出辨证施治的中医特色，非局限于寒下、逐水等峻下剂，其他温下、逐瘀等法亦酌情灵活运用，才能更好地发挥中药通结的作用。

余治一张姓妇女，就诊时，下腹部胀满疼痛，大便不通4天，腹中转气而不能排出，有明显的右下腹间歇性疼痛症状，得寒凉腹部胀痛加剧。检查所见：舌淡红苔白，舌边有瘀斑，脉沉迟紧，下腹部膨隆，右下腹压痛明显并可触到痛性包块，肠鸣音亢进。追问病史：1个月前因急性阑尾炎行阑尾切除术，术后两周出现腹部胀痛，不能排气、排便，按肠梗阻给以复方大承气汤治疗，大便泄后症稍减轻，继而又如故，胀痛有增无减。既往有乙状结肠过长病史。根据病史、临床表现及体征，诊断为回盲部粘连性肠梗阻，考虑为寒凝气滞血瘀所致。治疗以逐瘀温下法，方药：小茴香10g、炮姜6g、肉桂6g、附子6g、延胡索10g、当归10g、川芎10g、赤芍12g、蒲黄10g、五灵脂6g、枳实6g、厚朴10g、大黄10g（后下）、玄明粉3g（冲）。1日2剂，每次1剂，水煎至200ml。服两剂后，患者大便已下，腹胀满痛减轻；第3剂将上方去玄明粉、枳实，加火麻仁10g、肉苁蓉10g、苏梗10g，水煎服，日服两次，每日1剂，连服6剂，右下腹压痛减轻，包块渐小，梗阻症状解除，大便每日1次，成形而不燥。以后改用少腹逐瘀汤加服麻仁润脾丸，半月许，腹部压痛、包块完全消失而痊愈。

两年后追访，病人腹部情况良好。

此案为寒凝气滞血瘀的肠腑阻结不通之证，应用逐瘀温下法，意在温下治标，去寒邪以解肠腑不通之急；逐瘀治本，以治气血凝滞之结。故二法配合应用治疗此证，防止了顾此失彼之弊病，获得了较满意的疗效。

辨病须辨证，补虚关格通

| 班世民 |

病有同规，则治有常法，执简驭繁之道也。然同病异人，虚实迥然，又何有常治之法？若病势沉疴，悠悠似残烛之火，诸症杂乱，外现内隐，不尽同源。且病家一命，尽系医手，敢不详审细辨而妄投药石乎？

本虚标实，为医者常言，共中着实奥妙。有先标实而后本虚者，此时治其标，则邪去正自安；有先本虚而后标实者，此时补其虚，则正安邪自去。此乃治病求本之大法。余深有体会。

关格一症，古往今来，医家皆以承气之类攻之，荡涤肠胃，每能收效。然关格非皆实证，故不可一概攻之。余在桓仁县任教期间，曾偶遇治一关格病。颇然正本求源之理。

患者孙某，素患胃疾。3 个月前突发胃穿孔，当即手术。术后十余天又发呕吐，大便不通。上腹满胀而痛。经 X 线检查，结合病史，诊断为粘连性肠梗阻，再次手术。术后半月复出现梗阻，又行手术，如此反复手术 5 次，终不得解。遂治以中医药，前医投承气不效，病反加重。病家不堪其苦，但求一死以解。其家属及单位领导恭名恳延余医。

余诊病家面容痛苦，苍白无华，双目紧闭，腹胀如鼓，有刀口 7 寸许，胀开不合，肠管暴露。舌质红嫩无苔。呻吟不止，语声微弱含糊不清。脉象虚数无力。四诊合参，此为气血两虚，瘀阻经络。气虚不能帅运，血虚不能助气。故而关格不通。治当益气补血，活血通络。自拟处方：黄芪 30g、肉桂 1. 5g、当归 35g、赤芍、白芍各 20g、枳实 20g、莱菔子 20g、瓜蒌仁 20g、没药 15g、茯苓 20g、槟榔片 20g、大黄 7. 5g、甘草 10g，1 剂，水煎服。药后 3 刻，病家腹中雷鸣，矢气数声，略觉舒畅。80 分钟后急索便器，排黏臭物 2000ml 左右，遂腹胀消除，病家安然。次日食米粥 2 两，并逐日增加食量。腹部创口渐收。10 日后病愈。余又以补气理血之剂巩固疗效。至今未发。

余每思此症，深然辨病还须辨证之理。关格尚可补，他症何有固定一法之理？于辨病之中求辨证，可谓得医之道也。

“生脉”治关格

徐阳孙

关格一病，是指上吐下闭之证，以尿少、尿闭为主证，兼有恶心呕吐，头晕目眩，严重者可出现神昏抽搐。临床上，由尿毒症引起的关格较为常见。

本病之病机，关键在于脾肾同病。由于肾气衰惫，气化失权，故小便失司而为尿闭；脾运失职，不能升清降浊，火湿内蕴，湿浊中阻，郁而化热，故见恶心呕吐、口黏纳呆、舌苔黄腻或焦黄起刺等症。治疗时，若偏执益气之品，多能壅塞气机；单投养阴之药，每致滋腻碍胃之弊，往往出现虚不受补的情况。由于本病病机复杂，邪盛正衰，本虚标实，病虽属气阴两虚，但又有湿浊中阻、郁而化热之征，故应权衡标本缓急，采取益气养阴清热之法，调理脾胃，助其升清降浊。如此斡旋周身气机，俾使大气一转，其结乃散。对湿浊中阻、气机升降失常、浊气不降之尿闭，胃气上逆之呕恶每每奏效。

我在临床常仿《辨证录》治小便不通之法，用生脉散治疗关格。方中人参甘温，益气生津、大补元气；麦冬甘寒，清热养阴；五味子酸涩，能收敛耗散之肺气；适加黄芩，以助清热之力。四药合用，大补气阴，可救元气之耗伤，消内郁之湿热，常显奇效。

曾治一男患者，年方18岁，5年前患慢性肾炎，连年反复发作，并且日益加重。近日来全身高度浮肿，面色㿠白，头晕目眩，恶心呕吐，不思饮食，形寒肢冷，尿量数少，每日仅200ml左右。经反复应用利尿药无效，病势日渐恶化，甚至小便点滴不通，舌质淡胖，苔微黄腻，脉象沉细。查尿蛋白（+++），管型2个，血红蛋白52g/L，非蛋白氮98mg%。二氧化碳结合力40%容积。经中医会诊，改用中药治疗。现证属脾肾阳衰，肾气衰惫，由虚及损，由阳及阴，气阴两亏之证，以致水不化精，生化无源，三焦之气闭塞，决渎无权，上下升降出入皆不利也。治宜益气养阴而生津液，意在阴中求阳，则阳得阴助而生化有权；阳中求阴，则阴得阳升而源泉不竭。方用：人参15g、麦冬35g、五味子15g、茯苓35g、黄芩15g，加水浓煎，少量频频呷服。2剂后尿量明显增多。连服5剂，每日尿量均在600ml以上，诸症减轻，浮肿渐消，非蛋白氮降至60mg%，二氧化碳结合力升至48%容积。以后继服气阴双补、健脾益肾之剂，调理3个月余，症状明显好转，出院休养，随访半年，疗效较为巩固。

“肾司二便”浅议

夏洪生

肾是人体重要器官。祖国医学对肾的认识，不仅指其实质脏器，还概括了肾的生理功能、病理变化、经络气化以及同其他组织器官的内在关系。特别是“肾司二便”理论，有其独到之处，并指导着临床实践。曾治一老妪，小便失禁4年，有尿即遗，不能控制，两部尺脉甚弱。本病表现在小便，而病本在肾。盖肾与膀胱相表里，膀胱气化开阖，均由肾所主。今肾气不足，肾阳衰微，膀胱失约，故小便失禁。溯本求源，其治在肾，立益肾气，补肾阳之法，重用补骨脂、韭菜子、附子、桂枝、巴戟天、益智仁，以及菟丝子、熟地黄、茯苓、白术等药，前后服16剂，其病痊愈。

又治一吴姓病人，大便溏泻，日五六次，伴有腹痛肠鸣、腰膝酸软舌淡脉弱等。本病表现在大便，而病本在肾。在正常情况下，脾胃腐熟运化要靠肾阳的温煦，今肾阳衰微，命火不足，中土失其温煦之力，故肠鸣泄泻。治疗立法，重在益火之源、补益肾气，选用补骨脂、韭菜子、附子、巴戟天、淫羊藿、肉桂、五味子、肉豆蔻、茯苓、白术、生姜、大枣等药，连服24剂，患者大便恢复正常。

根据“肾司二便”理论，指导治疗反应在大小便异常的疾病，常常想到这样三个问题：一是中医临床，必须在基本理论指导下进行，才能收到事半功倍之效。“肾司二便”的理论，是根据肾与膀胱、胃家的密切关系，经过长期临床总结后确立的，它经得起实践的检验。用理论指导实践，通过实践又可以丰富和发展理论，这是事物发展的一般规律。二是辨证论治，强调求本。上述两个病例，一是小便失禁，一是大便泄泻，这是疾病的现象，如果仅仅依据这一表象进行治疗，那只能采取涩、塞之法，虽然可能取一时之效，但达不到治疗的目的，这方面是有教训的。必须透过现象抓住本质，这才符合中医“治病求本”的一贯思想。三是异病同治，重在辨证。这两个病人病情不同，表现各异，但仔细加以辨证，二者存在肾气不足、肾阳虚衰的共同的病理基础，故治法相同，都取得了较好的效果。

晨泄不尽属肾阳虚

邢须林

晨泄，俗称五更泻。《医方集解》说：“肾之阳虚，不能健闭，故将交阳分则泄也。”故晨泄又称“肾泄”。但晨泄非尽属肾阳亏虚一因，故临证不可专执从肾治疗。

曾治一男患者，数年前患毒痢，经治而愈，后每晨起急速登厕，时有腹痛肠鸣，溏软便相兼。化验：植物纤维，少量脂肪球。舌淡苔薄白，脉弦细缓。经用四神丸治疗无效。后改用痛泻要方加柴胡、厚朴而收功。

本例初期按晨泄即“肾泄”治疗，一度曲折。经分析病情，每晨起即泄为辨证要点，结合患者肠鸣腹痛，脉兼弦象，提示肝气郁结，阳郁于里，不能布达于四末，故晨起寒气外通，脾土不支而作泄。

两者之鉴别：肾泄又名五更泻，乃肾阳虚衰，脾失健运，泄时暴注下迫而无腹痛，脉见沉软无力。肝郁致泄，乃肝木抑郁，阳气不布，症见晨起作泄，泄时腹痛肠鸣而不暴注，脉见弦象。故本例取其扶土泻木，舒畅气机，阳气布达，脾得健运，多年痼疾得以治愈。

单方治大病贵在对证

栗德林

《直指方》中的香连丸，组成仅木香、黄连两味药，可称为单方，用治痢疾颇有效果，尤其对慢性痢疾的治疗更为突出。丸者，缓也，可谓慢中取胜。有些痢疾病人在急性期虽经治疗，若不彻底则可迁延日久不愈。特别是在农村居多，往往形成慢性痢疾，常见小腹坠痛，排便中带脓血，每食用辛辣之品而诱发。对此类病人，进行积极治疗既可使其恢复健康，又可防止传染他人，实属必要。余在治疗中经常用香连丸，取得满意效果。如患者孙某，56 岁，曾于 3 个月前因饮食不洁而致小腹坠痛，下痢脓血，日十余行，肛门灼热，随即服用磺胺类药物。3 天后症状减轻，第 5 天后症状基本消失而停药，但日后不久又复发。如是反复多次，未能彻底治愈。就诊时下痢日 3 或 4 次，便中仍有脓血，少腹不适，有坠感，舌苔白，根部稍黄，脉稍数。余认为此属湿热余邪滞留肠道所致。法当清湿热、调气止痢。方用香连丸，每次 1 丸，日 3 次。1 周后痢止，令再服3天后停药。后访之，其痢愈一直未见复发。余认为并非信手取单方皆能收效，关键在于药能对证。

古书中单方甚多，民间流传单方也极为丰富。只要我们能因人而异，因病而取，就能发挥奇特的疗效。

祛风胜湿治泄泻

王佩明

泄泻，在《内经》称“泄”，汉唐时期多称“下利”，宋以后称“泄泻”。

泄泻之为病，有久、暴之分。从病因言，或因夏秋湿胜之时，感受风寒、寒湿、湿热而起；或由脾运失司，清浊混淆，分利失职所致；亦或外湿引动内湿，内外合邪为病。从五脏言，以脾脏为中心，涉及肝、肾、肺三脏，出现肝脾不和，脾肾阳虚，肺脾两亏之泄泻。

剖析其病机，无论新久虚实泄泻，其邪气均离不开一个“湿”字，故《内经》总结为“湿胜则濡泻”。

论其治疗，对这个“湿胜”，后世往往采取健脾运湿（如六君子汤）、芳香化湿（如藿香正气散）、淡渗利湿（如五苓散）、温化寒湿（如理中汤）、苦寒清湿热（如白头翁汤）等办法。而对久泻不愈患者，对症给以涩肠止泻之品。有时尚不能奏效，甚为棘手，以致束手无策。

9年前，我拜读了《临证指南医案》。在《医案·幼科吐泻门》一案中，叶桂提到：“久泻，兼发疮痍，是湿胜热郁，苦寒必佐风药。”这句话使我豁然开窍。推而广之，对于湿胜久泻，常药少效时，何不加入风药，祛风以胜湿呢？在近几年的临床中，我每每试用这一法则，特别是对幼儿患者，常能收到桴鼓之效。至于风药的选择，可用升麻、柴胡、羌活、防风、葛根等，均能鼓舞胃气上腾，犹如地土淖泽，风之能干。

为什么祛风能胜湿呢？笔者认为：

其一，凡泻皆兼湿，湿为长夏之气，与脾脏相应。而胃与脾以膜相连，一阳一阴，胃恶燥喜湿，脾恶湿喜燥，脾升胃降，共同完成熟腐运化之职。若脾胃功能失职，则清浊不分，并走肠间。今用风药，风药多燥，湿为土病，风以胜湿，以助脾胃复其升清降浊之功，乃治病求本也。

其二，肺居上焦，职司宣肃，性喜清虚，为水之上源。在水湿代谢中，与脾密切相关。今用风药，皆为轻清透表之品，以宣肺疏表，驱邪外出。

可见，祛风胜湿法当列为治疗泄泻的一大法则。

久泄治则刍议

伍仲传

久泄一病以其病程较长而定名。古有脾泄、肾泄、滑泄之说。其治有虚宜温补、气虚下陷宜升提、久泄滑脱宜固涩等法。然临证之际使用单一法见效较慢，不能令人满意。

余对久泄患者多分两步治疗，一曰塞流固涩，一曰培本复元。塞流固涩、健脾燥湿用焦白术、茯苓、山药、莲子、白扁豆等；培土制水用泽泻、猪苓、车前草等（利水之品分利清浊，内含实脾之意）；固脱塞流以止泄用诃子、罂粟壳等；温阳醒脾、芳化湿浊用砂仁、木香、肉桂等；少用升麻炭、柴胡以中提清阳。如上用药临床未有不速效者。待泄止后再议复元，或培建中土，或补肾气。

1979 年 10 月，余治一小儿孙某，脾泻 3 个月余，面白体瘦，泄物清稀，时夹完谷。西医诊为“消化不良性腹泻”。经注射、输液、服药均不见效。后改服中药健脾固涩剂 30 余剂，住院四十余天仍未好转，到我院就诊。观其指纹色淡，舌淡苔薄白腻，精神困顿，余症如前，诊为脾肾阳虚之久泻。投党参 5g、白扁豆 10g、山药 10g、白术 5g、诃子 3g、罂粟壳 3g、泽泻 5g、木香 3g、砂仁 3g、升麻炭 3g、肉桂 3g、伏龙肝 10g，2 剂泻止。进参苓白术汤 3 剂，以善其后。月余后，患儿因感冒来诊，问及家长病儿腹泻未再复发。

1983 年 10 月诊一张姓老人，每早 5 点左右腹泻 1 次，随后每 3 小时腹泻 1 次，每日泄泻四五次，已半年余。经西医诊断为慢性结肠炎，服消炎止泻之药终不见效；口服补中益气丸、参苓白术散亦不见效。来我院就诊。患者面色黄白，体倦乏力，腰酸痛，食少纳差，下肢浮肿，舌淡红、苔白腻，脉沉弦，诊为：脾肾阳虚之腹泻，余拟方：党参 15g、山药 15g、白扁豆 30g、莲子 10g、焦白术 10g、升麻炭 5g、柴胡 5g、木香 10g、砂仁 10g、诃子 10g、罂粟壳 10g、肉桂 10g、泽泻 10g、车前草 10g。

4 剂泻止，改服肾气丸、参苓白术散以善其后。

可见“急则治其标，缓则治其本”的重要，临证之际万万不可忽视。

洁古芍药汤治奇恒痢有效

金 友

辨证施治是中医的精华，但辨证不能离开辨病，不识病只辨证有时会选方无主，用药杂乱，治无头绪。余10年前曾遇一男患者，年方14，主诉2个月前曾因滑冰口渴，饮冷水数杯，随即出现腹痛腹泄，大便下血日数十行，求治于西医诊断为溃疡性结肠炎，经内科治疗无效，求治外科，因患者便血不止而予以手术。术中见患者之全结肠有散在的糜烂、溃疡、坏死、出血灶。病灶不能切除、缝合，求治于中医，当时患者午后发热，神疲身瘦，腹痛难忍，大便频频呈血样便，口渴心烦，饮食少进，唇焦舌红无苔，脉细数。余按西医诊断溃疡性结肠炎，以肠风下血论治，辨证为木乘土位，湿热下注，邪郁日久，阴津内耗，投以痛泻要方加滋阴清热凉血止泻之品，药进10余剂，症状不见好转。后按便毒论治，投以槐花散合侧柏叶汤加滋阴凉血止泻之药，又服10余剂，病仍不见效，无奈请高老会诊。看此患者后，高老问："此患按何病治之?"答："此患西医已确诊为溃疡性结肠炎，便血，我按肠风、便毒治之。加以滋阴凉血止泻之药。"高老说："错矣！这个病中医叫奇恒痢。"我疑之。高老又说："中医认为腹痛难忍谓之里急，下血频频，便而又便谓之后重，病久不愈谓之奇恒，是奇恒痢也。"于是请高老拟方，高老说投洁古芍药汤。药用：白芍25g、当归15g、黄连15g、黄芩15g、酒大黄10g、肉桂15g、甘草15g、槟榔15g、木香15g，水煎服。余不解问之曰："此患者即便是奇恒痢，但便血日久，病体日趋阴虚，为何用黄芩、大黄、肉桂之类。"高老曰："黄芩苦寒敛阴止痢，大黄泻热导滞，用肉桂振奋胃气而引虚火下行。"于是嘱患者连服上方6剂，果真服后腹痛、腹泻、便血减轻，1周后再请高老来诊，见患者脉微数，舌红无苔转为有苔，告之再服原方6剂。余又问："现患者阴虚体弱，再进苦寒止痢之品可乎。"高老曰："余热未去，湿毒未清，投补剂而敛邪，滋阴而害胃，待邪去更方不迟，此谓邪祛正自复也。"余遵命投方，又1周后患者腹痛大减，便血每日只二三次，发热口渴、心烦等症渐愈。后改真人养脏汤加减，调治1个月余，病情临床治愈。

余行医20载，虽深知"通因通用"之理，亦知下痢有赤白之分。但在临床遇到此患者只满足于和西医对号，不敢用治痢之方，虽投治肠风、便毒、止血止泻之药，其症不减。用方无效，并非其方无效，而是只辨证未识病，用药不精也。余深深体会到孙思邈说的："世有愚者，读方三年便谓天下无病可治；及治病三年，乃知天下无方可用。”此例虽非无方可用，而是用了不对之方。同时应引以为戒的是：只要辨证，不求辨病是错误的。辨证必须以辨病为纲，纲举目张，并在选方用药上抓住标本缓急，急者治其标，缓者治其本，只要识病辨证，选方精一，才能方专力尊，效果惊人。

注：高老，系黑龙江中医学院高仲山教授。

谈汗法止泻

陈国恩

汗法主要用于疏散风寒，临证用汗法治疗泄泻复有外邪者，竟也获奇效。可见汗法的适应范围，并非止于疏散一端。

泄泻之病因，总不离乎湿邪，病位总不外脾、胃、大肠、小肠。凡饮食失节，起居不适，脾胃损伤，复感于邪，水反为湿，谷反为滞，分利无权，并走大肠，遂成泄泻。

对泄泻的治疗，历代医家积累了很多经验，如利湿、温中、消导、清化，以及升清降浊、抑肝扶脾、通因通用、逆流挽舟等，均为有效定法。《医宗必读》综合各家之长，提出治泻九法。这些治法，或单独使用，或数法联合，遣药组方自有规则可循。但从审因论治来看，其对“感受外邪”这一因素，却未能明确治法，总归于湿邪浸淫，不离淡渗。但泄泻证有常有变、九法虽详，只言其常、未言其变，又不可拘泥。常证常法，证变法变，才能主动。因为虽然古人有“湿多成泄”之说，但遇有外邪诱发者，概以湿论便觉不妥。风寒外感而泻，临证并不少见，常用治法无非疏散风寒、淡渗利湿，虽不乏疗效，病不应药者亦不少见。此时便要考虑治法是否符合病机。既然确认为外感风寒泄泻，就不能只顾湿邪，而应当重剂发汗，先疏散表寒，兼合李中梓治泻升提法，意在风药又能胜湿。凡确定汗法，发汗之力须专宏，方能奏效。如男性王某，平素嗜酒，病前贪食瓜果，忽患泄泻，一夜洞下十余次，恶寒头痛，口渴喜饮，苔薄白，六脉皆浮。先服藿香正气散加扁豆、莱菔子1剂，药势不减。因思患者酒客多湿，贪食凉物，脾胃先伤，复感寒邪来于肌表、内外合邪而泻。然表寒为重为急，因仿葛根汤方意：葛根20g、麻黄10g、柴胡10g、白芍10g、升麻5g、甘草10g、生姜15g、半夏10g，水煎温服，须臾遍体透汗，小便增多，寒热头痛诸症尽去，泄泻遂止。

本案泄泻，实由风寒扰内所致，葛根、麻黄、柴胡，使外邪从肌表而出，外邪既去，肠胃自和，尿自利而泻自止。可见，“表解里自和”也是不容忽视的一个治则，汗法也适用于止泻。

援绝神方治休息痢有效

申海明

余于1980～1981年在河北省医院中医科门诊工作期间，曾治一休息痢患者傅某，男，55岁，因腹痛腹泻夹黏液脓血便12年不愈而来就医。述自1968年夏秋间患“急性菌痢”经治后，先后做4次便培养均无细菌生长，但遗有腹泻顽症，时轻时重，每日排便少则二三次，多则达十余次，常有黏冻，时夹脓血或呈鲜血，甚至脱肛，用中西药多种治疗不愈。延至1978年3月行乙状结肠镜检查，西医诊断为慢性非特异性溃疡性结肠炎。近来仍下腹隐痛，日便数次，溏若稀粥样，并夹黏液脓冻物及脓血，下坠明显，且有脱肛，乘公共汽车上扶把手站立时即有大便不禁现象，常觉脘腹冷凉，长久携用怀炉器具以温熨之。望形体瘦弱，精神疲惫；闻语声低怯；切左下腹有压痛。舌淡红，苔薄白稍腻，脉弦细。查便常规见白细胞6～8个，有脓细胞，红细胞10～12个或密布视野，血沉正常。观其脉证当属休息痢。正如明代医家孙一奎在其所著《赤水玄珠》一书中指出：“休息痢者，愈而数日又复，痢下时作时止，积年累月不肯断根者是也。”

患者遵吾意携来既往服方以为参阅之。曾用参苓白术散、补中益气汤，四神丸之类扶正剂，或间用香连丸，葛根芩连汤、白头翁汤加地榆、马齿苋、苍术、苦参等祛邪剂调治，然获效甚少。今患者以大便失禁，站立脱肛之症为著，乃中气下陷之情，遂予重用黄芪50g令连服补中益气汤24剂，则便遗、脱肛得愈。后因出差偶吃1个苹果而又致便频、黏液脓便加重，再来求治。余因思另议改途施治。尝读《串雅外编》选注一书，有援绝神方治血痢便频至危之候，颇具奇法，不妨姑且试用，遂疏方为：当归50g、白芍50g、枳壳5g、焦槟榔5g、广木香5g、炒莱菔子3g、滑石粉10g、粉甘草5g，日1剂，水煎分两次温服。

上方先服3剂，大显功效，未予更方又继进12剂，查大便常规已无异常，腹痛下坠消失，便无脓血，便质转稠，日行1次，停服数天亦未复发现象，患者喜获良效，笑谢由衷。继予健脾素片，并嘱仿当归生姜羊肉汤意调补之。方用当归100g、党参100g、黄芪100g，加工为散，分30包，每天1包同煮羊肉3～5两，并生姜5片，吃肉饮汤热服之。

患者依上法调理，后饮食、二便、睡眠、精神并体力皆感甚好。至1981年春节后能一直坚持上班工作，以其制假肢之技艺，造福于肢体残废之患者。

奇恒痢治验

高仲山

痢疾之为病，《内经》名之肠澼，仲景则以下利概括之，汉晋以后又称为滞下。其证有赤痢、白痢之别。因湿热者，治宜清解；因寒湿者，治宜温化；因积滞者，治宜消导。里急腹痛者，气滞也，治宜调气；脓血多者，血分受病也，治宜和血。凡此种种均为常法。更有奇恒痢者，其证与一般痢疾有别，是痢疾病中较为凶险的一个类型。此证以下利喉痛、气呛喘逆为特点。证势危重。因历代医家对本病论述不多，往往被人们所忽视，故录之如下。

曾治王某，13岁，患痢疾半年余，经多方医治罔效，竟致卧床不起，精神萎靡，口唇干裂，口角有血迹，口舌、咽喉疼痛，水谷不得下咽，腹痛里急，泻下黑褐黏液日50～60次，兼有心悸、心中懊侬等症，舌红赤糜烂，脉滑数。查其脉证，本属湿热毒邪滞留肠中，日久不得荡除，致使肠腑败坏，故频频下利脓血。又因肺与大肠相表里，大肠的湿热毒邪积秽在下，恶气上熏，则为口干咽痛，甚则口内生疮。此等危笃之证，关键在于内热积滞为患，治以导滞清热解毒法。方用：当归20g、白芍20g、枳壳15g、木香5g、槟榔片15g、川黄连15g、黄芩10g、桂枝10g、吴茱萸10g、山楂15g、厚朴15g、甘草10g。药进4剂，咽痛减轻，腹泻明显好转。后以本方增损，共进二十余剂而愈。

本例因肠中积垢壅滞、热毒上冲，而成下痢、咽痛危重之候。《素问·著至教大论篇》说："三阳者，至阳也，积并则为惊，疾起疾风，至如霹雳，九窍皆塞，阳气滂溢，干嗌咽塞，并于阴，则上下无常，薄为肠澼。"说明本病是由于三阳之气盛极，积并而为凉，病起迅如疾风，猛如霹雳，九窍因之而闭塞，阳气滂沛盈溢而为咽干喉塞。若并于阴，则盛阳之气内搏于脏腑，迫于下则为肠澼。对该痢疾患者的治疗，就是抓住了清热导滞这一环节，故能应手而愈。

治痢一得

高仲山

痢疾之病，是以气滞成积，积久成痢，故其治法当以顺气为主。行血则便脓自愈，和气则后重自除。后重则宜下，腹痛则宜和，身重则除湿。但是，治痢首先应当辨表里、虚实、寒热。《医学真传》说："初起时若有风寒表证，于治痢药中当加发散。若不发散，径治其痢，必乱其经脉，逆其气机，病料剧矣。"在临床上，见痢则攻里，而病不愈者，并不少见，兹举一例说明。

曾治张某，男，48岁。近两日因饮食不慎，又浴后当风，突然发热恶寒，头痛恶心，腹痛下坠，里急后重，下利1日数次，肛门灼痛，便如胶冻。脉浮数而滑，舌红苔薄白。曾服葛根芩连汤及香连丸不效。证属病邪在表，不宜苦寒清里，拟治以辛凉解表法，方用：金银花15g、连翘15g、茯苓15g、枳壳15g、桔梗10g、柴胡10g、前胡10g、川芎10g、独活10g、薄荷10g、甘草10g、生姜10g两剂水煎服。服后诸症顿失，霍然而愈。

泄泻并足肿治验

张　林

泄泻之因，证型虽多，却不难医，其兼证也谓之不少，但并发其足肿者尚为之罕见。

余1967年秋，治一男性农民，年近四旬。一周前于田间看瓜，过食甜凉，久睡湿地，随觉肠鸣腹胀而泻，日行3~7次稀水样便，无恶臭味、量多，溲微少，口微渴，不欲饮，逐日加重并渐足肿。曾服利尿药未效。

诊查所见：形体消瘦，面白无泽，唇睑色淡、舌淡红、苔白薄而少，脉沉迟无力。扪腹无痛，两踝下至足趾均有水肿，皮肤鲜泽而薄，按之陷下有坑，不易复起，手足欠温。检验便、尿常规均正常。此为泄泻并发足肿，乃脾虚湿冷之候。治宜健脾除湿，湿阳化气行水。方药以参苓白术散加减：人参15g、白术20g、炒白扁豆10g、山药50g、莲子肉15g、砂仁10g、薏苡仁20g、桂枝10g、木瓜15g、甘草5g、大枣7枚，投3剂，水煎服，服后泻渐止，肿大消，又服3剂，症消病除。

泄泻并足肿均为脾虚土衰，运化无权，水湿冷溢所致。人以水谷养其生，水谷赖脾土化生精微；脾主运化，主四肢、肌肉，土能制水；脾虽运化水湿，但却恶湿，若脾土虚衰不能制水，则传化失常泄泻生焉。肾水泛溢反得以渍脾土，三焦气化停滞，经络壅塞，渗于皮肤，注于四肢肌肉，脾虚阳气不达四末，水渗于下故发足肿和手足欠温。水乃阴邪，易伤其里，脾胃之阳受其抑遏故脉多沉迟无力。丹溪云："水病以健脾为主，使脾气得实而气运则水自行。"如果只图止泻消肿，快利行水，多为欲速不达，甚则适得其反。余拟此方是选用有健脾除湿补气止泻之功效的参苓白术散，助阳补气健运脾土化湿行气之四君子汤，以及温阳化气行水调补肺脾肾三脏机能的苓桂术甘汤等方药组成。方中参、术、山药、大枣健脾益肺补肾，补养气血；炒白扁豆、砂仁、茯苓、木瓜、莲子肉、薏苡仁、甘草有除湿健脾、补养中州之功；桂枝可温通心脾之阳，暖脾土而达四末。诸药共奏健脾益肺补肾，温阳化气行水，止泻、消肿之功效。

慢性泄泻从肝肺论治小识

|任继学|

慢性泄泻是临床常见病、多发病，治疗往往临证多遵“湿成五泻”之意，多采用健脾利湿、理中和胃、温胃健脾等法，久治而不愈者，或再发者亦不鲜。余在临床遇此类患者常从肝肺入手治之，往往有效，此理安在？大肠主津液变化，传导之功必籍肺之治节、肃降之力，脾的转输、健运之能，肝的疏泄条达之性，则大肠的传导、变化之机乃发，津液内收，推糟粕由魄门而出，何泻之有？因此久泻必以宣肺利气、疏肝行气，以旋动大肠传导之功，变化之力，其泻止矣。故方用危氏和安散往往收效。药用前胡、桔梗宣肺利气以和表里，川芎、木香、青皮、柴胡疏肝理脾和胃，当归、甘草益气和血，茯苓淡渗，则湿去而泻止。余在治疗上往往增莲子肉一味，以增助茯苓渗湿止泻之功，若服而不效者，增乳汁浸3日荜茇一味，其效果更显。如患者李某患慢性腹泻已12年之久，症见胸闷，脘腹不舒，胸胁闷痛而胀、纳呆、乏力、大便溏薄、每天四五次，小便色白，颜面苍黄、毛发不荣，体瘦，言语前轻后重，舌体胖淡红，两侧有齿痕，苔白而腻，脉沉濡有力，经用健脾利湿，和胃止泻不应，余从患者的症、色、舌、苔、脉象究之，本证系由久泻伤脾、脾气呆滞、升降阻滞，引起肺失治节宣发之职，肝失疏泄之性，则大肠乏其传导之力，久泻不止，故用宣肺疏肝、理脾和胃之法，方用和安散加莲子肉50g，共进10剂而痊愈。

肾 泻 刍 议

|南 征|

近世医者，遇肾泻之患，莫不以肾阳虚衰一句定案。其实不然。肾泻有景岳所说之“肾泻，每于五更或天明时即洞泄数次，有经月连年弗止者，或暂愈而反复发作者，或痛或不痛者。”亦有罗赤诚所云：“元阴不足而泄泻者，名曰肾泻”。元阴不足肾泻，其状则水谷不分，至圊即去，足胫冷，少腹下重。但去

有常数，昼夜或一二次，与命门火衰证之五更泻不同，此为辨证之要点。

肾泻之机制如何？总而言之，盖肾为胃关，开窍于二阴，二便开闭，皆肾所主，肾阳不足，则命门火衰，而阴寒独盛，故五更之时，阳气未复、阴气盛极之时，令人腹泻不止。然而，肾阴不足，则元阴之气衰弱，不能健运其水谷，更不能司禁固之权而泄泻。

余遇一老年男患者腹泻1年余，每五更晨起必泻一二次，此为肾泻也，遂用四神丸方加味，倍加附子、炮姜之类，以增其温肾暖脾之力，治数日，泄泻转重；头晕心悸，全身乏力，足胫冷，故亦于人参、白术、黄芪补之。但病情仍不减，反而出现少腹下坠，泄泻加重，心烦，口渴而不欲饮，每天下午则面赤，口苦舌燥，手足心热，盗汗，舌质红绛，脉细数无力，乃阴虚症状明显，投六味加山药、芡实、茯苓、莲子肉、枸杞子、沙参、生地黄、麦冬之类，其泻即止。于是乎才明了：温补之剂，更用辛热香燥之品，结果命火未复，肾阴更伤，再说重用人参、白术、黄芪补之，此乃补脾胃中阳气之药，愈补土，土愈胜，土胜而水亏，以致反增出盗汗、午后面赤、手足心热等虚热之诸症。最终改用纯甘壮水，以救辛温香燥之弊，与证情恰合，故投剂即效。可见治泄泻之证，大有文章可作。肾泄并非唯肾阳虚衰之故也。

飧泄浅识

王雨亭

飧泄者，症见泻下稀水，完谷不化，为泄泻之一种。而临证业医者，往往易犯见泄即“止”（收涩）之弊，动辄罂粟壳、赤石脂、肉豆蔻等骤入，轮番以治，殊不知愈治愈左。更兼受囿于“大便清稀，完谷不化，多属寒证”之束缚，大队温补固涩，以致邪气内闭，变证丛生。此所谓学医不精，遗害无穷，故有“古者医必三世”之说。

盖飧泄，始出于《内经》，《素问》载有14处，《灵枢》凡5论。《素问·四气调神大论篇》曰：“秋三月，此为容平……逆之则伤肺，冬为飧泄，奉藏者少。”《素问·阴阳应象大论篇》云：“寒气生浊，热气生清，清气在下，则生飧泄。”还有“久风入中，则为肠风飧泄”“春伤于风，夏生飧泄”“肠中寒，则肠鸣飧泄”等等，析其病机，不外阳气下虚，则水谷不化；清气在下，上而下降；风邪久中，内干脾土，脾胃之气伤；木气乘脾，脾气中伤等皆可成飧泄。其因若此，岂是一寒、一温所能完全解惑者，亦非“固涩”“治泻不利小便非其治也”所能统治矣。

1979年冬初，余治一男患者吴某，泄泻清稀，完谷不化已5日，西药服之无效。诊见：面色萎黄，肢倦乏力，肠鸣泻注，泻物含未消化物，纳呆脘胀，小便涩少，苔薄白，脉浮细、右关脉弱。按脾胃虚寒证，给附子理中汤，水煎热服。两剂后，诸证同前，依前方加罂粟壳、赤石脂、乌梅，继服两剂。病转剧，不敢坐凉地，坐则泻下如注，身燥热，头痛，咽干，再诊其脉两侧皆浮大。反复斟酌是证，忽忆经曰“清气在下，则生飧泄”，始悟，此案乃清气在下而不升，风邪久而干胃，脾胃运化失常所致。遂改投桂枝、白芍、炙甘草、麻黄各20g，生姜10片，大枣15枚，水煎服。连投两剂，身汗出，燥热解；继服加味木香散：木香10g，高良姜15g，升麻10g，焦三仙各15g，党参20g，陈皮、砂仁、吴茱萸、煨肉豆蔻各10g，水煎服。3剂，剂尽泻止，疾痊愈。

张从正谓：“泻利之疾，岁岁有之，医者不察，便用圣散子之属，干姜、赤石脂、乌梅、罂粟壳、官桂、石榴皮、龙骨、牡蛎之类，变生小便癃闭，甚者为胀，又甚者水肿之疾。”今前误治，后改按“风而飧泄者，先宜发剂（汗出风邪解），次宜淡甘剂以收功”，纠而速投获愈，足资借鉴。本病，种类颇多，病性各殊，治法自异。故医者临证，务需掌握病因，辨识证之转归，及时抓住契机，立法选方，始能一战而愈。苟废绳墨，鲜有不愤事者。

攻补有序，久泻立愈

|陈有恒|

古人云：“治客宜急，治主宜缓。”凡邪气皆非人体素有，是为客，急宜除之，除之惟恐不速。若缓急不分、攻补杂投，药物掣肘，事倍功半，效必不显。治疗小儿腹泻尤需如此。

小儿腹泻不外乎虚、寒、积三大原因。三大原因之中又以正虚为主、复感外寒，伤及脾阳，运化失司久而成积为客。且小儿乃稚阴稚阳之体，脏腑娇嫩，气血未充。故驱邪与扶正，孰先孰后，直接影响小儿病情之转归。若处理不当，势可愈演愈烈。若攻补有序，效可立见。

曾治一刘姓女患儿，两周岁，腹泻半月余，日十数次，色淡黄、味酸臭，杂不消化食物，伴腹痛、腹胀、纳呆、少尿，精神萎靡、面色萎黄、消瘦。查舌质红、苔白厚、脉数无力，指纹色淡。便培养见致病性大肠杆菌生长。前医几投收敛、补脾止泻诸药，泻不已。余认为该患儿虽属脾虚久泻，收敛、补脾止泻诸法于理虽通，孰不知积之已成，攻下乃当务之急。古人云：“癥瘕去而荣卫昌、陈莝去而肠胃洁。”故拟先攻积滞、后补脾益气生津之法治之。嘱患儿先顿服自拟“荡浊汤”：二丑1g、大黄1g（后下）、槟榔1g、枳壳2g。方中二丑逐水，大黄通便推陈致新，辅以枳壳消痞散结，佐槟榔宣利五脏六腑之壅滞、破坚满气。药后4小时泻下大量稀便，杂不消化食物、味酸臭。患儿精神转佳，食欲大增，腹痛、腹胀均消失。继之改服自拟“快脾散”：人参1g、白术2g、茯苓4g、白芍1.5g、何首乌1g、甘草0.5g。上药为细末，每日3次，每次1g口服。方中人参大补元气，益气生津，茯苓渗湿利窍健脾，白术燥湿健脾，白芍敛阴养血，何首乌大补精血，甘草调和诸药。药进两日，泄泻由原日十数次减为日4次，色黄、无酸臭味，精神佳，食欲正常。3日药尽，患儿大便日一二次，舌质淡红，苔薄白，脉和缓，指纹淡红隐隐，便培养无致病性大肠杆菌生长。1周后追访，患儿面色转红润，诸项生理指标均恢复正常。

此案治愈小儿久泻，并未用收敛之品，而是遵《内经》“塞因塞用、通因通用”大法，先攻后补，使旧积速去，新积不生，即未伤阴，又不留邪。可窥“攻补有序，久泻立愈”之一斑。

六神汤治疗五更泻

刘玉坤

五更泻，又称黎明泄、肾泄，临床较为多见。多年来，运用六神汤（自拟方）治疗本病，颇为得心应手，疗效满意。其方为：人参15g、白术15g、炮姜10g、细辛2.5g、吴茱萸10g、补骨脂25g，水煎服。日3次，温服。若腰痛重者，加菟丝子、杜仲；脘闷腹胀者，加香橼、陈皮；倦怠乏力者，加山药、黄芪；泄泻重者，加芡实、肉豆蔻。其中人参、白术健脾益气，振奋脾阳；炮姜补中散寒，温养脾土；细辛引药入肾，激发肾阳；吴茱萸适小腹疗寒痛，温肾暖脾止泻；补骨脂益火之源，温补肾阳。六药合用，共奏温肾补脾、固肠止泻之功。曾治男性周某，3年来于鸡鸣之际，腹痛作泻，食谷不化，多方治之，收效不大。观前医多用理中汤、四逆汤、四神丸之类，短期暂愈，停药则泻。此次颇甚，延余诊治，按其两脉沉弱，舌淡少苔，此乃元阳亏损，命火衰微，脾阳不振，健运失司之故，治宜温肾健脾，固肠止泻。遂投以六神汤，调理月余而愈，随访半年未复发。

余治疗本病，着重强调脾与肾。方用六神汤温脾土，补命火，绝其阴寒内生之源，复其脾土命火之阳，使水得正化，元气得复，大肠自固，其泻可止。

大便失禁，其治在脾

贾素兰

余在肛肠科临诊中，偶遇老叟自诉大便失禁1年，时而流出，自己不知，臭气熏人，病人及家属十分苦恼。百医不效，无可奈何而来求治。经问而知，曾患高血压10年，脑血栓3年。1年前开始大便失禁，滑泄难止，完谷不化，小腹坠胀，面色无华，形体消瘦，四肢不温，右半身不遂，舌淡苔白，脉沉细无力。

大便失禁一证，病因大都为肾阳虚衰所致。因肾司二便，故历代医家均从温补肾阳入手。而老叟大便失禁，完谷不化，小腹坠胀，形体消瘦，四肢不温，乃是脾虚之证。脾胃虚弱，脾气不能升发，以致完谷不化；脾主四肢，又主肌肉，脾虚则四肢不温，形体消瘦，肛门肌肉无力；病久则气虚下陷，小腹坠胀，肛门不收，大便失禁，气血不足，故而面色无华，舌淡苔白，脉沉细无力。半身不遂，乃中风（脑血栓）后遗之证。患中风两年后大便失禁，虽亦有气血亏虚，但并非中风后遗之证。故按脾虚不健、清阳下陷、其治在脾的理论，用补中益气汤，酌加五味子、补骨脂、吴茱萸温阳固涩之品。方中黄芪、党参、甘草补脾益气而和中；白术、陈皮理气健脾，使补中益气之功更胜一筹；当归补血；升麻以升阳明之清气，右旋而复本位；柴胡以升少阳之清气，左旋而上行，使阳升则万物生，清阳升则浊气降。总之，具有补中益气、升阳举陷健脾之功能。中气得健，升阳举陷则肛门肌肉收摄有力，故二便有常而得摄，休力日增而获愈。

辨证论治乃中医之魂

张锦明

余师李裕蕃，业医数十载，蜚声于燕赵医林，论医治病，每有独到之处。其善求古典，又近西学，尝与余论及辨证施治于临证之妙。

一老妪，罹患胆石症而于某医院行手术治疗，剖腹后发现其尚并发肝硬化症。术后10日出现黄疸，逐渐加重，伴见发热、不寐、神识欠清。迭进抗生素、激素及行胆汁引流术。住院已3个月，病势日趋恶化，遂邀余会诊。

查其体温38.9℃，两目及全身皆黄，面色黧黑，口唇疱疹，舌质绛，苔灰黑而润，前胸血缕蛛丝，手足心热，中下腹胀满不减，按之软陷，脉细数无力，两尺若无。西医诊断为毛细胆管性肝炎、结节性肝硬化。观其脉证为邪入营分，气阴两虚，拟以清营解毒、益气养阴为法，立方以清营汤加减：金银花30g、净连翘20g、淡竹叶10g、麦冬20g、细生地黄20g、牡丹皮10g、川黄连6g、夏枯草10g、生玄参10g、赤芍20g、生龟甲30g、板蓝根30g、北沙参30g、生黄芪20g，2剂水煎服。

再诊，体温降至37.9℃，灰黑苔稍退，于上方中加常山6g、槟榔10g，4剂水煎服。

3诊，体温36.5℃，精神佳，食欲可，黄疸渐退，诸症若失，仅形削少气。

余讫问李师如何不用茵陈四逆汤、茵陈蒿汤之属？李师笑曰：汝读温病学说，应知邪在营分则舌绛、暮热夜不寐。此病妪乃一派邪热入营、热毒内炽之象，非寻常之湿热发黄可比。盖胆为奇恒之腑，内盛精汁，当列为营阴之属，余悟此例黄疸，实为热毒之邪直趋胆腑，蒸迫阻滞胆汁，故外溢肌肤。况迭用抗生素，毒淤于内耳。言其邪入“营分”，唯叶天士之一词而已。用清营汤但取其清营解毒、泄热养阴之功。老妪年逾花甲，手术又必耗气伤阴，再观其舌苔灰黑而润、脉细数无力，气阴两虚可知矣。故于方中重加黄芪、龟甲、沙参数味以增益气滋阴之功。二诊时加入常山、槟榔，意取宣达气机调和内外，使邪有出路，如此热毒尽去，则胆汁疏泄无阻，本六腑以通为顺，泻而不藏也。

闻师之教，细玩其意，终有所悟，由此而感慨颇深。夫黄疸一证，历代诸贤多从湿热论之，早有岐黄问答即明训曰：“湿热相交，民当病瘅”。宗师仲景撰用《素问》，遂有《伤寒杂病论》一书，其启示后来曰：“瘀热在里，身必发黄”“黄家所得，从湿得之”，由此可见，湿热蕴郁，脾胃失于升降，肝胆疏泄失常而身发黄疸，似为千古定论。黄疸之治，仲师亦示人一隅：“诸病黄家，但利其小便”，后世诸医皆习以清利湿热、疏肝利胆而以为常，此亦沿袭千载，绳法医门。然虽有“溯源《灵》《素》，问道长沙”之语，殊不知《灵枢》《素问》之皆终有未揭，长沙理法未可穷变，吾师匠心别具，独易一帜，辨证论理之有异世观，施治用药人所共知而建功不同凡响，此乃深悟岐黄之旨，仲景之术也。真可谓理法者可统理万机而用无穷。方药者，可应非常而千变矣！

肝总管泥沙样残余结石治验

陈　勤

对肝内外胆管结石的治疗，目前比较棘手。尤其是泥沙样结石，由于手术无法取净，或术后再次形成结石，而给病人带来很大痛苦。我们认为，手术后在放置“T”形管引流的同时，配合中药治疗，对清除泥沙样结石，是一种比较理想的治疗方法。

患者于某，女，行胆囊切除术，留置“T”形管引流冲洗排石，经两次X线造影均提示肝总管残留泥沙样结石。住院3个月之久，结石未尽。症见胃脘闷胀，食欲不振，多食则呕恶，右季肋部胀痛，情志不畅时则痛甚。舌质红，苔薄黄，口干，脉弦细。病机为气机不利，肝失条达，胆失疏泄为患。拟柴胡疏肝散加味：柴胡10g、川芎6g、赤芍10g、白芍10g、香附10g、枳壳10g、当归10g、金钱草30g、郁金10g、生栀子10g、炙甘草6g。服药20剂后冲洗“T”形管，未见泥沙样结石。停药10天后行“T”形管造影，肝管显影清楚。患者疼痛消失，饮食正常，拔除引流管，痊愈。随访3年未见复发。

目前，国内中医治疗胆石症，根据辨证施治，常以胆道排石汤为主加减变通。我在辨证过程中抓住“气机阻滞”这个主要矛盾，以柴胡疏肝散为主方。本方系从经方“四逆散”演化而来。方中用柴胡、香附、郁金、枳壳疏肝理气；当归、川芎、赤芍、白芍活血止痛。上组药物阴阳相济，调和气血，调节阴阳以治其本。佐以金钱草、栀子清利肝管、排除结石以治其标。共收疏肝理气、活血止痛、清利湿热、排除结石之功。

黑疸治验 | 高树人 |

1966年夏天，患者陈某，年36岁，患头晕眼花，心悸，畏寒，倦怠乏力，腰酸阳痿，面部及黏膜逐渐出现色素沉着。经某医院检查，诊为“肾上腺皮质功能减退症”。经用醋酸去氧皮质酮及甘草流浸膏治疗，效果不显，又求治于某医，被视为“绝症”而拒治。后因昏仆，于1967年2月收入病房治疗。余诊时症见：

精神疲困，形体瘦薄，面色黧黑，两手及口唇黏膜黝黑尤甚，舌质淡白，舌上有散在紫色斑点，苔薄白，语声低微，脉沉细无力。血压90/60mmHg，血钠偏低。尿17羟皮质类固醇为4mg/24小时，尿17酮类固醇为3.15mg/24小时。血糖60mg%。胸透心肺正常。

余据脉证，反复推敲，确诊为“黑疸”，系因肾阴不足，命火衰微所致。遵仲景之旨，从脾肾阳虚论治。投熟地黄15g、黄芪50g、淫羊藿15g、茯苓15g、当归15g、山茱萸15g、山药20g、枸杞子25g、炒白术15g、炙甘草50g，6

剂。服后虽效，但不显。经反复思索，方悟病人不仅肾阴不足，而阳虚尤为突出，遂在原方中加桂枝 15g、熟附片 15g、巴戟天 20g、人参 10g。前方加减服药 150 余剂，症状显著好转，主要症状基本消失，精神体力恢复病前。并能做半日工作。血糖 110mg%，血压 120/70mmHg，尿 17 羟皮质类固醇为 10mg/24 小时，尿 17 酮类固醇为 7.8mg/24 小时。随访 17 年患者精神、体力均好，阳事正常，全日工作。

肾上腺皮质功能减退症，系现代医学名称，古代医籍无此记载，《金匮要略》黄胆病脉证篇有“黑疸”之名。本例当属脾肾阳虚为主。命火为元气之根，命火衰微则影响五脏阴阳的协调。命火不足，不能温煦脾阳，导致脾阳亦虚，从而出现阴阳俱虚，脾虚不运的见证。本例遵仲景之法，以温补脾肾为主，在温肾的同时照顾肾阴，在补脾的同时，照顾益气养血，如此，则阴阳协调，气足血充，虚象自平，乃愈。

胁痛治案议

王永庆

胁痛一证，临床常见，治之得法，如期可愈。若迁延失治，或治不得法，亦可酿成大患。又临床兼证种种不一，医者胸无主见，或曰疏肝，或曰祛瘀，或曰清利，或曰养阴，又往往药证相悖。若医家辨证精当，兼佐施宜得法，药证不悖，每收捷效。举笔者治胁痛病例，以陈其实。

1962 年春，治一位女患，时年五旬，两胁作痛，游走不定。自云：其痛常自两胁根部发出，快似闪电，速达肋梢，痛不自忍。虽食寝如常，合家忧恐。某医院诊为肋间神经痛，投药为治，半载证不为衰。诊其六脉弦长，舌苔黄垢，隐有瘀斑。在气在血，痛久入络也明矣！随拟清气、通络、散瘀剂与投。

处方：牡丹皮 15g、毛香附 15g、穿山甲 10g、泽兰叶 15g、没药 10g、乳香 10g、桃仁 15g、郁金 15g、木香 5g、柴胡 10g。水煎服。2 剂尽，其病霍然失矣。

又，辛丑春，治一男患者，年六旬，神清目爽，左胁痛，时胀时痛，胀过于痛，它无所苦。诊其脉呈弦象，舌质如常，苔薄无垢。病在少阳之经，阻少阳之气而不行，投以木金散 1 剂收效。处方：木香 15g、郁金 10g。水煎服。

又，某年孟秋，诊一少妇，时年 24 岁，两胁痛，云自以拳击之则痛减，其脉虚弦，经水如常，亦以木金散 4 剂获痊愈。处方：木香 5g、郁金 15g。

上记三案，其一为初病在经，久延入终阻血，又兼气分积热，投以清气、通络、散瘀取效；其二为病胀过于痛，专司理气，投以木金散重用木香，佐以郁金而痊愈；例三两胁痛，以拳击之则痛减，其病在经，有入络碍血之兆，亦以木金散重用郁金佐以木香得效。两案投味固少，药有专功。三案合参之，收效在辨证，若不识此，治必迷津。

鳖甲、山药、鸡内金治肝脏肿大 | 陈聚林 |

肝硬化属祖国医学“癥瘕”“积聚”范畴，若出现腹水，则为“臌胀”。臌胀为病，多为黄疸病失治、误治，损及肝、脾、肾三脏而成。此刻正虚邪盛，攻之伤正，补则助邪，治疗甚感棘手。我中学时期的一位老师，因黄疸病失治，加之情怀抑郁，延病成臌，知我为医，信约给予诊治。临床见其面色赭黄，形体消瘦，腹胀胁痛，纳差，便溏，溲少。倾诉：西医诊断为“肝硬化腹水”。脉证合参，据证拟方：取鸡胵茅根汤（见《医学衷中参西录》）化裁：生鸡内金10g、生白术10g、白茅根30g、山药20g、丹参10g、三棱10g、大腹皮10g、马鞭草10g。药后症状稍有缓解，但症情反复。时好时差。后更医治疗，腹水得以消失，而肝大四指。奈于无法，请教吾师刘士俊主任医师。刘老看后说：药尚对证，差于更方勤杂。为医临诊切记识病难，守法更难，频于更方往往欲速而不达，结果徒劳而无功。《金匮要略》言：“见肝之病，知肝传脾，当先实脾。”此患者腹水虽消，而久病脾损未复，可肝脾同治，而重在治脾。偶阅杂志，见有取单味药鳖甲研末冲服，久服而使肝大回缩的指导。在此启迪下，我取炙鳖甲、怀山药、生鸡内金3味等量研末，每日3次，每次9g，嘱按法调服。服药1个月，饮食增加，胁痛好转。坚持服药半年，经查肝大消失。现时虽因年高退休，但仍能操持家务。后又一患肝炎小儿，肝大两指，嘱如法服药，每日两次，每次9g，两个月之后肝大消失。考此三药：鳖甲咸寒，归脾、肝二经，能益阴除热，软坚消痞，有破瘀散结之功，能治肝脏肿大。山药甘平，归肝、脾、肾三经，补精益脾，固精止泻，为治虚痨要药，更以健脾见长。生鸡内金甘平，归脾、胃、小肠、膀胱经，补脾消积化瘀，临床用于脾运失司，食水内停，水肿腹胀，食积泄泻，对小儿疳积甚效。以上三药合用具有补气健脾、软坚消痞之功，且觅之可得，服之方便，无论成人、小儿均乐于接受。

肝病腹水的“虚”与“瘀”之辨

段钦权

腹水是肝病最常见的合并症。肝病腹水的出现，标志着肝病的危重程度，临床上是比较难以治愈的。正如《灵枢·水胀》云：“鼓胀……腹胀，身皆大，大与肤胀等也。色苍黄，腹筋起，此其候也。”

肝病腹水的形成，经历着由肝及脾，由气及血的病变过程。病程迁延日久，虽气滞血瘀是本病的一个重要病理变化，但久病必虚，正气耗伤，是更重要的内在因素。久病致瘀，湿停血瘀，乃是本病的另一重要病理变化。“虚”和“瘀”二者在病体内互相影响，互为因果，导致本病的虚实错杂，故临床上多难治愈。“虚”即正气虚，为“本”虚也；“瘀”即湿停血瘀，为“标”实也；所以说，肝硬化腹水的病机是本虚标实。

“本”在本病中系指气、血、肝、脾、肾而言，但都离不开气、血。气虚、血虚之根源在脾，因此，本虚多为脾虚。肝硬化腹水的形成是由肝及脾，脾病及肾的过程。肝主疏泄，脾主运化，肝得脾所输布的饮食精微滋养后，疏泄功能才能正常；脾得肝之疏泄，运化功能才能健旺。当肝气郁滞，疏泄异常，郁则气逆，横犯脾胃，使致脾失健运，精微不布，则气血无生化之源；脾运不健，则气虚血少。因此，脾虚是“本”虚之源。

“标”实是指湿停、血瘀。水液在人体内的运行，虽与肺、脾、肾脏有关，上赖肺的通调，中靠脾的转输，下依肾的开合，但尤与脾、肾关系密切。脾虚湿停，脾病及肾，肾阳虚不能温煦脾阳及化气行水，使水湿停聚益甚，故病人腹部胀大，腹水形成。血瘀之证，其病机有二：一是肝气郁结，血行不畅，久则脉络瘀阻，气滞而致血瘀；二是气与血互相依存，气赖血生，血赖气化，血不得气则凝而不流，气虚则血滞，而使血瘀加重。总之，肝病腹水的病机，其因属肝，其本在脾，病久及肾，气、血、水三者结滞而成。治疗原则应是扶正祛邪。

吾曾治李姓男患，37岁。证见腹部膨隆胀大，青筋暴露，神倦消瘦，食少便溏，小便短少，面色晦暗，下肢肿甚，舌质紫暗苔白腻，脉弦无力。此乃气虚血瘀之肝病腹水，法宜益气活血化瘀，健脾利湿。投如下方药：党参25g、茯苓25g、白术15g、甘草10g、生麦芽20g、丹参50g、益母草15g、泽兰15g、山药20g、车前子15g（另包）、大腹皮25g、茵陈25g，水煎服。经住院治疗46天，用上方加减，患者腹水全部消失，饮食增加，体力明显恢复，好转出院。

可见益气以行气活血化瘀是本证治疗的关键，如果只注重活血化瘀，而忽视了益气，瘀是难开的。益气尚有摄血之功，益气与活血并举，又能避免活血而导致的出血倾向。《血证论》说：“须知痰水之壅，由瘀血使然，但去瘀血，则痰水自消。”可见，活血化瘀还有祛湿的作用。肝病的瘀血阻络，湿水停聚，活血化瘀能促进气血周流，气血流畅，则水湿有路可出。益气是扶正，又能活瘀、祛湿，活瘀尚能祛湿，针对肝病腹水的气虚、血瘀、湿阻是行之有效的。

治疗慢性肝炎一得

陈玉峰

慢性肝炎属中医“胁痛”“积证”范畴，是临床上的常见病和多发病。因患病日久，肝郁克脾，每易导致脾气亏虚，故临床上以肝郁脾虚之证最为多见。病人表现为经常胁部疼痛，烦躁易怒，倦怠乏力，脘闷腹胀，食少纳呆，舌淡苔腻，脉沉弦。我治疗此种病人多采用舒肝理气、健脾和胃之法，方用逍遥散合柴胡疏肝散化裁，基本方如下：当归15g、白芍10g、柴胡10g、茯苓15g、郁金10g、木香10g、香附15g、青皮10g、枳壳15g、焦三仙各15g、白术10g，水煎服。若病人兼有黄疸，可加茵陈25g；有发热者，可加板蓝根15g、大青叶15g；气短乏力明显者，可加人参10g、黄芪15g；恶心呕吐者，可加莲子肉15g。

若病人因肝气郁结而致脉络郁阻，出现胁下积块质硬，固定不移，胀痛或刺痛，兼见形体消瘦，面色晦黯，腹胀食少，倦怠乏力，有蜘蛛痣或肝掌，舌质紫黯或有瘀斑，脉弦或涩者，则为积证。辨证属气滞血瘀，治宜舒肝理气，活血化瘀。方用木香槟榔丸合鳖甲煎丸化裁。基本方是：当归15g、川芎10g、木香10g、香附10g、枳壳15g、厚朴10g、槟榔片10g、郁金10g，水煎服。如病人胁痛较剧，可加三七面2g、延胡索面2g冲服；胁下积块坚硬者可加三棱10g、莪术10g、夏枯草15g；兼鼻衄、齿衄者加龟甲20g、藕节25g，余加减同前。

前人谓“治久病又如理丝”。治疗本病必须慢慢调理，不可操之过急，用药宜平稳，时时注意顾护胃气，不用峻猛之品以免损伤正气，使正气渐复而邪气渐去，疾病才能得以康复。又因“肝主藏血”“肝为罢极之本”，过度劳累每易耗伤肝血，不利于肝病的恢复，所以还要嘱病人注意休息，避免过劳，保持精神愉快，加强饮食调养，与药物治疗密切配合，才能取得理想的疗效。

（于沧江　整理）

肝硬化当以活血化瘀为主

许近仁

肝硬化是一种以肝脏损害为主要表现的慢性全身性疾病，临床表现复杂。本人根据多年的临床实践体会，以活血化瘀法进行治疗，使不少患者获得了较为满意的疗效。

中医书籍中本无“肝硬化”之名，但以历代有关的记述来看，与“水臌”“积聚”“臌胀”等病相类似。其临床表现，早期多见纳呆神疲，厌食油腻，或恶心欲呕，食后脘腹满闷不适。早、午饭进食尚可，晚餐常因腹胀而不能食。全身乏力，午后尤甚，胁肋部胀满或疼痛，或胁下触及积块，胸背四肢出现血缕赤痕，腹壁青筋暴露，腹大如鼓，小便不利，大便不调，甚至伴见出血现象，如鼻衄、齿衄、呕血、便血及肌衄等。舌质暗，或青紫，或瘀点瘀斑。脉细弦或细涩。

本病之始，多因肝失调达气机不畅所致，日久由气及血，气滞血瘀而成。肝脉布胁肋，肝血郁阻，故见胁下积块。肝气不畅，横逆克脾犯胃，致脾胃两虚，脾虚则运化不健而食后脘腹胀满，胃虚则受纳失司而食少纳呆。脾胃虚弱，精微失布，故可见面色萎黄，形体消瘦，精神疲倦，肢体乏力。若水湿停蓄，则见腹部胀大如鼓、小便不利之症。瘀血阻于肝络，隧道不通，水气内聚，则腹大坚满，脉络怒张。瘀血内停，血脉不通，血液外溢则见诸般出血。因此，治疗本病当以活血化瘀为主。盖瘀血去，则新血生，络脉通。但在活血化瘀的同时，还应结合其他相应的治法，如舒肝理气法，因瘀从气起，气滞为先，气行则血行也，故当佐以理气药。次当健脾消食，因肝病最易传脾，故当先“实脾”。其次利水消肿法，尤其对腹大如鼓，坚满难忍者，更宜合用。值得一提的是对于本病所见的诸出血问题，一般不主张用固涩收敛止血药。因出血实乃瘀血所致，故理应活血化瘀，疏通隧道，使血脉通畅，则出血自止。此亦通因通用之法，临证用之颇验。

余曾诊治一患者耿某，女性，56 岁。于 1984 年 8 月就诊。间断性鼻衄，皮肤出现瘀点瘀斑。自 1983 年 2 月至 1984 年 8 月先后呕血、便血 4 次，形体消瘦，腹大如鼓，且伴下肢浮肿，舌质淡暗，苔白有津，脉细促。曾经邢台地区医院检查，确诊为肝硬化，因治疗少效而来我处就治。拟处方：柴胡 6g、当归 9g、白术 9g、白芍 9g、茯苓 12g、炙甘草 6g、香附 12g、青皮 6g、陈皮 6g、枳壳 9g、川厚朴 9g、木香 6g、桃仁 9g、红花 6g、郁金 6g、丹参 15g、神曲 9g、山楂12g、鸡内金6g、猪苓9g、泽泻9g、木通6g、车前子12g，服药5剂后下肢浮肿消失，腹胀减轻，食欲增加。13剂后，腹胀消失，鼻衄次数及出血量明显减少。守原方服药约20剂后，病情显著好转，面色转红润且有光泽，食欲佳，未再见出血现象，并能参加轻体力劳动。原方去猪苓、木通、车前子、泽泻，继续间断服药，以资巩固。

治疗肝硬化，只要辨证准确，当守方治疗，不宜随意更弦易张，变换方药，就会收到较好效果。此是多年用药的体会，对于本病尤其如此。

内伤杂症“肝”病居多

| 刘延卿 |

肝是人体重要脏器之一，肝为刚脏，体阴而用阳，与各脏腑之间的关系极为密切，全赖肾水以涵之，血液以濡之，肺金清肃之令以制之，中宫稼穑之气以培之，则刚劲之性，柔和之体，条达畅茂之用各得其所。在正常生理情况下，肝能疏调气机，使之流畅，又能贮藏和调节血量，使五脏六腑、四肢百骸，均赖以濡养。反之，一有怫郁，则疏泄失权，气机滞阻，血行不畅。病理变化，复杂多端，除本脏病变以外，且可牵涉和影响其他脏器，即所谓“肝为五脏六腑之贼是也。”验之临床，内伤杂症，确属“肝”病居多，妇科疾病更是如此。所以临证治肝，实具有重要指导意义，此乃着眼于肝的生理、病理而悟出。且人居于复杂的人事环境之中，又易为情志所伤，故云很多疾病都可能与肝有关。据此，“从肝论治”应作为临床实践中注意运用的一个重要方面。当然，肝病复杂多端，但肝气郁结是其基本病理变化。所以说：善治肝者，在于调理。常用方剂诸如四逆散、越鞠丸、柴胡疏肝散、逍遥散、温胆汤等，均可辨证选用。还应注意一点，即：“肝”体阴用阳，治肝时必须时时顾护“体阴”二字。例如，肝病“气郁”，必以理气之药理肝之“用”，然理气解郁之品，每多香燥，“燥”则耗阴，有碍肝体，所以用量宜轻，适可而止，不要过量，以防耗阴。如柴胡之用于疏肝，一般以3g为宜。除小剂量用香燥之外，或可代以香而不燥的玫瑰花之类，似较更为理想。

治脾胃病当审证用药

| 王国三 |

饮食不节，寒温不适，劳损过度，均可损伤脾胃。但由于个体差异及损伤

程度不同，临床表现各有不同，因此选方用药亦各有所异。

首先应当明确脾胃病常用药之刚燥与阴柔。如四君子汤、平胃散为脾胃之阳药，益胃汤、沙参麦冬汤为脾胃之阴药，二者性味作用，截然不同，当细心审识。

脾之升运失常，治当遵东垣之说，中气虚者，人参、黄芪以补之，黄芪之静与陈皮之动相伍。中焦虚寒者，常用干姜，甚则肉桂、附子以温之，务在寒尽，无使阳亢。湿盛者，白术、苍术以燥之，湿除脾健则已，过则伤阴。清阳下陷者，升麻、柴胡以升之，量不宜过。中宫气滞者，陈皮、木香以理之，滞去则止，防其破气。升下陷之清阳，潜阴火之上逆，有时需变法治疗。如阴火炽盛者，少加黄柏以泻之；伏火煎熬，血气日减者，当归以和之；血中伏火心烦者，加生地黄以滋之；阴火不降，气浮心乱者，朱砂以镇之。

胃之和降失常，宜用甘平、甘凉、濡润之品治疗。胃虽喜柔，若胃阳虚者，刚燥药也在所必用，轻者白术、苍术、陈皮、半夏，重者当用肉桂、附子。若胃阴虚而热仍在者，用鲜生地黄、鲜石斛、沙参、玄参、知母、石膏清之。热去而胃阴虚者，宜麦冬、白茅根、梨汁、蔗汁清而润之。舌苔薄津少者，宜金斛、天花粉、山药之属清而滋之。亦可用隔补隔泻法治疗，如微酸以敛肝，用白芍、木瓜、五味子之类，使胃津自充。如宁心以生液，用酸枣仁、淮小麦、益智仁之类，使胃阴自复。人参、黄芪等之补中生津，温和而不刚燥，滋润而不寒凉，为胃阴薄弱，生化不充之良药。临床之际，应审证选用。

脾胃既伤，运化失司，元气衰少，机体因缺乏气血之营养而虚馁，中焦生发之性也随之薄弱。此时，中焦受损，已不任重负。若大剂峻补，不仅无益，反而愈增其病。常以甘平柔润之品缓之补之，相其机宜，转以食补，谷肉果菜食养尽之。余曾用资生丸治疗 1 例慢性肝炎患者，获得显著效果。其主要病证是脘腹胀满，嗳气，午后心下痞硬，日进食仅两许，大便溏薄，曾服木香、沉香、槟榔、大腹皮等开破之品。服药后，虽腹胀稍舒，但持续时间不长，且日趋加重，脉象濡而无力，苔白而润。此证系肝脾不和，脾虚尤甚，治当补脾为主，稍佐理气降气之品，以消除当前之胀满并推动补药之运行。唯虑脾胃虚极，大剂量药反增其负担，故拟小剂缓投，守资生丸作煮散：人参 9g、茯苓 9g、白术 9g、山药 9g、薏苡仁 6g、莲子 6g、芡实 6g、甘草 3g、陈皮 3g、麦芽 6g、神曲 6g、白豆蔻 3g、桔梗 3g、藿香叶 3g、黄连 1.5g、砂仁 3g、白扁豆 6g、山楂 6g，轧粗末，每 9g 作 1 日量，煎两次合一处，分早、晚饭后半小时服。连服 20 剂，患者病证基本痊愈。究其原因，胀满之由来，在于脾气虚衰。只消胀满而不补脾，是治其标而忽视治其本。久病虚衰宜固护正气，而理气降逆之品，均具耗散克伐之性。愈开破，正气愈虚，正愈虚，则胀满愈甚。因而开破之药，势必由小量增至大量。大量开破，脾气愈虚，互为因果，病患缠绵日趋严重，是势所必然之理。因取塞因塞用之法治之。方中以人参、白术、甘草、炒扁豆、炒薏苡仁之甘温健脾阳，以黄芪、莲子、山药之甘平滋脾阴。扶阳多于护阴，补脾元，升脾阳，以陈皮、神曲、山楂、麦芽、砂仁、豆蔻、藿香、桔梗调理脾胃。黄连清脾胃，且用小量。重在补而辅以调。罗谦甫谓此方："既无参苓白术散之补涩，又无香砂枳术丸之燥消，能补能运，臻于至和。"

急性黄疸型传染性肝炎论治

| 刘寿年 |

急性黄疸型传染性肝炎，是由病毒引起的一种消化道传染病。本病的起因，祖国医学早有记载，《内经》谓："湿热相交，民当病疸，疸者黄也。"清代喻嘉言在《寓意草》中说："胆之热，汁满而溢于外。"说明本病是由湿热郁蒸，胆热汁外溢而致黄疸。既病之后，湿热阻滞中焦，脾失健运。清热利湿为治疗大法。但芳香化浊实不可少。王孟英在《湿热经纬》中说："湿热必积滞难解，须通阳以化湿，若过凉则湿闭而阳更困矣。"芳香化浊药有醒脾开胃之功，脾胃健运，则湿自化矣。肝主疏泄，为藏血之脏，若肝气条达，则血行无阻；若肝气郁结，气郁则血滞。故治疗肝炎加入活血通络之品，则肝痛易解，肝炎易消。如一女性患者，产后患肝炎，身目黄染，色如鲜橘，胸脘痞闷，胁下隐痛，食油腻，呕恶频繁，体倦乏力，便色灰白，溲黄赤，舌质红，苔黄厚腻，脉滑数，并经化验室检查，确诊为"急性黄疸型传染性肝炎"，投清肝利胆汤，每日1剂，水煎服。20剂后，黄疸消失，化验室检查恢复正常，痊愈。清肝利胆汤由茵陈、虎杖、栀子、蒲公英、柴胡、枳实、丹参、郁金、藿香、苍术、生甘草等药组成，是我科验方，具有清热解毒、消瘀通络、芳香醒脾、利胆退黄之功。余以此方治疗急性黄疸型传染性肝炎78例，均取卓效，实为良方。

简谈治肝

| 陈玉峰 |

中医肝病属胁痛范畴，《灵枢·五邪》中说："邪在肝，则两胁中痛，寒中恶血在内"。故肝病多因升降失常，疏泄不利，脉络不通，瘀血停滞，胸阳受阻，或经脉失养所致。其证型概括起来有虚、实两种，又有外感、内伤之不同。

但胁痛多属内伤，故张景岳说："内伤胁痛，十之八九……，内伤虚损，胁肋疼痛者，凡房劳过度，肾虚羸弱之人，多有胁肋间隐隐作痛，此肝肾虚不能化气，气虚不能生血而然也；凡人之气血不虚则不滞，虚则无有不滞者。倘遇此证不知培气血，而但知行滞通经，则愈行愈虚，鲜不殆矣。"这是张氏对因虚而致血瘀的理论的一个贡献，因此对胁痛的治疗，必详审病机。"不通则痛，痛则不通"，故在治疗上以通为主。但前面已谈到证有虚实之分，又有外感内伤之别，又有气虚血瘀，若不知培气血，而但知行滞通经，则有愈行愈虚的教训。故对通法必须具体分析，"其寒者温之，使其通；热结者，当用苦泻，使其通，虚者补之，使其通。"具体方法有理气、活血、化湿、温阳、养血等诸法。在临床上我多以佛手散加味收到较满意的效果。因川芎活血又能行气，并有疏风止痛作用。当归补血、祛瘀、止痛、解痉，且气味俱厚，行之有余，守之不足，活血祛瘀力强。肝藏血，肝气抑郁不畅，必导致气滞血瘀，脉络不通。川芎、当归能活血行气、祛瘀止痛，互相配合，增加功效。应用鳖甲很要紧，因鳖甲味咸，软坚散结，破瘀通经，对肝病中因气滞血瘀而致肝脾肿大者，可用鳖甲软坚散结去瘀生新。再根据情况随证加减，如痛甚难忍者，加木香、延胡索以理气止痛；胀满者加川厚朴、枳壳以理气宽胸。倦怠无力者用党参、白术、白芍健脾敛阴，培补后天，资化其源；纳少厌食者，加焦三仙消导理气而健脾。胁肋灼热者，加柴胡、栀子以清热疏肝。若兼见腹泻者，多因肝气郁结，横犯脾胃之故，不可投涩肠止泻之品，当用"痛泻要方"，健脾敛阴，疏肝理气。以上略谈了随证加减。下面再说一下治肝以疏肝为主。在疏肝药中柴胡、青皮最为多用。两者入肝胆经，善于散邪理气，故前人曾说过：胁痛只须一味青皮醋炒煎服或粉剂冲服均有良效。肝为刚脏非柔不克，疏肝药常用，重用又有耗气耗血之弊，故温病学家叶天士谓："柴胡劫肝阴"，王孟英认为"最劫肝阴"。温病学家从保津观点来讲未免言之过甚，但还是有一定的道理。我也多次遇到滥用柴胡治胁痛，不但胁痛不止，反而引起目赤、咽喉肿痛之证。以上这些皆治肝病实证经验。如治疗及时，处理得当，此证并不难医。若失机宜，或处理不当，迁延积累，久而不愈，必会酿成危候。

疏风药治肝疫病

任继学

肝疫病现今流行颇广，痊愈者鲜矣，一般皆为临床治愈，但易复发，或者经治一段时间后，病邪内潜，待而再发。究其所因，多由于久服疏肝行气之药，或长期服用清热解毒之品，伤阴损液耗血，致使肝体不荣，肝用失常使然。

盖人体五脏惟肝为风木之脏，又为将军之官，其性急而动，故为刚脏，相火内寄，体阴用阳，喜条达，主藏血、调血，得肾水以涵濡，则动而不亢，得肺金以制，用而不燥，则疏泄之机而畅茂，何病之有？故津血伤，精血内亏，则肝乏少阳之生气，降低将军防御之机，疫毒得以内潜肝体，损伤肝之体与用，疏泄之机必滞，脾胃气机受抑，健运失常，升降功能呆滞，清者难升，浊者难降，而生腹胁胀满、嗳气、矢气、善怒、恶心、纳呆、夜寐多梦之候。经曰：“肝欲散，急食辛以散之，用辛补之，酸泻之”。故慢性肝疫之病慎用香燥之药、攻伐之品，法宜柔润，调肝为主，方用养肝调达汤（自制）。药用：以桑椹子、枸杞子、黄精为君，甘润滋阴，养肝之体，柔肝之用，其气不燥；佐用羌活、防风之辛润，以顺肝性，开达气机，以升降脾胃之力；臣以生麦芽、蜜升麻、虎杖、牛蒡子活络清热，以涤余邪；伍羚羊角、土茯苓以分清浊而除伏热以疏肝体也。

龙胆泻肝汤临床妙用四则

程绍恩

龙胆泻肝汤载于《兰室秘藏》与《医宗金鉴》。其功能：泻肝经实火，利肝胆湿热。主治：“胁痛口苦，目赤、耳聋、耳肿；小便淋浊，阴肿，阴痒，囊痈，便毒”（《中医方剂学》）。其方药是：当归15g、柴胡10g、栀子10g、龙胆草15g、生地黄20g、木通10g、黄芩15g、车前子25g、泽泻25g、甘草10g，水煎服。

该药古方用量较少，每味药量多则9g，少则3g。余临床加入药味，加大药量，治疗四肢麻木、浮肿、头胀痛、耳鸣耳聋，足跟痛，黄白带多等证收捷效。

案一

甲子年孟春，治一女患，久病四肢发麻，上肢较重，周身浮肿，下肢尤甚，且伴有纳少、腹胀、便溏，舌红绛，苔黄腻，脉沉数。余以前方加益母草50g、生麦芽50g，香橼25g治之。服2剂后患者肢麻减轻，浮肿消退，腹部松畅，饮食增进。学生问：龙胆泻肝汤，何以治疗肢麻浮肿？余曰：《内经》所说：“清阳实四肢、浊阴归六腑”。因湿邪致病，其性黏滞，阻遏机体阳气运行，阳气不行则四末失于温养，故四肢发麻。阳升阴降，是人体的生机，故清阳不能升于上，则上肢麻重；浊阴不降、水湿下流，则下肢浮肿尤甚。湿热互结，则脾胃升降功能受阻，故纳少、腹胀、便溏。

余以原方，清热利湿治其本，加益母草化湿利尿消肿，麦芽、香橼健脾和胃理气降逆治其标，标本兼施，则湿热清利，阳气通调，脾胃和畅，故诸症悉除。

案二

曾治黄姓女患者，年四十余，患头沉胀痛，如重石压顶，耳暴鸣、呼啸不停如刮狂风。诊其舌红而绛，齿痕深陷，扪其脉涩滞艰难。此乃肝脉络于头；胆脉络于耳，肝胆二经，被湿热之邪所壅，清阳之气不升，则空窍不宁，故头沉帐，耳暴鸣。以前方加怀牛膝50g、生石膏50g、石决明25g，引湿热之邪下行；加香附15g，导肝胆之气通利。患者连服4剂，则头清耳聪，诸症消失。

案三

女患者董云，56岁，久患足跟痛，不敢站立，行路蹒跚，痛苦已极。望其形体：颈项短粗，胸宽体肥，肚大腰圆，满面通红，如同醉酒。舌胖嫩、齿痕多，脉沉数。前有众医诊为肾虚足跟痛？治用六味地黄汤，加补肾药，久治无效。

余断此病因，是湿热下注，困阻足跟，故足跟痛甚。“水流湿，火就燥”是自然之理，足跟是人体最低下之处，水湿之邪自然下沉足跟，所致阳气不通、不通则痛矣。以前方加薏苡仁50g、防己15g、木瓜15g、通草10g，加强其清热利湿作用，服2剂患者痛减大半，服4剂足跟痛除。

案四

妇女从阴部流出秽浊之物，即黄白带多、臭秽难闻，不敢近人者，此乃湿热之邪下注所致。治用前方加蒲公英50g、紫花地丁40g、马齿苋30g，煎服之后，则湿邪通利？热毒清解，故服2或3剂黄白带必少，4～6剂带下痊愈。医者一试便知，临床病例不胜枚举。

柔肝小议

魏雅君

肝藏血，为风木之脏，内寄相火，体阴而用阳，主动，主升。为病多刚暴横逆，挟火挟风。是以柔肝一法为医者所常用，然何以柔之？

1. 养血以柔肝：盖肝藏血，血少则肝急，血燥则生热，血虚则风动，养肝血即补肝体。当归、白芍、柏子仁、生地黄、枸杞子、女贞子、制何首乌等可选用。

2. 滋阴以柔肝：芍药甘草汤酸甘化阴，益阴荣筋，缓急止痛为常用之方。然滋阴之中当再分两层：一层为壮水制阳，以治肝火上亢，补水即所以制火，可选用归芍地黄汤、杞菊地黄汤之属；一层为滋阴补精。肝肾乙癸同源，精血互生，肝阴亏虚日久，可予滋补肾精，方如大补阴丸、加味一贯煎之属，即虚则补其母之义，其间殊当审谛。

3. 通络以柔肝：若肝失疏泄，肝络痹阻为痛为聚，治以疏肝活血通络，如茜草、泽兰、旋覆花、当归须、木瓜、红花、赤芍等可随证选用。叶天士为擅用通络柔肝之大师，其《临证指南医案》用之多验。

4. 软坚以柔肝：肝阳有余，故需牡蛎、龟甲等类以潜阳，肝之痞痛坚硬，亦须咸寒以软坚。仲景擅用柴胡牡蛎治胁痛痞满，实为后世垂法。

人皆谓木喜条达，多以疏肝理气为治。然久用香燥，每易暗耗肝阴，不可不慎。

总之肝为刚脏，全赖肾水以滋之，血液以濡之，用药不宜刚而宜柔，不宜伐而宜和，当于甘凉、辛润、酸降、柔静中求之。

肝癌治验

郭有昌

1977年6月我去探望一位患病的亲戚，询问方知，其在右胁下（肝区）有一肿物，腹诊可见大如鸡蛋，质地坚硬，凸凹不平，视其局部微见隆起，需半卧向左侧倾斜，胀痛难忍，每晚只能睡2～3小时，饮食明显减少，午后潮热盗汗，口干舌燥，干咳无痰，大便数日不解。现已发病两月余，近日加重，肿物自觉增大。经哈尔滨医科大学附属第一医院，作肝扫描、甲胎球蛋白及超声波等项检查，诊为肝癌。为慎重起见，又请有关医院的专家教授会诊，均无疑意，又去肿瘤医院作如上的全面检查，定为肝癌，并嘱其家属大约能活1个月左右，因患者年近七旬，病变部位又在肝门静脉区，血管多，手术难度大，即使手术希望也不大。经全家研究，决定抓紧准备后事，无西药可服，就试服中药，一可安慰老人，二可缓解其临床症状，延长其寿命，减轻其痛苦，先后请邹德琛副教授、华庭芳副教授诊查，在两位教授的处方基础上综合分析，选用炙龟甲50g、炙鳖甲50g、炙穿山甲珠25g、柴胡15g、青皮15g、枳壳15g、乳香15g、没药15g、郁金15g、白芍20g、生地黄20g、甘草5g。4剂后，患者胀痛微减，饮食增加，手足心热渐退。守方续服十余剂，患者症状大减，包块缩小，又守原方配用犀黄丸，服至1个月后，其饮食增加，包块又小，余症全无。全家欢乐，信心倍增。先后共服八十余剂。犀黄丸四十余丸，症状全部消失，一切恢复正常。7年后的今天，老人仍健在。

虚劳发黄 | 高桂郁 |

如今治黄疸，悉从仲景之说。盖仲景论黄疸之因，有湿热，有寒湿，有被火，有蓄血。皆以湿郁为病根。故云“小便不利身必发黄”，此言发黄之常。

然仲景又云“男子黄，小便自利，当与小建中汤。”此黄与湿无关，属虚劳病。

余曾治虚极发黄重证。致黄之因与如上所列不同，但救冶之法，仍从仲景治虚劳之法悟出。关某，男，年已过五旬，患慢性肝炎数年，近来又有肝区痛，腹胀，查肝功能知为肝炎活动期，乃住中医科。前医皆用苦寒泻下，反致肝区痛益重，一日突然周身皆黄，乃转传染病房。当时化验肝功能结果表明，肝实质破坏严重。西医诊为“亚急性肝坏死”。病情危重，急邀余会诊。见病人面目周身黄如橘色，但不鲜泽，身面皆瘦，肉削骨实，形若骷髅，自诉由胸咽至右胁痛如刮，恶闻食嗅，每闻食嗅则痛势剧发，遂呕酸水如涌如注。完全不能进食，靠输葡萄糖维持生命。诊脉细如发丝，舌干瘦。

《内经》云：“五气为病……脾为吞……五脏化液……脾为涎……，五脏所主……，脾主肉”。今诊见脾病之候，其症之剧足证脾绝，脾绝则肝气肆虐，故使呕涎不止、胸胁痛如刀刮。然而酸为肝之味，肝气暴横则酸涎奔涌。当今救脾之急，岂可忽视缓肝，拟辛甘化阳，酸甘化阴，培土抑木之方，以大队补品，救千钧一发之急。处方：党参、黄芪、熟地黄、枸杞子、甘草、桂枝、当归、白芍、五味子、山药、白术、大枣、干姜。服3剂患者涎止痛安，自能进食，服药两周，病情稳定向愈，黄色渐淡。因笔者公出病人要求出院，携善后之方转天津老家调养。后乃康复，如今病人尚健在。

急黄当用泻法 | 陈中岩 |

急黄是黄疸病之重症，又称为疫黄，杀人最急。本病治疗及时得当，方可转有生机。目前治疗此病，虽有清热解毒，凉血开窍之法，而笔者在临床治疗上，认为上法固属必要，尤需应用下法。清热利湿为黄疸之正治法。溲利湿去，孤热无依，黄疸自去。湿重应用茵陈五苓散；热重者应用大黄硝石汤、栀子大黄汤等，方中大黄用量尤需为重。急黄虽为湿热，而偏重于热毒，传变极速，故清解凉开与下法兼施，确为必要，尤其下法可荡涤热毒之甚。下法验于临床多年，收获甚著，使众多危重病人化险为夷。吾友之妻患急黄，应用中西药物治疗十余日，效果不显，而约吾诊视，时见其身目深黄，高热烦渴，烦躁不安，神昏谵语，腹满呕吐，大便数日未行，小溲短赤。视其治疗虽有清解凉开之剂，但未用下法，遂在上方中加入大黄、玄明粉两药，患者服药数日而脱险。通过临床反复实践，总结出一清下凉开之基本方剂：茵陈30g、金银花30g、连翘30g、栀子15g、牡丹皮15g、水牛角30g、羚羊角粉3g、芦根30g、大黄15g。方中下法选用大黄，此药力猛，作用有三：下燥结，泻热毒，破瘀血。一般用量15g，其大量曾用到60g。药物用量大小主要根据服药后效果，逐渐增递，以药后使大便日泻3或4次为宜，持续4或5天，用大黄量至此，效果最佳。如大便燥结者，可配用玄明粉、枳实；如大便泻3或4日后便溏者，可选用制大黄。另外在服药时，常遇患者严重呕吐，给治疗带来困难，吾常以伏龙肝水煎药加生姜汁频服，可以缓其呕吐，此药可温脾以运，可制寒凉药太过，故达治呕之目的，此小节，亦不可忽视。

奔豚证治小议

刘永铭

吾曾治隋某，男性，25岁。近1周自觉脐下有一股寒冷之气冲逆上行至胸中，日十数次，发作后则心慌不能自持，其痛苦不可名状。检查，表情痛苦，面色㿠白，神疲乏力，语声低微。视其腹壁肌肉瞤动如波浪之上下起伏，尤以脐下为甚，不能自持，舌质淡嫩，苔白而润，脉弦，两尺重按无力。据此脉证，属肾阳虚衰，寒水之气上逆所致之奔豚气病。治宜温阳散寒降逆，方予桂枝加桂汤加味。药用：桂枝15g、白芍15g、炙甘草15g、生姜10g、沉香10g、槟榔片15g、茯苓15g，2剂。服后，患者面露喜色，言服药后，奔豚状立发，但发作次数减少，每日发作二三次，其势亦较前轻微。原方加入大枣10枚（劈），重用桂枝25g，服2剂患者痊愈。改投金匮肾气汤3剂，以善其后。近日随访，未复发。

奔豚气是病人自觉有气从少腹上冲胸咽的一种病证。本例为寒水之气上逆所致的奔豚气病，首用桂枝加桂汤加入沉香、槟榔片等品，温阳行气，直折冲逆之势；再加大枣培补脾土以制水，使寒水之邪不致上凌；最后用金匮肾气汤助肾益火，病终告愈。

辨证施治，癌症可瘳

|郑玉清|

我在临证中，遇到经西医诊断为“癌症”者，不被其“不治之证”所束缚，辨证施治，治于早期多有效验。曾治周姓男患，年53岁。观其面目及全身皆黄，身体羸瘦，舌质红苔黄厚而腻。问其所苦及二便，两胁腹满而疼痛难忍，口苦咽干，脘闷恶逆，不欲饮食，时发寒热，小溲如浓茶，大便色白如陶土。切其脉按其腹，脉弦而数，腹壁微隆而拒按。1981年4月在北京医院作CT检查后诊为“胰头癌”，当即手术。出院回省后日渐消瘦，诸症加重，已准备后事，今抱一线希望前来求诊。

吾对此证主要分四个阶段进行辨治。开始辨为湿热熏蒸，血瘀气滞，致胆汁外溢发黄。治宜清热利湿，化瘀止痛法。方药：茵陈、栀子、败酱草、郁金、板蓝根、龙胆草、白术、枳壳、丹参、三棱、莪术、焦三仙、香附，生姜大枣为引。服上方二十余剂后，黄疸已退，但腹仍痛，痛甚不能寐，面色晦暗，舌质紫黯，脉沉细。此乃气滞血瘀，日久成积，经脉阻滞，不通则痛。拟活血化瘀，消积止痛之法。方用失笑散合活络效灵丹加减：五灵脂、生蒲黄、三棱、莪术、桃仁、红花、丹参、牡丹皮、白芍、生甘草、当归、川芎、板蓝根、柴胡、半枝莲、延胡索，水煎服，冲三七末，日3次。此方出入连服1个月余，因该患者体弱，又加入黄芪、党参、白术、山药，适当减去化瘀之品，以扶正化瘀。另以三七、鳖甲、龟甲各等份研细末，日3次冲服，每次1.5g，长期服用，以活血软坚。3个月后，患者腹痛大减，纳谷日增，体重增加十余千克，可由公社步行十余千米去县城。唯有胸胁脘腹胀满不舒，脉象沉弦，此为肝气不舒，脉络瘀阻，治以疏肝理气，佐以活血化瘀法。方药：柴胡、郁金、枳壳、香附、槟榔片、丹参、三棱、莪术、半枝莲、猪苓、黄芪、党参、山药，水煎服，冲三七、鳖甲、龟甲末，每次1.5g，日3次。

半年后，患者诸症皆消如常人。面色红润，体重又增5kg，精力充沛，已上班工作。又定一方以补中益气，调理善后。1984年10月与其相会，其诉经哈尔滨医科大学B型超声和CT检查已痊愈。患者因劳累和饮酒，于1985年3月被医院确诊为肝硬化、腹水，又登门求治，仍按疏肝理气，活血化瘀，健脾利湿之法治疗，现在观察中。

对于癌症，我体会应以辨证为核心选方用药，可使其瘀散气行，阴阳协调，其证可缓解，有的可痊愈。对于晚期癌症病人，辨证得当，尚可减轻其病痛苦，或延长其寿命。

痃症小识

陈景河

1970年春，诊60岁老妇徐氏，患“痃症”，始于播种时横骨上缘生一硬物，初未介意，而自下向上发展甚速，5月至脐，7月至鸠尾，直径约3cm，目视之、手触之，均如木棍竖埋于皮中，俯腰不得，入厕颇艰，兼觉腹中如有虫走，似麻非麻，似痒非痒，胃中堵塞，纳少，便结如羊屎，经外科医师与解剖学教师会诊，认为病居肌层，究属何物不详。余曰：痃积。《医宗金鉴》，妇科心法要诀所谓“突起如弦痃症名”是也。乃痰食气血与寒气相搏而成。治以消积软坚温经理气之法，投桂枝加大黄汤加减，药用白芍50g、桂枝15g、大黄15g、芒硝5g、三棱20g、莪术20g、姜黄15g、莱菔子10g、甘草10g、生姜25g、大枣10g等，先后加减出入。患者服27剂，肿物消失，别无不适。追访15年，未见异常。余青襟业医，今已垂暮，本病亲经目睹者仅此1例，近世医学刊物亦未见报道。唐代《外台秘要》载：“悬于腹，近脐左右，有一条筋脉杠起，大者如臂如筒，小者如笔如指如弦”，即指此症。以此症绝少，余故录之，以备研讨。

“积聚可也，衰其大半而止”小议

王宏琳

余少时，曾得曾祖王子春治“鬼胎”之方。1963年夏，余初从医时，时遇一妇张某，年26岁，已婚7年，3胎女婴。于近两个月停经，腹渐增大，疑孕，经妇科检查，诊断为“葡萄胎”，转中医科，余诊后遵祖方给桃红夏丹汤（自家拟方），令其服药1剂。至次日，患者复诊言服药后下血少许，腹大不减，余又急以前方加重剂量。再诊时患者自言虽有下血，但腹大仍不见减，疑药力不济，又以上方加量再投之，3剂药服后患者流血量多，下大量葡萄样血块，后又流血不止，急来院内抢救，以补液输血后康复，险出大错。

年假归家，将此事告之曾祖，曾祖曰：“经云‘大积大聚，其可犯也，衰其大半而止’。此应衰其大半即应中止，破血之药不可尽剂，须知养正则积自除矣”。听祖之训，使吾方醒。

又于1967年遇一妇李某，38岁。18岁结婚，生2男1女，于两个半月前停经，停经后出现恶心呕吐，1个月后腹渐大，以为怀孕，近来腹大增快，并有不规则少量流血。患者以为流产，前来妇科“保胎”。经妇科检查定为葡萄胎，转中医科诊治。查病人，颜面浅黄，舌淡，苔白，唇淡神疲，呼吸匀，诉说自觉腹中无胎动。下肢轻度浮肿，腹部大如5个月孕，脉沉而紧，以桃红夏丹汤主之。处方：桃仁15g、红花15g、当归15g、白芍20g、地骨皮15g、夏枯草15g、牡丹皮15g，服1剂，药后下血量渐多，停前药以四物汤加参、芪3剂服之。在服药期间流下多量葡萄样血块，又以四物汤加参、芪4剂，流血渐止，腹大亦消，调理半月而愈。

1970年至1976年间，余又逢2例葡萄胎患者，均以前法治愈。

通过上4例患者治疗之成败，使余对《内经》之“大积大聚，其可犯也，衰其大半而止”之意义领会更深，并对曾祖“破血之药不可尽剂，须知养正积自除”之经验亦有更进一步的体会。

臌胀诊治一得

孙治光

臌胀相当于肝硬化之类。祖国医学认为，此病多由于肝病失治，湿热伤脾，肝脾失调，脾虚运化失职，肝郁则气滞，气滞则血瘀，络脉瘀阻，肝、脾、肾三经失调，水液代谢障碍而形成腹水。病久正气大伤，本虚标实，切不可滥施攻伐，损伤正气。宜缓施舒肝、健脾、化瘀、利水之法，辨证论治，斯为上策。患者曲某，久患肝硬化腹水，在各地治疗无效。于1962年1月求治于余。当时患者精神萎靡，面色晦黯，倦怠无力，胃脘痞闷，便溏，腹部高度膨隆，脐部外突，叩诊有移动性浊音，腹壁静脉曲张，尿少，脉象弦细。病属肝脾两虚，气滞血瘀，水湿内停。治宜补气、健脾、化瘀、利水之剂。以五苓散、五皮饮加补气、健脾、化瘀、利尿之药治之。久病必虚，故侧重补气健脾、处方：黄芪50g、党参30g、白术15g、薏苡仁15g、猪苓15g、大腹皮30g、茯苓皮50g、冬瓜皮50g、丹参30g、泽兰叶30g、红花15g，水煎服。以此方为基础，随症加用三棱、莪术、当归、泽泻、车前子等药，服药六十余剂，患者腹水完全消失，肝功能恢复正常，体力增进，容光焕发。追踪观察二十余年未复发，身体健康。

前医治疗多用攻伐峻泻之剂，以致正气大伤，欲速则不达。余引以为戒，以扶正为主，祛邪为辅，缓奏其功也。先师张方兴，师事张锡纯，对张氏肝脾病及水气臌等证治精究继承，尝以此示教于余。余师其旨，验之临床，果有桴鼓之应，今草此临证一得，以就正于同道。

青附金丹加味治肝积

胡永盛

肝积者，乃有形之物积在胁下，痛处不移，概属“癥瘕痃癖”之范畴。因其病位在肝，故名“肝积”。《难经》称肝之积为“肥气”。此病历来属难治之证。余临证多年，试用青附金丹加味治疗本病，获得满意疗效。恐为一得之见，权为引玉之砖而已。

青附金丹，原方出自清代王学权之《重庆堂随笔》，原方主治妇女癥瘕等证。余在此基础上加味，用以和肝理脾，化积止痛。曾治一男患姜某，以医为业。3 年前患右胁部胀痛，经某医院诊断为“慢性肝炎，早期肝硬化”，经多方治疗效果不显。余诊之，见其形体消瘦，面色晦黯少华，腹部膨隆，下肢浮肿，舌质淡，边际有少许瘀点，苔薄白，脉弦细，自诉右胁坠痛，食少腹胀，四肢乏力，不耐操劳，过累则痛剧。综观脉证，乃正虚邪实，肝郁脾虚，故拟和肝理脾、化积止痛之法。方用青附金丹加味，药物及制法如次：青皮（切）200g（以硝石 25g 化水浸之）、香附（捣碎）200g（以童便浸）、郁金（敲碎）100g（用生矾 25g 化水浸）、丹参（切）200g（姜汁浸）。上 4 味共研细末，醋黏丸，麻子大，晒干洒上阿胶水，摇令光泽。再用人参、当归川芎各 50g，白术、茯苓、制半夏各 100g，陈皮、炙甘草各 25g，上 8 味共研细末，以米饮泛在光泽小丸上为衣，晒干。用法：每服 9g，引用金银花、连翘各 9g（一日量）煎汤送下，日服两次，早空腹、晚睡前服。该患者服药两个月后，诸症大减，体力逐渐恢复，遂告痊愈。追访 5 年，未再复发。

本病初为气滞血瘀，久之正虚邪实，肝郁脾虚。初病在经，久病入络，络阻血瘀，生化失常，升降失调。病实人虚，殊难治疗。余以本方调治，旨在肝脾并治，攻补兼施。方中青皮、香附疏肝理气；郁金、丹参活血化瘀。四药协同，理气活血，行郁散结，以化其积。再以六君子补气健脾，培土益木，意遵仲景“见肝之病，知肝传脾，当先实脾”之旨，又以当归、川芎养血柔肝。八味药协同，共奏补益气血、和肝理脾、扶正培本之功。以其为衣，俾使药入胃时，不知有攻消之味，而正气留守无伤。待其渐化，则开郁之药已至病所而化坚积。诸药配伍，攻中寓补，补中有攻，潜移渐化，相辅相成。引用金银花、连翘，一者使湿热浊邪无法残存，以防脾湿胃热交蒸，壅遏气机，加重病势；二者清热益肝护阴，可防前药温燥伤阴。故久服无弊。

消磨丸治疗癥积经验谈

薄敬华

癥积病临床颇为多见，外表坚硬有形可征。多由忧思恚怒，气机逆乱而伤其内，复因寒温失调而伤其外。气逆寒凝，致使败血、痰、食留而不行，其积遂成。初则毫厘之积，久益增大，或如鸡卵，或如杯如盘。

余初业医，凡遇癥积之病，喜用攻积荡结之峻剂，希其速溃。痰食结于胃肠者，尚可一攻而效。若癥积踞于胃肠之外，用峻剂攻伐往往癥积不消而徒伤正气。业医既久，阅历渐多，始有所悟：凡癥积不在胃肠者，只宜消导渐磨，使其默化潜消，方为稳妥。拟“消磨丸”合温、补、攻、消于一炉，以治癥积，有癥消而正不伤之妙。其方如下：山楂120g、鸡内金20g、三棱10g、莪术10g、水蛭10g、虻虫10g、干漆10g（炒令烟尽）、半夏10g、枳实10g、陈皮10g、厚朴10g、党参30g、炒白术30g、茯苓15g、肉桂6g。山楂煮烂去核，余药共为细末，以楂肉加适量蜂蜜，和药末为丸，每丸9g重，每服1丸，日3服。

余用此丸治愈癥积颇多，亦无不良反应。尝治同里王氏妇，年四十余，患心绞痛（心电图提示ST段压低，T波广泛倒置）合并子宫肌瘤（约4cm×4cm×5cm），已3年余。因月经淋漓不断，渐致面色皖白、短气、心悸、不寐。久治不愈，深为所苦，因有冠心病而不能手术治疗。余嘱服此丸，并用八珍汤送服三七粉3g。连服月余，月经调匀。去三七粉，继服上药年余，子宫肌瘤消失，心绞痛亦愈（心电图恢复正常）。

用消磨丸治疗手术后肠粘连，腹痛日久不愈者，亦有良效。一姚姓男翁，年逾50岁，因肠套叠并发化脓性腹膜炎而行手术治疗。术后经常腹痛，时轻时重。曾因粘连性肠梗阻先后3次住院，梗阻解除后，仍腹痛不止。邀余诊治，嘱其服用消磨丸。共服8个月余，其病愈，随访3年无复发。

本方中三棱、莪术、干漆、水蛭、虻虫破血消癥，善能攻逐留滞之败血；山楂、鸡内金化积消瘀，善能磨化；枳实、厚朴、陈皮、半夏行气化痰，气行则结易散，肉桂大辛大热，可去寒凝，寒去则癥易消；党参、茯苓、白术益气扶正，与破瘀、消癥、行气、化痰之品伍用，使癥积去而正不伤。本方寓补于攻，癥积病而正不虚者，用之最宜。正气虚者，宜用八珍汤送服。服药期间，尚需调情志、节饮食、慎起居以和其中外。如此，气血和调癥症积日消，其病乃愈。

浅谈臌胀消水法

| 王文彦 |

臌胀病的后期，消水肿是一个很棘手的问题。此期，腹内有大量的积水，只用一般的行水药，很难达到目的，但使用一些峻猛利水之剂如舟车丸之类，也并非良法。因此时是邪气亢盛、正气虚衰阶段，再经峻下，积水虽可一时从大便排除，患者顿觉轻快一时，但病邪并未尽除，而正气又进一步耗伤，容易造成再度积水，使病情发展为补之不能、再泻不可的坏病。

笔者认为，体内的水液和糟粕，其排泄各有其道。峻泻利水，迫水从大便而出，终非正路，腹内积水虽一时减少，自觉腹水顿消，但实际上水道依然不通，水液可再度积蓄，所以此法并非治本。此期的治疗，仍然要从行水上着手，但要酌加有关血分药物和气分的药物。因为此时是臌胀后期，是气、血、水三者的同病阶段。

笔者应用自拟臌胀消水方，每每取得疗效。方药如下：水红花子 30g、苍术 15g、当归 20g、白茅根 30g、大腹皮 20g、防已 15g、槟榔 15g、黄芪 50g、茯苓皮 30g、荔枝核 30g、陈皮 15g、泽兰叶 20g、桑白皮 20g、砂仁 15g、蒲黄炭 20g。患者用药后，5～10 天尿量显著增多，2～3 周后腹水大减，1 个月后，可配成丸药继续服用，在 2～3 个月内，腹水消净，机体康复。这是一种通过行气活血而利水的综合治疗。如服上方两周后效果不显者，可加葶苈子 15g、杏仁 10g，开上以通下，效果尤佳。

温运脾阳治臌胀

| 吕永岐 |

臌胀一病，诸贤用攻逐水饮、活血化瘀、软坚散结、滋补肝肾、养阴清热等法治者多，而用温运脾阳法治者少。

脾为后天之本，得阳气之温煦，司运化之职，为脏腑气血运行的枢纽。脾气健运则营卫协调，五脏安和；脾胃一伤则气血虚弱，疾病由生。

臌胀或因气滞血瘀，肝气横逆犯脾；或因饮食不节，损伤脾胃；或因素体脾虚，中阳不振。临床见单纯肝气郁结者少，而木郁乘土或脾虚肝乘者多。肝木郁结横逆乘土，脾失健运，水反为湿，湿浊益甚，升降失常，三焦壅塞，加之肝血瘀结而成癥疾。所以主病在肝，受病在脾。“知肝传脾，当先实脾”，温运脾阳法意在温而不燥，运而不滞，使补而不腻，攻而不伐，中气斡旋得复，后天资生有源，癥疾可有转机。临床我常以人参、白术、茯苓健脾，用水红花子、大腹皮、急性子利水，配伍附子取其温阳且走而不守、内达外彻、能升降之功，配伍香附取其能解气郁、散血瘀，配伍陈皮取其性温能补能和、辛能散、苦能燥、调中快膈、导滞消痰，利水破癥、宣通五脏之功，皆为达温运脾阳之目的。对湿停不化，久而不愈之臌胀常获理想的疗效。

臌胀病往往虚实错杂，寒热并见，临床只有辨明寒热虚实，有无兼夹，寓温运脾阳于活血化瘀、软坚散结等诸法之中，方能达到治愈疾病之目的。

臌胀管窥

陈国恩

肝硬化腹水，是祖国医学臌胀之一种，为内科四大难证之一，病久缠绵，治之非易。《内经》谓“浊气在上，乃生䐜胀”是言其标；《诸病源候论》云“水毒气结聚于内”乃言其本；《景岳全书》曰臌胀“惟在气水二字足以尽之”等论，实有未尽之处。以愚之见，以气、血、水三字概之方为详尽。盖夫情志郁结则伤肝，脘腹胀满痞塞胁痛，气痛也；肝郁日久，气结血滞，癥积内生，血病也；气结血瘀，升降受阻，脾虚失运，水湿内蓄，肚腹日大，臌胀生焉，水病也。病之因由，始之于气，继之以血，终之于水，三者相因为患，临床仅表现为孰轻孰重、标本缓急而已。其病理表现也是以肝郁为中心，或肝脾俱郁，或肝脾俱虚，或肝郁脾虚。因理既明，治法随生。《金匮要略》云：“见肝之病，知肝传脾，当先实脾。”其治不外健脾扶正，疏肝解郁，通络逐水。吾常以自拟茯苓导水汤调治此病，疗效尚佳。

1965 年曾治一倪姓男患，4 年前患急性黄疸型肝炎，经治后黄疸消退，胁痛未止。后又因肝硬化腹水，脾功能亢进，于某医院行脾摘除术。术后患者腹水仍来消退，症状改善不明显，乃至大呕血住院抢救，脱险后转请余诊治。诊见其精神萎靡，语低息弱，双目少神，面色晦滞黯青，形容消瘦枯槁，腹大坚满，脉络怒张，小溲短赤，舌质淡苔黄褐，脉微细。乃肝脾肾三脏俱病，气血水互结，正气大亏，治以扶脾疏肝，通络行水法。方药：茯苓 50g、白术 15g、人参 15g、白茅根 100g、泽泻 10g、大腹皮 25g、川芎 10g、三棱 10g、莪术 10g、牵牛子 10g，水煎，日服 1 付；另用大戟 50 克、大枣 60 枚，先以水煎大戟，后入大枣同煎，然后弃大戟食大枣，每次 5 枚，日服 3 次。

患者服药 32 剂后，食大枣 960 枚，腹水消失，食欲正常。继以疏肝健脾法调理月余，诸症皆失，恢复工作，已十余年未再复发。

我临床五十余年，治此病常分三期，初期多以气实为本，治以疏肝为主，佐以健脾活血通络，以防肝病及脾，血络郁阻；腹水期，肝病蚀脾，脾气已伤，中焦不运，气机阻塞，正虚邪实，则在健脾疏肝的同时化瘀逐水，标本兼治；恢复期当以扶正为要，在健脾的同时，顾护肝胃之阴，常于方中加沙参、石斛之属，以防耗散胃气，且滋而不腻。

我早年初出茅庐行医时，每求成心切，以一攻为快，犯虚虚之戒，隐患早伏，常功败垂成。能于失败中总结经验教训，方可以为成功铺平一线之路。

臌胀治则浅议

张克俊

臌胀，俗称单腹胀，今之肝硬化腹水多属此病范畴。余在临床，遇肝硬化腹水多按臌胀治之。臌胀之因，多由肝脾肾三脏受病，气、血、水搏结中焦而成。臌胀有虚、实之分，虚者居多，或虚中有实，而其治则有攻、补之别。以余之见，应以补为首，攻为辅，可补二攻一，或攻补各半，或补中寓攻，少用逐水攻下之法为上。倘若孟浪从事，妄用大戟、芫花、甘遂峻攻逐水，言行利药，而取腹松半解，求一时之快，讨患家尝识悦目，其祸将至，适谓“三起三消，预备铁锹”。因臌胀之人，肝、脾、肾三脏皆衰，如若攻伐太过，更损脾肾，虚实相加，关门不利，其肿何以消之？余在治疗臌胀之时，遵“塞因塞用”之道，而多用温补脾肾、疏肝调气、化气行水之法，选用胃苓汤加党参、黄芪、鸡内金、柴胡、枳壳、香附、木香、焦三仙、白茅根等药，每每获效。

1976 年仲夏，王某，患晚期肝硬化腹水，住院 3 个月有余，经用保肝药、酵母、氢氯噻嗪等药治疗，其肿不消，病势渐进，其家抱有小望，邀余诊治。余诊所见：其人面色青而晦黯，体质消瘦，皮肤不泽，腹大如鼓，青筋显露，腹满而实，胸胁支撑而胀，伴有下肢浮肿，小便不利，大便稀薄，食纳甚少，舌质淡苔白腻，脉弦细而数。据此脉证，实为臌胀重证，此为脾气衰惫，转化运输失常，关门不利，水浊稽留中焦而成臌胀，虚为本病之本，故治以温补脾肾，行气利水，方用苍术、党参、黄芪、鸡内金、肉桂、茯苓、川厚朴、陈皮、白茅根、枳壳、川楝子、泽泻、焦三仙、白术等药治之；并告患者之妻，此病之治，难取速效，要守法守方，持之以服，少则1个月，多则数月，方能取效。其妻欣然同意我治，即用此方加减变通，服药近两月之多，其病大有起色。患者面色由青渐白，且有润泽之色，食欲增加，腹胀减轻，小便由少渐多，已如常人；大便由溏变干，其腹由硬变软，腹消似如舟状，胁下按之有肿块，几经调治，一切近如常人，唯有胁下肝脾肿块未消，继投软坚化瘀之药，虽治肿块未瘥，宿根犹在，嘱其回家继服疏肝健脾丸、散之药，注意调摄饮食起居，以逸待劳，汝可带病延年，其后又岁5载，胁下肿块突长而痛，谓之癌变，呕血而毙命。余治臌胀，主要是用温补脾肾，行气利水，令其渐消，正扶邪去，以期取得病除或带病延年之效。

臌胀证治

韩玮琳

肝病腹水是肝病常见的一种重危病证。《灵枢·水胀》说："臌胀……腹身皆大，大与肤胀等也，色苍黄，腹筋起，此其候也。"《金匮要略》水气篇："肝水者，其腹大，不能自转侧，胁下痛。"从而看出臌胀的特征，酷似肝病腹水的临床表现。肝硬化腹水一症，可包括在"臌胀"的范围之内。"臌胀"即腹大如鼓之意，由于病因和病机的不同，而有"气鼓""水鼓""食鼓""虫鼓"等名称。临床所见多因肝失条达、脾失运化、肺气不宣、肾关不利和三焦气化失常等引起，治疗当疏肝化瘀、通经活络、消胀化癥、利尿逐水、扶正健脾。肝病晚期，水邪不下，尤应健脾扶正。因肝之气血郁结不舒而横逆犯脾，脾土受尅则运化失常，清阳不升，浊阴不降，水谷精微不能奉养脏腑，水湿浊阴不能转输排泄，清浊相混，壅塞而成。其本为脾土之虚，其标为水湿之实。故治疗宜补益脾胃，运化水湿，标本兼顾，而关键在于健脾气，不在分利水湿。脾气振则水湿自能运化。朱丹溪云："单腹胀乃脾虚之甚，正气虚而不能运行，浊气滞塞其中，今扶助正气，使之自然健运，邪无所留而胀消矣。"治疗时需用"大剂量人参、白术佐以陈皮、云苓、苍术之类"，可见显效。

曾治一王姓病人，男性，53岁。腹胀已两月余，形体消瘦，倦怠乏力，面浮肢肿，纳食减少，两胁痞满，小溲不利，逐日加重。当地医院诊为"肝硬化腹水"。经用保肝及利尿剂治疗，效果不显，前来求治于中医。检查其腹胀大，青筋凸起，肝大肋下可及，腹部有移动性浊音，腹水征（++），肝掌（+），下肢浮肿Ⅱ度。肝功能化验报告不正常。查其脉弦细，舌淡苔白。病系脾虚湿盛，湿停不化，壅滞中焦，湿浊内聚而成臌胀。处方：党参20g、苍术10g、茯苓50g、泽泻15g、陈皮15g、桑白皮20g、神曲15g、大腹皮20g、草豆蔻10g、麦芽20g。以本方加减，约服二十余剂，患者腹水消、腹胀除。又以平胃散合四君子汤调三十余剂，以善其后。2年后病人路过相告，上次病愈后，身体无恙，再未服他药，现仍健在。

水肿用黄芪，效速不可疑

张续芳

自古用黄芪，其意在补虚，中满不可用，补之并非益。然而我在实践过程中，体会到遵古不能泥旧，此言意蕴幽深。仅就我所治疗过的一个属“阳水”证的病人为例，借以陈述其理。

时值秋末冬初，感冒流行，门诊将一急性肾炎合并肺感染的病人收入病房，查该患者面目、眼睑及全身，均现浮肿，咳逆喘急，倚息不得卧，喃喃诉说：口干不欲饮，食少便溏，小溲短赤，病已10多天，曾在当地以西药治之，未见疗效，故来哈就医。查其脉象沉滑，舌质紫暗、苔黄而少津。详审此患者，证属阳水，湿热壅盛为患。我以泻肺水为主，佐以活血为法。然重用黄芪100g，处方：葶苈子15g、黄芪100g、莱菔子50g、地龙25g、王不留行20g、益母草25g、车前子50g、大腹皮20g、黄芩20g、石膏20g。此方连服4剂，病情显效，患者可以平卧，腹胀消失，二便正常，纳谷增至日500g以上，双下肢水肿近于消退。继上方去石膏、黄芩，加白术20g，服6剂，病愈出院。

推想此方显效之理，贵在辨证用药。审此病，其水在胸腹、肌表等部位，本方的应用宜分辨水肿的部位，这与内脏发病机制有密切关系。方中葶苈子泻肺平喘；黄芪主治水在肌表。我认为黄芪实表，表虚则水聚而现肿胀，得黄芪助正气以开通隧道，水被外驱，肿胀可消；方中莱菔子主治腹胀，有理气之功，方书有载：黄履素见一味莱菔子通小便，诧以为养，盖不知莱菔子亦下气最速之物，服之即通者，病中气闭也。

其方再配地龙、益母草、王不留行，取其活血以助行水之效；大腹皮、车前子、黄芩、石膏，清热利小便。全方以泻肺行水为主，佐以清热活血；病情缓解无热时，再去其石膏、黄芩加白术，以助健脾利湿之功，借以维持疗效。

“养正邪自除”“邪去则正安”，对立统一不可各执一偏。上述的处方，正是遵循此法而配伍。

水肿病证治小议

|尤荣辑|

水肿之病，必见小便不利，非详问病因，辨证施治，否则难以奏效。乡里王老师，于长夏之季，阴雨之时，外出劳动，久卧湿地，病倒在床。全身浮肿，按之没指，小便不利，身重而倦，脘腹胀满，喘促气短，纳呆泛呕，苔白而腻，脉像沉缓。当即就医，给服利水药不效，遂延余诊治。是证大腹水肿，小便短少，气短喘促，神气虚弱，乃邪实正虚之候也。单服利水之药差矣。急以健脾化湿、通阳行水之法，投以五苓加味。药用白术、茯苓、猪苓、泽泻、肉桂、制附子、桑白皮、陈皮、大腹皮、生姜皮，水煎温服 8 剂，患者症状明显好转。原方化裁继服 18 剂，水肿全消，病告痊愈。

本患者之证乃为脾虚、湿盛，水溢肌肤。肾主水，脾制水，肺为水之上源，故水肿之病，当以肺、脾、肾三脏为主施治。《泰问·至真要大论篇》云："诸湿肿满，皆属于脾"。今病脾虚，水湿内聚，三焦决渎失职，膀胱气化功能失常，故小便不利，外溢肌肤，全身浮肿。脾气郁滞，故脘腹胀满，纳呆泛呕。水泛高源，肺气不利，故喘促气短。方以茯苓、白术、陈皮健脾利湿；以生姜皮、大腹皮、桑白皮、肉桂、泽泻、猪苓通阳利水；加少许制附子，温暖肾阳，助膀胱气化，使水利肿消，而病自已也。

水肿治验札记

|卢守谦|

患儿吕某，7 岁，高度浮肿，面部肿胀，上下眼睑肿如水泡，看人时须将眼睑分开才能看到。下颌肿如垂袋，伏于胸前，腹部肿胀如球形。脐突出于体表约 2cm。两掌向后支撑于炕上，才能勉强坐片刻。阴囊肿如皮球样，双下肢水肿，按之凹陷没指，致两膝关节不能屈曲。周身无汗，尿极少，点滴而下，喘促。其母代述，患儿罹病已半年，家居呼盟，先后在齐齐哈尔等地住院治疗未效。其父年已四十余岁，只此一男孩，恳求救治。诊其脉呈伏象，舌淡苔滑。此属脾肾阳虚，水湿泛溢而为水肿，遂投以五皮饮合五苓散加减内服，外用熏蒸疗法。将麻黄、桂枝、苍术、川花椒、细辛、防风、羌活、独活等药压成粗末，纳纱布袋中，置于经过煮沸立刻取出的热砖上。药和热砖都放在桶中，让

患儿坐在桶上，覆被，出汗。每日 1 次。经内服、外用药后，患儿身有汗出，尿量亦增加，浮肿减轻。十余天后遍身汗出，尿量大增，水肿完全消退。尿检查由开始时的蛋白（＋＋＋＋），转为（±）。后改用健脾补肾法巩固疗效。经过春、夏均感良好，秋后回家。1974 年我已调入齐市，患儿随其母前来告之，4 年余一直没有复发。

名医治肾炎 2 例

| 彭静山 |

在半个世纪以前，沈阳有两位名医，治疗肾炎，方法与众不同，简介如下：

肾炎在中医属于水肿一类。朱昆山治肾炎水肿，用白色药末一包，嘱咐病人买新鲜猪腰子一个，切一顺口，把药末装进去，用牙签插上，煮熟以后，连汤带猪腰子都吃下去。十有八九得到痊愈和显效。

彼时的风尚，对临床经验，尤其是秘方，互相保守，绝不轻传，以保持个人的专利。有一位聪明的中医，介绍一位水肿病人上朱昆山那里去看病，指名要同猪腰子一起吃的白药末。买回来以后，这位中医经过辨认，白药末就是甘遂末，对症使用，效果很好。从此朱昆山这个秘方就变成了公开的秘密。

中国医科大学第一附属医院第二病房一名经西医确诊为慢性肾炎的病人，水肿十分顽固，经中西医使用很多疗法均不见明显效果。乃请名中医马二琴教授会诊。马老仔细诊断后，处方为六神丸，每次 10 粒，每日 3 次，闻者惊异，或认为不伦不类。然而，服之数日，患者水肿全消，霍然而愈。同道以为奇闻，马老解释说，“病有刚柔之分，刚病则刚治，柔病则柔治。此人宜用刚病刚治之法。解毒最快者，莫如蟾酥，性烈有毒，为治刚病之药。此人病虽日久，而身体夙强，由长脉可知，更兼洪数，热毒已深，六神丸以蟾酥为主，且有牛黄等清热解毒，1 日数服，使药力相接，病毒一去，其病自愈。有医生问刚柔辨证的出处，马老说：“出自《灵枢·寿夭刚柔》，张景岳《类经》注刚柔辨证颇详，宜熟读深思。”

真阳虚衰与硫黄

| 钟育衡 |

真阳也叫肾阳，或称命门火。它有两个重要功能：一是温煦和激发脏腑的

作用；一是将肾水蒸腾化气敷布周身的作用。真阳虚衰，一般临床表现为形寒怕冷、四肢不温、头晕、耳鸣、面色青白、舌质淡、脉沉微等。真阳虚衰临床上可分许多类型，其中真阳虚衰阴寒内盛虽不多见，却常为顽固疾病。

1934年，我治愈1例真阳虚衰阴寒内盛病人。患者朴某，男性，40岁，朝鲜族。病人以耕种水稻为生，久经冷水浸渍，寒湿入里，真阳暗耗，30岁左右患有腰以下寒冷透骨，皮衣重裘不能使其转温，而且炎夏伏暑也离不开毛衣棉裤，结婚多年无子。经许多医生诊治，服用大量附子、肉桂、鹿茸等药物，效果不明显。求我诊治时，病人腰以下（包括阴部）扪之冰手，舌质淡，苔薄白，脉沉缓无力。余以为这便是真阳虚衰阴寒内盛之证，当以火中之精——硫黄治疗为宜。拟硫黄、续断、杜仲3味共为细面，日服1次或2次，凉开水送下。方中以硫黄为君，温补真阳；续断、杜仲为臣，补肝肾兼通经络。先后治疗70日，共计服硫黄235g、续断192g、杜仲192g。病人由好转渐至痊愈。次年又生一男孩。硫黄为热性有毒药物，一般为外用，很少内服，治疗真阳虚衰阴寒内盛之证，内服硫黄胜过其他药物。硫黄内服应该从小剂量开始，逐渐加大。

硫黄内服不可入煎，面服为宜。此药气味特殊，应向病人说明，鼓励病人坚持服用，服药后，大便稍稀，此外，未发现其他不良反应。

真阴不足治验

|钟育衡|

1945年治疗1例真阴不足证。患者姓王，39岁，1年内流产3次。3次流产有一个相同的过程，怀孕后40天左右便终日骨蒸发热，神疲身倦。先后请几位医生诊治，服用许多寒凉药物与养血安胎药物。治疗后患者病情非但不减，反而加重，逐渐发展到病人身无半缕，裸体躺在土地上，以求借土地之凉，缓解骨内之热。直到孕后两个多月流产，疾病才不药而“愈”。

第4次妊娠近40天，患者又出现骨蒸发热，来请我诊治。当时，主症是形体瘦弱，似睡非睡状态，面色微红，身似壮热，皮肤不热，脉象沉细滑数，舌质深红，少津，无苔。余认为这是真阴不足之证。

本例真阴不足的原因，考虑有两条：一为平素阴虚之体；二与妊娠有关。两者是相互联系的。原本阴虚，多次妊娠进一步消耗阴血，阴虚加重，胎儿失去生长发育的物质基础，造成连续流产，更加耗伤真阴。

参考前车之鉴，用寒药热不退，正如《内经》所说的“诸寒之而热者取之阴”的真阴虚证。病人似壮热而皮肤欠温；但有欲寐，无神昏谵语；脉沉细滑数，不见洪大；舌红无苔，没有黄苔芒刺。这些症状也证明是阴虚之象。真阴不足，阴阳不相平衡，因而产生骨蒸发热。此热乃是由于真阴虚，非寒凉药所能取效，只有大补真阴，才能达到治疗的目的。于是取大补阴丸化裁：大生地黄50g、大熟地黄50g、盐黄柏25g、盐知母25g、炙龟甲60g、炙鳖甲50g、山茱萸15g、枸杞子15g。

方中龟甲能通任脉而滋养真阴，鳖甲可达肝血且清除虚热，两味又具潜阳作用，使阴阳达到平衡，在本方作为君药。然而两药又能破积、消癥、软坚。为了避免伤害胎儿，据古人“久煎取其味，可增强补益功效；轻煎取其性，能加强行散作用”的经验，采用了先煎龟甲、鳖甲两小时，再下其他药物煎半小时，取汁，分两次温服。

服1剂，病人热势稍减，能够正常穿衣盖被。又服4剂，热尽退，精神好转，饮食增加，直到足月分娩，没有出现异常现象。生一男孩，身体壮实，聪明伶俐，没有任何先天疾病。

攻补交替治水肿

|金　友|

“开鬼门、洁净府、去菀陈莝”，是治水肿之常规大法。解表散湿，温阳利水，调脾肾，逐水邪中医皆懂，但由于水湿之邪留恋日久，病久不愈，其证难辨，用方难选。临床上尤其对高度浮肿、胆固醇高、大量蛋白尿、低血浆蛋白患者，西医谓之慢性肾炎肾病变型。对初病在脾肺，腰以上肿者用五苓五皮饮；对表邪未解气虚者用防己黄芪汤；对病中多偏脾肾阳虚水湿泛滥，腰以下肿者，方用真武汤、胃苓汤、实脾饮、金匮肾气丸之类；对疾病末期本虚标实、水湿阻络、病情错杂、治本无权、通利无能者，按常规治疗效果不著者，而采取攻补交替之治，可收奇功。

3年前有一男患者，年方25岁，自述幼年罹患肾炎已治愈。近1个月来，因着凉而出现颜面及全身浮肿，腰酸尿少，腹胀纳呆，西医诊断为慢性肾炎肾病变型，予以激素和利尿剂治疗，效果不著。求治中医，诊其脉沉，舌体胖大，苔白而腻，身肿按之如泥，投实脾饮加减治疗，药用：茯苓、白术、川厚朴、大腹皮、草果、木香、木瓜、附子、干姜、泽泻、生姜皮、大枣，水煎服。服用半月效果不显，且浮肿越来越重。患者头晕身倦，腰痛腹胀，食纳欠佳，气短懒言，尿少畏寒。拟投真武合肾气汤加减，但患者的病情仍不见好转，且从西医角度看已经出现肾功不全。余无奈之际想起《证治准绳》中沉香琥珀丸的用法，方书说：沉香一两五钱（另研），琥珀（另研）、杏仁（去皮尖炒）、紫苏、赤茯苓、泽泻各五钱，苦葶苈（隔纸焙），郁李仁（去皮）各一两五钱，陈皮（去白）、防己（酒洗）各七钱五分，研细末，炼蜜和丸，如梧桐子大，麝香一钱为衣，每服二十五丸，加至五十丸或百丸，空腹时热汤送下，虚者加人参汤下。鉴于此患者正虚邪实，想用此方一试。但我药局无此丸药，乃取其意用：沉香5g、琥珀5g、杏仁15g、紫苏子15g、茯苓50g、泽泻25g、葶苈子15g、大腹皮15g、大黄10g、陈皮15g、防己15g、牵牛子10g。水煎服，每日下午服。上午用人参50g煎汤频服，两方如法交替，3天后患者尿量大增，水肿渐退，腰酸、头晕、腹胀减轻，接着改用先服人参汤3天，再服上方（改称沉香琥珀饮）3天，如此反复交替用半个月，浮肿全消，症状好转，另拟调理。

上述方法曾给数例顽固水肿病人用之，每每见效。我的体会是：单独用人参煎汤取独参汤之意，和沉香琥珀饮交替服用，较人参混合他药同煎效果要好。目前西药用利尿剂尚主张联合、间断、交替使用。如对血浆蛋白低患者，先纠正血浆蛋白，再用利尿药方可奏效。我们如此用药与西医有异曲同工之妙。水肿之病该攻该补，主要根据邪正盛衰、标本缓急而定。虚者补之，实者攻之，理论易晓，用药难遣。世间治水肿多愿标本兼顾，虽理法方药稳妥，但收效较缓。医者艺也，用药如用兵，用药亦要讲究艺术，攻补交替应用，如用之得法，其妙无穷，其效可观矣。

黑丑丸治水湿型肾炎

|唐致平|

肾炎所引起的浮肿属于中医水肿范围。急性肾炎和慢性肾炎急性发作大部分属于水肿病的“阳水”。阳水中又分为风水型与水湿型两种。本文只浅谈水湿型证治。水湿型证见肢体浮肿，按之有明显凹陷，甚至如按泥中。指痕缓缓消失，小便不利，身体困倦，舌质胖嫩，苔白腻，脉沉缓。甚者水湿久聚，出现胸闷腹胀，小便短赤，大便干结，尿闭，或伴气喘，卧则呼吸困难。脉象沉实，舌苔黄腻。病势已急，但正气未衰者，可按急则治标之原则，采取逐水及利湿交替之法治之。兹就我院以自制黑丑丸所得疗效及其处方配制方法介绍如下：炒黑牵牛子100g、盔沉香5g，共研细末，生姜汁（用鲜姜去皮切成小块，用粗布拧取汁）15g、红糖150g、蜂蜜200g，炼蜜为小丸，每服15g。一般服后两小时排稀便3～5次，以后即可泻水，势如暴注，浮肿得以迅速消退。不泻者

服药如前法。得水泻后，小便亦往往随之畅通。当浮肿消退接近正常时，按“衰其大半而止”的法则，给以胃苓汤扶脾利湿调理。倘病人不泻水便，只泻稀便，则停服，改方治疗。

女患者李某得肾炎，经用中西两法治疗未效，发汗利水法多次用过，不但浮肿未消，腹反胀甚。此时化验尿：蛋白（++++）、红细胞（+）、白细胞（+）、颗粒管型（+），水肿较甚，再用前方发汗、利小便已不济事，只有先行通下以逐水，随治随调补，可望治愈。

此为水湿壅盛所致，乃以自制黑丑丸给患者服之，每次服15g。服药3次后，患者先泻稀便，继而水泻如注，经1天后，浮肿消失，腹部柔软如常，已无胀闷之感，但觉疲乏无力，可喜的是小便亦随之畅通。又按衰其大半而止的法则，给以胃苓汤扶脾利湿以调之。以后二药酌情服用，经半月的治疗，患者之症状、体征完全消除，尿检正常，痊愈出院。以后随访3次，病未复发。

水湿久聚之证，用下法往往收到显效；如只利小便，往往适得其反而尿闭更甚。因病邪盛，常导致肾功能减退，不能发挥其化气行水作用，泻大便正是因势利导，水湿由肠道排出体外，不仅浮肿很快消失，肾主水之功能亦得以恢复，小便亦畅通矣。

用解毒煎治疗慢性肾功能衰竭

王铁良

慢性肾功能衰竭，亦称尿毒症，是西医病名。究其病机，多由脾肾虚损、阴精阳气失其常度而致。脾肾虚损则运化失职，开阖失司，机体水液代谢失常，湿浊潴留体内，壅塞三焦，气机升降受阻，清浊相混，于是诸症蜂起。又阴精阳气失其常度则津聚为痰，血滞为瘀，或湿浊羁留，郁久化热，也可成痰动风，或形成浊、瘀阻滞，或热窜营血等多种复杂之病变。总之，本症的病机虽然复杂，但总不外乎“正虚”和“邪盛”两个方面，故在治疗时宜分清标本缓急，然后本着“治标当急、治本当缓”的原则予以施治。对于这类病人，特别是对于一些危重患者，由于水毒湿浊潴留（氮质及其代谢产物潴留）已成为危及病人生命的主要矛盾。因此，如何尽快使水毒湿浊排出体外，乃是治疗本病的关键。笔者在临床上多采用解毒煎加减治疗此病。解毒煎是由王清任解毒活血汤化裁而成。方中桃仁、红花、赤芍、当归、丹参等活血化瘀，可使机体微循环得到改善，肾脏血流量增加，被损害的肾组织可有不同程度的恢复。大黄、伏龙肝、半夏等寒温并用，以通降为主，可使水毒湿浊排除体外，且能改善胃肠道的症状。益母草功擅活血、又能利尿，与大黄及其他活血药并用，可进一步增强活血化瘀之功效。再辅以红参扶正、益气养血，共收泻而不峻、补而不滞之功。临床上，使用本方加减治疗尿毒症，凡属于肾功能衰竭早、中期，肾功能尚有一定代偿能力者，均可获得显著效果。笔者曾用解毒煎加减，先后治疗二十余例尿毒症病人，结果大部分患者症状缓解，血肌酐及尿素氮明显下降，贫血状况亦有显著改善。说明本方确有排出“毒性物质”，改善并恢复肾脏功能的作用。

蛋白尿治疗琐谈

| 王铁良 |

慢性肾炎蛋白尿的产生，从中医理论分析，主要是脾肾两虚所致。因为肾的主要功能之一是“主藏精”，在正常情况下，只有肾气足精气才能内守。如果肾气虚则固摄无权，肾失封藏而精外泄，这是临床上形成蛋白尿的一个因素。另外，脾气虚则统摄无权，这是形成蛋白尿的又一个原因。由此可见，慢性肾炎蛋白尿的产生和脾肾两虚是密切相关的。因此，中医在临床上治疗蛋白尿，常常是离不开健运脾气或补益肾气两大法门，或者是健脾补肾并用。临床上慢性肾炎肾病型，水肿消退后，大量蛋白尿依然存在，水肿亦易反复发作。根据中医辨证分析，此类病人属脾肾两虚，故治疗时宜培补脾肾、益气利尿。处方多用以黄芪为主的复方，如用清心莲子饮化裁或复方黄芪膏（系大量黄芪和龟胶、鹿角胶、鱼鳔胶熬炼而成）治之，结果多数病例蛋白尿消失或明显减轻。尤其值得一提的是黄芪对提高血浆蛋白、消除蛋白尿，效果更为明显，笔者曾先后观察了近百例慢性肾炎患者，经用以黄芪为主的复方治疗后，血浆蛋白皆有明显上升，蛋白尿也多数减退或消失。如患者王某，患慢性肾炎肾病型，面色㿠白、脉细弱、腰酸膝软、倦怠乏力，尿蛋白（+++）。中医辨证属脾肾不足、气血俱虚，首先给以十四味健中汤加减，补气补血、益火培土，病情好转后，继用清心莲子饮化裁，方中大量使用黄芪，经过一个阶段的治疗，蛋白尿消失，面色红润、脉搏有力、食欲增加，最后痊愈出院。追访 3 年，一直很好，现已恢复重体力劳动。值得注意的是，临床大量应用黄芪时，必须限于气虚受补者，如果慢性肾炎肾病型患者，水肿消退后余湿逗留、湿郁化热而成湿热内恋者，就不应大量使用黄芪了。此时必须按照中医的理法方药，予以辨证施治，给以清热利湿之剂，症状多会逐渐减轻，蛋白尿、血浆蛋白亦会随之好转。

另外，黄芪药性偏温燥，由于病人的个体差异及病情程度不同，有的患者在长期服用黄芪的过程中，容易出现咽干、口燥、食欲不佳等阴虚内热现象。笔者体会，临床上如遇到这种情况，应立即减少黄芪用量，并于原方中加入金银花、连翘、生地黄、玄参、麦冬、黄连须等滋阴清热解毒之品。

用葶苈大枣汤经验谈

| 张谦卿 |

一位年仅 26 岁的急性肾小球肾炎并发心功能不全患者，全身高度浮肿，腹膨大，呼吸急促，不能平卧，不欲进食。视其形，壮而强。诊其脉，应指有力而极数，大便秘结，小便不多。按中医辨证，当是水气冲肺犯心的实证。但余辗转思参，不能定方。余认为当遵中医的辨证论治，不囿西医“衰竭”之说，乃处葶苈大枣汤加禹功散。葶苈子用量 30g，采用猛药缓进法。定方时，一些中医同道提出异议，衰竭之证而予猛攻，岂不加速其死亡？我亦忐忑不安。患者进药后，泻水甚多，自觉舒爽。次日肿势大消，知饥求食，余乃继用原方，减半其剂，调理月余，患者痊愈出院。

中医、西医是两个不同的理论体系，欲使二者融合为一不是一朝一夕之事，欲速不达，不要牵强附会，勉强结合。现代中医应该学习现代科学知识，但在目前阶段还应该突出中医特色，要有整体观念，要辨证论治，运用四诊，明确理法方药。

蝉蜕浮萍汤治风水

| 龙景云 |

风水因风邪外袭肌表，肺气失宣，不能通调水道，水湿流溢肌肤而成。证见眼睑浮肿，继则全身四肢皆肿，来势迅速，肢节酸重，小便不利，发热恶寒。治宜发汗解表，宣肺利水，使水湿之邪从皮肤而出。临床使用蝉蜕浮萍汤治疗此类疾患，往往应手取效。本方为蝉蜕 15g、桂枝 10g、汉防己 15g、大腹皮 15g、陈皮 25g、生姜皮 15g、车前子 20g、泽泻 15g、木通 15g、益母草 15g。方中蝉蜕、浮萍、桂枝发汗解表，行水消肿。生姜皮、泽泻、车前子、木通、防己、坤草利水消肿。大腹皮、陈皮行气利水。本方药性平和，对风水初起、寒热区别不太明显的患者用之较宜。若偏寒者，舌质淡红、苔薄白、脉浮紧，宜

加麻黄发汗解表利水。若偏热者，舌尖边红、苔薄黄、脉浮数，去桂枝加石膏辛寒清热。若咽喉红肿疼痛，去桂枝加金银花、连翘、牛蒡子清热解毒利咽。若小便不利、水肿明显，加茯苓皮、西瓜翠衣利水消肿。若热重伤阴，见口干咽燥、舌质红，加生地黄、玄参养阴生津。若咳嗽喘促，加麻黄、杏仁、双皮宣肺止咳平喘。若表虚卫阳不固，见汗出恶风，加黄芪益气固表。若头晕，加夏枯草、菊花平肝潜阳。同时，注意防寒保暖，低盐饮食，禁忌辛辣刺激之品，避免过度劳倦，禁止房事，减少精神刺激，则本病很容易治愈。

水肿证治随笔

王美君

水肿一症，古今治法颇多。余曾治呼兰县谷某，59 岁，素有腰痛病。30 年前在部队时，经常夜行军，渴饮凉水，坐卧湿地，其后周身出现浮肿。在部队医院检查，诊断为急性肾炎，住院治疗一个多月，周身浮肿消退而出院。1975 年秋，在田间冒雨劳动时，不慎着凉，周身再度浮肿，虽经治疗，仍时好时坏。至 1983 年春，全身浮肿与日俱增，行走困难。经西医诊断为慢性肾炎，氮质血症（尿素氮 160mg%）、尿毒症，合并早期肺水肿。

余诊之，见其咳，喘不能平卧，频频咯吐白色痰沫，头面及眼睑浮肿，状如满月。肚腹肿大如釜，按之如囊裹水，双下肢浮肿光亮，按之凹陷如泥。诊其脉，沉弦而细数，视其舌质稍赤，苔微黄而干。病人喜着衣被，自诉心中烦闷，气短，腹胀满，肢节酸重，小便短少，口渴，不思饮食，大便干燥，4 日未行。余诊毕，断曰：此为肺水同胃家实、合病是也。综观病人，患水肿病，日程较久，肺、脾、肾三脏深受寒湿、气血津液耗损，当今病人喘咳吐沫，不能平卧，二便又不通，邪无出路，实属危重之症。倘若仅以疏表宣肺，通调水道，利小便之法，病人津液已亏虚，大便燥结，此法不可。如若以其阳明腑实而攻泻，肺水仍不能清。肺气不宣，不能通调水道，小便仍不通，此计亦不成。此时，唯有开肺气，泻肺水，通腑推陈，双管齐下，方可解救病人肺喘、胃实之急证，遂投以自拟葶丑大黄大枣汤治之。方中有：葶苈子 20g、牵牛子 20g、大黄 15g、大枣 8 枚。煎煮取汁，日服两次。1 剂后，病人二便通利。两剂后，病人咳喘、咯吐水沫显著减轻。3 剂后，病人肚腹平坦柔软，唯脚微肿。后改用党参、白术、茯苓、山药、熟地黄、当归、杜仲、巴戟天、草果仁、佩兰，以补肾益气，醒脾化浊调治两个月，病人已能下床，生活自理。经多次复查其尿素氮，都维持在 50～60mg%。

此例水肿病，出现寒热错杂，虚实并见的复杂证候，若一味攻邪而不扶正，便有虚虚之弊。若专扶其正，则邪不能解。笔者根据这些特点，按着祖国医学辨证施治的原则，急则治标，缓则治本，故而奏效。

治脾胃以扶肾生血 |张 琪|

《灵枢·营卫生会》篇谓：“中焦亦并胃中，出下焦之后。此所受气者，泌糟粕，蒸津液，化其精微，上注于肺脉乃化而为血，以奉生身，莫贵于此”。此论中焦为主要的生化来源。盖脾胃为后天之本，脾司运化，胃主受纳，脾气升则精气游溢，上输心肺；胃气降则浊气下行，脘腹冲和。脾胃一升一降，气机通调，化生营血，滋养周身，所以不病。若脾阳不振，则运化失职，湿气弥漫，胃气不能下行，浊邪停滞，不能化生气血，故见面色萎黄，言语轻微，四肢倦怠，食少纳呆，脘腹胀满，脉象细弱等症。

慢性肾功不全氮质血症，常出现上述症状，如面色萎黄，爪甲淡，呕恶欲吐，脘胀纳呆，四肢乏力，皮肤干燥，便溏、尿少，或便秘、尿色清白等。中医辨证为脾阳不振湿气弥漫，胃失和降之证。余治疗此病，根据急则治标，缓则治本原则，如湿浊上逆，胃失和降，标证甚者，先以芳香化湿浊之品，如草果仁、藿香、紫苏、苍术，厚朴等。若湿浊化热，则与苦寒降热药合用，如黄连、黄芩、茵陈等，甚至可加大黄以泻热。迨湿浊下降，呕恶脘胀消退，尿素氮值下降，舌苔转薄，而以贫血为主要矛盾时，再根据脾胃为气血生化之源理论，以六君子汤加当归、白芍治之。六君子汤为补脾胃中和之剂。所谓中和，即不燥热伤阴。因慢性肾功不全虽多属脾胃阳虚，然日久阳损及阴，亦耗伤阴液。此方妙在既补脾胃，又不伤阴。加入当归、白芍润以补血，酸以敛阴。余用此方治肾性贫血，确有一定疗效。用一个时期后，患者食纳增加，全身有力，血红蛋白明显改善，肾功能有不同程度之恢复。

寒热真假辨 |南 征|

《景岳全书》曰：“寒热有真伪者，阴证似阳，阳证似阴也。盖阴极反能燥热，乃内寒而外热，即真寒假热也；阳极反能寒厥，乃内热而外寒，即真热假寒也。假热者最忌寒凉；假寒者最忌温热。察此之法，当专以脉之虚实强弱为主。”此说实为真理。吾在临床遇一男性患者，入院时发热，尿少浮肿，下肢为甚，按之没指，舌质淡红，苔黑润，脉大而无力略数。故吾投两付寒凉之剂，以金银花、连翘、蒲公英、紫花地丁为主，佐以利湿之品，服药后患者病情丝毫无好转，反而高热加重，头痛自汗，四肢发凉，腰酸膝凉，舌质红苔黑滑润，脉洪大无力。故请吾师会诊。师曰：“该患者发热为真寒假热也。何以知之？细察该患者口虽渴而不欲饮，身虽热而喜用衣被覆盖，苔虽黑但滑润，脉虽大但按之无力，还有四肢发凉，腰酸膝凉，均为肾阳不足之征兆。不知真象，妄投寒凉，病情必然加重。”师又曰：“该患者肾病日久，水毒内陷，阴盛阳衰，寒盛格阳，阳浮于外而发热，急当八味之类，倍加附子，填补真阳，以引火归原，但使元气渐复，则热必退矣，而病自愈。”并投一处方：熟地黄 15g、山茱萸 25g、牡丹皮 5g、茯苓 15g、泽泻 5g、白术 15g、淫羊藿叶 15g、巴戟天 5g、砂仁 15g、益智仁 5g、附子 15g、柏子仁 10g，水煎服，日 2 次。上方服后其病霍然见效，发热消退，浮肿尽消，尿量增加，诸症悉减。共服 16 剂，痊愈出院。

“吃一堑，长一智”，实践使吾深知：凡治人病，必须辨证，寒者当温，须审其不当温者；热者当清，须审其不当清处，所谓“独处藏奸，最宜仔细者也。

补肾阳壮命火与治蛋白尿

| 韩忠林 |

癸亥年初夏，治一朝鲜族 8 岁男孩。其母代诉，1 年前曾因全身浮肿，尿少，而于某医院住院治疗长达半年之久。住院期间浮肿已消大半，唯蛋白尿不消失。回家后又请当地医生治疗月余，病情仍不见复转。遂由其母携带来县城请中医诊治。适逢我在门诊，患儿面色㿠白，虚浮，脸胖成圆形，两眼眯成一条缝，酷似小“胖官”。口唇淡红，舌体胖嫩，舌苔白，脉沉细。双下肢浮肿，按之不起。患儿背部怕冷，四肢欠温，至夏尚不能脱去棉衣。追问病史及治疗情况，方知住院期间曾服用大量激素。经化验尿常规，蛋白仍是（＋＋），患家要求把患儿的浮肿及蛋白尿治好。我暗中思量，治浮肿尚可，消除蛋白尿我实无成法，更无专方。中医治水肿病，常法不外“开鬼门，洁净府，去菀陈莝”，故先以防己茯苓汤加白术、泽泻、车前子，水煎服 4 剂，以取健脾利水之效。1 周后复诊，患儿浮肿减轻，检尿蛋白（＋＋），又以原方稍加变动再服 4 剂。三诊，患儿蛋白尿仍不减。此时我心中实无主见，遂去请教我县名老中医王东林老师。王老问过病情，思考片刻，笑曰；“水肿病与肺脾肾三脏关系密

切，尤以肾为本，久病必损及肾。脉症合参，此证以肾阳虚命火衰为主，不补肾阳、不壮命门之火取效难矣。”余遵师意，选《伤寒论》附子汤合真武汤加减化裁。考附子汤证《伤寒论》中有“口中和，背恶寒”之论述，此为肾阳虚见证。而真武汤证为少阴病，内脏虚寒，下焦不能制水，其有温阳导水之功。两方合用，可起到助肾阳、温阳、利水之效用。处方：人参 10g、白术 15g、茯苓 15g、生姜 7.5g、巴戟天 20g、仙茅 25g、附子 7.5g、肉桂 7.5g、山药 20g、泽泻 10g、淫羊藿叶 15g，水煎温服。4 剂服尽，患儿颜面及下肢浮肿已有减轻，唯背部尚有恶寒感，检尿蛋白（ + ）。家属对所取得的疗效颇满意，更增强了我的信心。效不更方，按原方又服 6 剂。10 天后患儿来诊。全身浮肿已消退，恢复了本来面目，背部已无恶寒感，并换上了夏装。化验尿蛋白竟转阴性。为了巩固疗效，又以此方配料药 1 剂，令其每日早晚各服 2.5g。连用 1 个月后患儿病情稳定，化验尿常规仍是阴性，暑假过后已愉快地上学。

处方易，求效难

郑鉴明

处方易，求效难。难就难在这“辨”字上，既要辨阴、阳、表、里、寒、热、虚、实，又应辨脏腑、气血、经络之所属；上辨天时，春、夏、秋、冬、二十四节气，下察地理上的南北迥异；药物分升降、浮沉、寒热温凉，人体有老幼妇孺，体质有肥瘦强弱。辨之不清，虽出仲圣名方，未必奏效，药如人参、黄芪、羚羊角、犀角，反足误人。所以，不辨证审因，得千方无用；究其辨证，拟方则效。

余在临床诊一青年，婚后不久，患阳痿之疾。前医不加分辨，认为阳痿均系肾虚，初则用六味地黄之类以滋其阴，不效，继用人参、鹿茸、肉桂、附子、巴戟天之属以助其阳，耗资数百元，愈治愈痿，乃至病情加重。

乞治于余，辨证求因，乃系汗后入河沐浴，是夜即病痿，辨为湿热为患，以清热利湿立法，药仅 5 剂，费不过数元，患者即恢复正常。

另一男患者，患慢性肾小球肾炎，重度胸水、腹水。前医温阳利水，尿量甚少。西医议将穿刺放水。邀余会诊，观之舌有瘀点，胸腹有紫斑；切之脉细涩，辨为瘀血为患。投以祛瘀利水之剂，服药 3 剂，胸腹水退尽。8 剂后，尿蛋白由（ + + + + ）转为（ + ），管型由 1 ~ 2 个转为 0 ~ 1 个，经治月余而出院。

理气化湿治肿胀

|阎纯义|

马志教授乃我省医界名老，以治内科、妇科疾病著称。且博学多识、精通经书，临床经验极为丰富。余有幸从其学之，获益匪浅。尝与马师门诊，见1例35岁女患者自述两年前产后因饮食不节而腹泻，每日三四次，后即面浮肢肿，脘腹作胀，纳呆食少，心悸多梦，恶心呕逆，腰痛，恶寒肢冷，体重乏力，大便时秘时溏，小便正常，白带量多。屡经中、西医以利水方法治疗，非但罔效，诸症反剧。诊见：其面色萎黄虚浮，形体外肿内胀，舌质红，体胖大，边有齿痕，苔白腻，脉沉弦缓无力。余认为：此证为水肿之脾阳不振型，应用利水之剂治之。以询马师，马师曰："汝岂不知经用利水之剂不效，再用何以收效。此乃卫气不宣，郁结内陷。"拟用理气化湿、健脾和肝养血之法。方宗二陈汤、越鞠丸、当归芍药散三方化裁治之。方见：紫苏10g、陈皮10g、木瓜10g、香附10g、当归15g、川芎10g、山药25g、茯苓15g、泽泻10g、半夏15g、菟丝子15g、川续断15g、杜仲15g、枸杞子15g，水煎服。服药3剂后，病人面浮肢肿、脘腹胀满等症基本消失，全身轻快。舌质略红、舌体较前为小，齿痕基本消失，舌中。及根部仍有白腻苔，脉有和缓之象。效不更方，又服8剂。病人饮食增加，全身有力，诸症悉除。

本例虽然经中西医治疗近两年，其用药多为利水之剂：肿胀未消，其病反剧。马老认为："产后气血大伤，又病腹泻，以致卫气内陷不得外达。"《灵枢·本脏》说："卫气者，所以温分肉，充皮肤，肥腠理，司开合者也。"卫气内陷不得外充，肌腠盲膜无以温煦，湿浊因而留滞。故外现面浮肢肿，内则脘腹作胀，纳呆呕恶。卫气郁结而内陷，脉沉弦，缓而无力为脾失运化，气血亏虚之征。故治以理气，用紫苏、陈皮、香附以畅郁滞内陷之卫气；佐以化湿之茯苓、泽泻、以驱内外留滞之湿浊；半夏降逆消痞以止呕；木瓜袪湿和肝；当归、川芎和营通络；更有菟丝子、杜仲、枸杞子、川断益精血、补肾气，且除腰痛；山药健脾益气以助生化之源，标本兼顾而达痊愈。

水毒证治疗一得

|范国樑|

水毒证，为水肿病恶化的一种临床常见危重证候群，首见《诸病源候论》。

以高度水肿或不肿，颜面苍白或㿠白，头晕，乏力，身痒，恶心，呕吐，纳呆，甚或腹泻，便黑，齿、鼻衄血，口淡臭味为特征。多因水肿失治，水毒湿浊之邪壅聚于上，伤及于中，下损肝肾以致邪毒弥漫于机体内外，导致肺气衰于上，脾气败于中，肾绝于下而成。其病位主要在肾。盖肾为性命之根，肾衰则命火熄，命火熄则相火不发，则五脏六腑皆衰，故为一种全身性恶候。死亡者居多，幸存者亦有之。

余以解毒复肾汤用于临床，效验可喜，以供参考。药物组成：羚羊角 3g（单包煎服）、木贼 50g、石斛 25g、土茯苓 200g、生白茅根 100g、杏仁 15g、砂仁 15g、佩兰 15g、当归 20g、麦冬 15g、枸杞子 25g、薏苡仁 100g、生白术 25g、巴戟天 25g，水煎温服，日两次。

曾治一于姓老妪。其患慢性肾炎十余年，间断性眼睑及下肢水肿加重五六年。1983 年 10 月因慢性肾炎急性发作、肾功不全、氮质血症而住院，由于医治无效，病情日重而出院。至 10 月 19 日来诊收为家庭病床，经服上方 5 个月治愈。至今追访未反复。

本方以分利清浊而解毒，制肝补脾益肾而补先后天；宣上利肺以通调水道，使毒邪得除，气机得复，水津代谢得畅而病愈。摒弃单纯利尿为主的世俗之治。实践表明，利尿的结果像《格致余论》指出的那样："欲求速效，自求祸耳""医不察病起于虚，急于作效……病者急于胀急，喜行利药，以求一时之快，不知宽得一日半日，其肿愈甚，病邪甚矣，真气伤矣，……制肝补脾，殊为切当。"因而加速病人死亡，教训惨重！医者不可不知。

治阴水一得

张世英

本人在临床诊疗中，由于偶然治愈 1 例水肿病人，继而，众多水肿病人来求治。这样，几年来，本人治疗水肿病积累了一些经验。水肿病人尽管病因不同，但病久多见脾肾阳虚证候，根据这一规律，自拟健脾温肾汤治疗久病阴水，获得良效。

处方：益母草 100g、党参 25g、黄芪 25g、生山药 50g、补骨脂 50g、肉桂 20g、白术 20g、茯苓 20g，水煎服，日 2 次，早晚服之。加减法：呕吐不止加半夏、生姜、陈皮；脘腹胀满加莱服子、木香；食欲不振加砂仁、白豆蔻；浮肿严重加大腹皮、玉米须；腰背酸痛加杜仲、川续断；畏寒肢冷加巴戟天、附子；尿少尿闭加泽泻、猪苓；神疲肢倦重用党参、黄芪，亦可用人参；头痛眩晕加天麻。

兹举1例。满姓病人患慢性肾炎十几年，近半月因为寒冷、劳倦，病情加重，呕吐不止，食入即吐，颜面及四肢严重浮肿，按之凹陷，手足不温，尿少。舌质胖嫩，脉沉细无力。某医院诊断为慢性肾炎、氮质血症。乃告家属找中医诊治。本病为阴水，属脾肾阳虚。我先投以降逆止呕方：草果仁、半夏、陈皮、茯苓、党参、砂仁、木香、白术、甘草。待呕止，但投健脾温肾汤。患者按医嘱服降逆止呕方两剂后，呕吐已止，继服健脾温肾汤十余剂，自觉明显好转，排尿通畅，尿量增多，浮肿缓慢消退。但又感觉口干，手足心热，舌质略红，脉沉弱。宜补气滋阴，调补阴阳，用健脾温肾汤加滋肾阴之品。如枸杞子、女贞子、墨旱莲。服二十余剂，患者症状消失而痊愈。

根据笔者的经验，对大多数阴水病人，用健脾温肾利水法之后，会出现气阴两虚的证候，这是由于久病气虚，阳损及阴之理，故先健脾温肾，而后益气滋阴，是我治疗阴水病所遵循的大法。本人自拟健脾温肾汤，重在健脾温肾治其本；利水肿治其标。不健脾温肾，效果不好，反之，不利水消肿，只健脾温肾效果亦不佳，必标本同治而效果满意。此方用益母草利水用量要大，可用100～200g。在治疗过程中，对消肿也不要过急，大多数患者服十几剂后浮肿消尽，随之诸症减轻。本人曾遇一患者，脾肾阳虚水肿很重，曾开健脾温肾汤，服十几剂不见效，后来某医生想更方，快速消尽水肿，开疏凿饮子，以求速捷之功。然患者未服此方之前，浮肿已开始渐消，二三日浮肿尽退。这种在治疗上扶正与祛邪并用，而着重扶正治本，正是祖国医学治疗本病之特长所在。

“见肝之病，当先实脾”刍议

柯利民

“见肝之病，当先实脾”，虽首见于《金匮要略》，但溯其源乃在《内经》中就有记载，如《素问·至真要大论篇》指出：“风气大来，木之胜也，土湿受邪，脾病生焉。”《素问·玉机真脏论篇》云：“是故风者，百病之长也……，弗治，肝传之脾，病名曰脾风发瘅，腹中热，烦心出黄，当此之时，可按、可药、可浴。”肝脾之间有着密切关系，其主要是疏泄与运化，藏血与生血转输的功能。按五行规律，即土需木疏，木需土荣。由于二者有相互生化、相互制约的作用，所以一脏有病往往可影响他脏。如肝失疏泄条达，就会影响脾胃之气的升降和正常转输。治疗上实脾可被认为是健脾补中，加强脾胃生化、运化的功能。由此可知，生理上肝脾关系甚密，病理上互相影响，治疗上补其不足，损其有余，是为大法。余运用这一理论作指导，在临床上曾抢救过很多重病患者。如吾于1977年5月曾治曲姓男患者。他患急性肾炎，经住院治疗3个多月，中西药共进，效果不佳，病情日渐恶化，已转为尿毒症。医生告其家属准备后事。患者出院后尿检，蛋白（+++），镜检每高倍视野白细胞1~3个，红细胞2~5个，颗粒管型1~3个，透明管型3~5个。余走进患者房间，见其全身性浮肿，腹部尤甚，叩诊鼓音，呼吸急促，烦躁不安，面色萎黄，苦闷面容，舌质淡苔白微腻，脉象沉弦。根据四诊所见，乃肝郁克脾，脾虚运化失职以致肿胀。《金匮要略》云："见肝之病，知肝传脾，当先实脾。"治宜调和肝脾之法以香砂六君子汤合五皮饮加减治之。处方：党参15g、广陈皮15g、云茯苓15g、广砂仁15g、广木香6g、炒白术20g、大腹皮15g、桑白皮15g、茜草根15g、白茅根25g、生甘草10g，加水1000ml，煎煮两遍，得药汁500ml，每次服250ml，早晚饭前各服1次，嘱服4剂以观疗效。患者服药4剂后，浮肿已消大半，思食，其余症状大减，舌质淡红，苔薄白，脉象沉弦。药已中病，依前方再服4剂。服完4剂之后患者浮肿已消，余症尽除，能在室内活动，饮食亦增，但觉乏力。尿常规检查：蛋白（+），其他均呈阴性。舌质淡红，苔薄白，脉象沉缓。此乃肝脾已趋调和，病体虚象毕露，宜补益脾胃之法治之。方药：党参20g、炒白术15g、白茯苓15g、广木香4g、广砂仁15g、广陈皮15g、五加皮20g、生黄芪25g、生甘草10g，加水适量，文火煎两遍，得药汁400ml，分两次早晚温服。以上药出入服二十余剂，诸症已去，告愈。尿检阴性，至今未犯。本案由肝郁导致脾虚的肿胀，消炎利尿不治其本，采用理气健脾之法易姜皮之燥，加茜草根入肝经活血，白茅根清热利尿，血行则水行，共奏调肝理脾利水之效，体现了"见肝之病，当先实脾"的基本精神。

名医诊事随笔

|王庆文|

吉林省中医中药研究所研究员张继有，长春中医学院教授马志、陈玉峰、王海宾，长春市中医院主任医师段英廉均为名老中医。他们从事中医研究，成果赫赫；躬亲教学，桃李数以千计；临证五十余载，活人不可胜数。时逢癸亥初冬，难得五老共于一室，会诊一水气重证（尿毒症）。笔者有幸学习，受益匪浅，乐以随笔记之，以飨同好。

病家冯某，年逾六旬，初病于"不惑"之年，二十余载，延医服药无数，中西医治疗罔效。1月前，西医以患慢性肾炎、肾功能不全、尿毒症晚期之诊断让其入院，对其症以纠正心衰、降压利尿、抗感染、纠正电解质失衡、能量合剂、少量多次输血等疗法治之，非但少效，病益加剧，卧床昏昏，有危在旦夕之虞，已两次下“病危通知”，经治医束手无策。待请五老会诊时，病家神志蒙眬，目中不了了，循衣摸床。视其舌淡无华，舌体胖嫩，切其脉虚大弦数，问询患者靇莫能答。家属在旁告曰：“呃逆，呕吐，少尿，日泄二十余次。”四诊合参，共为疏方：生姜15g、车前子15g、枸杞子50g、茯苓40g、泽泻20g、肉豆蔻10g、半夏10g、白芍30g、大熟地黄50g、马齿苋50g、甘草10g，水煎服。又用车前子面10g、红参面2.5g、黄连面5g、罂粟壳面10g，合匀，每次服10g，日服3次。两天后精神转好，呕吐止，泻利停。1周后球结膜水肿全部吸收，肢体颤动减轻，苔不腻，脉濡缓，继以五苓散加薏苡仁、姜半夏、陈皮、佛手、竹茹、灯心草、菟丝子，水煎服；终以六君子汤加减，善其后。

后思本案，病情缠绵多日，脾肾俱虚，水谷精微不得充分转化，精血长养难以充实，气血亏虚，阴阳不能平秘；待时日久，阴气自半，阴虚生内热，热盛动风；加之长期应用碱性药物，有伤肾阴，阴气不足，水不涵木，遂现肝风内动之象。肝受血而能视，肝血不足则目中不了了。湿困脾阳则昏昏嗜睡。中焦者，土之所制，中焦不治，腹中为寒水所乘，症见胃虚胀满，食入反吐，中气不足，泄泻无度。病久邪生，又生变症，水气凌心则心悸气短，上逆于肺则汗出溱溱而喘。脉虚弦数，肾虚肝旺。治以温补肾阳、固脾止泄。待见转机，继投五苓散温阳化气，终以六君子汤调补中州，以固后天之本，使“浆粥入胃，泄注止，则虚者生”，其病向愈。

八正散治石淋功效可佳

栗德林

石淋乃五淋之一，临床较为常见，以尿频涩而痛，淋沥不畅为主证，时兼尿中有沙石物，或尿癃闭不通，或尿中带血，腹绞痛。中医以药逐石、化石，其效甚佳，勿需开刀取石伤人之正气。素有开刀取石后病因未尽，湿热尤存，致复罹砂石者，屡屡求之有所难，因此以药攻之，就显出中医的特色。况病人皆称之“刀口药再好不如不割口”，故往往患石淋多求于中医一诊。余曾治经理化检查为膀胱结石、尿路结石、肾结石者，以八正散一方加减即获佳效。

如男性患者周某，来诊时自述近半年腰酸胀时痛，小便频数，右下腹痛时连及阴部。自疑为肾炎，因此去医院检查尿常规，结果是镜下高倍视野白细胞30~50、红细胞15~20。腹部平片右肾盂有一个1.0cm的不太光滑的结石影像。

问患者口干饮不多，大便日1次。望舌质偏红，苔黄白稍腻，切脉弦而数。拟诊为石淋，立清热利湿通淋之法，方以八正散加味。用木通15g、车前子15g（包煎）、萹蓄15g、大黄15g、滑石20g（包煎）、甘草10g、瞿麦15g、栀子15g、海金沙25g、金钱草50g、丹参20g、灯心草5g，煎汁600ml，分3次服。服时多饮水，服后适当活动，嘱其慢跑。如是两剂患者腰痛重，右腹痛剧。加延胡索20g，服两剂疼痛消失，在服第6剂第一次药后，患者跑步回来小便，尿道涩痛，继而有一多棱角的棕褐色大小为0.8cm×1.0cm的石块排出。其后自觉身倦头晕，则辨证施药以善其后，并防再发。

余在治疗中体会到，治疗石淋，用药配伍应体现攻、化、活、滑四个字。所谓攻，即是采取清热利湿、荡涤走下的药物以逐石由尿道而出；所谓化，是使结石趋于变软变小，去其棱角；所谓活，即是活血化瘀、开凿通道以利结石外出；所谓滑，即使其通道滑利。四类药协同，则结石才易排出。在药物服法上，应取“助水行舟”之义，勤服多饮，尽力而为。这样，尿一多，结石就易被冲出来。服药后宜动不宜静，年轻人可以蹦蹦跳跳，年龄大的可以慢慢小跑，因其势而利导之，助石走下。

治淋小议

秦书礼

淋证首见于《素问·六元正纪大论篇》，是以尿频、尿急、尿痛为主证，伴有尿时淋漓涩痛，欲出未尽，小腹拘急或痛引腰腹。《金匮要略》消渴小便不利淋病篇指出；“淋之为病，小便如粟状，小腹弦急，痛引脐中”。余对此疾辨证施治，甚觉得心应手。

曾治一患者，其感受寒凉，自觉身体倦怠，恶寒。次日晨起，即见尿频、尿急、尿道灼热疼痛，小腹拘急，痛引脐中，溲赤。午后到医院就诊。尿检：白细胞（++），红细胞（+），脓细胞（++）。注射青霉素并口服去痛片，症状不见好转。次日，诸症加剧，发热，稍有汗出，便秘，口渴喜冷饮，舌质红无苔，脉沉弦。此为膀胱湿热所致之热淋。治以清热泻火、利水通淋：萹蓄40g、瞿麦15g、木通15g、栀子15g、金银花25g、连翘25g、淡竹叶15g、车前子15g、滑石15g、泽泻15g、大黄10g、紫花地丁25g、甘草10g。服上方4剂后，患者尿急、尿痛症状基本缓解，但仍尿频。腰痛虽减而未尽愈，且觉脘腹发胀。舌质淡红，脉弦细。按前方去泽泻、甘草，加川厚朴15g、陈皮15g。嘱其按此方再服6剂。服药后尿频、尿急、尿痛、脘腹胀均消失，小腹有时隐隐作痛，头晕，身倦，尿常规恢复正常。此乃进入恢复期，平素肾阴不足，今又湿热留恋，当以滋阴补肾，清热利湿为法，意在巩固疗效，防止复发。拟方：生地黄15g、黄柏15g、知母15g、牡丹皮15g、石斛15g、茯苓25g、山茱萸肉15g、菟丝子15g、金银花15g、甘草5g，嘱其服15剂。服后患者诸症皆愈，3次尿检均正常。现已上班工作，嘱其注意调养。

余治淋证多以清热解毒、利湿通淋为重点。重用萹蓄、瞿麦、栀子、金银花、连翘等药物。对于年轻、体质好者可重用大黄、土茯苓，消除尿路刺激症状，其作用较为明显，且对尿检长期呈阳性者，有促进恢复之功，以缩短疗程。

痛淋治肝，卓有效验

|李国卿|

五淋中的痛淋，实为临床常见病。就经验而论，常规应以八正散治之，多数病人疗效显著，甚至有立竿见影之效。比如临床上常提到的尿路感染，辨证属膀胱湿热者，屡有效验。然而，确需精工细辨，把握其准绳。我所述说的经验，则属湾回别有天。

其患腰痛如裂，辗转呼叫，上引两胁，下及少腹，胸胁胀满，呕不能吐，二阴抽急，尿不能出，色如米泔，大便溏泻，舌红少苔，六脉皆弦。诊为痛淋，投以八正散合失笑散。其药为：木通、萹蓄、大黄、瞿麦、滑石、车前子、石韦、淡竹叶、甘草，煎汤送服蒲黄、五灵脂为末5g。服药后，疼痛仍不减轻，病情反而加重。后经仔细推敲，对该患者治宜舍证从脉，其脉弦急，法当治肝。于是重选逍遥散合失笑散，其处方为：当归、柴胡、薄荷、茯苓、白术、白芍、延胡索、蒲黄、五灵脂、生姜，共为煎剂，频服。真是药到病除，守方6剂，一切如常。

事后细细玩味，肾病腰痛，肝肾同源，同属下焦，肝脉布胸胁，病在肾，及于肝。病急宜治标，疏其肝，气机得通，其痛自减。其后每遇此病，则均以此法治之，每治必效。

尿血辨治

|王雨亭|

尿血一证，最早见于《金匮要略》。《内经》中称其为溲血、溺血。病之本

在膀胱和肾，但临床表现较复杂，宜细辨而分治之，故勿为通法所囿。现将误治一案，剖析如下，以资借鉴。

一张姓患者，1978 年冬末来诊。素体健壮，6 个月前突患尿血，两次入院治疗，经多项检查，均未见异常，服中西止血药皆罔效。现症：口干，头晕，心胸烦闷，手足心热，纳呆，腰酸，尿赤间有余沥、便时无涩痛，舌质红，脉沉弦。尿检：红细胞（+++），白细胞 0～3，尿培养（-）。依心火移于小肠，迫血妄行之病机，用小蓟饮子加减，水煎服。连投 4 剂，诸症未减。窃思之，《内经》有“胞移热于膀胱，则癃溺血。”本案尿赤但无涩痛，符合“痛为血淋，不痛为尿血”之义，其口干，心烦，舌红，脉沉弦乃心经火热之征。以小蓟、生地黄、木通、栀子、淡竹叶等清心泻火，凉血止血，证治相宜，罔效何由？重读《景岳全书》，书中言“凡溺血证，其所出之由有三：盖以溺孔出者有二，从精孔出者一也……但病在小肠者，必从溺出，病在命门者，必从精出……而治之之法，亦与水道者不同。”复审证情始悟，一则病属久病未愈；二则尿赤虽无涩痛，但有滴沥、腰酸等属肾经亏虚之象；三则口干，心烦，头晕亦非为心火，乃肾阴亏耗所致；舌质红，手足心热均属虚火上炎，浮阳上越之征。纵而观之，此案本于纵欲伤肾，命门火衰，阴虚火炽，血液妄行自精孔而出。权衡全证，去伪存真，遂改投知柏地黄丸加减：熟地黄 15g、山茱萸 20g、山药 25g、茯苓 15g、泽泻 10g、牡丹皮 15g、知母 20g、黄柏 15g、女贞子 20g、墨旱莲 15g，水煎服。9 剂后，患者诸症大减，继进 6 剂，尿色正常，诸症消失，尿检无异常，病愈。嘱服知柏地黄丸，每次一丸半，日服 3 次，以固疗效。2 个月后复查，未见复发；停服丸剂。

尿血，古虽有虚火、实火之分，但医者多为“热扰血分”之说所束，常习用清、涩之法治之。笔者初亦蹈此旧辙，大失中病辨证论治之大旨。本证实则既有寒、热、虚、实之分，又有标本主次之别。本案经中西药治而无效，又拖误了病机，造成症状不典型，呈“犬牙交错”之态，极易误诊误治。这就要求临床医生，既要勤求古训，又能不拘一律，于错综之病状中，寻觅主因，推究其病机规律，依本求治，分清标本与主次，随证加减，注意防止因循偏弊，始能收到药到病除之效。

癃闭诊治一得

诸云龙

1972 年春，曾治一王姓妇人，因小便不通，前来住院。病房采用多种西药治疗无效。虽经5次导尿，仍然欲尿不得，遂邀余会诊。余观患者，面黄肌瘦，小腹膨隆，拒按，小便点滴不出，辗转呻吟，痛苦不堪，舌苔薄黄，脉形沉细。此癃闭之症也。《素问·宣明五气篇》曰："膀胱不利为癃。"肾与膀胱受病，故小便不通。治当清热祛邪，助肾利尿。针刺取关元、中极、阴陵泉、三阴交，施平补平泻法，留针30分钟，留针期间捻针3次。捻针时，患者自觉有强烈之针感传入前阴。其后又觉小腹有活动感，并有尿意。起针后不足10分钟，即尿出如注。次日，又继用前法针治，小便即恢复正常。

癃闭，即现代医学所称之尿潴留，祖国医学文献中对该病之记载甚多。笔者在临床上用针灸治疗本病凡十余例，均获痊愈。因其疗效高，疗程短，故予以介绍，并望高明裁正。

补泻同用治癃闭

吕永岐

诸贤治疗癃闭使用清热利湿或温阳化气法者多，或用理气通淋、或用行气化瘀法、或用补益肝肾法者也有，而用补泻同用法者少。

癃闭者，闭塞不通也。本病虽在膀胱，但与肾有密切关系。此类病人均属男性年迈体衰者。素体肾气不足，病初时虽有小便滴沥不畅，但自认为年迈体弱，似乎是自然现象，不被重视而忽略治疗。一旦发生排尿困难，小便不通，疼痛难忍，方来求医。此时之癃闭，既有湿热蕴结，又有肾气不足，也有瘀则不通之因。病初服清利之品者往往导致肾气更虚，已不得再破其气。若再清利湿热，必致肾气小伤，若纯补其虚，缠绵日久之湿热又不得泻，尿闭之急必不得解。此时之癃闭属虚实错杂，因而治疗时把清利湿热与滋补肾气分开必犯"虚虚实实"之戒，故应标本兼顾，攻补兼施，将清利湿热与滋补肾气两法同用，并佐以活血化瘀法方为上策。

我经常延用家父补泻同用法的自拟方剂治疗癃闭收效满意。方中用灯心草、车前子、滑石、淡竹叶清利三焦膀胱湿热，用鸭跖草、锁阳、肉苁蓉、熟地黄滋补肝肾，佐大黄、丹参、穿山甲珠、升麻活血化瘀，升降气机。诸药共奏滋补肾气、清利湿热、活血化瘀之功，使肾气充盛，三焦永道通调，湿热得有去路，则闭塞得通，诸证自愈。

蒲灰散治前列腺炎

马德孚

前列腺炎多发于中、老年，少见于青年。以排尿困难、尿频、尿后余沥不尽、尿道及会阴甚而连及肛门胀痛为特征。多与外伤、泌尿生殖系统炎症及性生活不节等有关。本病相当于祖国医学中的淋、浊之类。机制上除下焦湿热，肾虚不固外，余认为阴窍精室瘀滞是导致本病的一个很重要的因素，故而在治法上除据证而用清利湿热、补肾元外，常佐以化瘀导滞、滑利精窍，这是取效的关键。余每用“蒲灰散”选配八正散、导赤散、萆薢分清饮、菟丝子丸等方合治，收效满意。

“蒲灰散”出自《金匮要略》消渴小便不利淋病篇，方中蒲黄，味甘气平，有行血消瘀、通经脉、利小便之功用。滑石味甘气寒，能清热降火、通窍利水道。患者边某，19 岁，1984 年 11 月来诊。自述近来阴茎胀痛连及会阴，常有尿意，小便浑黄而短涩，尿后有残精流出，口干不欲饮，心烦，形体壮实。经医院诊为前列腺炎。患者苔薄白舌尖红，脉左弦劲右细软。两手心汗出而黏，有手淫之陋习。首用导赤散加麦冬、玄参、莲子心、金银花、黄芩、薏苡仁，6 剂无效。复诊时于上方加蒲灰散 6 剂。1 周后来复诊，患者疼痛大减，排尿通畅，尿尾流出残精。去木通、莲子心加沙参、牛膝、车前子、萆薢、杜仲、菟丝子、枸杞子以培补肾元，6 剂后诸症悉平。嘱服麦味地黄丸以善其后。此患者正值青春之时，君相火旺，又因缺乏性之卫生知识，贪求一时之快，后又恐伤身而忍精不泄，导致阴窍精室瘀阻变成斯症。治疗中除投以方药外并开导邪念，嘱其从事健康娱乐以利身心，解除恐惧心理。所幸者，患者能听劝诲，配合治疗，深感医人身之疾亦当医心之病也。

治前列腺肥大的良茶

徐阳孙

老年男性易患前列腺肥大，虽可手术，弱者难施。多数患者的病情，虚实夹杂，难解难分。观其形体，多数为虚，可尿涩窘痛，证又属实。常常是反复发作，久而不愈，竟使多数患者老年不得安逸。

曾记老前辈传我一方，是治疗该病的良策。即：用浮小麦一味，初用120g，微炒，煎汤频饮。1982 年 5 月我遇一亲属，患本病多年，初起症状较轻，常因上呼吸道感染或情绪波动而诱发此病，医生经常给予己烯雌酚治疗，一度有效。但年长月久，加之胃气本弱，况又逐渐增加药量，其后竟至呕恶不能进食，无奈只能停而不用。患者再度复发之际，又出现排尿淋沥，疼痛难已，憋闭不堪，坐卧难安，只能靠导尿维持，又恐感染，殊难调理。索治于我，我恨无良策之急，偶然想起，予以浮小麦约500g，令其煎汤频频饮之，真乃切中病机，瞬时即出现别开生机之局面，患者尿畅食增，神态怡然。

自此以后，每逢此病，均授予本方，令其长期代茶频饮，有时还加入少许炒糊米或神曲，颇具健胃消食之优。病人赞许简便易行，容易坚持，能防能治。

消渴证治一得

尤荣辑

治消渴之病，多用凉药，然余治消渴病则非也。1977 年初春，长白边老，患病消渴，在当地就医。医者见其症：小便色清而长，量多味甘，夜间尤甚，脉细数而虚，按之无力，身体消瘦。遂投以凉药，清热滋阴，病反加剧饮一溲二，口干而渴，但不喜饮，舌淡苔白，脉象沉细。经人引介，求余诊治。余望诊见其舌淡而胖，体瘦如柴；切诊脉数大而虚，重按更加无力，尺部沉微。投以八味丸加益智仁煎人参胶糊丸，服之而愈。

其法本于《金匮要略》，由火虚不能化水，故饮一斗，小便亦一斗。凡见渴而水不消，小便多者，即当合参脉证，以此法治之，无不取效。本案乃肾阳不足，不能蒸化津液，引起消渴，小便反多。肾阳虚弱，法当温补。方以干地黄滋阴补肾为主；辅以山茱萸、山药、补益肝脾精血；并以少量附子、桂枝温阳暖肾，意在微微生火，以鼓舞肾气，取“少火生气”之义；佐以牡丹皮、泽泻、茯苓协调肝脾，共奏温补肾阳之效。本方用药，阴阳双补，正如《景岳全书》云：“善补阳者，必于阴中求阳，则阳得阴助，而生化无穷”。古人治消渴、调阴阳之理，仍指导今人之临床。

消渴汤疗效卓著

王顺江

消渴病是临床常见的一种疾病。它的病理机制是肺、胃、肾三脏阴亏阳亢、津涸热灼，临床症状是以多饮、多尿、身体消瘦或尿有甜味为特征。大凡素体阴虚阳亢者易发生此病，其次是情志失调，饮食不节，过食肥甘，醇酒厚味，劳欲过度亦可罹患。本病以阴虚为本，燥热为标。故治疗原则是以润肺、清胃、滋肾，兼顾清肝之法。余临床多年，反复验证自拟“消渴汤”治疗消渴病有显著疗效。方药为：黄连6g、生地黄15g、生石膏30g、麦冬10g、知母10g、牛膝12g、茯苓10g、山药15g、山茱萸10g、牡丹皮10g、白芍15g、天花粉15g、石斛12g、鲜芦根30g。

以此方为基础，可随症加减。口渴多饮偏重于上消者，在原方基础上减去山茱萸、牡丹皮、白芍、牛膝，加地骨皮、沙参、藕节汁。多食善饥偏重于中消者，在原方基础上减去山茱萸，加黄芩、玄参。大便秘结者加生大黄。小便量多偏重于下消者，减去原方中黄连、石膏，加枸杞子、五味子。气阴两虚者，在原方基础上减去黄连、生石膏，加人参、黄芪。三消俱有者可服用消渴汤。临床治疗时，要根据患者表现的症状，突出辨证施治，随症加减，要重视阴虚特别是肾阴虚的病变，方能达到立竿见影的疗效。同时要结合饮食疗法和体育锻炼。在饮食上患者要控制饮食量，忌吃糖类食物，多食蛋类、瘦肉和豆类。禁忌辛辣刺激之品和膏粱厚味。在体育锻炼方面可适量运动或做保健操。注意劳逸结合，避免精神紧张，亦可收到事半功倍的效果。

中消咳嗽小议

李仁述

消渴是常见的病证，但中消咳嗽一证甚属少见。患者孙某得中消证3年有余，体重减轻15kg，尿糖阳性，每餐主食半斤仍不觉饱，经常饥饿，饿则咳，咳痰稠黏，甚则不能平卧，口舌燥，脉数无力，自汗，饮水不甚多，喜食肥甘，烦闷，大便燥结，小便赤黄。治以润肠增液、清中焦燥结兼润肺止咳法，方用刘河间麦门冬饮子治疗。药物是：麦冬15g、瓜蒌根15g、知母10g、生甘草10g、五味子10g、生地黄25g、人参10g、葛根10g、茯神15g。

《内经》曰：“二阳结谓之消”“瘅成消中”，历代医家对此有许多解释，如李杲曰：“二阳者阳明也，手阳明大肠主津液，若消则目黄口干，乃津液不足是也；足阳明主血，若热则消谷善饥，血中伏火，乃血不足也。结则津液不足，结而不润，皆燥之病也”。由此可知，脾气热则胃干而渴，肌肉不仁，发为肉痿；大肠移热于胃，则善饥而瘦。中焦燥热太甚，三焦肠胃怫郁壅塞，水液不能滋渗于外，荣养百骸，故有上述脉证。今以麦冬润肺止咳，养胃生津；瓜蒌根生津养胃，清热润肺，知母清热除烦，滋阴降火；生甘草补中益气，清热解毒；五味子敛肺益肾生津、止汗；生地黄滋阴凉血；人参补中益气，调养脾胃生津；葛根生津；茯神宁心。故上述诸药用之，咳减且能平卧。此乃脾能为胃行其津液，脾气散精，上归于肺，故胃肠燥热得解而不饥，肺得润，肃降之气得复而咳止。药后患者自觉胸中烦闷，又于前方中加石膏25g、滑石10g、寒水石15g、清热除烦，共服4剂咳止。尿糖亦转阴性。《三消论》曰："脾主湿，虚则燥"。今脾得润，胃阴得补，脾土旺，金乃生，华盖之肺得以清肃，故不饥不咳则病愈。

消渴异症

焦增文

治消渴患者刘某，年逾七旬，善饥、善渴、多尿已年余，时有泄泻。自觉气短无力，喜食鲜姜，日进水3瓶。尿糖（+++）。脉沉且迟大，舌淡苔满而白腻，四肢冷。取"真武汤"加减治之：黑附子8g、肉桂8g、生地黄20g、鸡内金6g、干姜8g、山药20g、玄参20g、茯苓10g、白术10g、五味子10g。3剂药后，患者日饮水减至1瓶。效不更方，连进15剂，饮食如常，唯泄泻时作，小腿抽痛，前方去玄参，加防风6g，5剂而康，尿糖转阴性。嘱其膳食调理，至今随访未发。

从中余悟出一理，症若虚损，弗救之漏，妄增其水，实谓匪然。已故蒲辅周氏治疗"一妇人贫血"案，其他医生一味蛮补，历数周未效，而蒲老处以"理中汤'则效捷。蒲老谓"舍气而补血，反碍生化之源"，此证理亦同也。《柳选四家医案》曾云："每有渴饮溲多，用温药而愈者，以其积寒而火不归源，是即阳不化阴之义也。学者不可不知"。此本《内经》之大宗。

滋阴降糖膏与消渴病

宰清海

消渴病又称"消瘅"，根据多饮、多食、多尿等症状的主次和轻重，可以分为上、中、下三消。其上消责肺，症见多饮；中消责胃，症见多食；下消责肾，症见多尿。

本病临床以阴虚火旺多见。根据这一病机，自拟滋阴降糖膏（汤），应用于临床，疗效颇佳。

方以大生地黄500g、肥玉竹500g、枸杞子500g、山茱萸250g。气虚者加黄芪250g。每100g生药加水500ml，文火煎2小时去药渣，静放1小时去除杂质，再用文火煎药液浓缩成膏。每日服3次，每次1汤匙，饭前服。

曾治男性患者郝某，服完1料后，经检验，尿糖由（++++）减至（+++）。服完2料后，尿糖降至（+），血糖由280mg降至160mg。服完3料后多次检验尿糖均为（±）或（-），血糖降至90～112mg。多饮、多食、多尿、四肢无力等症消失。

若以汤剂用之，可取山茱萸30g、大生地黄30g、枸杞子30g、肥玉竹15g，每日1剂，水煎分两次服，效果亦佳。

消渴病临床往往三焦俱病，不易分清，笔者认为病初，多属燥热，病程较长者，阴虚与燥热互见；病久，多属阴虚。在治疗上，应从滋阴清热着眼，三焦兼顾，三消同治。滋阴降糖膏（汤）清热养阴，涩清补肾，三焦兼顾，三消同治，应用于临床，尤其是用于40岁以上的轻、中型患者，疗效颇佳。

消渴证治验一得

马绍援

消渴病临床多见，又是一种难治之证。我临证以来，应用《伤寒论》之白虎加人参汤加减治疗本病，每收奇效。

方剂组成：人参15g、知母30～40g、甘草15g；口渴甚者加用天花粉20g、麦冬15g、沙参20g、玉竹20g、腰酸痛者加用山药20g、枸杞子15g；有外感者加用金银花25g、连翘20g。

应用上述方法加减治疗，一般用药6剂之后，消渴的症状如口渴、饥饿、多饮、多尿等即可消失，血糖、尿糖化验结果亦开始好转，1个月左右血糖、尿糖即能降至正常值。

我运用上述方剂治疗本病，实是在临证之中探索得之。我认为上、中、下三消虽然可分，但不必分之过细，因为三消之分，只是疾病发展的不同程度耳。一方用活，可治好三消之证，关键是在临床灵活加减。《内经》云：“二阳结谓之消”。张从正在《儒门事亲》中亦曰：“三消当从火断”，本方中重点药物为知母，知母苦寒以清泄肺胃之热，质润以滋其燥，实为治消渴之佳品。在临床之中，我体会到知母非用大量不能奏效，初时仅用15g，效果不显，后渐加至30～40g，效果较好，本品曾经日本药学博士木村正康作动物试验证实，确能降低血糖而无毒性。

曾治一吴姓患者，年52岁，体丰肥，素喜肥甘酒食之品，患多饮、多食、多尿月余，来院就诊，经内科化验血糖400mg，尿糖（++++）。介绍其用中药治疗。查其脉象弦数，舌质淡红，苔薄黄，经用本方加减月余，诸症全消，血尿化验正常，十余年来，年年随访未见复发。笔者用本方取效之例不胜枚举，复发之例少见。坚持用药多能取效，但用过西药胰岛素之病例，使用本方却效果不显，亦是一大憾事，有待今后研究。

虚损证治

郑玉清

余曾治一女患者肖某，因分娩第4胎后胎盘残留而致大出血，经省医院抢救转危为安。后消瘦无力、毛发渐脱。经西医确诊为“席汉综合征”。此后经多方医治无效，诸症日见加重，痛苦万分。1973年12月经友人介绍，请余诊治。症见：面色㿠白，烦躁肢冷，肌肉消瘦，体弱神疲，少气懒言，语声低微，喜卧嗜温，阴冷经闭，舌质淡，苔薄白，脉沉迟。我认为：此乃产时流血多、气随血脱，气血不复，日久伤阳，五脏为之损。治以“损者益之”为大法。用补气养血、温阳活络的十全大补汤加减：黄芪、当归、熟地黄、白芍、川芎、龙眼肉、制附片、肉桂、干姜、丹参、鸡血藤、炙甘草，嘱其日1剂水煎，分3次温服。

以上方出入共服九十余剂，患者病情明显改善，手足转温，肌肉渐丰，所脱之毛发长出，经行按期，但量少色淡。继以补中益气法，投以补中益气汤加减，并嘱病人注意起居饮食的调适。“席汉综合征”属中医虚损范畴。古人谓五损：一损损于皮毛，皮聚而毛落；二损损于血脉，血脉虚少，不能荣于五脏六腑；三损损于肌肉，肌肉消瘦，饮食不为肌肤；四损损于筋，筋缓不能自收持；五损损于骨、骨痿不能起于床。此即五脏之盛衰而外有所应之候，亦即：有诸于内，必形于外。故诊疾按脉必详察外候，四诊合参而辨明证候，证愈明则药愈速。该患者五脏皆虚，但以肺、脾、肾为主。毛发脱落，少气懒言，为肺损；肌肉消瘦为脾损；烦躁肢冷、阴冷经闭为肾损、命门火衰之候。故治疗以肺、脾，肾为核心。三脏之中又以肾为先。方中四逆散以急补肾阳，肾阳复则脾阳健运，干姜配黄芪可温肺益气而达皮毛。加入活络之品，以使补而不滞，血活气行。后以补中益气汤补脾安五脏而愈。

“心病”还需“心药”医

王克勤

余尝读《古今医案按》，述“医僧法靖治室女梦吞蛇过忧成疾似劳，诈言移其情志，治意以除病”，深慨其用心之精、治法之妙。盖情志与内脏相关，七情过度伤及脏腑气血，而脏腑气血之逆变又反转来进一步加重情绪的变动。此时若不“移情易性”，改变其不良精神状态，则每每病势缠绵，药之难愈。因此医者临证，不但治病，更要治人，才能提高疗效。甚至有些疾病，采用这种“精神转移法”心理治疗，可收不药而愈之效。这种生物心理社会医学模式的系统观点，正是中医的精华所在。

余曾效法靖治意之法，治愈胞弟“心病”。弟当时系汽车驾驶学员，因考汽车驾驶执照，考前紧张，初仅夜寐不安，继而注意力不能集中，稍遇惊扰便心悸不宁，模拟考试数次，皆因一进驾驶室便悸动不安、汗出手颤而未成功。考期迫近，焦急万分，虽曾服中西镇静之剂，皆不效。求治于余，思之，此乃今文献所载“考试紧张综合征”，俗称之“心病”也。《内经》曰：“心怵惕思虑则伤神，神伤则恐惧自生”。惊自外扰，恐自内生，惊恐气乱，神无所倚，故发是证。此乃“神思间病”，非药石所能疗，当转移其精神，则诸症不治自愈。正苦于无法，弟见我将一红色药丸塞入哭闹幼子口中，顷刻即安，便询此药原由。余顺势诈之，称此药系一友所赠“进口高级镇静药”，疗效甚佳。因仅数丸，故未曾转赠。弟苦索之，余佯装无奈只予3丸，并告其临试登车前服之准效。弟得此药如获至宝，当即愁眉舒展，是夜则能入眠。3天后初试，登车驾驶前服药1丸，心情镇定，精力集中，顺利通过；第2日复试，再服1丸，又获成功。考试完毕，弟偕1人同来谢余，方知此人亦因复试时精神紧张不能操作，弟将所余1丸药珍重予之，服后即能镇定应试，亦被录取。值此，我始讲明真相，所赠之药并非至宝，乃幼子平素所服多种维生素糖丸，弟求我时，正当幼子哭闹索要，故予之则安。弟因求治心切，疑为珍品，故精神由试前之紧张而移至药之“神效”上，未服心已始安，服之果然效矣。真情披露，众人捧腹大笑。笑之余，深悟：“心病还需心药医”，此谚不谬也。

《古今医案按》：徐书记有室女，病似劳。医僧法靖诊曰：“二寸脉微伏，是忧思致病。”请示病因，徐曰：“女子梦吞蛇，渐成此病。”靖谓有蛇在腹，用药专下小蛇，其疾遂愈。靖密言非蛇病也，因梦蛇过忧成疾，当治意而不治病耳。

治病必药、证合拍，丝丝入扣

王国三

余近年运用瓜蒌薤白半夏汤治疗多例痰湿阻滞的冠心病，取得良好疗效。究其主要原因，在于药、证合拍。该病的临床表现多为胸闷、心悸、气短、心痛，舌苔白厚腻，脉濡滑。心脏体阴而用阳，居于胸中。胸为清阳之府，不为阴邪所干。今痰湿居于胸中，必然干扰心阳，阻塞心脉，从而发生胸痹不得卧、心痛彻背、背痛彻心等一系列证候。对此证，当用仲景的瓜蒌薤白半夏汤治疗。方中薤白3两，辛温通阳，散滞逐寒。半夏半升，苦温燥湿祛痰，白酒1斗，辛热通阳。这些臣使之药，都是针对痰湿之阴邪而设。方中应用最妙的是一味君药瓜蒌，此药寒润，于痰湿之邪似非所宜，又恐其伤阳。然而涤除胸膈痰湿之效，却非它药可比，如上配伍，瓜蒌的助阴伤阳之弊已不复存在，从而更好地发挥其温通心阳、涤除痰湿的作用。此证用此药，恰到好处。如此辨证论治，审证用药，何愁不效。

治病必求其本举隅

李佃贵

治病必求其本，临证时只有四诊合参，仔细推求其本源，辨证治之，才能获桴鼓之效。曾治一30岁的男病人，患心动过速，心率可达120次/min，痛苦异常，不能坚持工作。初诊主诉心悸，气短，胸闷，四肢倦怠乏力，失眠，多梦。曾服汤药五十余剂，久服心得安、谷维素等药罔效。患者一边叙述病情，一边拿出几个医院的门诊病历本放在我的诊桌上。我将病历本诸页翻阅了一遍，均为养心定志、重镇安神的药物，处方理法方药写得均有条理，可为什么未能见效呢？患者虽然正处血气旺盛之年，可面色晦暗无光，舌淡润无苔，六脉沉细数，表情淡漠，对自己的病十分悲观，虽来求医，但信心不足。我仔细分析其脉证，若患者病源在心，服以前诸方应当取效。从心治疗这么长时间未效，其因何在？根据所察面色晦暗，两眼圈发黑，两尺脉沉细数无力，脉证参合，当属肾阴亏虚。肾为先天之本，与心同属少阴。正常情况下，心属火居上焦，肾属水居下焦。二者互相制约，相辅相成，即“水火既济”。当人在青壮年时，肾气充盛，脉虽速而当有力。今患者年仅30岁，而时有遗精，腰酸无力，头晕耳鸣，五心烦热，皆为心肾不交，水火未济之象。其病证表现在心，但其病因主要在肾，即其本在肾，其标在心。前医治标而未求其本，故久治罔效。因此，我确定了以补肾精为主，兼养其心，交通心肾的原则。处方用知柏地黄汤合酸枣仁汤加减：知母 9g、黄柏 9g、熟地黄 20g、山药 9g、山茱萸 9g、茯苓 12g、泽泻 9g、炒酸枣仁 15g、川芎 9g、五味子 9g、麦冬 12g，嘱其连服 7 剂。

1 周后，患者复诊，其面色较前略有光泽，表情愉快，高兴地对我说："我的病大见好，脉搏每分钟降到 98 次，腰酸、失眠、多梦、五心烦热、眩晕均有减轻。"其脉沉细而两尺较前明显有力，看表计数，脉搏果然每分钟 96 次。再给开药 7 剂，又在原方中加入枸杞子 9g、女贞子 9g、墨旱莲 15g。按此方加减服用三十余剂后，患者痊愈并上班工作。

本例获效并非偶然而中，实为辨证准确而抓住了病在肾这一根本。知柏地黄汤补肾精而泻相火以治其本，酸枣仁汤加五味子、麦冬滋心阴而养心神以治其标，标本兼治，故获捷效。以此法又治类似此病之心悸患者 7 例，均获满意疗效。此例病人说明中医治病必求其本，方能事半而功倍。

风心病小议

李玉昌

风湿性心脏病并发充血性心力衰竭，属于祖国医学中心痹、水肿之范畴。临床上西医习惯于应用毛地黄类制剂治疗。然该药在人体内有蓄积作用，易引起中毒。加以部分患者时常反复发作，难以准确掌握毛地黄制剂的用量，往往不能尽快控制病情。本人曾以温阳利水、活血化瘀之法治疗本病取得良好效果。1972 年春，一史姓风心病合并充血性心力衰竭患者，因偶感风寒，旧病复发，用地高辛难以控制，而求医于吾。症见两颧紫红，唇色不鲜，心慌气短，动则尤甚，畏寒肢冷，下肢浮肿，舌质黯，苔薄白，脉沉细而结代。脉证合参，辨证为阳虚水泛，心脉瘀阻。治宜采用温阳利水，活血化瘀之法。方用：炮附子 15g（另包先煎 30 分钟）、桂枝 10g、白术 10g、茯苓 12g、黄芪 15g、桃仁 9g、红花 9g、丹参 15g、生姜 6 片，水煎服。连服 6 剂，效果较好。

本病病机为脾肾阳虚，脾不能运化，肾不能气化，以致水邪泛滥，上凌于心肺，则心悸气喘，动则尤甚；水邪下注，则两下肢浮肿；心阳不足，脉络郁阻，则见两颊紫红，舌质紫暗，脉结代。故方中用附子、桂枝以温阳化气行水为主；白术、茯苓、黄芪益气健脾利水；桃仁、红花、丹参配桂枝活血化瘀，温通心脉；生姜既可辅助附子、桂枝温阳化气，又可助茯苓、白术健脾温中。

全方配合共奏温阳化气、活血化瘀、健脾利水之功。用来治疗风心病并发充血性心力衰竭，正是药证合拍，功效显著。

瓜蒌治胸痹，得酒效更捷

|段富津|

《金匮要略》之瓜蒌薤白白酒汤与瓜蒌薤白半夏汤是治疗胸痹、胸背痛之主方，其疗效卓著，为临床所常用。二方除瓜蒌、薤白外，皆以白酒煎药。今用法方者，多弃酒不用，其效欠佳。余有一友，年近四十，患胸痹月余，自觉胸中闷痛，短气咳唾，每至凌晨3时许，则憋闷不得卧，必于院庭缓行，始得逐渐宽舒。医以瓜蒌薤白半夏汤治之，服十数剂，罔效。一日相遇，告知前情，并陈其方，乃瓜蒌50g、薤白15g、半夏15g、橘皮12g、枳壳10g、郁金25g，水煎服。余察其脉证，病药相应，然不效者何？愚窃思之，瓜蒌虽能宽胸散结，但性柔润，得辛散温通之白酒，其功益显。《本草思辨录》曾记载：瓜蒌以薤白、白酒、桂枝、厚朴苦辛迅利之品为伍，则“用其所长，又补其所短也”。遂嘱之继服前药，加白酒100g煎之。依法服2剂，胸中闷痛略减，可睡至凌晨4时许。又进2剂，则延至5时许，再服4剂，胸痹得除。

肝痛治验

|孙恩泽|

黑龙江绥化严某，患胁下痛，久治不愈，余诊其发热，不思食，右肋下剧痛难忍，呻吟哼叫不停。伴有神昏谵语，面目与周身色黄如枳实。腹部膨胀，右肋下膨隆饱满、拒按。脉虚数，舌质红绛，苔黄腻而厚。体温40.1℃，右肋下锁骨中线处可触及4.0cm肿物，质地充实，压痛明显。肝穿，抽出黄色脓汁10ml。诊断为：肝痛（肝脓肿）发黄。

住院后，以西药静脉点滴3天，病情不转，症状不减。请余诊之，余曰：“此乃热毒炽盛，火热灼伤，腐蚀肝体，而化脓成痈”。以清热救阴、凉血解毒为法。药用：当归、白芍、赤芍、生地黄、金银花、连翘、黄芩、黄连、牡丹皮、龙胆草、蒲公英、紫花地丁、石斛、败酱草、茵陈、羚羊角、犀角等药组合为方，加减运用，患者共服20余剂，痊愈出院。

生白术通便秘确有效验

申海明

便秘一证临床多见，或虚或实，常用润肠通便之法，多能取效，人皆知矣。余于临证亦遇有用常法而不获效者；或徒用峻泻攻下，仅能痛快一时，多用、常用反致为害；亦有用外导法通便，久则病家犹觉不便。至于用上法轻则有效，重则无效，暂用有效，久则无效之情态，诚属“大便难”哉。病家深感所苦，医无良法为治。欲施仁术以尽己任，故特加意寻法。曾阅及北京名老中医魏龙骧有“白术通便秘”之说，深感奇异，经试用，果有效验。

于1981年曾重用生白术加于复方中，经治各种病证伴有便秘的患者25例，有效者23例（占92%）；无效者2例（占8%）。有一老翁年82岁，素体健壮，向有习惯性便秘，每数日一行，因周身奇痒，皮肤起苔藓样丘疹2年，经中西药及温泉洗浴等多方治疗不愈而来就诊。病人舌质龟裂，色暗红夹有瘀斑，无苔，脉沉滑。证属风毒血燥，血瘀津亏之候，予养血润燥，祛风解毒之剂，重用生白术以运脾行津，冀通其便。处方：当归、何首乌、蒺藜、白鲜皮、地肤子、土茯苓、白花蛇舌草、赤小豆、重楼、陈皮、生甘草各10g，乌蛇肉5g，生白术30g。日1剂，水煎分两次服。服3剂，大便已不干秘，服至6剂每日排便1次，通顺如常。续服1个月，另配熏洗方，其皮肤痒疹依然。唯独便秘获效，以后亦未复发。

观历代本草，多谓白术健脾燥湿止泻，临床医家多用其止泻，而避用于便秘证。仲景书虽早有治“大便硬”“加白术”之法，而后世医家多疑其文为错简，颇感费解而难释其义。余考《别录》言白术“益津液”。张元素谓白术有“除胃中热”“和胃生津液”之功。《本草求真》指出：白术“能缓脾生津”。《本草正义》更加肯定地认为“愚谓术本多脂，万无伤阴之虑”。

综观上述，今验之临床，知魏老“白术通便秘”之说非欺我欤！余以为白术通便秘之理，在于其有运脾、健脾之力，脾健则能为胃行其津液，津液得行，则肠枯便燥之势得缓，大便必通畅矣。

牙痛小议

刘级三

齿为骨之余，肾主骨，牙齿亦属肾也。上牙龈属足阳明胃经，下牙龈属手阳明大肠经，因而患牙疼者多责之于肾及阳明二经（龋齿除外）。由肾经病引起的牙痛，大都咎由肾阴虚，阴虚不能敛阳，因而肾火炎上，攻冲牙齿作痛。临床表现除牙疼外，每有颜面潮红，牙齿松动，舌红无苔，脉细数等一派阴虚阳浮之象。治疗此症须大补肾阴，反佐以附子引火归原。余每用冯楚瞻的“全真一气汤”和张仲景的“芍药甘草汤”化裁治之，疗效较满意。如我县于某，患牙痛十余日，曾用多种消炎及镇痛药不见好转。查其以手托腮，颜面潮红如妆，舌红无苔，脉细数，大便不干，口干不欲饮。考虑其牙痛剧烈用消炎镇痛药仍不缓解。此种疼痛非实火所致，其面红舌红脉细数，似属火证，但大便不干，口不渴，又非火邪之征，乃下阴虚、上浮热之假象。治以大滋真阴，引火归原之剂。处方：熟地黄50g、山药20g、山茱萸20g、麦冬15g、附子10g、党参15g、五味子15g、牛膝15g、白芍20g、甘草10g，水煎凉服。本方用熟地黄、山药、枸杞子、山茱萸大补肾阴，辅以麦冬滋肺金以生水，党参扶正，白芍、甘草缓解痉挛镇痛。大滋真阴中佐以大辛大热之附子；更用五味子、白芍之酸敛，使附子之热不致上窜泛溢；用牛膝等导之下返坎宫；凉服，以冀附子之热在上焦不发挥热的作用，达下焦后，才能发挥出辛热之功能。

患者服1剂后牙即不痛，面红亦退，继服两剂痊愈。

由阳明热盛引起的牙疼，除疼痛外，还伴有龈肿口燥、舌苔黄厚、大便燥结、脉数等症。其治法早有成方，如“清胃散”“唇齿清胃丸”等。笔者试用这类药，疗效不太满意，原因何在？笔者分析，胃的生理功能是喜降恶升，由胃火上攻引起的牙痛，再用升麻去升提，岂不是火上浇油！“唇齿清胃丸”内虽有大黄、黄芩、黄柏、栀子等清热泻火药，但仍用升麻、防风等升提风燥药，是以用之其效不显。笔者于临床中根据胃的生理功能宜降不宜升的特点，胃为燥土，喜润而恶燥的特点，采用清润胃热肃降冲逆的方法。选用张景岳的“玉女煎”和张锡纯用赭石、牛膝治愈牙疼的方剂化裁，治疗多例，效果满意。曾治耿某，农民。见其每隔三两天就跑一次城镇，约有四五次之多。原来他患牙痛，拟去县医院拔掉，但因肿痛未好不能拔，屡服消炎镇痛药仍不好。查其齿龈略肿，舌苔黄略燥，脉弦大，大便不燥。疏方：生地黄40g、生石膏40g、玄参30g、麦冬30g、贝母15g、牛膝50g、赭石50g、金银花40g，水煎服。患者服1剂后牙即不痛，继服两剂痊愈。历经10年牙痛始终未犯。他把这处方奉为治牙痛的神方，曾邮寄给黑龙江的亲属。

漫谈破伤风的治疗

陈景华

破伤风，中医古称“金疮痉”“小儿脐风”“产后破伤风”等。宋时始有“破伤风”之称。余认为其病机系风挟秽毒之邪，乘隙而入，以致经络肌腠受阻，渐传入里，郁闭经隧，致营卫不得宣通；风为阳邪，郁久化热，热与秽毒之邪搏结于内，聚于腑则邪热益炽，耗伤肝阴，筋脉失养。症见发热、口噤、角弓反张、四肢抽搐诸症。谨守热毒聚腑，伤筋动风之机，“伏其所主，先其所因”，故提出祛风镇痉治其标，通腑解毒治其本的治疗原则。祛风镇痉用五虎追风汤加葛根，通腑泻热用猪苦胆 1 具，生大黄 15g。考其病机，风毒感之于先，化热入里，热毒受之于后，聚于腑而炽于经，伤于筋而见风动，故治必荡涤邪毒资生之源，方为釜底抽薪之策。徒持祛风镇痉，仅扬汤而已。证之临床，药后得酱红秽臭之便，乃秽毒外泻，热源得荡之征。邪泻热除，津液得复，筋有所养，肝风自熄。余宗此法，治疗本病，颇多效验。曾治农民王某，因砍柴不慎，伤及右手。10 天后，始觉全身乏力，头痛，咀嚼不便，吞咽困难，颈项强直，体温 39.1℃，口干渴，溲赤便结，苔黄燥，脉弦紧小数。余诊后，即书上方，投服 1 剂后，患者大便畅行，泻下酱红黏臭之便多次。随后体温下降至 38℃，抽搐次数减少。又宗前方生大黄减量为 6g，连进 2 剂，患者体温恢复正常，抽搐大减，发作间隔延长。前后共服 6 剂，诸症悉平，病告痊愈。

医 经 启 悟

吴惟康

1965 年，余在宾县青阳乡巡回医疗，遇一中午妇女，忽患暴盲。余望其二目无光，视觉全无。家人不知所措，皆掩面而泣。暴盲多实，余观其大体，无腹满便闭，非大承气汤证云“目中不了了、睛不和”之实证可知。亦无肝火暴攻之象。详询病情，方知该患者久病肺痨，辄服抗痨药物，其效不显，身体日渐虚羸，声音低微，语言不清，喘咳不甚；观其颜面虚浮而㿠白，舌淡无苔，脉微细而数。一派虚馁之象。是时余忽想到《灵枢·决气》篇“气脱者，目不明。”《难经·二十一难》“阴脱者目盲”之语，细斟本证，一派气阴大亏之象，正合经意。余即投本事黄芪汤：黄芪、人参、熟地黄各 35g、天冬 15g、五味子

7.5g、炙甘草15g、生姜3片，茯苓15g、麦冬15g、酒白芍15g、乌梅5g，大枣3枚，水煎服。不料3剂药尽，患者竟然复明。

暴盲有“外不伤于轮廓，内不损于瞳神，倏然盲而不见也。”的病理特征。其来势急，病情复杂，且以实证居多；然本案不从实治，而从虚补，是因“目者，气血之宗也。”亏则目不明。故用《医方集解》之本事黄芪汤，将其中人参、黄芪、熟地黄加大用量，以峻补气阴；乌梅、白芍、五味子敛气生津；天冬、麦冬补阴；茯苓、甘草、生姜、大枣健脾益气。津回气升则目得充养，双视复明。余业医多年，深深体会到平时如能正确领悟经旨，临证时才能方寸不乱，取效过半。

瘿证辨治

王士相

瘿证包括许多种疾病，此指甲状腺功能亢进而言。瘿证以我国记载最早，首见于《山海经》。中医临床以“辨证求因”为主，其病因病机主要是肝木亢盛，木横土衰；木火相生，灼其阴液。其中以肝木亢盛尤为重要。其治法有五：

1. 酸泻肝木、疏肝敛阴：《内经》谓：“肝欲散，急食辛以散之，用辛补之，酸泻之”。酸泻肝木以白芍、木瓜、乌梅为主；疏肝敛阴以柴胡、白芍为主。

2. 强金制木：扶肺金肃降之气，以制肝木之亢。以沙参、麦冬、石斛、百合为主。

3. 培土荣木：脾胃为营卫之源，肝盛制脾，必致营卫不足。营卫渐虚，无以濡养肝木，故培土实以荣木。以人参、白术、茯苓、白扁豆、莲子肉之属。

4. 滋水涵木：即滋阴柔肝之意。以白芍、生地黄、女贞子为主。

5. 和阳熄风：即缓和阳气亢盛，平熄肝风内动。以桑叶、钩藤、连翘、黑栀子、牡丹皮之属。

对“甲亢”治疗之难有三：对肝胆阳气亢盛，本可用苦寒降火之剂。然患者多肠鸣腹泻，消瘦乏力，此脾虚之象。若用苦寒降火，则脾胃更伤，其难一也；其腹泻重者，日四五行，怠倦乏力，本当补脾，若过用人参、黄芪、白术，则益气助火，其难二也；烦热面红，脉数舌降，本为阴伤之象，若纯用滋柔，又碍其脾运，其难三也。故临床体验，在上述五法中，以酸泻肝木为主要方法，以白芍、木瓜、乌梅既无苦寒伤中之弊，且有敛阴止泻之益。兹据上述五法所拟常用方剂：白芍10g、木瓜10g、乌梅10g、柴胡6g、沙参10g、麦冬10g、石斛10g、白术6g、莲子肉10g、桑叶6g、栀子6g。

上述之常用方剂，其方义是据前述五法所组成，兹不复赘。临床运用时，可根据患者之阳亢、脾虚、阴伤孰轻孰重，以上述五法加减化裁，寓圆机活法于规矩之中。

余临床体验，用海藻、昆布等含碘药物治疗“甲亢”，并不能取得稳定效果。但对重症“甲亢”患者，开始治疗时，于上述辨证论治诸法中，酌加海藻、昆布各6~9g，可提高疗效，症状稳定后即应停用；对心率增速明显者，于上述方剂中重用沙参（可与太子参同用）、麦冬，加生地黄、生甘草、生龙齿、生牡蛎、酸枣仁等味；对突眼明显者，加白蒺藜、生牡蛎，久服有良效。

在治疗之初当以汤剂治之，俟病情稳定后，需配制蜜丸服4~6个月，以巩固疗效。

“嗜咸症”一谈

刘永铭

曾治乔姓女患者，产后4个月，喜吃咸食超常人，每餐必食咸菜一大盘，而不嫌其咸，难以控制。否则不能进食，食后口渴不多饮。饮多则面见浮肿，渐感耳鸣、腰酸、膝软、不能操持家务。在当地求治无效，来我院就医。

症见：患者面色皖白，颜面浮肿，神倦懒言，语声低微，舌淡，苔白，脉沉缓，两尺按之尤弱。此乃下元虚损，命门火衰所致。治宜温补肾阳法，方用金匮肾气汤加减：熟地黄20g、山药20g、茯苓15g、泽泻15g、五味子15g、肉桂10g、附子10g、山茱萸15g，5剂，水煎服。服药后，患者食咸菜量已减，每餐可自控在一小盘左右。口渴，饮水量稍增亦未见浮肿，仍腰酸，肢冷，舌淡、苔薄白，脉沉缓。效不更方，原方加用附子15g、肉桂15g，以增强温补之力。3剂后，患者自诉食咸菜之量较常人稍多，肢渐转温，耳鸣、腰酸明显好转。查其舌质淡无苔，脉缓，两尺稍有力。再将前方配成料药，炼蜜为丸，嘱早晚各服9g，淡盐水送服。后追访该患者病未复发，能操持家务，吃咸食之量一如常人。

该患者早婚数产，肾气已属不足，此次产后，房室不节，再伤其肾。肾为先天之本，肾阳衰微，命门火衰，失于温养，故腰酸、耳鸣、肢冷、足膝无力、小便清长，诸症丛生。《素问·五脏生成篇》曰：“色味当五脏……黑当肾咸”。根据五味归属五脏的规律，咸味多入肾经，在肾气蒸化下供应机体需要。本例患者，肾阳衰微，蒸腾气化之力必减，咸味食入虽多，亦不能转输利用，同气相求以补其不足，故嗜咸而又不嫌其咸。究其病因病机，总因肾气虚损所致。故用金匮肾气丸，益火之源，补命门不足，助蒸腾运化之力。命门火旺，诸症消退而收效。此类疾病笔者临证尚未遇到，查考手中书籍，亦未见记载，暂自拟为“嗜咸症”。

奇症拾零

陈景河

症之奇者，形形色色，业医终生，亦难尽见。清人沈岷源辑《奇症汇》，搜罗繁富，足资参考。然推沈氏命意，在“奇”而不在“症”，遂有“额角瘤中藏棋子”“割破其疮有黄雀飞鸣而去”等不经之谈，非巫非医，妄言妄听，反滋眩惑。窃谓治奇症，须于“症”字着眼，依辨证施治原则而寻理、选方、用药，纵然奇、纵然怪，常可获效。

啼泣症，仅见于女性。解放前，妇人从人不专主，常受打骂，哭泣入睡，因而罹此疾者不甚罕见。症状为恸哭后，时而抽噎，余悲不止，夜眠往往因抽噎而醒，昼则发作频频不能自禁，本人苦之，他人厌之。余诊之，概从肝郁论治，肝木火炽，反来刑金，肺之志为悲，悲不能胜怒，故抽噎啼泣不已。以《金匮要略》枳实芍药散改为汤剂，枳实、芍药各50g，水煎服。轻则3剂，重则5剂，无一不愈。

单眼暴突症，系37岁女患者，半年前突闻其母暴亡，大哭之后，左眼球努出，兼感胀痛。始经某医院诊为甲状腺突眼症，治之反剧；后经省某医院疑为眼球后肿物，又转北京某医院，排除前两种诊断，但未定病名，亦无疗法。患者几经辗转，病势无减，求治于余。诊见其左眼眼裂增宽，眼球明显高突，于侧面观之，可高于右眼5mm，脉弦缓有力。此乃肝气上逆，目为肝之窍，肝气急，偏攻于上，遂发是症。治以舒肝解郁之法，药用柴胡舒肝汤加减：白芍40g、枳实25g、柴胡20g、川芎15g、桔梗10g、赭石15g、青皮20g、大黄2g、龙胆草10g、青葙子15g、菊花15g等，服药半年，患者左眼恢复正常。

一中年女子患交接头痛已7年之久。自花烛之夜起，每房事后即头痛，须过四五日始止。因性欲颇旺，故患者头痛经年累月，无一日少宁。初时尚轻，日久渐重，百治无效。诊见其面容华好，绝无病态，询得其烦躁易怒，月事正常，已生两胎；脉弦缓有力。此乃系情感激动、血气上冲所致，仿柴胡加龙骨牡蛎汤方义：柴胡20g、龙骨20g、牡蛎20g、大黄5g、川芎40g、生地30g、赭石35g、半夏10g，水煎服3剂后头痛即止，房事后亦无所苦。嘱其守服1个月，以防复发。彼谓已愈辍服，3 个月后果然复发，仍服前方 3 剂而止。患者续服 20 剂，随访 10 年，从未复发。

以上数例，以“奇症”概之，似无不妥。一得之愈，以备博采。

奇病治验点滴

张绚邦

案一　煅制左角发合酒治尸厥

1980 年 10 月间，本院药剂师孙某陪建筑工人李某来诊，自述：每于理发修面，刀剪上及左侧发角即刻昏眩厥仆、不省人事，且面色苍白、四肢厥冷，经掐人中或频频呼唤，历十数分钟方渐渐复苏。如此已半年余，因而视理发修面为畏途。曾经中、西医医治无效，也不知为何病。余诊其脉，小弦而滑；察其舌，苔薄白腻，身形如常人。因思《素问·缪刺论篇》有“邪客于手足少阴、太阴、足阳明之络，此五络皆会于耳中，上络左角。五络俱竭，令人身脉皆动，而形无知也。其状若尸，或曰尸厥……剃其左角之发，方一寸，燔治，饮以美酒一杯……立已。”初未敢信其言，试处方，嘱其取本人左鬓角之发，瓦上煅存性，研细末，以上好白酒 1 杯冲服之。一次觉舒，抚触左鬓角，略有昏眩，但不跌仆，不晕厥。复取另一健壮青年左角发，制服同前。3 次后，意获奇效，从此病未再发，乃信经典方中有如此经验，记之以飨同道。

案二　内服外敷治舌衄血箭

新疆人民出版社哈萨克族翻译那某，男性，患舌衄已 11 年。舌前 1/3 有一细孔，上有紫痂，似赤豆衣。每于咳嗽、进食或大声讲话后，自小孔中喷血如泉涌，张口竟射出口外。辗转京沪治疗，诊断为“遗传性出血性毛细血管扩张症”。询之，其母、其妹于口腔黏膜亦有相似病状。

中医历代医书皆称舌上出血为舌衄，而血如泉涌喷射为血箭。舌为心之苗，舌本属于脾，舌上血出，按心脾郁热论治，处方升麻饮内服：炙升麻 2. 5g、生地黄 12g、生赤芍 6g、寒水石 30g、炙远志 9g、小蓟炭 9g、生茜草 9g、侧柏炭 9g、炙枇杷叶 10g。另以槐花炒黄研细末，敷布舌上小孔中，每日四五次。

依上法调治整月，血渗渐止，疡面渐收缩，乃予原方加生黄芪 15g、当归身 9g 内服，外用珍珠生肌散。连续内服、外用又半月，患者疡面愈合。随访近 20 年未再发。

案三 麻黄汤治暴喑

祖国医学把喉部突然出现声音嘶哑和发音障碍的证候，称为喉喑。因其猝然发生，亦称暴喑。由喉部声带疾病所致。由中风引起的舌体强硬、舌机不灵、语言謇涩甚至失语的证候，称为舌喑。前者多指声音嘶哑，后者则多构音障碍。曾治暴喑1例得效：维族姑娘热汗，18岁，1周前正值寒冬雪夜，出房关院门未穿棉衣。当夜寒热交作，送院急诊。服药打针，2日后寒热退，竟不发一声，全家惊惶。来诊时，张口结舌，俨若哑人，诊脉浮紧。结合证因，显系风寒闭窍，针药热退虽速，表实未解。处麻黄汤两剂，用麻黄和桂枝至10g，嘱服药即被覆而卧。1剂后患者得汗如雨，夜半音竟出，病霍然而愈。孙思邈曾说："风寒暴喑，宜发表不必治喑。"证之本例，确有道理。

话说链霉素中毒治验

刘永铭

曾治一女患者张某，当地诊断为"链霉素中毒"，口服维生素B_6症状不减，遂来求治。

症见：患者神志清晰，两颧红赤，形倦乏力，夜寐多梦，五心烦热，舌红少苔，脉弦细数。此乃肺阴亏耗，不能下荫于肾，肾髓不足不能上充于脑。治宜滋肾降火、润肺之法。方用知柏地黄汤合百合固金汤加减：知母15g、盐黄柏20g、山茱萸10g、山药10g、牡丹皮10g、茯苓15g、泽泻5g、玄参10g、桔梗5g、麦冬10g、白芍10g，水煎服。3剂后，患者咳轻，汗少，诸症减轻，眩晕口麻不减。此乃肾精亏损，髓海空虚，木少滋荣，肝失濡养所致。治宜滋补肾阴以养肝，方用左归饮加减。药用：生熟地黄各25g、山茱萸10g、枸杞子15g、菟丝子10g、川牛膝5g、玄参10g、麦冬10g、知母10g、龟甲25g，3剂，水煎服。服后，患者之眩晕，耳鸣、麻木感较前有所减轻，脉弦。治宜前法，改服杞菊地黄汤加牡蛎、石决明以潜之，白芍、当归以柔之。又3剂后，患者眩晕、耳鸣、麻木大减，渐恢复正常。

《灵枢·海论》说："脑为髓海""髓海有余，则轻劲有力，自过其度。髓海不足，则脑转耳鸣，胫酸眩晕，目无所见，懈怠安卧"。肾藏精，主骨生髓通于脑，肾阴为人体一身阴液之根本，髓海赖之以充，肝木赖之以养，肺金赖之以润。本例眩晕、麻木感，虽为链霉素中毒，按中医辨证则为肾精亏耗所致，故以补肾滋阴为治疗大法，再以证之主次，佐以清肺、柔肝、镇肝之法而取效。

可见，中医诊病需以辨证为主，有是证，用是方。现代医学某些诊断虽可资参考，但不可拘泥。

小便黄赤绝非纯阳证

| 袁呈云 |

临床辨证，尝谓小便黄赤属阳热实证，尤其是在病证复杂，病情严重，又出现假象时，更是把小便黄赤作为辨别真热证的主要依据之一。岂不知小便黄赤也有寒热、虚实之分。近年来，余常遇到一些小便黄赤患者，如不细辨，即按阳热证而用苦寒清热之法，其病非但不减，反有病情增重之势，此等病证，非用温补之法，则不能治愈。余曾治芦某，因其咽干不利，咽物似有不适，小便黄赤，自认为病属阴虚火旺，拟养阴清热之法，数易其方，小便更加黄赤，咽干不利更重，故求教于余。诊其脉沉弦而迟，舌苔薄白而干，并伴腰膝酸软，少腹冷而痛。脉证合参，此由肾阳虚损所致。阳虚不能化气上承，则咽干不利；阳虚无力化液，而邪火遂乘袭之，以致小便黄赤涩少。此标热虽在膀胱，然其病本确在于肾阳之虚，非用温补肾阳以化其气，则肾源无滋，小便焉有自清之理哉。遂拟真武汤加小茴香、桂枝、淫羊藿、玄参等药，服药6剂，小便即转清白，咽部也渐润。宗上方出入，患者继服月余而愈。又如干部张某，因少腹拘急胀痛，小便黄赤涩而频，虽经治而病情有增无减，不能起床，始延余往诊。尿镜检：蛋白（+），脓细胞（+）。前列腺液镜检：脓细胞（+）。患者口干而渴，小便黄赤涩痛，似属下焦湿热，然诊其脉沉细，尺脉无力，舌苔薄白，自觉少腹拘急冷痛，小便时少腹胀痛加剧。此实属下焦虚寒不能化气使然。治宜温补肾阳，佐以理气止痛，拟真武汤加小茴香、乌药、石菖蒲、萆薢等药，加减调治半月而愈。可知，小便黄赤虽是阳热实证主要辨证要点之一，但绝不能但见小便黄赤便谓之阳热实证，还应结合兼证以辨别之。否则，但见小便黄赤，不结合兼证细辨寒热虚实而贸然施治，虚虚实实，寒寒热热，害人非浅，甚则逼枯津汁而毙人者亦属不鲜。

中医治疗急证刍议

| 于沧江 |

人们习惯认为，西医以抢救急、重症见长，中医以治疗慢性病见长。其实

不然。只要医者胆大心细，辨证准确，用药得当，虽中医中药亦可治愈急重之证，且收效甚捷。

我在农安县医院时曾治一于姓病人，年近六旬，因患肺化脓症住院治疗已十余日，曾先后用青霉素、链霉素、四环素、红霉素等抗生素治疗，而病人高热日重，脓血痰日多，要求改服中药治疗，邀我诊视。余见病人面色潮红，烦躁不安，呼吸迫促，不能平卧，频频咳嗽，吐大量脓血腥臭痰，病势已急。自诉胸痛憋闷，渴喜冷饮，大便干结，小便短少黄赤。查舌绛苔黄腻，脉滑数有力。辨证属肺实热证，乃风热邪毒内侵于肺，痰热血瘀，蕴结成脓所致。治宜清热解毒排脓，兼活血化瘀。嘱停用抗生素静脉点滴。方用千金苇茎汤加味：芦根50g、薏苡仁20g、冬瓜子20g、桃仁15g、黄芩20g、金银花50g、连翘40g、蒲公英20g、鱼腥草50g、桔梗15g、杏仁10g、生甘草10g，水煎服。并嘱日进两剂，4次分服。病人服药3天后高热渐退，脓痰减少，遂改为每日1剂，两次分服。两周后已不发热。痰色转白，量亦减少，饮食日增，夜间可以平卧安眠。唯面白气短，倦怠乏力，舌干少苔，脉细无力。此乃邪退正虚，气阴两伤之象，遂改用香砂六君子汤加黄芪、麦冬、沙参益气养阴，以善其后。月余病人痊愈出院。

肺痈乃内科急重之症，初期兼表证者治宜疏风清热，清肺化痰；中期成痈溃脓者治宜清热解毒，祛痰排脓；后期邪去正虚、气阴两伤者治宜益气养阴，补虚扶正。此病人接诊时正值成痈溃脓期，故方用千金苇茎汤加味，方中加金银花、连翘、蒲公英、黄芩以增强清热解毒之效，添杏仁、桔梗以助镇咳祛痰之功，而鱼腥草味辛性寒，入肺经，功专清热解毒利湿，为治肺痈要药，故加之更可增强疗效。诸药配合，共收清热解毒、逐瘀排脓之功。在药物剂量上，亦应根据病情轻重而灵活运用：病人邪实热盛，则用药倍量，4次分服以直折其势；至热退症减，则药量亦相应而减；恢复期气阴两伤，则益气养阴以复其正，而使病人渐得康复。

漫谈顽固性头痛的治疗

| 顾炳熙 |

头痛为临床常见的自觉症状。古有头痛、头风之分，二者常以“浅近”和“深远”区别，其共同点均以头痛不止为主症。头为“诸阳之会”“清阳之府”，又为髓海所在，五脏六腑之气血皆上注于头，故六淫之邪或脏腑功能失常，皆可导致气血逆乱，清阳不升，浊阴不降，脑失所养，发为头痛。若失治、误治，

病邪深入，久病入络，则反复发作，缠绵不愈。医者常用川芎茶调散加减统治一切头痛。更以所谓“伤于风者，上先受之。”和治头痛常以散风止痛为主，疼痛愈重，愈重用麻黄、桂枝、荆芥、防风、羌活、独活、藁本、细辛之类，可取一时之效。殊不知麻黄、桂枝、荆芥、防风之类皆为辛温疏散之品，过服辛散有过汗之弊，致卫气不固，腠理疏松，外邪更易乘虚而入，故愈后遇触复发。

曾治一妇人，头痛数年，反复发作，痛如锥刺，眩晕垂头，不可仰视，六脉弦而兼涩。此证由感受外风，风邪入络，而致气血逆乱，引动内风；邪入络脉，瘀血阻滞，不通则痛。治法当以祛风止痛，活血通络为主，佐以平肝熄风。处方：川芎 15g、红花 10g、独活 15g、炙川乌 10g、地龙 10g、全蝎 6g、钩藤 15g（后下），水煎服。服 3 剂疼痛已止。以后每遇患者复发，服此方一二剂可愈，视此方为至宝，随身携带，以防丢失。余立此方为头痛方，方中川芎行气活血止痛，古称为头痛之圣药；红花活血逐瘀，取其“治风先治血，血行风自灭”之意；独活、炙川乌善祛新久之风以止头痛；地龙、全蝎活血熄风，并能搜剔络脉之邪；钩藤以平熄内风。共奏祛风止痛，活血通络，平肝熄风之效。此方屡用屡验，诚为顽固性头痛之良方。若能按经络循行部位和病因症状辨证，配伍相应的药物，标本兼治，疗效更为显著。

头痛顽证从瘀论治

| 李寿山 |

头痛一证，医者视为小恙，常不深究。实能治好头痛，亦非易事，尤其对顽固、日久反复发作者，甚为棘手。患者苦痛不解，诚为医家之憾事。

余在临床中，留心观察，多数医家从风、从寒、从湿、从痰、从火、从虚论治。很少有从瘀论治者，以为无外伤史，瘀何以为据？故瘀血头痛常被忽视。殊不知瘀血头痛证临床最为常见。有原发、继发之别，原发者或有外伤史，继发者可由他因造成。

余认为就其病因而言，头痛之因虽众，日久疼痛剧烈不已者，从瘀论治更为妥贴。一则风、寒、湿、痰、火、虚等病因最易致瘀。以寒凝、湿滞、火郁、痰阻、虚而不运等，皆可致经络气滞不畅，气滞不畅则血留止而成瘀矣。二则久病入络，瘀而不通，痛如锥刺，固定不移。故头痛从瘀论治，广义言之，乃是常用治本之法。

对瘀血头痛之诊断，临床除脉见细涩或弦大、舌质紫暗或见瘀斑瘀点外，最可靠的证据，是观察舌下脉络的形态与颜色。见青紫、淡紫、粗大而长，甚或怒张有结节，再则痛处固定不移，如锥刺感。据此便可基本诊为瘀血头痛。

余治头痛之证积几十年之经验，悟出一方，以芎归汤为基础加蜈蚣、细辛，名曰通络活血汤。用于临床颇有效验。有注射度冷丁头痛不解者，服本方霍然而愈。

余拟此方，成效之因有三：

1. 药味少而精，针对性强：方中主药川芎辛温善行而气雄，功擅疏通，上行头目，下行血海，理气活血，搜风止痛，为血中之气药，气行血活，故瘀血之垒，可被攻破。辅以当归养血活血，祛瘀血，生新血，通经止痛，增强君药止痛之效。细辛、蜈蚣虽为佐使之品，但方中不可缺。以其乃为本方行军破敌开路之先锋，止痛获效之猛将，故以之为上品。

2. 量大而专，有的放矢：世人以为川芎辛温香窜不可过用。其实不然。顽证痼疾，不用足量，如隔靴搔痒，无济于事。余用川芎，最小量起于15g，以后递增。对头痛剧烈者，经常用至50g以上，实践证明无伤阴、香窜之弊。当然与伍以性柔而润之当归，起到保君抑将的作用有关，此君臣佐使配伍之妙。

另外，“细辛不过钱”之说，亦不足信，余用细辛以止痛，最少量3g，多至9g，并无不良反应。蜈蚣有毒，人皆畏之，但治瘀血头痛，确有祛风镇痉，通经、逐瘀止痛之效。1剂药用3条，并无毒性反应。临床观察，效如桴鼓。

3. 随证加减，伍以适当引经药更佳：只要辨证准确，因瘀施方，头痛痼疾，不难瘳矣。

太少两感头痛辨治

邹德琛

头痛一病，古人认为有属痰、属热、属风、属湿、属气，更兼气虚、血虚之别。在《伤寒论》中，又有三阳、厥阴头痛。凡风寒之邪中人，若不及时疏散，亦极易留恋不解。若为少阴经气不足之人，则病益发缠绵不易根除，而临床中，又常易误诊为内伤头痛，若妄投补益之剂，则其痛愈甚。

此种头痛，即属太少两感证。余在临证中，曾宗仲师治“太少两感”之法，依据“太阳乘王”之时，结合凭脉辨证，治愈一位患有顽固性头痛之病人。曾于1983年6月，一中年女性患者郎某，延余诊治其头疾。自诉8岁起即患头痛，偏于右侧，时或轻重。近3年来，头痛多自两目内眦上额而下项，每于上午9时许则痛渐增剧，至下午3时痛则渐止，如是缠绵不已。经西医诊为

“神经性头痛”，屡投中西药，皆罔效。余诊时，见其面色淡黄，头面微肿胀，无汗，食纳尚可，二便如常，舌质稍暗，舌苔薄白，脉沉而缓。综观脉证，属邪客太阳，阳气不足，正虚邪实之疾。以其脉沉，不得专于发表。病虽久而里虚未甚，亦不可专于温里，故遵仲师治“太少两感”之法，投以麻黄附子甘草汤加味：处方：麻黄 5g、附子 10g、甘草 10g、藁本 10g、蔓荆子 10g，嘱先服 2 剂，水煎服。

所以取麻黄附子甘草汤者，意在扶阳以祛微邪，补散兼施。虑其“高巅之上，惟风可及”，故佐以藁本、蔓荆子等风药以上行之，并可助麻黄祛风寒而止痛，俾药病相合耳。

6 日后再诊，患者服上方 2 剂、头痛渐轻，又自服 2 剂，已头痛大减，面肿已轻，病已有向愈之象。然头面仍未见微汗出，仍当汗解，方以葛根汤加附子 2 剂，意取轻可去实，参以扶阳。

3 日后又诊之，患者言近日未见病发，唯视物久而头胀不舒，切之脉缓，证属外邪已解、正气待复之候。继投八珍汤加葛根、羌活 3 剂，以善其后，患者遂愈。

按此疾诊为太少两感者，其据有三：一者，风寒客于太阳经，太阳主表，其脉当浮。今反见脉沉缓，沉主病在里，缓主虚，是知为少阴里虚。二者，《伤寒论》云：“太阳病欲解时，从巳至未上。”该患者头痛发作时间恰好在“太阳乘王”之时。是知病在太阳。三者，病人头痛部位属太阳经脉循行之所，结合发作时间及脉象，当属太少两感之头痛无疑。其头痛之因，乃已虚之正气，得天阳之助，与邪奋争故耳。

既为太少两感，当投麻黄附子细辛汤为宜。然此病缠绵日久，正气未复，邪气已微，恐细辛之性急升浮太过而伤正，故投以麻黄附子甘草汤，以甘草之缓，微发其汗，佐麻黄之辛甘发散，助附子温经扶阳，则奏邪祛病愈之效。

偏头痛治验

孙秉桓

李某是吾老师之兄，平素经常头痛。今突然头痛欲裂，频繁发作已数日之久。曾用针灸、理疗、电疗，服过中西镇静、止痛药，均未见效。老师问我何方可治？余曰：“吾有一同事赠给祖传秘方，可试之。”于是便处方如下：紫丹参 15g、杭白芍 30g、生牡蛎 30g、生甘草 15g，两剂。嘱其带回家水煎服，服后效果明显。其兄从乡来城约余出诊，患者曰：“自服先生两剂药后，头痛明显减轻，痛有定时，请先生评脉详诊。”

望其形体健，观其面色赤，头汗出，头角及颈静脉努张，呼吸气粗，舌红苔黄，脉弦而涩。其头痛部位在头两侧颞部及太阳穴处，疼痛如刀割锥刺，有撞墙之势，苦难言，痛后尤如常人，饮食、二便均属正常。余曰：“此乃少阳经气滞血瘀头痛”。药已对症，效不更方，再进两剂，稍加防风、荆芥各5g。随访至今未再发作。此后如遇此种头痛之证，随证加减，每都奏效。特作介绍，供同道参考。

头痛证是临床常见之病，病人所苦，有目共睹，吾根据《素问》关于“痛随寒去”“通则痛止”的治则，常收到满意效果。此证乃属少阳经气滞血瘀，久痛入络，又感外邪，胆失疏泄所致。脉弦而涩，舌红苔黄，是肝胆之火热之邪，与外邪风寒相搏，脉络郁滞，血运不畅，经久失治而成痼疾。

方中丹参入心、肝经，有活血止痛兼化瘀、安神宁心的作用；白芍入肝经，柔肝敛阴和脾止痛，使肝胆之火得降；生牡蛎入肝肾，有潜阳敛阴，止汗软坚的作用；生甘草则调和诸药，且用量又大。则肝阳得平，浊阴得降，脉道通利，外邪得除，故而告愈。

厥阴头痛治验

郑润身

厥阴头痛是肝胃虚寒，浊阴上逆的病变。笔者在临诊时曾遇一老妇，年近花甲，10年前因外感患发作性头晕、头顶痛，同时伴有干呕，吐涎沫，甚或吐出胆汁样物。每次发作常须卧床休息，短则二三天，长则1周，始能恢复，常伴见食欲不振及失眠。初起数月一发，后逐渐增多。半年来，每月发作三四次。近月来病情加剧，头痛连脑，头晕，目眩，食不下咽，不能起床。初用止痛药有效，近月来服止痛药少效。病魔缠身，痛苦万分，经病友介绍她前来我处接受中医治疗。观其面色苍白，苦闷病容，形体肥胖，舌质淡白，苔薄白，脉弦细。确诊为嚼阴头痛，治以暖肝温胃，降逆止呕。方用吴茱萸汤。余以常规剂量，嘱患者带药3剂，每日1剂，令其尽剂复诊。

闲时余细思之，厥阴头痛一证，出自《伤寒论》第337条：“干呕，吐涎沫，头痛者，吴茱萸汤主之。”本病在厥阴，见有头顶痛连脑，呕吐涎沫，头晕目眩，舌淡白，脉弦细。证实为厥阴头痛，吴茱萸汤是必投之药。方中的吴茱萸暖肝温胃，配生姜以宣散寒邪，降逆止呕；人参、大枣补虚和中；加藁本解表散寒、祛风止痛，为厥阴肝经的引经药，可引诸药直达病所。诸药相合，为治肝寒头痛的有效良剂。此证应与单纯痰湿头痛的半夏天麻白术汤证相区别。因症状相近，都突出一个“痰”字，但治疗方剂各异，临证时必须细心辨之。

3 日后，患者前来复诊，余观其苦闷病容已消，病情大有好转。诊其脉象同前，知药已中病，效不更方。余以前方嘱病人带药 2 剂而归，令其尽剂复诊。

2 日后，患者复诊，说：“服药 5 剂，头顶痛、干呕、吐涎沫尽除。”十几年的痼疾已除，患者高兴万分。唯经常呕吐已伤胃气，食后腹胀，当调补脾胃，乃化裁六君子汤合四消丸：人参、白术、茯苓、甘草、木香、砂仁、鸡内金、焦山楂、焦神曲、焦麦芽，以善其后。经调治 3 周，患者诸症悉除。

清痰攻下法治愈重症病毒性脑炎

| 陈景华 |

病毒性脑炎病因不明，临床表现复杂，中医治疗多主张按温病进行辨证施治。但通过观察，笔者感到单纯按温病辨证治疗不完全贴切，因为温病是以发热为主的一类疾病，有季节性；而病毒性脑炎虽有发热，但热度不高，而是以意识障碍和精神失常为主要表现的一类疾病，一年四季均可发病。此类脑炎患者发病前多有精神因素，正如叶香岩云：“气滞则痰迷，神志为之混淆”。因此对本病的治疗当从痰论治。

余曾治李某，患者于 10 天前出现“感冒”，兼头痛、呕吐，渐至表情淡漠，言语不清，甚至哭笑无常。两天来患者昏迷不醒，二便失禁，于 1983 年 2 月 5 日留院诊治。临床诊断为病毒性脑炎。中医辨证，患者神志不清，瞳仁散大，口噤不食，躁扰不宁，循衣摸床，小便失禁，大便数日未行，苔厚黄腻，脉弦滑小数，证属痰火蕴结内扰，上蒙清窍，神明逆乱。“主不明则十二官危”，证甚重笃。对患者除给予支持疗法外，主要以清痰攻下、开窃醒神为法。处方：半夏 10g、陈皮 10g、茯苓 10g、甘草 10g、枳壳 10g、生大黄 15g、天竺黄 10g、黄连 6g，水煎，频频鼻饲。并配服安宫牛黄丸。经服上方 3 剂后，患者大便畅行，神志开始转清。继以上方出入，至 14 日患者已能自行进食，15 日谈笑如常，各种病理反射亦渐消失。恢复至 3 月 4 日，患者能生活自理，痊愈出院。随访至今无任何后遗症，智力、体力等一如常人。

“清痰攻下法”可用于病毒性脑病所致的意识障碍，但必须针对舌红苔厚焦黄或腻、脉弦滑数、便行不畅或燥结等痰火内扰证，方能取效。本例获效较速，亦赖辨证确当。切勿以病套方。

湿浊头痛重用泽泻

苗思温

引起头痛的原因甚多。由湿浊所致者，分外感、内伤二类，其证候表现皆有头痛如裹或头痛昏蒙，或头沉重痛之特点。

外感湿浊头痛者往往与风合邪，称风湿头痛，以羌活胜湿汤为主方可奏功。内伤湿浊头痛系肺、脾阳气不运，湿浊内停，经络阻塞，清阳被遏，以二陈汤做基础方治者为多。

笔者多年来经临床详细辨证，并以“肾主骨”“骨生髓”“髓通于脑”“脑为髓之海”理论为指导，发现湿浊头痛与肾阳失司、津液输布和排泻失常、湿浊内停于肾有关，肾失生髓充脑的功能，故有耳鸣、腰脊项重、头脑重痛。

治疗本证，笔者常重用泽泻 20～60g。还需根据辨证配合其他方药，如肾气虚加党参、黄芪；肾阳虚加二仙汤；伴腰痛者佐川续断、桑寄生；并可结合仲景的泽泻汤、五苓散等汤证酌情配用。病情轻者 3 日服 2 剂；病重者 1 日 1 剂，水煎服。

若在治疗过程中，头痛减轻或消除后，反而出现头目眩晕，则为泻之太过，清阳不升，或肾阴亏耗所致。当配补肾之药，或予停药。

据近代研究，泽泻有降低血压及血中胆固醇的作用，并有显著利尿的效果。经临床观察，对高血压病、高脂血症而按中医辨证分型属于湿浊头痛者，可用泽泻加味治疗。此外，对脑积水、脑水肿等亦有一定效果。

大头瘟的望诊

孔令诩

大头瘟，又名大头风、大头伤寒、蛤蟆瘟等，以憎寒壮热，头面肿痛等为主要症状，发病急，来势猛，故颇为医家重视。此处所谈，为先祖晚年之事，录之以见其诊治技法之娴熟高超。

时为 1955 年夏，先祖伯华公已因病辍诊，在家休养。一日，坐于藤椅纳凉，吾小妹令诠时方 6 岁，在花下玩耍，晨起时其目以上微赤，额略热，但玩耍照常，家人亦未注意，此时玩耍处距先祖不远，吾祖注目移时，即呼吾父至，曰：“此女将发大头瘟，须亟治，迟则生变。”立命吾父拟方，经吾祖审阅修改后即令抓药煎服。时因小孩一切表现如常，故家人亦未深信，姑抓药置之，晚饭后始煎药，药未得，小妹忽发哭叫，抱头叫痛，坐卧不安，百般哄慰而哭益剧，视其头面，目以上红赤、灼热，且有焮肿之势，始大为惊惶，迅将药煎成5服，服下不久，哭闹渐止，安然入睡，连服2剂，病如失。

血瘀头痛治验

张克俊

笔者所记血瘀头痛，系指“蛛网膜下腔出血”而言，通过腰椎穿刺及临床检查，确诊无疑，且经西药治疗一段无效并请中医会诊病人。中医学对头痛的认识，要视病人的头痛性质、部位、时间及其脉证，辨别头痛之由，分清虚实，加以施治，有瘀者必祛其瘀，瘀去痛止，此为正治。

十几年前，余在某西医院工作，时逢“五一”节过后3天，内科邀余给一肾炎患者会诊，走在走廊，即听某患者高声喊叫，呻吟不已，则望之，见一伴护者抱按该患者，制止其以头撞墙，可谓痛不欲生。家属见余至，非求余诊治不可，在所辖医生同意下，刻诊所见：患者病发半月有余，病始头部麻木，随之剧烈头痛，恶心呕吐，经腰椎穿刺及临床检查，诊断为“蛛网膜下腔出血”，住院期间曾给甘露醇、非那根、氯丙嗪及止血药等治疗，患者头痛毫无缓解，五月一日静脉点滴甘露醇后，病人自觉头痛加剧，其痛如裂，若似锥刺，两太阳穴部位疼痛尤甚，表情痛苦，烦躁不安，食少纳呆，舌质红、苔白腻，脉沉弦而涩，余诊为血瘀头痛，贸然用活血化瘀，逆止血之法而治之，投下方两剂：

当归15g、荆芥穗15g、赤芍15g、乳香15g、没药15g、川芎15g、甘草15g、柴胡15g、怀牛膝15g、红花15g、生地黄15g、桔梗15g。

上药两剂服尽，患者头痛刻时大减，虽太阳穴仍微微作痛，其痛可忍，呻吟已罢，精神立爽，夜能安静入寐，饮食稍增，二便正常，舌红苔腻，脉弦涩，是谓效不更方，守前方之意加减，前后服药8剂，诸恙消退，痊愈出院，随访6年，再未复发。

余在内科会诊，见此患非少，均诊为“血瘀头痛”，以活血化瘀之法治之，皆获显著疗效。而前人对头痛论述颇多，其因非一而致，临床分外感、内伤、血（气）虚、血瘀、痰浊之类头痛，不同病因病机，所病各有不同。若血瘀头痛，必有血瘀头痛之候，其特点是：痛有定处，剧痛难忍，似若锥刺，脉细或涩，所谓“蛛网膜下腔出血”，正符此证，其治要谨守病机，辨证施治，倘若仅被“出血”二字所左右，人云亦云，不求根本，妄投止血药，也是徒然。

对本病之治，选方遣药，非余所创，乃王清任“血府逐瘀汤”加减变化而来，方中红花、赤芍、当归、川芎、乳香、没药、怀牛膝祛瘀血、通络止痛，引瘀下行。川芎是血中的气药，能引药上达头目，下达血海。加之桔梗能载药上行。故血府逐瘀汤是治疗血瘀头痛首选方剂，余在临证，多用此方治疗各种血瘀性疼痛，每每获效。

柴胡疏肝散治疗偏头痛

薄敬华

柴胡疏肝散，乃明代著名医家张景岳由四逆散化裁而成。近十余年来，余用是方治疗情志抑郁，肝气上逆之偏头痛，获效屡屡。

偏头痛又名边头风、偏头风。发作时胀痛难忍，其痛多在颞部或头角，或左或右；有连目而痛，痛久损目者；有齿痛呕恶者……兼证不一。观诸医籍，偏头痛多以肝经风火及阴虚阳亢立论。多用辛凉宣散、清泻潜镇之剂治之。然余临床观之，由郁怒烦劳、肝失条达，肝气横窜胆络，循经上犯之偏头痛，亦颇多见。以疏肝理气之柴胡疏肝散加减奏效最速。

1972年春，余同里一老妪赴石就医。因早年丧偶，儿媳忤逆，抑郁寡欢。遂患左偏头痛，已历8载，久治不愈。其病发作无常，时作时止。每发左侧头痛且胀，如割如刺，如裂如破，以头触墙痛不欲生。曾赴省、地、县数家医院就诊，有诊为“三叉神经痛”者，有诊为“血管神经性头痛”者。用封闭或口服麦角胺咖啡因、去痛片、镇静药及辛凉宣散、滋阴潜镇之中药汤剂，其痛虽可暂缓，然每遇情志不畅必犯，终不能根除。诊其脉，弦紧小数，舌质红，苔薄黄。遂用柴胡疏肝散加味治疗：柴胡6g、白芍15g、枳壳10g、川芎10g、香附6g、川牛膝10g、酒黄芩10g、全蝎6g、红花10g、麝香0.02g，茶叶一小撮同煎。连服5剂疼痛大减。再于上方去麝香、全蝎加当归15g，又服二十余剂，8年沉疴竟愈。2年后，余因故回里，见其子询之，谓“自愈后，虽生气屡屡亦未犯病”。向后余每遇烦劳郁怒所致之偏头痛，常用“柴胡疏肝散”加减治疗，治愈颇多。

偏头风小议

宋选卿

偏头风，又称偏头痛，是以发病突然，疼痛剧烈，或左或右等为其特征。

前人多从偏者主乎少阳，认为风淫、火郁者为多。常立散风祛邪之法以治之，余临证数十年，遇此疾甚多。行医之初也曾循前人之法治之，但收效甚微。后经反复钻研经书，总结临床经验，探明其痛亦有规律。若痛如锥刺，跳痛难忍，周期明显，痛处虽因人而异，但部位多较固定，并常伴有胸闷、忧郁、心烦、失眠、舌紫、脉涩等。究其病机，虽多先有感受外邪或抑郁气滞等病因，最终乃因久病邪气入络、气血运行不畅、脉络瘀阻所致，即不通致痛之疾。故治疗偏头风，余常立活血通络止痛之法，佐以祛邪疏风，标本兼顾，自拟止痛饮，收效甚捷。曾治女性患者齐某，患此病数年，反复发作，虽经数处治疗，其病如故。余视其病时，具备前述主要特征，故用止痛饮治疗，4 剂痊愈。后2 年随访，未见再发。所用之方，由桃仁、红花、丹参、川芎、藁本、白芷、细辛、蜈蚣、牛膝等药组成。方中桃仁、红花、川芎、丹参，活血行气、祛瘀通络，以治其本。尤其丹参一味，功同四物，有较好的祛瘀养血之效。又依古人用虫蚁搜逐血络、宣通阳气之说，故用蜈蚣取通经活络，息风镇静之效。另取藁本、细辛、白芷等辛散之性，祛风止痛，以治其标。方中牛膝可引血下行，以利于瘀血头痛的缓解。总之，诸药配伍，共奏活血止痛祛邪之效。本病乃为久治难愈之疾，若病之者，必伤元气，故应视其病情，选用当归、黄芪等予以扶正。本方多为辛散之品，用久易伤阴，若见五心烦热等症时，应佐加麦冬为宜。若遇心情抑郁，每因情绪变化而加剧者，可加柴胡、枳壳、龙齿等疏肝理气镇静之品，其效更佳。

“除眩汤”治耳性眩晕

张华珠　孙文先

笔者临床二十余年，目睹该病患者几日不能进食水，不能站立，甚至连续几天不能翻身，痛苦至极。为了解除耳性眩晕患者的痛苦，我们查阅有关资料，在前人治验的基础上，拟“除眩汤”治疗耳性眩晕，取得较好疗效。

药用：柴胡 12g、半夏 10g、茯苓 12g、人参 10g、黄芩 12g、熟地黄 12g、牛膝 12g、五味子 10g、白术 12g、泽泻 30g、车前子 30g、炒酸枣仁 15g、生姜 3 片、大枣 5 枚，水煎服，日 1 剂。

痰浊阻塞型，症见头晕目眩，头重如裹，胸闷纳差，频繁呕吐，舌淡苔腻，脉濡滑者，上方去熟地黄，加竹茹 12g；若呕吐较重，无明显热象者，可将原方中半夏改为 20g，生姜改为 30g，茯苓改为 30g，水煎待冷（稍温），分 4 次服下，以防格拒。肝阳上亢型，除眩晕主症外，症见头痛较重，伴心烦易怒、血压偏高、脉弦、舌红少苔或薄黄苔者，上方加龙骨30g、牡蛎30g、珍珠母30g、龙胆草15g。肾精亏损型，除眩晕主症外，伴腰膝酸软无力，心烦少寐，舌红少苔，脉细数者，上方加女贞子20g、何首乌15g、枸杞子15g。

曾治刘某，近七八年来经常头晕头痛，失眠健忘，某医院诊为“神经官能症”。近几个月来，患者头晕日渐加重，并增添耳鸣，甚时不能活动，喜闭目静卧。虽用西药，屡治罔效，缠绵不愈，长达5个月之久，不能工作。后因情志刺激，眩晕异常，伴恶心呕吐，呕吐物为苦水涎沫，胸胁满闷，心烦少寐。见病人精神萎靡，面色暗黄，闭目静卧，口唇干而红，舌红少苔，脉沉弦而细，诊为“耳性眩晕”，证属肝肾阴虚，肝阳上亢。治以滋阴补肾，平肝潜阳。方用“除眩汤”加珍珠母30g、龙骨30g、牡蛎30g、枸杞子20g，水煎服，日1剂。服2剂后，患者诸症均减，连服二十余剂痊愈。随访8年未复发。

补阳还五汤治疗偏瘫偶得

李兰生

补阳还五汤方出清代王清任所著《医林改错》，为治疗中风正气亏虚，瘀血阻络，半身不遂之良方。余秉承师训，临床应用数十年，确有起废扶羸之功，济世活人之力。

初用此方时，首先要看患者有无外感症状，如有则应先治外感。属风寒者，可以小续命汤加减治之；属暑热者，则以香薷饮加减治疗。待外感愈后，诊其脉浮大无力者，即可以补阳还五汤施治。若非此脉，诸如弦劲等，则不可妄用本方。另外，初用之时也宜先小其剂，然后逐日增加，务于3～5日将黄芪加至120g，其他药量仍如原方，或略为增加皆可。若一往无阻，顺利自效而恐药力不及，则可晚服黄芪120g，早服半剂60g。过一二剂患者病势平和，亦可加服原方1剂，即1日服黄芪240g。数日后可斟酌患者病情，撤服120g，每日仍服1剂，多服几日。即使愈后亦宜隔3～5日服药1剂，待体力复原方停药。若黄芪服至240g无效，即为药不对证，应速设他方治之。另外，初用本方之时，如恐风邪未净，尚可稍加散风药物，如菊花、防风等，且分量不必过重，3～6g即可。服二三剂后，视其脉证，知风邪已去而撤之。同时再加清凉药如金银花、连翘、知母、竹茹于方内。盖因黄芪性味甘温，甘则易壅，温则易热，虽药证相符，仍恐格拒不入也。辅以清凉便使药气与病气融洽，如胶投漆，行所无事，方无流弊。待黄芪加至120g，病情又无热象出现，则将清凉药物减少或撤去皆可。如大便干燥，则可加火麻仁、郁李仁等以益气润肠。斯症属气虚不运，肠失传导所致，绝非胃肠实热、燥结于内者可比，不可妄加攻下。如兼见浮肿有湿，则可加赤小豆、薏苡仁、茯苓等以利水湿。如有痰盛，则可加川贝母、浙贝母、瓜蒌、旋覆花、竹茹等以祛痰涎。如胃脘停滞，食欲不振，则可加焦三仙、莱菔子、砂仁、鸡内金等以消食开胃。如见虚寒腹泻，排便增多，恐致气虚不摄，流于滑泻，则宜急固之，可加附子。否则元气一脱，则英雄无用武之地。

补阳还五汤在应用之时尚须注意，切勿妄加黏腻滋补之品如熟地黄、山茱萸、枸杞子等。因本方着力于益气，辅佐以活血。二者合用，裨使大气斡旋，络脉通达，气血得以运转，筋脉得以濡养。若妄加滋腻收涩之品于方中，势必阻挠黄芪一往直前之力，使经络胶滞，有弊无利。即使病幸获效，亦恐难尽善其功。若患者脉虚体弱，非补而不为功者，则可另立一滋补之方，或与本方早晚交替服之，或隔日服之，不但两不相碍，且相得益彰。

偏瘫疼痛刍议

王福全

中风偏瘫，方书论证不遂者多，言其兼疼痛者殊少。然于临证中瘫而痛者，却屡见不鲜。无论中经中络、中脏中腑，所见半身不遂患者，初无知觉，肌肤麻木，欠温，肿胀，甚则枯萎不收或拘急强直。若不及时治之，则大有痿废终身之虑。然而，一但知觉稍事恢复，令患者自行活动或他人相助锻炼，即感偏枯之侧抬举屈伸、转动而痛不堪忍，尤以肩、肘、腕、指诸关节为甚。因其疼痛而废活动，辄影响瘫肢之康复。

偏瘫之病，多继于中风之后，咸知经脉已失其养，气血方盈，正气不守，营卫失固，邪气极易独犯其间。故风寒湿邪，乘虚侵袭经络阻遏阳气运行，寒凝血瘀，以致经脉不通，“不通则痛”，故致偏瘫之痛作矣。吾临床诊治此证，对尚无阴虚阳亢征象者，多用小续命汤加减颇验。唯血虚者加当归、熟地黄、何首乌之类；痰湿盛者加胆南星、半夏、橘红；瘀血阻络者加桃仁、红花、丹参、鸡血藤等，奏效更速。

中风杂谈

王庆冬

近世中风患者颇多，多系体肥、性急、血压高的患者，突然晕倒，导致半身不遂、口眼㖞斜，语言謇涩，甚或昏厥不省人事。传统治法，多以《医林改错》的“补阳还五汤”加减。据余近年所见，以血压高、情志急而致者居多。至于气虚血瘀而致的“补阳还五汤”证，较为少见。余在总结160例中风证中，适于用补阳还五汤的只有1例，但黄芪用量大减。盖近世人民生活水平普遍提高，所以因气虚造成的血瘀极为罕见。

笔者认为本病的成因，多由情志急躁，或长期郁怒，或情绪过度紧张，以及饮酒嗜肥，而致肝肾阴阳失调，不能保持相对平衡所致；或阳胜而伤阴，或阴虚而阳亢。总之，起病在肝，根源在肾，而前者为标属实，后者为本属虚。

肝气内郁化火伤阴，肝阴不足、则肝阳上亢，而出现躁动易怒、头痛、头晕等症状。肝阳上亢，往往与肾阴亏虚有关。由于肝肾同源，互相影响，肾为肝之母，肝阴虚必然求救于肾，肝阳上亢日久，势必下耗肾水，致使肾阴枯涸，阴不制阳。或年老肾阴不足，更易引起虚阳上浮，而见眩晕、耳鸣、腰膝酸软等症。肾阴虚久，损及肾阳而出现阴阳两虚，或阴阳两虚之中偏于阴虚。一般在早期，偏于阳亢者多，中期多属阴虚阳亢，后期多为阴阳两虚，或以阳虚为主。

如果病延日久，或病情急剧发作，化火动风，以致肝阳挟痰火横窜经络，上冲于脑，可见血压骤然增高，头痛剧烈，抽搐失语，突然昏仆，不省人事等一系列脑溢血证候。即《内经》所谓：“气血并走于上，则为大厥”的见证。故在治疗中应以滋阴平肝潜阳为法，以拙拟“滋肾平肝潜阳汤”加减治之。

近几年来，余用该方治疗中风证较多，颇觉得心应手，疗效很为可观。该方以生地黄滋阴凉血；白芍养血敛阴；牛膝、赭石平肝降逆，导气血下行；龙骨、牡蛎、潜阳入阴；钩藤平肝镇惊；鸡血藤活血通络；麦芽生用平肝降压；山药滋阴又能补中健脾；甘草调和诸药。全方有滋肾阴而平肝木，能使上亢之虚阳潜入阴分，使闭塞之气血调达通畅，故对血压增高、肢体瘫痪之中风闭证，疗效颇感满意。

老年半身不遂防治小议

| 邓维滨 |

半身不遂大多数发于年逾四旬以上之人。人初到老年期，肾气始衰，脑髓渐虚，气血不充，则易患“卒中”而病半身不遂（偏瘫）。

据吾多年来的医疗实践经验，人过四旬若见头晕、半身麻木者，投以滋肾益气、活血化瘀的补阳还五汤合六味地黄汤，在防治半身不遂疾病上可获显著疗效。曾治程姓患者，65 岁，于清晨到江边散步时，突然头昏、半身不遂，来院治疗。入院后诊断“卒中”（中经络），内服六味地黄汤合补阳还五汤加减，连服 18 剂，患者能独立行走而出院。后改为丸剂，每日早午晚各服 1 丸，服药 3 个月身体基本恢复正常，已能上班工作。

吾运用六味地黄汤合补阳还五汤治疗半身不遂，时时注意验舌，掌握病情的转机。一般初病舌质黯淡，舌苔薄白或白腻者，多见痰湿瘀血壅阻脉络。若见患者肝阳上亢之眩晕，加石决明 50～100g，仍可重用黄芪，选加夏枯草、草决明等药。对血压持续升高不降者，去黄芪加羚羊角、玳瑁（冲服）或加安宫牛黄丸，配合头针，使急性期症状缓解，是治愈病人的关键。多数病例在当天几小时内舌质转为黯红，舌苔黄或黄腻，表明中焦阳明痰湿化热。郁热在里，大便秘结或便难，脉象弦大而滑，严防病势转逆，宜急加大黄、芒硝急下存阴。痰热腑实得除，诸症相应好转，可见舌质红无苔，日久不复；若舌质进而转淡，白薄苔渐生，病情趋向稳定，由实转虚。若见脉象沉滑、沉缓、兼见心悸气短、乏力自汗，补阳还五汤加丹参、牛膝、木瓜、白术；舌强不语，选加郁金、石菖蒲、天竺黄，配合针刺涌泉穴；口眼歪斜加白附子、全蝎粉（冲服）；血压偏低者加人参、五味子、麦冬；偏瘫在上肢选加桑枝、桂枝、桑寄生、羌活；偏瘫在下肢者选加独活、木瓜、牛膝、薏苡仁、狗脊、千年健。在治疗过程中若见患者脉细而弦、舌质红少苔或无苔，兼见眩晕、烦躁、失眠，选加玄参、麦冬、牡蛎、白芍、牛膝、丹参、珍珠母、代赭石；对废久不用者，选加僵蚕、川乌、细辛、全蝎、蜈蚣等。

知常达变，贵在辨证

| 何连庆 |

尝治董某，62 岁。1982 年 10 月 12 日因脑血管病神昏、瘫痪，急诊住某医院，经 3 天抢救，病情稳定，但呃逆不止，邀中医治疗。据家属介绍，患者素有高血压病，经常头晕、肢麻。查体发现其血脂高，眼底动脉硬化。1980 年曾患半身不遂，治疗后好转，基本恢复正常，生活能够自理。3 天前晨起大便，突然跌在厕所内，当即神志模糊，左半身活动失灵。送往医院后病情仍有发展，神志逐渐昏迷，嗜睡不语，酣声不止。第二天伴发呃逆，并有逐步加重的趋势。观之体形肥胖，面色潮红，呼吸气粗，神志不清，呼之不应，口角向一侧歪斜，呃声不止，声高力大，床榻随呃声而震动。虽睡眠但呃逆不停，影响饮食之饲喂。3 日未大便，脉弦滑，苔厚腻微黄。血压 24 · 794/14. 663kPa（186/

110mmHg)。主治医生要求用小药治呃，余症缓图。

根据脉症，诊为中风（中脏腑）并发呃逆。病机为痰湿内蕴，肝肾阴虚。肝阳偏亢，风痰上扰蒙蔽清窍，故而猝然昏倒。其呃逆者，为气机不利，胃失和降上逆而致，治以降逆祛痰。方用二陈汤合旋覆代赭石汤。两剂服后，患者诸证如前。认为风痰内扰，气机被阻，热灼津伤，浊气不降而上逆。治以豁痰开窍、通腑降浊之法，方用导痰汤加味：半夏10g、茯苓15g、橘红10g、胆南星6g、枳实6g、石菖蒲10g、远志9g、竹茹10g、大黄9g（后下）、竹沥1瓶（冲），送服安宫牛黄丸1粒。上方服1剂后，患者神志稍苏，呃逆亦减，睡眠时偶有停止，呃声仍高，大便未下，但腹中有肠鸣声。继服原方减去安宫牛黄丸（因无药），加用番泻叶6g，泡水代茶频频饮之。药后4小时患者大便1次。腑气已通，呃逆顿减，神志渐趋清醒，手足已能活动。前方既效，原方再服（大黄减为6g，继饮番泻叶水）。三诊共服3剂，患者大便通畅，食欲渐复，呃逆已止，神志亦清，唯语言不利，肢体活动尚未复原。主管医生认为目的已经达到，表示满意。最后提出：两次处方，收效不同，其理何在，愿闻其详。

余曰：中医特点在于整体观念，辨证论治，并非一病一方。辨证求因，审因以论治，要善于抓主要矛盾。既要辨证明确，又要知常达变。对于呃逆轻证，偶然发作，不治可以自愈；既发之后，气滞者疏肝以理气，阳虚者温阳以止呃，胃热者清胃以泻火，气逆者重镇以降逆，此其常也。另有久病、重病出现呃逆，多为胃气将竭，乃属危症。本例呃逆，虽见于中风重症，病在垂危之际，按常理可能认为是不治之症，但呃声洪亮而力大，脉象弦滑而有力，大便5日未行，虽然胃气上逆之因存在，而浊气不降为呃逆之主因，此则其变也。初用旋覆代赭汤以重镇，为治呃之常法。不应，改用通腑降浊之大黄、番泻叶，上病治下，使腑气得通，浊气得降，气机得畅，而呃逆止，乃釜底抽薪之法，此又其变也。

谈中风后遗症的治疗

陈玉峰

中风后遗症是临床常见病之一。唐宋以前认为是外风中人，金元以后突出内风为主。刘河间主“心火暴甚”，朱震亨倡“湿痰生热”，李东垣主张“正气自虚”，明代张景岳创“非风论”，提出“内伤积损”的论点。清代叶天士认为本病乃精血衰耗，水不涵木，肝阳偏亢内风时起的肝阳化风。我们从张、叶两家之论，可见中风乃因内风引起，并非外风中人。到清末王清任又提出“气虚”之说，创出“补阳还五汤”治疗偏瘫之有名方剂，被后人广泛应用。中风虽经治疗保其生命，但其后遗症却给病人的工作以及生活能力带来极大的不便，故预防中风发生很必要。后遗症以半身不遂多见。半身不遂多是因气虚血瘀、经脉阻塞而致。我在治疗中以补气化瘀为主，选王氏补阳还五汤加减，收到满意疗效。如老年患者秦某，2 个月前突然半身麻木不仁，手足酸软无力，不能独立直立或行走，语言謇涩，口眼略歪，舌红绛少苔、少津，脉弦细。

由于该人平素善怒，引起肝阳上亢，肝风内动，而血郁于上，兼之元气虚弱，无力运行血液，导致气虚血滞，血滞则经脉不畅，加之肝阳上亢，火升风动气血逆于上而致。以益气和血，通经活络，选补阳还五汤加减：黄芪30g、当归尾 15g、川芎 7. 5g、桃仁 10g、红花 10g、赤芍 10g、牛膝 15g、地龙 10g、天麻 10g、全蝎 2. 5g，水煎服，日服 2 次。方中黄芪益气，当归尾、川芎和血，桃仁、红花、天麻、地龙、牛膝、全蝎通经活络而化瘀。患者服药后血压偏高，又加生石决明 25g、钩藤 25g、茺蔚子 15g，以平肝熄风而降压；语言謇涩加蝉蜕 10g、石菖蒲 15g、郁金 10g，以宣窍利气通络，服药六十余剂病愈。

中风后遗症虽是难治之疾，只要抓住时机，正确施治，可以治愈。我的一点体会是，在治疗中用全蝎、蜈蚣可增强活络化瘀之力。老年体弱者始用红花、桃仁活血通络，但不可过久，久可伤正，如有腹泻可选清轻通络药物，如丝瓜络一类，既可活络又不伤正。对于失音患者有实有虚，实者多为痰涎壅盛，当涤痰开窍。虚者多因肾精不足不能上奉滋润咽喉所致，当补阴扶阳，我喜欢用蝉蜕，收到满意疗效。如对体弱单纯失音者，可用地黄饮子原方加蝉蜕。对于久病不愈、四肢痿废不用者可加川乌、草乌、全蝎、蜈蚣、僵蚕等药以祛风化痰。还可以加水蛭、虻虫活血破瘀以通络。再配合针灸、按摩、理疗，亦可加速病愈。

口眼㖞斜，治从阳明

| 李兰生 |

口眼㖞斜为临床常见之症，其发病突然，口眼向一（健）侧歪斜，目不能合，口舌失灵，咀嚼不利，面肌麻痹不仁，甚则时见肌肉抽动。本病多由络脉空虚，风邪入中阳明之络，络脉受阻，气血不利，面肌一侧瘫痪所致。在治疗上，历代医家多以祛风通络为法，常用麻黄、桂枝、羌活、独活、防风、荆芥等发散之味。但终因所病经络未明，用药难免泛泛，或杂而无主，不能专入一经，以致有邪之络不得疏通，无邪之络反受诛伐，徒虚其表，难以去其邪，影

响疗效可知矣。余观清代陆养愚所著《陆氏三世医验》之口祸属阳明经治验一案，颇有见地。其依《内经》所述“胃足阳明之脉，起于鼻之交頞中，旁纳太阳之脉……挟口环唇……上耳前……循发际”等，确认口眼祸斜属阳明经之病，并提出风客阳明留而不去，治宜解散之法，取葛根15g、升麻6g、白芷6g、僵蚕4.5g、黄芪4.5g、桂枝1.5g、桔梗3g、甘草1.5g为方。方中用葛根、升麻重剂以逐阳明痼结之邪；白芷、僵蚕以驱头面风痰之阻；黄芪、桂枝以固周身疏泄之表；桔梗、甘草载药上行，调和诸药。余多年以此化裁治疗本症，常获良效。应用时无表虚恶风等表现，则去黄芪、桂枝；有热者再加金银花、连翘、牡丹皮；血压高者另加天麻、钩藤等。其症较重者加蜈蚣；时日较久者加当归、赤芍、地龙等。另外，本症早期医治疗效较高，医治迟缓则差，日久不治亦可成为痼疾。

余曾治一谭姓病人，患者40天前晨起即感左侧面部麻痹不舒，取镜照之，左眼不能闭合，口角向右歪斜。同时伴见咀嚼不利，视物不清。曾赴他院治疗月余无效。就诊时其症如前，舌苔薄黄微腻，脉象弦数。四诊合参，确属风中阳明之络。留而不去，气血闭阻，瘀而化热之证。拟逐邪通络佐以清热之法，方用葛根15g、白芷6g、僵蚕6g、升麻6g、桔梗6g、赤芍9g、当归9g、地龙9g、连翘12g、牡丹皮9g、甘草6g，水煎服，每日1剂。3剂后患者面部肌肉麻痹之感消失。二十余剂后口祸斜纠正，病告痊愈。

头颤动，治在肝

孙秉桓

吾行医20年，临证中遇到头颤动患者，治疗常用治肝之法，每每取得良好效果。吾曾治一患者，病已几载，望其体形丰满健康，头部左右颤动，面色潮红。查其症有头晕、心悸、气短，性情急躁而易怒，舌红苔白，饮食、二便正常。诊其脉两关脉弦滑，以左关尤甚。此患者经多方求医治疗，然用药罔效。吾根据望、闻、问、切的诊断方法，综合其体、形、色、脉等体征，进行辨证论治，又根据《内经》病机十九条中说：“诸风掉眩，皆属于肝”的理论，用镇肝熄风、定痉之法治之而收效。药用生白芍10g、石决明30g、钩藤10g、全蝎2g（研末分吞）、僵蚕10g、当归10g、生地黄15g、天麻10g、牛膝10g、龟甲30g，水煎服。1剂之后，未见显效，3剂服完，患者头颤动减轻，内热、头晕已止，心悸、气短已消失，舌红转有津，脉弦稍柔，证明阴液已复。效不更方，继服2剂，头不颤动，风已熄，诸症痊愈，高兴而归。

吾认为头部颤动，动属风象。用石决明、牛膝、龟甲、当归、生地黄等滋阴潜阳养血以熄内风；用白芍、钩藤以平肝；用全蝎、天麻、僵蚕增其熄风定痉之力。用药5剂，阴复阳潜，肝风平熄，头颤动得止，诸症悉除。

“会厌逐瘀汤”与梅核气

王圣云

余在临床上遇一梅核气病人，经多方治疗未效。中医同道治多循用理气开郁之品，然奏效不著。随察病情，脉证合参，久病咽疾，郁结日久致气滞血瘀为患，试用“会厌逐瘀汤”加减治之，服2剂患者病痛大减，又继服4剂，已愈。后凡遇此类咽疾，皆用此法，均获卓效。遂究其理，属七情致病，肝气久郁，肝藏血，主疏泄，气行则血行，气滞则血瘀，瘀阻咽喉，久聚不散。故咽喉局部肿胀，症见憋胀感、异物感。因瘀血内阻，津液失其滋润咽喉之功，则出现咽喉干燥感。按其病因病机为气滞血瘀，故其治则为活血化瘀，理气开郁，依法用药，病除疾消。

“会厌逐瘀汤”加减，为治咽疾良方。其方中桃仁、红花、赤芍、当归、生地黄、生甘草活血散瘀，凉血解毒；桔梗、柴胡、玄参、香附、枳壳则行气开郁，疏肝利咽。综观为活血化瘀，理气开郁之方。故用于梅核痼疾有卓效。治梅核气不应拘泥于理气开郁，而应审证求因，脉证合参，宜从“血”治，即活血化瘀之品，治梅核痼疾不可忽之。

治郁一得

张　林

郁证多以情志为患。现代医学神经官能症中的神经衰弱、癔病、更年期综合征等属于本证范畴。古人有气、血、痰、火、食、湿诸郁之说，其治方有逍遥散、越鞠丸、归脾汤、半夏厚朴汤、甘麦大枣汤等，如用之对证均可收效。

余之业师耀宗董老，乃省内一名老中医，曾以善治妇人病名重一时，但也疗男疾，在近60年临床医疗中，对于郁证之调治悟出一得心应手之参术回阳汤。余有幸得以秘传，故临床治郁也多用此方，辨证加减，遵法施之，无有不验者。

方由党参40g、焦白术15g、升麻15g、远志15g、石菖蒲15g、菊花10g、杭白芍15g、香附20g、郁金15g、甘草10g组成。加水适量，常规煎煮，分早晚空腹温服。头晕重者加薄荷15g、荷叶10g、头痛者加蔓荆子15g、失眠者加炒酸枣仁15g、心跳不安者加朱砂5g、琥珀5g共细面，均两包，每服用汤药送下1包。

余曾于1971年4月，诊治一李姓女患者。因邻里不睦，时有恼怒，隐情曲意不畅。症见：眩晕、胸闷、心烦、失眠、食少、无力、气短、四肢酸沉等。望之体弱、面微白、神疲、舌淡红微紫，苔黄薄，切之脉沉弦无力。诊为郁症，投以参术回阳汤，加炒酸枣仁、薄荷，又投以朱砂、琥珀面合服，并嘱其注意精神调养，连用7剂患者症消食增，恢复健康。

余师教之谓："人之贵，莫贵于气血，尤以气为先。"又曰："气盛疏畅则体强，气弱郁遏多病恙，气衰则体弱，气绝则身亡。"七情所伤，则气机郁滞，由气及血，症生多端，正如《医方论》说："凡郁病必先气病，气得疏通，郁于何有?"师拟此方，乃以治郁先理气、气行郁畅之理，首选香附快气开郁之品为君药；次取行气解郁、凉血破瘀之郁金，开心利窍、宣气逐痰之石菖蒲，散郁化痰、安神益智之远志，为臣药；更以党参、白术补肺健脾、调理气机，杭芍养血柔肝敛阴，甘草健脾和胃等气血双调之品，为佐药；再用升麻解郁而升其清阳之气，菊花平肝明目以助阳升，为使药。故诸药合用以达理气开郁，回阳益气，养心安神之效。

然方名虽冠以参术二字，但也绝非专治虚证之纯补之剂；其"回阳"二字也实为理气开郁，使其气机通畅，气血冲和，阳气得复之意也。

郁证临床点滴

范国樑

郁证为情志怫郁、气机不畅所致的一类疾病的总称。因此，凡情志致郁或因病而郁者均属之。其临床表现亦极为复杂，病人之多之广，几乎涉及千家万户。

余以铁落越鞠汤于临床，治疗本病，效果令人满意。尤以烦躁易怒、情绪不安；或心情抑郁，心悸，失眠，多梦；或咽中梗阻，如有炙脔；或月经异常；或耳鸣，眩晕，甚则恶心、呕吐者其效尤良。药物组成：生铁落500g、香附30g、川芎15g、栀子15g、苍术15g、神曲25g。易怒者加生芍25g、枳实15g；心情抑郁，精神恍惚，善悲欲哭者，加生百合50g、紫石英25g、阿胶15g、鸡子黄1~3个；心悸、失眠加夜交藤100g；头晕目眩，耳鸣，呕吐者加胆南星

10g、竹茹15g、橘络15g；月经异常有块者加红花15g、桃仁10g；白带多者加茴香25g、肉桂15g；胁痛脘胀而痛者加郁金15g、柴胡15g，水煎服，日两次。

曾治一张姓女病人，素日性情急躁，上班两年来，烦躁易怒，心悸、失眠逐渐加重，近1个月来悲忧欲哭无常，头痛而晕，记忆力大减。每至西医以“精神病”而休息治疗，口服谷维素、安定片等不效。余以上方4剂，复诊时患者精神大振，笑容焕发，述其心胸开阔，症状去半，情绪安定，睡眠、心悸均好转。嘱其移情易性，又投4剂而愈。

越鞠汤（丸）为丹溪治五郁之疾，变通治六郁之方。六郁之中又以气郁为先。郁为燥淫，燥则干涩，气化不畅，又为阳明秋金之位。肺属金主气，调营卫、布阴阳，伤则清气不升，浊气不降，上下不交而成郁。故经曰：“太阴不收，肺气焦满。”又郁病多在中焦（“气之源在乎脾”）。中焦者脾胃也。胃为水谷之海，脾之与胃为后天之本，五脏六腑之主，四脏一有不平，则中气不得其运而先郁。因此，肺气之布必由胃（脾）气之输，胃（脾）气之运，必本三焦之化。此乃“肺之脾胃”之理。此方兼升降，将欲升之，必先降之；将欲降之，必先升之。香附统领诸药，乃气病之总司，阴中快气之药，下气最速，能升能降，郁散而平，以调肺（气）之怫郁；苍术开发，因胃强脾资生后天，能径入诸经而燥湿郁；神曲佐化水谷而消食郁；栀子清郁导火以达肺、腾胃而清三焦，则解火郁；尤妙以抚芎之辛，足厥阴药，直入肝胆以助少阳生气上朝而营卫和，太阴之收气下肃而精化气，畅达三焦，上行头目，下行血海，为阴阳气血之使，则调血郁。《素问·病能论篇》“生铁落饮”方为治郁怒伤肝而病癫狂者。生铁落辛平重坠，镇心平肝，定惊疗狂而解毒。肝平郁解怒息狂定。肝木条达，中焦开发，胃主行气于三阳，脾主行气于三阴，脾胃既布，水谷之气得行，则阴阳、脏腑不受燥金之郁，“气血冲和，万病不生。”

甘麦大枣汤治疗脏躁证验例

宋儒

“妇人脏躁”之证，与癫痫不同。多由七情所伤而发。《金匮要略·妇人杂病脉证并治》载：“妇人脏躁，喜悲伤欲哭，像如神灵所作，数欠伸，甘麦大枣汤主之。”余以本方为主，治李姓女患者。其素性急躁，易怒好动。1周前因家事纷争，遂致本病。来诊时精神抑郁不乐，沉默不语，善太息，哭笑无常，恐惧畏人，心中懊侬，舌质红苔薄黄，脉弦数。此郁怒伤肝所致之脏躁证也，余拟以甘麦大枣汤增损治之。处方：甘草15g、陈小麦25g、大枣21枚、竹茹

15g、朱茯神 15g、朱麦冬 15g，4 剂，水煎服。服后，患者精神舒畅，哭笑减轻，唯恐惧怕人。脉仍弦数。嘱其继服前方20 剂加灵磁石 15g、龙齿 15g，服后诸症悉除，一若平人。

癫狂病机小议

刘国祥

中医谓癫者，表现为沉默寡言，痴呆，语无伦次，静而多言；狂者表现为宣扰不宁，躁狂打骂，动而多怒。故《难经》曰："重阴则癫，重阳则狂。"概癫狂之病机，主要由七情所伤而致。正如《证治要诀》云："癫狂由七情所郁。"吾认为多有抑郁伤肝，郁怒则化火，继之伤脾，运化失司，痰浊内生。东垣曰："火盛心归土位。"火灼津液成痰，痰随火势上炎，蔽障神明，心神奔驰，而无所主也。

患者杨某，女性，因工作不慎损坏机件，被领导批评后，自认"委屈"，终日苦闷不乐，饮食少思，身体消瘦，偶在梦中啼哭，时自捶胸踯足，渐至彻夜不寐。于就诊前 3 天，突发大哭大闹，骂詈发狂，失去理智，曾在某医院诊为"精神分裂症"，用药无效，故来就诊。视其面容消瘦，两目怒张，忽而状若无人。两脉滑数而弦劲。吾按"痰、火"论治。以生铁落饮合礞石滚痰丸 2 方化裁。处方：生铁落 30g（先煎）、生大黄 12g、川黄连 9g、全瓜蒌 20g、栀子 10g。服汤药 1 剂后，患者次日泻污垢大便四五次，其大便秽浊难闻。4 剂尽服，未作狂骂詈。脉滑数稍平，弦劲亦减。原方减大黄，黄连去半，加生熟枣仁、柏子仁、远志，服至 12 剂，改柏子养心汤调治 1 个月，诸症悉除，随访至今未发。本案选用上方化裁，着重清热降痰，首用苦重直折之品，继以濡养心神善后收到满意效果。

附子大量应用治愈癫痫证

沈希文

附子之性味，辛温有毒，有回阳救逆、温肾助阳、散寒气之功，气厚味薄，为阳中之阳，通行人体十二经，为引行诸经之药，能引补气药入十二经，有追复散失之元阳，引血分之药入血分，能滋养不足之真阴。在临床应用中非身冷四肢厥者不可轻投。

余在1974年曾治一女患者，阵发性头痛，头晕，眼前发黑，突然跌倒不省人事，遗尿。左半身发麻无力，步态不稳，倾倒无方向，舌淡苔腻，两脉沉、尺脉尤甚。患者不定期发作，多则每日发作3次，每次10～30分钟，方能苏醒。脉证参看，断为积劳大伤脑髓，元阳真阴枯竭，不能化精，精虚不能化气，气虚不能化神，以致精神失常，遂成癫痫。此即《难经》所称“重阴者癫。”治宜大补元阳，以生真阴，使精足阳生，生机自复。药用：炮附子、干姜、桂心、熟地黄、焦白术、酸枣仁、橘红、柏子仁、石菖蒲、制半夏、木香、太子参、炙甘草，每日1剂。

炮附子的用量可用15～45g，最多用54g。甘草同时逐步增加，无不良反应。余药同前。服药50天后，患者曾出现癫痫不全发作1次，2个月后病情稳定，5个月后记忆力逐渐恢复，7个月后可料理家务，1年后参加工作。随访10年体健如常。在服药5个月后患者两尺有力，肾阴阳足，炮附子用15g。关于附子的用量问题，要因症而异，但宽水久煎是要法。将炮附子与干姜、炙甘草同煎，使生物碱发生化学变化则毒性大减。炮附子为回阳救逆要药，它与补气之品配伍，有追复和激活散失之元阳，能温煦全身之腠理。在运用中不一定要身凉四肢厥者方可投，察其舌淡，尺脉沉，便可投之。

谈治痫 |许近仁|

痫证是一种发作性神志异常的疾病，又名“癫痫”，俗称“羊痫风”。临床以卒然昏仆，不省人事，口眼相引，手足抽搐，声类畜叫，口吐涎沫，移时即醒，醒后一如常人，或仅有短暂的头晕、痴呆为特征。概而言之，具有如下三性：

1. 间歇性：数日、数月或一年，总之，每隔一段时间就发作一次。

2. 短暂性：每次发作仅持续数秒，或数分钟，或数小时。

3. 刻板性：每次发作表现相同。关于本病的形成，究其内因，实乃风、痰二邪，再加惊恐、恼怒等诱因而促其发作。余据多年临证体会，针对风痰之因，采用祛痰开窍、镇惊熄风之法，临床疗效确实。其主方为：陈皮6g、半夏9g、茯苓12g、炙甘草6g、枳实6g、竹茹6g、石菖蒲6g、郁金6g（杵）、钩藤9g、僵蚕6g（微炒）、生龙骨9g、生牡蛎9g、白矾1g、朱砂1.5g（冲）、琥珀1.5g（冲），小儿用量酌减。

此方取温胆汤清胆和胃劫除痰涎；白矾、菖蒲、郁金豁痰开窍；钩藤、僵蚕化痰熄风解痉；生龙骨、生牡蛎镇心安神潜阳；朱砂、琥珀镇惊安神；甘草缓急和中。诸药合用，共奏祛痰开窍、镇惊熄风止痫之功。

癫狂刍议

班世民

古即有云，善诊者，察色按脉，先别阴阳。而今之医者，常将癫、狂并称，不加详分。究其原委，是因癫狂为病，均见精神失常，且可互为演变。仅此为据，似有不妥。依余所见，二者有别，不宜一概而论，而应详加辨察，精细论治。癫者多由痰气郁结而发，或言心脾双虚；狂者多为痰火上扰，阳明热盛，肝胆郁火或瘀血内阻作祟。见诸于症，亦各有所见：癫者屡有抑郁呆滞，喃喃自语，静而多喜；狂者以妄作喧扰，狂躁打骂，动而多怒为共有。前者属阴，后者属阳。二者既是有别，故临证论治当各有秋色。如此详辨，便可取效。余行医数十载，此类病证见之极多，每可奏效，即是此理。1979 年中秋时节，应友人之邀，诊一疯女，年方 21 岁，病已半载。此女素情易怒，因与同事口角，而神识渐乱，夜不寐、昼不卧、惊悸不安，非打即骂，不知饥饱，时而汤水不进，时而食饮无度，目珠红赤，苦熬家人，四处求医。前医诊为癫狂，未加详辨，曾以大剂重镇安神之品，如朱砂、磁石、琥珀等，而罔效。若以大量镇静安眠西药，仅可使其入睡，但醒后则旋又打骂不休。双亲一愁莫展，因求治多时，不见转机，弃医已两月余。余观其舌质红赤，苔黄而干，脉见弦急，遂暗自思忖：该女虽见心神错乱，但系七情内伤，肝胆郁火，上扰神明之狂证，性属阳热，故非单以重镇所能奏效，而应以清肝泻胆为要。但舌苔黄而干，可见阴液已伤，故当佐以养阴生津。余仿丹栀逍遥散化裁，投牡丹皮 15g、栀子 15g、柴胡 15g、当归 20g、白芍 15g、黄连 15g、知母 20g、生地黄 15g、麦冬 15g、龙骨 50g、郁金 20g，4 剂，每剂煎至 200ml，每日分两次口服。药后果见功效，患者诸症俱减，未再叫骂、打闹，午夜过后可合衣入寐。但见其口唇燥烈，苔仍少津，是为阴伤未复，余热未尽之征，再进上方加葛根 20g、枸杞子 15g，以助养阴，又投 6 剂。三诊，患者精神转为常态，夜寐亦安，纳食有常，仅见心烦，合家欢欣。为清其余热，巩固疗效，又予上方 5 剂，即告痊愈。恢复工作，时已 5 年，未再复发，现已成婚，并生有一子。

柴胡加龙骨牡蛎汤运用一得

王乃一

癫狂者，语无伦次，打人毁物，使家人苦不聊生，行于市间常被他人围观嬉戏，非可笑而实可悯。

余早年曾治疗癫狂病多例，有有效者，有无效者，常苦于无应手验方而为憾。曾阅读《伤寒论今释》至伤寒误下邪陷少阳而入里，用柴胡加龙骨牡蛎汤条下时，见陆渊雷在注释中，引注别家有关本方治疗癫狂证多条，其中如“此方能下肝胆之惊痰”“柴胡加龙骨牡蛎汤治狂症……惊惧避人，兀坐独语，昼夜不寐，或多猜疑，或欲自死，不安于床者”，以及“此方为镇坠肝胆郁热之主药”等。在陆氏启迪下，余用柴胡加龙骨牡蛎汤始治癫狂。

曾治一妇人胡某，因暴怒而致发狂，打人毁物，骂不绝口，力大倍常，两人不能按捺，目赤唇焦，口臭喷人，脉滑数有力，舌苔黄厚。与本方 6 剂痊愈。

患者宋某，经本单位医务室大夫邀往，见其门窗玻璃俱破，赤膊大骂，时欲外走。常设数人守护之，家人苦不堪言。在数人按捺下勉为其诊。其脉弦数有力，舌苔黄厚，遂以柴胡加龙骨牡蛎汤治之，服 1 剂症减，共 5 剂而愈。

在中药剂量之运用上，余常据病情而增减。癫者用量宜小，狂者用量宜大。狂者，龙骨、牡蛎常用量各 30g，大黄用量 15 ~ 30g（后入）。其中铅丹一味市场不易购得，以朱砂（3g 分两次冲服）代之。

精神分裂症治验

高濯风

1981 年冬，余曾治女性石某 21 岁。夏季石某患左臂风湿病，症状时轻时重，缠绵不愈，加之毕业考试在即，昼夜攻读，致臂痛加重，几次求治于校医，由于医者语言失于检点，致使患者自觉痊愈无望。学课之劳，病患之痛，考虑毕业分配之前途，郁积交织于怀，而致心绪抑郁，夜不能眠，继而喜怒无常，举止乖违，日间左臂疼痛不得抬举，手不能握，头昏沉、疼痛无休止，渐发语无伦次，虽未至蹬高而歌，弃衣而走，但已坐卧无宁时。经神经科予多种镇静药物治疗，未能收效。无奈只得暂时休学。其父母携其来院就医时，喜笑无常，夜不安寐，坐无宁时，不饥不食，月经已两月未潮。切之脉象弦紧，观其舌质紫暗，苔黄腻，面色苍黄晦暗。癫狂，心肝脾胃病也。《内经》载："重阴者癫，重阳者狂，阳并于阴则癫，阴并于阳则狂"。癫多喜笑，证属心脾不足；狂多忿怒，证属肝胃有余。此患者乃属狂之疾也。原其病之起，是因情志怫逆，肝胆谋虑不决，屈无所伸，怒无所泄，木火合邪，乘心则神失守而不寐，乘胃则横暴无制而喜笑无常。是心火自焚，瘀血挟痰，迷阻窍络，神明蒙蔽之候。先拟生铁落饮，取金以制木之法，木平则火降。服20剂后，患者神色情志稍定，夜能入睡4小时许，但脉仍弦紧，舌质紫暗，苔微腻，月经仍未来潮。瘀血之证尚未得解、法当活血化瘀，方拟王清任之血府逐瘀汤加白金丸9g（吞服）图之。连服半月后，患者经血下，量多而色紫黑，神识渐清，夜能安寐，竟3日酣睡不醒，其父母心畅，询之于余，审视之睡态安，鼻额津津似汗，呼吸均匀，神显笑容，语之曰："此瘀去神安，营卫调和之吉兆也，勿扰之，令其眠，待其自醒。"是夜患者转侧而寤，饥而索食，与之食，啖之甚甘。

此后予服补心丹、白金丸调理，患者渐复正常，臂痛亦随之而愈。因毕业考试在即，每日温习功课，其母放心不下，恐病复发，故陪其返校，照顾生活，终以优良成绩，大学毕业。

癫痫证治浅谈

宋选卿

癫痫，俗称"羊痫风"，是一种较为常见的发作性的脑部疾病。祖国医学虽然对本病的认识较早，但对它的治疗至今仍然比较困难。余在继承先父医术的基础上，经长期医疗实践，摸索出一些诊治规律。首先就其分类而言，自从《内经》中记载"巅疾"之后，诸家曾提出过"五癫""三痫"等种种分类方法，但其分法比较繁杂而片面，对临床指导意义不大。根据患者临床症状、病程和体质的不同，笔者认为归纳为阴痫和阳痫比较符合中医临床实际。阳痫者，病程较短，体质强壮，病人平素面色红润，颧红，大便干燥，小便黄，发病急，口吐涎沫稠黏，舌质绛红，舌苔黄腻，脉弦滑而数，发作频繁，多在白天，很少有尿失禁等症状；阴痫者，病程较长，体质虚弱，平时面色苍白，两眼窝部发青，大便多溏，小便清白，发病稍缓，口吐涎沫清稀，舌质淡红，舌苔白滑，脉沉缓无力，多在夜间发作，并伴有尿失禁等症状。前者多实，后者多虚，以此辨之。关于治疗，笔者自拟癫痫丸和龙角丸，对阴阳二者分别予以治疗而收到良好的疗效。其中，癫痫丸由钩藤、半夏、郁金、白矾、赭石、壁虎、鱼鳔、朱砂等药物组成。诸药配伍，相须为用，可奏熄风定惊、化痰开郁、镇静清脑作用，故适用于病程较短、发作较频、抽搐明显的阳痫患者。龙角丸由炙马钱子、地龙、皂角刺、紫河车等药物组成，四药配伍，可获得益气养血、通经活络、涤痰开窍的效果，适用于病程较长、体质较弱、发病稍缓的阴痫患者。在临证中阴痫患者较阳痫为多，目前尚无理想的治疗方法。然而龙角丸不但能改善阴痫病人的健康情况，还能控制癫痫发作，并且长期服用亦无不良反应，故较其他药物有其独特之处，是较为理想的药物之一。

豁痰安神法治癔病

宋选卿

癔病，相当于中医的脏躁。本病因七情不节、心肝血虚、心不得静，神躁不宁所致。凡医者常从其心肝血虚着手，立养心安神之法，用甘麦大枣汤治之。但仍能见到不少收效不佳者。余经多年临证观察，此类病人病常卒发，精神恍惚，言语错乱，喜怒无常，病情较重，是火炽风痰、邪及于心的一种疾病，临证多属虚实兼夹之候。若参阅古医书籍，又类似心风，多因思虑郁结，心肝血虚，脾运不行，素成痰积，再遇惊恐，痰壅心窍，神魂不宁，卒发而成。所发之疾虽不如癫之甚，而有癫之意，终因痰气所为。故治须以养血豁痰，引神归舍之法，标本兼治为宜。所以余在临证中遇精神恍惚、喜怒无常、而又不属于中医癫狂者，并详查舌脉诸症，病属虚实兼夹者，余常立镇静安神、温胆理气之法，多获较好疗效。所用之方由胆南星、枳实、半夏、郁金、石菖蒲、当归、白芍、柴胡、珍珠母、甘草等组成。方中胆南星、半夏、郁金、石菖蒲化痰醒神开窍；当归、白芍、枳实、柴胡疏肝理气，养血柔肝；珍珠母镇静安神；甘草调和诸药。共奏豁痰安神、标本兼顾之效。

癫狂应以攻下为先

董克勤

言癫狂者，皆言“狂乃阳邪、癫是阴”。我以为癫狂无须再分，癫者狂之初，狂者癫之继。即使在某一阶段表现为抑郁之癫证，但因痰火作祟，日久必生狂证。基于此，我治疗妇科癫狂，多不从阴阳入手，而以攻下为先，清心为继，养血安神调理善后。

1972 年下乡医疗时，曾治一女，平素寡言，与婆母共居，因家庭琐事，郁闷不乐，忽一日，言语错乱，精神恍惚，答非所问，时忿怒，时狂骂，昼夜不寐，不识亲疏，5日未解大便。观其形盛体实，舌质红，苔黄腻，诊其脉滑实而数，乃气滞痰凝，郁热集于胃肠。疏方：大黄15g（后下）、芒硝7.5g（冲服）、枳实10g、厚朴10g、赭石20g、石菖蒲15g、甘草5g，水煎服，每日1剂，服两天才排便，干似羊粪，又服3剂，泄数次，精神好转，能自己躺在炕上。按上方去芒硝，大黄改为5g，加远志15g、郁金10g、合欢皮25g、夜交藤25g，水煎服，冲服礞石滚痰丸，又1周，诊脉弦缓。处方：生赭石20g、石菖蒲15g、栀子15g、黄芩10g、川黄连5g、郁金10g、清半夏10g、合欢皮25g、夜交藤25g，水煎服。朱砂、琥珀各等份，共为细末，每次1克，又6剂，患者病去八九，终以养心汤加减调理善后告愈。

病初以大承气汤荡涤胃肠实热，配礞石滚痰丸扫其宿痰，攻其巢穴，待神志转清，略识亲疏，及时用清心利窍之品，使神清志明，终以养血安神收功。

抽搐治验小议

张士珍

王某，男，平素体虚多汗。一日因发热住院，经某医院给青霉素、链霉素治疗，略有好转。但数日后伴有抽搐，两手呈鸡爪状，周身震颤，头前后摇动。每次抽搐约半小时左右。再次送医院诊治，断为“癔病”，经用镇静、安眠药治疗无效。一日经余诊治，患者自诉，日抽搐4～8次不等，每次发作约半小时，间隔时间10～15分钟左右。抽搐时自觉手足麻木，全身乏力，如失筋骨，难以言状，但头脑清醒。平时多汗，进热食或浴后身汗淋漓，良久不断，同时感到胸憋气促。视其面色黯黑，表情淡漠，舌红苔薄略黄而燥。切脉细数无力。辨证为：多汗伤津，筋脉失养，虚风内动之抽搐。以滋阴清热、荣筋熄风为法，方用：生地黄30g、玄参15g、当归10g、桑寄生12g、白芍15g、龙胆草10g、黄连8g、焦栀子10g、黄芩10g、淡竹叶10g、珍珠母（先煎）20g，水煎服3剂。患者服后，抽搐已减。效不更方，同上方加：柴胡6g、全蝎4g、浮小麦30g、生牡蛎（先煎）20g，水煎服5剂。患者服后，抽搐大减，仅大发作1次，二便、舌质、舌苔、脉象均有好转。在前方基础上，去浮小麦、柴胡、龙胆草，加地龙30g、丝瓜络10g，嘱其再服5剂。5剂服后，患者抽搐已止，食欲倍增，病已基本痊愈，随访半年无发作。

抽搐一病，临床常由风邪内侵，邪热内燔，痰阻经络及急、慢惊风等因素所致。而此病例则为多汗伤津，筋脉失养，虚风内动之抽搐。诚如叶天士所云：

“津液受劫，肝风内动是发病之原。”故治当补阴清热、荣筋熄风。阴津得补，虚热得清，筋脉得以荣养，则抽搐自止。由此可见，临床需详审病情，辨证施治，切忌见抽治抽，滥用全蝎、天麻、蜈蚣之类。

妇女抽麻筋症

|冷柏枝|

余于北国高寒地域行医已57年，尝见妇女抽麻筋症。举1例，说明个人证治管见。

陶姓青年妇女，勤于家务操持，述病原得之于用冷水，致双手遇凉即抽麻筋。发则抽呈鸡爪状，痛苦万状，求治于余。察其脉细而缓，触其手不温，据云经年手凉足冷。询其月经量少愆期，偶感心慌气短，神识迷糊等。舌苔白厚腻。辨为：血虚受寒。立以养肝血、温经散寒法。处方：大熟地黄250g、当归身150g、川芎30g、蜜麻黄60g、桂枝30g、独活90g、乌贼骨250g、宣木瓜90g、黑木耳60g、线麻30g（烧灰）。

上方，以法制小水丸，每服9g，日服2次，温黄酒送下（用一小盅）。一料药未服完，患者之抽麻筋病即愈。

余遣方立意为：以四物汤去杭白芍，旨在养血，白芍性味酸寒，用之不利血寒主证，故去之；麻黄温经散寒，蜜制后缓其耗血之弊，配以熟地黄，补而不腻，虽见白厚腻苔，仍可放心使用勿虑；桂枝、独活温通手足；黑木耳、宣木瓜专缓筋急；线麻灰（新线麻30g烧灰）、乌贼骨专疗麻而不仁。余尝用此方，临证时再依病人个体状况不同，小有化裁，治疗数以千计病人，皆效。

嗜睡重症获捷效

|王乃一|

“勤求古训，博采众方”是仲景大师留给后人为医者之座右铭。以余多年之临床体验，读《内经》《难经》及仲景书固然十分重要，但中医药学之发展，渊远流长，每个时代皆有著名医家，其学术思想，常标志着我国医学不同时代的特色，所以经书要读，杂书也要读，就连经史子集中，也往往有关于医学之内容者，均可引为借鉴，启人思路。人初学医时，固然要刻苦读书，临证以后亦不可稍怠，方能使知识日臻丰富，临证不惑，所谓“业精于勤”是也。

吾临证之余，常泛读浏览杂书，遇有奇闻异说，悉留心摘录，以供实践。譬如麻黄用于治嗜睡症者，为一例也。麻黄，为辛温解表之要药，医皆知之，然而余曾用以配伍补中益气汤，治疗嗜睡重症而获捷效。

曾治一妇人宋某。其患嗜睡症，精神不振，头昏乏力，大便不实，嗜睡欲卧，已有年余。近半年来，病情加重，随处可睡，常常就餐时睡着，将饭碗坠地打破，苦闷异常，前来就医。古人云："气足者不思食，神足者不思睡。"本例为中气不足，清阳不升，精明之府失于清阳之荣，故嗜睡欲眠也。宜补中益气以升清阳之法。彼时，忽忆著名医药学家叶橘泉氏所著《中国药物学》一书中，曾提到麻黄"对大脑、中脑及延脑，有兴奋作用"，有所启示，便据此以少量麻黄（2g）伍于补中益气汤中。仅5剂，患者年余之顽疾竟霍然而愈。盖麻黄升发，能鼓舞阳气上行，以助清阳上荣于精明之府。

回顾此例，若仅用补中益气汤不用麻黄，方证亦属合拍，但恐不能效捷如此。可见方药配伍精巧，将有事半功倍之效。然巧之由来，非朝夕可得，须平日研读，广于泛猎，要兼收并蓄，细大不捐，方可积少成多，见广识远。所举是例，实不足言，惟借之以述其意也。

下瘀血法治不寐证

| 张淑贤 |

不寐是多发病、常见病，治疗方法很多，大都以补虚为主，其次是采用化痰等方法。不过，我认为下瘀血法是一个不可少的好方法。不寐患者如果舌、脉、症没有任何虚象，而且用调补心脾、滋阴降火、益气安神、和胃化痰诸法无效的，用下瘀血法有时能收到很好的效果。鉴于仲景用桃核承气汤、抵当汤治"如狂"和"发狂"；王清任用血府逐瘀汤治"夜不安"，我在临床上遇到实证不寐兼惊悸病人，常用下瘀血剂，收到了好的疗效。

曾治一老妪。有十余年的失眠史，但每夜还能睡上3～4小时。因精神受到巨大创伤，失眠加重，最近几天几乎彻夜不眠，有时刚合目即惊醒，稍有一点刺激就惊悸不安。即使服五六片安眠药也不能入睡。心烦，有时头刺痛，面色暗淡无华，舌质暗略紫，苔薄，脉弦。

此人虽然长年睡眠不好，但舌、脉、症毫无虚的表现，相反的却有瘀血表现，投以桃核承气汤下瘀血。药用：桃仁15g、大黄15g、芒硝20g、桂枝20g、甘草10g，水煎服。服药后夜间排稀便2次，排便后就能迷迷糊糊入睡，尽管有响动时仍然惊醒，但患者还是很满意的。又服原方3剂，患者每夜能睡3～5小时，后进一步好转。

菖龙茶治疗多眠

|张启明|

1972年仲秋，经友人介绍一刘姓男患者，自述于1968年因脑外伤，记忆力减退，经常头晕、多眠，整天昏昏欲睡，严重时边走路边睡。至今已4年，经多方治疗无显效，求治于予。该患者舌苔厚腻，脉沉濡。根据湿邪困脾，清窍受蒙之理论，以健脾利湿开窍法治疗1个月余，无显效。又据其有外伤病史，用通窍活血汤加减治疗，仍无显效。在束手无策之际，偶忆起龙葵有“解劳少睡”之功，便处以龙葵30g、少佐石菖蒲9g煎汤治疗。经治疗1周显效，后嘱其煎汤代茶，渴即饮之，1个月后感觉头晕大减，睡眠减少。又继服2个月，诸症消失如常人。后每遇多眠症，用此方治疗，多获显效。

此多眠症关乎心、脾两经。心主神明，脾主运化水湿，湿不化而生热，湿热熏蒙清窍，遂致多眠。此症虽有外伤史，但与瘀血无关。石菖蒲辛温可开窍化痰，是通利心脾之要药，有提神通窍之功；龙葵味苦甘寒，有解毒利水之力。故两药合用能治湿热蒙闭清窍之多眠症。但需注意因龙葵有小毒，用量不宜过大。

谁　之　过？

|王增济|

王某，现年35岁。查其证，胁下窜痛、善太息、头晕胀、目胀痛、耳痒且闷、脉弦，此肝郁气滞、郁久化热使然；汗多、舌有齿痕、脉来无力，此脾气虚之征；心悸、五心烦热、多饮善饥、舌红苔薄黄，此阴血不足、虚热内生之故。总为肝经郁热、心脾两虚之证，以逍遥散加减治之。方用香附30g、川楝子25g、夏枯草25g、薄荷10g、龙胆草15g，以疏肝清热；黄芪25g、茯苓25g、甘草10g，以健脾益气；当归15g、白芍25g、白薇35g、淡竹叶10g，以滋阴养血、清心除烦；生石膏40g，以清肺胃之热，治多饮善饥之症。

然患者初服后，绕脐痛，痛甚汗出，呃逆、矢气后痛减，腹泻频频，一昼夜不休。此辨证不确？用药不当？寒凉太过？检视药证，再三思之，所疑皆非。患者饮食生冷？郁怒所致？答之亦非。如此反应，何故？据证辨之，药后系寒凝气滞之证。遂问其腹部凉否？答：凉。追问如何煎药？答：两剂药均放入药锅中，后发现有误，便拣出一剂，而碎末未拣出。值此明矣！石膏、胆草、白薇均为碎末，如是第一剂药中岂不是石膏80g、龙胆草30g、白薇70g？照方中用量均增加一倍矣！如此寒凉，又本有气滞，怎能不出现剧烈反应？后用温中理气法调理而安。

辨证施治固然重要，然治病的哪一个环节也不能忽视。如何煎药，怎可不知？医乃仁术，直系于人，岂可苟于一丝？望君慎之，戒之。

燮理阴阳疗失眠

|段英廉|

失眠又叫不寐，其成因多与神志不安有关。张景岳说："盖寐本乎阴，神其主也，神安则寐，神不安则不寐。"《内经》则谓卫阳入阴则寐，阳出则寤。神为心主之官，失眠症多由心气的变化影响了阳气入阴而成。本人根据上述道理，在临床中常运用以下几个方剂，颇为有效。

开通郁闭，益气养阴方：党参10g、半夏10g、白芍8g、甘草8g、远志10g、玄参15g、酸枣仁25g、夜交藤10g、大生地黄35g切片、砂仁10g、枸杞子40g，水煎服。此方是通用方，适用于各种失眠证。如有痰火者加胆南星、知母。

养阴益气，降逆安神方：党参10g、半夏10g、白芍8g、生地黄25g切片、砂仁8g、枸杞子30g、甘草8g、当归10g、川芎10g、玄参10g、知母10g、薄荷10g、酸枣仁20g、夜交藤10g，水煎服。本方治气阴两虚，症见气短、心烦、心悸之失眠。

养阴敛阴及开通郁闭方：五味子8g、远志15g、甘草8g、生地黄片35g、砂仁10g、大枣18枚、玄参25g、酸枣仁30g、夜交藤10g，水煎服。本方治心区常觉憋闷兼心悸之失眠。

曾治铁路工人某同志，患失眠二十多年，屡治不效。近1年来自觉身体倦怠，精神疲惫，遂求治于余。经用第1方与第2方（3：1）交替服之，约1个月而愈。又治一部队干部苏某，年55岁，因经常不眠不休地工作，过度劳累而致失眠，服催眠类西药亦不能入睡。给以第2方连服6剂而愈。经其介绍，另治两人亦各服6剂而愈。还曾治一男患者王某，因经常写作而患失眠证，患病后仍坚持工作未能及时休养，致病情加重而彻夜不眠，才开始求医，服各种药物均无效，遂谓之曰：病因劳神过度，神志易动难静，故用药无效。在治疗同时必须改变环境，然后服药方能奏效。患者如法行之，以前三方交替服用，共治3个月而愈。

多寐小议

刘玉坤

多寐与少寐，以阳明总纲而论之，则为阳虚阴盛而多寐，阳盛阴虚则少寐。尤以病后体弱，精气未复，邪浊弥漫，清阳被困而多寐者，临床尤为屡见不鲜。因其病机多为脾虚湿困，故治法必以芳香化浊，醒脾化湿为要。俾脾健湿除，中阳振奋，可达日出雾散、晴空万里之效。昔治张某，女性，罹患多寐之证，不能自主，操持家务时常因困倦而失手，言谈之间因呵欠而中止，不思饮食，身体倦怠，精神疲惫。家属云病已 2 个月，曾服多种中西药，而未见明显效果。察其舌苔白腻，按其脉濡缓，断为湿困脾阳，蒙蔽清窍，遂投以藿香、佩兰、苍术、泽泻、陈皮、半夏、厚朴、淡竹叶、薏苡仁，宣气化湿，运脾泄浊。仅服 3 剂，患者精神较振，胃纳亦增，后以上药出入，继投十余剂，多寐除，病遂愈。后再未复发。

本证为阳虚阴盛、湿困中阳所致，故用藿香、佩兰芳香宣透，化肌表之湿；厚朴、陈皮、半夏、苍术健脾燥湿、有芳香化湿之效；泽泻、淡竹叶、薏苡仁淡渗利湿。本方集芳香化湿，健脾燥湿，淡渗利湿于一方，共奏开上、宣中、渗下之效，湿邪得除，中阳得振，多寐则愈。

吾以为，芳香化浊，醒脾化湿之法，乃是治疗多寐的重要大法，不可偏废。临证只要审明病因，辨证准确，应用本法可收到较好效果。

不寐治验

张若昆

不寐的原因很多，如思虑劳倦，内伤心脾；阳不交阴，心肾不交；阴虚火旺，肝阳扰动；心胆气虚；以及胃中不和等，均可影响心神而导致不寐。然而气血不调，甚至气血瘀滞所致不寐者临床屡见不鲜。余业医以来，多次应用王清任之《医林改错》方——血府逐瘀汤这一以治“血府”（膈膜以上）命名的方剂。《素问·脉要精微论篇》：“脉者，血之府也。”从这个意义上讲，揭示了血府逐瘀汤不仅治疗列举的十九种证目，进一步延伸了血府逐瘀可治多种疾病，如腹痛、腰痛……王氏又提出“血活则热退”“血活则气畅”“血活则寒消”。故治不寐证时，活血化瘀法是必不可少的治疗方法之一。

余曾诊治解放军某部政委，患不寐已数载，到处求医而疗效不显，邀余诊治。病人不寐多梦，入寐不安，心烦热，头痛瞀闷，甚则晚上起床走动，脉沉细，舌暗红，苔薄白。曾服过补心丹、归脾丸、朱砂安神等镇静安神之品。余诊为瘀血所致，投血府逐瘀汤原方。患者初服自觉周身舒适，服20剂，已能入寐3～4小时，心情较前舒畅。继服15剂病愈。

余在临证时，凡遇寒热、虚实、痰火、食郁表现不明者，投以血府逐瘀汤，均取得满意的治疗效果。

温胆汤治失眠

|陈玉峰|

失眠又称“不寐”，是以不易入睡、睡后易醒，甚则彻夜不眠为主症的一类疾病，并常伴有多梦。引起失眠的病因很多，如心肾不交、心脾两虚、肝郁化火、心胆气虚等，但临床上因痰热内扰引起者亦不少见。

痰热内扰失眠以女性为多，症见头晕昏沉，身重体倦，胸闷痰多，口苦呕恶，心烦失眠，多梦易惊，苔白腻或黄，脉弦滑。此因饮食劳倦伤脾，脾虚湿聚为痰，情志郁结化热，痰热内扰，心神不安所致。因痰热壅遏于中，故胸闷多痰；阻遏清阳不升，故头晕昏沉、身重体倦；痰热内扰，心神不安则失眠多梦，胃失和降则口苦呕恶；苔腻或黄、脉弦滑，皆为痰热内蕴之象。

我治疗本证，多采用清热化痰、安神和中之法，方用温胆汤加减。基本方如下：当归15g、茯苓15g、橘红10g、半夏10g、枳实15g、竹茹15g、香附10g、麦冬15g、夜交藤15g、炒酸枣仁15g，水煎服。若病人兼心火偏亢，烦热不眠者，加黄连5g、栀子10g、阿胶10g以滋阴清热，交通心肾；口苦咽干者加天花粉15g以养阴生津；纳少脘闷腹胀者，加焦三仙各15g以消导和中；惊惕不安者，加龙齿20g、珍珠母20g以镇静安神；心情烦闷、抑郁欲哭者。加生百合15g、远志15g以清心安神。应用上方加减治之，多获良效。

如曾治一何姓女病人，近因爱人去世，精神创伤，遂夜间失眠，惊惕不安。自感头晕头重、胸闷纳少，晨起口苦恶心，呕吐痰涎，心情烦闷，抑郁欲哭。查体可见舌苔白腻中黄，脉弦滑。辨证属肝气郁结，痰热内扰，治以疏肝理气、清热化痰。方用温胆汤加减：当归15g、半夏10g、橘红10g、茯苓15g、枳实10g、竹茹10g、香附10g、郁金10g、栀子10g、生百合15g、夜交藤15g、珍珠母15g，水煎服。5剂后病人已能安卧，头晕减轻，苔腻亦减，唯仍有脘闷恶心、纳少腹胀。前方减栀子、珍珠母，加焦三仙各15g，以消导和中，1周后诸症悉愈。

益气摄血话厥逆

勾直平

出血病证，是谓血不循经，上溢于口鼻，下出于二阴，或渗出于肌肤，统称“血证”。盖血上干者，则吐、呕、咳、咯、唾、衄诸般出血；下泄者，则溺、便与经产之出血；其外渗者，如汗血、疮斑诸血。此外，尚有蓄血、瘀血等，皆有论著。以清代唐容川氏《血证论》述之尤详。余之所见因吐血盈盆，而致厥逆者记述如下：

1980年春，一中年矿工，曾患胃脘痛3年，经某医院诊为“胃及十二指肠球部溃疡”。经治疗后基本再无疼痛。今春因过劳，并饮食不节，加之气怒而胃痛再发。吞酸吐食或兼少许之血，旬余间，突然吐血盈盆，1日数次。就诊之时，已是面色苍白，舌淡唇冷，神志萎顿，懒言少语，气息微弱，脉微欲绝，四肢微厥。经曰：“脱血者，色白，夭然不泽，此其候也。”

此人素体胃阳不足，脾失健运，复因劳倦，伤食气恼而致气机不畅，胃失和降，上逆而吐，血随气逆而暴吐。出血伤阴，阴亡而阳浮不敛，遂致厥逆。血脱急骤，止血当为急务。否则气随血脱导致莫救。

王肯堂曰：“天地间之理，阳绕乎阴，血随乎气，故治血必先理气，血脱必先益气。”据此故急与人参30g煎汤1盏，先服半盏，余半盏频服至夜半，出血减少。午夜至拂晓再进人参汤30g，翌晨药尽血止，脉续出而身温。此即血脱者益气之法。出血既止，但吐后血虚，以八珍汤加味调治匝月而后安。

学子问其故，独参汤何以瘳此亡血之厥逆焉？盖治血之法，古有明示，非独出心裁。明代王肯堂曰：“凡内伤暴吐出血不止，或劳力过度，其血妄行，出如涌泉，口鼻皆流，须臾不救即死，急用人参30g，或60g为末，入飞罗面3g，新汲水调和稀糊，不拘时啜服，或用独参汤亦可。古方纯用补气不用血药何也？盖有形之血不能速生，无形之气所当急固。无形自能生有形也。”此论益气摄血之法者一也。

张景岳曰：“暴吐暴衄，失血如涌，多致血脱气亦脱，危在顷刻者，此其内伤败剧而然。当此之际，速宜以气为主。盖有形之血不能即生，无形之气所当急固。但使气不尽脱，则命犹可保，血渐可生。宜急用人参一二两为末，加飞罗面钱许，或温水或井花冷水，随其所好，调成稀糊，徐徐服之。或浓煎独参汤徐服亦可。此正血脱益气，阳生阴长之大法也。”再论益气摄血之法者二也。

清代陈士铎曰：“治血必须理气，气无形也，血有形也，必须理气，使无形生有形。不知治气，必须理血，使有形生无形也。但无形生有形，每在仓皇危急之日。而有形生无形，要在平常安适之时。人见用气分之药，速于见功，用血分之药难以奏效。遂信无形能生有形，而疑有形不能生无形。不知气血原叠相生长，但止有缓急殊耳。故吐血之时，不能速生血，当亟补其气。吐血之后，不能纯补其气，当缓补其血。气生血而血无奔轶之忧，血生气而气无轻躁之害，此气血之两相须而相得也。”此三论益气摄血之妙法者三也。

余知此法之妙，不去止血而惟固其气，盖血脱益气实有奇功。血乃有形之物，既已倾盆盈碗，尽情吐出、则一身之中无血以养可知，自当急用生血补血之品，犹嫌为迟，奈何反用补气之味得无迂而寡效乎？谁知血乃有形之物，气为无形之化，有形不能速生，而无形实能先得。况有形之物必从无形中生之，气无形始能生血，有形之物补气正所以补血，生气正所以生血也。况血既尽情吐出，止存几希一线之气，若不急为补之，一旦气绝又何以生气而补血哉？《内经》云：“有形之血不能速生，无形之气所当急固。”诚治血之妙法。诸子悟之曰：益气足可摄血之理明矣！

“昏迷”小议

申海明

尝读中医之古今书籍，独论“昏迷”成篇者诚属罕见。今之医者赵玉庸、李寿龄二人合撰《昏迷》专篇，始载于1979年出版的全国高等学校统编的《中医内科学》教材，堪称开创先河，乃以弥补古来医籍之所不逮。

然通观是篇，仅引录些“昏迷”的旧称别名，谓“在祖国医学文献中，一般描述为‘不省人事’、‘不知与人言’、‘昏蒙’、‘昏不知人’、‘昏愦’、‘神昏’等”，而未述及“昏迷”一词的文献出处、源流。在中西医并存、结合的今天，极易给读者带来一种置疑的印象：是否借用西医学之术语？余缘此而翻检披览有关医籍，以期寻觅探究若何，幸果得溯源沿用之证焉。悉于此，愿同道直用“昏迷”术语一词记述病状，是定可之事也。

“昏迷”一词首见于《伤寒论》序中。谓“痛夫！举世昏迷，莫能觉悟……”，仲景在这里用“昏迷”一词是指当时思想意识的时弊倾向而言，是在斥责当时轻视医药的流弊现象后而发出的感叹，并非作为记述患者病症状态之意而用的。至唐代孙思邈作《千金要方》序亦引述此语，其义雷同。

金代成无己为公元11世纪人，著《伤寒明理论》（刊于1156年），在该书“卷一·头眩第十三”文中有云：“冒为蒙冒之冒，世谓之昏迷是矣”，此为将

“昏迷”一词用来称述病症名称的最早记载，说明“昏迷”与“蒙冒”“冒”为同义语。至清代叶天士述《医效秘传》一书则直谓“冒为蒙冒之冒，此为昏迷也”。近年编印的《简明中医辞典》（1979年版本）诠释云“昏迷：证名。见《伤寒明理论》。指神识昏睡或人事不省的证候”。

元代朱震亨的《丹溪心法》中风篇论治中述及使用吐法时，指出“若口噤昏迷者，灌入鼻内吐之”“虚者，不可吐”。这里不仅用于昏迷一词，而且算是鼻饲疗法的鼻祖了。

明代用“昏迷”一词记述病状之例更多见。戴元礼的《证治要诀》在描述破伤风的证治时，指出：“有破伤处，因澡浴，湿气从疮口中入，其人昏迷沉重，状类中湿，名曰破伤，宜白术酒”。秦景明的《症因脉治》论瘴症篇谓“瘴症之症，症发之时，神识昏迷……”。皇甫中的《明医指掌》诸血证篇论瘀血证治时述及“一时伤重，就发寒热，瘀血上冲则昏迷不醒，如死之状，良久复苏。轻则复元活血汤，重则桃仁承气汤主之，量其元气，下其瘀血则愈”。李中梓的《医宗必读》真中风篇苏合香丸条有“昏迷”指征；类中风篇食中条有“忽然厥逆昏迷”记语。

下至清代，如张璐著《张氏医通》论中风指出：“虽有卒倒昏迷，皆是元气疏豁，为虚风所袭”“当知中风之人，皆体肥痰盛，外似有余，中实不足，加以房室内贼，遂致卒倒昏迷”。又论中气亦谓“中气之证，亦多卒倒昏迷，不省人事”。罗国纲的《会约医镜》治中风有用皂角、白矾为末调治“中风昏迷，形体不收”，又以皂角末吹鼻中治“中风昏迷口噤”，于“星香散方”页上天头处有“治风痰昏迷”之眉批语。至于吴鞠通等温病学家之著述中使用“昏迷”术语记录病状，更是多见不鲜了。

综上汇录，可知中医话“昏迷”源远流长，由来久矣。悔既往读书之浅，愚因“昏迷”所惑，今获读书示知而释疑，据以为证方可断言：中医本有“昏迷”词，莫谓专属西医语，查得古籍载有据，同道诸君用勿忌。

阳和汤治虚寒性痹痛

袁今奇

新疆地处西北边陲，冬季时日过长，气候严寒，痹证发病率甚高。《素问·痹论篇》：“所谓痹者，……重感于风寒湿之气也。”痹者，闭也。病邪犯人肌表、经络、关节，气血凝滞，闭阻不通，无论风、寒、湿孰轻孰重，皆引致关节疼痛，屈伸不利，麻木不仁。重则病势难忍，反复不已，关节畸形，且多伴有面色少华，畏寒肢冷，入冬或遇冷及辛劳辄发。此等表现纯属血虚寒凝筋骨，迁延日久，往往顽固难治。

对虚寒性痹痛患者之治疗，有以独活寄生汤加减者，有以八珍汤合乌头汤增损者，亦有拟以上诸方合虫类之品搜风通络者，其法不一，各有千秋。在探讨本病治疗的实践中，重温《外科证治全生集》阳和汤一方，经百余例观察，认为本方不仅是治疗一切慢性虚寒性溃疡的外科方剂，而且是用于虚寒性痹痛疗效确凿之佳方。男性张某，系农场浇水职工。病家以腰脊冷痛、牵及左腿麻木酸痛3年，到处求医。经某医院确诊为风湿性脊柱炎、坐骨神经痛，用理疗、封闭、针灸等医治罔效。因长年腰痛，活动不便，步履艰难，稍遇风寒，即痛而汗出，呻吟不已。患者曾自费延某医治之，服活血通络药加乌头、马钱子之属，虽痛减一时，但一经停药或天气转阴则其痛复作。1982年10月邀余诊之，诊得患者面色无华，少气懒言，畏寒怯冷，腰痛如被杖，触之愈甚，舌质黯淡，脉沉细无力。证属虚寒性痹痛，予阳和汤加黄芪、当归、穿山甲、地龙，加白酒50ml水煎。连服10剂，患者腰痛显著减轻。又投10剂，已能俯仰。唯左腿仍麻木酸胀，于前方加木瓜、牛膝再进10剂。此时患者面色略转红润，自感周身发热，诸症减其七八。后嘱以阳和汤合八珍汤加蜂蜜收膏，徐徐缓图，连服半载，随访两年，已告痊愈。

《外科证治全生集》阳和汤一方，由熟地黄30g、鹿角胶9g、肉桂3g、麻黄1.5g、白芥子6g、炮姜炭1.5g、生甘草3g组成，水、酒各1杯煎服。其剂量可酌情增减。本方用治鹤膝风、贴骨疽及一切阴疽，有如阳光一照，寒凝悉解，故谓阳和之名。余有鉴于此，先探求其方义，尔后用于临床治虚寒性痹痛，几无不验。本方补而不腻，温而不燥，开补结合，确具温阳补血、散寒通滞之功效。方中重用熟地黄，温补营血；鹿角胶乃血肉有情之品，养血助阳，益精填髓，强壮筋骨；肉桂、炮姜温经通脉，破阴和阳；甘草生用，解毒而和诸药；尤以麻黄、白芥子通阳散滞以消痰结。先哲云：温补而不开腠，则寒凝之毒，何从觅路行消？且毒盛反受其助，犹车粟以资盗粮。是故本方温补而不留滞也。血虚每见气虚，应用本方须加补气之品，药如党参、黄芪之属。加白酒适量与水同煎，取其酒能温经散寒、活血通络也。

治疗痹证琐谈

吴化林

痹证是临床上常见的多发病。其病因多为风、寒、湿三邪杂至，合而为痹。

但三邪有风多、寒多、湿多之不同，必须辨清。在治疗上尤应注意祛除湿邪。风寒易去，而湿邪黏腻重浊不易除。故患者病久多呈现两腿酸楚不适、沉重麻木、阴雨之季加重甚至肿胀等明显的湿邪特点。湿为阴邪，治湿要注意保护阳气，而忌大发汗。而且既要注意从表散湿，又要注意健脾以运湿，所以临床上除选用羌活、独活、豨莶草、海桐皮等药外，还应选用苍术、茯苓、木瓜、陈皮等健脾利湿药。尤以苍术为治疗湿痹之良药，它既可外散湿邪，质燥又能胜湿，健脾又可运湿，无论外湿、内湿均可选用。湿兼寒者配用桂枝等药，兼热者可配薏苡仁、防己、木通等。

对寒盛的痛痹，除少数的新病可考虑应用乌头、附子、麻黄一类辛热药外，一般不宜选用。大辛、大热之品易耗阴血，尤其久病，往往阴血已伤，应注意保护正气，可用桂枝、姜黄等温经止痛。

对行痹，风性善行数变，呈游走性疼痛，多兼寒、兼湿。风又为阳邪而易化热，故应注意结合兼证，灵活配伍。而仍以风湿者多见，注意配伍上述祛湿药物。

对热痹应分清是外热直中，还是风、寒、湿郁久化热。局部出现红肿发热，有结块者、往往夜间痛甚，为热入血分，不宜用石膏，而应用赤芍、牡丹皮等凉血活血。阴伤者可考虑用生地黄、白芍。但久痹未必都化热，许多久痹仍为湿重，应以祛湿为主，石膏、生地黄等易伤阳而助邪，均当慎用。

风寒湿之邪客于肌体，闭阻经络，影响气血运行，故应舒筋活络，但一般不宜用桃仁、红花，更不可轻用蜈蚣、全蝎等辛窜搜剔之品，易伤阴血，而宜用当归、赤芍、川芎、鸡血藤，既可活血通络，又能养血而不碍邪。对痹痛，有人动辄就是乳香、没药。此痛为邪阻，络脉不畅，并无血瘀，且乳香、没药有奇臭，往往使人作呕而晕药，故不易服用。应结合风、寒、湿邪之多寡而祛邪通络，再配伍上述养血活络药即可。

对久痹应扶正祛邪，不扶正则邪不易去。气虚者宜补气，如四君子汤加黄芪一类；血虚者宜补血，如四物汤等。尤以肝肾虚者更为常见，因肝主筋，肾主骨。所以应注意配伍川续断、牛膝、桑寄生、杜仲、狗脊等，既可补益肝肾，又可兼祛风湿。临床上对扶正和祛邪各占多少比例，应根据正邪之情况，孰多孰少，不可颠倒主次。要做到补正不碍邪，祛邪不伤正。

“白虎加石膏汤”治热痹

韩忠林

“热痹”，在《金匮要略》中风历节篇称之为“历节”，并提出汗出入水中，热为湿郁及血虚风扰、风血相搏的发病机制。一般认为“热痹”多由素体阳气偏盛，内有蕴热；或阴虚阳亢之体，当感受外邪时，寒邪入里化热，流注经络关节，而表现一系列的热盛证候。

《金匮要略》“白虎加石膏汤”是为身无寒但热，骨节烦痛的温证而设，其主要作用是清热，生津，解表邪。此方系由石膏、知母、桂枝、甘草、粳米五味药物组成。方中石膏甘寒清热，知母清热养阴，桂枝疏风通络，甘草、粳米养胃和中，使其清热而不伤正气。多年来我以此方治疗“热痹”每每取效。

今年初冬，疗区收治一少女，因四肢关节肿痛3年，经多方医治无效，已休学2年。近3个月病情加剧，行走艰难，入院时由其姐姐背进病房。查病人体弱羸瘦，两颧潮红，唇干舌红，苔白腻，两脉滑数。两肘部肿胀、屈曲成90°，不能伸展，皮色微红，触之焮热。十指屈伸不利，不能持物。两膝关节肿大呈鹤膝状，两足不能任地。化验血红蛋白80g/L，红细胞3.2×10^{12}/L，白细胞12.4×10^{9}/L，血沉40mm/h。诊为“热痹”，投以“白虎加石膏汤”加减，方药：石膏50g、知母15g、桂枝10g、粳米25g、甘草10g、金银花25g、连翘15g、桑枝20g、防己15g，水煎服6剂。1周后患者肘关节可轻微伸展，肿痛减轻，能扶床下地活动。按原方又服6剂，关节肿痛基本消失，肘关节伸屈自如，并能在室内散步，生活已能自理。此方患者先后共服15剂，住院17天，欣然步行走出医院。

我在临床运用此方随证加减，体虚脉细者加生黄芪、党参；局部热甚者加金银花、连翘；痛甚者加乳香、没药、延胡索；心悸、失眠者加龙骨、牡蛎、合欢皮等。

痹证与四藤饮

|李宏仁|

痹证是常见病、多发病之一。治疗此病，我以四藤饮为基本方剂，使用三十多年来，功效显著，屡验不殆。方由鸡血藤25g、海风藤15g、络石藤15g、石楠藤15g组成，水煎服，日3次。方中鸡血藤舒筋活络，行血和营；海风藤祛风胜湿，通经活络；络石藤活络止痛，搜风蠲痹；石楠藤排风邪，逐冷气，强腰脚，补虚。四药合用，具有和营卫，通经络，祛风胜湿，活血舒筋之效。上肢痛者，加桑枝、桂枝；下肢痛者，加牛膝、独活；腰背痛者，加桑寄生、狗脊；膝踝关节痛甚者，加木瓜、防己；全身关节疼痛者，加伸筋草、五加皮；风邪偏重者，加防风、羌活；寒邪偏重者，加附子、干姜；湿邪偏重者，加薏

苡仁、萆薢；气血虚弱者，加人参、黄芪；肝肾不足者，加菟丝子、杜仲、熟地黄；热痹者，加连翘、忍冬藤；关节肿大变形者，加乌梢蛇、穿山甲、地龙。

有一赵姓男患者，因长期在潮湿环境中作业，患风湿性关节炎已3年，治疗未曾中断，病情不见好转，后邀余诊治。症见其形体消瘦，全身关节疼痛，尤以下肢为重，活动不便，肌肤麻木，皮色不红，舌质淡，少苔，脉沉细而缓。四诊合参，证属风寒湿痹，治宜祛风散寒，通络行血。方用四藤饮加木瓜15g、防已15g、伸筋草20g、独活15g、薏苡仁15g、川续断25g、熟地黄15g、牛膝15g。连服6剂后，患者诸症大减。后以上方加减，迭进12剂后，痹证获愈。随访2年未发。

石楠藤不仅有祛风散寒，通络除痹之效，尚具有强腰脚、补虚之功。既可祛邪，又可扶正，于治于防，两能兼之，确属治疗痹证的佳品，故临证中的行痹、痛痹、着痹、热痹等，均以四藤饮为基础方。临床证明，确有良效。

痛痹治验

|李玉轩|

1983年10月余曾治一女患者冯某，经医院诊断为“坐骨神经痛”“腰椎间盘突出症”“腰椎椎管狭窄症”等，曾应用中西药物治疗，症状时轻时重。后曾在我科住院，诊断为“腰椎间盘突出症”不排除“腰椎椎管狭窄”，医生动员其作手术探查，患者惧怕手术而出院。求余诊治。该患者去年秋冬久卧凉地修理汽车之后感觉腰背酸痛，以后症状逐渐加剧，严重时出现右腿痛麻，遇寒则痛甚，口淡乏味，脉象沉紧，舌淡，苔薄白。脉证合参，显属“痛痹”。治以温经散寒，活血通络，益气养血之法，方用活络祛寒汤与芍药甘草汤加味。处方：当归20g、丹参20g、黄芪25g、牛膝15g、木瓜15g、乳香15g、没药15g、干姜15g、附子10g、细辛10g、白芍25g、甘草15g、杜仲15g、补骨脂15g、枸杞子20g，水煎服，一日二三次。患者共服本方加减36剂，诸症悉除。观察至今未再复发。

触电致痿

|周润清|

电击伤人，瞬息为患，古书无载，临证为难。我曾遇一患者，系木器厂工

人，于1981年5月不慎右手触电，左足接地。当时曾昏倒，意识丧失，心跳呼吸停止，经抢救始苏。后留有语言不清、饮水作呛、四肢瘫软等，病后1个月仍见遗有诸症。曾就诊于几个医院，于8月来院就诊，患者柱拐杖并由他人扶持拖步入诊室。查其表情苦闷，语言低微，面色黄白，头、颈、胸、腹及脊柱正常，左下肢呈弛缓性瘫痪，自股骨中段以下呈广泛性痛，温、触觉消失，膝腱反射低弱，皮温明显降低，膝以下肌肉明显萎缩消瘦，第四五趾端青冷（但无紫胀及渗出），患肢无汗，二便尚可，脉象沉细而涩，舌淡，苔薄白。本例痿证与古籍中所论“肺热叶焦，金燥水亏不能输精于五脏”者不同，同“湿热”为患，筋脉失养者亦有别。总之，和历代医家所论之痿证全不相同。但结合物理学分析：“电流由触电部位向接地的一端传出时，是经电阻小的组织取捷径前进”，其损伤部位当在血脉，因而血管壁之弹力减低，血流减慢，循环受阻，其痿证乃成。

综合脉证，其痿肢之趾端青冷，但尚无坏死。故知其血脉通而不畅，经络阻而未闭，是由濡润失常而筋痿肌消，其病机当属血瘀无疑。

治疗原则，应使瘀祛血活、脉扩经通。除内服汤液之外，加药酒外用，再热敷并加强患肢的被动锻炼，以加速疗效。内服方：牛膝20g、地龙15g、川羌活10g、香附20g、甘草10g、当归15g、川芎10g、黄芪20g、苍术15g、没药15g、红花10g、黄芩10g、鸡血藤20g，水煎3次，早晚分服。

外用方：丹参30g、红花30g、地龙10g、没药15g、乳香15g、冰片5g，加白酒500g，浸泡2日后外涂用，以毛笔蘸浸液搽于患肢，再用水袋热敷，1日3次。锻炼：初用长毛巾牵拉膝部和双手按摩，或由他人扶持活动。后期好转时将自行车架空，蹬车锻炼。

在用药1个月后，患者先有知觉恢复，偶有灼热和刺痛感，由逐渐好转到痊愈历时3个月。只遗有患肢肌肉较瘦弱而已。患者春节后上班，经两年追访，已照常工作如常人。

釜底抽薪治高热昏迷

刘福春

正值仲春一日之晨，我中医病房收治一年近花甲老翁，患急中风，西医确诊为脑出血。其人在早晨起床后入厕活动中发病、猝然倒地，症见高热神昏不语、鼾声若睡、两目直视，右半身软瘫，尿失禁，视其舌质红绛苔黄燥、脉部弦数有力，中医经四诊合参，诊断为中风，肝风内动所致，治则依镇肝熄风、清热醒脑之法。投与牛黄安宫丸，每日 3 次，每次 1 丸鼻饲灌入。并结合西医疗法，止血、脱水、物理降温、对症治疗、预防感染等原则施以治疗，经过二十余日，病人呼吸、心律、血压尚正常，但高热不退，持续在 38.5℃左右，神志不清，面色潮红，两目白珠红丝缕缕，瞳孔等大、等圆，反射存在，吞咽尚可，未见咳呛，口唇干燥，舌苔黄燥，脉弦实有力，腹部切之灼手，左侧少腹切之有较硬之肠形硬块。

对此症，综合四诊脉症，认为中风之症合并阳明腑实之症，谓其阳明积热不除，怎能热退神清尔？若欲病人热退神清，应仿仲景先师之法，立法清解阳明积热，投以小承气汤服之可解。因病人已昏迷二十余日，病情较重，正气已虚、邪气留盛，又不可重投其攻之，导致邪去正虚之弊端。当视其病形，适调其剂投与病家，达到使病人邪去而不伤正之目的。拟方：大黄末 5g，枳实与厚朴各 3g 为末，合调糊状经口小心喂下，勿使病人咳呛，以防误咽之害。服后大约 3 小时左右，病人挟有稀便下燥屎数枚。其后至明晨高热退去，体温 36.8℃，神志渐渐转为清晰，识其亲人欲语，示意其所苦，又至四五日食饮增加，停止西药对症治疗，补液支持疗法，投与镇肝熄风汤以除残留之症。1 周后，病人留有右半身瘫，神清，体温正常，转入家庭病房针灸、按摩，内服中药再造丸，以善其后。辨证施治乃仲景先师之法、示其后学以《伤寒论》《金匮要略》指导临床。今以此例医话述我仿仲师大法，施于临床治愈高热昏迷之症收到比较理想的效果。使我领会到若辨证恰当，选用方法合理适当，一定能达到预期效果。

久痹当补，疗效显著

| 栗德林 |

痹证在北方是比较常见的病，虽说有“风寒湿三邪杂至合而为痹，风胜则为行痹，寒胜则为痛痹，湿胜则为着痹。”的记载，并分别有治疗的方药，但在临床中，常由于失治、误治，致使痹证久久不愈，给病家增加莫大的痛苦。在大量的住院病人中，多数属于这种情况。在临床治疗中，虽使用医书记录的有效方剂，但就其疗效看并不十分满意。余认为“久病多虚”，病之初是因风寒湿热之邪偏胜而分类，此时正气胜，邪气实，以药攻之，只要对证是有疗效的。但病一久，则易造成正虚邪实之候。就以热痹而言，久之虽可见关节轻度红肿热痛，或酸痛乏力，但同时也可见到身倦乏力，身汗出，面色皖白等气血虚败之证。此时如再单独使用治风寒湿热邪的药物，则很难奏效。其原因主要是正

气虚无法抵邪外出，必须用补气血的药物，恢复其正气，增加抗邪之力，方能取得事半功倍的效果。因此，余在治疗久痹时，多以补为主，攻为辅，即采用扶正祛邪的治疗原则，使用四君子汤、四物汤加味进行治疗。常用人参、黄芪、党参、黄精、熟地黄、何首乌、当归、白芍等补气血药物。在扶正的基础上，再根据病邪的性质不同加入不同的祛邪药物，其疗效显著。

风湿发汗，必取微汗 ｜段富津｜

风湿在表，法当汗解，此乃医家之常。但汗之是否得法，却与疗效有直接关系。《金匮要略》痉湿暍篇云："若治风湿者，发其汗，但微微似欲出汗者，风湿俱去也"，若大发其汗，则"风气去，湿气在，是故不愈也"。湿乃阴邪，其性氤氲黏腻，非若风邪之善行数变，故须缓缓发汗，使湿邪渐去。即发汗时间稍长一些，微微汗出持续一小时左右，且要全身出遍。临床上往往由于医嘱不详，或病家不慎，常有过汗而病情加重者，亦有汗出不彻底而病不愈者。余曾治一女，1982 年 9 月因运动汗出，卧湿冒雨而发病。始则恶寒发热，身体疼痛，医以感冒论治，表证虽轻，但身痛不减。半月之后，膝踝关节逐渐肿大，步履艰难。医家以为风湿在表，而令其服药取汗，病者初汗即觉痛减体舒，遂加盖衣被，直至全身汗出如水流漓方止。翌日虽肿痛均减，但未几，关节又渐肿大，身痛加重，以致不能行路，又经中西药治疗月余不效。11 月 16 日来诊，除上述症状外，仍时觉恶风，每日午后 3 时许发热（体温常在 38℃左右），两踝肿痛微赤，畏热拒按，舌苔白腻，脉来一息五至，略有浮象。诊断为痹证，风湿化热，投以麻黄杏仁薏苡甘草汤加味，嘱其首次服药取微汗如前法，再三叮咛，切忌大汗淋漓，又莫汗出不彻，并避风一日。汗后，患者自觉周身轻快，疼痛减缓，身热略平。继以三仁汤等调治而愈。今已 2 年，未曾复发，而健步往返于学校学习。

湿热痹小议 ｜李国平｜

有关风寒湿痹及热痹，前贤已备述。唯独在临床上经常遇到的湿热痹证，在历代医学著作及现代中医教材中很少涉及，殊感憾事。热痹中兼有湿邪者，即是湿热痹。近年来，我曾治一臧姓男患者，农民。其两腿从膝关节至踝关节疼痛难忍，最初疼痛遇热则减，此属风寒之邪侵袭于下焦，故呈现寒痛，遇寒则剧，遇热则减。但因病人正值壮盛之年，素禀阳盛，内蕴湿热，寒郁日久从阳化热，故呈现一派热盛症状。热为阳邪，其性属火，故膝踝关节局部灼热红肿，遇寒痛减，逢热则剧，走路极度困难，须弯腰弓背跛足而行。热邪瘀阻经脉、气血不得流通，故感疼痛。此属热搏则通、湿胜则肿。至于发热、肢倦身重、纳少、便秘、尿黄赤、口渴、脉滑数等，均是全身湿热盛的证候。抗“O”试验：600U。我取清热利湿法，采用李东垣治疗湿热脚气之当归拈痛汤减人参加生石膏治疗，其方为：茵陈 20g、白术 15g、茯苓 15g、猪苓 15g、泽泻 10g、羌活 15g、防己 15g、当归 15g、黄芩 10g、苦参 15g、知母 15g、葛根 15g、苍术 15g、生石膏 20g、升麻 10g、甘草 10g，水煎服。初服 3 剂，患者疼痛显著减轻，红肿消减，局部灼热感亦消退。按前方续服 3 剂，诸症消失，抗“O”试验降至 200U，其证痊愈。

当归拈痛汤中以羌活通利关节；防己散稽留之湿邪；苦参、黄芩、茵陈、知母以泄湿热；当归以和气血；升麻葛根助阳而升清；猪苓、泽泻利湿而降浊；苍术、白术、甘草补中扶正使苦寒不伤胃，疏泄不损正气也。如于原方中加入生石膏以清热，则疗效更为显著。

少女手痿废，施药病回春

班世民

痿躄一证多见下肢不用。古时方书，多遵独取阳明论治。后世医家综临证之所得，又有阐发，认为血虚精少者亦非罕见，当兼顾肝肾肺胃，不可拘泥于一法，贵在临证变通灵活，方能奏效。余极为赞赏此说，念念不忘，屡有施药而回春者。

曾治少女崔某，年方十八。数日之前于上体育课时，不慎挤压左臂。当时虽痛，但未介意，疼痛渐止。但近 2 个月来左手下垂，渐次加重，至纵缓不抬，呈“垂腕状”，拇指不能伸直且麻木不适，以致痿废不用，但不痛不肿，无奈辍学求医。某院诊为“桡神经麻痹”，予针灸、电疗、肌注维生素 B_{12} 等，经治月余不效，而转请中医诊治。余视该女，舌质淡，左侧臂伸平则手腕下垂，呈 90°角，脉见沉细而弱。遂按肝脾两虚证辨治，以养肝血、健脾气之法，投黄芪 50g、桂枝 15g、白术 20g、山药 25g、当归 15g、白芍 15g、丹参 20g、熟地黄 20g、炙甘草 10g、伸筋草 20g、川芎 15g、川续断 20g，4 剂。药后患手可抬起

15°左右，药病相符，已见转机。再予前方加威灵仙20g以通行脉络。诸药迭进计16剂，终使少女手复如常人，屈伸自如，皆大欢喜。时已四载有余，未再复发。

曾有学生发问，该女针药并用多时，不见奏效，先生何以轻取而愈？余曰，痿躄为患，仅以手痿不用而见症者，似不多见。但该女舌质淡，脉沉细而弱，且拇指麻木，实为气虚血少。然脾主肌肉四肢，肝藏血、主筋，为罢极之本。故对本病之辨证要点，当为肝脾两虚。遣方用药亦应以此为要。殊知气虚血少，脉络必有瘀滞，故方中佐活血通络之品。补虚为首，又兼通行经络，各有所主，相得益彰，而取卓效。

桂枝芍药知母汤奇验

杨惠英

痹证是北方寒冷地区的常见病、多发病，常反复发作，较为难治。这与北方高寒季节较长、四时温差变化太大有关。

通过临床实践，运用《金匮要略》中的桂枝芍药知母汤加减治疗痹证，体会到只要辨证准确（分清着、行、痛痹），临证加减，灵活运用，常可收到满意效果。

1984年3月，我遇到一比较典型的痹症病例。因为病人症状比较特殊，所以引起了我的注意。患者段某，因感办公室太热，打开小窗通风，不久就感到不适。翌日清晨起床时感到右上肢关节处痛、怕冷，活动时肩肘关节痛剧，屈伸不利，上肢放到什么位置都疼痛难忍，只有把右上肢高高举起才能稍缓解，上肢皮色不红、不热，两周来一直被迫高举右手，苦不堪言，虽经积极治疗仍无效果，并日渐严重。患者因行动不便，无法出门看病，只好由她爱人代为求医。余综合归纳家属介绍的病情，认定病人患的是痛痹。此病因肌表经络受风寒之邪侵袭，气血运行不畅而引起。故拟通经活络祛风散寒之桂枝芍药知母汤化裁。处方：桂枝20g、赤芍15g、知母10g、甘草10g、干姜10g、白术15g、防风20g、桃仁20g、制川乌10g、伸筋草25g、木瓜20g、秦艽20g、地龙20g、黄芪25g，水煎服。

服第2剂药后患者强迫举手症状消失，活动稍受限，还有些痛。再用前药3剂，共服6剂药。患者亲自来诊，以求彻底根除。余看到病人已好如常人，遂用上方减川乌，又服3剂。前后共服9剂，患者痊愈上班。随访至今已年余没有复发。

血痹治验

郑润身

血痹一证在临床上并不少见，患者病轻时不介意，只有在病重时才四处求医。有一老妇，年过五十，素体虚弱，因冬季乘卡车左腿受凉，1个月后出现左腿麻木、沉重、不知痛痒，每因寒冷、过劳而加重。稍微活动反感舒服，脉沉细而涩，舌淡红，苔白滑，舌下络脉淡紫略粗。余诊为血痹，治以益气活血、调和营卫，方用黄芪桂枝五物汤。余以常规剂量嘱病人带药5剂而归，令其尽剂复诊。

血痹好似风痹，但并非风痹，应当鉴别。其鉴别要点：血痹因阳气不足，阴血涩滞，血行不畅，以肢体局部肌肉麻木为主证；而风痹则因风邪偏盛，以疼痛游走不定为特征。

黄芪桂枝五物汤即桂枝汤去甘草倍生姜加黄芪而成。是一首振奋阳气，温运血行的方剂。由于营卫不和，卫不外固，故以黄芪益气固卫为主药；营阴内虚，故以白芍调血养营为辅药；佐以桂枝温经通阳，助黄芪、白芍达表而运行气血；倍用生姜宣发其气，气行则血不滞而痹除；大枣益脾，亦调营卫，用为使药。合而组主剂，可使气行血畅，血痹之证自愈。

5日后患者前来复诊，精神好转，自述服药3剂后，周身轻快，左腿麻木稍好，针刺已有感觉。5剂后，左腿麻木好转，针刺已觉微痛，沉重转轻。为了增强疗效，上方加荆芥、防风、羌活、独活、丹参等祛风活血之品，调治3周而愈。

坐骨神经痛治验

于万贵

在我随老师学习过程中，常看到老师用《医学衷中参西录》所载之方——活络效灵丹加味治疗许多疾病，并多有效验。因此，我亦试用此方加桂枝、细辛、独活、川芎、菟丝子、牛膝治疗坐骨神经痛数例，收到很好的效果。我高兴地向老师畅谈这一学习心得。老师指出，那还不够，如加上土鳖虫、蜈蚣等则疼痛立止。

不日，我科同道介绍一女患者。询之，经西医诊断为坐骨神经痛，曾用西药治疗周余罔效，故邀余诊治。患者由人背入诊室，表情痛苦，自左腰髋下至足部有一条筋剧痛，膝关节屈伸不得，左足不敢着地，痛处凉如冰，诊其脉沉弦而细，舌苔薄白、舌质暗滞、舌下静脉郁彎。取细辛、独活、川芎、土鳖虫、蜈蚣深入筋骨，搜风祛寒；用桂枝、当归、丹参、乳香、没药以温通经脉，活血化瘀。其中寓有祛风先治血，血活风自灭之意。肝主筋，肾主骨，更用牛膝、菟丝子温补肝肾，以壮筋骨。筋骨得壮，则风寒湿之邪尽祛。

6 剂药尽，患者虽疼痛而能忍受，由人扶入诊室，下肢已转温和，按此方小有出入，共进 18 剂，患者诸症霍然而愈。真是“患者愁眉苦脸而来，欢欣鼓舞而去”，余用此方治疗由风寒湿引起的坐骨神经通，屡用屡效。

鹤膝风小议

刘冠军

鹤膝风，因外观两膝形似鹤鸟之膝而得名。该病是一种难治的膝关节疾病，其原因很多，部分病人由痹症引起。所以，程钟龄在《医学心悟》中指出：“患痹日久，腿足枯细，膝肿大，名鹤膝风”。余临诊接治一吴姓男患，年仅 17 岁。因感冒愈后，突发两下肢疼痛，两膝关节逐渐肿大，屈伸不能，运动失灵，由于疼痛不能入睡。诊时见患者形体瘦弱，营养欠佳，神志清楚，表情苦闷，面色微赤，巩膜无黄染，舌质红有微薄白苔，皮肤干燥不润，呼吸尚均，脉来沉细，体温 36.6℃，血压 80/60mmHg，心肺无异常，腹平坦，肝脾未触及，二便尚佳。两膝局部外观肿大，胻胫细弱，肌肉削瘦不温，跟腱、腹壁反射尚佳，膝腱反射减弱。

患者形体瘦弱，营养欠佳，说明素往营卫气血虚弱，加之感冒必使腠理疏豁，卫外失护，寒湿之邪乘虚内侵，留恋不去，致使经络受阻，不得通畅，邪聚关节，搏结伏着，乃生膝肿粗大、疼痛、屈伸不利之疾。故以补气养血，通经逐湿法，初投汤剂仿大防风汤加减，方由黄芪、党参、当归、桃仁、地龙、防己、薏苡仁、巴戟天、牛膝、防风组成，针取命门、环跳、承扶、血海、梁丘、足三里、阳陵泉，补法，留针 15 分钟。经治 3 日，腿胫痛大减，肿消大半，惟胻胫枯细，肌肉消瘦，则用上方减防风、地龙、桃仁，加石斛、远志、肉苁蓉、杜仲，针法同前，连治 6 日，腿肿痛完全消失，能起坐行走，但不持久，仍感膝胫酸软无力。虑其病久阳气受损，阴亦受耗，加之肌肉不丰，膝胫酸软，实属久虚大损，气血津液不足，有似草木失于培植灌溉，枝叶枯槁之象，乃仿治痿之法，投虎潜丸二料以润宗筋，健肌肉。至 5 月 20 日讯知，患者肿痛全消，下肢肌肉丰盛，步履如常，现已上学读书。

考历代医家治疗鹤膝风，由于见症不同，治法各异，有主张健脾胃，益肝肾者；有主张专治气，不治肾者；更有专助气而不用血药者。但总以培养气血为主，温经逐邪为辅。所用方药以大防风汤、蒸膝汤、散膝汤、四神煎等为主方。从所用药物，可以看出，以补气为主，散邪为辅。笔者认为，助气虽属首要，然邪结关节，经络瘀滞，气血流畅受阻，故养血活血通经亦属必要；更由胫肿枯细，肌肉消瘦，两胫瘦软，所以益肾水、滋筋骨亦不可少；所以只治气，不治血，不治肾，实有商讨之必要。

对本例的治疗，初仿大防风汤，投人参、黄芪益气补虚，以行血痹，通和阳气；当归、桃仁、地龙通经和血；薏苡仁、防己利湿止痛；巴戟天、牛膝强壮筋骨；少佐防风一味以祛风邪。加之针灸诸穴通经止痛。当痛止肿消之后，由于胫酸软弱无力，肌肉不丰，实属日久肝肾虚损，筋骨失养所致，故改用填精益肌之法，去防风、地龙、桃仁、当归以防耗血劫津，增入石斛、远志、肉苁蓉、杜仲以长肌肉，壮筋骨，强腰膝，最后投服虎潜丸益精壮阳，养液润燥，强健筋骨以善其后。由此可见辨证施治，有法活机圆之妙。

脉痹与敷贴疗法

| 李文明 |

痹者，“闭也”。脉痹为血气凝涩不行，痹阻于脉之病也。每因寒湿、热毒侵入经脉，寒湿郁久化热、热毒深伏结滞，内不得散，外不得泄，形成肢体疼痛，皮肤紫暗或青筋暴露之疾。余于 20 世纪 50 年代末，随东海已故名医姜子维老大夫习医时，尝见先师治一农夫，双下肢疼痛肿胀，皮肤灼热，青筋暴露，历时两年余。求遍海滨诸医，内服中药四百余剂，单方验方累试，均无效，西医断言非手术则无他法治之。家人将患者抬至姜老处求治。姜老审证求因，察脉观色曰：“脉痹也，敷贴之。”月余而愈。二十余年矣，余记忆犹新。余仿此疗法，用于临床每见效验。曾治兵团机务处一干部。其于 1978 年底被石头击伤左小腿，当即局部红肿疼痛，且逐渐加重向上蔓延至股部。曾多处就医治疗，疗效均不满意。于 1981 年 11 月以左下肢静脉炎收住我科。望之，左侧下肢肿胀且有青筋缕缕，小腿皮肤紫暗，自诉行走后小腿疼痛加重，并有烧灼感且肿胀更甚。触之，从内踝沿足三阴经上行至腹股沟，压痛明显并有指印，脉沉细稍数。证属左下肢脉痹。乃外伤后瘀血阻络，以敷贴法治之。连用两个疗程，患者诸症消失，痊愈出院。随访 3 年余，再未复发。

敷贴法是中医外科常用之法，向来为古今中外医家所重视，古之薄贴及后世围药都属于这一范畴。其作用为截毒、拔毒、行瘀、清热、定痛。余基于脉痹为热毒瘀血阻络，而血凝涩不行，宗姜老之法，循辨证之理，究方药之性，精选药物组成新剂，敷贴肌肤，使药力直达病所。方取连翘100g为君，味淡微苦，性凉，具有升浮宣散之力，疏通血气，散诸经血结气聚而消肿。协以大黄80g，性寒苦泄，破积行瘀，外敷治热毒痈肿，调血脉利关节。二味相合共奏解热毒、散结消肿之功。赤芍、红花、乳香、没药各50g，活血散瘀，通络止痛。佐以白芷50g，辛温芳香通窍，消肿排脓。更加冰片10g，善散火郁，外用消肿止痛，又能止痒，为外用疮疡之要药。后两味除本身的药效外，亦取其香窜，防寒凉之药太过，过则毒为阴凝，变为阴证。上药分别研成细末过筛，冰片临用时掺入拌匀，加陈醋调成糊状，敷贴患处，再用绷带包扎，松紧适合，隔日换药1次，10天为1个疗程。全方具有清热解毒，活血化瘀，通络止痛之功。敷贴之后，初感热轻痛减，坚持敷之，可望获愈。

内服外敷治痹症

邹　旭

中医的治疗大法，有数千年的历史，有效治疗方法很多。但一般不外乎两大类，即内治法和外治法。笔者经过多年的临床实践体会到：很多疾病康复，除患者本身有内在抗邪能力外，尚须有医生的高明治疗手段。余以内服汤剂、外敷中药，治疗痹症收效快，缩短了疗程、提高了疗效。

1963年冬，余治一痹症患者栾某，锅炉工人。冬季取暖时期，因锅炉清渣时温度较高，患者穿衣作业大汗出，不慎外受风寒而发病。初发时全身关节疼痛，下肢尤甚，膝关节及踝关节红肿疼痛，酸楚，继而活动不便，舌苔白稍腻，脉濡，经治半年有余，病情不见好转。故特来请求中医治疗。按其脉症所见，系高温劳动，大汗出后，腠理不密，复因北方沿海地带多风寒，外邪乘虚侵袭肌肤，注入经络，留于关节而发病。治以二妙散合薏苡仁汤加减。

方药是：

内服：薏苡仁50g、苍术15g、黄柏10g、麻黄10g、桂枝15g、防己20g、秦艽15g、当归15g、羌活15g、炙川乌15g、松节油15g、防风10g、蜈蚣2g、乌梢蛇15g，水煎服。

外用：黄芪100g、防风25g、蜈蚣6g、松树针100g、乳香25g、没药25g、麻黄25g、红花25g、酒糟250g。共研粗面炒热装布袋外敷关节上、再另加热水袋透热，每次外敷30分钟，日1次。每7天1个疗程。

该患者经内外合治后7天即可扶床行动。两个疗程完后，患者即可自由行动，24天后痊愈出院，随访3年再无复发。

寒湿痹证浅议

杜东亚

渗出性关节炎，属中医痹证范畴，在阿山地区尤为多见。此病多见于双侧或单侧膝关节，外观肿大不红，按之柔软有捻发音，步履困难，关节变形，常达数年不愈。余拟中药外敷，疗效颇捷。

患者施某，左侧膝关节肿大已3年，经某军医院给服激素类药物及抽液无效，生活不能自理，痛苦不堪。

查其左膝关节肿大不红，按之柔软有捻发音，且膝关节周围有结节形成，并有压痛，面色㿠白，但精神尚佳，饮食、二便尚可，苔白质微淡，脉紧带缓，余以寒湿痹治之。处方：制川乌10g、附子片10g、麻黄10g、桂枝15g、羌活10g、独活10g、苍术12g、透骨草30g、鸡血藤30g、威灵仙15g、桑枝30g、五加皮15g、木瓜15g、泽兰15g、干姜15g、甘草15g。连服7剂，患者已不用人助，自能来门诊就医，但局部肿大未减。

回忆1961年余于四川中医学院实习时，外科常用自配温筋散治疗局部凝筋扭伤颇效，故在本方基础上加味外敷以试其验。处方：生川乌30g、生草乌30g、麻黄30g、桂枝30g、透骨草100g、桃仁30g、红花30g、当归30g、川芎30g。共压研细末，分数次加酒醋调成糊状，外敷患处，以塑料纸盖之，绷带缠绕，汤药仍服，以内外并进。1周后再诊，患者局部已消肿减半。因其服药后胃中不适而暂停，继以外敷药治疗，前后治疗约2周。患者膝关节肿胀已全部消失。经一年余随访，无再复发，已从事体力劳动。

温筋散一方系由诸热药组成，加用桃仁、红花、当归、川芎以活血祛瘀，透骨草一味取其透过之意，引药直达病所；酒性挥发，醋性收敛以助吸收。

漫话风亸（duǒ）曳

黄柄山

所谓风亸曳者，以四肢弛缓、无力举动、拖足而行为主症之病也。我国东北地区多发，尤以林业、铁路、建筑工人多见。《诸病源候论》认为该病是由胃气虚弱，经脉失养，风邪搏于筋所致，故后世遣方用药多以疏散风邪为法。余临证时，尝遇罹风亸曳病者。询问之，多有劳累、汗出、潮湿、寒冷等发病之诱因，而辨证时，常无明显的风症可察。余思《内经》云："胃不实则诸脉虚，诸脉虚则筋脉懈惰，筋脉懈惰则行阴用力，气不能复，故为亸。"详审病人，皆形体消瘦，乃中气不足之体：四肢软弱，为脾胃之病也，且常伴有脾胃气虚之病状。余认为脾主肌肉四肢，中气不足，甚则下陷，气机逆乱，四肢不得禀水谷气，肢体岂能用焉！况劳累过度、饮食失调、汗出不止、寒冷潮湿诸因，极易耗伤中气，致中气下陷而诱发本病，故有发病快、发展迅速之特点。余宗《内经》之旨，用补益中气、升阳举陷之法，以补中益气汤化裁治之，疗效甚为满意。曾治一男性患者，系安徽省某单位采购员。该患者长途乘车抵哈，一路奔波，周身乏力。于晨3时下火车后，自觉四肢软弱，行走80m左右，因双下肢无力支持，仆倒两次，而后肢体运动失灵，不能行走，遂邀余诊之。望其色形，面色萎黄，形体消瘦；闻其音声，语声低微，少气懒言；问其故疾，平素极易汗出，时有食后腹胀。结合突然发病，四肢弛缓，无力举动，而神志清楚，无口眼歪斜，以及舌质淡、苔薄白腻、脉细弱等征象，余辨之曰，此乃风亸曳病也。盖脾主运化，胃主受纳，脾胃虚弱，运化不及则食后腹胀；气虚卫外失职则极易汗出；少气懒言，语声低微，面色萎黄，舌淡，脉细弱皆为气之不足之象。素体脾胃虚弱，复因旅途奔波，劳累过度，中气亏极，气陷于下，四肢失其温养，故四肢软弱，无力行走。非大补中气之品无以升提中气，强壮四肢。遂用补中益气汤加减治疗。处方：黄芪50g、党参20g、柴胡15g、白术15g、升麻10g、陈皮10g、当归15g、鸡血藤25g、茯苓25g、川续断15g、桑寄生15g、甘草10g。两剂后，患者症情大减。但仍觉下肢乏力，需他人扶持方能行走。效不更方，守原方再进3剂，病人四肢运动灵活，能独立行走，病告痊愈。

狐惑病治验

金明义

余曾治一患者，1975年患周身疼痛、发热、口腔溃疡，目痛。曾按"胆囊炎"治疗，不见好转。经某医院诊断为"白塞氏病"，几经治疗，便血及发烧仍未得到控制，口腔及外阴部溃疡反复交替出现，又服中药百余剂，症状仍不见好转。于1984年4月来中医科门诊治疗。患者体温38.1℃，口唇、两腮、舌边有四处溃疡，自诉阴部有两处溃疡，舌质红苔黄厚腻，脉象沉数，诊断为狐惑病。停用西药强的松按中医辨证治疗。治则：清热解毒。用龙胆泻肝汤加减：栀子15g、黄芩15g、柴胡15g、生地黄15g、车前草15g、泽泻15g、木通10g、甘草10g、当归15g、龙胆草15g、金银花25g、连翘25g，水煎服。连服2剂，患者体温恢复正常，口腔溃疡仍不见好转。改用栀子15g、柴胡15g、黄芩15g、车前草15g、甘草15g、龙胆草15g、生地黄15g、大黄5g、苦参25g、金银花25g、连翘25g、白芍25g、牡丹皮15g、玄参15g，连服1个月，患者阴部溃疡获愈，平素口唇及舌边溃疡基本愈合，惟来月经前仍出现溃疡。患者连服中药3个月，溃疡完全消失。偶因感冒出现一二处溃疡，很快就能愈合。后改用安脑牛黄片、牛黄解毒片巩固治疗。本病以发热、口腔及二阴部溃疡为主症，属《金匮要略》里狐惑病范畴。发热、目痛、舌红、苔黄厚腻，脉数均属湿热之象，用龙胆泻肝汤加减收到满意效果。

“狐惑”不应被湿热惑

王德安

狐惑病见于《金匮要略》百合狐惑阴阳毒病脉证治第三：“蚀于喉为惑，蚀于阴为狐。”临床见口、咽、眼和二阴同时溃疡者多，但亦有单蚀于上或单蚀于下者，蚀于下者比蚀于上者多见且较重。治疗此病，《金匮要略》以甘草泻心汤内服，外用苦参、雄黄熏洗。但按此法用于临床，不尽有效，其关键在于辨证。本病证情复杂，且多反复。初得状如伤寒，有寒热症状者，多属湿热为患，可用甘草泻心汤，亦可用龙胆泻肝汤。两者比较，后者效果较佳，但都不能根治。患者反复发作，有默默欲眠、不欲饮食者，多属脾虚湿盛。偏于狐，则用升阳益胃汤补脾升阳除湿；偏于惑，则用参苓白术散健脾益气渗湿。湿热、脾虚两者皆可配合苦参、雄黄熏洗。其关键在从脾、从湿着眼。临床验之，效果令人满意。可见狐惑病不应被湿热所惑。兹举验案一例，亦是愚人一得也。

杨某，未婚。1981年2月一天妇科相邀会诊。病人主诉：一连4年，每年冬季发病，3年前初得之发热恶寒，咽喉疼痛，外阴溃疡。医生不知外阴溃疡，按外感风热治疗半月而痊愈。后相继2年，冬季发病时，仍按外感治疗，但较第1次疗程长。这次发病较重，症见鼻孔微红，口唇上下各一块0.7cm溃疡面。对外阴望诊：两侧大阴唇肿胀，小阴唇破溃，下1/2缺损，表面脓苔。查康氏反应（-），细菌培养，有大肠杆菌生长，血、尿、便常规正常。诊断：白塞氏综合征。笔者细审证情，详察舌脉，病人形瘦，面色萎黄，身倦肢懈，食少纳呆，自汗短气，便溏，口唇糜烂，小阴唇下部被蚀，无寒热，口不渴，舌淡苔白微腻，脉沉缓无力。按其脉证，细微斟酌，病虽属狐惑，但与《金匮要略》所述狐惑之病机，症状多有不符。此证确系一派脾气亏虚、清阳不升、湿浊下注之虚证，而无湿热之象。余考虑再三，虽有前人之验，但不应拘泥，辨证施治才是正务，遂投以东垣升阳益胃汤加减：党参 15g、白术 10g、黄芪 30g、黄连 3.5g、半夏 7.5g、泽泻 15g、茯苓 15g、甘草 15g、陈皮 10g、白芍 1.5g、柴胡 7.5g，水煎温服，每日 1 剂。另以苦参 50g、雄黄 25g、蛇床子 35g、黄柏 25g、蒲公英 35g、木鳖子 10g、大风子 10g，水煎后，先熏后洗。

患者用药 7 日，口唇糜烂已有收敛，外阴溃疡未再发展，脓苔已无，表面鲜红。按原方减黄连、半夏、柴胡，又服药两周，患者口唇糜烂已愈，外阴破溃处已长出新皮，脾虚诸症大减。患者出院时又用六君子汤加黄芪，嘱其坚持服药 1～2 个月，以使脾健正复，免其复发之苦。1983 年 6 月去信追访，患者复信言：回家后按方服药 1 个月，至今未再复发。数载痼疾，霍然而愈，医患皆慰。

浅淡狐惑病

黄柄山

狐惑病，是以口、眼、前后阴蚀烂为主症的疾病。始载于《金匮要略》，仲景提出了以甘草泻心汤内服为主的几首有效方剂。外阴蚀烂者，苦参汤洗之；肛门蚀烂者，雄黄熏之。吾在临证中，曾观察了数十例狐惑病患者，体会到：狐惑病缠绵难愈，反复发作，证候变化多端，不可以一方、一药统治之。本病初期常呈湿热之证，而尤以肝经湿热为多，后期往往湿从寒化而成寒湿之证，且极易损伤脾肾，出现脾肾阳虚之候。故在辨证论治上，既要选方用药随证化裁，又要有攻有守，以不变应万变，常得满意疗效。吾曾治一申某女患，口腔溃烂已年余，时有发冷、发热，咽喉干燥，声音嘶哑，鼻孔出热气，视力减退，经水先期而至，腹痛呕吐。被诊断为维生素 B_{12} 缺乏症、感冒、月经不调等病。经对症治疗未见好转。患者逐渐出现口腔、舌尖及外阴溃烂。并伴有手足心热，时有盗汗，小溲黄赤等症。望其舌，红而少苔；切其脉，细而数，皆阴虚之象也。余语之曰：诊断应为狐惑病也。乃由病情迁延误治，湿热留恋，邪气未去，阴分已伤所致。遂以滋阴清热利湿为法。处方为：生地黄 20g，玄参 15g，地骨皮 15g，胡黄连 15g，生、炙甘草各 20g，黄连 10g，黄芩 15g，槐角 15g，半夏 15g，薏苡仁 20g。5 剂，水煎服，每日 1 剂。服药后，患者的溃烂面渐小，诸症悉减。但仍有乏力、头晕、纳呆、虚烦等症，舌质红，苔少，脉细。此乃邪气已去，气阴双亏之候。上方去胡黄连、半夏，加山药25g、茯苓15g、炒麦芽50g、神曲20g、党参25g，以增强补益气阴之力。嘱其服10剂，尔后口腔、舌尖、外阴溃烂消失，诸症悉除。

狐惑病小议

范国樑

狐惑病，乃湿热壅遏化毒所引起的一种反复发作、久治不愈的黏膜糜烂（溃疡）性疾患。西医谓眼、口、生殖器（Behcet）综合征。临床上多以清热解毒、激素、维生素治之，往往效果不佳。笔者以健脾渗湿法，方以薏米赤豆当归汤于临床，效果满意。

药物组成：薏苡仁150g、赤小豆25g、当归10g、王不留行25g、茯苓100g、漏芦15g、佩兰15g、藿香15g、滑石25g、生白术25g、红花15g、附子5g，水煎服，日两次。若系新病，当归用量减半，去红花、附子，焦白术或苍术易生白术；若纳呆或胃脘不适者宜用藿香梗，酌加白豆蔻、砂仁；若舌红尖赤而痛，尿热微痛者，加导赤散。

临床上，狐惑病人每因西医疗效不佳，被迫求治于中医。而中医又多以清热解毒法，收效甚微。有的虽缓解症状于一时，然反复不愈，痛苦不堪。我认为：清热解毒者多用苦寒之药，伤阳而恋湿，致使阴湿不化，乃致病重。余治此者，即以上方，多则几剂而病愈，亦不反复。如我治张某一案，至今未复发。

工人张某，于1981年患口腔溃疡，治之不愈，两年后，出现阴茎溃疡、疼痛、烦躁易怒、失眠、纳呆、畏寒肢冷等症，于1984年3月来我院就诊，给予处方：薏苡仁100g、赤小豆25g、王不留行25g、漏芦15g、佩兰15g、藿香梗15g、生白术25g、茯苓50g、附子10g、红花15g、当归10g，水煎连服4剂而愈。

方中以薏苡仁为君，量宜大，既能清上益肺，又能理中焦脾胃，使上焦宣发，肺行治节（调节之义）、布津液、通水道。又肺气得通，中焦运化，枢功能转，水津得行，何湿之有？故为健脾益肺之要药；配以其他健脾渗湿、抑肝补中、化浊通脉、祛瘀生肌之味，脾旺而胜湿，气足则气化能通上彻下（“气之源头在乎脾”），循环不息，何病之有！余又以赤小豆下行渗津液、通小肠、利大便，使湿热之邪由二便而出；当归、红花活络导滞，与生白术化瘀，使气血各有所归，畅通不滞；附子起命火，振奋神机，引诸药通十二经，鼓舞新陈代谢，则机畅茂，生机复健，患者疾病告愈，不易反复。

狐惑病治验

冷柏枝

曾治一例狐惑病患者，西医诊断为白塞氏综合征，女性，青年，病发 4 年之久。主症为口腔溃疡顽固不愈，初于当地作维生素缺乏病治疗，增加蔬菜，改善饮食，补充维生素摄入量，罔效。后几经中西医治疗未效，先后用补肾扶正培本、清化阳明湿热、活血化瘀等法治疗，但患者之口舌疮疡未获一日消退，始终此伏彼起，甚感苦恼。

余察患者，除舌苔薄黄、脉细弦略数而外，叙无所苦，查无显症，辨证颇费思索。遂用吾平素治疗口舌糜烂之套方，内外两法合治。内服方：升麻 3g、川黄连 3g、当归 6g、生地黄 12g、牡丹皮 6g、生石膏 9g、栀子皮 3g、藿香 9g、青蒿脑 6g、石菖蒲 3g，水煎服，每日 1 剂。漱口方：苏薄荷 6g、霜桑叶 9g、硼砂 9g、苦参 9g、鲜松针 9g，开水浸，候温漱口。

予内服汤药 6 剂，漱口方 3 剂（1 剂浸水可分作两日用，1 日漱五六次，漱时令药液在口腔内多含漱几分钟，使药液与溃疡面充分接触），1 周后，患者口舌疮疡竟获痊愈。

此后，患者每于感冒后，即致口腔溃疡复发，用上方治疗，1 周内皆可获效。嘱其常饮五加参茶，轻补扶正，锻炼身体，预防感冒。

本方不能根治狐惑病之口腔溃疡，但对该病所生疮疡，凡有热象者，用之可促使疮疡愈合，减轻患者病痛，可谓不无功效。

养阴清热治狐惑

秦德水

《金匮要略》中的狐惑病，是论述口、眼、肛门、尿道等处黏膜组织溃疡的病变。古人以取类比象法，以狐多疑惑不定来形容疾病症状，而命名为狐惑病。因其病变部位不一，又有不同的区分，即蚀于唇咽者为惑，蚀于肛门尿道者为狐。《医宗金鉴》杂病心法说：“古名狐惑近名疳，狐蚀肛阴惑蚀唇咽。”都说明病变的不同部位。不论哪一部位发病，临床治疗均以养阴清热解毒为主。

余曾治一狐惑患者林某。症见其口糜烂，兼有白色脓点，两目红赤，咽喉红肿，舌强难言，腹痛拒按，身灼热，四肢疼痛，指趾间皆起泡，二阴糜烂，二便时疼痛难忍，脉弦微数，舌红，糜烂，苔腻而厚，并有豆渣样苔垢。证属阴虚内热，湿浊内蕴，日久化热，蒸于孔窍肌肤为患，治以养阴清热解毒，兼以健脾利湿之品。方药：玄参25g、石斛20g、麦冬15g、白芍20g、白术20g、黄芩15g、木通10g、金银花20g、连翘15g。患者连服8剂，诸症痊愈。方中白术、黄芩、木通健脾利湿；玄参、石斛、麦冬、知母、金银花、连翘养阴解毒；当归、川芎、白芍养血和营。诸药协同，共奏健脾利湿、养阴清热解毒之功，其效验颇佳。

医窗琐记

|陈鸿文|

男女交媾，不能射精者，古称“精塞水窍”。察其病因，不外房欲不竟，思欲不遂，或惧泄忍精，或年老气虚不足以送精出窍。故治宜行败精为主，体壮者佐以泄火，体弱者兼以补气。

余曾治一青年患者，婚后1个月，屡次性交，从未射精，10~20分钟阴茎痿软而终止性生活。追其病史，察无上述原因。患者自觉头晕，体乏无力，腰胫酸软，舌淡苔薄白，脉沉弱。脉证相参，本病异于常因，此属肾虚元阳不足，不能激发所致。遂投温肾壮阳，填精补髓法。药用附子、仙茅、枸杞子、菟丝子、熟地黄、桂枝、山药、覆盆子、蛇床子而愈。

梦交琐谈

|刘国祥|

梦交一症，古多论述。查考《金匮要略》血痹虚劳病脉证并治篇：“男子失精，女子梦交”之说，又在《医宗金鉴》妇科心法要诀·杂病门列有“梦与鬼交”证治。大凡女子梦交与男子梦遗在病因、病机上有大同小异之处。吾临床诊病二十余载，见之一二。兹举一例：张某，女性，28岁。3个月前行剖腹产，尔后体质稍差，虚损之极。约1个月之久，于每晚入眠后，即梦异性入床，有夫妇交媾之感，天明始去，夜夜如是。初时羞愧难言，渐之白昼神疲乏力，精神恍惚，健忘，身体不支。余诊之，见其形体消瘦，面萎不华，精神萎顿，语言低微，目眩，耳鸣，心悸，食少，白带清稀，色白不臭，经期后延，毛发

稀疏，舌淡苔白、脉沉细弱。综合脉证，一派虚象。追其根源，为术后气血大伤，乃未复原，营血亏损。盖血生于心，统于脾。古云："血虚无不损于心脾者。"因于心脾两虚，神无血养而不归其宅矣，故夜眠梦交。余以补益心脾以安神，调平阴阳以定志。选《医宗金鉴》归脾汤与《伤寒论》桂枝加龙牡汤二方化裁，得心应手，显效益彰。

滑　　泄

王福全

余曾治孙翁，年逾七旬，泄泻已半年余，大便溏稀，日四五行，甚至二十余行，溏便顺肛门时时流出，自己无感觉。形体羸弱，面色萎黄，头晕耳鸣，畏寒，四肢欠温，纳少，口渴不多饮，但无腹痛胀满，便时肛门下坠，满舌裂纹，舌质光红无苔，脉沉微弱。

察证之殊，舌证不符，其舌满裂纹，光红无苔，应属阴伤。实为脾阳不振，无运化布津之能。"肾为胃之关"，肾阳虚损，命门火衰，不能腐熟水谷，失于温煦蒸腾，魄门失约故滑泄无度。幸喜患者虽泻日久，未至完谷不化和四肢冰冷，仍知饥渴，尚悉生机未殆。宗《内经》"阳生阴长"旨意，先投参苓白术散做汤，加白芍、石斛、诃子肉，健脾益气，敛阴涩肠。服至13剂，患者舌质已转红润，但仍无苔。宗原意，增强温阳、敛阴、升提、固涩之功。处方：潞党参30g、熟附子10g、怀山药15g、炒白术12g、炒白扁豆24g、肉桂3g、煨白芍30g、煨葛根9g、炒升麻6g、罂粟壳10g、煨诃子12g、炙甘草10g。服12剂后，患者泻下减轻，四肢渐温，形寒不甚，舌上略见微微薄白苔。胃气转复，重在温补脾胃，涩肠固泻，以四神丸更汤加味予之：补骨脂9g、肉豆蔻9g、吴茱萸6g、五味子6g、潞党参15g、炒白术9g、煨诃子12g、罂粟壳10g。患者服后泻止，便已成形，饮食已馨，精神转佳，穿衣坐卧自便，且能缓步床边。诸症悉减，唯疲乏无力，舌质转为红润，虽舌体之裂纹依然，但薄白之苔遍布均匀，脉沉微弱较前有力，守原方以善其后。《医方集解》云"久泻皆有命门火衰，不能专责脾胃"，此之谓也。

抑相火治遗精

邓维滨

遗精有梦遗与滑精之分，有梦而遗者，名曰遗精；无梦而遗或精液无时而出者，名曰滑精。在临床实践中吾治此病，特别是1～2年经常反复发病而不愈者，坚持抑相火之源，以治其根，调和肝郁为本，辅以解郁镇静安魂固涩之品，以塞其流，岂有不愈之理？以丹栀逍遥汤加生龙骨、生牡蛎、锁阳、龙齿、五味子为基本方剂，临床加减疗效卓著，尤其对青年遗精者疗效尤佳。方剂组成：生白芍15g、当归15g、白术15g、茯苓20～30g、柴胡15g、牡丹皮10～15g、栀子15g、薄荷10g、甘草5g、生牡蛎50g、生龙骨50g、龙齿25g、锁阳50g、五味子10g，水煎服，每日服3次。龙骨、牡蛎、龙齿3味药先煎20～30分钟。梦中遗精，夜寐不安，头昏心烦，加解郁安神之合欢皮25g，养血安神之夜交藤25g；遗精频发、目眩、腰酸加枸杞子、菟丝子；小便时精液随出者，加萆薢、车前子、黄柏。余于20世纪20年代初业医时，治疗遗精病单从肾论治者多罔效。《医贯》梦遗并滑精篇载："肾之阴虚则精不藏，肝之阳强则火不秘，以不秘之火，加临不藏之精，有不梦、梦即泄矣"之说。余在临证中悟出：遗精者多伴有情志因素的肝郁发热、潮热等表现，且肝肾同源，肝主宗筋，主疏泄，其经脉绕阴器，便从肝论治遗精获效。我认为相火妄动是遗精之根，自此后50年来，即用此方加味，治疗遗精病尽收全功。

辨原委治愈滑精

| 阎洪臣 |

李中梓云：滑精宜涩之，涩而不效，若泻心火，泻而不效，即以补中益气用升麻、柴胡至一二钱，举其气上而不下，往往有功。此言颇有卓见，实属经验之谈。1975年冬，余尝治一病人张某，年逾四旬，滑精十数载。初病或间日一遗，服金锁固精丸、右归丸、八味丸易汤，百余剂，俱罔效。1976年秋，因患感冒、腹泻，病势增剧，滑精日夜皆作，甚则精随小溲而出，屡住院医治，久服龟灵集、鹿茸精之品，终无济也，人皆料其不治，自言无信。述及腰酸腿软，乏力自汗，肢冷，不思饮食，眩晕健忘，多梦，时而溏泄。乃相延视，病者羸困至极，面黄舌淡有齿痕，脉沉缓无力，尺脉微弱。脉证相参，并考往日用药不效之理，断是证为"脾肾阳虚，中气下陷，玉关不固"之候，立补中益气兼壮肾固精之法，投补中益气汤加味治之。方用党参20g、黄芪30g、白术15g、升麻10g、柴胡10g、当归15g、陈皮10g、金樱子40g、芡实40g、牡蛎50g、仙茅50g、甘草10g，水煎服，日两饮。上方连进30剂，患者气短乏力、眩晕健忘稍复，饮食增，滑精减为数日1作。病人面色红，舌淡红无齿痕，脉缓而无力。此脾肾稍复，继当补之，守前法，仍投补中益气汤加味，方用红参

10g、白术15g、升麻10g、柴胡15g、黄芪20g、炙甘草10g、芡实50g、金樱子50g、龙骨50g、覆盆子50g、仙茅50g，水煎服，日两饮。进药50剂，患者诸症悉除，复原如故。彼问曰：余病遗精，医云肾虚所致，今何以不从肾治，反补其脾，何故也？余云：景岳虽有“滑精者无非肾气不守”之论，而彼病之源在于脾，缘脾气虚，中气下陷，致以肾气虚命火衰，精关不固而成。方用人参、黄芪以补气，柴胡、升麻意在升清举阳，金樱子、芡实等补肾涩精。诸药相伍，可共奏脾肾两补之效，故证随药愈。彼闻之叹服。

阳痿治验

|诸云龙|

余在扎伊尔工作期间，遇见阳痿患者甚多。两年来，余用针灸治疗该病，效果颇为满意。

曾治一男患者，44岁。该患者患阳痿已逾5年，自感头晕耳鸣、心悸气短、少寐多梦、神疲乏力。观其面色无华，双目无神，舌质淡，苔薄白，脉沉细无力。此肾阳亏虚，命门火衰故也。盖：“肾开窍于阴，若劳伤于肾，肾虚不能荣于阴器，故痿弱也。”（《诸病源候论》）。治拟补肾温阳。针治取穴：肾俞、关元、中极、三阴交，均施补法。针治1次后，患者即稍能举阳；针治3次后，便可随意举阳，唯勃起不坚，针治7次后，即基本痊愈。

盖关元、中极均为任脉之穴，任脉统一身之阴，其脉起于会阴，循阴器，上至毛际而入腹内，故主治前阴诸症。且关元为元气之根，三焦之气所出之处；中极为膀胱之募穴，肾与膀胱相表里，故均为治疗阳痿之要穴。肾俞为肾之俞穴，即肾气转输之处；三阴交为足三阴经之会穴，功能补肾益阳。故四穴相合，相得益彰，每取桴鼓之效。

治阳痿初病重在肾、重病重在心

|张大宁|

阳痿一症，临床多见。历代医家每每列举《素问·上古天真论篇》等经文，补肾壮阳为治。称“入房太甚，宗筋弛纵，发为阴痿”，于是附子、肉桂、鹿茸、海马等层用不迭，结果多适得其反，不仅邪火上炎，虚热丛生，而且阳痿之症毫无减轻，甚或与日俱增，原因何在呢？

盖阳痿之症，初起虽因房事或手淫过度，耗伤阴精，损及肾阳，命门火衰所致，但临床所见病人每于阳痿初得，即开始注意房事的适度，有些索性完全戒制，且奔波求医，多方服用补肾药物，而病情不减。究其原因，惟因病人疑惧重重，思想负担沉重，有些甚至惧恐同房，遂使心阳不振，神不守舍。君火既衰，命火亦弱，于是阳痿之症加重。《内经》曾谈及“恐伤肾”，李中梓亦云“恐则阳痿”等，均表明古人对此有察觉。

初病在肾时，阳痿不重，表现为勃起不坚或坚不持久，右尺脉沉弱无力。治疗上可以补肾助阳，佐以填精之法，如右归丸、右归饮之类。我常重用肉桂、枸杞子，取其“阳得阴助，生化无穷”之意。

重病在心时，阳痿加重，病人思想负担重，怵惕不安，多疑易惊，精神不振，有时素常尚可勃起，但于同房时则焦虑不安，反而不举。治疗上一方面要多做思想工作，解除病人负担，另一方面当在补肾药中，加用补助心阳、安神定志之品。我在临床上重用桂枝、人参、茯神、远志四药，有时桂枝用量达18g，茯神用至30g，收效甚佳。

阳痿治验

张景祥　孙连礼

1979年诊得一名日本专家，其名叫茂野，时年41岁。该患者平素性格孤僻，常觉曲志难伸，心情苦闷，渐之罹患阳痿。8年来阳事不举，不能同房。在国内曾辗转日本列岛，多方医治，但屡治不效。1979年，夫妻双双来华，一者来此援建新项目工程，二者为医治宿疾，寄厚望于中医中药。9月12日，邀我们至外宾招待所，通过翻译问询症状，患者有腰酸腿软，头晕耳鸣，两目干涩，口干，手足心热，偶有盗汗。观其面容忧郁，面色潮红，形体消瘦，舌红苔白，脉沉细数。细辨其证，乃肾精亏损，初则阴虚阳亢，继则阴损及阳，而致命门火衰，宗筋得不到命火温煦，肾气虚而不达阴器，无力振起。当下处以滋阴补肾之方：盐知母15g、盐黄柏10g、墨旱莲20g、生地黄15g、生白芍20g、炙龟甲20g、女贞子15g、山茱萸15g、杜仲20g、茯苓20g、远志10g、麦冬15g、菟丝子20g、枸杞子25g、巴戟天25g、淫羊藿20g（羊油炒）、菊花10g。水煎服，1日1剂。禁房事。

二诊：服上方14剂后阴虚诸症大减，惟其阳痿如故，再于滋阴补肾方中加以兴阳之品，处方：熟地黄20g、山药20g、山茱萸15g、泽泻15g、肉苁蓉15g、巴戟天15g、枸杞子15g、淫羊藿40g、菟丝子15g、韭菜子10g、锁阳15g、鹿鞭 15g（先煎）、砂仁 10g、覆盆子 10g、牡丹皮 15g、盐黄柏 10g。水煎服。同时另配丸药，以上方各药量 3 倍，外加金樱子 30g，牛膝 30g，海狗肾 1 具，海马 1 具，炼蜜为丸，早晚各服 1 丸。

三诊：服上药 10 剂未完，患者诸症悉除，阴茎勃起有力。该患者盛赞我中华医术之高明。此时，嘱其禁一段房事，继续服药治疗，巩固疗效。

此案初治则一味滋阴，未过早用壮阳益火之品，以防生火伤阴。阴虚渐复后加以兴阳之品，阴中求阳，此即欲亮其灯当先足其油也。

缩　阳

张景祥　尚春生

余曾治一男性菜民，该患者平素畏寒肢冷，厚衣重裘，喜夏厌冬，贪见日光。同其妻行房后，自觉口渴，遂将枕前一杯凉茶一饮而尽，旋即少腹掣痛，心慌气短，四肢冰冷，唇青舌紫，畏寒极甚，遂蒙盖数层褥被，但只能轻度缓解，其妻无可奈何，急取木炭火盆置于患者被中，当接近其小腹时，突然大诧不已，惊慌失措，见患者的阴茎完全缩入腹中，当时急揪数下，不能复出，反致痛吟连声，忙破门呼救于邻居老叟，老者见此情况，令急煎姜汤趁热给患者饮服。服后，患者病情稍有缓解，畏寒略轻，但缩入之阴茎仍不见出，于早 7 点忙来院就医。听其主诉，观患者面色苍白，畏寒战栗，四肢厥冷，蜷缩一团，舌淡苔白滑，脉微弱欲无，两尺脉尤甚。辨证为缩阳证。分析病机，患者平素阳气虚弱，阴寒内盛，又行房后阳气随精而泄，复饮凉茶，犹如抱冰取暖，更杀其阳气，致真阳大伤，命门火衰，心肾之阳急骤衰弱，而造成三阴厥逆之重证。根据患者之病情，当以回阳峻剂，急速挽救衰微真阳。予以人参四逆汤：红参 15g、附子 15g、干姜 15g、炙甘草 10g。急速煎汤热服。

午后，其妻来告，患者服药后，病情大有好转，肢端复温，面色转红，腹痛消失。医患同为欢喜，话语间，发现其妻虽面露欣容，但眉宇间仍隐有忧伤之情，详细追问其情，方知缩阳之证尚未复原，考虑厥阴肝经之寒仍未速去，医嘱再以原方加入吴茱萸 15g，煎汤热服。

翌日上午 10 时，其妻满面笑容云：患者一切恢复正常。医嘱患者继服金匮肾气丸，以善其后。

水火相济

张世英

我在治疗慢性虚损病中用调补肾阴阳之法，感觉运用得心应手，疗效满意。其理论与临床颇受明代医家赵献可肾命水火说的启发。肾命水火说认为，命门的相火和真水，相互依赖，保持平衡，如果不平衡，就会发生疾病。“水之有余，缘真火之不足。”“火之不足，因见水之有余。”治疗不能去火，也不能泻水，而要补水配火，或于水中补火，调其平衡。我的体会是，补命火和滋肾水，在临床上，实际就是指调补肾之阴阳，赵氏所谈命门所含之相火和真水，实质就是阳气和阴精。阳气的虚衰和阴精的不足是发生疾病的根本，阳气不足会使五脏六腑功能减弱；阴精不足会使五脏六腑阴精枯竭，从而发生各种虚损病。由于慢性虚损病，多伤正气，正气之伤，不是表现阳气虚衰，就是阴精不足。阳虚会出现虚寒证，即表现水有余，应该温补阳气，即补命门火，补火配水，水火相济；阴虚会出现虚热证，即表现火有余，应该滋养阴液，即滋补肾水，补水配火，阴阳相调。这一治疗原则在临床治疗中，很有效。如治一男患，3年来常心前区刺痛，胸闷气短，舌质紫暗有瘀斑，脉沉涩。始服血府逐瘀汤和瓜蒌薤白汤见效。但日久效果不显。改为以常服六味地黄丸或以滋肾为主的方药：生地黄、山茱萸、茯苓、泽泻、丹参、丝瓜络、何首乌、枸杞子、女贞子、补骨脂、薤白，效果明显。又如治一女患，诊断为再生障碍性贫血，症见面色萎黄，头晕目眩，纳差腹胀，便溏尿清，舌淡苔白，脉沉细。证属脾虚血亏，给服胎盘和归脾汤治疗，治疗7个月，患者虽有所好转，但效果不明显。后用补命门火之法，用补骨脂、菟丝子、淫羊藿、山茱萸、黄精、枸杞子调补肾之阴阳，4个月后，患者血象恢复正常，骨髓象复查明显好转。

通过临床实践，可见赵氏肾命水火说，水火相济之法，是在实践中总结的理论，其理论又指导着临床，有一定的生命力。

清热化痰治强中

靳士华

曾在门诊，治一患者王某，年方19岁，表情呆滞，反应迟钝，不能自叙病情，而由其姐代叙。秋季看场，露宿野外，仰卧欲寐，正处蒙眬之际，幻觉一女性，俯其身上而惊醒。自此心烦失眠，心悸怔忡，久则胆怯，神志恍忽，胸闷不适，耳鸣困倦，玉茎勃起。时经一载，延医十余人，终不能愈。其脉虚大而数，舌质红，苔黄厚略腻。此属相火妄动，痰热上蒙心窍，下客于阴器。遂投生地黄12g、炙百合12g、知母9g、黄柏9g、橘红9g、茯苓9g、胆南星9g、竹茹9g、钩藤12g、远志9g、生甘草3g，水煎服。以育阴清热、化痰宁心。嘱其服3剂。越3日患者来诊，自言：3剂药尽，神志清爽，胆怯畏惧尽消，已能安然入寐，玉茎松软，诸症悉平。诊其脉，已转缓和，腻苔亦去。余思病虽速去，但仍须调理，乃宗前法，授药3剂。后数遇其姐，询之，皆曰安然，未再复发。

后有他人询之于余，余曰：天下怪病多生于痰。强中，怪证也。病者舌苔黄厚略腻，心烦失眠，胸闷不适、心悸怔忡，胆怯畏惧，神志蒙眬。此属痰热内郁于肝胆，蒙蔽神明。病者年方19岁，青春少年，阳气正盛，所思不遂，相火妄动。又因暴惊，气血逆乱，痰随气逆，使痰热客于阴部，痰热阻络，气血不返，强中遂作，经久不衰。故投生地黄、百合、知母、黄柏育阴清热以泄相火；橘红、茯苓、胆南星、竹茹、远志等宁心化痰，痰热去则神清。痰去热清，气血畅通，阴茎软，强中不作矣。

交接腰痛偶记

欧阳世英

1984年3月，针灸科转诊一女患者，以合房腰部剧痛难忍就诊。曾服止痛、祛风湿药无效，针刺亦不愈。患者精神抑郁，睡眠饮食如常，时烦躁易怒，胸闷不舒，近两月月经错后3～5天，色暗量少，触按腰部有轻微压痛，舌尖紫点，脉缓而有涩象。仔细辨证，若以风湿而论，服药及针灸不效，显属非是。此病临床少见，中医对怪病有“非痰即血”之说。此患者饮食较好，无停水宿饮咳喘之病，非痰为患；其病痛有定处，符合血瘀为患的特征，又有全身的气血不畅及舌脉的瘀滞之象为据，确定为瘀血，遂以自拟加味三七方治之。方用香附、五灵脂各15g浓煎送服三七粉20g，晚饭后服，每日1次。6日后，患者前来告知，疾病若失，疼痛休止，合房如常，以后未再复发。

滋阴补肾法治愈肾积水

孙恩泽

患者冯某，两个月前因右肾积水于哈医大第一附属医院手术切除。术后尿血、腰痛（诊断左肾积水），于当地医院治疗半月无效而求治于余。

患者来诊时，忧心忡忡，恐其左肾积水又被摘除而成不治之症。诉其腰痛绵绵，小便短数，尿色淡红，尿时茎中有阻塞之感，毛际隐痛，并伴有耳鸣目眩。观其神疲倦怠，舌质红无苔，两脉细数无力。尿常规：尿蛋白（+++），红细胞满视野。B型超声检查所见：右肾切除，左肾增大，约8.0cm×11.5cm，周边规整，集合系统紊乱，肾盂分离约3.7cm，中间呈液性暗区，提示：左肾积水。

此证为一侧肾切除术后肾功能衰退，肾阴内亏，开合失司，虚火郁结，迫于血分所致。治疗投以滋阴清热剂，以加味大补阴丸为主：黄柏20g、知母20g、龟甲20g、生地黄30g、木通15g、滑石30g、甘草10g，水煎服。

患者服药4剂后，尿血明显好转。尿常规：蛋白（+），红细胞15~20，白细胞2~4。B型超声所见：左肾增大约7.0cm×11.0cm，中间液性暗区缩小。诉其腰脊酸痛，小便频数，精神不振，面色萎黄，舌质淡无苔，两脉沉弱。宗前方加茯苓20g。

患者服4剂后，前症均减，小便色白。处方：熟地黄30g、生地黄30g、山药30g、黄柏15g、知母15g、龟甲20g、茯苓20g、泽泻15g。服4剂后自觉精神转好，体力增加。查尿常规：正常。B型超声：左肾大小约6.0cm×9.5cm，周边规整，集合系统规则，内部四周均匀。提示：左肾大小、形态均属正常。后改服六味地黄丸，每次2丸，每日早晚服，茯苓水冲下。对患者随访2年5个月，未有复发。

巧施补脾治不育

薄敬华

不育症在临床上颇为常见，医界多归咎于肾，责之于虚。阳痿、早泄、滑精等固为不育之因，补肾、益髓、固精亦为正治之法。然亦有精子数目极少，精液稀薄而不育者，用常法治疗往往收效甚微。余用健脾益气法治疗婚后5年以上不育者十余人，效果颇佳。

某，农民，婚后8年未育，其妻月经调匀，亦无他病。本人多次检查精液稀薄，呈乳白色，精子数极少，且活动力极弱，死精子达40%，患者屡服蛤蚧补肾丸、三鞭振雄丹、五子衍宗丸等补肾之品而罔效，其间也曾口服甲基睾丸素、肌注丙酸睾酮等西药，精子数目并无增多。患者乏力，腹胀便溏，脉沉细，舌淡红，证为脾虚无疑，遂疏方：党参15g、炒白术10g、黄芪12g、陈皮10g、山药15g、当归10g、甘草6g。患者连服十余剂，诸症悉除。并嘱其常服此方，间服补中益气丸或归脾丸，每日3次，每次1丸。2个月后复查，患者精子数量增加，活动力增强，死精子数降低，服药5个月后，其精子数基本达到正常范围，活动力正常，死精子数降为5%。当年其妻即受孕，次年产1女。

真精合而人生，世人皆知此理。然补肾填精而精子数不增者，是偏执肾主藏精，主生殖发育之说。肾主藏精，而非能生精也。古有明训，精有先天、后天之分，先天之精禀受于父母，藏于肾为生殖之本；后天之精源于脾胃，由水谷所化生。先天之精必赖后天之精不断充养方能生化无穷。故补脾亦即补肾，益气即能生精，此为生精之要，治不育之本也。

谈再生障碍性贫血的辨治

段英廉

西医所称之再生障碍性贫血，是一种较难治愈的重病。余曾据方书所载采用补气养血之剂治之，虽能收一时之效，终难痊愈。于是，深入研究《内经》“心生血”“脾藏营”“肾主骨生髓”及仲景“五脏元真通畅，人即安和”等理论，渐悟本病之形成，系心、脾、肾三脏气化功能失常所致。

本病之病机变化有三：一为心气被郁，不能正常温煦脉络；二为肾阴不足，不能养髓及上济于心，以供心阳之化；三为脾之运化水谷精微受阻，不能奉心化血。据此，改变了过去单用补益的方法，而用通络以恢复心、脾、肾三脏气机为主，配以补血滋阴的方法，每获良效，常用方药为自拟达郁汤加味：干姜10g、远志10g、桂枝10g、知母20g、黄芩10g、蒲公英10g、生地黄35g、枸杞子50g、龙眼肉75g、公丁香10g、五味子10g，水煎服。方中干姜、远志、桂枝温心阳而通脉络；知母、黄芩、蒲公英清心热；生地黄、枸杞子、龙眼肉滋补阴精；用五味子以防辛散伤阴；公丁香以行阴药之凝滞。诸药合用，补中有通，寒温并调，共奏补气血，通元真之功。自用此方以来，疗效大为提高。曾治一男患蔡某，年24岁。从9岁起即患再生障碍性贫血屡治无效。至24岁时病情加重，遂住院，靠输血维持。症见身形瘦弱，语音无力，面色皖白，眼睑虚浮，鼻及齿龈经常衄血，良久不止。经用本法治疗，服药十余剂后其血象明显好转，体力略有恢复，无需再行输血。共治疗4个月，患者诸症悉除，血象恢复正常。随访8年，未再复发。现已娶妻生子。又曾治胡某，男性，年42岁。于1978年患再生障碍性贫血，症见体虚乏力，心悸，齿龈衄血。经化验检查红细胞 $1.2\times10^{12}/L$，白细胞 $2.4\times10^{9}/L$，血小板 $4.6\times10^{9}/L$。经骨髓穿刺确诊为本病。经用本方加减，连服四十余剂，患者诸症悉愈，血象完全恢复正常，随访6年未复发。

凉血散血治鼻衄

|尤荣辑|

老叟王公，年已62岁，退休闲居。3年前曾患鼻衄，迄今无岁不发。日前因事暴怒，鼻衄鲜血不止，家人皆恐，多方求医，皆不获效。鼻中塞棉，血从口出，众皆束手无策。其亲属卢氏，特请余赴诊。病者主诉，发病前必先额上发热，鼻中气亦甚热，近年来每觉鼻热，即为出血之先兆。其脉洪大有力，舌绛而干。遂立清热解毒、凉血散瘀之法，急投犀角地黄汤加味。方中犀角清营凉血解毒；生地黄清热凉血，助犀角清解血分热毒，并能养阴；赤芍、牡丹皮清热凉血散瘀，既增强凉血之功，又防瘀血停滞之弊。诸药合用，于清热之中，兼以养阴，热清血宁，患者连服3剂，鼻衄即止。

犀角地黄汤专为温热之邪燔于血分而设。热入血分，迫血妄行，上出则吐衄，下泄则便血尿血，或崩漏下血。本例亦然。故在治法上，除清热解毒外，还应凉血散瘀。本病不可过用苦味药，以防苦从火化。

从舌下脉诊谈瘀血证

|李寿山|

余在临证中，常治中风不语之患者。针刺金津、玉液。久之，发现该病大部分患者，舌下脉络之颜色、形态同常人大异。随着主症之变化，舌下脉亦发生相应的改变。引申到其他病症，亦有如此之反映。于是潜心观察、研究多年，发现舌下脉络的形色变化，对瘀血证的诊断有较高价值，且对某些瘀血病证具有特异性，因名曰“舌下脉诊”。

余在实践中观察到，正常人舌下脉络，主干脉呈暗红色，其长度不超过舌底面的1/2，粗细管径约为2mm。分枝脉为粉红色的网状致密小络脉，多不显露于外。当有瘀血证时，舌下脉的形色则变为粗长青紫或淡紫，甚至怒张弯曲有多数小结节。

“舌下脉诊”与舌质之关系，余以为两者有相辅相成、相互补充之作用。但两者并非完全一致，有舌质正常而舌下脉却见明显变异者。因此舌下脉诊对诊察瘀血证之有无，确比通常舌诊高出一筹。

尽管“舌下脉诊”简便易行，容易掌握，也须在实践中不断提高辨识水平。舌下脉络的形色变化，不是一成不变的，它与个体、病程、季节转换等变化有关，可表现出一定的差异性。

中风半身不遂初期，由于血脉瘀阻，正气尚不太虚，舌下脉多有青紫粗长。病久正气耗伤，气血渐衰，加上化瘀等药物的作用，逐渐变成淡紫、淡红而细短。

心肺瘀阻痰饮咳喘证，每届冬春季节发作严重时，舌下脉青紫粗长，变化明显。反之，每到夏秋季节，病情好转，舌下脉也变得淡红或淡紫而短细，表明体内瘀血之象暂时缓解。这种动态变化，对观察疾病，测知预后，甚有好处。

“舌下脉诊”之所以有较高的诊断价值，是因为舌下脉络直接与脏腑、经络、气血发生联系，故能真实地反映一些脏腑内在的病理变化。人身脉络能直接用肉眼看到的，并且最浅表、最显露、最能反映脏腑经络病者，莫过于舌下脉络。因此，脏腑有疾，尤其是血脉病，便会一看即明。通过实践可以看到，舌下脉诊之异常与脏腑之寒热、气血之虚实有密切联系。一般而言，虚者淡红而细短，瘀者有青紫而粗长，寒者淡紫而紧束，热者红紫而怒张。

进行“舌下脉诊”虽不是万能，但对瘀血病辨证确有重要诊断价值。中医诊断学如能在继承发展的基础上，注意研究更客观的诊断方法，“舌下脉诊”可能是一种诊断方法客观化的尝试。

瘀血不去，血难归经

孙伟正

血证乃内科常见病证之一。历史医家对本证的病因、病机和辨证治疗论述颇多。其病因、病机不外火热动血、阴虚火旺及气虚失摄三途，治疗不离泻火凉血、滋阴降火和补气摄血三法。

余于临证中发现，有部分患慢性原发性血小板减少性紫癜之血证病人，虽累进泻火凉血、滋阴降火之剂，叠服补气摄血、健脾统血之方，乃至上述几法轮番使用，或微见其效，日后复故；或病情加剧，出血更甚。而观其病人肌肤瘀斑常呈青紫，面色亦多黯黑，毛发枯夭无泽，白睛常布有紫色血丝，下眼险青黯，舌紫有瘀点，脉非细即涩。此乃一派瘀血在内之象。以泻火、滋阴、补气之法治疗血瘀之血证不符病机，难以取效。

或云：“以活血化瘀法治出血是治中大忌。因治不用塞流，反以疏导，必酿成大祸，而致血流不止，后果不堪设想。”但细查古代医家有关论述，则不以为然。在明代医家廖仲醇所著之《先醒斋医学广笔记》中，对出血之治法颇有标新立异之意。其曰：“宜行血不宜止血”“无论清凝鲜黑，总以去瘀为先。”清代医家唐容川在《血证论》中也说：“吐衄便漏，其血无不离经，盖血初离经，清血也、鲜血也。然既是离经之血，虽清血鲜血，亦是瘀血。”王清任更创活血化瘀数方治疗血证。他说：“血受寒则凝结成块，受热则煎熬成块。”因之，其力主对患血证之人，无问火热虚寒，皆以活血化瘀之法治之。前代医家之有关高论，令人茅塞顿开。且不言无血瘀之血证尚可以活血化瘀之法治之，而有瘀血之血证则更应以活血化瘀之法治疗。此乃为“有故无殒，亦无殒也”之意也。

余曾治一慢性原发性血小板减少性紫癜患者。该患者因反复肌衄、鼻衄、龈衄两年余，最近病情加剧而入院。查其呼吸、血压、脉搏皆正常。皮肤有多处瘀点、瘀斑，两上肢亦有数处直径大于10mm的出血斑，部分瘀点瘀斑融合成片。右眼白睛有黄豆大小出血斑一处，口腔右颊黏膜有花生米大小瘀斑一处，牙龈多处渗血。但再查病人之瘀斑青紫，两下眼睑青黯，舌质淡微紫，脉细。查其血小板 $22\times10^9/L$，出血时间5分30秒，凝血时间正常，24小时血块退缩不佳，毛细血管脆性试验呈阳性。骨髓穿刺检查符合原发性血小板减少性紫癜之变化。该病人曾在外院服清热泻火、滋阴凉血和补益心脾方药数剂不效，如再进犀角地黄汤、六味地黄汤、归脾丸之类，亦是徒劳无益。按四诊所得，该患瘀血之征明显，遂以活血化瘀为主治疗。处方：鸡血藤15g、牡丹皮15g、茜草15g、当归15g、大枣10枚、白茅根15g、墨旱莲20g、三七粉5g（冲服）、仙鹤草20g、焦栀子15g。患者连服上剂1周，病情好转，出血减轻，皮肤瘀斑开始吸收。原方去仙鹤草、白茅根、焦栀子，再加活血化瘀之丹参、赤芍各15克，继服20剂。复查其血小板已升至 $160\times10^9/L$，出血时间30秒，24小时血块退缩时间正常，毛细血管脆性试验阴性。病人痊愈出院，随访五年余，未见复发。自此以后，余又以活血化瘀之法治疗慢性血小板减少性紫癜三十余例，颇多收效。

以活血化瘀法治疗出血证，乃为祖国医学的一种反治法。内有瘀血，血脉阻滞，流行不畅，可致血溢于外。此乃“瘀血不去，血难归经”之故。因之，理应遵循“血实宜决之”之法治疗。余用此法，常效如桴鼓。但有一言相告，用活血化瘀方法治疗出血证，必具有瘀血特征。而诸多瘀血见症，不必悉具，但见二三症便是。

再生障碍性贫血治疗点滴

|张庆昌|

再生障碍性贫血相当于中医“虚劳”范畴。其临床所见为：面色㿠白，指甲苍白，颜面略有虚浮，心悸气短，乏力，纳少不香，脉细弱无力，舌淡少苔等心脾两虚表现。余业医15年，曾治本病十余例。初按心脾两虚辨治，投归脾汤加味，其黄芪、当归用量仿当归补血汤，但终皆罔效。重温当归补血汤则恍然醒悟。本方虽能补气生血，但实为出血所致贫血之效方，临床验证，归脾汤亦属此类。再生障碍性贫血是骨髓造血障碍所致，如何使造血功能得以恢复，是治疗再生障碍性贫血的关键所在。

中医认为，肾为“先天之本”，藏精主骨生髓。脾为“后天之本”，气血生化之源。故施治立法宜“虚者补之”。当以脾肾双补。《素问·阴阳应象大论篇》说：“肾生骨髓”，基于这一论点，补肾当为关键之关键。众所周知，先天靠后天水谷精微来濡养，故治脾胃又必不可少。《景岳全书》新方八略曰：“善补阳者，必于阴中求阳，则阳得阴助而生化无穷；善补阴者，必于阳中求阴，则阴得阳生而泉源不竭。”重温古人教诲，总结临床正反经验，初步体会：补阴配阳、脾肾双补，是治疗再障行之有效的治疗方法。曾治王某，男，24岁，1970年因患菌痢，服氯霉素过量导致再生障碍性贫血，曾服益气养血之中药，配激素、丙酸睾酮、维生素B_{12}、氯化钴等西药，效果不佳，病情进一步恶化。患者由原来20天输血300ml，缩短为7天输血300ml。于1971年10月求余诊治。观其面色苍白，唇舌色淡，颜面虚浮，心悸气短，倦怠乏力，纳食尚可，皮肤见紫点，苔少，脉细数无力。诊为阴阳两虚，拟补阴配阳、脾肾双补法。处方：熟地黄20g，山茱萸20g，枸杞子30g，女贞子30g，鹿角胶、阿胶珠各10g，山药、黄精各30g，巴戟天、肉苁蓉各15g，胎盘粉6g（冲），陈皮6g，日1剂，分3次口服。患者服上方两个月，停止输血。继服两个月，其颜面、唇舌转红润，出血点消失，改为每周服2剂，长期服用以巩固疗效。

本例以熟地黄、山茱萸、枸杞子、女贞子、阿胶珠补肝肾，填精补髓；胎盘粉峻补先天之虚；鹿角胶走督脉补血生髓；巴戟天、肉苁蓉取其温肾而不刚燥，补肾阳而不耗阴；山药、黄精其性平和，均有补脾益气之功。投入少许陈皮以防补阴药之滋腻，纵观全方，虽配伍一般，用药平淡，但符合病机要求，故多效验。

再生障碍性贫血重点在治肾

段钦权

再生障碍性贫血，是病因尚未明了的骨髓造血功能衰竭、全血细胞减少的一组综合征，酷似祖国医学的“虚劳”“血枯”。其发病与心、肝、脾、肾密切相关。一般在治疗上多侧重治脾，强调“中焦受气取汁，变化而赤是谓血”的机制，却忽略了营注溪谷，入骨与肾精合化为血的理论。因此，今人对于肾在血的生成中的重要作用，往往没能摆到应有的地位。

《灵枢·痈疽》篇说：“中焦出气如雾，上注溪谷而渗孙络，津液和调，变化而赤为血。”《素问·阴阳应象大论篇》说：“溪谷属肾”，说明血液生成的机制是：脾营入肾属之溪谷与肾精合，化而为血。水谷的精微“营”，靠脾的运化而生，而脾之运化又以肾为根基（肾阳的温煦）。可见肾既是先天之本，又是后天之根，所以说，肾是生血的最重要的一脏。据此提出再生障碍性贫血的病变重心在肾，病理基础是肾虚的观点，并将再生障碍性贫血分为肾阳虚、肾阴虚、肾阴阳两虚。这种分类方法，重点突出，有利于辨证施治，当前已被多数人采用。

曾治一男患者，经哈尔滨市两大省级医院确诊为再生障碍性贫血，经用中、西医多种方法治疗8年，疗效不显。来诊时，病人表现一派肾阳虚证候：腰膝酸软，形寒肢冷，面色苍白，精神萎靡，头晕耳鸣，舌质淡，苔薄白，脉沉细无力。血象检查结果，符合再生障碍性贫血的诊断。余拟温补肾阳、益气填精法治之，方用“贫血10号”：红参、山药、熟地黄、牡丹皮、山茱萸、蛤蚧、海马、鹿鞭、海狗肾、白芍、茯苓、泽泻、枸杞子、菊花、怀牛膝、鹿茸、驴肾、五味子、鸡血藤、淫羊藿、砂仁。诸药共为细面，炼蜜为丸，每丸9g重，每次1丸，日3次口服。病人坚持服药半年后，面色红润，体力恢复，可以坚持日常工作，在血常规化验中，除血小板计数低于正常外，余皆已正常。

20年中，余约治再生障碍性贫血百余例。通过临床实践体会到，对肾阳虚者用补肾助阳的药物，在改善症状的同时，又能刺激骨髓造血，能比较有效地纠正贫血状态，尤其是动物药中血肉有情之品，补肾填精的作用尤强，生血之力较大。肾阴虚的病人，临床上易出现发热，且多有出血倾向，运用滋补肾阴之法奏效很难，往往要经历比较长的治疗过程。这是今后临床研究的主要课题。

肝火犯胃吐血

|陈玉峰|

吐血，是血来自于胃或食管，随呕吐而出的一类病证，血色多紫黯挟有食物残渣，或呕吐纯血色鲜红量多。本病有虚实之分，实证多因肝郁胃热所致，虚证多由脾虚失摄而成，而临床上以肝郁胃热者尤为多见。

肝郁胃热吐血多因情志不遂，郁怒伤肝，肝不藏血，加之气郁化火，灼伤胃络，导致络破血溢而发病。病人在发病前可有胁痛脘闷病史，发病时症状加重，伴有恶心，吐血紫黯带有食物残渣，甚则吐血鲜红量多，频吐不止，病势急重，兼见口苦，胸胁胀闷、心烦发热、失眠多梦等症，并常伴有黑便。查体可见舌质红绛，苔黄，脉弦数。因肝火犯胃，胃失和降，故病人胁痛脘闷、恶心口苦；火邪灼伤胃络，络破血溢故见吐血；血在胃中蓄积后吐出则血色紫黯；出血量多立即吐出则血色鲜红；血随食糜下注肠中随大便排出则大便色黑。至于烦热失眠、舌红苔黄、脉弦数，亦皆为肝郁火盛之象。

我治疗此种吐血，多采用清胃泻火、平肝止血之法，方用犀角地黄汤合丹栀逍遥散化裁、加减治之。基本方如下：犀角5g、生地黄15g、生白芍15g、柴胡10g、牡丹皮10g、焦栀子10g、黄芩10g、茜草15g、藕节25g，水煎服。有口渴苔黄者，可加生石膏20g以清热泻火。

若病人吐血量多，频吐不止，还可加用验方花蕊石散：醋煅花蕊石50g、汉三七25g、大黄15g，共为细面，每服5g，温开水送服，日3次。方中花蕊石可收敛止血；汉三七止血兼能化瘀；大黄清胃泻火。三药合用，每能药到血止，效果较好。

（于沧江　整理）

补肾填精治再生障碍性贫血

|李玉昌|

再生障碍性贫血，又称“再障”，属于祖国医学中虚痨、血证等范畴。其发病与心、肝、脾、肺、肾五脏功能障碍有关，尤其与脾、肾二脏关系密切。脾为后天之本，气血生化之源，又有统摄血液之功能。脾阳不振，运化失职，则气血生化无源，统摄血液无权，以致气血不足和发生出血等证。肾藏精，主

骨生髓，髓化生血。如肾精不足，亦可致血少。临床上不少医家采用归脾汤以益气养血治之。本人曾收治两例经天津血液病研究所确诊的“再生障碍性贫血”患者，初期采用以益气养血为主，治疗无效，而改用以补肾填精之法治疗，患者都获痊愈。

曾治王某，男，46岁。该患者1968年夏季因服用抗生素治疗痢疾，而出现全身倦怠乏力，时时鼻衄，牙龈出血，全身有散在的出血点。经天津血液病研究所检查，诊断为再生障碍性贫血，曾在石家庄国际和平医院治疗半年，未愈，转至束鹿县医院治疗。入院时检查：面色萎黄，口唇淡白，四肢和胸背部有散在的出血点，舌质淡，形胖，苔薄白，脉沉细。实验室检查：血红蛋白50g/L，红细胞 2.0×10^{12}/L，白细胞 3.2×10^{9}/L，血小板 50×10^{9}/L，网织红细胞0.5%。开始治疗时用西药氯化钴、睾酮、强的松等，并间断输入新鲜全血（最少每半月输全血200ml）。中药配合治疗，以归脾汤化裁应用。经治近半年疗效不明显，而改以补肾填精为主，重用鹿角胶、龟甲胶、紫河车、阿胶等血肉有情之品，兼用人参、黄芪、茯苓、陈皮、当归、熟地黄、白芍等益气养血之剂，并少佐肉桂以引火归原。经用本法随证加减，治疗半年，患者证情明显好转，停止输血。遵循本法继续治疗近一年之久，患者全身状况基本恢复以往健康状态。实验室检查：血红蛋白120g/L，红细胞 4.0×10^{12}/L，白细胞 5.0×10^{9}/L，血小板 50×10^{9}/L，网织红细胞1.5%，出院疗养。患者出院后，以补肾填精、益气养血之法配成丸剂，常服以巩固疗效。后追访十余年，未曾复发。

通过对上例再生障碍性贫血患者的治疗，我体会到补肾填精是治疗再生障碍性贫血的主要法则。因再生障碍性贫血的发病机制，是由于骨髓造血功能衰竭所致，治疗的关键在于恢复骨髓的造血功能活动。祖国医学认为肾藏精、主骨生髓、髓化生血液，而鹿角胶、龟甲胶、紫河车、阿胶等血肉有情之品，补肾填精功效显著，精足则髓生，髓足则能化生血液，故而以补肾填精为主，兼以益气养血治疗再生障碍性贫血，可以取得良好效果。

眼底出血小议

诸云龙

1984年7月，一患者前来求治。该患者年甫花甲，素有眩晕病史，8个月前右眼突然视物不清，经某医院诊断为眼底出血，屡治罔效，视力日渐减退。

检查：其左眼视力0.6，右眼视力：“仅可见手动”。外眼均正常。查眼底：左眼屈光不正，视神经乳头色泽正常，视网膜动脉反光增强，黄斑区中心凹反光正常；右眼底因玻璃体积血而无法窥及。患者头部胀痛，眩晕，口苦，舌红苔黄，脉弦数。脉证合参，证属暴盲，因肝阳化火，迫血妄行所致。目为肝之窍，故见眼底出血。治拟平肝清热、凉血止血之法。方用：菊花15g、钩藤15g（后下）、珍珠母18g（先下）、石决明18g（先下）、当归10g、生地黄24g、赤芍10g、栀子10g、牡丹皮10g、丹参12g、黄芩10g、小蓟12g、茜草炭10g、三七粉3g（冲），水煎服，每日1剂。

按上方加减，患者连服30日，自觉视力明显好转。至8月，患者头痛眩晕明显减轻。查其右眼视力，已提高到0.2。乃于前方去石决明、珍珠母，加蒲黄炭10g（包）、木贼10g，继服。

至9月中旬，患者头痛眩晕基本控制，右眼视力提高到0.5，眼底已能模糊窥及。又过二十多天，患者诸症悉瘥，右眼视力已达0.7，左眼视力为1.5。眼底检查：出血已基本消失。

本例眼底出血已逾4个月，虽经多种西药治疗，病情有增无减。中医据其脉症，辨为肝阳上亢，血热妄行，投以平肝清热、凉血止血之品。由于药证合拍，故眼底出血日渐吸收，视力逐步提高，取得较好疗效。

中医治疗传染性单核细胞增多症

|顾炳熙|

河北沧州一带，曾散在流行着一种“感冒”，主要症状为发热38～39℃，咽喉痛，淋巴结肿大，用中西药治疗1～2周可愈，轻者也可不治自愈，但反复发作，有的患者病程迁延数月乃至数年，缠绵不愈。20世纪70年代初，我们对这种“感冒”进行了研究。经化验室检验，发现这类“感冒”病人血液中的异性淋巴细胞大于10%，血清中嗜异性凝集素效价高于1∶200，就将这类“感冒”定为传染性单核细胞增多症，属于病毒感染，目前西医尚无有效疗法。本着辨证与辨病相结合，传统用药与科研成果相结合的原则，多次临床试验观察，按中医温病辨证治疗，取得满意的效果。邪在卫、气分者，立清热解毒汤。方用大青叶30g、板蓝根30g、金银花15g、黄芩10g、连翘10g、蒲公英30g、荆芥10g、甘草6g，水煎服。方中大青叶、板蓝根清热解毒凉血，为抗病毒有效药；金银花、蒲公英、连翘、黄芩皆能清热解毒；荆芥发散解表、败毒；甘草和中。咽喉疼痛者加桔梗10g、玄参15g、射干10g；高热不退者加生石膏30g、知母12g。一般服3～5剂可愈。若因失治误治，后期出现午后低热不退，食欲不佳，咽喉干痛，肢倦乏力，症状持续数月及数年，属病邪深伏阴分，热邪耗伤阴液

所致。立滋阴退热汤，方用地骨皮24g、银柴胡10g、秦艽10g、生地黄15g、生鳖甲15g、知母10g、玄参15g、板蓝根30g、青蒿10g、甘草6g，水煎服。方中地骨皮、银柴胡、秦艽清退虚热以治标；生地黄、生鳖甲、知母滋养阴液以治本；板蓝根清除深入的毒邪；玄参清热养阴，利咽喉；青蒿清透虚热，使深入阴分的毒邪透出阳分而解；甘草和诸药而解毒，汗出者加浮小麦30g、麻黄根10g；无食欲者加石斛15g、焦三仙30g；烦躁不眠者加生百合30g、酸枣仁15g、栀子仁10g；口燥渴者加北沙参15g、麦冬10g、天花粉10g。一般服15~30剂可愈。曾治一妇人，在3年前被确诊为传染性单核细胞增多症，3年多低热不退，四肢乏力，食欲差，咽干口燥，身体日益消瘦，曾到几处医院治疗无效。经化验血中异性淋巴细胞和嗜异性凝集素均高于正常值。定为传染性单核细胞增多症后期，服滋阴退热汤三十余剂，患者诸症皆除。

重症肌衄发斑治验

李志果

余曾治一岁患儿，经北京某医院诊断为血小板减少性紫癜。患儿出生后，身体瘦弱，3岁时出麻疹很重，疹后身上常出现紫点，5岁后，青紫色斑点渐增多，且伴有鼻衄、齿衄，出血甚多，以后每隔几天发作一次，经多方求治，迭进中西药，效果不显，而病情逐渐加重，遂邀余诊视。

患儿衄血不止，全身皮肤呈现散在的紫癜，神情疲惫，身体瘦弱，面色萎黄不泽，毛发枯焦不荣，语声低微无力，舌质淡，苔白，脉沉细而弱，虚象已显，当以滋补为治无疑，然补法之中应着重脾肾，但又虑其久病，不受峻补，因拟健脾益肾，养血止血之法治之。方药：党参50g、焦白术50g、黄芪50g、冬虫夏草50g、熟地黄炭80g、虎骨胶50g、鹿角胶50g、龟甲胶50g、阿胶50g、炒当归50g、炒川芎50g、炒白芍30g、三七粉30g，共研细面，兑红糖250g，每服5g，白开水送下，日服1次。患儿共服50天，紫癜退，精神振，体力增，毛发荣，面色润，身体逐渐恢复，血小板上升至$130 \times 10^9/L$，以后始终未复发。现年26岁，已参加工作。

衄血日久，虚者居多。唐容川说："血证属虚劳门，未有不议补者，当补脾者十之三四，当补肾者十之五六。"肌衄与五脏皆有关系，但脾肾实为关键。肾为先天之本，主藏精，充养五脏，精能生血。脾为后天之本，气血生化之源，统摄血液，使之循经，而脾之运化，又赖于肾之温煦，脾肾互为资助。

本例患儿，先天禀赋薄弱，肾气不充，复因麻疹温热之邪伤阴，阴损及阳，致肾受累，肾虚不能助脾运之功，终致脾肾两虚、正气衰微。若单议健脾益气，恐难奏效，惟二者兼顾，则气旺精充，方能两全。方用四物四胶饮，四胶为血肉有情之品，添精益髓，以资肾源；党参、白术、黄芪、冬虫夏草，健脾益气，以培脾本；佐以当归、川芎、白芍、三七养血止血之味，以顾病情之标。以散剂投之，取其散而缓之之意。药证相合，致收全功。

亡血与失血之我见

田乃庚

亡血与失血，散在于古籍中，未有明确区分。由于出血的窍道不同，所以有衄血、咳血、吐血、便血、溲血等不同名称。“血液亡失也，如衄血、吐血、便血、溺血等证皆是”。亡血、失血是血证中的一个通用名词，是指出血量多而言。余认为亡血与失血应当分开，不能通用。在《金匮要略》中提及亡血者三条，并无失血之名。

失血之名，是后世医家在亡血基础上整理出来的。失血因素很多，一般在宿疾中产生，如臌胀后期、胃痈疡、肠风下血、痔漏、肺劳、肾劳等。虽然病理不同，而失血则一也，故治疗急则治标（止血），缓则治其宿疾，待宿疾缓解，血亦不复出矣。

亡血多是虚劳证，耗伤肾之真阴真阳，血之化源衰退，气不摄血，其血出道路，虽与失血相似，但血量有多有少，其面容均呈苍白或㿠白，脉濡细，舌淡嫩等一派血虚之象，故治疗重在培补肝肾，补益精血，建中益气，以资生脾之运化功能，待生机渐复，其血亦不复出矣。

益气生血法小议

王多让

余曾治一妇人，年42岁，于1981年患心慌气短，倦怠无力，经水不止，经某医院化验血红蛋白60g/L，诊为“失血性贫血”。曾服中西补血药物效不显彰，更聘余诊。见患者面黄如土色，气短懒言，唇舌色淡，苔淡白，如按常规之法，补血当其是也，何前医不效乎？

岂不知“人之血气精神者，所以奉生而周于性命者也”，气血相互滋生依存，血赖气以生，气依血而存。此女贫血是因失血而起，失血之因乃气虚不能固摄而致。单以补血之法，非其治本之策，故当益其气，固其脱，以加强机体对水谷精微的吸收和运化，促进营血之化生，即所谓“有形之血不能速生，无形之气所当急固”。取当归补血汤，黄芪5倍于当归，3剂，煎服。患者服药后经水见少，诸症略减。效不更方，再予3剂，经止。嘱其继服原方，缓缓图效，以善其后。

当归补血汤出自《内外伤辨惑论》，由黄芪30g、当归6g二味药组成，黄芪多于当归5倍，主治脱血而致的贫血症，临床多验，是为益气生血方，而取名补血汤，寓意其中，是为妙处。

阴阳毒治验 |秦书礼|

阴阳毒是一种疫毒之邪侵入血分所致的疾病。本病以发斑，咽喉痛为主症，亦称“时疫发斑”。《金匮要略》百合狐惑阴阳毒病脉证并治篇详论此疾。余宗仲景之旨，用“升麻鳖甲汤”治疗本病十余例，疗效满意。

曾治一男患者王某，就诊前两天突然发热，周身酸痛，继而全身发斑，面赤，咽喉痛，唾脓血，曾用青霉素无效，求余诊治。查其颜面红赤，语音嘶哑，咽肿痛而赤，溲赤便秘，舌红绛苔黄少津，脉浮洪而有力。此正如仲景所谓：阳毒之为病，面赤斑斑如锦纹，咽喉痛，唾脓血……，升麻鳖甲汤主之。”投升麻10g、鳖甲25g、当归10g、甘草10g、花椒5g、雄黄2.5g（研），3剂。患者服药后微汗出，咽痛大减，3剂服尽，斑疹渐退，面赤减轻。于原方加玄参10g、桔梗10g以助药力，再投3剂后，患者舌脉正常，余症皆除。

本病系疫毒入血，瘀结不行所致。方中升麻、甘草清热解毒；鳖甲、当归滋阴散瘀；佐雄黄、蜀椒以助解毒散结之力。可见，应用仲景之经方，只要辨证准确，即可药到病除。

血证琐谈 |秦书礼|

血证者，泛指失血诸证而言。由于血证所涉及的脏腑和部位各异，故有吐血、咳血、衄血、下血及瘀血等名称。血证病因固多，要临证能辨寒热虚实，酌取温凉补泻之法；慎审标本缓急，可决急治缓图，为治血证之机要。

余曾辨证论治血证多例，疗效均感满意。仅举一例，以示一斑。

曾治赵某，1972年初春，突然患鼻衄，又于沐浴时发现颈、背部有瘀血点、浴后个别斑点连成片状。近日又发鼻衄，少腹隐痛，月经淋漓，血色鲜红。经某医院检查：血小板在$70 \times 10^9/L$以下。诊为原发性血小板减少性紫癜。转请余治。视其面色皖白，烦躁不安；自述发热心悸，溲赤便秘。其肩背部瘀点斑斑，两下肢尤甚，色深，扪之不碍手，按之不退色；舌质偏红而少津，脉细而数。

综观病史，此女有鼻衄、肌衄，复下血不止。此为热毒内蕴，迫血妄行，损伤脉络所致。故治以清热解毒，凉血止血之法，急则治其标。拟犀角地黄汤增损。药用：犀角10g、生地黄15g、牡丹皮10g、白芍15g、阿胶10g（后入）、地榆炭15g、鲜白茅根40g、荷叶炭3g、仙鹤草15g、生龙骨20g、连翘15g、何首乌15g、生甘草5g。

患者服药7剂，衄止斑减，舌质转为淡红而润，脉象弦细。按上方减白芍、荷叶炭、连翘、地榆炭，加生牡蛎20g。10日后复查，其血小板回升，紫斑点稀疏，又拟人参15g、仙鹤草10g、当归15g、鸡血藤20g、制何首乌20g，以调养善后。患者服药两月，诸症消失出院。随访3年未再复发。

对此血证的治疗，以先治出血为主，用凉血止血法以治其标；血止缓图，治以益气养血滋阴。治疗有序，符合病机，故收效较捷。

活血效方

王增济

活血逐瘀方剂较多，不胜枚举。然经余临床实践体验，力强、效速者莫过于自制的“活血汤”。方由香附25g、天花粉25g、鸡血藤25g、漏芦15g、红花15g、桃仁15g、乳香10g、没药10g、甘草10g组成。本方天花粉、鸡血藤、漏芦、红花、桃仁、乳香、没药等大队活血药相伍，其力必宏，为本方的主体；活血必行气，故用香附开郁理气；复加甘草调和诸药，顾护正气。共奏通经逐瘀、活血止痛之效。主治瘀血诸证。

本方组成不为名贵细药，亦非奇缺之品；又剂型为汤，有涤荡之功，故本方使用方便，取效较速。曾治邢某，男性，43岁，患坐骨神经痛，右腰臀疼痛，拒按，咳时加重，右下肢沿坐骨神经走行部位刺痛、发凉，行动不便。余断为瘀血证，用活血汤7剂而愈。还有1例记忆犹新：刘某，男性，23岁，被车床部件砸伤，骨盆骨折，尿道断裂。经骨科治疗后，遗有患侧小腹刺痛难忍，发作时须服强力止痛药，甚至用度冷丁。余结合其病史、现证，诊为瘀血证，以活血汤加味，患者进22剂而愈。

瘀血之辨，一则多有外伤史，二则局部刺痛、跳痛或痛剧不移等，三则有“一通二增”（平时痛、活动则痛增、按之则痛增）的特点。在应用本方时，瘀血范围较广或在四肢者，加桂枝5g；瘀血在腰部，加怀牛膝20g；瘀血在下肢，加川牛膝15g；瘀血化热，加赤芍20g；脏腑有热，加黄芩10g。外伤之部易受风寒，兼痹证者宜加荆芥20g、炙川乌10g，以理血祛风、散寒、止痛。

至虚有盛候 |高桂郁|

前贤有云，大实有羸状，至虚有盛候，此乃物极之化，反映于外的假象，非真盛真羸也。

曾治杨氏妇，年将四旬，患慢性粒细胞性白血病数年。症见气血两虚之候，脉细如丝，每服人参养荣汤体虚好转。一天，因突然腹部剧痛而住内科。其人腹痛拒按，无休无止，汗出淋漓，面色潮红，如此至一昼夜，用度冷丁合安眠药肌肉注射，仅能缓解1～2小时。此乃血虚肝用太过，土虚不任其急，故腹痛如刀割，正合至虚有盛候之理。急投大剂甘缓和中、气血双补之品：黄芪、党参、熟地黄、酒白芍、桂枝、枸杞子、菟丝子、鹿角胶、白术、甘草、山茱萸、天冬、麦冬，两剂后其痛消失。

咳血气脱宜急固其本 |王顺道|

翟某，患肺结核多年，形体羸瘦，潮热盗汗，时有咳痰带血。近染外感，发热无汗，咽痛口燥，咳嗽气喘，痰黄难咯，肌肉注射青霉素、链霉素、安痛定、地塞米松等药，热度不减，喘憋，烦躁不汗，痰带血丝。乡村某医令进麻杏甘石汤1剂。药后汗出，热势渐退，但突发咳血，鲜红，顷刻有两碗之多，大汗淋漓，四肢厥冷，目睛上吊。急煎独参汤频服，血仍不止。村医无奈，子夜至余家中，邀余同治。余诊视患者，病情如其述，冷汗不绝，喘促烦躁不得卧，脉浮大数疾。急令取山茱萸120g，生牡蛎60g，随煎随灌。丑尽之时，患者血止汗减，平稳入睡。

村医问止血之理及原治是否有误，其心至诚。余谓：按常理风邪化热，热壅于肺，用麻杏甘石汤辛凉宣泄，清肺平喘，以及在咳血不止、气血俱衰时，急用独参汤益气摄血，均属合拍。但本患者平素肺肾阴虚，虚火刑金，复为外邪束表。阴虚无汗而强发之，益竭其阴，虚火与邪热燔炽，灼伤肺络，则发咳血。若兼用育阴之品，或可以防。咳血后营阴暴损，阳气无所系恋而上奔。头有冷汗，目睛上吊，均为阴阳离决，虚风内动之危候。人参性补而兼升，有气高不返之虞。且但升其大气，血随升气之药妄动亦不易止。所以并非所有血脱、气脱者，独参汤皆宜，仍应辨证配伍。此等治法对本患者用后，血不止反更喘逆烦躁，即是此理。故大量用山茱萸以收敛浮动之阳，急固上脱，敛正而不恋邪；配牡蛎最能摄血之本源，以滋阴敛阳，宜用生而不用煅。总之，收敛潜镇并用，使上脱之阳归其宅，又从阴引阳，使阴阳相合，互相维系，气能摄血，血能敛气，故血止气复。然至此并非转危为安，病人咳血之后，脉浮大数疾，说明邪气尚盛，仍有身热再起、咳血再发之虞，仍需更方急进。

平旦人醒，身热复起，咳喘烦躁，遇此正虚邪实证候，尊张锡纯先生之训，用人参9g、生石膏60g、玄参15g、生牡蛎15g、藕节15g、茜草根12g、白茅根30g，日进两剂，分4次服。用药后患者热退喘平，未见咳新血，脉亦复常，唯仍咳嗽，胸闷纳少。嘱其应用抗痨药治疗，并疏下方以善后：沙参15g、生山药15g、玄参12g、白术10g、鸡内金9g、炒莱菔子12g、炙甘草3g。患者进十余剂，诸症悉除，停用中药，至今未再发咳血。

咯血宜敛肺，止血当防瘀

乔洪涛

1976年深秋，曾治一潘姓女患者，年33岁，因咯血、气短、浮肿曾服用止血散。数日后咯血益甚，咳声相续不止，鲜血随咳而出，特邀余诊治。视其人依被半卧，面色苍白无泽，唯两颧紫红不润，摇头长嘘，气短不足息，汗出淋漓，血随咳出，鲜红有泡沫，神志不宁，惊恐万分。舌红绛光燥无苔，脉滑数。脉有滑象，问得怀胎7个月。妇人重身，血无所主，离经之血瘀于肺中，肺失肃降，咯血不止。出现阳脱于外，阴耗于内之势，急拟收纳肺气祛瘀生新之法。方用：人参10g、阿胶15g、麦冬10g、白芍10g、三七15g，将人参、麦冬、白芍水煎，阿胶烊化，三七为面，汤药送服。

次日复诊，病妇咯血量减半，大汗已止，唯咳嗽如故。本着效不更方的原则，守原方加入五味子10g。6日后病妇诸症悉平。2个月后生一男儿，母子平安，至今健在。

妇人有妊，聚精血养胎，谓之常道。心主血脉，鼓动血运。其人素有痼疾，又加重身，血不养胎，离经妄行，瘀于肺中。肺朝百脉，喜宣发肃降。今被瘀血所阻，因而咯血频频。阴血耗伤，气随血脱，其本在心，其标在肺，其理为瘀，其病当咳。取人参、麦冬收纳肺气，固本强心；白芍敛阴和营；阿胶育阴止血；三七止血祛瘀生新。群药合用，瘀化血止，保肺强心。

漫谈急性白血病的辨证论治

梁 冰

急性白血病属祖国医学“急劳”“血证”和“温病”等范畴，具有发病急、进展快、虚实夹杂、证候多变等特征，在青少年中发病率为高，且有逐年增加的趋势。治疗上我多采用扶正祛邪，攻补兼施的治疗法则。起病以持续高热为主的症状出现时，病多凶险，常有周身酸痛，口腔糜烂，衄血紫斑。舌苔黄或黑腻，脉洪大或滑数。治以滋阴清热、凉血解毒，方用自拟解毒玉女煎：羚羊角粉、玄参、金银花、连翘、蒲公英、生石膏、知母、生地黄、天冬、大黄。有的病人起病较急，以低热为主要证候，伴有面色苍白、头晕目眩、心悸气短、五心烦热、盗汗、舌胖嫩，边有齿痕，脉弦滑细数。治以益气养阴、清热解毒为法，方用自拟参芪杀白汤：党参、黄芪、补骨脂、仙鹤草、白花蛇舌草、黄药子、生地黄、白茅根。有些病人以浅表淋巴结肿大为主要临床特征，伴有咽喉肿痛，齿鼻出血，皮下紫斑。治以清热解毒、化痰散结为主，方用青蒿鳖甲汤加减：青蒿、生鳖甲、夏枯草、天冬、白花蛇舌草、半枝莲、玄参、山豆根、黄药子、大黄。有些病人起病以肝脾肿大为主者，治以清热解毒、活血化瘀，方用自拟解毒化瘀汤：半枝莲、生大黄、三棱、莪术、白花蛇舌草、鸡内金、薏苡仁、丹参、败酱草。有出血倾向加茜草、当归、三七，三药合用有较好的止血效果。并发弥散性血管内凝血时用丹参注射液静脉点滴，1 次 2～4ml，尤其对急性早幼粒细胞性白血病，更可以收到良好效果。白血病的感染发热多属外感温热，白虎汤、清营汤列为首选方剂，高热不退冲服羚羊角粉、紫雪散或安宫牛黄丸。口腔糜烂，牙龈肿胀，可用冰硼散与锡类散交替外涂，多能起到止痛、消肿的作用。皮肤疖肿初期，用如意金黄散醋调后外敷，疖肿成脓，外贴麝香回阳膏，使脓汁自动排出，溃疡自然愈合。肛周脓肿形成，白细胞又偏低时，不宜切开，以免造成流血过多。当应用大剂量的化疗时，病人多表现纳少、乏力、呕恶，证属气阴两伤，脾失健运，胃失和降，要配合益气养阴、健脾和胃之生脉二陈汤。化疗后的骨髓抑制期，可用温肾益髓汤，或人参养荣汤，可使病人较快地度过骨髓抑制期，急性白血病经过治疗获得完全缓解后，多用参芪杀白汤巩固疗效。

再生障碍性贫血治验

梁　冰

慢性再生障碍性贫血，是气血亏虚（以肾虚为主）的病变。“虚则补之”，故在治疗上我总是以自拟参芪仙补汤为基础方（人参、黄芪、补骨脂、仙鹤草），结合病人不同时期的不同证候辨证用药。病人若以畏寒肢冷，大便溏薄，舌质淡白，六脉沉细的脾肾阳虚为主证时，加仙茅、淫羊藿、肉桂、淡附子片、鹿角胶。病人若以五心烦热，口干舌燥，虚烦不眠，盗汗，齿鼻衄血，舌质淡干少津，脉弦细数的肝肾阴虚为主证时，方加麦冬、天冬、生地黄、熟地黄、青蒿、知母、地骨皮、白茅根、龟甲、汉三七，且基础方之人参易西洋参或玄参为好。也有的病人既无明显的阴虚证候，又无明显的阳虚表现，或时而五心烦热，时而畏寒肢冷，时而盗汗心烦，时而自汗倦怠，时而便稀，时而便干的肾阴阳俱虚证出现时，方加天冬、生地黄、黄柏、知母、砂仁、女贞子、肉苁蓉。上述辨证中凡无明显出血倾向的加养血活血的全当归、鸡血藤；妇女月经过多或崩漏不止的加收敛固涩的煅龙骨、煅牡蛎、赤石脂、铁苋莲、汉三七；消化道出血方用四味止血散：白及、汉三七、蒲黄炭、阿胶珠共研为极细粉末，过筛，一次用20g，加等量藕粉，再加水适量，熬成糊状温服。经抢救二十余例消化道出血病人，多能在24小时内起到止血效果。我体会滋阴药能促使再生障碍性贫血患者症状稳定，温补助阳药才能促进造血功能的恢复。“再障”病人初起，多有不同程度的阴虚证候，经治疗，当病情稳定进入脾肾阳虚阶段，亦可温补，多能较快奏效。为避免应用雄性激素时对肝脏的损害，方中要加青蒿利胆。急性再生障碍性贫血起病急骤，来势凶猛，患者呈现：壮热口渴，汗出而热不退，持续高热，口腔溃烂，舌上起血疱，口内血腥臭味难闻，皮下大片瘀血紫斑，尿血、便血，妇女崩漏不止，舌苔黄腻或黑腻，脉洪大数疾等凶险证候，若按一般慢性再生障碍性贫血补虚施治，多无效果，且补阳热更炽，滋阴血不生，多因严重的感染、败血症或颅内出血而死亡。因患急性再生障碍性贫血发病急，且贫血呈进行性加剧，故称“急痨”；造血之源肾精枯竭，又称“髓枯”；严重的感染、高热及内脏出血倾向，又属“温热”，故用“急痨髓枯温热”加以概括。

止血散治疗咳血衄血

黄永生

咳血、衄血是祖国医学中的急证，临床需要及时处理。因血为人体内的营养物质，又是神志活动的物质基础，来源于脾肾，受藏于肝，总统于心，施布于肺，生生不息，如环无端，营养五脏六腑、四肢百骸，故尔不上溢下脱。如若因热，则热伤血络，迫血妄行而出血；如若因虚，则气不摄血而血脱外溢；如若因瘀，则瘀血阻滞，血不归经等都可以引起血证。咳血、衄血多因肺热、胃热、肝火等引起，故清热凉血止血即可收到效果。余尝救咳血、衄血数人，皆得力于“止血散”。药物由炙大黄、醋煅花蕊石、田三七各15g组成，将此3味药共为极细末过筛，每包5g，分好备用。出血急者每服1包，2小时1次，连续服完为止；出血不急者，可每服1包，日服3次，以愈为度。

李时珍认为花蕊石功专于止血，能使血化为水；黄宫绣认为三七气味苦温，能于血分化其血瘀；唐容川认为大黄能推陈致新，急速下降之势，又无遗留之邪。故3药配伍，苦寒泻热，止血而不留瘀。为治疗上部咳血、鼻齿衄血的当用之药。

曾治男性患者，孙某，51岁。于1969年5月间，突然患鼻衄，每流血碗许，送往县医院，经用麻黄碱冲洗鼻腔后添塞无菌棉花而血止。又两日，孙氏自行将棉花取出，血又大流，当即又转往通化地区医院，亦用大量棉球堵塞压迫而血止。回家后，患者头晕头痛，延予诊治。该患者既往身体健康，近因复感风热之毒邪而致肺气不得宣发，郁而化热，出现咳嗽黄痰，后开始流鼻血，来势较急。其颜面轻度浮肿，面色苍白虚浮，舌红苔黄腻，脉细数。是肺有郁热，鼻乃肺之窍，热邪灼伤鼻之血络，迫血妄行故致衄血。热邪不去血何能止之？又经大量棉球堵塞，血虽暂止而成瘀，瘀血阻滞，血不归经又加重了出血。故以“止血散”清热降火祛瘀止血治之，随拟前方1剂，研末每服5g，2小时1次，昼夜服之。1剂服完后，患者觉得轻松，头晕头痛明显减轻，饮食增加，随自行又将鼻中棉花取出，血止，随访3年未复发。

该“止血散”为家庭必备良药，配制简单，经济便宜，亦可外用之。

囊虫病须辨证施治

黄柄山

囊虫病，东北是多发地区，农村尤为常见。本病乃猪绦虫之囊　蚴寄生在人体各部位而引起的疾病。其中脑囊虫病病情危笃，常可导致癫痫、痴呆、颅压增高以致死亡。本人根据中医理论，经过长期的临床治疗观察，认为对该病进行辨证施治，方能取得较满意的效果。

在祖国医学文献中，虽无囊虫病的记载，但对因脑囊虫病引起的癫痫发作却早有描述。早在《内经》中即有痫证的论述，后世医家亦有发挥，曾明确指出痫证的病因或由惊恐、或由饮食不节、或由母腹中受惊所致。本人认为囊虫病的主要病机为痰浊、痰核形成，其主要病变在脾。痰浊流注肌肤则形成皮下痰核。痰浊上扰可见头痛、眩晕、呕吐、视物不清。痰浊流注于目可引起失明。痰浊挟肝风上扰，可致抽搐发作。痰浊或痰火扰心，可如狂如癫，如痴如呆。痰浊若阻塞络道，可致肢体瘫痪、不仁不用。痰气暴壅，闭塞心胸，可形成痰厥。痰浊阻于中焦，则形成痰浊中阻。

囊虫病的临床表现多样，只有针对不同病情，采用相应的治法，才能进一步提高疗效。对于痰核型（皮下型），治宜涤痰杀虫软坚。常用中药为：雷丸、穿山甲、干漆炭、雄黄、丹参、胆南星等。对于肝风内动及痫证类（癫痫型），治以涤痰熄风法。常用药为：清半夏、陈皮、茯苓、地龙、钩藤、郁金、蝉蜕、珍珠母、生龙骨、白蒺藜、赤芍等。对于湿痰上扰型（颅压增高型），治宜涤痰利湿。临床可用下列药物加减：胆南星、陈皮、清半夏、泽泻、白术、茯苓、赤芍、怀牛膝、竹茹、党参、车前子、鸡血藤。对于痰火扰心型（癫狂型），则应采取涤痰泻火开窍法。

1974年秋曾治患者张某，其外出遇雨后即经常头痛，每7～10天发作1次。发则精神错乱，幻视毁物伤人，怒骂不休。每次发作持续1～2小时。查其舌红绛苔黄，脉沉弦滑。经检查诊断为脑囊虫病（精神运动型癫痫发作）。该病辨证属痰火扰心（癫狂型）。遂以涤痰泻火开窍法。方用：清半夏15g、陈皮15g、茯苓25g、胆南星25g、石菖蒲15g、郁金15g、香附15g、青皮15g、柴胡15g、桃仁20g、赤芍20g、红花15g、栀子20g、黄连15g。患者服药两剂后，发作即止。以后在前方基础上加减，调治月余，患者未再发作。

（郝吉顺　整理）

蛔厥与吐蛔

钟育衡

蛔厥或吐蛔，以外感热病引起者为多见。内科杂病中由于饮食不适、神志所伤引起者也可见到，甚至还有少数病史不清、原因不明者。

我曾治愈一例原因不明的蛔厥证。患者陈某，于1979年10月突然上腹部剧痛，恶心呕吐。某医院按胃痉挛治疗，稍“缓解”。夜间再次发作，某医院又用镇痛药物治疗。此后，时发时止，越发越重。3日后，邀我会诊。发作时病人上腹部剧痛，气上撞心，颇有钻、顶之感，手足厥逆，呕吐苦水痰涎。切诊：腹部柔软，右上腹部轻微压痛，脉沉缓，舌质淡红。此为蛔厥证，虽无吐蛔，而其他蛔厥证状存在，故以安蛔之法治之。以乌梅25g，水煎取汁100ml，顿服。患者服药后1小时30分吐蛔虫1条，病势缓解，未再发作。蛔厥证通常用乌梅丸治疗。乌梅丸原治疗厥阴经证之蛔厥。对温病中的吐蛔与蛔厥证，前人又增加了其他方药治疗，可见乌梅丸并非治疗一切蛔厥与吐蛔之要药。凡蛔厥与吐蛔之证，应查明起自何因，临床表现如何，再经辨证施治，定能取得良好效果。原因不明、病势急骤者，以乌梅一味，水煎顿服，即可取效。乌梅为安伏蛔虫良药，单味服之，可迅速见效。

腹股沟出蛔虫琐谈

赵慰庭

从前，我友陈度，年50岁。腹股沟生痈，焮肿痛甚，邀余视之，状如橘子大，抚之，热而软，知其脓成。谓之曰：“痈已溃脓，宜开口排脓，脓尽自愈”。伊唯诺同意。我乃于囊中取利刃破之，稠脓涌出，奇臭溢满室，且随脓淌出蛔虫7条。余大奇之，骇然掣手。陈君曰：“何畏乎？尽君之术治之可也”。我按压患处，又出蛔虫2条，清除疮面，敷以提毒药末，复以油膏。隔2日复诊，揭膏排脓，又出蛔5条，余效前法处之。窃思其溃脓既深，当服药内托，促其生肌。遂书托里透脓汤加解毒之品，日服1剂。每隔2日排脓1次，每次皆出蛔虫五六条。前后共排出蛔虫34条。此时患者已脓尽肿消，10天后，疮口愈合。陈君将所出之蛔虫洗净，以绳系于檐下，每当亲友来省，陈君必以平生怪事论之。口耳相传，乡里皆称奇。有人问陈君曰：“何将蛔虫悬于檐下耶？”

陈君曰："吾患此奇症，亘古所未闻，今高悬其物于檐下，以常能瞻视，诚不敢忘怀也"。嗣后，我究其出蛔之理，反复思之，始有所悟。盖初起必先由肠生痈，炎肿处与腹股沟粘连，其后肠溃穿孔，毒热灼伤腹股沟与肠相通，蛔虫从肠道游离外出至腹股沟，故排脓时与之俱出也。以当时偏僻之乡，医疗设备极差，未作仪器检查，仅是臆测，未知然否？只作奇案志之耳。

桂枝加龙牡汤加味治汗证

|马德孚|

自汗，为寤时无它因而自然汗出，往往动则汗多如洗。盗汗为寐则汗出，醒后则止，故亦称"寝汗"。皆为临床常见之症。余每在"桂枝加龙骨牡蛎汤"方中选加黄芪、浮小麦治之，多获良效。曾治安某，自述平时汗多，尤以劳作、饮食时汗出如浴，余无所苦，舌质正常，脉浮细而缓。投上方6剂汗止。再如患者杨某自述常因夜寐汗出而醒，汗凉、致夜卧不实，精神困顿、头晕、心慌，饮食、二便正常，形体稍瘦，面色不华，苔薄白舌淡，脉濡细。用本方12剂而愈。

桂枝加龙骨牡蛎汤出自《金匮要略》虚劳篇，为治阴阳两虚之阳浮不固，阴不得藏的失精、梦交之证。而汗症亦为卫阳不能固密于外，营阴从而失其守内之职。《伤寒论》中云："病常自汗出，……以卫气不共荣气谐和故尔。"就是阴阳失其动态平衡，不能维系的缘故。桂枝汤，外感证用之发汗以解肌，内伤证得之补虚以调阴阳，故桂枝汤用于此以使"营卫和""阴阳平"，加龙牡以镇潜浮阳，收敛泄阴。余再加黄芪以增固卫之力，加浮小麦以养心营，滋汗源。虽症见不同而阴阳失调的病机相同，治之故能收异曲同工之效，实乃异病同治也。

体温与中医之寒热

|王向东|

对发热的病人，都习惯用体温表来测知，一般来说，高于37℃多属热证；若体温正常或比正常略低，多属寒证，在特殊情况下，也可能是热证，有时竟是大热证；在危重的病人身上，常可出现寒热的假象。

余曾会诊一名患者，需要解决发热问题。该患者腹痛有定处，喜热喜按，口渴喜热饮，伴腹泻便溏，便血。查：神静懒言，呻吟不已，面黄唇淡，喜近衣被。脉证合参，证属过食生冷，饮食不节致脾失健运，阴寒盛于内，衰微之阳不能内潜，被格拒于外所致。该患者病位在脾，病性属寒，故热在表为标。诊断：泄泻，便血，当务之急是止血，故投以黄土汤加减，温阳益阴，收涩止血，以期疗效。急煎1剂药后，病人1夜共排便4次，腹痛大减，体温降至37.4℃，转危为安。

又一心脏病病人，心力衰竭Ⅲ度，恶心呕吐，滴水不进，求我会诊以止呕。该患者体温正常，进食即吐，喜风恶热，口渴喜冷饮，心悸气短，胸闷腹胀，便干溺赤。并见其声高气粗，嗳气频频，口有臭味，四肢逆冷，舌质红，苔薄白而干，脉涩不畅。脉证合参：病人虽体温正常，但大渴饮冷；四肢虽凉，却恶热喜风。辨证为内热炽盛，阳气郁而不伸之“热厥”证。是属真热假寒证。用四逆散加减治疗，清其里热，达阳外出。因其呕吐不能进药，采用针刺及少量多次喂药法。一夜间，两剂药全进，患者未吐一口。翌日晨，病人呼吸平，四肢温，呕吐止。

由此可见，体温的高低，不完全标志中医的热证和寒证，诊断寒证、热证，要四诊合参。

同症异病，异辨同治

刘沛然

症虽各有源，而罹因不同。本文同是血症，其原则异。辨证当同中求异，异中有同；既有定法，又有活法；既是道其常，又能测其变。此医无一定之法，而有一定之理也。余临床40余载，体会苿苜汤（车前子、赤茯苓、淡竹叶、荆芥穗炭、灯心草）治疗出血、溺血症，其效颇显。

曾治田某，因被他人用三棱刀刺伤腰部，流血过多，发生休克入院，经手术探查，见其右肾下约有4cm刺伤，当即手术缝合。术后13天仍导尿，血尿淋漓不断。经外科处理，症无好转，遂请中医会诊。见其形气不振，颜面呈蜡黄色，少气不语，少腹热感，诊其脉弱如丝，舌燥少津，溺血过多，血失伤阴，蕴热气耗。处方：车前子（包煎）40g、菟丝子饼30g、赤茯苓12g、荆芥穗炭10g、郁金炭12g、当归炭12g、生地黄炭30g、灯心草3g、牡丹皮炭12g、苏木6g。服6剂药后，病人病情稳定，无肉眼血尿。前方加金银花炭30g、牛膝炭20g、僵蚕10g。继服4剂，患者精神愉快，痊愈出院。经观察无反复。

肾伤血溢，瘀血抑蓄，折本而奔注，宜驻景丸（车前子、菟丝子）固元收摄；用生地黄、牡丹皮清热复阴；苏木、郁金折瘀迫血，使血循复常。

又治候某，尿血半年余，近 4 天加重。多次进行尿检：其红细胞满视野，诊为膀胱憩室炎。中医会诊：形气尚可，舌质淡红少津，自觉嗌干欲饮。溺血无外为里气不收；嗌干欲饮为津气不行。法当清下元。处方：车前子 60g、茯苓 20g、荆芥穗炭 6g、浙贝母 12g、苦参 10g、五灵脂 10g、僵蚕 12g、淡竹叶 10g、灯心草 3g。患者连服 9 剂，精神饱满，形气得生。尿检红细胞数明显降低。加金银花炭 60g，患者继服 6 剂。多次尿检恢复正常。

憩室炎症客热于膀胱，血得热而妄行。用苦参入阴利窍除伏热；浙贝母、五灵脂疗郁结，淡竹叶清利血中邪热。

又治傅某，婚后发现其精液是血。尿失禁，阴茎痛，勃起亦痛，射精更痛。伴有失眠、头痛、腰酸、易汗、大便不调等症。两脉沉弱无力、失眠、头痛是婚前所罹。阴虚阳亢，相火妄动，暴伤精宫，阴阳不相为守而血错行，治当建宫筑堤，燮理阴阳。处方：莲房炭 20g、熟地黄炭 30g、怀山药 30g、牛膝炭 20g、茯苓 10g、车前子 60g、荆芥穗炭 3g、墨旱莲 30g、附子 3g、盐黄柏 6g、知母 20g。患者服 6 剂，射精已无血，亦无痛楚而愈。

血精，必自精宫血海而出。多因暴欲损宫，以致阴虚火动。知母、黄柏坚阴，虚火自伏；山药、莲房培土筑堤；墨旱莲守阴；附子鼓阳。此恒法也。

还有宋某，乳孔出血已两周不愈。素质多虚，连续挤压出血，时间过长自衄。乳无硬结，无何痛楚，余检无异常。乳衄，皆忧思恚怒，又乖调摄，营血差经，涧扰三经，血随气逆而衄妄。悒郁火乘，宜调郁折火。处方：川贝母 12g、瞿麦 60g、焦栀子 10g、木贼 24g、车前子 60g、荆芥穗炭 3g、生甘草 6g、灯心草 3g。患者服 3 剂血止，仅挤压见有黄色液出，近日觉痛。如法加土贝母 20g。服 3 剂病愈。2 月后因他病来诊云：乳衄一直未作，亦无不适。

乳系焦府，焦寓火字，抑怒思恚皆令志火而动，移热于肝，木郁火热，气血流溢妄衄，理木降逆。忆《千金》立效散及《圣济总录》南天竺饮中瞿麦栀子养肾气，平肝利窍祛作病之由，对九窍出血立效。

余体会到，治血应随机而治。余用车前子治血，一是纳气调机，一是稠血黏浆治其本。《荷兰药镜》云：车前能使血液稠厚，为治出血要药。

张元素曰："见血无寒。"东垣曰："诸见血皆责于热。"丹溪曰："血无火不升"。惟王海藏有"六气能使人失血，不独一火。"此语大发于古聋聩。《内经》论血溢、血泄，六淫皆有。既血有所循，气行于外，血附于内，阴阳和平，荣卫通调，何渗之有。凡出血者，多伤其经络，逆其气机，失其循行，血则外溢。治血在纳气，纳气不纵火，气降则火降，血随气行，气纳则血归经。

短话意治法

孙润斋

医者，意也。在《石室秘录》意治法中陈士铎别出心裁地提出意治三法，谓：“因病人之意而用之，一法也；因病症之意而用之，又一法也，因药味之意而用之，又一法也。”余反复思虑，其理诚然。

因病人之意而用，即据病者喜温、喜凉、喜按等所喜不同，而分投顺其性之药。如喜温者，投以温药；喜凉者，投以凉药。此法多逆其病，不违得益。余曾治室女刘某，月事来前，胸闷烦躁，夜卧不安，渴喜冷饮。余以意治从病人之喜，月事前投以养阴清热之生地黄、麦冬、黄连、山栀子等，获愈。凡此类例，数之不尽。此观病人所喜，是体必由所需，故以病者意，补其不足，伐其太过而收效。

因病症之意而用，即详察症状，使病机彰明。然后，或以医者口劝解之，或投以药石除之。此由症之意，悟出病机，给予治疗，此功昭然。余曾遇一少妇，因患咽中如物梗塞，吞咽不得下，3 年未愈。自疑噎膈不治之症，心情忧虑重重。久而久之，日形消瘦，身渐乏力，精神忧郁，疑虑更加严重。余察知病由，诊无他疾，乃行口劝破解之法，将该病原由机制，息节食忌等等，详述于病者。虽未投药石，患者病逐减，体渐复。此从病症之意而用，审证明因，乃治本之法也。

因药味之意而用，乃药物配伍之法，组方遣药之妙。此众贤皆晓，不复赘述。

治病须明标本

张锦明

尝有一李姓妇，年逾四旬，哭泣而至，言其罹患“高血压病”，经一气功师运用气功，辅以中药治疗，住院近百日，寸功未见，仍头晕，小溲短少，腿肿如泥。余见其形体肥胖，行动吃力，面目浮肿。按其足踝陷而不起，查其舌质胖色淡黯，边有齿痕，诊其脉沉细弱，测血压 220/120mmHg。余以牡丹皮、菊花、葛根、草决明、川芎、焦山楂、黄药子、豨莶草、桃仁、红花、辛夷、淫羊藿等治之，连服数剂，似无动静。吾师李裕蕃先生看过病妇，又索前方观之，连连摇首，遂令余更方：紫丹参、益母草、木通、川续断、生黄芪，3剂。余甚疑之，岂料病妇3日后复至，欣语曰：服药已，小溲量增，水肿尽消，头晕若失，血压也降为136/90mmg。

李老对余曰："细玩仲师《伤寒论》一书，当悟辨证论治乃其精髓所在，而明辨标本尤为重要。此妇脉证乃一派肾气虚、气化无力之象。夫肾之气化不行，水津运化失常，其清者不能上蒸以输周身，其浊者不能下流膀胱以泄于体外，清浊相混，阻于血脉之中，血脉失于周流，阴阳失于维系，故有头晕、溲少、浮肿诸症。汝但见头晕、血压高便以为肝阳所致，迭砌众多平肝'降压'中药，殊不知病因为本，病证为标，未求其本，其效不著可知。余以黄芪、川续断、益母草补肾助其气化，气化行则水津运化输布，各循其径，此为求本之治。又用木通、丹参，取其通利血脉之意。如是诸药合炉，必奏桴鼓之效。"余闻之，茅塞顿开。对曰："此病妇瘥后调理，但予'金匮肾气丸'何如?"李老曰："善。"

辨证勿忘七情

王克勤

《古今医案按》载："周慎斋治一人，丧子悲哀太过，两目肿痛，用独参汤而愈"一案。盖肝开窍于目，两目肿痛本属肝火为病。本案病发于悲哀太过，悲伤肺，肺金不能制肝木，木火独旺，上攻于窍而致，两目肿痛，故治以独参汤补肺制肝而愈。周氏临证，慎察七情，必先五脏，治病求本，可谓独具匠心，堪称后人师表。七情变化与五脏密切相关，这是祖国医学理论的一个基本观点，它与阴阳五行、脏腑、经络、气血等理论相辅相成，同样对临床辨证论治起着重要的指导作用，特别是在一些久治不效的疑难病辨证中，往往成为辨证的关键。

余尝治一杨姓青年女患，因高血压眩晕而就诊。主诉：近半年来头晕胀痛，工厂卫生所诊断为"高血压病"，但服用利血平、脑立清等药不效，后求治于中医，服药十余剂仍不效，近日病情加重，再次投医于余。诊其脉弦，舌淡红、苔稍腻微黄，血压180/110mmHg。阅前医脉案，皆从肝阳论治，投羚羊角、钩藤等镇肝熄风之类。《内经》曰："诸风掉眩，皆属于肝"，此患正值"四七"身体盛壮之时，肝阳易亢之际，又见肝脉之弦，从肝论治似属正理，但药之不效，令人深思。余本"有者求之，无者求之"之训，追问病史，知其既往血压正常，但性格素多疑虑。半年前因犯猜疑而忧思终日，初仅感脘闷纳差，继则头晕蒙蒙，胀痛且重，测之血压升高。仔细问诊，乃知患者昼日体倦乏力，精神萎靡，夜间思绪万千，不能入眠，尚兼有胸胁满闷不舒，脘痞纳少，时恶心欲呕，大便不畅，小溲黄赤等症。《内经》曰："思伤脾""思则气结"。此患病起于终日忧思，思虑伤脾，脾伤气结，木壅侮土以致肝失条达之性、升发之职；并且中州不运，水津不布，痰湿中阻，又致三焦不畅，气机升降失常，故清窍被蒙而致头晕昏蒙，胀痛且重。综观诸症，其病本在脾，故治法宜以健脾化痰，通达三焦气机为主。因有化热之象，而佐以清利湿热。以二陈汤合三仁汤加减服之，嘱其注意精神调养，停用其他药物。患者服十余剂后，诸症悉除，血压降至正常。

通过此案之验，余深感临床辨证勿忘七情，确能收如鼓应桴之效。

欲活血化瘀必理气化湿

李玉轩

笔者在临证中体会到，对于因跌仆伤损而致的瘀血、肿胀、疼痛等症的治疗，单纯采用活血化瘀之法，疗效往往不能令人满意，如在活血化瘀药物中加入理气、化湿（利湿）之品，常常获得较好效果。故自拟一方，名之曰活血汤。方中有当归20g、生地黄20g、苏木15g、泽兰25g、薏苡仁30g、赤芍15g、红花15g、桃仁15g、降香15g、乳香10g、没药10g、川大黄10g、桑白皮10g，水煎服。每次冲服三七粉5g。伤在上肢加桂枝，伤在下肢加川牛膝，伤在腰部加杜仲。

如治一刘姓男患者。其于就诊前3天，因下汽车不慎摔倒，右臀部着地，伤后不能站立，被人送至医院检查，经X线摄片诊为"右股骨颈骨折"，因无移位，嘱其回家休养治疗，内服云南白药，外敷七厘散。因右臀髋疼痛不减，前来求治。查其右髋关节屈伸旋转运动明显受限，右腹股沟处饱满，于其中点下方压痛明显，右下肢呈伸直外旋位，X线片显示右股骨颈裂纹骨折稍有嵌入。诊断同前。遂处方以活血汤加川牛膝15g、木瓜15g、土鳖虫15g，水煎服，每次冲服三七粉5g，1日3次。患者服完6剂中药后，髋部疼痛明显减轻，已能在床上做髋关节伸屈活动，后又照方服药3剂，肿胀疼痛消失。因股骨颈处血液循环不良、故此处瘀血非短时所能奏效，嘱其自配接骨续筋，滋补肝肾，补气养血之药服之。3个月后对患者进行X线摄片复查，其骨折已愈合，能离床步行锻炼，又服药观察一个半月即上班工作。追访至今无不良反应。

方中用当归、苏木、泽兰、赤芍、红花、桃仁等活血化瘀，乳香、降香、没药、三七等理气止痛；生地黄、薏苡仁、川大黄、桑白皮等清热利湿消肿。笔者体会：活血应先理气，气行则血行，消肿应利湿，湿去肿自消。

谈“中满者泻之于内”

张 琪

中满者泻之于内治则，出自《素问·阴阳应象大论篇》，其含义有二：其一为实满用下药泻之则满除；其二为脾胃运化失常导致之腹满，治宜清升浊降，气机通调而满自除。唯当升不升，当降不降，气机阻塞而腹满生矣。李东垣精于脾胃之生理功能，深明气机升降之旨，立寒胀中满分消汤、热胀中满分消丸二方。前者为脾胃虚寒而设，“脏寒生胀满”，以此方温脾胃化寒邪无不收效。后者方名“热胀”，实则非实热胀，乃属脾寒胃热、寒热互结之胀。脾寒则运化失职而不升，胃热则胃气不降而失和，当升不升，当降不降，中宫宛如一潭死水，而膨胀难忍。此方妙在用黄芩、黄连以清热除痞，热除则胃气和而下降；又用干姜、砂仁温脾，以恢复其运化之常而清气升；枳实、厚朴、姜、黄开郁行气；半夏、陈皮、泽泻、茯苓、猪苓化痰利湿；参、术益气健脾。融温、清、补、泻于一方，药味虽多而配伍法度严谨，深合《内经》“中满者泻之于内”之旨。仲景之厚朴三物汤、七物汤重在实者下之，姜朴夏草人参汤重在补而消之，本方则消、补、温、清兼而备之，盖病机错综，立法遣药亦必与之相适应，方能切中病情。余常以此方治疗脾胃不和、寒热互结之气机阻塞，其以腹胀满、口燥、苔腻少津、五心烦热、尿少黄赤、脉象弦滑等为标志，用之无不收效，故提出作为愚者之一得。

“伤寒下不嫌迟，温病下不厌早”小议

牟全胜

“伤寒下不嫌迟，温病下不厌早”是清代戴天章之语。戴氏以此说明伤寒与温病在下法运用上迥别，对后世医者影响颇大。

何以伤寒下不嫌迟？戴氏认为，伤寒之邪由表入里，化热过程较长，表邪未解或腑证未成者均不可下之。过早应用下法，易于引邪入里，故在《伤寒论》中论述不可下和因误下而致的变证不下数十条。伤寒的下法必须是在表邪已罢，阳明腑证已成，方可用之，否则，用之过早，会变证蜂起，贻害非浅。

当然在《伤寒论》中还有阳明三急下、少阴三急下，但与此亦不矛盾。“不嫌迟”是指寒热入阳明尚未实、热、燥相结成实或表邪未尽，此时用之“嫌早”，俟其成实下之即“不迟”。“三急下”的目的是“存阴”。

所谓“温病下不厌早”，则是因温病起病急骤，传变迅速，温热之邪极易化燥伤津，为了保存津液，宜及早逐邪于外。所以戴氏说“不论表邪罢与不罢，但兼里证即下”，如待痞满燥实俱全则阴液消亡即在倾刻，故下不可缓。这里的下法是以温病里热炽盛为指征，目的不是为了“荡实”，而是为了“存阴、保津”。同时，温病下法所用的方剂和伤寒亦不尽同，它重在除热而用芒硝、大黄，不用厚朴、积实等温燥之品以避伤津之嫌。伤寒则用枳实、厚朴以取承气之义。

“伤寒下不嫌迟，温病下不厌早”只不过是戴氏对伤寒、温病在下法运用的时间上，提出的相对的“早”与“迟”，不等于临床上见伤寒就可迟下，见温病就可早下。余以为还要针对病人的具体情况，伤寒必待已构成阳明腑实，表证已尽，方可下之；温病必须是里热炽盛而便秘者应用下法，否则慎用，尤其对湿温病者更不宜轻投。汪昂说：“滋阴不厌频繁，攻下切须慎重”，即是此理。总之，下法运用的“早”与“迟”，要依据辨证，依法循规，既要得其时，又要得其法。不可将戴氏一语之谈奉为准则而妄图下法，致病生变，棘手难瘥。若下之不当，以医误病矣。

温病口渴辨

肖永林

温热病中，热邪亢盛，津液被灼，不足以濡润之，则索水以自救，故出现口渴。此为热盛伤津化燥所致，故不妨称之为燥渴。但温病中出现口渴不皆由于热盛津伤，如湿热类温病和温热类温病兼挟痰湿者也常出现口渴，乃由痰湿阻遏气机，气不布津所致，故也可称之为湿渴。

热伤津液之渴，渴喜冷饮，以亢盛之热，得凉稍减；痰湿内阻之渴，渴喜热饮，因痰湿属阴，得热易化。热盛伤津之渴，必舌干燥而渴欲引饮，饮水量多；痰湿内阻之渴，必舌苔腻而渴不欲饮，饮也量少。热盛伤津之渴，饮后暂觉清爽而渴解；痰湿内阻之渴，饮不解渴反觉胀满。且热伤津液之渴必兼一派燥热之象；湿阻气机之渴必具一派湿盛气滞之征。

热伤津液之渴，析而言之，可分为二，一为实热亢盛，一为阴液耗损。一般来讲，热盛是因，津伤是果。大抵温病初、中期之口渴多以热盛为主，其证属实；温病末期之口渴多以阴伤为主，其证偏虚。热盛者，当据其证情，或清热保津以止渴，如用白虎汤，或泻热存阴以止渴，方用承气汤。阴伤者，应辨其脏腑，或用甘寒以滋养肺胃，方用沙参麦门冬汤、叶氏养胃汤之类，或用甘酸咸寒以滋填肾阴，方用加减复脉之属。以上热盛阴伤之用药多偏寒凉而柔润，使热去津回而渴自止。

痰湿内阻之渴虽可分为痰湿阻滞与气不化液两层，但二者互为因果，不必强分。痰湿内阻者，治宜温化；气机郁滞者，自当宣通。其在上焦者，当开宣肺气温化痰湿；其在中焦者，当芳香化湿或苦温燥湿；其在下焦者，当淡渗利湿。用药多偏于辛温而刚燥（或芳香，或苦温，或淡渗），使痰湿化而气机畅，气机畅而津液布，则口渴自止。

热伤津液与痰湿内阻二者虽皆口渴，但证情相反，病机迥异。辨证宜清，用药宜明，不可稍有混淆。若热盛伤津之渴而误投辛香刚燥之品，犹如抱薪救火，势必烈焰炽、津液涸而燥渴益甚；若湿阻气机之渴而谬用寒凉柔润，恰似雪上覆霜，必致痰湿凝、气机窒而病势愈增。

凉血法作用辨

肖永林

凉血法的主要作用在于清解血分之热而凉血止血，又有解毒化斑，清心安神等作用。主要适用于热邪深入血分的血分证。

至于有的文献将养阴、散血（活血通络化瘀）等作用也归之于凉血法中，未免欠妥。其所以将养阴、散血等作用归于凉血法中，可能是由于血分证除具有血分热盛的各种症状外，又有阴液耗损与血分瘀滞等表现。而治疗血分证的方药，如犀角地黄汤，就是除具有清热凉血的作用外，又有养阴和散血的功能。但如果我们对血分证的各种临床表现和治疗血分证方药的作用稍进行分析，就会发现这种看法是不正确的。在血分证的各种症状中，血分热炽是血分证的主要病机所在，而阴液耗伤和血络瘀阻则是血分热炽的结果，这是血分证中的三种病理变化。因而对于血分证的治疗，或采用凉血法以清其炽盛之热，或用养阴法以滋其耗伤之阴，或用散血法以化其血络瘀阻，或其中两法兼用，或同时三法合用。如犀角地黄汤一方，其主要作用是清热凉血，但同时又具有养阴和散血的作用。该方所以能成为世所公认的血分证的主方，就在于它比较全面地照顾到了血分证中的各种病理变化而有较为确实的疗效。这实际上是一方而备三法，一方有三种作用，而不是凉血法一法能赅三法，一法有三种作用。这些都是浅显易明的道理。我们不妨再举《外台秘要》的黄连解毒汤，该方是由黄芩、黄连、栀子、黄柏等苦寒清热泻火药组成，可治疗热邪迫血妄行的吐、衄、便血、发斑以及昏狂谵妄等症，也是血分证中行之有效的方剂之一。它虽然缺乏养阴和散血的作用，对于血分证不如犀角地黄汤那样面面俱到，但其清热凉血之功并不因此而稍逊，所以仍不失为凉血法中之一主方。

另外，还应看到，如凉血药中之生地黄、玄参等，又具有养阴作用；赤芍、牡丹皮、郁金、丹参等又具有散血作用。正由于一药兼功，对血分证有利而无弊，因而成为血分证中较常用的药物。但绝不可因此而将其所具有的两种作用——凉血与养阴、凉血与散血混为一谈。在中药中，一药具有多种作用是非常之多的，如大黄，既能泻下，又能祛瘀。如果用于下焦蓄血证，当然是一举两得，再好不过的了。但绝不可因大黄能活血祛瘀，就说泻下法有活血化瘀的作用；同样也不能因大黄能泻下，就说活血化瘀法有泻下作用。因而凉血法的作用只能是清解血分之热而凉血止血，适用于血分热炽而致之失血、发斑，以及心烦躁扰，狂乱谵语等症，而不应将养阴与散血等作用归之于凉血法中。

谈“必伏其所主，而先其所因”

王克勤

《内经》曰：“热因寒（热）用，寒因热（寒）用，塞因塞用，通因通用，必伏其所主，而先其所因。”这何尝专指反治法而言，其实“伏其所主，先其所因”乃辨证论治的一般原则。临床辨证不应只用平面模式着眼于现证，而应当用立体模式，从空间和时间上去求索诸证（包括已消失或变化之证）之内在联系，明了因果关系，以“治病求本”。

余曾遵“伏其所主，先其所因”之训，用温胆汤治愈一妇人脏躁。仲景曰：“妇人脏躁，喜悲伤欲哭，像如神灵所作，数欠伸，甘麦大枣汤主之。”一妇人病此，余用甘麦大枣汤治之罔效，曾疑仲师之法。重温《素问·至真要大论篇》：“必伏其所主，而先其所因”，使余顿开茅塞，猛悟仲师之法贵在“知犯何逆，随证治之”。若“脏躁”一病，不经辨证，未“知犯何逆”，概用甘麦大枣汤，其与对症治疗何异？《金匮要略》用甘麦大枣汤治脏躁，乃为一般正治法。因“肺在志为悲，在声为哭”，故其病位在肺，而用甘麦大枣培土生金。但肺志因何而变，抑本脏自病？抑他脏偏并？或肺志偏并他脏？当须辨明而“先其所因”。再诊此患者，除善悲欲哭外，尚有心悸易恐、头眩、虚烦不眠、胸闷太息、多唾纳呆、苔白脉弦而无力等诸多胆虚兼症，方大悟此乃木虚肺志并之。因情志与内脏相关，五脏情志间亦可因“虚而相并”。善悲欲哭虽为肺志，但胆虚则肺志可并，此即“木虚金迫之也”，故见是证。其“因”既明，治当“伏其所主”，故易用温胆汤，激发胆木少阳之气，而诸症皆愈。

于无字处读伤寒 |王 旭|

七十老叟沙某，因患半身不遂，大便7日未行，脘腹胀满，痛甚，烦躁不安，呻吟不绝，眠食俱废。果导片与灌肠并用，毫无反响。患者不堪其苦，屡命其子“给我用钳子拽出来!”

此属大承气证无疑。然既在高年，又值中风，峻剂恐难耐受，唯可急症缓图，投调胃承气汤，以甘草25g、大黄25g，煎汤一大碗，冲入玄明粉50g，置温水中，每3分钟服1次，每次一汤匙，待腹鸣即止。晚7时汤成，老叟按所嘱服起，至11时，自觉腹内有气窜动，旋即肠鸣之声闻于病室，兼下矢气。停汤静待，凌晨3时许，患者排出如羊矢之黑粪一痰盂，胀痛顿消，且觉眼前明亮为数日所无。燥矢下尽，断续排出稀水及黏液，至中午而止。

调胃承气汤“少少温服之”之法，见于《伤寒论》第29条，适用于“胃气不和，谵语者”。至于痞、满、燥、实、坚五证悉备，可否用本方，可否用本法，以及“少少”到何种程度，“少少”到什么时间，仲景均未言，注家亦未释，全赖为医者以意度之。昔人云“于无字处读伤寒”，即此可见一斑。

漫话逍遥散 |金 友|

同治者，同是一方而同治数病也。逍遥散可治木郁，又可治诸郁，然而方虽同，而用之轻重有别，加减有殊。逍遥散出自《太平惠民和剂局方》，主要作用为解郁疏肝、健脾理血。本方由柴胡、当归、白芍、白术、茯苓、甘草、生姜、薄荷组成。本人在临床上治疗神经官能症用之，胃炎、胆囊炎、肝炎用之，妇女月经不调及高血压病亦用之。历代治诸郁之方甚众，而不离肝脾与心，各司其所，各有所用，唯逍遥散一方，恰顾心、肝、脾三脏也。柴胡、白芍疏肝解郁，辅以当归配芍药以补血，血来源于脾，且肝气郁滞则脾失健运，故佐白术、茯苓以健脾。若脾虚甚又可加其量反佐为君。加生姜、薄荷为使以助柴胡疏散之功。余用此方治疗神经官能症属于肝郁气滞为主者，症见头晕目眩，心烦少寐，胁胀食呆，方用逍遥散加合欢皮、夜交藤、龙骨、牡蛎。属于心脾两虚者症见：心烦少寐健忘，身倦神疲，食呆纳少，腹胀，心悸，用逍遥散加人参、石菖蒲、远志、炒酸枣仁等。治慢性胃炎属肝胃不和者，症见：脘痛胁胀、吞酸嗳气，口苦心烦者，用逍遥散加香橼皮、佛手、青皮、延胡索。气滞血瘀者症见：胃痛嘈杂缠绵不愈、舌暗苔涩，用逍遥散加川楝子、延胡索、蒲黄、五灵脂。治疗急性肝炎属肝脾不和湿热内蕴者症见：胁痛口苦，腹胀食呆，身黄微热，恶心欲吐，逍遥散加茵陈、败酱草、板蓝根、竹茹。慢性肝炎属肝郁脾虚者加党参、山药、茵陈、郁金、鳖甲等。治慢性胆囊炎，症见胁痛口苦，发热厌食，呕吐腹满者逍遥散加山栀子、黄芩、川厚朴、陈皮。高血压病人若见头晕目眩、心烦喜怒，口苦耳鸣，胸闷肢麻者用逍遥散加钩藤、珍珠母、栀子、牛膝。妇人若见月经不调，经前发热，逍遥散加牡丹皮、栀子、黄芩、生地黄。痛经、腹痛胸闷，乳房胀加川楝子、延胡索、乌药、川芎。月经愆期属气滞血瘀明显者加益母草、鸡血藤、三棱、莪术等。由此可见逍遥散可谓一方多用的代表方剂。余治一中年女患，近3年来长期患病，经西医诊断为慢性肝炎，慢性胆囊炎，并有神经官能症及月经不调，症见头晕胁痛，口苦心烦，恶心欲吐，腹满身倦，月事愆期，脉弦，舌暗苔白腻。投加味逍遥散：柴胡15g、白芍25g、甘草15g、茯苓15g、当归15g、栀子15g、牡丹皮15g、茵陈15g、川楝子15g、延胡索15g、三棱15g、莪术15g、白术15g、生姜15g、薄荷15g，水煎服。患者连服三十余剂，诸症痊愈。

治疗脾胃病的临床体会

王顺江

祖国医学认为脾胃是脏腑的重要组成部分，一脏一腑，一升一降；胃主纳谷，脾主运化。二者是相互对立，相互统一，相互制约，相互为用，相辅相成的关系。言脾必及胃，言胃必及脾。凡是受寒、受热、饮食失节、精神过度紧张、肝气郁滞都可引起胃脘痛。

治疗脾胃病基本法则是益气健脾、和胃止痛、升阳气、泻阴火这四个方面相结合，依据病因、病性、病位、病证用系列方作为治疗脾胃病基本方药，再根据病情变化，随证加减应用。如脾胃虚寒，中阳不振，宜补气健脾、祛寒止痛。方药为黄芪建中汤合理中汤加减：党参、黄芪、炒白术、煨白芍、茯苓、木香、桂枝、炮姜、延胡索、砂仁、大枣、炙甘草。肝郁气滞、胃失和降，宜疏肝理气、和胃止痛。方药为柴胡舒肝饮合四逆散加减：柴胡、香附、枳壳、白芍、陈皮、川楝子、延胡索、广木香、苏梗、甘草、生姜、大枣。饮食不节，食滞内停胃肠，脾胃不和，宿食不化，浊气上泛，宜和胃调中、化食导滞。方药为保和丸加减：炒三仙、莱服子、鸡内金、槟榔、瓦楞子、延胡索、川楝子、厚朴、藿香、佩兰、半夏、陈皮。胃阴不足，虚火上炎，阴阳内热，宜养胃阴、清虚火、益气健脾。方药为一贯煎合升阳益胃汤加减：沙参、麦冬、石斛、知母、白芍、炒栀子、当归、玉竹、竹茹、党参、黄芪、茯苓、黄芩、砂仁、山药、炒三仙、炙甘草。瘀血阻滞，中气不足，加之饮食不节，胃络受损，致血行不畅，瘀血阻滞，宜活血通络、益气和胃、理气止痛。方药用失笑散合黄芪建中汤加减：蒲黄、五灵脂、香附、丹参、当归、延胡索、赤芍、三七粉、白及、黄芪、党参、陈皮、黄连炭、甘草。

临床治疗脾胃病要权衡升降，阳气不升和气机不降，或者不升不降同时出现，升提阳气和降火、利火、理气、消积的药物可同时共用，但以“升”作为基本方法，以“降”作为权宜之计。升提阳气的药物有升麻、柴胡、葛根、川芎。降阴火之药有沉香、黄芩、降香、黄连。可运用升阳益气降火之法，兼用理气、消积便能收到良好效果。治疗脾胃病应掌握补泻之法，虚证则补，热证则泻，寒证则温，虚实相兼者攻补兼施。在扶正方面以补气健脾为主，兼顾养血滋阴；在祛邪方面以泻阴火为主，兼顾利水、化湿、理气、消积。

脾胃病与其他脏腑病证同时出现时，应先调理脾胃，使其恢复生理功能，再治他病。在治疗他病兼有脾胃症状时，应兼顾调理脾胃。这就是善治者先调其中，以调动机体内因，抗御病邪，恢复健康。

《伤寒杂病论》中的一则医案

孟庆云

对《伤寒杂病论》版本的探迹精核，是当代伤寒学研究的成就之一。学者们指出该书原貌的大致轮廓是：原论由条文组成，每条多系独立地记述一个问题；条文中有规律性的文字也有个别经验；有“论”也有“方”；其全部内容应包括脉法、伤寒、杂病、妇人、小儿、食禁六方面。但该书中尚有以六条的形式记录了一则支饮证的正虚邪实之医案，即是今本《金匮要略》痰饮咳嗽病脉证第十二中从36至41条。

在承第35条“咳逆倚息不得卧，小青龙汤主之”之后，第36条言“青龙汤下已，多唾口燥，寸脉沉，尺脉微，手足厥逆，气从小腹上冲胸咽，手足痹，其面翕热如醉状，因复下流阴股，小便难，时复冒者，与茯苓桂枝五味甘草汤，治其冲气。”从这条开始，分条叙述该案例之中的几种情形。因此案有代表性，对服用小青龙汤后所发生的一系列变证及处理方法，包括发生冲气、冲气平后饮咳又作，冲逆与咳逆的鉴别、饮咳治法，支饮转为溢饮的可能和治法、饮病屡用辛温的变证和饮转为呕吐的治法，或是平冲热，或是散气滞，或是消饮邪，或是散寒满，或是降元阳。这个病案具有完整性和系列性，每种情况都围绕痰饮这一主证，来兼顾正虚邪实的辨证论治。《金匮要略》所收载的这些条文，也均见于《千金方》和《外台秘要》，说明它确系仲景原文。阅读此六条，可以认识到仲景书有这样一个特点：把临床经验理论化，又对理论以具体治验来示范，每一特征性的内容用一条来记述。故六条合而为一案，一案又发为六项经验。古朴典雅的六条，有大匠示人以规矩之概，刻意切嗟，令人豁然启扉。清人吴谦在《订正仲景全书》凡例中说：“上古有法无方，自仲景始有法有方。”仲景的有法有方，乃是以临证经验为凭，把病案中的经验，升华为理法方药完整的书，每一独特性的经验，单独概括为一条，这可能就是仲景为何用条文式的笔法来写是书的原因罢。

谈温热病早用血分药

孟庆云

外感温热病早用血分药，是近代中医发展的一个突破。清代叶天士提出卫气营血的分证法则及用药层次，诚为温病的金玉之论。后世医家不仅遵为绳墨，又有注家强调，如不按层次，早用营血之品，有“开门揖盗，引邪入室”之虞。然自叶天士以后的清代医家就注意到某些温病具有传变快、易化热入血伤阴的特点。王清任所创之解毒活血汤即用于早期温病，可用以透疹，也可治鼠疫。清末周学海指出，温疫“初起即在血分”，在温病早期就考虑到用血分药。但皆系微旨逸言，医家对温病早用血分药仍讳莫如深。

近年以来，早用血分药的理论突兀崛起，在临床实践中演而为源。赵锡武先生在治疗小儿肺炎时拓出机杼，指出小儿风温，传变最速，证虽在肺，邪已入营血，故在病初就可以用清热解毒之品，在临床中每多获效。赵氏不薄前贤，师心而不蹈迹，体现了“伏其所主，先其所因”的辨证论治原则，也蕴含上工治未病之理。随着近二十几年来对活血化瘀治则的广泛应用，临床发现，活血药能增加清热解毒药物的效力，抑菌试验也证实了这一点，这就为中医治急证提供了新的科学依据。如在治疗肺源性心脏病时，常以清热解毒之品合活血化瘀药以提高抗感染的作用。又据此原则，在治疗属于流行性乙型脑炎时，也早用血分药配于清热解暑之品之中，佐以开窍豁痰熄风，在临床上也多收功。发此蕴义，在治疗黄疸时，又提出了“黄疸必伤血，治黄要活血”之论，用以治疗阳黄和小儿原因不明的肝脾肿大，功亦盎然。

治病必求于本

于沧江

《内经》云“治病必求于本”，此言诚为医者临证之圭臬。因疾病复杂，症见多端，往往虚实混淆，真假难辨。医者只有精心辨证，去伪存真，分清标本主次，抓住疾病本质，集中力量捣其中坚，才能药中肯綮，应手取效。倘若辨证不确，主次不分，则往往易犯“虚虚实实”之戒。

忆 1977 年曾治一刘姓女病人，因患结核性腹膜炎休学 1 年，在他处曾屡服抗痨药及养阴补虚之剂不效，收入我中医科住院治疗。病人面色苍黄，形体羸瘦，潮热盗汗，饮食减少，时有腹痛呕吐，因病经闭已半年，呈一派虚象。唯腹部按诊膨满柔韧，脐周可扪及数个硬韧包块，大者如拳，压痛明显，舌有紫色瘀斑，脉见沉弦。我细思之：此乃瘀血成积，证属里实，癥积内停，影响脾胃失和，故病人纳少腹痛呕吐。瘀血不去，新血难生，机体失养，故症见面黄羸瘦经闭。此血瘀癥积为病之本，而虚象乃由癥积引起，治当攻邪为主。且前曾屡服补药不效，亦当易法而治。遂拟活血化瘀、软坚散结之法。方用王清任之膈下逐瘀汤加减：当归 15g、川芎 10g、桃仁 15g、红花 15g、赤芍 15g、乌药 15g、延胡索 10g、五灵脂 10g、香附 15g、枳壳 15g、牡丹皮 10g、银柴胡 15g、地骨皮 15g，水煎服，每日 1 剂。服药后腹痛加重，病人惶惧，或言攻法为非。但细审前证，辨证无误，前方继进。1 周后，病人腹痛明显减轻，腹部包块亦变软缩小。效不更方，前方继服。月余后，患者积块消失，潮热盗汗亦不治而愈，遂改服八珍汤以善其后，病人痊愈出院。又 1 个月后，病人来院复查，一切正常，面色红润，身体转丰，精神亦好，云已复学，月经亦来潮如前。

补血必兼益气

于沧江

1964 年我在吉林船营医院临床实习时，见吉林名老中医刘裕老师治疗血虚头痛每用补中益气汤加四子（枸杞子、菟丝子、蔓荆子、决明子），皆获良效。我惑而请教，刘老曰：脾胃为后天之本，主运化水谷精微，为气血生化之源。《内经》云："中焦受气取汁，变化而赤是为血。"故健脾即为益血之源，补气增强功能可促血化生。且气为血帅，气行则血行，中气得健，清阳得升，则能帅血上荣于头，头得血养而自不痛矣。若单纯补血，因补血之药多滋腻之品，易使胃纳呆滞，血未及生而中焦已困，生化乏源，是欲速则不达也。故补气可不补血，补血必兼益气，当以调动病人自身功能为主，治病必须时时注意顾护胃气。至于方中加枸杞子、菟丝子，是补肾以助生血；加蔓荆子、决明子，是引药上达于头，且有清头明目之功。但蔓荆子不可多用，以防辛燥耗阴。

我铭记斯言，毕业后在临床上凡遇血虚头痛病人，则遵师教而以此方加减治之，亦皆获良效。不但头痛得愈，而且治疗前血常规检查有血红蛋白和红细胞数偏低者，亦逐渐恢复正常。今笔之于书，以志不忘刘裕老师教导。

服药与得气

| 袁世华 |

得气是在针刺穴位时，施以手法后产生的一种特殊反应，局部有酸、麻、胀、痛等感觉，有时还可以通过手法使这种针感向一定方向或部位移行。针刺固然可以得气，那么服药是否也可诱发此种感觉呢？

近观日本《汉方の临床》杂志，在1983年7月号上刊载了上马场如夫的文章。该文介绍了服用汉方药后出现得气样反应者两例。一例为肩凝症并伴后背及右腕疼痛，此患在服小柴胡汤合桂枝茯苓丸方1周后，于背部膀胱经循行部位出现与针刺得气非常相似的感觉，其后不久，肩凝、背痛、腕痛等症状迅即消失。另一例为妇人流产后全身畏寒，并有肩凝、易感冒、咳嗽等症状。初予当归四逆加吴茱萸汤加减（附子、干姜、香附、花椒、大黄、五味子），数日后，先在右眼外下方胆经循行部位出现瞬间的麻感，连续服药4个月后又在合谷穴附近出现同样感觉并向躯干部走窜，此感觉持续1个月左右始消失，后诸症悉愈。

见此报道后，使我立即忆起，早年曾治一坐骨神经痛患者，因左下肢剧烈疼痛，不得屈伸，局部寒冷，得热略缓，诊为痛痹。余先治之以针，取环跳穴配阳陵泉、昆仑等穴。每次针环跳穴时均有强烈针感，自臀放散至足，起初针刺比较有效，但后来效果便不甚显著，于是更之以药，改用乌头汤加乌梢蛇治之，服至10剂后，患者自述每次服药后不久即有麻酥酥之感觉从环跳部位向下窜行，同时似有股热向下移动，其感觉与针刺环跳时颇为相似。产生此感觉后数日，患者症状即大见好转，经治月余痊愈出院。

综观上述3例，可知服药亦可偶尔产生与针刺得气十分相似的反应，然毕竟例数不多，且所服药物及反应的形成尚无规律可循，其产生的机制更属不明，有待同道深入探讨之。

把握病机识根蒂，药到病除是神方

王永庆

《内经》有言：“谨守病机，各司其属”旨义深奥。病机在于“谨守”“其属”各有专司。只有谨守病机，才能明辨所属，投剂不误。病机相同，其属必一，拟方投药，虽异病而治同，即一方可治异病耶。临证若不识此机要，是千方易得而一效难求。兹举数则以证其实。

1964年春，有张姓少妇，产后患乳痈，红肿焮痛，手不可近，脉洪而大，舌积黄苔垢腻。秋波送泪，痛苦难言，望子恨夫，举家哀叹。余诊之曰：此乃经络阻隔，气血凝滞脉络，郁久化热，阳盛之候，随拟仙方活命饮与服。患者服5剂肿消，痛去，乳平，含羞带笑，举家欣然。

1965年秋，姜姓妇，年40，患乳痈，初症红肿热痛，医以青霉素肌注，热敷局部，脓成溃后，疮口久不收敛，每日流脓汁半盅许。医更以抗菌消炎为法，或曰中西合流并治，索其处方，不外金银花、紫花地丁、蒲公英、连翘、黄柏、石膏、鱼腥草、大青叶诸品，大剂苦寒，意在“抗炎”。余诊其脉沉弱无力，唇淡少红，舌质亦淡，无苔垢。形瘦容枯，无中年之丰满，有老妪之衰颓，常太息而指颤。云：手背如蚁行皮下尔。余思此患者气血素亏，又久疮之耗阴，气血大亏，是疮痈久不收敛之由也明矣。投以十全大补汤半月，脓尽，疮敛。嘱其照方续服，又过两月，复诊其人，手指无颤，蚁行之感已失，体态面容，似又一人矣。

1971年春，有西医外科医生王某患骨髓炎，右股焮红而肿至膝，有疮口一处，卧床转侧艰难，痛难名状，约余往治。其舌苔黄垢焦黑，脉呈洪数，阳热之胜也明矣，经云：“热胜则腐肉”，故为脓尔。拟仙方活命饮为治。患者服5剂肿消、脓尽，10剂疮敛，15剂后，步履矫健矣。

从上举之例可见，同为一病而治不同，非为一病而治同，全在医者把握病机，疗效可期。辨证精当，治法明了，收取捷效，若不知病机所属，投剂枉然。是熟读医书，默记千方，不识病证机要，如藏书之箱匣，盛药之木橱也，焉能借术济世，挽拯疾民。余曾听说，某地有神树一尊，跪拜求医者大有其人，欲求“神方”，殊不知哑木焉知医理，奉劝患者，无须跪拜泥尊哑木，速往中医诊治，“神方”可觅。

通阳不在温，而在利小便

焦秀兰

叶天士《外感温热篇》云：“通阳不在温，而在利小便”，其言简意赅，为治疗湿温病提出了治疗原则。

通阳之法寓于外感热病治疗加减法之中，其用药不外辛开温散，淡渗利湿之品，以宣气散结，化气行水，而除痰浊湿瘀等邪，从而促进湿温病向愈。

叶天士尊前人之训，积极着手灭病于萌芽或防病于未受邪之脏，以免待其湿邪弥漫，热邪鸱张而致燎原之弊。叶氏通阳之法，实为湿热病机及其转归所设。正确运用本法对湿温病的治疗及预防均有重要意义，正如《内经》所谓：“随其攸利，谨道如法，万举万全。”叶氏所论“通阳不在温，而在利小便”，其意尤深。

病机而设，意在疏利气机

湿温病多为湿热之邪上受，由口鼻而入，内合脾胃之湿，同类相召。内外邪相伙，郁于肌表或邪伏募原，直走中道，终归脾胃。而热为火之渐，其性向上向外；湿邪即水之类，水性向下。故中焦湿热之邪，可蒙上流下，弥漫三焦，波及他脏，郁阻清阳之道。气机受阻，所致肺不能通调水道、下输膀胱，脾不运化升清。胃为燥土，最忌湿热之邪。

从病邪性质出发，为病邪找出路，促进病理产物的排出

湿为阴邪，其性重着黏腻，最易阻滞气机。湿与热合，热处湿中，湿在热外，湿遏热伏，胶着难解，最难清化，故非通阳之法温散渗利不能祛。同时说明通阳之法能促进病理产物的排出，以防止其毒物侵害所导致的神昏、动风伤络之变。

促进脏腑气化功能的恢复，加速疾病的早期治愈

古人指出：“气化则湿化，小便利则火腑通而热自清。”此论精辟地说明温通之法意在以宣散淡渗之法通宣气机以助脏腑气化功能之恢复，使气机宣通，

水道通利，湿热自除而达湿温病的早期治愈。

近年来，随着医学科学的发展，《温病学》也不断地得到充实和提高，温通法至今仍然广泛应用于中医临床。

系统性红斑狼疮治验

华庭芳

系统性红斑狼疮，类似中医的猫眼疮，阴阳毒。余在临床，经常遇到。根据《内经》“诸痛疮痒，皆属于心”“头为诸阳之会”理论，结合好发头面、痒甚且痛、怕晒日光等现象，断为热毒，血瘀经络，治以清热解毒，活血祛瘀为主，随其兼见，辨证施治。曾治一女患，初诊左颧患有桃核大红斑一处，皮肤粗糙，层层凹陷，落屑鳞状，痒甚且痛，日晒尤甚。类似者，全身可见，大小不同。伴关节肿痛、不能行走，头晕目眩，心悸气短，五心烦热。经某医院诊为系统性红斑狼疮，住院治疗，效果不显。由二人扶入我室求诊。查其舌红苔黄脉细数，证属热毒伤阴，瘀血阻络，治以清热解毒，活血通络。处方：金银花25g、连翘15g、当归15g、白芍15g、生地黄25g、川芎15g、蝉蜕15g、蛇蜕15g、生荷叶15g、蚕砂15g、山慈菇15g、川牛膝15g、菊花15g。方中金银花、连翘、山慈菇清热解毒；当归、白芍、生地黄、川芎、生荷叶活血祛瘀；蝉蜕、蛇蜕、蚕砂通经活络，退斑除疮；菊花清头明目；川牛膝引血下行，并治关节肿痛。患者服5剂后，红斑渐退，诸症均减，乃以栀子、玄参、玉竹、天花粉、地骨皮、藕节、鸡血藤、炒枣仁、柏子仁、黄芪、人参、生柏叶、川贝母、柴胡等加减调理，共诊5次，服药81剂，巩固疗效，至今未发。

这种病在临床上，如高热用犀角、羚羊角，生石膏；低热用柴胡、龟甲、地骨皮、生地黄、玄参、麦冬；解毒用山慈菇、重楼、金银花、连翘、大青叶；活血用当归、川芎、紫草、桃仁、红花、牡丹皮、刘寄奴；关节痛用桑枝、藕节、乳香、没药、秦艽、白花蛇、全蝎、蜈蚣；纳呆用白术，鸡内金、莲子、山药、白扁豆、砂仁。兼肺经症状者，如咳喘痰鸣、咽喉肿痛，咳血鼻衄，用百合、生荷叶、生侧柏叶、川贝母、芦根、杏仁、半夏、阿胶；兼心经症状者，如心悸气短，心神不安，脉结代，用朱砂、琥珀，茯神、酸枣仁、柏子仁、远志、石菖蒲；兼肝经症状者，如头晕目眩、口苦咽干、肝脾肿大、月经不调、脉弦，用生牡蛎、青皮、木香、郁金、延胡索、五灵脂、川楝子；兼肾经症状者如腰腿酸痛、盗汗失眠、发脱齿落、浮肿尿少用杜仲炭、巴戟天、续断、骨碎补、补骨脂、滑石、桑螵蛸、附子、肉桂、木通、淡竹叶。据余治疗红斑狼疮50例体会，由于患者体质不同，症状不同，病程不同，非一方一药所能治，必据上述基本大法，基本处方，选择药物，加减使用，长期服药、方可奏效。

泻心汤治咳血和鼻衄

华庭芳

泻心汤出自《金匮要略》惊悸吐衄下血胸满瘀血病脉证治篇，临证治疗血证疗效卓著。我临证四十余年，以此汤化裁治疗咳血、鼻衄机会较多，略有所得。

咳血一症，阴虚火旺者居多，而阳虚者则在少数。因肺属金，位居西方，在时主秋，肺喜清肃，最忌火克。肺被火克，则气上逆，而为咳喘，甚则咳血矣。是以咳血之病，肺之本脏有热者有之，心火克。肺者有之，肝火刑金者有之，肾之龙雷之火上浮者有之，脾胃热甚者亦有之。而《金匮要略》泻心汤主要适宜治疗咳血属脾胃热甚者。其症尚可见有大便秘结，消谷善饥等，用此汤加减治疗，皆能奏效。

鼻衄之证，因热者居多，因寒者较少，热则迫血妄行，上逆于鼻。当此之时，以急其止衄，为当务之急。因此得一分血，即存一分津液，存留一分正气。设血衄不止，气随血脱，即危及生命。若脾胃热甚而见大便秘结等症，则宜苦寒大泻、釜底抽薪之法，使火不上炎，可达到止血的效果。施以泻心汤，其病可愈。

本方君以大黄，其虽苦寒、味却香窜，纹如车辐，故能通利二便，兼能攻血，走而不守，故有将军之称，有百益而无一损，但虚证泄泻及阴寒盛者禁用。大承气汤用之以通大便，大黄广䗪虫丸用之以攻瘀血。是一物兼有通便行瘀之效，能荡涤肠胃积热。徐大椿云："凡香者无不燥而上升，大黄极滋润达下，故能入肠胃之中，攻其凝结之邪，而使之下降，乃驱停滞之良药也"。把大黄的功能主治特点发挥得何等详细。我在四十余年临证中，使用大黄未出现任何事故。

总之，《金匮要略》泻心汤治疗咳血和鼻衄，只要辨证准确，就能收到良好效果。

谈气血痰瘀在肝病中的重要性

鲁凌飞

肝病是一种常见病，对人民的健康危害很大。肝病的表现很复杂。因原发在肝，故有肝的证候。初期可见头晕目眩、心烦喜呕、口燥咽干、胁痛易怒等。如波及至脾，则可见倦怠乏力、恶心纳呆、便溏肢冷、肠鸣腹泻。后期不仅可见肾阴亏损、肾阳衰微之征，而且可有出血和神昏等危笃证候。

肝病表现虽然复杂，然多从肝气郁结开始，进而化热、伤阴、动血、阳亢乃致动风。余认为，从肝病的病机而论，气、血、痰、瘀、水是其主要因素，它们相互为因，互相影响，形成恶性循环。1985 年曾治一例肝病患者刁某，半年来全身发黄，肝脾肿大，腹胀如鼓。伴全身浮肿，头晕目眩，倦怠乏力，恶心纳呆。舌淡苔白腻，脉弦。余从气血痰瘀辨治，认为该患者因肝气郁滞而成此病，日久已成气虚。此类病多始则病气，继则病血，再则病水。血病亦可伤气，水病则气塞不通。乃以气虚为本，血瘀为标，腹水乃标中之标。明乎此，则不至见胀治胀，舍本逐末。因之，乃为拟益气健脾、疏肝理气之法，方用：党参 15g、黄芪 15g、茵陈 20g、桂枝 10g、茯苓 15g、清半夏 15g、泽泻 15g、枳壳 15g、焦三仙各 15g、白芥子 10g、当归 10g、车前子 15g、生地黄 10g，水煎服。以此方加减调治月余，患者诸症均减，继续变通原方调治 3 个月余而告愈。由此可见，治疗肝病关键在于分清标本虚实，谨守气血痰郁之病机，治疗方能得心应手，收到满意效果。

谈臌胀的病因病机和治疗

鲁凌飞

臌胀一病，历代方书所载名称不同，如“水蛊”“蛊胀”“胀脝”“蜘蛛蛊”和“单腹蛊”等。本病成因，《内经》认为是浊气在上，《诸病源候论》认为与感染“水毒”有关，朱丹溪与张景岳则认为情志抑郁、饮食不节或饮酒过多，都是患臌胀的原因。总之，本病的成因主要是七情所伤，其次是饮食不节、起居失常及外感六淫。关于臌胀之病机，余认为原发在肝，波及脾肾，以致气虚、血瘀、水停及阴亏。因此，治疗首先要详于辨证，切忌乱投药物。臌胀之病程较长，本虚标实是其特点，而气虚血滞又贯穿着整个疾病过程。因此，治疗原则应以扶正祛邪为常法，必要时可攻补兼施。余常以补气养血柔肝为基础，并根据不同证情采用滋补肝肾，清热或温补脾肾祛邪之法。目前，余正探讨对本病的综合疗法，即药物、精神和体疗同时进行之法。药物可以调节人体失调的阴阳，精神调养有利于疾病的好转，坚持体疗又可疏通气血、增强体质。实践证明，这种三位一体疗法，对本病的好转乃至痊愈颇有效益。曾治庞某，患臌胀年余，日重。症见全身黄染、浮肿、腹胀如鼓，脾肿大，伴有衄血、呕血、便血及皮下出血。舌绛苔黄腻，脉弦数。此乃肝郁脾虚肾伤之象，遂拟疏肝健脾、清热利湿之法。方用：黄芪35g、党参20g、茵陈30g、佛手15g、水红花子25g、茯苓25g、枳壳15g、焦三仙30g、车前子15g、陈皮15g，水煎温服。以后随证加减变通，患者共服药百余剂，终告痊愈。随访2年，未见复发。

善治瘀血，法崇“清任”

｜王景春｜

王清任所著《医林改错》对气血理论和瘀血证治有独到见解。王氏指出：“治病之要诀，在明白气血无论外感内伤，所伤者无非气血”。并认为血瘀多与气虚有关。“元气既虚，必不能达于血脉，血脉无气，必停留而瘀”。故余在治疗中法崇清任，提出补气、活血、逐瘀等法则。

余临床每遇疑难血瘀之症，皆细思逐瘀，凡与之暗合者，用其方，无不立验。1981年秋，诊一青年，气虚身痛，发病因风，身疼汗出，足趾浮肿，便稀尿黄，胃纳不佳，疼痛3个月，不能行走。现体虚无力，细诊其脉缓、面白舌淡。此乃表虚卫气不固，风邪不解而作痛。我运用身痛逐瘀汤重用黄芪月余收效。所以能取效，关键在于方中的黄芪、苍术、黄柏。若气虚重用黄芪50～100g；湿盛加黄柏、苍术。

本例所以用黄芪，因其气虚乏力，身疼汗出，胃纳不佳，舌淡苔白，脉沉缓，此方运用得当，辨证明确不难取效。因方中黄芪补脾益气，固表利水；当归、川芎、红花补血、活血、调养气血；防己、威灵仙、地龙、牛膝、没药、五灵脂驱风活络而痛止。共凑补气活血、解表邪、除水湿之功，使血行风自灭，而身痛诸症自除。是知王清任治身痛有瘀血之说不谬矣！用身痛逐瘀汤治疗周痹，使气行血活风自除，明此义治痹何难。

治腿肿病，重在调脾

｜王景春｜

我治腿肿，运用调理脾胃之法，收效较好。腿肿与肺、脾、肾三脏有密切关系。盖肺居上，通调水道；脾主中焦，运化水谷和水湿；肾主下焦，司开阖，以司水液吸收、运行、排泄。凡水肿，乃肺脾肾相干为病，三脏功能失调，皆可互为影响，且三脏之中，脾不能运最为重要。因脾阳一虚，则上不能输布肺，津下不能益肾，利水，使水液内停，泛溢肌肤而肿。故“诸湿肿满，皆属于脾”。治腿肿病，重在调理脾胃，抓住湿邪困脾、水湿不运之病机，运用补中益气、健脾利湿之法加香砂养胃以调理善后。

曾诊治一渔民，素嗜烟酒，下海受凉，右腿截肢，左腿肿胀，按之没指。现乏力纳呆，声低懒言，面色㿠白，舌质淡胖，苔白稍厚，脉沉细弱。此乃湿邪被阻，困遏脾阳，脾失健运，水湿停留，溢于肌肤而肿。拟健脾燥湿，通阳利水。用黄芪补肺气、实皮毛、益中气升清阳，故重用为主；党参、炙甘草补脾益气；白术燥湿健脾；茯苓渗湿利水；佐以牛膝、地龙、红花活血化瘀，经络通畅，而肿消矣。因脾主运化，输布精微，运化水湿，以荣全身，而不致水湿停滞为害。反之，脾恶湿，水湿停滞不化，则又影响脾之健运，故治水肿，重在调脾，脾得运复，则气血自充，肿自消矣。

“神医张”治砍头疮

栾兴志

神医张是我的启蒙老师，是家乡一位颇有名气的中医外科大夫。当地人称他为“神医张”，治砍头疮拿手。

砍头疮是有头疽的一种，年老体弱或患糖尿病的人易得此病，治疗不当，易危及患者生命。

吾随师学医过程中学了不少治疗砍头疮的内治秘方及外治绝招。临床上也获得疗效，但总不如老师治疗的效果好。我苦思冥想，想到老师有绝招，自己没学来。我曾几次向老师提出索取绝招的要求，老师总是说那几句老话：“细心学，耐心学，功到自然成!”十月的一天，我们几个徒弟又向老师请教治疗砍头疮的绝招。张老说：“说实在的，我没有什么绝招，用的也是常规方法，不同的是把握住两个关键和一根针。第一个关键是成脓期患者发热时不给苦寒药，因为‘热胜肉腐，肉腐为脓’。如果给苦寒清热药易导致肿疡不消、难溃而贻误病机。第二个关键是溃脓后，疮面上覆盖一层黄色似脓非脓样的白膜，换药时千万不要把这层膜清除，中医有句话叫‘煜脓长肉’，让它自然腐脱，这样肉芽就会填满伤口，新皮随之布满疮面。”说到这里他从针包内取出一根长针来，针长约83mm，粗约1mm，针尖部是圆头的。他手举长针接着说：“这根针很主要，有清热、化毒、止痛的作用。这根针的用法是取背部的至阳穴，沿皮刺入埋针皮下，三四日后取针。这就是我的治疗方法，大家平时只注意药物，却忽视了这根针。”

神医张虽然离开人间多年了，但是他治砍头疮的医技却留给了人间，沿用几十年，医治近百名砍头疮患者，无不见效。每当听到患者的表扬时，常常激起我对师傅神医张的一片怀念之情。

巧治疮疡

孙启凤

藏北高原，牧民以牛羊肉为食、以奶为汤，故民病多生疮疡。余赴藏医疗队期间，一次到某一牧区诊疗，见百余多牧民，竟有半数人患疮疡。余诊治内科尚可，一时突然治起疮疡来，实为束手无策。

诊余，漫步奶场，见一藏族妇女正为牦牛治癣。余心中好奇，便问起身边的藏族翻译：她用何药治之？翻译说："用麝香配成水，每日洗患处 3~5 次，癣便可治愈。"听后，备受启发，麝香药性辟秽解毒、开窍散结，既能用来治疗牛癣，为何不能用以医治痈疽疮毒？当即请翻译找来些麝香，用生理盐水配成 0.5%~1% 的浓度，以此，每日给患者3~5次外洗疮疡。几天之后，果真显出效验，只见患者疮疡溃破之处长出肉芽，脓汁分泌减少。通过观察，小的疮疡十余天可封口自愈；大的疮疡不出 1 个月，也能生肌长肉结痂，医疗 3 个月，治好疮疡患者上百人。

麝香，含有麝香酮，据报道有很强的抗炎杀菌能力，这可能是它医治疮疡的主要道理。近些年来，配有麝香的丸、散、膏等各种制剂颇多，均供内服。现知外用亦具有特殊的功效。

医书不可不多读

李玉琴

宋人史嵩有言："夫为医者，在读医书耳。读而不能为医者有之，未有不读而能为医者。"愚见不仅不读书不能为医，读少了，为医亦难。昔日曾治一红丝疔患者，起于右手环指本节后外伤染毒处，循手少阳经上行至肘，红线隐隐，无全身症状。既是寻常之症，不以为意，破溃处涂以玉露膏，另将红线寸寸挑断，放心令去。翌日复诊，却于外关穴偏上起一肿块，来势甚猛，薄皮剥起，高阜鲜泽，一夜之间，居然成脓。患者发问："怎么手上没好，这里又长一疮？"答以"毒气太盛"。彼时尚自信外科名著如《仙传外科方》《外科大成》

《外科正宗》等皆曾披阅，如此作答，绝无纰漏。若干时间后，得读顾伯华主编之《中医外科临床手册》，内云“（红丝疔）有的结块，一处未愈，他处又起……如不消退而化脓，则结块少而大，”乃知于红线上起肿物，系红丝疔或有之症，前未读此，遂致姑妄而答，颟顸而治。读书不多，自误误人，殊觉赧颜。记得某位文人说过：“一事不知，儒者之耻”，今移来自警，曰：“一病不知，医者之耻”。疗“耻”之方无他，唯在多读医书而已。

升丹非只去腐

|李玉琴|

外科曾有一句谚语：会打白降红升，吃遍南北二京。升丹、降丹之功，于兹可见。关于升丹，清祈坤曾誉为“去腐灵药”，今人化裁而成五五丹、八二丹、九一丹，要皆不离乎以去腐为主旨。笔者于临床中，不囿于藩篱，以升丹一味治疗多种疾病，诸如牛皮癣（神经性皮炎）、松皮癣（银屑病）、扁平苔癣，原发性皮肤淀粉样变等等。用法甚简单，将升丹与凡士林软膏以1∶9之比例调匀涂于患处即可。少则3次，多则半月，必见功效。唯是须防体质特异者过敏，先应选定小面积较重部位试验，遇有发红、起水疱、瘙痒增剧等症状出现，切勿使用。神而明之，存乎其人，为医者何可少忘。

疔毒治验

|马云楼|

疔毒也叫疔疮，病因火毒而生。身体各处皆可发生，临床上以部位和穴位定名的很多，如鼻疔、唇疔、锁口疔、蛇头疔、人中疔等。疔毒发生的部位以颜面部、手指部等处多见。下肢部位也有发生，但少见。疔毒发病很急，一旦失治、误治，可有生命危险，中医叫毒气归内或叫疔毒走黄。

疔毒初起时，局部有枚小疱，轻度发痒，二三日内肿胀见大，顶部突起潮红，疼痛，有时恶心，有时有冷热感。治宜内服五味消毒饮加减，外上黄柏膏。

五味消毒饮加减的药物组成是：金银花15g、连翘15g、蒲公英30g、紫花地丁30g、牛蒡子15g、天花粉15g、黄芩10g、白芷10g、皂角刺10g、乳香10g、没药10g、甘草10g，水煎服，1次饮药150g，1日2次。

黄柏膏的药物组成是：黄柏25g、连翘20g、当归25g、紫草15g、香油

250g、白蜡60g。制法是将黄柏、连翘、当归、紫草用香油浸泡2～3日，用温火将药熬枯去渣，再用温火熬油将白蜡放在油内，熔化后点水成珠，待凉成软膏，敷在消毒纱布上，盖在疔毒的溃面上，每天更换1次，初起至痊愈一直上这种膏。

治疗疔毒还须注意：从疔毒初起到治愈一直上黄柏膏，不许以刀切之，也不许在疮面上敷刺激药物，以防毒气归内等。疔毒症很少自愈，皆是溃破化脓而愈。我临床五十余年治疗疔毒之症，效果良好，不须手术。

疔疮治验

|费 德|

余在乡下医疗，偶见一女患者，其左手中指肿胀连及手掌，疼痛如汤泼火灼之状，整夜不寐，寒热间作，饮食无味，已3日。曾用黄豆嚼碎外敷，患者肿痛逐渐加重，来诊时其左手中指肿如蛇头，手背肿如馒头，连及腕部和前臂，肌肤灼热，皮色潮红，全身壮热口渴，呼吸急促，面色潮红，舌苔黄，脉滑数。诊断为疔疮火毒炽盛之证。当时药品难以齐全，就地取材，用猪胆（内含胆汁）套住患者病指、手背和腕臂部红肿处，用鸡蛋清外涂，保持湿润，勿使干燥。嘱病人用大黄、蒲公英，黄芩三药浸泡液频频服之。如是，越3日，患者肿胀渐消，疼痛减轻，7日后肿消热退，左手中指溃破脓出，起居饮食复常。医者皆知，疔形小根深，痛重而急且有走黄之忧。所以治疗者，时机不可失，不能拖延，时刻警惕走黄，凡治疗者切忌过早施以刀术，且忌挤压。

治疗乳痈，重在消散

|顾炳熙|

乳痈是乳房部痈，发生在妇女哺乳期的称为外吹乳，多因乳儿含乳而睡，口鼻中熏热之气吹入，外邪深入，以及外伤挤压等。起初乳房中有硬块，胀痛，乳汁不畅，或恶寒发热。如不及时予以恰当治疗，肿块增大，焮红剧痛，久则酿乳成脓，而为乳痈。其证形成由外邪侵入，或内因乳络不通，积乳不散，加之厥阴之气不行，阳明湿热，气血凝滞，不通则痛，湿热浊毒蕴结而成痈。治以疏肝通乳，解毒散结，活血消痈。余立通乳消痈汤，给乳痈初起者服3～5剂，可应手而愈。方用瓜蒌30g、柴胡10g、青皮10g、橘叶15g、

漏芦 15g、穿山甲 6g、赤芍 10g、蒲公英 30g、银花 15g、连翘 12g、甘草 6g，水煎服。

医者多用清热解毒或“消炎”法，虽可取得暂时疗效，但苦寒之剂乱投，使寒凝乳瘀，气滞血瘀，乳络不通，肿块结聚，后患不除，久而蕴结，腐化成脓，仍可发为乳痈。曾治一妇人，产后十余天，乳房外生一小疙瘩，曾用内、外治法，注射青霉素、链霉素等无效，作外科手术切开两处，排脓半痰盂，二十余天伤口愈合。但乳房仍有硬块十余枚，大者如蚕豆，小者如枣核，肿胀疼痛，恐再化脓成痈，求医于门诊。服通乳消痈汤加没药 10g 十余剂，患者肿块已散，疼痛消失，乳汁通畅，病证痊愈。自悔病初治疗不当，留有后患。

乳痈治验

于万涛

数年前，余于乡下曾治一妇人，两乳肿大如覆盆，表皮焮红，手近之如火灼，疼痛难忍，彻夜难眠，恶寒发热。交谈中知其产后 22 天，婴儿夭折，悲伤过度，乃生是病。偶然想起酒善通经脉，又能散热止痛，随令以白酒喷之，病人疼痛大减，并用吸乳器吸出败乳约一碗余。将消瘀膏敷其上，不时用酒喷之，给予清热解毒之剂。方用：蒲公英 20g、连翘 20g、野菊花 20g、天葵 15g、柴胡 15g、黄连 15g、穿山甲 15g、皂角刺 15g、麦芽 50g、甘草 10g、青皮 15g，水煎后频服。3 日后复诊，病人已无痛苦，两乳肿块基本回缩，疼痛大减，夜能成寐。随之用消遥散煎汤调理，7 日后，病人复原。后用此法医治数例皆效。

乳痈一证是产后妇女常见病，尤以初产妇为多见，多在产后 3 ~ 4 周发病。一旦发病，痛苦难言，影响产妇及婴儿健康。其病乃因情志内伤，肝气不舒，饮食不节，阳明积热，或由乳汁积聚败乳成脓所致。治疗之关键在于吸出败乳，但病人疼痛，无法吸出败乳。我采用吸引术前局部以白酒喷之，患者疼痛大减或不痛，使吸引术得以施行。此乃酒之妙用。

火罐法治乳痈

唐致平

乳痈，古名乳吹，指乳房肿痛化脓的一种疾患，常见于妇女产后，初为乳房肿硬不消，伴有寒热，继而红肿，约半月左右，乳部有啄痛，则内已酿脓。其原因多由于肝郁胃热，乳汁积聚。或乳头损伤，湿热邪毒侵之，以致气血凝滞而发。非产后者亦有之。

火罐法，要在乳痈未酿脓时，即局部无有啄痛或跳痛，无有高热，发病在10天以内者宜之。

让患者采取侧卧位，选与其患侧相对的背部，以陶瓷火罐大者（吸力大）拔之。采用投火法：用酒精棉球（或纸片）燃烧后投入罐内，随将罐口罩在应拔的部位上即妥。约20分钟取下。如患者感到灼痛、过紧，可酌情提前起罐。经3～5次即可痊愈。

一女患刘某，产后月余，乳房胀痛，皮色不变，身无寒热，逐渐硬结。经用抗生素未效，乃就中医治疗，采用火罐法，拔其患侧背部，每日1次。2次后疼痛减轻，胀硬见消，经5次治愈。

乳痈本由肝气郁结，胃热壅滞，或因乳儿口气焮热，热气吹入，乳汁凝滞不通、邪热壅滞而发，今治其背部，想系脏腑之气输注于背部，因此得效欤。

乳痈治验琐谈

王福全

乳痈一证，多见于少妇新产之后，肝郁气滞或恚怒伤肝、胃热壅滞，或不慎挤压乳房，以致气机不畅，乳络阻塞，气血瘀结。乳房肿块渐增，胀满剧痛，焮红灼热，或发寒热，乳汁不畅，遂致成痈。

常见患此证者，苦痛呻吟，行则不能疾步，四处投医，有诊者予内服诸药或外敷，效仍不显。我每用行气散结，消肿通乳法，少则三五剂，多则十余剂，可取捷效。凡不成脓者，及早投服，屡试屡验，愈者十有八九。方药：陈皮30g、连翘10g、贝母10g、青皮10g、瓜蒌15g、赤芍18g、黄芩10g、王不留行10g、穿山甲12g、金银花20g、漏芦10g、生鹿角30g、路路通10g。

另取大米适量，再用生鹿角30g，砸碎煮为稀粥，不拘时服。方中重用陈皮，苦能泻，辛能散，温能和，行其壅滞阳明之气；配以青皮疏肿散滞；连翘、贝母、瓜蒌散其郁结；金银花清热解毒；用黄芩、赤芍清热散瘀；穿山甲、王不留行、漏芦下乳消肿；路路通能逐经络之郁滞；生鹿角味咸性温，消乳痈肿毒最为见长；大米甘凉能润调诸药之燥。

消痈汤治乳痈

胡慧明

乳痈是妇女乳房急性化脓性疾病，又称乳腺炎。根据发病时期和病因的不同，分为怀孕期乳痈，称为内吹乳痈，产后哺乳期乳痈，称为外吹乳痈，还有不乳儿乳痈，其中以外吹乳痈多见。

根据人体经络循行部位，乳头属足厥阴肝经，乳房属足阳明胃经。故本病多由于肝郁气滞，胃热蕴积，乳汁淤滞，乳头畸形或哺乳不当而引起。

乳痈初起，患处有硬块肿痛，乳汁减少，周身寒热不甚，或不发热。此时治疗“以消为贵”，如未抓紧时机治疗，则乳败肉腐成脓。

外吹乳痈治疗方药很多，因其病从肝胃郁滞而起，我自拟入肝胃经药——消痈汤，方药有：柴胡6g，赤芍、白芍各10g，漏芦10g，皂角刺90g，生甘草6g。本方具有疏肝通乳，消肿止痛之功效。方中柴胡、赤芍、白芍、漏芦味苦微寒，苦能下泄，寒能除热；柴胡疏肝；赤芍与白芍同用既能养血又能活血。皂角刺是本方中之主药，其味辛性温，《本草汇言》中说：“皂刺拔毒搜风，凡痈疽未成者能引之以消散，将破者引之以出头，已溃者能引之以行脓，于疡毒药中为第一药剂。”

《外科正宗》附录中说：“皂刺消散之力亦甚大，大概用皂刺不过五、六分至二、三钱而止便是托药，用至四两是消药。”我用至90g是取其消散之力。皂角刺其味辛性温，辛者能散能行；温者能通，所以辛温散结较单纯用苦寒清热药疗效显著。成脓期服此药亦可退热透脓，但有的脓肿较深者配合火针排脓以消乳痈之患。溃后服此药能排脓生肌。多年来我用此方配合外治法疗乳痈效果甚佳。因皂角刺有催生作用，故此方为内吹乳痈所禁忌。

子痈与子疽

杨吉相

历代医家将子痈分为急性、慢性两种。其实，急性具有痈的特征，而慢性则是疽的见证，故当称为子痈与子疽。二者同属睾丸罹疾，倘若治疗失当，不仅苦于难愈，并因房室难成，成房室而不孕，影响家庭和睦。余视诊本病多年，常见夫妇同来求医，欲除疾生子之心迫切。所述二病，以愚之见，子痈属阳证，子疽属阴证，前者失治则转化为疽，后者也可转为半阴半阳证，或阳证成痈，两者相互转化，构成本病的复杂病机。

子痈，医家沿用龙胆泻肝汤治之，实际并非卓效，因本方重在清热利湿，缺活血化瘀之品，故后期多在附睾遗留肿大的硬结，难消难溃，长达数月至数年不愈。余主张内外兼治，方用：柴胡、黄芩、栀子、蒲公英、紫花地丁、赤芍、桃仁、乳香、没药、川楝子、木通等，每日 1 剂，分 3 次服。局部敷水调散（黄柏、煅石膏），取其清热化瘀散结之功。

一般敷药后即觉患处发凉，疼痛减轻，经治五六日，肿胀可消散大半，随着湿热证候减退，适当增加软坚散结药物，每多取效显著，不遗留任何后患。

若脓已成，及早切开排脓，托毒外泄。值得指出的是，切口不宜过大，引流不宜过久，外敷一效膏（朱砂、炙炉甘石、冰片、滑石片、粟粉），提脓祛腐，生肌收口。内服上方去黄芩、川楝子，加生黄芪、穿山甲，屡验多例、随心应手。

患子疽，西医强调作手术切除睾丸附睾，或作单纯附睾摘除，术后很多累及对侧，失去生育能力。余常用橘核、夏枯草、川楝子、桃仁、苏木、三棱、莪术等内服。据二百多验例，服药半个月左右，肿块始软，渐及消散，疗效可取。

若已成瘘，证见阴证或半阴半阳证，专攻治瘘，难取疗效，幸见闭合，久又破溃。因瘘管由肿块液化外溃所致，宜用化痰软坚、托里生肌之法，澄其源流，瘘才容易闭合。方用阳和汤加生黄芪、橘核、莪术、夏枯草、牡蛎等，外敷一效膏，干则更换。

余曾治一患者，左侧睾丸肿如鸭卵大，溃成瘘管 2 处，1 年未封，并发对侧附睾肿大 8 个月。经治 2 个月，患者瘘管闭合，4 个半月肿块消散而愈。婚后 3 年女方未孕，今生一子，活泼健康。

乳核治验

贾振堂

乳核，多见于青壮年女性。一般生于一侧乳房之偏上方，一个或多个。小者如梅，大者如李，亦有巨大者，其质硬光滑，推之可动，皮色不变，多有痛感，不与皮肤粘连，亦无发热，也不溃破。临床本病颇多，其治大多用疏郁理血、化痰散结法，然疗效并不理想，多缠绵难愈。笔者于 1971 年至 1979 年用“十全大补汤”合“阳和汤”化裁治疗本病，治愈甚多。

本病系由郁怒思虑，内伤七情，损及肝脾而成。因肝为血脏，主疏泄，脾为气血生化之源，主运化，故损及脾，常可出现虚、实两方面之病理变化。其实者，肝失疏泄而气滞，久之而血瘀，脾失运化而聚湿为痰；其虚者，多由肝失疏泄，久之耗损肝血；脾失运化则竭气血生化之源，而气血两虚。故认为本病病机为虚中挟实，以气血两虚为本，气滞血瘀，痰湿阻滞经脉为标，而属阴症范围。

根据“病有标本者，本为病之源，标为病之变”（《景岳全书·标本论》）及“治病必求其本”说，余用十全大补汤益气血和阴阳，滋肝而补脾。肝血旺，方疏泄有常；脾气足，才升降有度。气机畅，经脉通，气血壮，则积自消。又本证属阴，阴盛而阳虚，故用“阳和汤”和阳通滞，温散开结。

曾治菜某，其两乳房各有一 5cm × 3. 5cm × 2cm 之肿块，质地较硬，有触痛，皮色正常，5 个月未消散，西医诊为乳房纤维腺瘤，建议手术切除，因患者不同意，遂就诊于余。

处方：黄芪、党参各 15g，鹿角霜 12g，当归、茯苓、熟地黄、川芎、肉桂、炙甘草各 9g，白术 10g，麻黄 6g，水煎服。

患者服 15 剂后去麻黄。服至 20 剂时肿块缩小，痛止，服至 30 剂时肿块全消而愈，续服 12 剂以巩固疗效。

曾治刘某，两乳房各有 6. 5cm × 3. 5cm × 2cm 之肿块，坚硬，皮色正常，按之无粘连，痛引胁下，值经期痛甚。

处方：党参、黄芪、白芍各 15g，鹿角霜 12g，白术、当归、熟地黄、川芎各 10g，茯苓、麻黄、炙甘草各 9g，附子、肉桂各 6g，水煎服。

服 23 剂，患者痛止肿块全消。

本证因属阴证，故用药偏温补，可放胆使用，尤其对脉沉者，尚须加附子，其量可由 9g 增至 15g。对有明显之阴虚内热者，如舌红干燥、口苦眩晕、烦躁发热等症，用本方应慎之。初服药者，麻黄用量宜小，因其辛散不宜久服，服至十多剂便可去之。如有痰湿征象（脉滑者），宜加入白芥子。

海藻玉壶汤治乳癖

董克勤

乳癖，即现代医学所称之乳腺增生症。初起在一侧或双侧乳房上有小如蚕豆、大如核桃大小不等的肿块，伴有发作性疼痛。多由心情抑郁，情志不舒，气郁血结而成。笔者多年来用海藻玉壶汤加减治疗本病近百例，屡收效验。

本方药物有：海藻 30g、昆布 30g、夏枯草 20g、大贝母 10g、制香附 15g、姜半夏 10g、水蛭 3g、土鳖虫 3g、三棱 5g、莪术 5g、连翘 7.5g、白花蛇舌草 7.5g，水煎服。若病人肝郁气滞明显者可加郁金、合欢皮，夜交藤。

冲任失调，肾阳虚衰者，可加仙茅、淫羊藿、杜仲；舌红苔黄有热象者可加乌药、蒲公英、黄药子、延胡索。

余曾治一孙姓患者，主诉双侧乳房有硬结 2 年余，近半年由于烦劳生气而常感胸闷，心烦，善太息，以引长一息为快，乳房时时疼痛。查其左乳右上及右乳下正中可触及肿块，按之痛，表面光滑，活动良。服主方加郁金 7.5g、合欢皮 25g，水煎。患者服 8 剂后乳核明显缩小，疼痛明显减轻。效不更方，连服四十余天，肿块消失，诸症悉除，临床治愈。随访 2 年未见复发。

海藻玉壶汤为明朝陈实功所拟，治“瘿瘤初起，或肿或硬，或赤或不赤，但未破溃者。”今用治乳癖，行气，解郁，豁痰，使壅者通，郁者达，结者散，达到肿消痛止之目的。

抗乳腺增生方 |曲　生|

乳腺增生病，属祖国医学“乳痰”“乳癖”病的范畴。中青年妇女比较多见，在治疗上，重在疏肝理气、化瘀通络，或消痰散结，或调理冲任。余在十几年的临床实践中，以逍遥散加味，制成抗乳腺增生方，收到较满意的疗效。其方药组成为：柴胡 15g、郁金 20g、当归 20g、白芍 15g、白术 15g、丹参 30g、青皮 15g、昆布 20g、茯苓 20g、香附 20g、甘草 15g，水煎服，每日 1 剂。气滞者加佛手 20g、木香 10g；血瘀者加红花 10g、土鳖虫 10g；痰盛者加半夏 15g、瓜蒌仁 20g；乳房肿块疼痛者加延胡索 15g；肿块不消者加三棱 10g、莪术 10g；胸闷不舒者加桔梗 20g、枳壳 15g。

余曾治男患者朱某，症见左侧乳房肿块约 1 个月，近 1 周来乳房发胀，按之疼痛，伴有胸闷不舒，食欲不振，疲乏无力。左乳房可触及肿块，有明显压痛，表面光滑，活动性良，脉弦细无力，舌质淡紫，苔薄白，诊断为乳腺增生病，属气滞血瘀型。治宜疏肝理气，活血通络，软坚散结为主。处方：柴胡 15g、郁金 20g、当归 20g、赤芍 15g、茯苓 20g、白术 15g、丹参 30g、佛手 20g、枳壳 15g、香附 25g、青皮 20g、昆布 20g、延胡索 15g、土鳖虫 10g，水煎服。每日二三次。10 日后复诊，其左乳房胀痛减轻，肿块无明显缩小，脉弦细无力，舌质淡紫苔薄白而润，照上方加三棱 10g、莪术 10g，连服 10 剂而愈，经随访至今未犯。

抗乳腺增生方，是在逍遥散的基础上加味而成。逍遥散系退热调经局方，多用于治疗血虚肝燥，骨蒸劳热，咳嗽潮热，口干便涩，月经不调等症。该方以逍遥散为主，取其疏肝理气，调理肝脾，加丹参以活血化瘀，加香附、青皮重在理气开郁，加昆布以软坚散结。以上诸药相伍，共同达到疏肝理气，活血通络，软坚散结之功。

乳癖诊治心悟

杨吉相

乳癖一疾，临床多见，证见乳房结成肿块，有发于单侧，有双侧同时或先后发生者，偶有恶变成乳岩者。余多年施治本病略有体会，琐谈立法方药。

余治一患者，年越三旬，育后4年罹疾。双乳肿块，始左后右，先后不差半年。初按各约如柿饼大，隐隐作痛，当时正值经前，用揉按热敷的方法，待经水过后能自行消散。经后肿块反渐增大，疼痛加剧，医者拟疏肝理气，化痰消坚施治，方用逍遥散加减，经治1个月，痛略减轻，而肿块坚硬不软。后又四处求医，用药百余剂，症无多减。

余视其人，面白无泽，形体消减，双乳高大，形如覆碗，皮色不变，质地坚实，触之拒按，胀痛缠绵，心悸肢冷，脉沉弦滑，舌淡苔白而腻。据其见证，乃属血虚寒凝，气滞痰结，法当温经通络，化痰消结。方用阳和汤加三棱、莪术、夏枯草、香附等。投药6剂，嘱其情志舒畅，忌生冷发物。

6剂药后，患者疼痛大减，肿块可近，但质地仍坚，未见缩小，此乃寒痰初化，经络略通，故治则同前，倍用白芥子，重用三棱、莪术、鹿角胶，以助温阳补血，行气化痰之功。15剂后，患者疼痛消失，肿块消散大半，推之移动，质地变软，继用前方，两乳痊愈。

阳和汤始载《外科证治全生集》，为血虚寒凝而设，主治一切阴疽，有卓效之称。余取其方治疗乳癖，乃因本病虽经年累月，终不溃脓成疮，但据其两乳肿块，皮色不变，按之硬痛，乃属阴证病变，故取其方。

至于乳癖的病因，常见是肝郁气滞以及由此所致的冲任失调，故在发病初期，拟疏肝理气、软坚散结法，可取功效。但病久肝郁及脾，痰气互结，所致坚实的肿块，并非疏肝所能散结。余认为温经通脉，破瘀散滞而消痰结之法，方可取效。方中重用熟地黄，温补营血；鹿角胶性温，养血助阳，化阴凝使阳和；麻黄、白芥子通阳散滞化痰；干姜、肉桂破阴和阳，温通经脉。诸药之功，使之癖块温化凝解，加三棱、莪术、香附、夏枯草，佐以行气破血化痰软坚，取效更速，犹如离照当空，寒冰解冻，肿块速见消散。

臁疮论治

王俊芳

因工作需要，余曾在白山脚下为医。当地农民多有患臁疮者，肿胀疼痛，糜烂渗出，年久疮面乌黑，臭秽不堪，病情缠绵，多难治愈。因余来自城市，常有慕名求治者，时获成功。历4年寒暑，通过近百例实践，初步摸索出一套治疗臁疮之规律。在治疗中以外治为主、注意护理，伴有静脉炎或肿胀渗出者方用口服中药，并创制了臁疮洗方、消炎润肌膏、静脉炎方，总结了护理五条经验等。余不揣冒昧介绍如下。

臁疮洗方

白矾15g、黄柏30g、苦参30g、川花椒30g、百部30g、艾叶30g、马齿苋50g，加水2～2.5L煮开趁热熏洗。熏洗次数视病情而定，如痒、有渗出，每晚洗1次，有止痒、清洁、活血、杀虫等作用。

消炎润肌膏

香油500ml、黄连15g、紫草10g、白蜡100g。将黄连、紫草放在油中浸泡7天，用文火煎熬药呈枯黄色，去渣过滤放蜡溶化冷却即成，可用于皮损干燥、痂皮过厚、皮肤溃疡等，有润肤消炎等作用。

静脉炎方

萆薢15g、黄柏15g、牛膝15g、土茯苓30g、赤芍15g、金银花40g、茵陈25g、木瓜15g、路路通15g，水煎服。每日1剂。小腿有紫癜者加白茅根、牡丹皮、紫草。

护理

臁疮多继发于血瘀湿滞（所谓静脉曲张），由用药不当，破坏性搔抓所致。而疾病发生后又偏重于治，忽略了护理。俗语说：“十分病，七分养，三分治”。虽过多的强调了养，但亦可见到护理在疾病治疗中的重要。拟护理五条，结合临床所见，加以解释。

1. 慎用丹砂制剂（红升丹、白降丹、轻粉）：由于湿热结聚瘀血染毒，疮面青紫污秽，误被认为腐肉，而用丹砂制剂。因小腿肌肉浅薄，易伤筋骨。曾遇一例10年臁疮患者，屡用丹砂制剂引起小腿溃疡，胫骨裸露呈灰黑色，击之有声，经外用消炎润肌膏一段时间，脱落一死骨片而封口。

2. 疮面尽量不包扎：因包扎后渗出物不易蒸发，温度难以发散，不但有利于毒物生存和繁殖，而且腐败物会加重对局部的刺激。

3. 注意局部清洁：临床上常见患者将疮面贴敷报纸、烟叶、旧布、塑料膜等，这些均有刺激作用，增加染毒机会。患者劳动时为防止灰尘，可以用干净白布敷盖，过后弃去。禁止污水接触。在农村插秧时须穿上防水鞋。

4. 对疮面宜安抚，勿刺激：酒精、浓盐水、肥皂对疮面有刺激性，不能用，更不宜用手或其他东西去搔抓和搓擦。痂皮过厚用油剂清除。

5. 患者要避免过多的站立和行走：臁疮多继发于小腿静脉曲张、静脉功能受到破坏，如长期站立和行走加重下肢瘀血，不利于炎症消散。

治臁疮，补法观

| 王景春 |

臁疮即小腿溃疡，多发于下肢，溃烂流水，痛痒相兼，边硬隆起，破则难愈。俗语说："里臁外臁，害三十六年""臁疮方，两柳筐"。这是描述此病缠绵难医和所用方药之多。个人体会治此病多数成方，其疗效不如补法加减效果可观。曾治男性李某，年近花甲，下河受凉。左腿溃烂，边暗疮白，肿疼发痒，乏力食少，就医年余，仍不愈合。余诊视之，其脉缓无力，疮溃不愈。视其方药，皆清热利湿之法。余曰：此乃阳气虚、中气不足之故，法当补中益气。患者曰：众医谓溃烂腿乃热毒盛之症，法当清热解毒，先生独欲补气，另有高见，愿闻其因。余曰：脉沉缓无力，食少声低，乃中气虚也。中气虚陷，阳气不达，湿瘀肌肤日久溃也。风热毒窜，肿而痒也。中气虚乃脾气虚，脾虚不能运化水谷精微，营气不布，乃阳虚不达之故。瘀于肌肤化热而溃也。法当补中益气升提之法。治其本，乃脾气生，元气足，不逾两月愈矣。遂以补中益气汤加土茯、萆薢。服药半月，患者肿消痛痒减，溃浅脓少，两月溃口红润，缩小而愈。即服补中益气丸，巩固疗效，诸症除矣。

臁疮（小腿溃疡）

宋国忱

余诊一患者两小腿内侧溃烂化脓渗水，浸淫成片，疼痛瘙痒难忍，百治不效。断为臁疮。此乃湿热下注，外受风邪侵袭，瘙痒挠破感染所致。由于感受风湿热毒之邪，腠理开合失权，加之内热下注，湿毒久困肌肤，浸淫成疮。治以疏风、凉血、解毒、利湿，内服外治，表里兼顾。内服药有：金银花20g、连翘20g、丹皮20g、蝉蜕10g、地肤子20g、防风15g、白鲜皮15g、滑石15g、苦参15g、薏苡仁20g、甘草10g。外洗药有：苦参20g、白鲜皮15g、川椒10g、艾叶15g、蛇床子25g、防风15g、枯矾5g。外敷药有：生石灰1000g、烟叶5g、冰片5g、轻粉3g。

予患者内服药每天1剂，连服5剂；外洗药每天1剂，药用开水沏20分钟稍凉擦洗。水用尽再沏1次再洗，日两次，轻擦注意勿损伤皮肉；外敷药把生石灰1000g砸碎，用凉水浸泡20分钟搅拌，在地上挖一个30cm深、20cm宽的坑，把石灰水用细箩过在坑内，放一宿在坑内形成石灰水淀粉。用时把阴湿的烟叶放在患处，再把石灰淀粉摊在烟叶上面，20分钟后取下，每日两次，5天后药全停，遂结痂，20天后，患者痊愈。随访2年未复发，价廉效著。

对本病采取疏风、凉血、解毒、利湿之法。用防风、蝉蜕、蛇床子、白鲜皮、地肤子、艾叶、疏风止痒；牡丹皮、滑石、苦参清热凉血；金银花、连翘、薏苡仁解毒利湿。外用祛风、消炎、杀虫之药。内外兼顾，收效卓著。因此证血分有伏火（血热），是其内因根据，火毒湿热乃其外因条件，邪毒多于皮肤黏膜破损时乘隙侵入而诱发。内有血热，外受毒热，两热相搏，又兼夹湿，湿性黏腻，为重浊有质之邪，故缠绵不愈，反复发作。

脱疽治验

马云楼

脱疽，现代医学称血栓闭塞性脉管炎，是临床常见病，又是一种很顽固的疾病。我治脱疽二十余年，用四妙勇安汤加减内服，效果不太理想，也有坏死截肢发生。中医的特点是辨证施治，根据脱疽患者多数畏寒、疼痛、以手扪之凉，多数有冻伤史、外伤史、涉水史等原因，我认为是由于寒湿阻经所致，用温经回阳、活血通络法治之。在5年当中治疗脱疽患者231例，效果良好，有效率达97%，没有一例坏死者。把汤剂改成丸剂，制成脱疽丸2号和脱疽丸3号。把上药改成蜂房膏，有消炎定痛之功。有溃面者均可用，有小面坏死者上蜂房膏后可以脱掉，生出好肉芽。脱疽丸2号药物组成：当归50g、金银花100g、牡丹皮25g、黄柏20g、川芎20g、赤芍25g、桃仁30g、红花25g、乳香30g、没药30g、甘草25g。共为细面炼蜜为丸，每丸15g，1次1丸，1日2次，开白水送下。

脱疽丸3号药物组成：党参50g、黄芪50g、白术50g、泽泻20g、附子15g、肉桂15g、炮姜6g、赤芍15g、桃仁15g、红花15g、柴胡20g、石斛20g、牛膝15g。共为细面炼蜜为丸，每丸15g，每次服1丸，开白水送下，1日服2次。

蜂房膏药物组成：蜂房50g、香油1000g、黄蜡60g。将蜂房放在香油中浸三四日，用铁锅以温火将蜂房熬枯去渣，再用温火熬油加入黄蜡，待黄蜡熔化后，点水成珠，凉后便成软膏，上溃面用，以消毒纱布盖好，每天更换1次。有小面坏死者用之也可。

脱疽患者患处畏寒，扪之凉者服脱疽丸3号，每次服1丸，1日2次。或同服脱疽丸2号：午前服脱疽丸3号，午后服脱疽丸2号。有小溃面者服脱疽丸2号，1日2次。

糖尿脱疽，补肾自除

王景春

一中年男子，素喜烟酒，体胖烦躁，发热口渴，小便稍多，脚凉麻木，抽痛跛行，趾溃不除，日渐瘦削，屡经中西医药治疗年余，病不减。延余诊视，趺阳脉细弱无力，视其所服方药，皆清热解毒利湿之品。余曰：此乃阳虚络阻之证，法宜温补活络方效。病家曰：众医谓口渴尿多为消渴之证，法当生津润燥，先生独欲温补，愿闻其故。余曰：趺阳脉细弱无力，乃阳气虚也，四余之末，阳气不达，乃凉麻木也，瘀久化热，足趾溃也，乃肾阳虚，命门火衰。“肾为生气之源”，此证由于肾水衰竭，绝其生气之源，阳无阴不附，肾中之真阴先竭，肾之阳气渐衰，则命门火以衰，阳气不能达于四末，故肢凉麻木。肾水亏竭，无以化水谷之精气灌四末，故肢枯骨脱，有形之水无阳气以化，皆从小便而出，故小便多。治当温补肾阳，益其生气之源，本源既足，不逾月余而病当愈矣。遂以金匮肾气丸加黄精、石斛、黄芪。患者服药数日溺已减少，至20日，口渴减，食如常，趺阳脉有力，足趾溃愈。改用顾步汤煎服，服药两月，口渴止，热除溃愈，诸症悉除。

脱疽证治

|庞洪如|

1980年4月下旬，来一中年农夫，患右足脱疽1年余，经西医确诊为血栓闭塞性脉管炎，经血流图检查，重度供血不足，建议截肢，患者恐惧遂邀余诊治。

视患者精神尚好，形体粗壮，诊其脉弦缓，舌质红，苔薄白，饮食、二便正常。右足皮肤暗红肿胀，触之灼热，足背动脉摸不到，右拇趾内侧有1/2已破溃，周围皮肤发白，分泌物腥臭。下肢血流图检查重度供血不足。此证属于毒热型脱疽，由于寒湿蕴久转为湿热，湿热入络，热盛肉腐发为本病。治疗上给以清热化湿、通络和营，拟方：当归30g、玄参60g、金银花60g、甘草15g、全蝎6g、血竭1.5g（冲服）、土茯苓30g、红花10g、桃仁12g、紫草1.2g、木瓜10g、生地黄30g，每日1剂，水煎内服。局部涂擦紫草膏，每日换药1次。

患者复诊时，按上方服用12剂，疼痛大减，可以短距离行走，但在用力过猛或长距离行走时仍感疼痛，破趾伤口已愈合。但血流图检查仍无明显变化，足背动脉摸不到。继用前方给予治疗，外用金黄膏包扎。

三诊时，患者因近1周疼痛已止，已下田劳动。因患肢着凉，劳累过度，病情又有反复，右足拇趾内侧甲根旁又有一处皮色发白、肿胀，中间已软，有欲溃之势。脉弦滑，舌质红有齿痕，苔白。方药：蒲公英30g、紫花地丁30g、金银花45g、连翘10g、萆薢15g、泽泻12g、黄柏15g、紫草15g、天葵子15g、当归15g、生地黄20g、土茯苓30g，水煎内服。局部处理：消毒后切开引流，排出脓血，外用金黄膏包扎。嘱患者休息，停止田间劳动，继续服药。连服15剂，患者右拇趾伤口腐肉脱净并脱掉半个趾甲，肿胀消失，伤口基本长平。嘱患者带药回家继续服用至痊愈止。后追踪观察4年，患者患肢痊愈，功能完全恢复，下肢血流图检查正常，能参加各种劳动。

保脱汤治重证脱疽

|侯士林|

对脱疽目前多用阳和汤、四妙勇安汤或配合西药治疗。若证重则较难治愈。

笔者近年来用陈念祖所辑（载于《医学图说》）之“保脱汤”加减治疗15例曾用过西药及中药阳和汤、四妙汤、补气养血方百剂以上而病不愈者，疗效尚满意。方药组成：薏苡仁、白术、土茯苓各30g，茯苓60g，车前子15g，肉桂心3g，水煎服，每日1剂，分两次服。另加露蜂房30g煅为末醋调搽患处，一天三四次。本方内服可疗痈、消肿，解毒，又能扶正治本。外治用露蜂房，败毒而又不伤正。

所治患者之主要症状：趾（指）溃腐，疡口紫黑，患肢枯瘪，臭秽难闻，疼痛难忍，夜间加重，烦躁不安，面色灰黑，形体憔悴或有全身发热，脉多弦细数。依照上法治疗，一般用药5～10天疼痛减轻，夜能安睡，精神随之好转。大多连服60～100剂腐脱新生而告愈。随访所治患者，至今尚无一例复发。

尝治勒某，1976年5月初诊时，形体憔悴，面色灰黑，口、唇、舌干燥，目赤多眵，精神恍惚，烦躁不安，左脚大拇趾末端坏死1/3，黑而干瘪，患部有黄稠脓液，周围肌肉紫黑红肿，渐至足面，臭秽难闻，疼痛难忍，脉弦数。自述多方治疗，曾服中药二百余剂未效。经人介绍来诊，余即以上法施治。用药后当天疼痛大减，前半夜即能安睡，3日后精神渐好转，肿痛渐消，黑紫处已转红，脓液已少，脉稍平。照前法继续调治。服药至44剂，腐肉将脱，新肉大生，坏死的干骨暴露约1cm，色黑。嘱仍宗前法治疗，共服106剂告愈。

脱疽证治一得

李兴培

“脱疽”相当于现代医学之血栓闭塞性脉管炎。该病以患肢冷感、剧痛、溃疡和坏死为其主要临床特点，不少患者因此被迫截肢，实为一险恶外科疾患。二十余年来，笔者研治病历完整、观察较系统者已逾百例，获效佳良。

参考历代文献资料，笔者认为脱疽之病因、病机缘于“内虚”，加上六淫、七情、寒痰和房劳气竭精伤等以致损伤元气、营卫失和与气壅血滞综合罹病。诚如《灵枢·玉版》曰：“病之生，有喜怒不测，饮食不节，阴气不足，阳气有余，营卫下行，乃发为痈疽”，《外科理例》云：“若气血素亏，或七情内伤，经络郁结，或腠理不密，六淫外侵，隧道壅塞”，皆堪明证。由是创制补气化瘀为主、佐以清热解毒之“活络通脉汤（黄芪、当归、玄参、丹参、制乳香、没药、延胡索、生地黄、金银花、蒲公英、紫花地丁、土茯苓、甘草，病在上肢加片姜黄，下肢加川牛膝），俾气足则血旺，瘀去则血行，故每获卓效。惟其中1/3病例兼见下肢肿胀甚者，疗效欠佳，驱使笔者再度泛览祖国医学典籍。

《灵枢·百病始生》谓："凝血蕴裹而不散，津血涩渗著而不去，而积皆成矣。"《杂病源流犀烛》道："气运乎血，血本随气以周流，气凝则血亦凝矣。夫至气滞血瘀，则作肿作痛，诸变百出。"因之，血瘀湿遏之证旋作。因气机受阻，故变作肿胀、剧痛之症，彼时单纯补气化瘀自难奏效。遂采择活血化瘀与消肿兼备之药物，如刘寄奴、益母草、瞿麦、泽兰、川芎、桃仁红花、赤芍、生蒲黄、苏木、马齿苋等，寒滞辅桂枝、细辛，热结佐牡丹皮、地龙、忍冬藤，更益以苍术、黄柏、薏苡仁和防己等，其中刘寄奴、泽兰须各用15～30g，益母草、马齿苋及原方土茯苓各用30～60g。纵然水湿乃黏滞、重着和秽浊之邪，本已难却，今与瘀并，尤加留恋难去，但果断予以活血化瘀与除湿利水之剂并行，患者假以时日坚持服用，下肢肿胀、剧痛即日趋减轻乃至消失，疗程较之过去明显缩短。

三七治疗骨槽风

柴国钊

骨槽风，又名穿腮毒，多因足阳明胃经风火邪毒上燃所致，初起在颊部漫肿焮痛，皮色或红或白，牙关拘紧，不能咀嚼，腮部外溃，流脓臭秽，久不收口，内生死骨，甚则齿与牙槽俱落。余用三七饮治疗，取得较好效果。本方用三七10g研面、牛膝50g、赭石50g、甘草20g、滑石20g。将赭石打碎，先煎赭石、牛膝、甘草，汤成去渣，入滑石、三七面于汤液之中，并加入适量白糖溶化，温顿服之。曾治蔡某，其右上磨牙周围牙龈肿胀，腮颊部漫肿焮痛，不能咀嚼，触之微热，断为骨槽风无疑，用三七饮约2小时疼痛减轻，连服五日，肿消而愈。方中三七可化经络凝滞之血而消肿；怀牛膝、赭石质重而镇逆气；滑石性凉而散，善通窍络而消肿，甘草调和诸药。由于药病相符，故收到较好效果。

十全大补治脱疽

马俊岭

脱疽为全身性血管疾病，生于四肢之末，气血难于温养滋荣，故余认为此病"以虚为本"。由于肝、脾、肾等脏亏损，寒湿之邪乘虚而入，客于经络，阻塞脉道，气滞血瘀。阳气不能温煦肢体而见发凉怕冷、疼痛。据此以十全大补汤为主加减，治疗脱疽，取得了较好疗效。

十全大补辅以丹参、鸡血藤养血活血，川牛膝引血下行，并重用人参、黄芪，以宗“治气乃治血之关键”；佐一味金银花，以其清凉，除血中之浊而解其毒。共奏扶正不恋邪、活血不伤血之效。

运用上方，如遇偏寒者配入附子10g、干姜6g；偏热者配入当归60g、玄参60g、甘草30g，重用金银花，并减人参、黄芪之量；阴虚者配入鳖甲30g、地骨皮30g、天冬10g、石斛10g；疼痛明显者加乳香10g、没药10g、延胡索18g；患部肿胀者加土茯苓30g、蒲公英30g、防己24g、薏苡仁30g；病发于上肢者去川牛膝加桂枝。

一脱疽患者，双下肢膝下发凉，右脚为甚，足背动脉消失，局部暗红，舌体胖大，苔薄白，脉迟。遂投上方加附子24g、干姜10g，服药三十余剂，患者诸症减轻。唯心悸、失眠，上方加熟枣仁18g、远志10g，患者服药后症状消失。因其尺脉虚极，改服十全大补汤合六味地黄汤加杜仲18g、川续断12g、桑寄生30g，共服药4个月而愈。

家传秘方治骨痨

李玉轩

骨痨证属中医阴疽范畴，即今之骨结核。因其易流窜他处，溃后脓液稀薄如痰，故今人多称之为流痰。

本证虽为寒痰流注，古人多以虚寒痰阻清道凝结而成。因其病在骨，而肾主骨，肾虚则骨骼失养，寒痰易凝，故实属寒痰流注为标，而肾虚为本。其病多发于儿童、青年。或因年稚先天不足，肾气未充；或因劳倦内伤，皆可导致三阴亏损，气血失和而骨节空虚，以致寒痰流注酿为骨痨。故对骨痨之治疗，当以补肾固本培元为主，温经散寒化痰，祛瘀止痛生新为辅。

根据家传秘方，结合自己多年临床所得，常组成下方，名之为骨痨散，临证用之，每受其益。方用：川贝母、金银花、连翘、天花粉、生黄芪、熟地黄、僵蚕、炮姜、白及、百部、三七、白芥子、白芷、乳香、没药、壁虎、麦芽、鹿角胶、紫河车等加减，或为散剂，或为丸剂，临证之时因人、因症而异。

方中紫河车、熟地黄、鹿角胶等为补肾益精、固本培元之品，又能坚骨壮筋；黄芪、当归等益气养血；乳香、没药、三七等祛瘀止痛而生新；炮姜、白芥子、川贝母、白芷等温经散寒化痰而排脓；金银花、僵蚕、壁虎、百部等解毒杀虫。全方共奏补肾益气养血、固本培元、温经散寒化痰、祛瘀止痛生新之功。如柳姓男患者，1982 年 9 月初诊：腰腿疼痛，卧床已半年余。经某医院确诊为“腰椎结核”伴不全瘫，因患者拒绝手术而求治于余。观其面色憔悴，形体消瘦，检查其腰椎下段压痛及叩击痛，翻身俯仰转侧均困难，心悸气短，纳食不香，X 线显示第四、第五腰椎骨质破坏，椎间隙变窄，模糊不清，双下肢自主运动尚可，无尿便障碍，舌质淡，苔薄白，脉沉细，因患者 1 年前曾有过外伤史，据此，系损伤后气血瘀滞，加之年老肾气虚损，阴毒寒痰流注于内，遂成骨痨。拟以补肾益气养血、固本培元、温经散寒化痰、祛瘀止痛生新为法。方以骨痨散 1 料，自配，每服 5g，1 日 3 次。患者服药 3 周后，已能坐起轻微活动，腰痛、腿痛明显减轻。服至一个半月时已能离床在室内步行。服药 1 个疗程（3 个月）时，已能自行来院就诊。后又以原方照配半料，观察至今未复发。

白矾治疗骨痨

孙桂霞

骨痨（骨结核）多生于短骨及关节处，病程长，且缠绵不愈，以内服药治疗，其效缓慢，而局部用药则收到较好效果。余用白矾 50g、黄柏 1g、血竭 1g，共为细末。每次用 15g，加豆腐渣 1 小碗，混匀后，敷于患处，24 小时换药 1 次，轻者月余可收效，重者 3 ~ 6 个月可使死骨吸收，窦道愈合，无有痕迹。曾治长春西郊一女患者，左上下肢患有骨痨数处，疼痛难忍，并流脓滴水已 3 年之久，余告其法，用约半年，其痛自止，窦道愈合。此法经济方便，简单可行，尤其适应农村患者。前贤书中虽没有记载白矾治疗骨痨，但清代汪昂《本草备要》曰：“白矾，酸咸而寒，性涩而收。燥湿退涎，化痰坠浊，解毒生津，止血定痛，通大小便，蚀恶肉，生好肉，除痼热在骨髓。”李时珍在《本草纲目》中又曰：“白矾能吐风热痰涎，取其酸苦涌泄也；治诸血痛、阴挺、脱肛、疮疡，取其酸涩而收也。”

烟丹治愈头部皮肤癌

胡慧明

余治一老妪，前额印堂穴上部生一肿块已年余，近半年来生长迅速，时流血水，经某医院诊断为“头部皮肤乳头状瘤癌变”。患者于 1978 年来我院就医。

其肿块呈菜花状，约 3.5cm × 2.5cm × 0.5cm，色淡红，质坚硬，表面不光滑，无压痛，不活动。舌红苔黄，脉数。中医称此为“翻花疮”，多见于年老体弱患者，是由于脏腑虚损、功能失调、邪毒结聚而成。故采用局部与整体相结合的治疗方法。局部外涂五烟丹，然后用生肌橡皮膏敷盖，以腐蚀恶肉，止血，直捣邪毒。整体辅以健脾利湿、清热解毒之剂（野菊花、大青叶各15g，蒲公英30g，夏枯草12g，牡丹皮、赤芍、白芍、白术、桑白皮各10g，茯苓皮20g，砂仁8g，陈皮、甘草各6g），3天后，患者瘤体呈紫黑色，体积缩小，舌红已退，有瘀斑，脉细数，纳少，时腹胀。继用五烟丹棉捻插入瘤体，外敷生肌橡皮膏。改服益气活血、化瘀解毒之剂（党参、野菊花各30g，赤芍、白芍、大腹皮、炒枳壳、白术、桃仁各10g，厚朴6g，茯苓15g，砂仁1.5g），后始终以此方加减内服，并继续按原法换药4次，经治二十余日后瘤体全部脱落，局部遗有5cm×5cm创面，基底颅骨外露，继用生肌橡皮膏外敷，又经两个半月的治疗，患者创面完全愈合。4年后随访，患者仍健在，创面愈合良好。

用五烟丹治疗皮肤癌，是我已故先师张雁庭的经验。本人先后用以治头部皮肤癌多例，均获满意效果。五烟丹源于《周礼·天官篇》“凡疗疡以五毒攻之。”制法是：取胆矾、朱砂、雄黄、白矾、磁石各30g共研细末，置瓦罐内，后用另一瓦罐将口扣严并用泥封，下用火烧3昼夜后，去火冷却，隔日后打开瓦罐，上罐内附有之灰白色粉末即为五烟丹。五烟丹具有蚀恶肉、生肌、疗恶疮和止血的功用。其腐蚀力虽强，但引起疼痛较轻，尚未发现明显的不良反应。应用药量应视肿瘤大小而定。小者或已溃者，仅以五烟丹外涂即可；大者可配合五烟丹棉捻插入瘤体，以加速瘤体坏死脱落，但不可过深。以免损伤骨皮质，影响愈合。

话说痰核病

洪作范

一尼姑，两臂皮下呈散在性、黄豆大小的结节，不红不肿，不硬不痛，推之软滑，逐渐扩展，结节也日益增大。经某医院确诊为脂肪瘤。平时两臂酸沉，四肢倦怠无力，时常感到胸脘郁闷不快，并自言其素性孤僻，喜静而寡言，每多有忧郁善感之情。参其脉沉弦而滑，舌质胖淡，苔薄黄而腻，体倦懒言，为肝郁脾虚痰湿互结之候。但在临床辨证上，审其证必先求其因，更虑该患者以往久处曲意难伸的环境中，此为致病之主因，也正是由于忧郁不解，形成郁久伤肝，肝郁及脾，脾运不健，湿浊不化，郁而生痰，痰湿互结的病机。正如《沈氏尊生》一书，认为本病是由于“湿痰流巨成块，亦有风痰郁结而成核者，……不红不肿，不硬不痛，亦不作脓，推之软滑，初如豆，久如梅，甚如鸡卵。”据沈氏的论述，按所具脉证合拍，又兼以往诊断明确，考虑为痰核病，恐无所误。故拟二陈汤加味：柴胡根20g、陈皮20g、半夏15g、茯苓25g、青皮20g、栀子15g、白芥子15g、橘络15g、甘草10g。方剂的配伍，是以二陈汤燥湿化痰、理气和中为主体，再加柴胡根、青皮、栀子疏肝理气解郁之品，务令气机得畅，脾运得健，湿却痰消，斯证可除矣。至于另加橘络、白芥子，更有助于豁痰散结，以驱皮里膜外之积痰。此方初服6剂后，患者左臂痰核渐小，较小之核已不见。服药10剂，患者右臂痰核亦随之渐小而柔软，颇具消散之征。按原方又服至16剂时，其双臂痰核已完全消失。

疾虽小，苦煞人

王增济

邻居冯家长女，年方18岁，在中学读书。如今正处在迎接明年“高考”的紧张学习阶段。然而事不作美，其额部生满丘疹疙瘩和脓疱，并且散见于鼻部、耳根和后背。脓疖大小不一，大如小豆，小如粟粒。局部红肿、发热、痒甚，破溃后出脓出水。平素手心发热，遇热则头晕。患病二年多，先后在几家大医院求治，终不见效，精神负担很重。一日，冯女来我家串门，满脸愁容。我主动要为她治疗。余虽不是皮肤科大夫，但通过“辨证论治”这一法宝，量能收到较好疗效。丘疹脓疱红、肿、热、痛，热毒为患也，与一般痈疖无异。局部痒其、破溃流水，此风湿外袭之故。证属血热，遇热则热增；热邪上扰清窍，故头晕。心主血，手心为心包经所过，心经有热故手心热。总观上证，为“血热受风”所致。治应凉血活血、解毒祛风，故用赤芍25g、生地黄20g、漏芦15g、白薇30g凉血活血；用蒲公英50g、连翘50g清热解毒；用菊花15g、苍术15g祛风除湿；用桔梗10g载药上行。共进上方32剂（水煎服），外涂粉刺膏，治愈。

粉刺，有人诙谐地称其为“青春美丽痘”。虽说粉刺是小疾，但多数年不愈，甚至留下瘢痕，有碍美观，严重者局部感染，出现疖肿、脓疱，患者多为此疾烦恼。所以，及时治疗实为必要。但目前尚无理想疗法。余治疗一般的粉刺，外敷粉刺膏（赤芍25g、漏芦20g、连翘50g、黄柏10g、荆芥10g，熬制成油膏，再加入苯海拉明末22mg。搅匀备用），早晚各1次涂于面部，即可收效。粉刺较重，有疖肿、脓疱、面部发痒者，除外用粉刺膏外，还须内服前述之汤剂，每收良效。

龙胆泻肝汤治湿疡

田素琴

中医称湿疹为湿疡，是由风湿热三邪搏于肌肤，营卫失调，气血不和所致的一种疾病，症见肌肤起粟、红斑、水疮、脓疮，甚者溃烂滋水，结痂成片，气味腥臭。该病好发于头面及四肢部位，不仅影响工作和学习，而且也有失美容，病者十分痛苦。对此病的治疗，一般方法很难奏效，笔者常以龙胆泻肝汤加减，意在清肝胆之热、祛湿解毒，每收良效。

余在临床，曾治一老翁，因过食鱼腥，而致头面红肿，数处滋水不止，瘙痒异常，大便燥结，小便短赤，心烦不安，不思饮食，双睑水肿，垂闭不开。经多方医治，效果不显，邀余诊治。视其舌质红淡、苔白、舌边有齿痕，诊其两脉弦滑而数。余认为此证素体肝胆热盛，饮食不节，湿停热蕴，结于中焦，复感风邪，风热上扰，则有上述脉证。遂继以龙胆泻肝汤治之。

越4日患者自行复诊，头面红肿尽消，滋水全无，大便通畅，小便量多，病情基本痊愈。继用前方9剂，患者全愈至今未发。

治疗此种疾病，龙胆泻肝汤有其独特疗效。其理，我认为是治疗肝胆之本，其次，以外治法，中药煎汤冷湿敷，也不可忽视。内外合用方能奏效迅速。

小柴胡汤合地黄汤治红斑狼疮

田素琴

“红斑狼疮”系现代医学病名，分为“盘状红斑狼疮”和“系统性红斑狼疮”。中医称“红蝴蝶”“马缨丹”“鬼脸疮”等。一般认为本病不易治好，即便见好也易反复，为此多数病人一经确诊，就悲观失望，对治疗丧失信心。其实，本病并不可怕，只要临床上掌握发病机制，辨证施治，是可以治愈康复的。

据临床观察，系统性红斑狼疮多属先天禀赋不足，肝肾亏损。外感风寒或风热之邪，入里化热，热入血室，瘀阻脉络，内伤脏腑，外阻肌肤。症见高、低热间作，烦躁心悸，胸胁痞满，头痛目眩，耳鸣脱发，腰膝酸痛，默默不欲食，精神萎靡，两颊瘀斑，舌尖红，苔黄腻，脉弦数。由于正邪相争于半表半里则恶寒发热；肾阴不足则耳鸣、脱发、腰膝酸痛；邪犯少阳，经气不利，故胸胁苦满；肝气犯胃，气机不畅，升降失常，故见神情默默。应用小柴胡汤合地黄汤，和解少阳，调理肝肾，服药数剂，便可奏效。药用柴胡、黄芩、党参、甘草、生姜、大枣、半夏、山药、熟地黄、牡丹皮、茯苓、泽泻、山茱萸、枸杞子。症见持续高热，关节疼痛，肌肉酸痛，烦热不眠，精神恍惚，面颊见水肿性红斑，亦可有瘀斑，为热伤脉络，热盛灼津。宜清营解毒，凉血养阴，多用犀角地黄汤合化斑汤。

病人不可忽视营养和休息，在治疗的同时应充分休息，适当活动，多食高蛋白食物及新鲜蔬菜、水果，避免日光曝晒，要心情舒畅，精神愉快，医患合作，方能早日康复。

治疗湿疹验方

王顺江　肖亚琴

湿疹是一种常见的经常反复发作的皮肤病，病变可见于头、面、颈项、四肢、躯干等全身各部，湿疹多呈现出丘疹，片状或散在性，发作期有时伴有全身发热、食欲不振、瘙痒无度、失眠、大便秘结等症状。临床可分为急性、慢性两种，病程有长有短，反复发作，经久难愈。

湿疹的病因临床多见：风、湿、热之邪侵袭肌肤所致，表现为湿热重证（候）、风湿重证（候）、血虚体弱证（候）。因个体差异各有不同，所以湿疹有全身性或局部性的差别，故需辨证论治。我们在治疗急性、慢性湿疹过程中，经过反复验证，自拟“湿疹汤”，用于临床，疗效好，治程短，药物组成简单，经济方便，患者容易接受。

对湿疹的治疗法则，以清热解毒、祛风利湿养血为主，内服外治，表里兼顾。自拟内服“湿疹汤”，组成是：白鲜皮、蒲公英、地肤子、车前子、苦参、椿根皮、蝉蜕、薏苡仁、当归。

方中以白鲜皮配地肤子，祛风利湿止痒；苦参配车前子，清热解毒除湿；蒲公英清热解毒消肿散结；蝉蜕散风热而解痉挛；椿根皮清热燥湿；薏苡仁健脾利湿；当归补血养血、活血解毒。

临床辨证加减：湿热盛者加生大黄、金银花、牡丹皮、栀子。寒湿盛者加肉桂、附片。风湿盛者加防风、荆芥。瘙痒甚者加全虫、僵蚕。

外洗药方：苦参、蛇床子、白鲜皮、艾叶，煎水洗擦患部。

慢性湿疹症，可用养血祛风，清热解毒之法，选用当归饮子合三妙散进行辨证施治，外用青黛外膏擦。

我们用以上方药，都可达到清热解毒、祛风利湿养血之功，故可治疗“风、湿、热”之外邪侵袭肌肤腠理所致之急、慢性湿疹，疗效可达90%左右。

面部扁平疣治愈答疑

兰一清

疣，在中医医籍中早有记载，然而对面部扁平疣，罕有论述，但亦属疣症之范畴。

此疣发于面部，初则面赤发痒，久则凸出皮表，色紫黯，如黑瓜子大，分布面部，形如紫癜，但此证非同俗称“水猴子”之类，又非紫癜之证。

本证多为风热所袭，致使风燥血热。风燥则干而痒，血热伤络，络伤则血外溢，瘀结皮表而成疣。故拟用清热散瘀疏络之法，则疣退可愈。曾治一女患，年22岁，于外感愈后，遂觉面部、上肢和腰部有隐疹发痒，逐渐面部呈现红斑，大如瓜子，分布右侧面部，微凸皮表，渐呈紫黯，形如痂状，有失美观。患者虽经多方治疗，疣仍不退，后“冷冻”几次，依然如故。余用上法，予患者连服10剂而愈。其亲属孟某，愿闻治愈之理，故将审因、辨证、立法、处方阐述之。

外感人常有之，但并非均能成疣，其所成疣者，皆为内外合邪而成。凡面部发生病变，多与阳明经脉有关，阳明胃为多气多血之府，素有伏热，外邪加之，两热相合，循经上扰于面，伤血络，血外溢肌表，瘀结为疣。治以清热散瘀通络之法即愈。方用：生地黄20g、赤芍15g、牡丹皮15g、地肤子15g、蝉蜕10g、桃仁10g、红花10g、黄芪15g、当归15g、瓜蒌15g、麦冬15g、寒水石20g、白茅根20g、白鲜皮15g，水煎服，日3次。

其冷冻不效者，乃治法与病机相谬。诚然，病因风热，凉散为宜，此治其因而未治其果。《素问·举痛论篇》曰：“寒气入经而稽迟，泣而不行，客于脉外则血少，客于脉中则气不通。”故瘀结愈固则疣愈难退。审其因、辨其病理，冷冻仅治其标，不能除其在里之伏热且无散血消瘀之长，舍本求末治之，故不愈。

鱼鳞顽疾治愈一得

周鸣岐

1977年5月中旬，余因小恙欲浴，至浴池见塘中一青年周身皮肤异常。近视之，似鳞状皮屑，皲裂翘起，问其病，羞而不语。余言明医生身份，欲助其根治患疾，始喜。曰，据其父母言，其生后不久即皮肤干燥，年增而益甚。色灰、糙裂，若浴后症殊明显，且微痒，因时而异，冬重夏轻。曾往多处求医，内服、外搽均不见效，问之，或曰先天性鱼鳞癣，或曰蛇皮癣。因久治不愈，渐失信心。余听毕，与其相约门诊治疗。

初诊时，患者年方19岁。查其四肢、胸腹及躯干，如浴池中所见，且色泽深灰，干而不润；以手摸之，似甲错。自述：头晕，腰酸，倦怠无力，食欲尚可，二便自调。舌苔白腻、质红，脉来虚缓。证属蛇皮癣（鱼鳞病），由营卫不足，血虚生风，风盛则燥，皮肤失养所致。治宜滋阴养血，祛风润燥。

方用：何首乌20g、生地黄10g、当归20g、黑芝麻40g、白鲜皮15g、苦参15g、地肤子25g、蝉蜕10g、秦艽15g、丹参25g、川芎10g、生黄芪50g，水煎服。

二诊，按上方连服9剂，患者自觉皮肤干燥略减，且少有落屑。头晕腰酸减轻，但食后胃胀不舒。仍按上方，加炒三仙各10g，鸡内金10g。

三诊，按上方连服二十余剂，患者皮肤已润，鳞屑减少，诸症悉除。再按上方加味，配丸剂服之。方用：何首乌40g、生地黄30g、熟地黄30g、当归20g、黑芝麻50g、枸杞子20g、白鲜皮20g、防风15g、蝉蜕15g、秦艽15g、地肤子20g、甘草10g，共研细末，蜜丸，每丸重10g，每日早晚各服1丸。

四诊，患者皮肤恢复如常人，全身无何不适。经追访，曰：吾多年来未曾海水浴，往年浴之，周身不适；今年曾试2次，心舒皮润，无不适。

鱼鳞病，中医称之谓蛇皮癣，与遗传有关，乃少见之顽疾，多因肝肾阴虚，阴血不足，营卫失和，腠理不固，血虚生风，风盛则燥，皮肤失濡养所致。方中生地黄、熟地黄、何首乌、枸杞子、当归养血，滋补肝肾；配黑芝麻滋补肝肾而润燥；“邪之所凑，其气必虚”，重用黄芪益气而固表；加桂枝温通经络；川芎、丹参行气、活血、通络；白鲜皮、苦参、地肤子、防风、秦艽、蝉蜕以祛风；甘草补中益气，缓和药性。

养心安神法治疗绣球风一得

马毓春

绣球风，即肾囊风，西医称阴囊湿疹。患本病瘙痒难忍，精神异常痛苦，重者寝食不安，病程较长，治疗比较困难。笔者认为其病因是心神失调。如《内经》曰：“诸痛痒疮，皆属于心。”根据此理论，多年以来以“安神为主法”

治疗，效果显著。如王某自述阴囊瘙痒5个月余，曾用扑尔敏、维生素C等药物治疗，病情反复加重。痒甚则夜不能寐。检查：阴囊皮肤增厚，粗糙不平，表面有多处抓破后渗出，食欲如常。舌质暗，薄白苔，脉弦。方药：生龙骨50g（先煎）、酸枣仁30g、夜交藤30g、五味子15g、当归20g、白芍30g、何首乌30g、苦参30g、白鲜皮20g、威灵仙15g，水煎服。轻者日1剂，重者2剂。外洗药：白鲜皮50g、荆芥30g，苦参30g、蛇床子20g、冰片0.5g（后下），煎汤外洗患处。经用上述内服药6剂，外洗药3剂，患者瘙痒好转，夜能入睡，阴囊渗出液消失。又连服药半个月，并告病人忌食辛、辣、酒、蛋之类食物。三次复诊，患者阴囊瘙痒消失，皮肤结痂脱落。1年后随访未见复发。

绣球风之病因、病机是心神失调，病久伤血，以致血虚生风、生燥，皮肤失濡养而成。方中生龙骨、酸枣仁、五味子、夜交藤养血安神；当归、白芍、熟地黄、何首乌养血益精；威灵仙善能疏通经络而去风湿；苦参、白鲜皮能杀虫、祛风燥湿。以上药物有养心安神、祛风燥湿之功。笔者初治此病以祛风燥湿之法，效果不佳。后根据“诸痛痒疮，皆属于心”的理论和其有剧烈瘙痒、夜不能寐的特征，拟养心安神法治疗。结果患者剧烈瘙痒消失，病灶随之好转。临床中本法还适应治疗慢性湿疹、荨麻疹等皮肤病。但要根据辨证重用养心安神法，效果都比较好。

针药结合治体癣

宋淑兰

体癣是一种常见多发的皮肤病，古书记载病名繁多，包括的范围也较广，根据所发部位不同而有手癣、甲癣、体癣、股癣之别，在治法上有内治、外治之分。一般对于体癣的治疗，主要采用外治方法。但在常规的治疗中，大都是直接把药膏涂在病灶上，往往因患者病久、病灶处有角化物等显得很厚，古书形容为牛领之皮，因此对所涂的药物的浸润和吸收很慢，直接影响到药物的作用，致使疗程长，疗效差。余在治疗体癣时，首先考虑排除角化层的障碍。因此在涂药膏之前，在病灶处消毒后，采用梅花针，在病灶上叩打3遍，然后再将10%的硫黄软膏涂在病灶上，角化物可在2～3天后脱落。局部呈现红色，再单涂1周软膏，则癣能治愈。对其角化物非常厚的，打梅花针的次数可增加，往往是因人、因病情而异，不必过于拘泥。从治疗中深得针药合治之利。

荨麻疹治验

于雅权

荨麻疹乃现代医学病名，相当于祖国医学的“瘖瘤”“瘾疹”“风病”，俗名“风疹块”，是皮肤科常见、多发且较难治之证。

治法当按辨证论治原则，临床上分为：风冷证（候）、风热证（候）、胃肠湿热证（候）、冲任不调证（候）、气血两虚证（候）等证，而治疗亦按辨证施治原则进行。我在临床上采用当归饮子这个方剂加减施治，无论何证（候）均以此方为基础方加入适当药物，多年来观察确有显效。

加味当归饮子组成：生地黄15g、当归10g、赤芍10g、川芎4.5g、生黄芪12g、生何首乌12g、防风6g、荆芥6g、刺蒺藜10g、苦参10g、地肤子18g、白鲜皮10g、蛇床子6g。本方用四物汤合黄芪补血益气；荆芥、防风、蒺藜祛风；何首乌养血祛风；地肤子、苦参、蛇床子、白鲜皮止痒燥湿祛风，共奏养血驱风之功。

余在应用本方时，对凡属遇热加重者，则加重生地黄用量至30～60g，金银花、连翘各12g；对极严重顽固不愈者，加犀角0.3～0.6g冲服；对属遇寒加重者，则加桂枝10g、麻黄6g；对湿象较重者，加土茯苓15～30g、川萆薢10g。

余曾诊治一患者盖某，女，22岁。半年来，她皮肤每遇寒凉刺激后，即感发痒，继则四肢至胸腹皆泛发云片状皮疹，颜色潮红，瘙痒无度，眼睑浮肿，影响工作及睡眠，经服用西药抗组胺类药物，初则有效，后则无效，反复发作，严重到用冷水洗手后即发。余用加味当归饮子加桂枝10g、麻黄6g给予治疗，患者服6剂未再复发，至今未犯。

另一患者，匡某，男，30岁。因皮肤过敏，在注射庆大霉素约15分钟后，突发全身广泛红斑，风团样皮疹，刺痒难忍，继则呼吸困难，寒战高热，呈急性病容，收住外科病房，经吸氧及50%葡萄糖静脉注射，并用抗组胺类药物治疗，不见缓解。急邀余会诊，时见病人面红唇赤，双眼睑浮肿，流涕，高热寒战，烦躁不安，胸闷发憋，全身皮肤呈广泛红斑，舌红苔黄腻，脉滑数，投加味当归饮子加重生地黄用量至60g，急煎1剂，患者服后约1小时症情缓解，次日再服1剂，诸症皆减，脉静身凉，皮疹全部消退而愈。

苦参、黄柏为治瘾疹之要药

宋淑兰

瘾疹，即所称的荨麻疹。在临床中屡见此病，多偶然突发，其中无论因热而发，或因寒而作，或因湿而起，每借风邪之力奇袭而入。风为阳邪，寒可化热，湿被热蒸，故瘾疹往往属湿热者居多。因此，治疗急发的瘾疹，多采用清热燥湿类药物。无论是因用中西药物所致，还是因汗出当风、或食用荤腥动风、燥火之品，用之皆可奏效。余以四物消风饮加黄柏、苦参治疗风湿热所致瘾疹，自感奇效。

一中年妇女，患哮喘久治未愈，经会诊投方取药，晚间温服，服后约10分钟自觉颜面发热、发胀，两手胀痛，全身发痒，旋即颜面、四肢、胸背先后出现风团，几乎全身为之所遮盖。同时喘息也见加重，临床服用扑尔敏等脱敏药物。次日晨疹不见回头，仍在继续增加，面焮肿，两目难睁，疹点密集成团，腹痛，舌尖偏红有点，苔黄白而腻，脉滑数，随即停原汤药而开方，其药物为荆芥15g、防风10g、连翘20g、牛蒡子15g、蝉蜕10g、生石膏25g、甘草10g、当归15g、川芎10g、白芍25g、生地黄15g、苦参15g、黄柏25g、大枣10枚，急煎服。患者服1剂而痒轻，疹停止发展。服2剂而疹退痒止，服3剂而告愈。

黄柏、苦参皆为苦寒之品，具有清热燥湿之功，况黄柏为黄柏树之皮，以皮达皮表，对于在表而非外感之湿热均有较好的效果。而苦参则以苦入心，以寒除火，专治心经之火，瘾疹的酿成，且与心火有着密切的关系，正如《内经》所云："诸痛痒疮，皆属于心。"二味药合而用之，诚然对瘾疹应有奇效。故个人体会：

治疗瘾疹审热湿，
有痒便将苦寒施。
苦参黄柏为要药，
临证加减莫忘之。

漫谈芷防汤治瘾疹

洪作范

用芷防汤洗浴法治疗瘾疹（荨麻疹），屡验。余曾治一中年男子，其因在旅途中汗出当风，颈、项、四肢疹发连片，瘙痒。经某医生诊为荨麻疹，用中西药治疗，疹块时隐时现，历经10年。时逢春、秋两季必然发作。平素气候变化或处阴雨霉湿之际频作，轻则痒，重则痒疹并发，遍及全身，瘙痒甚。1978年3月延余诊治。查其胸腹、四肢、颈、项等部呈现大小不等的扁平疹密集成片，瘙痒甚，脉平缓，舌淡无苔。拟投芷防汤洗浴之，患者先后共洗9剂，达到7剂痒止，9剂疹消，迄今未见复发。

芷防汤：荆芥20g、防风20g、透骨草25g、白芷50g、川羌活10g、独活20g、秦艽15g、苦参25g、艾叶50g。每剂酌情加水1.5～2.5kg，煎40分钟，热浴。每次浴10～15分钟即可，勿须发汗。

若病邪蕴羁在肤，采用洗浴法，渍形温浴，启玄府，散客邪，可直捣病所。诚如《外科精义·溻浴法》所说："汤水有荡涤之功……，此谓疏导腠理，通调血脉，使无凝滞也。"而本方之用，贵乎功自外取，然在散风热胜湿邪的配伍中，以白芷提挈诸药。《珍珠囊》"白芷味辛性温，无毒，入肺、脾、胃三经，去头面皮肤之风，除肌肉燥痒之痹，……通经利窍，散风驱寒燥湿。"堪称方中之主药，本方所以能散风热胜湿邪、消疹、止痒，赖以白芷为胜。

至于温浴，是用法中的关键所在，而温浴不仅有助止痒散风之效，而且益于疏导腠理，通调血脉，转化病机。

王品三"四大膏"与临床

田素琴

已故吾师王品三先生，从事中医外科临床六十余载，医术精湛，在辽南久享"疮王"盛名。先生常以清热解毒，祛腐生新，扶正固本指导临床。常以四大膏外用，即水调膏、油调膏、一效膏和九一膏。

水调膏即黄柏100g，煅石膏80g，共为细面，以水调成糊状。将其摊在油纸或纱布上敷患处，1日2或3次，有消肿、散结、止痛之功。多用于治疗痄腮、红丝疔、扭挫伤、瘀肿块。

余曾治一患者，左足扎伤，当即肿胀、疼痛。诊为软组织损伤，经敷雷夫奴尔纱布1周未效。改用水调膏外敷，1日2次，3日后，患者肿胀尽消。

油调膏即黄柏100g，煅石膏80g，共为细面，以麻油调成糊状。将其摊在油纸或油纱布上敷患处包扎。1日更换1次。具有清热解毒、拔脓、生肌、消肿之功效。治疗疔疮、痈疽、湿疡、黄水疮、疖等，必奏奇效。余曾治一老妇人，头顶生痈，月余，更医数次，疮渐增大，疼痛呻吟，夜不能寐，食不香，口干烦躁，喜冷饮，精神萎靡，舌质红，苔黄腻，脉弦数。头顶疮约10cm×7cm，脓水较多，疮腐肉不脱，色黯。此为感受风湿热毒，气血运行失畅，毒邪凝结皮肉之内。治当清热解毒，祛腐生新。方以清热解毒汤加减，外敷油调膏，1日1次，经过32天精心治疗，患者疮愈康复。

一效膏含朱砂50g，冰片50g，淀粉200g，滑石粉500g，炉甘石150g，共为细面，麻油调成糊状备用。有清热解毒、利湿、祛腐生肌之功。可治臁疮、瘰疬、火丹、冻疮、烫伤、脱疽、瘘管、痔瘘。曾治一患者，因肝破裂作手术修补，术后腹部遗留一瘘管，半年不愈。外敷一效膏，每日更换1次。经二十余次换药，患者瘘管闭死。

九一膏含有樟脑10g，煅石膏35g，共为细面，麻油调成糊状备用。有止痛、消肿、解毒生肌之功。专治烧伤、冻伤、缠腰火丹、蛇咬伤。有一小儿，颈背部被稀饭烫伤，入院治之。小儿被迫俯卧，哭闹不得。伤面27cm×15cm，为浅Ⅱ度烫伤，疱皮已脱，伤面鲜红，滋水，散有甲大白肤。经外敷九一膏，1日更换2次。两日后患儿疼痛大减，可安然入睡，每日如前换药，伤面逐日缩小，经过月余医治，患儿伤面愈合，遗留淡红色平坦疤。

四大膏今流传全国，只要用之得法，谁用都可奏效。

皮肤癌与白砒条

田素琴

皮肤癌，分为鳞状上皮癌、基底细胞癌、乳头状瘤恶变、湿疹样癌等，中医称“翻花疮”。多因毒火蕴结或思虑过度，心火内炽，移热于脾经所致。是临床上常见的皮肤肿瘤，常因恶化转移而危及生命。

我治此病，应用老师王品三先生的祖传秘方（白砒条、一效膏），使早期皮肤癌得以迅速根治。

白砒条为白砒10g，面粉50g。将面粉调和成面团，加入白砒及适量的苯唑卡因，和匀，搓成线条状，阴干备用。用时将白砒条直接插入肿瘤组织周围，间距1厘米，表面敷一效膏（见上文）。1日换药膏1次。

余在临床见一中年妇女，口角生肿物，碰破流血，谓有痛感。经多方医治2年，肿势不消，反而增大。为工作方便，长年戴口罩上班，十分痛苦。病理诊断为鳞状上皮癌。应用此法治疗，3天后见肿瘤呈腐肉状。口服清热解毒汤，2周后，患者新肉长平，微有凹痕，病家至今欢喜。此后常用这种疗法为皮肤癌病人解除疾苦。如果是中、晚期的皮肤癌，就不易根治了。

余认为白砒条能腐蚀肿瘤组织，一效膏有祛腐生肌作用。内服清热解毒汤化裁，可收到不使毒邪四散、护内攻外的功效。

酒渣鼻子证治

冯庆文

酒渣鼻，乃湿热之邪致病，中、青年易患。临床常可分为二型。一为火热毒病型。《素问》有“脾热病者，鼻先赤”的记载。醇酒辛辣炙煿，恣食厚味，以致脾胃蕴热，上熏于肺，久而红斑成片，灼热时而瘙痒，病较缠绵，乃用我所配方银粉膏擦于患处。银粉膏：大麻子50g、大风子50g，取仁捣碎，再将轻粉5g、红粉5g掺于捣碎的大麻子、大风子内搅拌均匀后，每丸为7～8g，用四层纱布块包1丸挤出油后轻轻擦于患处，每晚一次，将挤出的油全部擦尽。第二次用时可以再挤油（一丸可擦3～4次），轻者2丸即愈。如果酒渣鼻被抓破，或用其他药物使局部破溃渗脓水者，要先用消炎膏外敷（氧化锌、冰片、凡士林等量搅拌成膏），症状消除后再用银粉膏即可收效。在治疗期间，患者禁用腥辣之品，以防复发。二为湿热毒病型。素体有湿，蕴而为热，湿热之邪，熏蒸上窍，故鼻头红赤，卫外不固，复感寒邪外束，血瘀凝结，郁于肌肤皮毛腠理之间，鼻头出现碎疙瘩，形如米粒或豆粒，色赤肿痛，初起易治，如果失治或误治，鼻头部大小碎疙瘩连成片日渐增多，向周围蔓延疼痛，呈紫黯色，久而难愈，破溃后易出脓成疮。这时首当治其肺，宣通肺气，药如麻黄、桂枝、生甘草、荆芥等。湿热瘀结的方药如五味消毒饮加减，可加当归、川芎、赤芍之类药物散瘀化滞。

经余治愈之患者很少有反复发作的。对于复发者除外用银粉膏外，可同时内服栀子、金银花、蒲公英之类缓缓收效，不可服用伤脾胃之品。

乌黄汤治瘖瘤

曲志申

瘖瘤，又称风疹块，现代医学称为荨麻疹。是常见的一种血管反应性皮肤病。发病诱因繁多，如：寒冷、风邪（风寒、风热）、高温、日光照射、摩擦，或食鱼虾、山珍、海鲜、辛辣动风之物，或由肠寄生虫及其毒素所致；或胃肠湿热，冲任不调等，均能诱发本病。对其治疗方法颇多，但疗效有的不理想，尤其是体虚寒侵有虫者，往往数年不愈。根据临床经验，拟以“乌黄汤”治疗肠寄生虫诱发的荨麻疹，疗效显著。本方有乌梅15g、黄连15g、黄柏10g，桂枝15g、附子10g、干姜10g、黄芪20g、白术15g、防风10g、花椒10g、山楂30g、玄明粉10g，水煎服，日2次。若挟湿者加薏苡仁、茯苓、苍术；风胜者加浮萍、蝉蜕、荆芥、倍用防风；血虚燥盛者加当归、生地黄、赤芍、牡丹皮，去桂枝、附子、干姜；痒甚者加白鲜皮、地肤子；恶风甚者倍用桂枝；恶寒甚者加麻黄。

体虚之人多因气血不周而得病。气虚表弱，则不能卫外，风寒之邪乘虚而入，故畏风寒也。方中以黄芪补气，温分肉，实腠理，益卫固表；白术健脾和胃，充肌肉；防风祛风；黄芪得防风，取其相畏相使也，防风载黄芪助真气，以行周身，增助祛风之功。又因有虫，寒侵火迫，则虫不安其位，虫之搅动或其毒素蒸蕴，皆能为害，故取乌梅、山楂之酸伏之，敛肺而合皮毛；以黄连、黄柏之苦安之。虫因寒而动，不安其位，以桂枝、附子、干姜、花椒，温其中脏，虫则安伏；加玄明粉泻下，排便驱虫，以泻其毒。诸药配合，具有补肺益虚，固表祛邪，健脾和胃，调和营卫，安蛔驱虫、泻毒之功。善治体虚寒侵有虫，颇有良效。

议“醋蛋糊”

曲志申

“醋蛋糊”是笔者从临床实践所得，为治手足皲裂有效的良药，方法独特，疗效高，深受患者欢迎。皲裂是最常见的皮肤病，严重者可影响工作和劳动。冬季和初春，患此症者颇多，为消除此类疾患的疾苦，特配“醋蛋糊”应用于临床多年，使用方便。介绍如下：米醋500g（1斤），新红皮鸡蛋5个。配制时将鸡蛋用温水洗净、拭干后放在米醋坛中浸泡数日，待鸡蛋皮脱钙后软化，取出鸡蛋去掉外皮，加等量的米醋搅拌成稀糊状，瓷罐贮藏，备用。应用时先将患处用温热水浸泡20分钟，拭干，再将配好的蛋糊，均匀地薄薄地涂于患处，轻轻地摩擦，促使皲裂消失，每日涂擦2次。轻者数日可愈，重者1~2星期痊愈。忌用碱性过强的肥皂和药皂及冷水洗涤。

曾治一男患，患手足皲裂已8年。每逢冬季和春初，手足皮肤干燥、粗糙，摸之刺手，弹性减退，呈现较深的线状裂隙，深达皮下组织，长达0.3~1.4cm，易出血，常结血痂，肿胀，患者不敢行走，妨碍工作，非常痛苦。投给“醋蛋糊”500ml。令患者按说明涂醋蛋糊剂，1周后患者明显好转，皮肤干燥、疼痛减轻，皮肤渐渐恢复柔软，大部皲裂已变浅。令其继续搽“醋蛋糊”，又10天而告愈。追访2年未复发。

该患者经常在严寒季节的环境中工作和劳动，受寒湿，冷风吹刮，兼接触水泥、沙石的刺激、摩擦等诱因，致使邪客于肌腠，寒能涩血，脉络不畅，气血涩滞，营卫失调，皮肤失养而成。据观察，“醋蛋糊”，善能益血活血，疏通脉络，血活则肌肤得养，皮肤柔润，皲裂自除；调和营卫，使脉络通畅，气通脉道则血活，具有预防和治疗皲裂之功，又有调和营卫气血之力，致使腠理致密，抵御外邪侵袭。因此，能防能治。此方不但治手足皲裂有效，若配合华佗膏外搽，治鹅掌风、脚气亦有很好的疗效，用之得法，速获良效。

诊余札记

穆云汉

对手掌皲裂性湿疹，临床上多采用养血润燥、祛湿法治疗。余曾遇本病患者2人（一女、一男），因病程较长，久治不愈，余细询病史及其健康情况，得知女性患者除两手掌皲裂多年外，婚后十余年，月经不调，也未生育。另一男性病人，两手掌皲裂也有四五年，伴有慢性结肠炎史。余在治法上，一改常规，一用调经养血法；一用健脾固涩法。数服后。两患者皮损均见减轻，连治月余，皆获痊愈。后于途中见到女患者，喜告以手疾已愈而且生一胖婴。

余深感治病不能墨守常法，必须以整体为念，细询病史，探本求源，辨证施治，绝不宜以些微小疾而忽视之。

话熏洗

王俊芳

熏洗法，是中医外治疗法之一种，古已有之，《黄帝内经》记载：“其有邪者，渍形以为汗。”渍形，即指用熏洗疗法治疗疾病。到了清代，熏洗疗法的发展趋于完善。吴谦在《医宗金鉴》中对前人的经验进行了总结，对其作用原理、使用方法、注意事项均有精辟论述。“洗有涤荡之功，涤洗则气血自然舒畅。”由于部位不同，洗法也不同：“四肢者溻渍之，腰脊背者淋之，在下者浴之。”洗浴时注意勿着凉感冒：“冬月要猛火以逼寒气，夏日明窗以避风寒。”可谓要言不繁。

余喜爱用此法，几年来用自拟基础洗方加味，熏洗治疗脂溢性皮炎，汗疱疹、肢端皮炎、慢性湿疹等取得显效；并对皮肤瘙痒症、夏季皮炎、脓皮症、足癣、瘀滞性皮炎等配合应用熏洗疗法，也取得了较好的疗效。今不揣冒昧介绍如下：

基础洗方：马齿苋50g、花椒30g、黄柏30g、苦参30g、百部30g。

将上药放入盆中，加2～2.5kg水煮开即可用。

湿疹与皮炎有渗出者加白矾；皮肤瘙痒重者加蛇床子、艾叶；头部脂溢皮炎加硫黄，皮属油腻加硼砂。

郭某，男，44岁，仲夏小腿起疙瘩，瘙痒难忍。诊断为夏季皮炎。投基础洗方加蛇床子30g两剂，熏洗4次而愈。

苏某，男，33岁。头皮瘙痒起疙瘩脱皮二年余。诊断为：脂溢性皮炎。用基础洗方加硫黄、硼砂剂洗头治愈。

基础洗方有解毒杀虫、清热止痒、祛湿疏风、活血化瘀等作用。用现代医学认为有改善局部血运、促进新陈代谢、增强白细胞吞噬能力、清洁皮肤、杀灭表皮细菌的功效。

熏洗是个很好的治疗方法，疗效高，方法简便，特别适用于皮肤病的治疗。笔者有句口头禅："熏洗疗法是个宝，皮疾治疗不可少。"愿与有志于皮肤科的诸同道，对这一祖国医学的宝贵遗产——熏洗疗法，进一步加以探讨和研究，以期弘扬此法。

脚　气

赵　光

脚气，有湿脚气、干脚气之分，临床以外治为主。本病常常通过鞋袜、洗脚盆、洗脚布等物传染。亦可因用手搔脚而使手部感染。可见趾（指）甲变厚、变粗糙，俗称"灰趾（指）甲"。患干脚气者，皮肤干裂变厚；患湿脚气者，脚丫流水，又痒又痛。甚者，因搔痒引起脚气感染，致使脚部红肿疼痛。这种病往往不引起人们的重视。对本病，虽有中、西药可以内服外治，但也没有特效办法。本人在临床上选用几种对皮肤真菌有不同程度抑制作用的中草药治疗，取得显著疗效，深受广大病人的欢迎。

方药组成：藿香、地肤子、苦参、白鲜皮、蛇床子各60g，大蒜皮若干、葱白3根。

用法：将葱白切碎与其他几味中药一起浸入1.5kg食醋中，浸泡24小时后即可使用，使用时药渣不用取出，只将双脚或手浸埋在醋液的药渣中即可，每次持续泡1小时，每天浸泡1次，泡毕用清水洗净双脚或手。药盆加盖以防蒸发，置凉处备用。每剂药可连续使用4～7天，一般用一二剂就可见效。而且重复用药仍有效。浸泡完毕切勿用肥皂或碱水外洗，否则影响疗效。本方药物均有不同程度的抑制真菌作用，所以药力集中，疗效显著。如患湿脚气，可在上药中加入五倍子或明矾，起收敛作用。若患干脚气，勿用五倍子或明矾。若遇患处有裂口，浸泡的第一天可能裂口处疼痛难忍，但无妨，继续浸泡疼痛就会消失，裂口很快愈合。有个别患者出现过敏，浸埋处皮肤发红且痒，可停止浸泡，对症处理。

瘰疬内治法的体会

胡慧明

瘰疬之名最早见于《灵枢·寒热》篇，俗称“老鼠疮”，现代医学称之为颈部淋巴结结核病。因其结核累累如珠状，故名瘰疬。

本病多由于肝气郁结，脾失健运，痰热内生，或肾阴亏、痰火互结而发。就临床分型来看，以肝郁痰凝、气血两亏和阴虚火旺者居多。治则常用疏肝化痰、滋阴降火、补气养阴等几种方法。

由于本病发病缓慢，难以消散，溃后难敛，易形成慢性窦道，而且愈后容易复发，故治疗较为棘手。多年来我治疗此病有以下体会：

1. 是疏而不伤，化而不燥：瘰疬初起，治宜疏肝理气，化痰散结。然而理气化痰之药，大多辛温香燥，不利肝体，用之不当易耗阴血，甚则化火，使病情加重。如古人云，香燥成脓，辛热成痛。故运用本法时以疏而不伤阴，化而不燥热为原则。我多将疏肝化痰和柔肝养血健脾药同用，以免耗伤阴血。方用疏肝溃坚汤加减，取柴胡、陈皮疏肝理气，取当归、赤芍、白芍柔肝养阴和血，取玄参、夏枯草滋阴散结泻火，生牡蛎、僵蚕软坚散结，白术、半夏、茯苓健脾化痰，甘草和中解毒。

2. 是滋而不腻，清而不过：对阴虚火旺者，应以滋阴清热为主。滋阴药不可过腻，过则会助湿困脾更碍胃气。因此，我在使用滋阴药时，每每加入陈皮。一可防滋腻之弊，二可起燥湿化痰健脾之功，三又可疏肝解郁。此乃一举三得。对本型我多用清骨散加减。但本方滋阴为弱，故加生地黄。本病多虚热，故以清虚热为主，用银柴胡、地骨皮、青蒿、胡黄连等，切不可过用苦寒之品，徒伤脾胃，如确有热毒之候者，我每喜加金银花、牡丹皮，常获良效。《改良外科秘录》曾赞“金银花”最能消火热之毒，而又不耗气血。

3. 是补而不滞，补疏相宜：患本病中、后期以气阴两伤者为多，又每兼见肝郁气滞之证，治则应以益气养阴为主，又当疏肝理气。故尔补、疏成了一对矛盾。因为纯补，则郁更甚；过疏，则气阴更伤。因此，我认为应该是补而不滞，补疏相宜。我习用人参养营汤加减，因方中理气药不够，服药后易产生胃纳更差、腹胀满、胸闷气短等症状。故我多在补气养阴药中加入一些理气健脾开胃之品，如半夏、紫苏梗、香附、砂仁、神曲等药。这样既可防滞补之害，又可起疏肝化痰之功，原方中肉桂多舍而不用，因其大温大热可助火伤阴。

硬红斑治验

陈树元

硬红斑是属于皮肤结核范畴内的一种较难治的皮肤病。祖国医学虽无此病名，但根据硬红斑患病部位及症状特征，外科医籍中确有很多类似的记载，如《外科真诠》记有“腓腨发”“驴眼疮”等病。并对本病的病因、病机、症状、治疗等，都有比较详细的描述，与现代医学所说的硬红斑颇为相近。

从中医辨证来看，本病证型可分为几类：

1. 阴虚生热，热毒阻于经络：病人往往有鲜红斑块，压痛或肿胀疼痛。全身可有冷热、口干、盗汗等症状，宜用养阴清热、解毒活血之法。

2. 气血两亏，寒湿凝聚经络：该类患者往往病程缓慢，反复发作，症见斑色紫暗，下肢浮肿，全身乏力，心悸气短，天寒或遇冷则病进，肢冷脉微，舌淡等。宜用益气补血、健脾燥湿、通经活络之法。

3. 瘀血凝聚，经络阻滞：有的病人足部出现无痛性暗红色结节，踝关节或有肿胀，不红，且患肢发凉，呈慢性过程，反复发作，可用通阳活血之法治之。

余治一女性青年，于4年前双侧小腿皮下出现结节，1个月前左侧硬块溃破，色红灼痛，手不可近，伴发热恶寒、蔓延迅速、剧痛、心烦、口燥、纳少等症，曾用西药抗炎治疗罔效。经查其左小腿1/3处有缺口样疮面4处，最大4cm×4cm，最小2cm×2cm，肉芽不鲜，有较多稀脓夹有败絮状物，疮周围皮色暗滞。见证余思忖之，此女患者虽实属虚火内动，灼伤津液之证型，但又见其人具有舌体胖嫩、气短、纳少、伤口脓液清稀等症，本质上仍不失为脾虚中气不足，且有阴虚发热之证，总之为虚中挟实之证。方拟黄芪、白术、茯苓以益气健脾；萆薢、薏苡仁以利湿；合四妙勇安以养阴清热；佐马鞭草、刘寄奴、桃红、牡丹皮以祛瘀止痛。患者连服三十余剂，伤口外敷生肌橡皮膏，经月余伤口愈合。由此说明，本病虽归纳为三型，但绝不能拘泥于一点来进行辨证，因此，在辨证时应抓住症状主要方面，综合分析，才能取得满意的疗效。

欲通其脉先开其滞，欲运其痰必健其脾 ｜葛武生｜

流痰，在儿童多为先天不足；在青年人多由于房劳过度，或带下遗精，或肺虚金不生水，以致肾亏骼空。骨髓不充，骨失所养，骨质生长障碍而致骨质疏松是病之本；风寒乘虚侵袭，痰浊凝聚，或有所损伤，气血失和则是病之标。此证初起，多皮色不变，筋骨撤痛，漫肿坚硬，致使关节不能转动，以致积年累月，针药无效。听其自溃，串通数孔，汁如败浆，中夹腐块，外肿仍不消，蔓延成痨。以往治疗不是开结，便是补托，收效甚微，颇为棘手。翻阅方书，在《医宗金鉴·外科心法》蝼蛄条下注有："由思虑伤脾，脾伤则运化迟，故生浊液，流于肌肉，脾气滞郁不舒，凝结而成。"由此悟出一个道理：治此证必先通其脉而后运其痰。欲通其脉，当先开其滞；欲运其痰，必先健其脾。又按经旨"开盍不得，寒气从之。"参以通络豁痰温经，拟以丹参饮，服者多效。方药：丹参12g、连翘9g、郁金4.5g、白术9g、橘红6g、清半夏6g、天南星6g、茯苓9g、桂枝4.5g、白芍6g、羌活4.5g、细辛3g、通草1.5g、生姜3片，水煎服。《血证论》引文曰："治风先治血。"方中以丹参活血散结为君，连翘化郁散滞为臣，天南星、清半夏化痰，白术、陈皮健脾，细辛、羌活疏散以利运转，桂枝、白芍通经活络调合营卫，通草、生姜以疏利关节。诸药共奏化痰通络温经健脾之效，用于流痰一证，每获奇效。如隆尧县一农民，男性，50多岁，臂腕肿胀，硬痛如锥刺，皮色不变，已两月余。证为寒风乘虚袭入，郁留而不化，浊痰注经所结。初用丹参饮5剂，则患者痛减肿消；又服5剂患者腕部则能转动。外用神异散酒和涂患处，以动荡其血脉。后以调中益气汤调理而愈。邢台造纸厂一青年女工，患石榴疽（西医诊断为肘关节结核），溃后脓液清稀，淋漓不断，口不收，多方治疗无效，前来我处诊治。余思，溃后伤气耗血可知，此乃气虚痰湿不化之象，随即给予患者六君子汤加味健脾祛痰而告痊愈。

痨节风痛以虫蛇攻 ｜王景春｜

余临床30载，见风寒湿痹多，时治多用祛风、活络、止痛，"治风先治血，血行风自灭”等法，收到一定效果。但痨节风则难攻。我从《金匮要略》痨节病得知：诸肢节疼痛……桂枝芍药知母汤主之。临床运用此方加虫类药治疗百例，亦获良效。

余诊一青年，手足关节肿疼，甚则疼痛如咬，形体消瘦，面色苍白，舌质微红，苔白稍厚，脉沉略弦。诊痨节风，以温经活络，驱风止痛之法治疗。药用桂枝、知母、桑枝、白芍、乌梢蛇、地龙、附子、细辛、黄柏、白术、防风、甘草。服后患者手足关节肿胀好转，但疼痛不减，故加全蝎、蜈蚣、僵蚕。患者服后疼痛大减，起床行动，睡眠较好，食欲增加，面有润色，药已对证，嘱服首方，踝肿已消，走动自如，转用调养，补气活血，健脾强胃，巩固疗效。

痨节的发生，乃肝肾不足，感受寒湿，侵袭人体，流注关节，肿痛不消，患病日久，多方就医，疗效不显，思想负担较重，食少消瘦，气血不足，脸色发白，血虚风注，不能外泄，注于四肢关节肿痛。故以活络驱风，佐以虫、蛇重攻，风邪自除。方中桂枝、桑枝、麻黄、防风以驱风除湿于表；白芍、知母、黄柏、甘草除湿热而肿消；白术、附子、细辛温经散寒止痛；佐以乌梢蛇、全蝎、蜈蚣、地龙、僵蚕而攻注风邪止痉。药后患者诸症消失，继以健胃补气养血，增强体质，提高抗风邪能力，使痨节痼疾得以治愈。

大头瘟治验

诸云龙

1978 年春，一李姓农妇邀余往诊。该妇年逾四旬，自述患病已十余日。始则恶寒发热，头痛、咽痛；继则恶寒罢而发热剧，头痛如劈，头面红肿。虽经多方医治，病势有增无减，头面红肿日益加重。举家惶惶，不知所措。余观其头面焮红，肿大如斗，两眼如线，舌红苔黄，脉洪大而数。遂告家人曰：此症名曰大头瘟，乃感受温邪时毒，上攻头面使然。《香岩经》云：“阳明燥热液虚，风阳上逆，面部热肿。”此之谓也。治拟普济消毒饮加减，以泻火解毒。遂疏其方：黄连 10g、黄芩 10g、金银花 18g、连翘 18g、玄参 10g、板蓝根 18g、桔梗 6g、马勃 6g、牛蒡子 6g、薄荷 5g、升麻 5g、柴胡 5g、生甘草 5g，水煎服，每日 1 剂。

上方连服两天，患者头痛渐减，但头面红肿依然如故。此热毒炽盛，非大剂无以收功。故于前方加金银花、蒲公英各至 30g。因其大便秘结，又加川大黄 1g，此清上泻下之谓也。越宿，患者头面红肿大减，头痛、咽痛悉瘥。其后，诸症递减。5 日内，患者头面红肿全消，诸症悉除。

盖温热时毒之证，发作则很猛烈，其退则风平浪静，关键在于辨证准确、药证合拍耳。

盆腔脓肿，脓从尿道出

|赵慰庭|

癸亥春，有魏姓患者，女，74岁，因小腹痛，恶寒发热，住某医院，经化验、拍片检查，怀疑为直肠癌。住院十余日热仍不退，小腹痛亦未稍减，遂出院，来我院门诊治疗。查其体温39℃，小腹有硬块，拒按，舌苔白，根部白厚，脉滑数。揆其病情，确属毒热内蕴，腹有痈肿，但未悉生于何处？料其不似恶性肿物。乃书方真人活命饮加减，以清热解毒，软坚消肿（金银花30g、白芷10g、当归10g、陈皮10g、天花粉12g、乳香10g、没药10g、蒲公英20g、山慈菇12g、重楼15g、牡蛎20g、甘草10g），嘱其连服10剂。药后再诊，患者肿处局限，寒热已除，惟小便不利，头汗出。予育阴清热利水之猪苓汤服之。两剂后，患者小便畅利，但又失禁。考其病情，实为膀胱气化不利所致。乃改用五苓散治之，2剂后，患者头汗止，尿无不禁。但因其年高体弱，折磨日久，已属危重，家人准备后事。正当此时，患者竟从尿道排出大量脓液，约800ml。其小腹从此渐软，亦不作痛，且知饥欲食。但气短乏力，脉弱甚。余急与补气养血、托里透脓之剂（黄芪20g、党参15g、白芍10g、皂角刺6g、白芷10g、金银花20g、连翘12g、白术10g、甘草10g）服之，6剂后，患者脓已排尽，小腹平软如常人，精神好，食欲大增，一切正常，已能下床走动。嗣后，余与中西医同道研讨，一致认为，其人素蕴湿热，郁积盆腔，日久酿成脓肿，与膀胱壁粘连。脓肿溃后，从盆腔直入膀胱，故从尿道排出。初用清热解毒剂，未溃能消，已溃可促其成脓。当其脓液进入膀胱，出现小便不利时，乃以猪苓汤、五苓散化膀胱之气以利水；脓液排出后，正气大虚，则以补气养血为务。步步为营，层层有序，其病度可痊愈。然而，脓从尿道出，实为罕见之例。

乌星散外敷治疗寒性脓疡

|奚忠贞|

寒性脓疡又称结核性脓疡。此病属中医的阴疽、阴疮、寒痰之类。余用中药命名乌星散外敷，并配合补气养血的八珍汤或十全大补汤之类内服，治疗本

病，效果良好。乌星散由草乌、胆南星、干姜、肉桂、白芷、赤芍各等份为末，温酒调敷患处。每日用酒调敷2次，3日1换，5~10剂可痊愈。

余于1979年秋，曾治一女患，年55岁，患胸壁结核5个月余，由外科转给中医治疗。病人体羸而脉沉细，于左胸胁有掌大一肿块，皮色不变，稍有隆起，触压之疼痛不显，是为阴疽。投予乌星散100g，令热酒50g调敷患处，并投予十全大补丸10粒，1日3次，每次1粒内服。共用乌星散5剂，十全大补丸6盒，患者病痊愈。经几年追访，未曾复发。

阴疽为慢性虚寒性脓疡，多由营血虚寒，致寒凝痰滞，痹阻肌肉筋骨血脉，以局部漫肿、色白酸痛为特点，且难溃、难腐、难敛。王洪绪谓："疽发于五脏，其根深，是因寒痰之凝，阴毒深伏，属阴属寒。"

乌头味辛，大热有毒，能散寒通滞，温阳行血。叶天士谓："乌头有镇痛镇痉作用，对瘰疬癌肿有效。"天南星辛温，能燥湿活络祛痰。干姜、肉桂能破阴和阳，温经通脉。王洪绪说："非肉桂干姜，不能解其寒凝，寒凝解，气血通，毒气得除。"白芷辛温，芳香开窍，有散风、除湿、镇痛、止血解毒之功。赤芍行血通痹。

乌星散的药物多属温热类，符合对阳证的治疗。正如《素问》所说："寒者热之，热者寒之""虚者补之""劳者温之""结者散之"的原则。对阴证的治疗，又如"阳光一照，寒凝悉解"一语。万不可用清火解毒之法，因此毒是寒邪，寒解而毒自解。今局部用药，直接作用病所，较内服药安全，疗效迅速，并配合扶正固本药物内服，故能促进病愈。已溃者不用此法。

临诊一得

杜克礼

余治一农妇，约四十余岁，曾于8年前，陡然发热恶寒，随之左乳肿硬胀痛，后经切开排脓，肿痛即减，以后疮口时愈复犯，遗患成瘘，久治不愈，其痛苦不可言状。遂于去春，来门诊就医。检视：其左乳头两旁各有一个疮孔，相距约10cm，瘘管斜深3cm，在乳头下方两孔两道，疮口有冗长肉芽，周围皮肤暗褐色，左乳外方距疮孔3cm处有一个脓腔，中心微软，按压之，有较多稀脓从疮口溢出，脓腔表面不红，亦无热感。拟再度切开排脓，患者拒之。古人云：破而内溃，脓水淋漓，日久不愈，名曰乳瘘。该患者疮口脓稀不敛，气血虚故也，据证论治，亟须内托排脓，已无疑义。随投方：生黄芪30g、党参10g、当归10g、金银花10g、川贝母10g、香附10g、麦芽10g、穿山甲10g，水煎服，日服1剂两煎。拟予外治法，因脓腔大且深，脓腐亦多，曾引流无效，故此时颇费踌躇，忽忆起吾曾用垫衬法治疗“袋脓”病症，何不妨一试于彼，遂决定用“脓腔纱垫加压法”施治之。事先以中医“刮法”搔刮脓腔内坏死组织。然后置数层纱布垫于脓腔之上，以宽粘膏缚紧。疮孔撒“灵二”药粉，外敷以生肌橡皮膏纱条。如是每日换药，纱垫如粘污脓腐可重新更换之。3~4日后，视其疮口已扩大，脓转黄稠，冗长肉芽已减，脓腔浅至一半。对患者之伤口换药同前，继用纱布数层在脓腔处及乳头处加压固定，注意加压较前增大，中药内服如前。十余天后，患者脓腔变浅，可见疮底，脓液基本已无，内服中药十余剂而止，撤掉祛腐药粉，外敷生肌橡皮膏，纱垫压力逐日递减。

月余后，患者疮面已平，皮色红润，创面不留瘢痕。此例采用中医“刮法”，大大缩短了祛腐时间，同时配合“纱垫加压”促使腔壁粘连愈合。注意纱垫要大于脓腔，压力均匀，勿留死腔，保证疮口引流通畅，即可达到满意的疗效。本病获愈之速，实为幸甚！以后逢此类病症乃至结核性疮口，投以此法屡试屡效。此虽点滴经验，微不足道，然顽症能痊，亦一得之愚也。

附：灵二药粉药物组成

红升丹、轻粉、血竭、乳香、儿茶、冰片、麝香，研成细末。

崩漏论治

马宝璋

崩漏病，是以妇女非经期的阴道流血为主要特征的疾病，是妇科临床的急证之一。本病患者有的阴道骤然大量下血，来势之急犹如血山之崩，常致气随血脱（失血性休克），若不及时救治，可危及生命；有的阴道淋漓下血，日久不绝，血气耗伤致成血虚。

对崩漏的治疗大法有三：曰塞流、曰澄源、曰复旧。崩漏病以阴道流血为主，根据急则治标、缓则治本的原则，塞流止血乃是当务之急；然阴道流血必有所因，只有澄源针对病因进行治疗，才能病除血止；复旧则调理脾肾，益气填精，以善其后。笔者体会：虽说有三步大法，而实际上对崩漏出血期的治疗是塞流、澄源二步并作一步走，没有只执一方而能塞多因之流的。比如血热型崩漏，若专以举元、补中类药物治疗是火上浇油，盖气有余便是火，则其热益甚，其流焉能塞止？又如气虚型崩漏，若但执清经、清热固经类以塞流，不但流未必止，而且元气大伤，血失统摄，其流益甚。因此，在治疗崩漏时，必须辨证求因，审因用药，塞流、澄源同步进行，才能收到满意的疗效。

认真辨证，是治疗崩漏收效的关键。笔者临床体会，崩漏病偏热证者并不少见，但崩漏病常因大量失血并发贫血。患者面色发白、头晕心悸、全身乏力，容易忽视血分有热的主证，而每易投以补气摄血之剂，甚者不予辨证则固执补气止血方，反使病情加重，临床时有所见。有确系气虚证（候）崩漏，也有因失血日久伤阴，挟有热象，不可不察。我们这里强调有热，并非固执一说，主要想强调临证时一定要通过望、闻、问、切全面诊察病人的主证，运用八纲辨证综合分析，八纲之首为阴阳，气虚、血热实系一阴一阳，只有细细辨之，才能得出正确的诊断，以指导治疗。

治疗崩漏既然要塞流、澄源一步走，因此针对病因选定主方之后，就要注意选用适当的塞流止血药物，使全方有协同作用，以达到止血的目的。笔者临床惯用的止血药物是牡蛎、茜草、炒地榆。牡蛎益阴潜阳，固摄冲任；茜草活血止血，使血止而不停瘀；炒地榆凉血止血，其性微寒炒后偏性更减，所以这三味药物既可协同止血，又不影响与其他药物的配伍。例如：诸虚证酌加陈棕榈炭、血余炭以涩血止血；阳虚者酌配艾叶炭、炮姜以温经止血；偏热者，可与黄柏炭、焦栀子为伍以凉血止血；挟瘀者，可酌用三七、牡丹皮炭、益母草之类以祛瘀止血。

然而，对崩漏病出血期的治疗，多是权宜之计，关键的治疗在于调整周期。即根据脏腑阴阳的盛衰进行调治，特别要着重调理脾肾，使精充血足，经事如期，从而使崩漏得到根本治疗。

血热致崩，黄芪可用

李永文

崩漏证如果因脾虚统摄失权者，黄芪固为要药，取其补气而摄血的作用。如属热扰血室冲任失守者，黄芪亦非绝对禁忌。当然，如血热之崩漏证，其血色深红而赤、口干、烦躁、舌红苔黄、脉数有力者，黄芪固非所宜，但如血去过多而出现头晕、神疲乏力等虚象时，黄芪则为必用之药。盖血去过多则血伤而气弱，气虚失于统摄，则血出不止。余临床诊治血热崩漏出血患者 1 周后，虽有热象但如出现上述虚象时，每在清热方剂中加入黄芪20g，则收效甚速。余曾治一气郁化火、伤及冲任之血热崩漏证患者，经某中医运用大剂清热凉血之剂，血量虽逐渐减少，但日久淋漓不断，已出现神疲、头晕、全身乏力、四肢酸软等气虚证象，此时非用黄芪补气摄血，则血不易止。余在清热固经方剂中加入黄芪 20g，其家属中知医者议曰："阳热之证加入温补之品，定更加助火使血热妄行而不止。”遂弃方而不用，继服清热凉血止血之剂，其效仍不显。后与余磋商，余曰：“阳热之证，甘温固非所宜，今血去过多则阴伤及阳，气虚失于固摄，则血更不易止，何况此少量甘温之品，加在大剂清热固经等药之中，何温之有，实不能助火。”该患者半信半疑而服药3剂，血量逐渐减少，继服5剂，病便痊愈。此外，对于阴虚血热之崩漏证，如日久淋漓不断，亦可在大剂滋阴清热方剂中加入黄芪20～30g。

妙哉！将军斩关汤

袁世华

18年前，曾治一女，年18岁，经水淋漓不断，已逾3个月，历更数医，收效甚微。患者来院时，见其面色苍白，气怯声微，不思饮食，头晕目眩，神疲乏力，经血色淡质稀夹少许血块，脉细而涩。余知其系气血两虚，虚中夹瘀之证。但试用数方，均未收功。正在一筹莫展之际，从《近代中医流派选集》中偶得一方，乃已故上海名医朱南山之验方，名曰将军斩关汤。方用：大黄炭3g，生地黄、熟地黄、蒲黄炒阿胶、茯神、焦谷芽各9g，仙鹤草18g，黄芪4.5g，炒当归9g，白术4.5g，巴戟天9g，另用藏红花0.9g、三七末0.9g，红茶汁送服。因原方后注明治严重血崩虚中夹实者，与此证正合，故试用之。谁知一试即应，未尽3剂，患者经血全止。余深叹服此方之妙，真不愧是名家之方，将军斩关汤确有将军之伟力。以后每遇崩漏，常以此方加减收功。为便于记忆，还编成一歌，云：“将军斩关崩漏方，熟军二地胶蒲黄，茯谷三七红仙鹤，芪归术戟补阴阳。”

此方何以有此良效，玩味数年方悟出其中道理。原来，此方用药有三个特点，难能可贵。

1. 是止血不忘化瘀：久患崩漏者，虽诸虚互见，然又每有瘀血残留胞中，尤其多服寒凉凝血或炭类止血药者，更易留瘀，此时单用补益、升提、收涩之品，必难获效，须将止血化瘀并用之。大黄正具此功，此方既曰将军斩关，可见该药在方中之地位。大黄一味实兼止血、消瘀、凝血三功，用于吐衄便血均效，用于崩漏亦然。方中又配三七、当归、仙鹤草、蒲黄炒阿胶、红花，均可祛除瘀血，使新血归于经而崩漏止。

2. 是固冲任不忘滋肝肾：肝虚则经血不藏，肾虚则冲任不固，必致经行错乱。方中当归、阿胶养肝血，熟地黄、巴戟天补肾精，使精血足，冲任固，经血调。

3. 其三是统摄经血不忘补脾益气：方中白术、茯神、谷芽皆为健胃醒脾之品，更加黄芪益气。既能统血摄血，又能补血生血。

因此，服一方而止血、消瘀、凝血、补虚齐备，塞流、澄源、复归兼行，自能斩关夺隘，止漏停崩，成为不可多得之良方。

调经止血汤小议

|曲　生|

调经止血汤，系已故原长春市卫生局副局长、吉林省著名老中医孙纯一先生之首创。他从事中医工作四十余年，学验俱富，著述甚多，医学造诣精深。余有幸从其学习，受益颇深，凡遇月经不调之人，用调经止血汤治疗，疗效尤著。其方药组成为：黄芪25g、当归10g、生山药25g、明党参25g、何首乌20g、乌贼骨15g、桑螵蛸15g、枸杞子15g、桑椹25g、生龙骨25g、煅牡蛎15g、鹿角胶15g（另化兑服）、防风炭25g、羌活5g、独活5g、荆芥炭15g、蒲黄炭15g、竹茹25g、阿胶25g（另化兑服），水煎服，每日二三次，每次100ml。其加减法为：血热证：去黄芪、党参、何首乌，加生地黄20g，牡丹皮15g，黄芩15g。气虚证：重用参、芪，加白术20g。血瘀证：去黄芪、龙骨、牡蛎，乌贼骨，加桃仁15g，红花10g，丹参25g，益母草25g，郁金10g。气滞证：去乌贼骨、黄芪，加青皮15g，香附15g，枳壳15g，柴胡15g。

我曾治崔姓患者，26岁，1966年8月来诊。自述：月经时多时少，淋漓不断，血色深红，持续3个月不净，伴有头晕目眩，两胁微胀，脉沉弦而细，舌质淡红，苔薄白，诊为经漏，属气滞型。治宜疏肝行气，调经止血为主。处方：当归10g、生山药20g、生龙骨25g、生牡蛎20g、鹿角胶15g（另化兑服）、荆芥炭15g、蒲黄炭15g、枸杞子25g、桑椹25g、桑螵蛸15g、羌活3g、独活3g、香附15g、青皮15g、枳壳15g、柴胡10g，水煎服。患者连服10剂而愈。

闲时，余问孙师曰：调经止血汤其义何在？为什么要用羌活、独活？孙师曰：崩漏之病的发病机制与冲任损伤、肝脾失调、统摄失权有关。余用党参、黄芪益气和脾；山药、何首乌、枸杞子、桑螵蛸、桑椹补肾以固冲任；取龙骨、牡蛎、乌贼骨三药之涩性以敛浮越之正气；防风炭、荆芥炭、蒲黄炭理气疏滞；竹茹和胃凉血；当归身甘温和血养血；阿胶滋胃养肝；鹿角胶益肾生精，强骨壮腰，大补冲任。方中羌活、独活似乎与治血无关，但不知羌活、独活除能入足太阳、足少阴经之外，还能入足厥阴肝经，取其泻肝气、搜肝风以抑因肝风而致妄行之血，从而达到止血之目的。

更年期功能性子宫出血宜肝脾肾同治

王耀廷

《河间六书》云："妇人童幼，天癸未行之间，皆属少阴；天癸既行，皆从厥阴论之；天癸既绝，乃属太阴经也。"指出了妇人在一生中，由于不同年龄阶段的生理功能变化，用药应有所侧重。青少年着重补肾；生育年龄，侧重于肝；绝经之后，肾气渐衰，为正常生理现象，全靠后天脾胃以养之，故着重于脾。更年期正是由壮向老过渡的时期，此期肝肾不足，疏泄及封藏功能紊乱，常易发生更年期功能性子宫出血。治疗时必须根据更年期的生理特点，静心摄养，避免忧愁烦恼。调情志以养肝，补脾固肾以治本。补脾乃培后天以养先天；固肾则延缓肾气虚减的进程；固封藏，以冀却病延年。临证时用自拟三合汤，肝、脾、肾同治，往往随手取效。

1978年秋，曾治费某，46岁，经血不调年余，经期腹坠腰酸，经前心烦易怒，烘热汗出，头晕口苦。来诊时经行第5天，量多不止，经色殷红，质不稀不稠，无瘀块；伴小腹空坠而痛，面色㿠白，口唇爪甲苍白，手掌淡黄如金，舌质淡白，舌苔薄白，脉象虚大而数。此为气虚不摄，疏泄太过，闭藏失职，肝、脾、肾同病之血崩证。脉虚大而数，不可断为热，乃是虚损之象。正如张景岳所说："数脉之病，惟损最多，愈虚则愈数，愈数则愈危，若以虚数作热数，则无不败矣。"急疏三合汤：生黄芪50g、当归10g、海螵蛸40g、茜草10g、地榆50g、山茱萸20g、龙骨50g、牡蛎20g，加醋20ml水煎服，每日服4次。方中当归、黄芪益气健脾，养血柔肝；海螵蛸、茜草仿《内经》四乌贼骨一芦茹丸治"伤肝之病，时时前后血"之意；山茱萸、龙骨、牡蛎补肾气，收敛将散之阳，固摄下脱之阴；地榆、苦酒（醋）酸敛止血。上方内含当归补血汤、四乌贼骨一芦茹丸、地榆苦酒煎三方，又有肝、脾、肾同治之功，故名之曰"三合"。患者服药1日（4次）后血量大减，又服2日血止，后用归脾丸以善其后。

活血化瘀治经漏

韩忠林

1967年1月，门诊遇一妇人，39岁，因月经淋漓不断月余而求治于我。病人面色皖白，消瘦，精神萎靡不振，脉沉弦。追问病史已有半年之久，月经无规律，持续时间长，血量多，影响劳动，甚感痛苦。因其经血月余未断，伤血耗气必致气血亏虚。遂提笔仿人参归脾汤意，开汤药两剂水煎服。第3天病人复诊，述其月经未见减少，反增头晕，少腹闷痛等症。此时我心中揣摩，久病失血致虚补之应效；今未效必是药量不达，故按原方意人参和黄芪加倍，益增棕榈炭、地榆炭令服2剂。三诊，患者病情依然。此时我想，用药不效必是辨证有误，《内经》指出："谨守病机、各司其属"，只有正确地辨证，才能得出正确的治疗原则，避免"虚虚实实"之弊。余重温其病史，分析病机后恍然大悟。此患者月经淋漓不断已久，虚证当现，但虚中夹瘀不可不知；对舌、脉、经血色质不可不辨。遂细观其舌象，见舌边果有紫色瘀斑，又追问其经血色暗并夹少量血条血块，黏稠不断。此虚中夹瘀无疑。遂改活血化瘀法，方用当归20g、川芎15g、红花7.5g、五灵脂15g、蒲黄15g、木香7.5g、香附15g、甘草10g，水煎冲服三七粉2.5g。连服3剂，患者服药后第2天即下大量黏稠血块血条，次日血少痛减。3剂服尽，经血明显减少，头晕及少腹闷痛均减轻。守原方又服2剂，患者经血干净，诸症悉除。半年后该患者因胃痛又来门诊治疗，方晓其月经按月而至，旧病未再复发。

此案为极寻常之经漏症，但对我教益匪浅。漏症缠绵不愈，因瘀者并非少见。临证往往见血即止、见虚则补，多不取效。通过近二十年来的临床实践，我体会到：治经血病的"塞流，澄源，复旧"三法，应以"澄源"为主，即所谓"祛瘀生新"。《素问·针解篇》也指出："菀陈则除之者，去恶血也"，瘀血不去何能生新。余临证遇此类病，每以化瘀法治疗效果颇验，可见这是行之有效的方法。

崩漏治验

|董克勤|

崩漏为妇科常见病。我早年治此病，着重于止血，血止辄谓痊愈。可是，经治愈几个月后，常常见到复发的病例。初时大惑不解，奈何止血效著而复发甚多？从此留心观察，历数年，对止血效果较好的临床资料进行了分析，发现复发病历均为血止后月经周期不正常者（基础体温、宫颈黏液及子宫内膜检查均显示无排卵型月经）；而未复发的病例多为血止后月经周期正常者。从此茅塞顿开，凡治崩漏，血止后并不罢手，及时予以调阴阳，理冲任，调整月经周期。此后，复发病例很少，收到了满意的疗效。

脾肾虚寒者流血量多，或淋漓不断，面色皖白，气短懒言，身体倦怠，形寒肢冷，浮肿，腰酸痛，舌质淡，苔薄白，脉沉细或虚缓无力。止血用自拟止血丹：女贞子 1.5g、墨旱莲 1g、当归 1g、丹参 0.5g、侧柏炭 1g、黄柏炭 0.5g、蒲黄炭 1g、香附炭 0.5g、党参 1.5g、白术 1.5g（按比例配成，下同），炼蜜为丸，10g 重，每次 1 或 2 丸，日服 3 次。实热者阴道突然大量下血，或淋漓不断，血色鲜红，小腹痛，拒按，瘀块排除后疼痛减轻，脉弦数或滑数。止血用止血丸：女贞子 1.5g、旱莲草 1g、当归 1g、丹参 0.5g、香附炭 0.5g、黄柏炭 0.5g、蒲黄炭 1g、侧柏炭 1g、牡丹皮 1.5g、生地黄 1.5g，制服法同止血丹。

患者血止后前 2 药停服，然后根据有肾阳虚见证者服女宝丹：仙茅 25g、淫羊藿 25g、女贞子 0.5g、菟丝子 0.5g、墨旱莲 1g、枸杞子 1g、阿胶 2g（上药按上述比例配成），炼蜜为丸，10g 重，每次 1 或 2 丸，日服 3 次。有肾阴虚见证者，服女宝丸：何首乌 1g、桑椹子 1g、女贞子 2g、墨旱莲 2g、淫羊藿 1g、生地黄 1g、阿胶 2g，制、服法同上。

曾治一李姓患者，27 岁，已婚。阴道出血 19 天，量多，头晕乏力。月经或周期不规律，或淋漓不断已 14 年，婚后 5 年未孕，经服中西药物治疗少效。诊断为崩漏症（功能性子宫出血，无排卵型）辨证属脾肾虚寒。病人服止血丸 10 天血止，血止后见有肾阳虚诸症，继服女宝丹 80 天，面转红润，血红蛋白由住院时的 75g/L 上升到 120g/L，3 个月月经周期正常，治愈出院。1982 年秋已妊娠 5 个月。

笔者运用止血、血止后继以调阴阳、理冲任、调整月经周期的治法，以止血丹、止血丸、女宝丹、女宝丸四方辨证治疗崩漏病百余例，收到较好效果。

崩漏临床绪余

周鸣岐

崩漏，乃因体内阴阳失衡而致气血不和，脏腑功能失调，冲任不固而致。先贤每以“脾虚”“肾虚”“血热”“气滞血瘀”为立论依据。《素问·阴阳别论篇》曰：“阴虚阳搏谓之崩”，阐明崩漏发病之机制乃阴虚导致阳亢之故。盖妇人多因情志不畅而致肝气郁结；气滞则血瘀，日久化热化火，灼伤脉络；脉络灼伤，血焉能循常道而不离经外溢？离经之血，聚集凝结，遂成瘀血，瘀血充盈，势必崩矣。

既崩之，当设方图治。然不视病人之症状，盲用“塞流之品”以求止血，血虽苟且可止，而腹痛、舌黯、脉涩等瘀血之见症相继而生；况且瘀血尚存，伺机必复将大下血不止。故除以大失血之际，慎用“塞流之品”为宜。或问，若舍以“塞流之品”，岂有任其自流之意乎？曰：非然也。以余之管见，图治崩漏固然“塞流之品”不可弃，然“治病必求于本”，其关键在于澄源。澄源即清基本。唯有推陈出新，去菀陈莝，祛瘀生新，方能澄源治本。《素问·针解篇》曰：“菀陈则除之者，去恶血也”，瘀血不去，何能生新。欲使气血守衡，血循“常经正规”而行，须“疏其气血令其条达”，是理与疏通渠道沟隧、修理河床之理相似耳。故当以活血化瘀之剂澄其源，去旧血、生新血，恢复机体正常之功能。若妄用峻补、固摄、收涩之品，必致“姑息养奸”“闭门留寇”之误，导致瘀上加瘀，酿成隐患。

余临诊常遇患者罹崩或漏数日，乃至数月，淋漓不断，迁延日久，反复发作，有血块或无血块，腰酸痛，脉细弦弱涩，舌黯甚有瘀斑，疲惫乏力，四肢倦怠，少气懒言，面色无华，头晕目眩。乍看属虚，细审乃虚中夹实之证。前医多以滋补、升提、固摄、止血之品治之，非但罔效，反而加重病势。余以活血化瘀为主治之，于患者瘀血排除，流血中止，腰腹痛消失，诸症悉除之后，再以调补气血，滋补脾肾，以善其后，或视病情再择方选药治之。用此方法，其效甚佳。正如《素问·离合真邪论篇》所述：“此攻邪也，疾出以去盛血，而复其真气。”

在治疗中，应据患者病情之差异，分而施以不同之治则，有是证，投以是药。对气虚、阳虚兼有血瘀者，采用扶正化瘀法治之，选用人参、党参、黄芪、白术、山药、当归、川芎、阿胶、益母草、延胡索、蒲黄、五灵脂等；因七情所伤，气滞血瘀者，采用疏肝化瘀法，常用柴胡、青皮、橘叶、生麦芽、香附、郁金、牛膝、茜草等；对寒湿凝滞经脉，胞宫血瘀者，采用温经化瘀法，选用吴茱萸、当归、红花、香附、川续断、川芎、乌药等；对火热灼伤脉络，致血离经外溢，煎熬成瘀之实证者，采用清热化瘀之法，选用生地黄、玄参、牡丹皮、女贞子、旱莲草、桑寄生、熟地黄、当归、茜草、蒲黄、五灵脂等。根据血随气行，气为血帅之理，酌情配以理气之品味，其效益甚。

清热利湿治愈崩漏顽疾

|王　圻|

崩漏下血，常规治法多用收涩止血剂、炭性药类，但这并非格律。临床必须辨证求因，除因则病愈。举一例说明之。李某，40 岁，形体虚胖，面色萎黄而虚浮，步履迟缓，精神郁闷。患月经病已 5 年，久治未愈，月经期延长，每

次持续8～15天，血量多，色红，质稀薄。病情逐渐加重，近6个月经血淋漓不断，时多时少，用中、西药多方治疗效果不明显。于1周前在妇科作诊断性刮宫，送病理检验，诊断为：子宫内膜增殖症。行刮宫术后7天患者经血仍淋漓不断，但血量少色黄赤如高粱米水样。根据其脉象症状分析：其形体虚胖，步履迟缓，是湿盛体质。脉象缓大，舌苔黄腻是湿热。舌质淡紫，淡为血虚，紫因有停瘀。手足心热，胸热咽干是湿邪郁而化热，热邪迫血妄行而成崩漏。崩漏日久失血过多而致血虚。湿热为病因，因引起崩漏而导致血虚。故对其治疗采用清热利湿和血理气方法。处方：当归15g、生地黄15g、白芍15g、牡丹皮15g、连翘15g、苍术15g、黄柏10g、龙胆草15g、益母草15g、泽兰15g、陈皮10g、大黄炭7.5g。患者服药两剂后流血即停止，但仍有少量血性分泌物，有时少腹部胀满不适。黄腻苔渐退，脉象沉缓。根据其脉症所见，可知湿热渐清，血海得安，故漏已止。但因其气机未调故少腹仍胀满，于上方减龙胆草加川楝子15g，再服两剂，数年沉疴竟告痊愈。

张氏固冲汤，治漏好验方

李允昌

固冲汤是张锡纯《医学衷中参西录》治妇人血崩之方，对久漏不止，经色浅淡，腹痛隐约者确有奇验。

关于崩漏的治法，古说有“初用止血，以塞其流；中用清热，以澄其源；末用补血，以还其旧”之法。说明崩漏一证，初期多热，后期多虚。据笔者临证观察，初期不仅因热，而瘀滞现象亦常存在。故对崩漏初期患者的治疗，当以疏导清热为主；后期多漏，气血俱伤，当以补气固涩为主。笔者临证，遇久漏不止者，常以固冲汤取效。曾治一妇人，经血淋漓，月余不止，屡治不效。症见经色浅淡，时断时续，腹痛隐约，心悸自汗，头晕乏力，唇舌色淡，脉虚无力。此经漏迁延，血亏气伤，气不摄血所致，治当益气固涩，拟固冲汤加减：黄芪50g、党参30g、白术15g、柴胡10g、杜仲15g、龙骨20g、牡蛎20g、海螵蛸20g、茜草15g、炮姜10g。服本方4剂，患者血止，后以归脾汤收功。

崩漏一证，虽以出血为主要见症，但病因不一，表现各异，必须审证求因。如见血止血，图功于一时，必遗后患。凡崩漏之因于滞热者，当以清疏，如误投止涩，则血瘀于内，滞热反剧；凡崩漏之因于气虚血脱者，当以补涩，如妄施疏导，则气血愈伤。可见谨守病机，治病求本，实为辨证之要旨。

漫谈清经散与补气固经汤

马宝璋

笔者用中药治疗月经过多、崩漏，常取得满意的止血效果。月经过多有气虚、血热之分；崩漏有肾虚、气虚、血热、血瘀之别。肾虚之中，有肾阳虚、肾气虚、肾阴虚（阴虚血热）；气虚之中，有素体脾虚、饮食劳倦；血热之中，有感受热邪、肝郁化热、阴虚血热；血瘀之中，有寒凝血瘀、气滞血瘀、瘀久化热等诸多不同情况。然足可用气虚、血热而括之，用八纲之首阴阳以统之。其血热者常用清经散加减获效，气虚者每用补气固经汤收功。

清经散出自《傅青主女科》，是治疗经行先期、月经过多的代表方剂。笔者常用本方加减通治属热证范畴的月经过多和崩漏。变化后的基本药物组成是：生地黄15g、白芍25g、牡丹皮15g、地骨皮15g、黄柏炭20g、牡蛎50g、茜草20g、炒地榆50g。盖热为阳邪，耗气伤津，每易动血，本方有养阴清热、凉血止血之效。同时因热邪本就耗气，且失血过多又可耗气，故可于本方中加黄芪25g以补气、枳壳20g以调气，其止血效果更佳。即使是对肝郁化热型月经过多或崩漏，于方中重用白芍35～40g，使之平肝柔肝，缓肝之急而不伤肝，黄柏炭代栀子，全方有丹栀逍遥之义，而无柴胡之疏泄，这对止血都是有意义的。曾治李某，阴道大量出血51天，继发贫血，转治各院多投以补气摄血之品，其流益甚，入院依其脉证诊为肝肾阴虚之阴虚血热型崩漏，服上方两剂血止。阴虚阳搏谓之崩，是明言其血热也，凡此当有热证可凭，若以清经散加减治疗定可收效。

自拟补气固经汤实系举元煎与二至丸加减化裁而成，基本药物有：党参20g、白术10g、黄芪50g、枳壳20g、白芍25g、女贞子20g、墨旱莲20g、牡蛎35g、茜草20g、炒地榆50g。盖气虚有脾气虚、肾气虚的不同，且月经产生的机制与肾气盛关系密切，故须脾肾兼顾，全方有益气固摄止血之效。气虚甚者又宜以人参易党参，并可酌加升麻10g以升提、陈棕榈炭20g以涩血止血。若气虚证致阳虚者，酌加艾叶炭15g、炮姜炭10g以温经止血；出血期虽有阳虚证不宜用附子、肉桂温阳，可用人参以补命门。景岳说，欲补命门非人参不捷效，其理彰然。兼肾虚腰痛者，酌加菟丝子35g、川续断15g，使含固阴煎方义。故本方可用于气虚证、肾气虚证、肾阳虚证的月经过多或崩漏。患者段某，阴道淋漓下血，辗转治疗3个月不效，诊断为肾气虚型崩漏，笔者依上方4剂血止。1984年初门诊收治气虚证崩漏42例，多数服上方2～6剂血止。临床上因气虚失血过多，或淋漓日久，伤阴挟热者，可酌加黑黄柏20g，以助墨旱莲、炒地榆益阴凉血止血之力，调其阴阳，以平为期。

痛经证诊余偶记

李国平

痛经，是指妇女在行经前后或经期小腹及腰部疼痛，甚至剧痛难忍，并随着月经周期持续发作的症状，亦称“经行腹痛”。我在治疗痛经时，将其分为气滞血瘀证、宫寒证和气血虚弱证进行辨证论治，往往取得令人满意的疗效。其中疗效最快者，有一诊两剂而愈者。而掌握好服药的时机，是提高疗效的关键。因为中医治病是非常重视时机的。例如治疗疟疾，《素问·刺疟篇》就说：“凡治疟，必先发如食顷，乃可以治，过之则失时也。”治疟如此，治疗痛经证也不例外。由于病因证候不同，治疗用药的时机也有所不同。比如，肝郁气滞证的痛经，在月经来潮的前 2 或 3 天，已经感到乳胀胁满，这时服用疏肝理气药物，使肝气条达，气血恢复正常运行，不仅可使行经期间痛感减轻，还可使经水畅行，经期正常。然后到下次经前再行服药，经过 2 或 3 个疗程，气滞型痛经就可以痊愈。如我曾治一李氏少女，年方 17 岁。该女 15 岁时月经初潮，后则经期如常。近一年来，每于经前二三日即觉小腹疼痛下坠，胀甚于痛，经血量少，但淋漓不断，血色紫黯，伴有胸胁乳房胀痛，善怒，时引一息为快，纳少，舌质紫黯无苔，脉象沉弦。该患为室女，自幼骄生惯养，性情刁怪，稍不如意即怒气填膺，肝气不舒，气机不畅，导致气滞，气滞则血瘀，冲任经脉受阻，血行不畅，滞于胞宫而发为气滞血瘀证痛经。我以理气解郁祛瘀止痛调经。逍遥散加减：当归 15g、白芍 15g、柴胡 10g、茯苓 15g、白术 15g、川楝子 15g、延胡索 10g、枳壳 15g、香附 15g、桃仁 15g、红花 15g、丹参 15g、甘草 10g，3 剂，水煎服。方中当归、白芍、柴胡养血疏肝；川楝子、枳壳、香附理气解郁行滞；桃仁、红花、丹参、延胡索祛瘀止痛；白术、茯苓以健脾；甘草和中，用治气滞血瘀型痛经甚合。

患女服药 3 剂后，胸胁乳房胀痛、腹病、善太息诸症均减轻，饮食增进，体力增加，脉象沉缓，舌质淡红。她本人预计近日月经将来潮，继投前方 3 剂，配合服用调经丸。后果如患者所云，月经如期而至，小腹及胸胁乳房均未疼痛，无任何不适感。追踪观察数月，月经均如期来潮，无任何痛经现象，遂告痊愈。

对偏于血瘀证的痛经患者，应在行经初期，经水涩滞不畅，腹痛而夹有瘀块时，服用活血调经药，使瘀滞得以化散，经水恢复畅流，腹痛就可以自然消失。

至于虚性痛经和宫寒证痛经，都是由于患者素日气血虚弱而引起的，所以适合于平时服药，痛经也会随着周期逐次减轻，从而达到痊愈的目的。

痛经药水 | 王秀霞 |

痛经是妇科领域里的常见病。不论是气滞血瘀，还是寒湿凝滞，都出现经前或经时腹痛难忍，痛甚则欲呕，甚至痛而欲厥等症。理论上常提到“不通则痛”，因而行气通经而止痛，是临床常用的治疗手段。这种中药止痛剂，既服用方便，又能止痛，久服不但无不良反应，还能改善痛经病情。多年来，经过在妇科病房里使用证实，是一种比较理想的常备药。处方：延胡索、五灵脂、枳壳、汉防己各100g，浸于1000g白酒或30%的酒精中，浸泡1周后，过滤备用。痛时可临时口服10ml，服用15分钟以后逐渐发挥止痛作用。患者亦可根据个体对酒的耐受量大小，酌情加减用量。

该药不仅用于治疗痛经，亦可用于治疗其他疼痛。从效果上看，对一些平滑肌痉挛性疼痛患者疗效较好。亦有人把它用于发生疼痛的癌症病人，也能在一定程度上减轻其疼痛。余查阅古医籍，上药均适于酒浸，一方面可以增强其活血止痛的疗效，又不必再加防腐剂，可备随时应用，止痛效果满意。临床各证痛经患者皆可服用。对经前痛甚者，可于经前1周开始服用。不但能止痛，还能收到治疗效果。

月经不调引起水肿的辨治 | 马宗林 |

妇女因月经不调而引起浮肿者，临床所见不一，治疗之法各异，临证仍需详加辨证，探本求源，应因其所因而遣方用药。但辨证施治之关键，仍离不开调气血、和脾胃、养肝肾、通经脉四大原则。本人采用四物汤合五皮饮加减治疗本病多例，屡获效验。曾治一位病人，五六年来其月经常错后，少则四十余天，多则两月来一次。近二三年，经行前后出现下肢浮肿，一般限于两足，严重时两手及面部也肿，曾住院两次检查治疗，均未治愈。其心、肝、肾均未查出病变，西医诊断为“特发性水肿”。患者平素感头昏、乏力、四肢欠温、纳差、白带多。就诊时，面色㿠白，舌质淡，苔白腻，脉缓弱无力。此乃脾胃阳虚，水湿停滞，冲任空虚，经脉不利，血化为水，治以健脾燥湿，调经利水之法，方用四物汤合五皮饮加减：苍术10g，茯苓12g，砂仁、蔻仁各6g，当归12g，熟地黄10g，川芎6g，炒白术10g，陈皮9g，大腹皮10g，冬瓜皮15g。5剂，每日1剂，水煎服。5剂服完，患者肿已消大半，食欲略增。遵上方再进5剂，共服药二十余剂，患者浮肿全消，食欲、精神明显改善，唯月经尚延期而来。按上方去冬瓜皮、大腹皮，加黄芪、党参各12g，着重调理月经，经随访半年，患者浮肿未发。

还有一病例，我至今记忆犹新。该患者1978年就诊，自述，1年多来经常出现下肢浮肿，每次月经前加重，月经过后逐渐减轻，但从未消退过。每次月经提前，有时1个月两次，量多色红，伴头晕心烦，夜寐多梦，易怒，手、足心发热，舌尖红，苔薄白，脉弦数。此乃肝肾阴虚，心火偏旺。治以滋肝肾、清心火、凉血热、消水肿，方用四物汤合五皮饮加减：当归10g、生地黄15g、白芍12g、牡丹皮10g、地骨皮15g、麦冬15g、川芎6g、木通9g、知母10g、陈皮6g、大腹皮10g、冬瓜皮15g，3剂，每日1剂，水煎服。本方连服10剂，患者下肢浮肿全部消退，心烦易怒及手、足心热也明显减轻。后继上方加减又服10剂，月经基本按期而至。观察半年一切如常。

经行呕吐琐谈

吕洪新

经行前后，出现某种病状的人，临床上并非少见，而且都具有伴随月经而呈现周期性发作的特点，如经行腹痛、经行泄泻、经行头痛，甚或经行吐衄等，均属常见病，而且通过一定的治疗，大多数都可治愈。

吾在二十余年的中医妇科临床实践中，曾遇一例令人难忘的经行呕吐病人。该患者是一女学生，年仅17岁，来诊时诉说经行有呕吐，求我诊治。我只按一般病人的情况考虑，给予降逆止呕。方以香砂六君子汤加止呕药，第1个月效果不显。下月又诊，我仍认为，经行呕吐，乃属冲气逆上，有升无降，冲气挟胃气上逆而作呕，治宜引经下行，虽然其人月经尚无异常改变，治亦由此而论。又开一方用加味温胆汤再加牛膝、益母草引经活血。又治1个周期。事隔许久，未见耳闻。

相隔数月后，我在一同志家，偶遇其母前来请医诊病，详问其情，其母窘然诉说，其女第2个月服药后，仍未见明显好转。当我详问其病情后，领悟到，病情实属未好转，而且虽经多方调治，却日趋加重。患者既往尚能少量进食，日进200～500g，而近来每到经期则吐不能食，心中嘈杂难忍，心烦口苦，头痛眩晕，倦怠难支，甚至见饭就吐，虽然未查出任何器质性病变，可是患者已见形体消瘦，每月都需住院，靠点滴维持。于是我仔细捉摸证情，反复看过既往药方，均按冲气上逆调治而未愈。于是我觉得，治疗应在“枢、疏”二字上下功夫，病在枢纽，其治在于疏解，遂又开方，以小柴胡加平胃散为方：柴胡20g、黄芩15g、半夏15g、党参15g、苍术15g、川厚朴10g、陈皮15g、甘草5g。采用先针刺合谷、曲池、足三里、中脘，分为两组。于每次服药前，先针灸后喝药，以求暂且止吐，再进药液，嘱其少量频饮。不料这次患者服4剂药后，症状明显好转，这个月顺利度过。我又按本方给患者调治两个周期，病告痊愈。虽属一例见证，足以诫人，治病必求其本。

经行咳血异治谈

郑艺钟

经行咳、吐、衄血诸证，中医妇科称“倒经、错经”。本证多因肝阳亢盛，血热上逆而致，即：“火犯阳经血上溢”之谓。临床施治多采用《景岳全书》之玉女煎（生石膏、知母、麦冬、熟地黄、牛膝）方加减出入，疗效参半。而笔者临床习用逍遥散、千金苇茎汤化裁施之行经咳血，意在取逍遥疏肝解郁以泄火，苇茎清金抑木以凉血，佐女贞子填补冲任以滋阴，使牛膝引血下行以治逆，全方共奏疏肝清肺、行血归经之功，而达同病“异治”之目的，验之临床，每获良效。仅选一则以证之：任某，女性，年25岁，未成佳偶，经期咳血年余，经多方医治尚未取效。经人介绍，慕名求医。余询其病史，对曰：1977年9月，曾因胸闷咽塞，咳痰带血，去佳市等医院就诊，医生看罢对症给予“止咳灵”口服，持续治疗1周，渐缓，以后常随月经周期呈规律性发作咳嗽，痰中带血，甚则咳血。诊断为：支气管炎。经用青霉素、链霉素等多种抗生素治疗达3个月余，均未获效。

秋去冬临，1977年底任某病势渐重，再次去医院，中医妇科某医生认为与月经周期相关，按血热上逆施治未效。后又用黄体酮以人工周期调治，症虽见微缓，但未根治。

1978年8月，转我院求中医诊治。主诉血证同前，诊其脉细，而右寸兼滑，观其舌质淡苔薄白，四诊合参，综合分析认为：证属行经咳血，肝火灼肺，法拟疏肝清肺，引血归经。方宜逍遥散合苇茎汤化裁，药物组成：川楝子20g、当归25g、白芍20g、女贞子20g、牛膝25g、苇茎50g、冬瓜仁25g、桃仁15g、薏苡仁30g，3剂水煎，日3服。

上方患者连服10剂，药后自感精神渐爽，胸闷若失，而经量骤增。其后，每逢经期来潮，除偶见一两次痰中略呈粉红色外，余症悉平。连续观察其3次月经周期，逆证告愈。

罕见闭经从肾论治

董克勤

经者，气血津液之所化。按月行经，至而有信；若应至而不至，则病证各异，斯归于肾。盖临床所见闭经，其候大致有二：一者虚，多由半产崩漏，冲任亏损，病久及肾；或脾虚胃弱，运化失常，化源不足，源断其流，治以温补脾肾，兼佐消导；二者忧思郁怒，气滞血瘀，治以活血行气，通利为事。

余曾治一女子，年30岁。缘由4年前产后出血而昏厥，此后性欲减退，乳房萎缩，腋下及阴毛脱落，月经4年未来。经用雌激素孕激素、活血化瘀类药物，均不见效。入院时面色苍白，浮肿，表情淡漠，反应迟钝，食少纳呆，毛发稀疏，舌淡少苔，脉沉缓。西医诊断为席汉氏病。

余详审本案，属脾肾俱虚之证。治宜益先天，补后天，佐以消导，疏方：仙茅30g、淫羊藿30g、女贞子15g、墨莲草10g、人参10g、黄芪15g、当归20g、枸杞子10g、焦三仙60g、大枣10枚，水煎服。服4剂后患者食欲增加，用药1个月精神大振，住院36天，浮肿消失，血红蛋白由80g/L上升到120g/L，闭经4年月经再次来潮，经量少，腰酸痛，转月经水复至。患者按上方加减共服2月余，周期规律，月经正常。出院时仍宗前法，开方令作丸剂，嘱服半年。随访年余，患者面转红润，月经有信，性欲正常，腋下及阴毛皆长，能承担家务劳动，与初诊时判若两人，大喜过望。

此案乃产后出血，久病肾亏，冲任虚损，致经水日以干涸而成经闭，故治以补肾为主，健脾益气，使闭经获愈。

室女经闭治验

李国平

发育正常的女子，一般在14岁左右，月经即应来潮。如果超龄过久而月经未来，或曾来而又中断，以及经行如常，忽然又数月不至，都称为“经闭”。10年前，我曾治愈一例室女经闭证。该患者系21岁的朝鲜族学生，17岁月经初潮。后经闭6个月，精神抑郁，烦躁易怒，小腹胀痛拒按，胸满胁痛，五心烦热，面色紫红、唇舌干涩，舌有紫点，脉象弦涩。中医辨证属血瘀型经闭，治以行气活血祛瘀通经。处方：乌药15g、延胡索15g、枳壳10g、当归15g、川芎15g、香附15g、赤芍15g、桃仁15g、红花15g、牡丹皮15g、五灵脂15g、川楝子15g、甘草10g，3剂，水煎服。剂尽后复诊：患者少腹痛减，唯觉五心烦热，脉象沉数。遂于前方加生地黄15g，续服3剂。服药后，患者少腹痛、腰部酸痛及烦热症均明显减轻，脉象沉涩，此属腹内有瘀血滞留，乃宗前方加重活血化瘀药物剂量。又服汤药三剂后，患者自觉少腹作痛并有下坠感，翌日月经来潮，少腹剧痛，腰部酸痛、血量多紫红有块，手足心热，脉象弦数，此乃少腹瘀血内停。气为血之帅，血赖气以行。病人精神抑郁，烦躁易怒，肝郁气滞，气滞则血瘀，冲任不通，导致经闭。气以宣达为顺，气滞碍血，故小腹胀痛拒按。而唇舌干涩、舌有紫点及脉弦涩，均为气滞血瘀之象。该患者月经来潮后，又续服中药3剂，以祛余邪。其方为：柴胡10g、当归15g、川芎15g、生地黄25g、牡丹皮15g、玄参15g、丹参15g、白芍15g、川续断15g、香附15g、桑寄生15g、甘草10g。

服上方后，患者五心烦热证亦除，又嘱其服用乌鸡白凤丸以善其后。过数月后，病人来医院笑而告曰：月经如期来潮，经量、色、质亦正常。血瘀经闭遂告痊愈。病人素日能歌善舞，病愈后高兴之至，为表达感激之情，曾在我诊室内为医护人员唱起朝鲜族民歌，并翩翩起舞。

带下证治琐谈

张子维

带下一证，其义有二，一指带脉失约，二指裙带以下之疾。昔越人扁鹊至邯郸，其国重妇人，曾为带下医即其义也。此证成年妇女多有之，缘其情多隐讳，病势缓慢，故多不愿述之。殊不知此证若缠绵不绝，经久不愈，以致冲任日损，甚或汩汩而下，真元大伤，则可变证蜂起，贻患莫测，不可不慎。此证多由带脉失约，冲任不固，肝郁脾虚，湿浊下注及邪入胞中所致。古人以其颜色不同，又分为五色带下，按五行所属分类，归属五脏。《景岳全书》则将其病因分成六类，似较过详，以余论之，总不外湿热、虚寒两种，其义尽矣。

尝治一王姓教师，年逾三旬，患带下证已半年之久，病初犹不以为然，继则少腹痛连腰脊，时或有少量阴道出血。诊其脉沉数，舌苔白腻。余谓此属湿热蕴于下焦，积于冲任，蕴结日久，耗伤肾气。腰为肾之府，故连及腰痛，遂拟清湿热、益肾气法：杜仲12g、白芍12g、当归12g、黄柏10g、知母10g、蒲公英15g、薏苡仁30g、甘草3克。患者服3剂而愈。

1984年5月，就诊患者郝某，38岁。自云病带下3年余，味腥臭，其色白，清稀而多绵绵不绝，近月余腰椎骨疼痛，脉象沉细无力，舌苔薄白。

余认为患者阳气素虚，寒湿之邪袭于胞宫，邪从阴化，故带下清稀而味腥，绵绵不绝已越3年，冲任损伤肾气虚矣，故腰脊痛带下不止，乃疏补肾健脾、温阳止带之方：党参15g、白术12g、茯苓15g、杜仲10g、补骨脂10g、川续断10g、牡蛎15g、吴茱萸10g、小茴香10g、炮姜10g，3剂，日1剂。月余患者未来复诊，乃烦人往访之。患者告知，服药后腰已不痛，带下微存，别无所苦，由于农事繁忙故未往医院复诊，待农事小闲，再服上方药以防后患。

带证首选完带汤

董克勤

妇人带下者，十有八九。现代医学的附件炎、盆腔炎、宫颈炎、各种阴道炎，均属带下证。《证治准绳》谓："妇人有白带者，乃是第一等病。"可见，带下证在妇人中患之颇众。

其证见小腹胀坠作痛，牵掣腰膝作痛，阴道绵绵不断流白色如涕样分泌物。更有臭味者，重则不孕。

吾临证二十余载，嗜习医籍而所偏爱者唯《傅青主女科》耳。傅山乃一代才子，其所著《傅青主女科》文采过人，医理精妙。如述带下，以白带多见，湿盛火衰，肝郁而气弱，脾土受伤，湿气下注，脾不化精，反成白滑之物，治以补脾疏肝，清热利湿，余得信其论，多宗此法。

曾治一刘姓病人，白带多，有腥味，腹凉坠痛，每经前腹痛加重，牵掣腰骶部疼，婚后4年未孕，诊为带下证、原发不孕证。其人面色萎黄，舌质淡红、苔薄白，脉弦缓无力。此为脾虚肝郁，湿邪下注，阻塞胞脉而不孕。疏方：当归20g、焦白术30g、山药30g、党参20g、陈皮10g、荆芥穗10g、柴胡15g、苍术15g、白芍10g、车前子10g、乌药15g，4剂。水煎服后，患者腹痛明显减轻，但带下有味。此为湿热，乃于原方加黄柏10g、苦参10g、芡实15g，去荆芥穗、柴胡。患者又连服十余剂，诸症皆除，苔薄白，脉缓和。嘱其将上方制成丸药，服用两个月，竟于1981年6月正常分娩一女婴，家中皆喜。

此验例，临证多见。后来余将上方加丹参、赤芍、三棱、莪术、延胡索，制成中成药，取名“妇炎康”，具有活血化瘀、软坚散结、清热止痛、改善血液循环的功能。经临床观察364例，有效率达94.8%，已通过科研成果鉴定。

黑带证治

王肇英

五色带下中，白带、黄带最为多见，黑带极为少见。黑带，带下色黑如墨汁，质较黏稠，兼见心烦易怒，阴道有灼热或瘙痒感，一般发作于行经之后。

关于黑带的发病机制，前人认为主要是热邪过盛，煎烁津液而成。盖带下本属湿邪，其色纯黑，兼见阴道灼热，心烦不宁，证属湿热无疑。但带显黑色，必挟有陈旧性之瘀血，此乃月经期之经血未尽，积留之瘀血与分泌物相混而下，故黑带实为湿热挟瘀使然。

对黑带若单纯采用除湿清热之法，根本无效，必须以清热、利湿、化瘀三者并用，方不至于贻误病机。若以色黑属肾，治以补肾之法，势必铸成大错。由于本病发作有它的规律性，在1个月经周期中，分三个阶段选用不同方法，分别治之，可取得满意效果。

月经期：治以行气活血，清热通经，使经血排净，免致停留瘀积。处以柴胡、香附、当归、丹参、赤芍、红花、桃仁、牡丹皮、龙胆草、牛膝。带下期：治以除湿止带、清热化瘀，使湿邪与瘀血并去。处以土茯苓、龙胆草、黄芩、薏苡仁、泽泻、牡丹皮、瞿麦、当归、煅牡蛎。带止期：此时表现为阴道热痒、烦躁等肝郁挟热之象，以疏肝清热、解毒除湿法治之。处以柴胡、川楝子、龙胆草、生地黄、土茯苓、金银花、牡丹皮、泽泻。

妇科经验琐谈

秦德润

有人问我：行医三十余年，对于治疗妇科病有无秘诀、验方？我说：能掌握辨证论治规律就是秘诀；妇科书籍所载之方，均系古人历验之良方，能运用之，均系验方。至于读书有独特心得，临床有独特经验，似又当别论。

傅青主以妇科专家闻名于世，用完带汤治疗脾虚寒湿之白带，疗效极高，若湿热下注或肾阴不足者就无效。对上述病证，名中医秦伯未常用：豆蔻花、巴戟天、芡实、赤茯苓、盐水炒黄柏、乌贼骨、山药、金樱子、苍术、柴胡、泽泻、盐水炒车前子，颇有卓效。民间常用白鸡冠花、白扁豆花、白椿皮、白果肉等各12～15g，与猪肉炖服，效果亦极佳，但也有服之无效者。这说明辨证论治的重要。

《竹林女科》有“安胎饮”一方，通治胎前诸证，极有效验。我在多年临床实践中，对于这个药方屡用屡效。现介绍如下：

安胎饮方：白术、黄芩、陈皮、砂仁、当归、甘草、紫苏、大腹皮、茯苓、藿香、生姜。

随证加减：如妊娠恶阻，倍藿香、陈皮，加半夏；胸膈不宽，加枳壳，去白术；子肿，加栀子、木通，倍大腹皮；子淋，加木通、淡竹叶，倍茯苓；胎动不安，加杜仲、川续断、桑寄生、阿胶等。

治疗崩漏，日久不愈，由虚及损，八脉空虚，以常法治之无效者，我常用调补奇经法，如“安冲汤”“固冲汤”等方，则往往获效。古人治疗崩漏，有一定的步骤，正如《医学纲目》指出：“治崩次第，初用止血以塞其流，中用清热凉血以澄其源，末用补血以还其旧。”这些原则在临床上有一定的指导意义。但如澄源一法，何止清热凉血？我认为虚者补之，瘀者化之，皆可谓之澄源，学古而不可泥于古。此证初期以止血为主，有热则清其热，有瘀则消其瘀，待血止热除，然后补其虚。补血，前人喜用当归。我认为当归虽为补血活血之品，但对处于比较严重阶段的崩漏，就不宜重用，尤其在血崩暴下时期，根据我的经验，必须除去当归。古人治血崩大下，单用人参一味补气，而不用当归补血，也是通过实践获得的宝贵经验。

1962年我曾治一妇人，年已花甲，患阴痒半年余，经医生用清利湿热之剂，治疗无效，而其痒更甚，我投以归脾汤十余剂，患者即愈。或问，归脾汤非治阴痒之剂，为何你用之有效？盖此证乃高年血燥生风，医用利湿之剂，利去一分湿，即伤其一分阴，湿愈利而血愈虚，血愈虚而风愈甚，其痒岂能止息。我之治法无奇，惟养血而已，此即《内经》所谓治病必求于本也。病变多端，各有其本，一拔其本，诸症悉除，治本之要即在于此。明代王应震说：“见痰休治痰，见血休治血，无汗不发汗，有热莫攻热，喘生勿耗气，精遗勿涩泄，明得其中趣，方是医中杰。”因为痰、血、无汗、发热、气喘、遗精等症都各有不同的病根，必须先探病本，然后用药，才能根治。如果治病不针对本质，只着眼于那些表面现象，头痛医头，脚痛医脚，虽有良方秘诀亦无所用也。

子悬的治疗

张廉卿

余余专攻内科，但妇幼之患，亦应治不辞。忆30年前，余赴浙江分水县应诊，宿住在一大药铺内。某夜，有人从离城10km处忽来邀诊，余坐轿前往。患者是一临产妇人，坐卧喘息，呼吸困难，询问其得病经过，告晨间夫妇在稻地争吵，其夫以耙抵妇腹，腹内胎儿即停止胎动。请当地医生诊视，认为面赤舌青，儿死腹中，处方桃仁、红花、芒硝、大黄，进药之后，胎儿不下，气促心悸，病势甚危急。余在油灯下，细察孕妇面部，并不赤，观其舌，亦不青，一看再看，不知端倪，筹思处治之法，不得其方。胎儿若死，何以下之反上？患者眼前的症状，颇似妇人良方所称“子悬”，乃胎气上迫，心肺闷堵，治用紫苏饮，药为紫苏、当归、白芍、川芎、陈皮、大腹皮、甘草、人参。余不用人参，另加青葱管7根。嘱当夜服药，约次日晨将其病情相告。但次晨患者未来。相隔1周后，患者家属送来鸡蛋一筐表示谢意，并告患者当夜服药后，即气下胸宽，胎儿复动，今产下一男孩，母子俱安。

我写此例医话，一以证明紫苏饮治子悬的效应，二以诉说个别医生，颟顸从事，猛浪投药。医以活人为责，如斯医者，直杀人耳。

有故无殒，亦无殒也

袁今奇

护士陈某，怀孕8个月有余。适逢元旦佳节，其夫远道返家探亲，当日晚餐喜进红烧肥肠和玉米面条，深夜陈某突感腹痛如绞，伴呕吐宿食与胆汁。经用阿托品、度冷丁肌注，腹痛无制，于凌晨急诊入院。查其血淀粉酶256温氏U，尿淀粉酶2084U，乃诊断为妊娠晚期合并急性重症胰腺炎，医院报病危通知家属。

入院后采取禁食水、补液体、大剂量抗生素和解痉止痛剂，腹痛有增无减，患者呻吟不已，病势急趋加重。经全院扩大会诊，补充腹膜炎之诊断。患者值妊娠晚期，尚不宜手术处置。决定以青霉素320万U、庆大霉素24万U、胰岛素16U，每12小时静滴一次。36小时后，患者腹痛不堪忍受，病势继续恶化，面色苍白，大汗淋漓，其家人焦急万分，并商后事处理。当此燃眉之急，众医殊少良策。延余诊视，病人舌红苔黄腻而燥，两脉弦滑而数，大便4日未通，四肢厥逆，但胸腹灼热，是谓热深厥深。乃急投大柴胡汤加减以攻之，冀其实热积滞有所归宿，通则不痛，方可转危为安。药用：柴胡15g、川黄连9g、胡黄连9g、木香9g、白芍15g、甘草9g、川楝子12g、延胡索12g、生大黄9g、芒硝9g、黄芩9g、郁金12g。1剂，水煎温服。药后1时许，患者腹中鸣响，随即泻下臭秽稀便，顿时腹痛减其大半，呻吟止，安静入眠。此积热随便而解，病有转机也。后两日，继进原方每日1剂，排稀便3次，腹痛缓解，并啜以糜粥，次日因虑其硝黄攻下峻猛，惟恐损及母子，故更以香砂六君合银翘之属。药后8时许，患者疼痛复作，病势转增，肌注止痛剂依然罔效，顷刻之时，前功尽弃。盖邪未驱尽，安能姑息养奸，此吾之误也！当夜改投原方，翌日矢气频转，解稀便两次，疼痛停止。效不更方，又两日再进本方两剂，患者腹痛若失，饮食渐增，病情稳定。遂改用疏肝健脾清热和胃之剂，调理半月后，足月产一子，产后母子均安。随访10年，未见本病复发。

急性胰腺炎，相当于中医之“脾心痛”。多因喜怒不节，暴饮暴食，致肝气郁结，湿热积滞，阻遏肠胃，轻者腹痛呕吐，重则痛不欲生。有者因毒热深陷，热厥猝死。治宜急予疏肝理气，清解热毒，通里攻下，尤以攻下，最为要策，俾腑气得通，庶可邪却病瘳。用此法治疗以5~7天为宜，时间过短，邪未驱净，每易复发，时间过长，邪却正伤，恐生他变。

本例妊娠晚期合并斯证，临床殊属少见。或问：妇人重身，毒之何如？答曰：有故无殒，亦无殒也。

妊娠恶阻用药一得

王德光

妊娠恶阻多因肝郁、脾虚、痰阻而致病。一般轻证可分别选用养血疏肝、健脾和胃、顺气化痰等法治之，不难治愈。即使病情顽固，久治不愈者，也可停药，一般患者过80日则自愈。

但有些患者病情严重，呕吐剧烈，甚至多日不能饮食，生命堪虞。停药固然不可，服药亦难下咽。因此时患者嗅到药味即感恶心欲呕，若强使之饮，必然立即吐出，难以发挥药效。

值此情况，如何选药，就成为关系到治疗成败的主要问题。必须筛选出煎成后气味俱淡或完全无味的降逆止呕药物，使患者能够服下，并保持暂时不吐以先治其标。

张锡纯曾报道两例重证妊娠恶阻患者，用代赭石降逆通便而治愈。由于代赭石煎成汤剂后无味，患者乐于接受。

但据笔者多年观察，此法不甚效验。因恶阻之便秘，虽属胃失和降，导致升降失调，而频频呕吐，阴液大亏，肠失濡润，也为大便燥结之源，其便秘为果而非因，故不宜舍本逐末。然便秘可促使上逆之胃气更难下降，使病情加剧，所以应于降逆止呕药中加赭石以通便，方为妥善。处方用小半夏汤加赭石、竹茹。方中小半夏汤止呕之力较强，赭石、竹茹降逆通便而清虚热。四味药煎成后几无药味。多能挽救一些危重患者。曾治马某，26 岁，1982 年春妊娠两个月后恶心呕吐，诊为妊娠恶阻，经中西医调治月余反而日趋恶化。初起尚能进少许饮食，至妊娠 3 个月后，呕吐加重。食物入口即吐，饮水片刻，仍复吐出。经入院点滴输液，脱水酸中毒症状虽有缓解，但恶心呕吐如故。妇科医生见其过于衰惫，拟中止妊娠，以防意外。

会诊时，见症有消瘦、倦怠、头晕、气短、口干思饮、见食物或嗅到药味则恶心欲吐，大便 7 日未行。其脉数而细，舌干红绛，苔薄黄。此病本为气阴两虚，胃失和降。理应益气养阴，和胃降逆。因患者难服中药，乃投上述方剂：生半夏 20g（捣碎）、生姜 20g（切）、代赭石 70g（捣细）、竹茹 10g，以上 4 味，煎汤 300ml，每次服药一口，频频饮之，1 日之内服完 1 剂。

前药服两剂后，患者呕吐明显减轻，能食粥少许。但大便仍未通下，舌苔仍薄黄。乃将原方赭石改为 150g。1 剂后，大便通下羊矢状燥屎三四枚。仍将赭石改为 50g，连服 15 剂，患者呕吐止，饮食增，大便正常而愈。

漫谈保胎与安胎

李玉奇

生育期已婚妇女，在生育上的恐惧症，莫过于半产、流产。甚或习惯性流产。这种病不仅给妊娠妇女造成苦恼，而且在治疗上也每感棘手。

对习惯性流产的原因，多从冲任不固、胞宫蕴热、淫欲失度、扭挫伤胞等方面去研究。一般医家治胎动不安、胎漏下血，多着眼在治血，认为都是由于血亏造成的滑胎。但实际情况并非如此。我所见到的流产病人，真正由于血亏而导致流产者并不多见，故主张从气治而不从血治，即在调理后天脾胃之本的基础上兼顾滋阴补血，从调补中气入手，不以直接补血治之。之所以如此，熟知补血易动血，莫如培补脾胃之功能，使水谷精微化生为阴血，岂不是比直接补血胜过一筹。故余在临床上以四君子汤化裁，予以保胎，每奏良效，即使见血亦不用阿胶和艾叶。

常用方药是：四君子汤加五味子、女贞子、菟丝子，重用甘草（20g）。在见血时，施以四君子汤加生地黄炭50～100g、莲房炭50～100g，直服到血止胎安。此外，若见妊娠妇女体态丰盈，脉洪滑有力，面色桃红，神态自若，手脚心热，证属胞宫蕴热，宜用四君子汤去人参加沙参、五味子、麦冬、黄芩以治之。若见瘦弱肢冷，面色少华，脉来细滑无力，证属气血两虚，宜用四君子汤加黑芝麻、桑椹子、女贞子、五味子以治之。若因外伤而致胎动不安，虽未见血，宜用四君子汤加杜仲、川续断、羌活以治之。

至于安胎，应从受孕的前5个月内着眼，最为紧要。每月安胎治法如下：受胎1个月宜补脾养阴，治以酸甘。宜用四君子汤加五味子、陈皮、莲子、大枣。受胎2个月宜清滋肝胆。宜用四君子汤加柴胡、紫苏叶、黄芩、竹茹、石斛。受胎3个月宜养心益气。宜用四君子汤加莲子、远志、麦冬。受胎4个月宜健中固本。宜用四君子汤加枸杞子、杜仲。受胎5个月宜理气和胃。宜用四君子汤加砂仁、紫苏梗、黄瓜皮、泽泻。

综上所述，可见安胎以2个月宜养——养胎；3个月宜安——保胎；4个月宜益气——安胎；5个月宜和胃——培胎。

固胎饮小议

李宏仁

习惯性流产，古医书称为“滑胎”，属妇科常见病之一。笔者认为导致滑胎的原因虽然很多，但主要责之于脾肾虚损、气血两亏、冲任不固三个方面，而尤以肾不载胎、脾失摄养最为关键。肾主封藏，而系胎元；冲为血海，任主胞胎，若气血亏虚，则冲任失固，胎元失于维系；脾为气血生化之源，主统血，脾气虚衰，则胎失所养。故治疗此病，余突出强调“益气健脾，补肾固胎”八个字，而余所制之方——固胎饮，充分体现了这一精神。余使用该方三十多年来，疗效颇佳，投之辄效。

固胎饮由白术15g、黄芩5g、熟地黄15g、菟丝子15g、当归身15g、黄芪25g、艾叶炭15g、阿胶15g、陈皮15g组成，水煎服。日3次。孕后始服，半月1剂，直至足月，接近分娩。呕吐者，加竹茹、砂仁、芦根；腰痛者，加杜仲、川续断、桑寄生；流血者，加棕榈炭、黄柏炭；有下坠感者，加升麻、柴胡；失眠者，加柏子仁、酸枣仁、远志；纳呆者，加鸡内金、怀山药；眩晕者，加菊花、荆芥穗；便秘者，加天冬、麦冬、玄参；腹痛者、加白芍、甘草。

有一女患张某，28 岁，已婚，农民。素体虚弱，三孕俱殒，今孕将近 3 个月，胎漏不已，色淡质稀，腹坠不舒，腰痛不适，两足乏力，面色萎黄，纳呆食少，眩晕，舌质淡，苔白，脉沉细。此系脾气虚弱、肾气亏损，亟宜益气养血，补肾固胎。以固胎饮去黄芩加菊花 10g，山药 20g、升麻 10g、杜仲 25g，3 剂，水煎服。药后妊妇漏红已止，腹坠若失，腰痛、眩晕减轻，以上方加减，又服 3 剂。之后，主方稍加调整，嘱患者每半月服 1 剂，至 8 个月停药，孕妇届期足月而产，母女康健。

白虎汤临床一得

钟育衡

白虎汤有显著的清除大热作用。《伤寒论》用它清解阳明经大热；温病中用它作治疗暑温的主方，可谓清热峻剂。古人临床应用白虎汤医病积累了丰富经验。有人说它用之得当，有立竿见影之效；用之不当，祸不旋踵；当用不用坐失良机，不该用滥用应手而毙。这是非常正确的。

我用白虎汤曾治愈一胎热不安之患者。此人晚婚妊娠，孕后两月余出现高热、阴道出血等症。欲求保胎请我诊治。

初诊：病人妊娠两月余，壮热不已（体温 39℃），不恶寒，反恶热，大渴引饮，喜冷饮，阴道流血，脉洪大滑数，舌苔黄白而干。此为阳明经证，邪热弥漫，胎被灼而不安。治当清解阳明，直折热邪，邪去胎自安。拟白虎汤加味：生石膏 100g、知母 20g、生甘草 10g、粳米 20g、栀子 15g、黄芩 10g。用水 1500ml，先煎石膏、粳米 1 小时，再下其他药物，取 400ml 药汁，分两次温服。服两剂后患者热退，血止，胎安。

通过对本例的治疗体会到，对胎热不安，应分虚实气血辨证治疗。热邪伤胎，若不速退其热，胎儿难保。致热之因有虚有实，有在气、在血之分。虚者应补，实者应泻，在气理气，在血养血，切不可一概而论。因邪热致胎元不安者，速清邪热，热退胎自安。另外，古人有妊娠外感热病不与寻常人治疗相同的理论。这种理论是不全面的。它会束缚医生的手脚，坐失良机，酿成后患。对妊娠外感热病者，也应按一般外感热病辨证施治，有什么证，用什么方，不必多虑。当然，治疗中要尽量少用伤胎药物。

大顺汤催产

马毓春

大顺汤源于张锡纯的《医学衷中参西录》，治难产。其方由野党参30g、当归30g、生赭石60g组成。笔者临床中用此方催产，投之辄效。

滞产多因宫缩无力引起。中医辨证多属中气不足，气血虚弱。方中党参30g、当归30g补气养血。因二者皆具升浮之性，故重用生赭石60g以重坠，则力能下行，以成催生开交骨之功。笔者临床时加川牛膝30g，效果更佳。如曾治一李姓初产妇，临盆4日不产。经西药催生无效，劝其剖腹，因家属不同意而请中医科治疗。病人面色萎黄，疲乏无力，舌质暗淡，脉滑数无力。急煎大顺汤加川牛膝30g1剂，孕妇服后，旋即产下。此后妇产科遇有滞产住院病人，多邀我用中药治疗，实为得心应手，效如桴鼓。

滑　胎

宋国忱

妇女怀孕发生堕胎或半产后，下次受孕仍如期而堕者，名“滑胎”。中医认为该病的病因有三：一是肾气不足，胎元不固；二是脾胃虚弱，化源不足，胎失所养；三是精神因素，肝失条达，损及胎元。曾治疗某女患，28岁。该患婚后滑胎4次，于1982年5月又停经50天，有腰酸小腹不适感。其人体质虚弱，食欲不佳，疲惫无力，面黄肌瘦，脉弦细而滑，舌质淡有白薄苔。其人性情抑郁，怀孕后总有恐惧不安心理。脉证合参，乃脾胃虚弱，化源不足，胎失所养，又兼精神因素，肝失条达，损及胎元。治以健脾养胎，疏肝解郁。

处方：菟丝子5g、川续断15g、阿胶20g、焦白术15g、党参20g、杜仲15g、桑寄生10g、熟地黄20g、白芍15g、柴胡10g、陈皮15g、茯苓15g、甘草10g。

按上方服4剂，患者自觉症状好转，脉沉弱而滑，按原方又服4剂，巩固疗效，以后停药。8月初患者又感到小腹不适，有少量出血，腰酸，又来就诊。分析其胎儿渐大，冲任虚损，难以养胎。

处方：当归15g、熟地黄25g、阿胶20g、杜仲15g、川续断15g、菟丝子15g、黄芪15g、桑寄生15g、鹿角霜15g、甘草10g。继服8剂，患者病情稳定，嘱其静养，增加食补，避免过劳及精神刺激。于当年12月末生一男孩，安全无恙。本例患者，病机为脾胃虚弱，化源不足，以致冲任虚损，受胎不实。又兼精神因素影响胎元。方用桑寄生、续断、杜仲、菟丝子滋肾气、固冲任；当归、熟地黄、阿胶补血养血；白芍、柴胡、陈皮平肝理气；党参、焦白术、黄芪益气健脾养胎。脾运正常，冲任自固，胎元自安，诸症悉除。

滑胎坠胎治验一得

刘级三

滑胎，现代医学称为习惯性流产，坠胎，称为先兆流产。余治百病，首究其因，进而审因论治，每收效验。流产之因，历代所述不外气血虚弱、血热、外伤、肾虚。前三种原因，固为多见。然笔者从临床中体会到“肾虚”乃流产之关键耳。青年妇女，新婚不久，孕后往往性欲过度，损伤肾气，胞脉系于肾，肾虚则冲任不固、胎失所养，因而导致胎动不安，或腹痛、腰痛，或流产，或屡孕屡滑。治此病的唯一方法，是以补肾气为主。一般医籍记载，有用六味地黄汤者，有用张锡纯之寿胎丸者。笔者体会，在患者发生腹痛、腹坠、腰痛或流血的紧急情况下，用这类药，似有鞭长莫及之虞，必须用大剂量的补肾健脾之剂，以扶正安胎。肾藏真元，真元损伤，用大剂量的熟地黄、山药等可弥补之；脾主健运，化水谷之精微，而充养胎元，在腹痛欲坠的情况下，用大剂量的人参、白术、黄芪可收健脾益气之功，进而摄固胎元。笔者曾治一患者卢某，西医医生，怀孕3个月，腹痛、腰痛、腹坠，但未流血，曾自用镇痛药维持之。某夜半，卢某证情加剧，哭嚎不已，其爱人延余诊治，查其舌淡苔白，脉细弱。乃疏方：大熟地黄50g、党参50g、焦白术50g、生黄芪40克、山药23g、山茱萸25g、炒白扁豆25g、杜仲炭15g、枸杞子15g、菟丝子20g、续断20g、桑寄生20g、甘草10g，水煎服。翌日复诊时，患者喜形于色。服中药1剂即症状大减。遂就原方，继服两剂，以固疗效，至期生一男孩胖壮无恙。

笔者在临床中，凡遇到青年妇女孕后腰腹痛而欲流产者，除血热、外伤等因素外，悉以此法救治，无不应手取效。

论 治 滑 胎

王秀霞

滑胎的临床特点常常是如期而坠。本病大多是由于胎儿父母任何一方的肾精亏损致胎元不能发育或发育不良。故治疗应着重调理肾的阴阳平衡。肾是人身之根蒂所在，肾以系胞。而护胎则依赖于肾气，养胎则依赖于肾精，保胎之法，亦先当治肾。

多数病人平时即呈肾阳虚象，或兼脾阳不振，平素腰痛如折，或腰酸膝软，孕后则腰酸腹坠，小便清长，夜尿频数，冬则形寒肢冷，夏则手足心热，身乏易倦，头晕肢麻，甚或面浮肢肿，舌胖多齿痕，或黯淡无华，脉多沉缓或两尺无力。也有一少部分病人表现肾阴虚象。综观其证，根本在于命火虚衰，是孕而不能育的病因。丹溪在论“火”时亦谈到：“人非此火，不能有生。”张景岳亦谈到：“凡此摄育之权总在命门。”抓住这一理论，重视予培其损的环节，平时采取丸剂久服，多数病人给桂附地黄丸和新定所以载丸交替服。所以载丸《女科要旨》方：“白术一斤、人参八两、寄生六两、茯苓六两、杜仲八两、大枣一斤，为丸三钱重”；宫寒者加服艾附暖宫丸。而对孕后保胎常用加味寿胎丸：菟丝子 50g、川续断 25g、桑寄生 25g、阿胶 15g（冲服）、白术 20g、山药 20g、杜仲 20g。全方用以补脾肾之气。待病情稍稳定后，再投给保胎丸久服。方药比例是：菟丝子 50g、川续断 20g、桑寄生 20g、杜仲 15g、何首乌 15g、白术 30g、山药 30g、山茱萸肉 20g，蜜丸 15g 重，每次 1 丸，日服 3 次。

根据临床观察，收效满意。并初步发现怀女胎者服用此方较怀男胎者成功机会多。怀男胎的末期并发子肿及胎萎不长的较女胎机会多。处于晚期并发子肿者，宜选用温阳利尿之品，并且可酌加理血药，以助其利尿行水之效。

活血化瘀治疗妊娠中毒症

王秀霞

活血药在孕期一向是慎禁之品，但根据妊娠中毒症病人的临床表现，一般是以“子肿”“子晕”“子烦”甚或“子痫”为多。有些“子满”情况亦属此病。总的病机，多以孕后阴血内聚养胎，肝肾阴亏，阳气偏亢而致。本着“治未病”的主导思想，根据辨证将一些活血化瘀药用于本病早期。凡是临床上浮肿出现比较早的病人，在治疗上都加用活血药。查其因是脾肾阳虚，而致水湿泛溢，流溢于四肢肌肤，活血化瘀能剔透经络，则有助于温阳化湿。我以丹参、川芎、木瓜、当归、薏苡仁、牛膝、穿山龙等活血通络之品治子肿，则行水消肿之效迅速。正如《圣济总录》所说：“妊娠脾胃气虚，经血壅闭，则水气不化。”用活血以助行水消肿之治是自古有训，今已可验。

“子晕”“子烦”是阴虚阳亢，水不涵木之象；“子痫”则属风、火、痰相互夹杂，肝风内动，风火相煽，痰迷心窍，然而绝大多数病人都表现为：颜面浮肿，眼睑尤甚，面色晦黯，口唇青紫，舌质紫黯，边尖多有瘀点，面容呈呆滞象，肢体肿甚，重症肢端呈紫滞状态，有麻木感，头晕目花，甚或精神狂躁、健忘不寐，重则抽搐发作。这些病人都可见有不同程度的脉络瘀阻现象，或明显的血瘀征象。余结合辨证在羚羊钩藤汤里加丹参、赤芍、牡丹皮、香附、当归、葛根、僵蚕等品，在这些病证的治疗上可打破妊娠之禁忌，牡丹皮、赤芍均可用，收效良好。

1981年余治一孕妇苏某，因滑胎而收入院，既往分别于孕后3个月、6个月，6个月而自然流产3次，现怀孕60天，而于孕后40天时，曾出现过一次少量阴道流血，现仍觉腰酸腹坠，脉滑缓无力，按肾气虚型胎动不安调治，用菟丝子、女贞子、川续断、阿胶、熟地黄、当归、生甘草，服药后情况良好，但于4个月时出现浮肿，尿常规化验蛋白（+），故在方药中减去滋腻之品熟地黄、阿胶，加杜仲、车前子、大腹皮等。开始疗效尚可，至6个月时，浮肿加重，并感到呼吸稍有困难，在车前子、大腹皮等利尿药加量的同时，又加附子5g、丹参50g，末期加牡丹皮、赤芍等大量活血药。用药期间，情况尚可，稍停活血药1~2周，则浮肿和胎儿下坠感就明显加重，而加用活血药则消肿作用明显加强，出院后也一直在家维持用药，直至妊娠41周，经会阴侧切娩出一女性活婴，体重3.6kg，发育良好。

自此，凡对子肿出现较早、有蛋白尿者，均有意识地加用活血药给予治疗，明显地提高了临床治疗效果。我还曾治过几例较重的妊娠中毒症后遗症患者，经验证明，活血消肿法明显地优于单纯行水利尿法。

深信“有故无殒亦无殒”

王肇英

余在医院搞中西医结合之时，曾有一急诊女患桑某，妊娠8个月，大便14日未行，在本县用灌肠、喝香油、蜂蜜等方法治疗无效，遂来石市就医。余往视之，患者腹部胀满疼痛，食物不下，气短喘急，时自汗出，呻吟懒言，目不欲睁，精神疲惫，舌质红、苔黄，脉弦滑。此为妊娠后期阳明腑实证，治以软坚散结、行气通便。投大黄25g（后下）、厚朴20g、枳壳20g、莱菔子30g、芒硝13g（冲），水煎服1剂。药后患者翌晨微有便意，腹部左侧包块下移，仍有胀痛感，余症同前，继服前方1剂。患者当晚大便通畅，排出许多粪块，腹部胀痛缓解，能进饮食。检查其胎儿未受损害。经善后调理，患者体质逐渐恢复，数日后出院。

本例乃粪块阻于大肠，应急攻下。但攻势峻猛，为妊娠所禁忌。方中枳实、芒硝、大黄诸药皆有坠胎之虞。肠中既有粪块壅塞，肠壁已薄，若攻下太过，又恐变出莫测，故疏方如上。以往处理之所以无效，乃阻结坚实，非油、蜜等所能润下；病位较高，故灌肠亦难达病所。今患者已获痊愈，母子均安，深信“有故无殒亦无殒”之论述，临证确有其指导意义。

转胎良方

崔金海

妇人难产，情实可畏。难产的原因虽多，但因胎位异常所致者殊不少见。远溯唐宋时代已有横产、倒产、偏产、坐产等记载，并有转胎手法。这些方法多是临盆窥视后所采取的措施。限于历史条件，不可能早期发现胎位异常。清代陈修园自拟保产无忧汤，运用药物方法调理孕胎，以保顺产无恙，是祖国医学未病先防的学术思想。

胎位异常，多责之于先天不足与后天失养。冲任脉虚，气机运转不利，胎儿不能转动。笔者多年来以保产无忧汤化裁，施于妊娠后期转复胎位，效果颇佳。方以当归10g、熟地黄10g、白术10g、白芍10g、黄芪10g、川续断10g、川芎6g、党参10g、枳壳6g、炙甘草6g，1日1剂，水煎分服。3剂为1个疗程，3个疗程无效者即停服药。使用时间多在孕期7~8个月之间（28天为1个妊月）效果为好。因为，早则胎儿自行转动，勿需投药；晚却胎儿不能转动，非药物所能奏效。几年来，余与妇产科医生合作治疗孕妇胎位异常几十例均复正常。方中四物汤补血滋肾固冲；人参、黄芪、甘草健脾益气助任；枳壳理气消胀，运转气机；川续断补肝肾活血安胎。九味共奏补血益气、滋肾健脾、安胎正位之功。此方用之多年并无弊端。较其外转等法痛苦小，经济实用，方便宜人。

欲安胎必补肾

马宝璋

孕妇腰酸腹痛、下坠，或阴道有少量流血者，称为“胎动不安”，西医称“先兆流产”。盖胎居胞中，胞系于肾，故胎动不安者，必腰酸腹痛、下坠。严重时则阴道大量下血，造成堕胎、小产。

本病临床有肾虚、气虚、血虚、血热、外伤之分。肾虚者，冲任不固，胎失所系；气虚者，冲任不固，胎失所载；血虚者，冲任血少，胎失所养；血热者，热扰冲任，殃及胎元；外伤者，损伤冲任，影响胎元，故致胎动不安。胎动不安者，恒有腰酸腹痛，因此，其核心机制实为肾气亏损，气血不足所致。故治疗上必以补肾培元为主，调养气血为佐。就目前中医教材关于五种胎动不安的选方与加减用药，都可以在寿胎丸的基础上加减变化。寿胎丸的成分是菟丝子、川续断、桑寄生、阿胶，重在补肾。这在理论上符合肾藏精、关乎生殖的理论，在实践上对胎动不安确有显著疗效。对各型胎动不安患者的治疗，具体加减变化如下：

肾虚者有肾阳虚、肾阴虚之分。

肾阳虚者，则阳虚气弱。治宜温阳补肾，固冲安胎。方用寿胎丸，酌加补骨脂、狗脊、杜仲、益智仁以补肾助阳，酌加人参、白术以益气，然如此变化后恰是补肾安胎饮。

肾阴虚者，则精亏血少。治宜滋阴补肾，固冲安胎。方用寿胎丸，酌加山茱萸、熟地黄、地骨皮以填精益血，兼清虚热。

气虚者，则气虚失摄。治宜补气固摄安胎。方用寿胎丸酌加人参、白术、黄芪、升麻以补气固摄升提，此恰是举元煎加味。

血虚者，则血虚而化源不足。治宜健脾养血安胎。方用寿胎丸，酌加人参、白术以健脾，熟地黄、白芍、炒当归以补血，此恰是胎元饮加减。

血热者，则热盛而伤阴。治宜清热益阴，养血安胎。方用寿胎丸，酌加黄芩、黄柏、生地黄以清热凉血，熟地黄、白芍以养血益阴，此恰是保阴煎方义。

外伤者，则气血两虚。治宜补气养血，固冲安胎。方用寿胎丸，酌加人参、白术、黄芪以补气，熟地黄、白芍、炒当归以养血，然此恰是圣愈汤加味。

各型胎动不安凡兼阴道流血者，均宜去当归、川芎。酌加下列止血药：艾叶炭（有热者不用）、墨旱莲（阴虚用良）、炒地榆（寒者慎用）、苎麻根（外伤用良）。

由是观之，可谓安胎不补肾，非其治也。知其要者，一言以蔽之；不知其要者，流散无穷。

如滑胎一症，不仅孕期确有肾虚见证，而且平时也多有头晕耳鸣、腰酸腿软之症，所以对本病的治疗，亦应贵在补肾。从“不治已病治未病”的角度看，对滑胎症患者在孕前即进行调治则更属必要。即在平时给以补肾益气、填精养血的治疗，则肾气即固、精血充盛，胎孕得以摄养，岂有不安之理？笔者临床体会：保产无忧不无忧，芩术圣药不全灵，辨证审因最重要，安胎之本在肾经。

妊娠肿胀治验

张华珠　孙文先

《傅青主女科》治疗妊娠肿胀，拟健脾补肺之法，以加减补中益气汤升提脾肺之气，不用利湿之品，恐耗正气。我们于临床实践中，遵傅氏之法，加车前子、木通利湿之品，其效颇佳。

患者李某，36岁，1963年8月就诊。自述周身浮肿2个月余，现妊娠已近产期，自妊娠第7个月以来，双足背浮肿，并日益加重，曾服氢氯噻嗪治疗，服后肿势减，但停药浮肿依然，延及今日，足胫肿甚，波及大腿、前阴，趾间出水，不能穿鞋，步履艰难，伴有气短、乏力、纳差、溲短、便溏等症，曾服天仙藤类中药治疗罔效。患者平素健康，无心、肝、肾等慢性病史。诊之，神志清楚，精神欠佳，面色㿠白，四肢欠温，周身浮肿，尤以双下肢为甚，足胫部皮肤光薄欲裂，趾间有水溢出，按之如泥，凹陷不起。腹部胀大如臌，皮下有指压性浮肿，舌质淡胖，边有齿痕，满布白腻苔，脉濡滑。诊为“妊娠肿胀”，证属脾虚湿困。仿傅氏补中益气汤加利湿之品，拟方：党参15g、生黄芪15g、当归10g、白术30g、茯苓20g、陈皮15g、升麻3g、车前子30g、木通2g、甘草3g，水煎服，早晚各1次。服1剂后，患者当夜排尿三十余次，尿量达2500～3000ml，肿势顿消，除自觉乏力外，余症尽除，嘱以饮食调养，1周后，顺产一男婴，母子平安。

上例治验说明，学古尊古而不能泥古，只要辨证准确，药切病机，必能奏效。

早产与切脉

彭静山

辽宁名医王心一，医术高明，经验丰富，切脉如神，闻名遐迩。有一妇女，每怀孕5个月即早产，连续数胎，苦恼异常。一次又怀孕。久仰王老大名，专程求诊，以验胎气。王老切诊以后，肯定的说：“从脉象上看，这次不能早产。”患者半信半疑而去。数月之后，果然分娩，生一男孩。 月之际，夫妇登门拜谢。走后，众徒请教老师，何以切脉能知其不早产乎？王老说：“其来诊时，右关独盛，胃气充盈，岂有后天之源未损而能早产之理？”众徒高兴地说：

“诊妊妇能否堕胎，是以胃气为主，我们学会了。”王老曰：“尚未全会，还有其脉来去分明，跳动不紊，是神充体旺，岂有堕胎之理?”王老又曰：“还有，其脉两尺独旺，《脉诀》说：‘譬树无叶而有根’，有根之脉，岂能早产？这三项加在一起就是所谓胃、神、根三字诀，这是切脉的奥秘。”众徒听后，敬佩王老切脉如神，获益不浅。

琥珀散治疗宫外孕

王秀霞

琥珀散是《医宗金鉴》妇科心法中用于治疗痛经的处方。原书主治血凝碍气痛甚于胀，经前腹痛，其势疼痛如刺者，宜用琥珀散破之。其方：三棱、莪术、牡丹皮、肉桂、乌药、延胡索、刘寄奴、当归、白芍、生地黄。查原方当中没提及琥珀一味。根据临床使用证明，宜用琥珀，疗效可靠。

回忆我于1960年秋天，随老师在省医院妇产科实习之际，看见一例急性破裂型宫外孕患者，当时处于内出血尚未稳定状态。腹部叩诊有明显的移动性浊音，决定作急诊手术，但因患者素有血小板减少病史，当时查血小板数 $40\times10^9/L$，惟恐术中出血不止。在输血补液的抢救过程中，组织紧急会诊，老师应邀参加会诊。在诊察病人之后，他提出：该患病势急剧，疼痛不移，形如锥刺，手不可近，此瘀血在里，急当活血化瘀，方能止痛，处方即用琥珀散加五灵脂15g，琥珀面每次冲服5g，4小时服药1次。我惟恐有失，劝阻老师，幸病家愿求一试，便立刻煎药服之，4剂后病人豁然而起，转危为安。又以本方调理服用，病人月余痊愈，盆腔未遗留包块痕迹。由于对此病例辨证准确，真可谓“见真胆雄能夺命。”以后我就一直效仿老师，对宫外孕病人采用本方治疗，每获良效。其中很重要的一味药是琥珀。我感到本方具有良好的活血行瘀作用，和该药有关。我师曾言本品能使离经之瘀化为血水，消瘀最妙，又可镇静安神。凡是急性疼痛又有内出血的病人，常常表现烦躁不安，应用本品，效果良好，真是一举两得。再者，既是急性出血，使用肉桂，能回阳救逆，更主要的是温经可助其行血、止血之效。患宫外孕虽有出血，但宜行血而不宜涩血。

经临床反复应用，余体会到不论急性、亚急性或包块型宫外孕均可用本方治疗，而且开始即用本方则很少遗留盆腔包块。临床上还广泛地把本方用于治疗癥瘕，其中多数病例是患盆腔炎性包块，附件积水以及附件炎症，收效甚好。用本方治疗子宫肌瘤病人，采用平时消癥活血、经期止血之法，有控制子宫肌瘤增长和减少出血的疗效。在治疗过程中，有的炎症病人可出现急性发作，但相继包块吸收得更迅速。毋庸置疑，化瘀可收止血之妙。用本方治宫外孕，是保守治疗的有效良方。

产后郁冒证治

王圭一

郁冒，乃新产妇人常见病之一，产后失血汗多，致气血两虚，抵抗力减弱，寒邪易于乘虚侵袭。邪盛正虚，不能外达，致成郁冒；冒家欲解，当汗出，客邪乃解。

产后气血骤虚，诚多虚证，然有虚者，有不虚者，有全实者。凡此三者，当因人而异，辨其虚实。虚补实攻，寒温热清，不宜概行补法，以免助邪。

乙卯夏，谭姓妇产后郁冒，3周后汗出当风罢病，恶风寒，无汗出。审议前药，按产后血虚外感，以四物汤加香薷和桂枝，外邪不解，恶风寒益甚。谭父邀余前往诊视。时值盛夏，户外火伞高张，其居室温度颇高，而产妇畏风怕冷，将门窗密闭，身盖被毯，头带绒帽，不但不觉其热，仍感畏风怕冷，体痛楚，面色青黯，舌质淡润，舌苔白滑，脉象浮紧。此属太阳病，治当解表，然产妇产后血虚，再发其汗，恐致燥血伤津之弊，况先哲早有“诸亡血虚家，不可发汗”之诫。余斟酌其病情，细参其脉证，虽属产后，时已3周，大便通，恶露尽，胸腹无痛，身微热，口不渴，恶风寒，无汗，脉紧。腠理为寒邪所闭，确认属风寒表实无疑。既知其实，不能贸然进补，既勿忘产后特点，又不拘于产后多虚。倘若迁延时日，势必贻误病机。拟小剂麻黄汤加黄芪治之。虑麻黄发汗力猛，佐黄芪实表以制其太过。服1剂患者汗出，身热退，体痛轻，恶风寒之象已除。表证得解，前药急止，继以八珍汤加桂枝，益气养血，调和营卫，服2剂后，产妇诸症尽除。

产后腹痛拾零

刘级三

产后腹痛，是一种常见的证候。最多见的是儿枕痛（子宫收缩作痛），其痛呈轻度阵发性，一般产后均有之，无需治疗，时过数日，即可痊愈。其他原因能引起腹痛的：一是血瘀，一是血虚，一是寒凝。这几种腹痛，各种妇科书从症状到治法都比较详备，勿庸赘述。笔者在临床中，曾遇到3例水结腹痛，这种腹痛虽然少见，但亦应提出，避免与其他腹痛混淆，而致贻误患者。我遇到的3例患者中两例曾经服多剂“生化汤”等活血化瘀药，不但未好，病情反而加剧。曾治袁某，产后已23天，腹痛腹胀大，子宫底上缘平脐，曾经服“生化汤”类药物14剂，症状毫不缓解，延余诊治时，询其恶露7天前已断，尿量少，但每侧卧时则尿自遗，舌质淡，白苔，脉濡缓。据此考虑其腹大腹痛，非血结也，乃水结膀胱，膀胱充盈之故。此病或由于产前尿未排出，产时子宫排挤膀胱而致胞系了戾，溺不得出，故尿少腹大；或由于患者平素肾阳亏虚，失却气化功能，而致水蓄腹大。治疗方法，应以化气利水为主，辅以益气扶正之品，用五苓散加参、芪等。患者服两剂后，腹即不胀，但腹大未减，继服6剂其腹大缩小，遗尿已止，共服二十余剂痊愈。还治一例崔某，产后14天，子宫收缩欠佳，宫底在脐下两横指，伴有腹痛，西医用消炎药及子宫收缩药，均不见效。最后动员患者作子宫全切，患者不同意，乃请中医诊治。询及病情，患者说：“恶露尚有少许，只是尿少而频，伴有淋痛”。查其舌略淡，苔薄白，脉缓。据此知非血阻不通之腹痛腹大，根据其尿频淋痛，苔白脉缓，正是水结而致之腹大腹痛也。治用五苓散化气利水，服1剂后，患者子宫收缩到耻骨联合上两横指处，尿频、淋痛亦愈，服3剂已触不到宫体，一切病症消失，痊愈出院。

产后呃逆

王耀廷

呃逆为常见之症，有虚有实，临证当审证求因，详为辨识。若久病重病，出现呃逆，呃声低弱频仍，似有气难接续之状，乃为虚呃危候，预后不良；若形质壮实，呃声洪亮，声高气粗，多为实证，预后多良好。产后呃逆，多因产后体虚，或因气恼，或因食伤，或因败血冲胃，体虚邪实，为虚实夹杂之候。纯用祛邪则伤正，过用补虚则滞邪留寇。攻补兼施，孰重孰轻，颇费调停，稍有不慎，即可失误。

1978年4月，曾治殷某，于产后20天，因恼怒后进食，即罹呃逆不断，自觉胃脘中气逆上冲，小腹坠胀，呃逆后稍舒；有气不得呃出，则腹中坠胀难忍，食纳不甘，乳汁甚少，大便不爽，来诊时已病20天，呃逆有增无减。诊见其形体中等，面色黯黄，舌质淡红，舌心隐青，薄黄苔，脉象沉弦而滑、较有力，胃脘部压痛明显，闻之呃声连连，宏亮高亢。证因怒后进食，怒气伤肝，食气互结，气机失调，肝气上逆，胃气不降而成。治宜平肝降逆，理气和胃，消食导滞。方用：苍术25g、川芎15g、厚朴12g、枳实25g、半夏30g、赭石50g、乌药15g、陈皮15g、苏木20g、莪术15g、桂枝10g、旋覆花15g，两剂，水煎服，日2次。方中苓术、厚朴、陈皮、半夏、枳实消食导滞；赭石、旋覆花降逆平肝，《本草纲目》称代赭石为“血师”，言其色赤如血，有行血平肝之力也；川芎、乌药疏肝顺气；气滞血亦滞，产后易停瘀，故用苏木、莪术行瘀消积，莪术不仅能行气活血，且有消痞去积之功；桂枝既能升清气，又能降逆气。诸药合力，以冀浊降清升，气舒积化。

3天后复诊，患者呃逆减轻，气短及小腹坠胀疼痛亦较前减轻。脉象中取弦滑，沉取无力，舌质淡，苔薄白。此虽肝气渐平，胃气得降，但脾气已显虚馁。产后多虚，不胜莪术、枳实猛攻峻消，治当兼顾脾气以升清阳。调整处方：柴胡15g、桂枝15g、白芍25g、半夏20g、厚朴15g、党参15g、苍术25g、川芎15g、枳实10g、代赭石50g、旋覆花15g。患者继服两剂，呃逆已止，但觉腰酸气短，腹坠便溏，脉象弦细。此为大队疏肝降逆，消食去痞之药，猛攻重降，虽使逆平食化痞消，但由于过于峻猛，致使脾气受伤。急用大剂升陷汤化裁以补偏救弊。生黄芪25g、柴胡15g、升麻10g、桔梗15g、桂枝15g，又服两剂，继用补中益气丸调理而安。

噫，医者意也。辨别虚实，权衡轻重，可不慎哉！治产后诸疾“勿拘于产后，亦勿忘于产后。”诚哉，斯言也。

产后癃闭

崔金海

产后癃闭，虽为小恙，不关重要，但产妇痛苦至极。现代医学借助导尿之法，暂缓胀满之苦，仍不能解除尿闭之根，操之不慎，有染毒之虞。本病多因体素虚或分娩时用力过甚，耗气伤血，元气亏损，膀胱气化不利，而致小便不行。其病机不外气虚、肾虚两端，气虚者尤多。余在临床实践中常用黄芪30g、当归12g、炮姜9g、泽泻15g，车前子30g，每日1剂，水煎，分2次服治之。速者1剂小便自下，缓者二三剂乃愈。本方中黄芪甘温，补气升阳利尿，补肺气以开水之上源，助膀胱气化；当归补血活血，与黄芪相伍为当归补血汤，峻补耗伤之气血；炮姜温寒助阳，合当归取生化汤之意。泽泻甘淡，可“逐膀胱三焦停水”（《名医别录》），利水而不伤阴；车前子入肾，利水通淋，与泽泻合用可增强利尿之功。五味同煎，具有益气、活血、暖宫、通利之效。临床施用，效果皆显。

一村妇，年近三旬，顺产一子，产后1日无尿，少腹膨胀，时喊有尿排之不出。西医予以导尿3天，仍不能自便，遂请余诊治。但见产妇卧床，面色皖白，力疲神倦，言语低微，切其脉沉弱，舌苔白、质淡，切少腹膨胀如鼓。经妇科检查无尿道、产道损伤。余诊为气虚血亏，膀胱气化不行，为疏上方。产妇服后，须臾小便自下，患家大悦，深感轩岐之功。

产后癃闭宜用升提

|侯 林|

产后尿潴留、小便不通的病人，临床并不少见。且多见于一些初产妇人、产程过长、胎儿过大者。用西药治疗，效果往往欠佳。求助于导尿，又给患者增加痛苦，且不能解决根本问题。笔者每遇此证，一般以益气升提为主，少佐渗利之品。宗此法，曾治愈多人，屡试屡验。

某患者，于5日前产一女婴，系横位难产，产后尿潴留、小便不下。曾口服维生素B_1及用新斯的明穴位注射等，进行多方治疗，亦曾服中药利水通淋之剂，均罔效。产妇每日靠导尿维持，痛苦不堪。乃请余会诊。初诊：面色萎黄，自汗出、气短、周身乏力，小腹胀满微痛，虽有尿意，但小便不下，饮食尚可，亦无寒热。舌质淡红，脉沉缓。治以益气升阳、少佐通利，用补中益气汤加减：黄芪18g、升麻6g、当归15g、柴胡10g、陈皮10g、白术10g、车前子12g（包煎）、王不留行12g，水煎服。1剂服后，产妇小便能通；3剂服后，小便畅利如常。

对于癃闭的治疗，或清热利湿（如导赤散、八正散），或温肾化气（如肾气丸），或行瘀散结（如抵当丸），方法颇多。笔者体会：本证多与中气下陷有关，患者往往平素即中气不足，在生产过程中、又耗气伤血，加之胎儿压迫，以致“胞系了戾”（可以理解为膀胱麻痹），而形成本证。其临床表现，在下腹胀满急痛、小便不通的同时，多兼有明显的气虚见证。故治疗时，不是独用通利所能奏效，当以益气、升举为主，辅以渗湿滑利之品，使下陷之气能够升举，浊阴之水得以下降，膀胱功能恢复，三焦气化正常。如此，清者升、浊者降，升降有序，则水道畅通，小便自利。

产后癃闭外治一得

|乔洪涛|

1980年余乡诊，偶遇一翁，六十有五，传我一民间验方，专治产后尿闭，

索性一试。适遇一费姓女患，23 岁，1981 年 11 月 9 日生一女婴，两日不溲，小腹胀满，但无尿意，自作排尿动作，点滴皆无，赖于导尿，次日复故。11 月 14 日诊得其右脉滑数，左脉关上小滑，两尺有力。舌质红胖而嫩，根有白苔。恶露无臭，腹胀急，痛苦非常。吾当即忆起老翁之法，随即一试。我惟恐药性剧烈，先从小剂试起，取巴豆 50g 去皮，黄连 2.5g 为末，葱白 3 段取汁，艾灸 1 壮。巴豆与黄连同捣如泥，做成小饼，如玻璃砖厚，先将葱汁敷涂患者脐部（即神阙穴），然后覆盖巴豆饼，饼上置放艾柱 1 壮，燃烧 20 分钟（5 分钟后始觉温热，15 分钟左右，热感达高峰）时患者觉小腹如蚁行走，随即产生尿感，少顷自行排尿 1 次。

新妇初产，百骸空虚，肾气受损。气化已衰，膀胱开阖不利：一为尿崩，一为癃闭。此例乃肾气亏损，气化无力，开阖失职所致之虚寒癃闭，取巴豆大辛大热，葱汁辛热宣发通窍，又有艾灸逐寒拯阳，诸药一派辛热，寒去阳回，正气得复，大队辛热之品偶寓黄连，以防辛热太过，更有寒热并用之妙。

产后痹证治验

|王 圻|

东北地区天寒地冷，产后痹证，实属多见。时值 1982 年初冬，余出门诊时，一分娩两周的产妇被抬入，自诉腰髋痛如刀割，活动困难。患者坚持认为，此症乃因生产时医生使用产钳用力过猛，致骨盆骨折。

询问其病史，此产妇难产，产程长，大量出汗。时值秋末冬初，天气骤冷，尚无暖气。患者分娩后即寒战难耐，腰腹痛，以后逐渐加重。经 X 线摄片、化验血沉等各项检查，诊断为急性风湿症（痹证）。

望其表情虽痛苦，但痛处无明显红肿，面色黄白而润，口唇稍紫微燥，舌质稍紫，苔薄白而干，脉象弦缓。

根据其发病经过与脉症合参，为分娩过程中风寒乘之，瘀血滞于经络，气血流通受阻而为痛痹。治宜温散风寒，化瘀通络，佐以补虚之品。方用独活寄生汤加减，药用：当归 15g、川芎 10g、赤芍 10g、独活 10g、防风 7.5g、桂枝 7.5g、广䗪虫 5g、秦艽 15g、川牛膝 10g、桑寄生 15g、续断 15g，两剂，水煎服。

二诊时，患者腰髋痛减轻，疑虑心情已消除。效不更方，按原方又服 3 剂。三诊时患者自诉又见少量恶露，色褐；疼痛明显减轻，已能离床活动；其脉象沉缓，弦象已除；口唇、舌质已转红润，知其风寒将解，瘀象渐消。症状既已减轻，药亦应减量。故在原方中减去广䗪虫、赤芍、防风、桂枝，因恐药力过猛伤正。患者又服数剂，疼痛消除，停药观察。两年后随访，病未复发，身体健康。

产后发热

高树人

1981 年秋天，少妇张某，新产 2 日即觉发热，体温逐日升高。经用大量抗生素和激素（氢化考的松）治疗，其热不退，延至旬余，病情增剧，急邀余会诊。症见：高热（40.4℃）汗出，口渴，烦躁，泛恶呕吐，恶露量少，溲赤。舌红苔黄，脉洪数。血象：白细胞 16×10^9/L，中性 0.9。余诊后告曰：此乃新产阴伤，复感毒邪，侵犯气分所致。倘汗出再多，津液内竭，必有亡阴痉厥、昏迷谵妄之虞，遂急投清热解毒、养阴生津之剂。方用：金银花 100g（后下）、生石膏 50g（先煎）、蒲公英 50g、芦根 15g、天花粉 25g、麦冬 15g、连翘 15g、大青叶 50g、玄参 15g、黄连 5g、沙参 15g、甘草 10g。2 剂，水煎取汁 800ml，每 2 小时口服 100ml。病人服药即吐，再服又吐，取药汁 250ml，改为高位保留灌肠，用后 1 小时，便泄 1 次，体温下降（38.1℃），呕吐亦止，烦躁俱平，已能安寐，继续口服用药。3 日后再诊，患者体温明显下降，每餐能进干饭 100g。血象：白细胞 5.8×10^9/L，中性 0.58。病人自觉头晕目眩，耳鸣心悸，乳汁减少。舌红少津，苔薄白，脉弦细。此系余邪残留，阴血亏耗之象。治宜清余热，养气血。方用：沙参 15g、生地黄 15g、人参 20g、炒白术 15g、白芍 15g、当归 12g、五味子 15g、地骨皮 15g、麦冬 15g、牡丹皮 10g、甘草 5g，水煎 300ml，日服 3 次，每次 100ml。患者连服 4 剂，诸症悉除。

对本例中医诊为“产后发热”，究其病因是产后百脉空虚，复感邪毒所致。俗有“产后忌凉”之戒，但病人热毒炽盛，非清不济。方中金银花、连翘、蒲公英、大青叶清热解毒；生石膏解肌透发体内之蕴热，又使胃津得复，且能消除烦渴；麦冬、玄参、天花粉、芦根生津止渴，解热除烦；甘草和中。诸药合用，则邪热得除，恶露得清，津液得存。复以养阴扶正之品收功，病乃获愈。

实践证明，改变给药方法和投药途径，是提高中医治疗高热急症的重要一环。本例开始服药即吐，以致进药不足，这是邪正相搏的剧烈表现，病势非轻，故除用药剂量加大外，还采取高位中药保留灌肠，取得令人满意的效果。

产后血晕

李 晶

1956年秋，我在309医院工作期间，因公顺路回家探望老母。恰遇邻人陈某之妻临产。由于难产、产程过长、胞衣下后，流血不止，产妇处在失血血晕之中，特邀余诊治。

病人面色灰白，气息奄奄，六脉沉细如丝，下体浸在血泊之中。余谓陈某曰："病情若此，恐无生计。"陈某慨然曰："病已至此，您就把她死马当活马治吧！"事已迫在眉睫，救人要紧，随处方：醋制贯众炭120g浓煎顿服。翌日清晨，家属来说：煎约两碗，病人先服下1碗，余药每3～5分钟喝两汤匙，后半夜流血减少，现在流血已止，请再为诊治。随诊，病人神志恍惚、语言低面微，气息稍稳，脉象沉涩无力。处方：醋制贯众炭45g、白及30g、红糖45g，为末每服30g，每日4服。3天后病人血晕诸症消失，改用十全大补丸及进行饮食调养，1个月后恶露断绝，两个月后康复如初。

自古有论曰："一人而系一世之安危者，必重其权而专任之，一物而系一人之死生者，当大其服而独用之"。贯众微寒有毒，善治下血崩中，产后亡血，若用醋制成炭。则酸可收血敛血而解其毒，其炭又能涩血止血以塞其流，故专用醋制贯众炭，一剂而保全生命，医患共荣，传为乡里佳话。

下乳三法

张士珍

乳少症，证型不一，治法繁多。余多年体验。以气血虚弱、肝郁气滞、热郁化火三型居多，现简介下乳三法如下。

1. 滋补气血通乳法：沈某，30岁，平时体弱。产后气血更虚，面色白，心悸，气短，纳差，大便先干后溏，舌淡，脉虚无力，乳汁清稀量少。证属气血两虚，治以补血益气通乳，方用《傅青主女科》通乳丹加减。方用：生黄芪30g、麦冬10g、党参20g、桔梗9g、当归15g、木通9g、猪蹄2个，5剂，水煎服，前3剂连续服；后两剂隔日服1剂。汤药与猪蹄分别水煎、炖熟，服药期间，每日吃炖熟猪蹄2个。服3剂后，乳汁渐渐增多，服完5剂后，乳汁分泌已正常。

2. 疏肝解郁通乳法：李某，30 岁，产后乳汁尚可，后因情志不遂而无乳。乳房胀痛，按之有硬结，胸脘胀满，善太息，食少，呃逆，舌红，口苦，脉沉弦。证属肝郁气滞。治以疏肝解郁通乳。方用逍遥散加减：醋柴胡 10g、黄芩 12g、全当归 10g、王不留行 15g、丝瓜络 10g、漏芦 10g、制香附 10g、瓜蒌根 10g、青皮 10g、蒲公英 20g，水煎服 3 剂，服后胸闷减轻，乳汁逐渐增多，后改服补血益气通乳方剂，乳汁转入正常。

3. 清热解毒通乳法：贾某，27 岁，产后二十余日，始则乳汁正常，继而无乳。诊其乳房硬结，红肿热痛，伴有发热怕冷，口干舌燥，二便不利，苔薄黄，脉数，证属热郁化火，治以清热解毒散结。方用五味消毒饮加减。方用：金银花 30g、紫花地丁 12g、紫背天葵 10g、连翘 15g、全瓜蒌 24g、草河车 12g、赤芍 10g、野菊花 10g、蒲公英 20g、贝母 10g、青皮 10g、白茅根 20g，水煎连服 5 剂，患者服后热退身和，乳房硬结已散，乳汁逐渐增多而转入正常。

五味消毒饮为《医宗金鉴》方，原方：金银花、紫花地丁、紫背天葵、野菊花、蒲公英。始遇此症，即与原方照服，亦收到一定效果。后在临床实践中，在原方基础上加草河车、白茅根以增强其清热解毒作用；加瓜蒌、赤芍、青皮、贝母，以散结解毒。余经多年实践，每遇此症，已成定方，均收到应有的效果。

中医妇产科学急待发掘整理

马宝璋

中医妇产科学，是中医学的重要组成部分，它是在祖国医学的形成和发展过程中，逐渐充实建立起来的。现存的第一部妇产科专著是产科学方面的著作，即唐朝昝殷著的《经效产宝》。中医妇产科学最早发展成为独立的专科，是在宋代建立起来的产科，这在《元封备对》有明文记载。在历史上，中医妇产科学，特别是产科学，是遥遥领先于世界的。例如，在汉代华佗已施行了摘除死胎的手术；在宋代杨子建的《十产论》中已经叙及了一些矫正胎位的内倒转手术。关于横产，书中写道："儿先露手或先露臂……当令产母安然仰卧，后令看生之人，先推其手，令入直上，头顺产门，渐渐逼身，以中指摩其肩，不令脐带羁扳推上而正之，或以指攀其耳而正之……"。关于倒产写道："产母胎气不足，关键不牢，用力太早，致令子不能回转，便直下先露其足，当令产母仰卧，令看生之人，推其足入，不可令产母用分毫力，亦不可惊恐，使儿自顺。"由此可见，当时关于横产、倒产的助产，都描写了进入宫腔内操作的手术，这与同期的西方医学形成了鲜明的对比。

在优生学方面，我国最早在公元前12世纪就规定了同姓不婚的制度，在公元前644年《左传》中明确记载“男女同姓，其生不藩”，进一步明确了近亲结婚有碍于子代繁殖，这要比西方达尔文1858年阐述这一理论早2500年！现在妇产科专家和神经科专家一致认为，学龄前的儿童教育应从零岁——胎儿期开始，而我国周朝就已经形成了“胎教”理论，并有明文记载，后世诸家对“胎教”也都有专论。

中医产科学的历史成就，只能说明过去。在科学飞速发展的今天，我们中医妇产科工作者，应该珍视这部分遗产，对中医产科学的理论予以发掘、归纳和整理。作为自然科学来说，对其不足之处，可以吸取今天的成果予以补充，使其更好地为人类健康作贡献。否则，丢掉产科部分，中医妇产科医生不能处置产科急症，只能沿着妇科前进，路子将会越走越窄。正是由于上述诸多原因，笔者认为本学科应定名中医妇产科学，似不宜单称“中医妇科学”。

胞脉胞络辨

王耀廷

胞脉、胞络，就字面释之，即胞宫上的经脉与络脉，似无赘述之必要，但有些书中竟将二者混为一谈。谓“胞络即胞脉”。殊不知《内经》中分辨甚明，认真复习一下中医典籍，自会清楚。如《素问·评热病论篇》：“胞脉者，属心而络于胞中”；《素问·奇病论篇》：“胞络者系于肾”。可见，心与胞宫（女子胞，或子宫）之间的通道是胞脉，肾与胞宫之间的通路是胞络。“月事不来者，胞脉闭也。胞脉者属心而络于胞中，今气上迫肺，心气不得下通，故月事不来也”（《素问·评热病论篇》）。说明心主神明，为人身精神思维活动之主宰，心气不得下通，可致月经闭止不行。开后世用养心气、通心神法治疗闭经之先河。

1981年6月曾治某20岁女学生，因去岁报考大学不中，心中愤郁，立志再试，攻读益勤，黄卷青灯，用心良苦，遂致饮食渐减，月事稀少。来诊时月经已3个月余未潮，咽干口燥，舌碎唇疮，咳嗽时作，寐少梦多，心悸易惊。放射线透视心肺无异常。诊见形瘦颧红，唇红而干，口角有疱疹，舌鲜红，尖赤如杨梅，脉细数。此乃劳心过度，心营暗耗，心火上炎，胞脉闭阻，心气心阴不得下通之闭经。丹溪翁有云：“因七情伤心，心气停结，故血闭而不行，宜调心气，通心经，使血生而经自行。”用主治“劳心思虑过耗真”的天王补心丹化裁：丹参20g、沙参15g、生地黄25g、柏子仁15g、卷柏10g、麦冬15g、莲子心10g、远志15g、石菖蒲10g、茯神10g、泽兰15g，水煎服，日2次。连用6

剂后，患者舌碎唇疮即愈，咳嗽减轻，夜寐转安，饮食略增。继用天王补心丹、六味地黄丸早晚各服1丸，连用1个月，经转病愈。

胞脉通心，胞络通肾。心血肾精，通过胞脉、胞络达于胞宫，则血海届时满盈，经水行止依时，体健经调。且通过胞脉、胞络，心肾在子宫相交，水火既济。所以，陈士铎认为子宫“为心肾接续之关”。这也是治疗心营暗耗、心气不通之闭经，在调心气、通心经的同时，要注意滋肾水的理论依据之一。

子宫名义辨

王耀廷

近年中医妇科教材，均将子宫写成“胞宫”或“女子胞”，甚至有人认为中医说的子宫与现代医学说的子宫含义不尽相同，只有称“胞宫”方可避免概念上的混淆。

个人愚见，中、西医说的子宫，含义固然不尽相同。中医说的子宫，不仅包括现代医学说的子宫，还可能包括胞脉、胞络，即包括子宫及有关内分泌系统。考《内经》《神农本草经》早有“女子胞”“子宫”之称。如《素问·五脏别论篇》指出：“脑、髓、骨、脉、胆、女子胞”，《神农本草经》：“紫石英味甘温，主心腹咳逆，邪气，补不足，女子风寒在子宫，绝孕十年无子。”“胞宫”一词，首见于《圣济总录》，其含义与《内经》之“女子胞”、《神农本草经》之“子宫”是一致的。为了便于中西医交流，便于中医的普及，对“子宫”一词，不必讳莫如深，何必将妇孺皆知的“子宫”弃而不用，却偏要用群众陌生的“胞宫”呢？中医说的心、肝、脾、肺、肾五脏，与现代医学说的五脏含义也不完全一样，为什么不再另找一套生僻的名称以示区别呢？所以，个人认为还是用既古老又通俗的名称——“子宫”为好。

阴挺诊疗心得

卢守谦

1968年初冬，我初到黑龙江省杜蒙自治县人民医院工作。一天，本院四十余岁的妇产科李医生，拿一药方与我说：“我患Ⅱ度子宫脱垂已半年，用了几个药方，吃了很多剂中药也没见好，别人又给我开一药方，你看行不行？”观其方是补中益气汤加减，问其症状，小腹坠胀连及腰背酸痛，周身乏力。诊其脉弱，望其舌，色淡红，苔薄白而滑。我考虑中气下陷固属其病因之一，但肾气虚弱，下元不固也是重要因素。因此，拟右归饮加减为主方，加益气、升提、固涩之品。药用：熟地黄、肉苁蓉、巴戟天、山茱萸、杜仲、山药、枸杞子、升麻、柴胡、党参、黄芪、牡蛎、龙骨，水煎服。先用4剂，李医生服后症状明显减轻，又继续服用前方4剂，子宫脱垂恢复正常。3个月后，在一个寒冷的夜晚，其外出接产，因冰冻路滑，匆忙中不慎跌倒，前症复发。她又依照前方服用4剂而愈，终未复发。

李医生的病治愈后，她经常介绍患这种病的患者前来求治；先后又用此法治愈多例。

阴吹证治验一得

李国平

阴吹证是罕见的中医妇科杂病之一，在临床中很少遇到此病。我曾遇一例阴吹患者，27岁，既往身体健康，自云于生产后5个月，月经闭止，少腹胀痛，尤以左侧为著，腰脊酸软。近1个月来，阴道中出气有声，簌簌作响，与转矢气的情形相似，尤其于变更体位时（由立而坐或由坐而立），声声连续，病人极为苦恼，遂来我中医科求治。该患除阴吹证外，尚有胃脘胀满、烦热、口燥咽干、小便色黄、大便秘结等症。望其面色淡黄，舌苔黄腻而厚；闻其呼吸息匀，语音清朗；切其脉象沉细而数。辨证分析：由胃脘胀满、烦热、口燥咽干、溲黄便秘、脉数等症可知病人所患是胃燥型阴吹证，由于阳明失调，胃脘积热，谷气下注迫于胞宫而成。此证虽无生命之虞，然在大庭广众之中出现此声，有失大雅，故病人迫切要求给予治疗。余以清胃润燥、健脾消导之法，组合一方：柴胡10g、生石膏15g、知母15g、白术15g、天花粉15g、砂仁15g、茯苓15g、石斛15g、厚朴10g、党参15g、焦三仙各15g、甘草10g，水煎服。服药3剂后，病人自觉阴吹明显减少，脘闷烦热、口燥咽干，溲黄便秘诸症均减轻。效不更方，遂依前方续服3剂，病人阴中已无气体排出，诸症消失，阴吹告愈，追踪观察3年，未再复发。

妇人多郁小识

刘欢祖

“妇人多郁”，是临证的客观事实。妇人为何多郁证？医家多从生活环境，家庭地位等方面寻找原因。封建社会，妇女受政权、族权、神权、夫权的支配，凡事不能自主，所欲多有不遂，因而心情抑郁，多罹郁证。然而时至今日，我国妇女获得解放已经三十多年，在政治、经济、社会等各方面的地位均与男子平等，但临证所见，妇女仍多患郁证。这就不能单纯地从政治制度和社会学角度去解释，而应从妇女的生理特点去探索原因。

《灵枢·五音五味篇》说："今妇人之生，有余于气，不足于血，以其数脱血也。"妇人一生，自"二七而天癸至，任脉通，太冲脉盛，月事以时下"至"七七任脉虚，太冲脉衰少，天癸竭，地道不通"，在长达35年的时间里，每月行经；妊娠期间，虽不行经，却需以血养胎；分娩必失血；产后又需给婴儿哺乳，乳则由血所化生，无一不损伤其血。所以妇人一生不足于血。

血与精的关系非常密切，血有余则血化为精，血不足则精化为血。妇人一生常不足于血，则精常转化为血，导致精血俱不足。精与血均属于阴，所以妇人阴常不足。

肝气主升，主疏泄条达，以阴为体，以阳为用。肝阴不足，则势必影响肝气的疏泄条达。妇人多不足于血，精血常亏，肝阴不足，故常使肝气失于条达，而罹郁证。

《太平惠民和剂局方》逍遥散是治肝郁之名方。方中当归、白芍养肝之阴血；柴胡、薄荷疏达肝气；又遵仲景治肝"当先实脾"之训，以白术、茯苓、炙甘草、生姜补益脾土。

景岳柴胡疏肝散，也得治肝郁之要领。方中白芍养肝阴，柴胡疏肝解郁，使肝气条达；香附、川芎理气行血以解其郁滞；肝病传脾，脾胃气滞，故以陈皮、枳壳、炙甘草理气和中。

肝藏阴血，是肝气疏泄条达的基础，阴血不足，则肝气的疏泄条达就要受到影响。妇人一生常因阴血不足而易患郁证，故治肝郁，必须以当归、白芍补肝之阴血而为疏泄条达的基础，在此基础上以柴胡疏肝解郁。

忆先师治宫颈癌

王秀霞

已故先师于盈科，是清末人，家学渊源，毕生业医五十余年，办过讲习会，并亲自任教，教授经典著作，擅长妇科，曾拜师于张寿甫老先生，育人教书有方，临证治疗有验。惜在十年动乱中，年迈加迫害致死。虽留有影响，憾平生没留著述。念随师十年之教诲，每忆有关治验，实属受益匪浅，值此良机，叙其案例，既慰先师之灵，更望能给人以启迪。

1965年时，于老曾在医院门诊开展了宫颈癌专诊，求治的病人甚多。其中使我记忆犹新的是一位年刚40岁的记者，患宫颈癌，病理报告是宫颈鳞状上皮癌Ⅱ期。本人执意不做手术，求治于中医。经一般检查，其血象和一些常规化验项目均属正常，饮食、二便如常，亦无异常病容。仅自诉白带稍多，兼有黄色。进行妇科检查时，肉眼已可清楚地看到癌灶遍布宫颈，但子宫尚可活动。病人别无所苦，诊其脉象弦数，属于湿毒带下，且有毒热之象。于老治以清热利湿，活血解毒法，专门配制了“逐秽丸”。其主要目的在于以毒攻毒。本方可分为三组：一是虫类活血解毒药：全蝎、蜈蚣、僵蚕、广䗪虫，突出的是重用生水蛭，和其他的虫类药物相比，药量稍多。另一类是清热活血药：大黄、赤芍、射干、山豆根。再次是消导健脾之品：鸡内金、神曲、山楂等。上几种药物配制成0.1g重的蜜丸，久服。初则量少，日服两次，逐渐视病情递增。这个病人每天最多时服至5丸，有时配合现症调配汤剂。连服3个月，检查其病灶无进展。该患者的精神状态一直很好，又继服半年，病灶略小于原面积，继续医治，改为维持药量，每日两丸，连续治疗3年。患者病灶不但没有恶化，而且明显好转。十年动乱中我们同该患者失去了联系。后来曾偶遇她的亲属加以询问，该患者仍健在，存活时间已超过了8年。

从实际疗效上看，逐秽丸起到了延长寿命和一定的治疗作用。对病灶广泛、影响排尿排便的病人，他还在本方的基础上，重用清泻毒热之品，如硝黄之类。同时又配制成“搜毒丸”，进行临证治疗，均收到了良好效益。以此可以证实，用中药保守疗法医治某些癌症，是大有前途的。我认为于老用虫类药颇有独到经验，受张寿甫老先生的传授，善用生水蛭，还采用它治癥瘕，生用粉末，以其活血作用强，搜剔脉络，以利解毒。他认为必须以毒攻毒，毒去病自解。

外阴血肿治验

赵淑惠

瘀证可见于临床各科，乃由多种原因所造成。外阴血肿，属于外伤血脉的血瘀证。该病在临床一般多采用手术切开，找到破裂的血管进行缝合，小的血肿多外敷药物令其吸收。而用中药治疗，不仅能使病人免于手术之苦，并且吸收快，疗效高，比外敷药物能缩短疗程20天。余在临床曾用活血化瘀法，治愈数例妇女外阴血肿。

1971年4月曾治一女工张某，32岁，因骑车不慎，将外阴撞伤发为血肿。

两天后，血肿逐渐增大至整个阴部，疼痛难忍。查其外阴血肿如碗大。病人只能仰卧，两腿不能合拢，发热，体温38℃，舌质紫黯，苔薄白，脉弦数。病人对西药均过敏，故采用中药治疗。此患者突受外伤，损及脉络，“孙络外溢，则经有留血”，发为血肿，皮色紫黯，摸之灼手，此为血瘀腠理，郁而化热之证。治宜活血化瘀，清热凉血。方用：当归9g、赤芍25g、川芎5g、丹参15g、生蒲黄15g、生地黄15g，患者服药3剂，血肿消退，又服两剂，痊愈出院。

又曾治一胡姓女子，年28岁，素有风湿性心脏病，临产时心慌气短加重，子宫收缩无力而滞产，因用产钳助产，伤及子门发为血肿。

查之左侧外阴、阴道部有细长血肿，刺痛。症伴自汗、心悸、气短不能平卧，口唇青紫，舌质紫黯，脉微涩。此系心气虚弱兼有血瘀。治以益气养心、活血化瘀之法，方用：党参30g、远志8g、当归12g、川芎6g、赤芍15g、桃仁3g、炮姜3g、炙甘草9g，服药5剂，患者血肿消失，余症均减。

活血化瘀法治疗卵巢破裂

赵淑惠

活血化瘀法是祖国医学的重要治疗法则之一。它被广泛地运用于临床各科，取得了可喜的成效。笔者在妇科临床运用活血化瘀法，治愈了不少疾病。

卵巢滤泡及卵巢囊肿破裂，为妇科急腹症。卵巢滤泡破裂多发生在排卵期，排卵时卵泡膜与卵巢外膜自行破裂，一般破裂后卵巢自行修复，偶有破裂时伤及血管，流血不止，发为此病。黄体囊肿破裂较为少见，可造成月经延期，有时月经来潮时出血不止。子宫内膜甚至有假蜕膜变化，很容易被误认为输卵管妊娠，一般都采用手术治疗。余根据王清任《医林改错》“痛不移处，凡肚腹痛，总不移动是血瘀，用此方（膈下逐瘀汤）治之极效”及“卧则腹坠……。左卧则左边坠，右卧则右边坠，此是内有血瘀”之理论，联系卵巢破裂一症，腹痛有定处，拒按，由于腹腔内积有血水，叩诊小腹有移动性浊音。故采用活血化瘀法治疗而获得满意效果。曾治一妇人，37岁，闭经两个月，1971年10月一天夜间因突然腹痛，阵发性加剧收入院。妇科诊断为卵巢破裂（血瘀经闭）。患者小腹疼痛拒按，左侧尤甚，腰酸下坠，头晕目眩，面色苍白，心慌气短，自汗，口干咽燥，舌黯淡，苔薄黄，脉细数无力。此乃血瘀胞宫，气阴两虚兼有蕴热，此证本虚标实，虚实夹杂。本着“血实宜决之，气虚宜掣引之”的治疗原则，采用活血化瘀，益气活络，补气养阴清热法。方用：党参15g、生地黄12g、茜草9g、阿胶（烊化）12g、仙鹤草9g、忍冬藤15g、板蓝根15g、丹参15g、赤芍9g、三七粉（冲）3g，两剂水煎服，6小时服1次，分4次服完。

患者服药1剂腹痛减轻，服两剂一夜未痛。精神转佳，面色较前有华，脉转细涩，说明内出血渐止，应以消瘀为主。上方去仙鹤草、三七粉，加川芎3g、木香9g、乳香6g、没药6g，3剂，水煎服，8小时服1次。服药5剂后，病人已无任何不适感觉，并能自行下地活动。检查无明显阳性体征，带上方3剂出院。两周后门诊复查，患者已恢复正常。

阴部跳动

李保中

阴部跳动，此病书无所载，症也特殊。一友人曾约我去他家中往诊，去后见老妇如常人，热情地招待我们。我心中暗想老妇患了什么病？正在观察之中，老妇自述：我这么大年纪（62岁），得了一个怪病。开始由于着点急，上点火，再加上劳累过度，出现心跳、失眠。近些天出现阴部跳动，阴道流出少量黏液，有时跳得心烦意乱，不知如何是好。

余诊其脉细数，舌红无苔，此证实属少见。我细细思索多时，才辨明此证为心火亢盛，心阴暗耗，心火不能下交于肾，肾水不能上济于心，水亏火旺，相火扰动所致。治以滋阴降火，养血安神。处方：知柏地黄汤加当归、酸枣仁，2剂。水煎服。老妇服后症状消失，又服2剂巩固疗效。2年后，患者又复发1次，特来信索方。我仍开原方4剂，服后痊愈。

习医诚不易，一得贡真愚

韩百灵

中国医药学已被公认是一门科学。它有其自身的发展规律，既有独特的理论体系，又有丰富的实践经验和良好的疗效。它已引起世界许多有识之士的重视。

但是，学习中医，无人指导是有困难的。中医学内容浩瀚，理论古奥，不经指点就会感到无处下手，即使入了门也不能一蹴而成，浅尝辄止，要靠不断地钻研，日积月累，始能完善。医道贵于圆通，不泥陈规，不执成方，善于变通，做到证变则法变、方变、药变。

如吾曾诊治一外国友人。此人是日本专家大石智良之妻坂本志汁子教授，因苦于婚后数年未孕，而遍访国内外医学界名流，虽经多方诊治，亦未能如愿以偿。1976年夏日，大石的专职翻译持有关部门介绍信来求余往诊。余望其形体不甚健康，面色黯滞，精神抑郁，舌苔微黄，问其发病之由，云：性情急躁，无故多怒，胸胁胀满，经期乳房胀痛，血量涩少，色紫黯有块，小腹坠胀，经后乳痛腹胀减轻，手足干烧，呃逆，不欲饮食，喜食清淡而厌恶油腻，大便秘结，小便短赤，诊其脉象弦涩有力。此乃属肝气郁滞，脉络不畅，疏泄失常，胞脉受阻而不孕，予以调肝理气通络之方：当归15g、赤芍15g、川牛膝15g、川芎10g、王不留行15g、通草15g、川楝子15g、皂角刺5g、瓜蒌15g、丹参15g、香附15g。嘱服3剂。7日后又诊：患者症无变化，脉象如前，惟食欲不振，此因肝气乘脾，脾气不运之故，守原方加白术15g、山药15g，以扶脾气，又服3剂。1周后又诊，患者云：经期胸闷乳痛减轻，饮食增进，但腰酸痛。仍以前方减皂角刺、瓜蒌，加川续断15g、桑寄生15g，以补肝肾，嘱其永服为佳。1977年其夫妇返回日本东京。当年春，大石智良来信说：他们夫妇回国以后，其夫人怀孕生一女孩，为纪念中国，借用松花江的“花”字，将这女孩取名为“大石花”。并对中国医生治好他夫人的多年不孕证表示衷心地感谢。

此乃属肝郁不孕证，是妇女最常见的疾病，也是比较难医治的疾病。余通过五十余年的临床实践，治疗此证取得了良好效果。古语谓，专泥药性，决不识病；假若识病，未必得法；识病得法，工中之甲，理法方药，不可有偏，是谓有学有术。若只识医理，罔知方药，或识方药，不通医理，是谓有学无术。学术即得，又躬行实践，是有的放矢。如本例用药所选王不留行、皂角刺，古人认为，这几味药均可通乳。乳者，精之化也，妇女之精上为乳汁，下为月水，其药既可通乳，又为何不可通经呢？所以选用此药，果起沉疴。可见，理法方药，融会贯通，如鱼潜龙腾，千变万化，运用自如者，方为良医。良医者，十年树木，百年树人也。

乳疬不孕

秦德水

乳疬，是指乳房肿块而言。它多见于中年妇女，偶见于中年男子。本病多由气滞痰郁、冲任不调所致。

余在临床曾治一女患，自诉婚后3年不孕，两乳胀痛，并有硬结，逐渐增大，经前腹部胀痛，性情急躁，善怒易哭。脉弦数，舌黯红，苔厚微黄。体质较好，左侧乳房可触及3个肿块，右侧乳房可触及4个肿块，质硬，疼痛拒按。经西医检查为乳腺增殖症、不孕症。

本病由于肝气不舒，气血凝滞而致乳房结块，冲任失调、胞宫失养而致久不受孕。故治以疏肝散结，活血消坚为主，兼以调理冲任。方用：柴胡15g、瓜蒌20g、丹参15g、香附15g、桃仁15g、赤芍15g、红花15g、莪术15g、栀子15g、川贝母15g、皂角刺15g，经用21剂，患者乳房结块全部消散。追访1年后生一女婴。

按本例患者本来性情急躁，善感易怒，属于肝气郁结所致。乳房乃肝经所过之处，肝气不舒，则两乳胀痛。肝郁气结，则凝滞结块。肝气郁结可致冲任失调引起不孕。药用瓜蒌、柴胡解郁、疏肝、理气；丹参、桃仁、红花、莪术、栀子、赤芍活血化瘀，通脉散结；川贝母、皂角刺软坚散结，使其乳房结块消散，气血调和，冲任得调，自能生育。

理气化瘀通络法治愈不孕症

|王　圻|

女子不孕的原因很多，可分为血寒、血热、痰湿、气血虚弱、气滞血瘀等等。临证治疗时详查病因，辨证治疗，每可获效。

余在临床实践中遇到的患者以气滞血瘀型较多。举一例说明：宋某，婚后3年不育，诊断为双侧附件炎。经几家医院检查与治疗，曾作输卵管通液及碘油造影，均不通。用消炎药及宫腔注射、理疗等治疗近1年，均未收效。余详细询问其病情，平素经常两侧少腹部胀闷隐痛，带下量多，色淡黄，经期提前二十几日，每次月经前期乳房胀痛。其就诊时为月经来潮第2天，经血量中等，色淡褐有凝块，少腹部胀痛较重，腰痛，胸胁满闷，善太息。脉弦缓，舌质紫，尖赤无苔。根据其脉象症状分析：胸胁满闷善太息，是肝气郁结所致。气为血之帅，气滞则血瘀，故经行不畅，经色不正，少腹部胀痛。瘀久化热，热迫血妄行，故二十几日经行一次。胞宫瘀血不去，胞络阻滞故不孕。治应理气调经，化瘀通络。方用桃红四物汤加减如下：当归15g、川芎15g、生地黄15g、赤芍15g、丹参20g、僵蚕15g、青皮10g、陈皮10g、香附15g、广䗪虫10g、益母草15g、桃仁15g、红花15g，2剂，水煎服。服药后，患者少腹部胀痛明显减轻，经血量增多，色转暗红，乳房胀痛消失，胸胁胀满亦好转。效不更方，继服3剂。以后改服丸剂，早晨服当归丸，每次20粒，晚服香附丸，每服1丸。患者连续服10天，下一次月经期，少腹部只有轻微胀痛，经色转暗红，但四肢有胀热感。于前方加牡丹皮 10g、连翘 15g。连续服 5 剂。月经过后仍服 10 天丸剂。经连续治疗 4 个月患者即停经。闭经 50 天时作尿妊娠试验呈阳性，后足月分娩一男婴。

对不孕症应强调辨证论治

孙良佐

历代名医对待不孕，大都强调肾虚，肾虚之中又以肾虚寒为主。古人理论是经验的积累，在不孕症患者之中，的确以肾虚占多数。但作为临床医生，除吸收前人的经验外，更重要的一点是要因人施治。人有禀赋不同，环境差异，其病千变万化，决不能凭古书中所载的模式而定论，更不能以古人固定的框框去套当今的病人，以致强题就我，胶柱鼓瑟。正确的方法是四诊合参，因地、因时、因人、因证而辨证施治，从中去伪存真，去芜存精，达到治疗之目的。曾治本学院一教员，婚后近 10 年不孕，长期服用补肾种子之方，但未见效。于 1978 年底来我处就诊。见其正值盛年，身体强壮，月经期、量、色、质均无异常，惟感下半身凉，常有一股热浪自胸中上冲颈项直至头部，脐以下常感畏寒。辨证为阴阳升降失调，肝气冲逆所致，即令停用既往补肾温阳药，改用调和阴阳、升清降浊之法，使其升降有常，用桂枝汤为主方加入珍珠母、钩藤、磁石、黄柏和知母，于每次月经干净后连服 10 剂。至 1979 年秋停经，尿妊娠试验呈阳性，1980 年娩一女婴。另一例为一电站工人，结婚 3 年未孕，夫妻感情欠佳，女方情绪低沉抑郁，纳食尚可，但大便干结，脉沉，1983 年来我院就诊，查既往处方都是以理气解郁为主，大多以逍遥散加减。当时从患者大便干结，十天半月 1 次，辨证为气郁化火灼津，若进逍遥散，非但不能润燥，还有化热伤阴之弊，故润燥滋阴以补阴之不足，复以泻火通降以清其热，标本兼治，方从一贯煎加减。开始时重用大黄达 15g，待便秘减轻而减少用量直至停用，改以润燥滋水疏解之品治疗，结果该患者不到半年怀孕。

由此，我认为治病要点是进行随机辨证，对古人之经验只能参考，不能硬搬。我们要学习古人的经验，但更要相信中医学的核心——辨证论治。

“纯阳”小议

胡景瑞

小儿为“纯阳之体”，是中医儿科学的重要理论之一。它对认识小儿的特点、保育、治疗都有重要的意义。但自《颅囟经》提出此论后，众说纷纭，混淆视听。

所谓“纯阳”，一是说小儿的阳气活泼、旺达，从而脏气清灵，活力充沛，生机蓬勃，生长发育迅速。这是客观存在、尽人皆知的，此为“纯阳”的本义。二是说小儿的阳气是纯粹的。小儿的阳气“未受七情五味的浸渍”，没有成人所受到的那些因素的干扰，没有成人那些阳气的变化。因此，小儿的阳气是原貌的，是纯粹的。也正因为具有这种原貌的纯粹的阳气，小儿才生机蓬勃，发育迅速。三是说小儿的阳气也是稚嫩的。“纯”字，从“丝”、从“屯”；丝，单丝也，脆弱也。用“纯”字喻阳气时，指的是一阳、稚阳。四是说小儿在阴充阳长过程中，阳占优势。人生有形，不离阴阳。孤阳则不生，孤阴则不长。阴平阳秘，精神乃治。但机体在正常生理状态时的阴平阳秘是相对的，阴阳不平衡则是绝对的，阳气处于主导地位。在生理状态下，以阳气为主导的阴阳不平衡运动，才使人得以生存，小儿更是如此。因此，既要看到小儿的阴阳皆是稚嫩的，更要看到小儿的阴充阳长是不平衡的，其中阳气是主导的，占优势的。正因为这样，才有小儿的生机蓬勃，发育迅速。所以有必要提出“纯阳”一说。“稚阴稚阳”与“纯阳”并不矛盾，只是前者低浅，后者高深。

吴瑭、虞搏等人所论，是阴阳之先后，互根。既未论及在生理状态时，小儿阴阳是不平衡的，也没有论及不平衡的阴充阳长哪个是主导的、占优势的。乃非同辙，不能作为反对“纯阳”的依据。中医认为体为阴，用为阳；形为阴，气为阳。阴固然包括水谷精微、营养物质，但对生理功能（阳）而言的形态结构（阴），何尝不重要。所以，“相对的感到阴（水谷精微，营养物质）的不足”，既不全面，又有牵强附会之嫌。

小儿病理特点浅析

王佩明

小儿的病理特点是：发病容易，变化迅速，活力充沛，易趋康复，这是在小儿的生理特点以及长期临床实践的基础上总结、归纳出来的。启示后人在对待小儿疾病的病因、病理、立法、遣方方面，必须时刻不忘这些不同于成人的特殊性，才能未病先防，有病早治，提高疗效，为儿童的身心健康做些有益的工作。

小儿的主要病理特点有三：

1. 是稚阴稚阳，发病容易：如肺为娇脏，居上焦，其位最高，温邪上受，首先犯肺，故易为六淫所侵。当外邪从口鼻或皮毛侵袭肌体时，就会出现一系列邪束肌表，卫阳被遏的表证，或肺失清肃，咳喘痰鸣等证。对于临床上遇到的易患外感的幼儿，我常喜在祛邪同时，加玉屏风散以益气固表，增强其抵抗力，提高其机体免疫功能，鼓舞卫气，抗邪外出。

再如，小儿之脾常不足。由于小儿脏腑娇嫩，形气未充，消化器官发育尚不完善，加以寒温不能自调，饮食不能自节，每易发生呕吐、腹泻等消化系统疾病；同时其他脏器有病，亦每可影响脾之健运，故小儿腹泻是临床上常见的疾病之一。他如呕吐、疳积亦属常见。特别对病程较久，正气不足者，可用七味白术散、理中汤等益气健脾，并根据情况加选理肺（如杏仁）、祛风（如羌活、防风）、升提（如升麻）、渗湿（如四苓），收涩（如诃子）、滑石、蚕沙之品以提高疗效。对于湿热腹泻，切忌苦寒之品，中病即止，以防损伤脾胃之气，此乃儿科治要。

另外，小儿肝阴不足，易致动风。小儿质薄娇柔，既不胜时邪之侵袭，又难耐高热之燔灼，每易因高热炽盛，伤津耗液而引动肝风，故惊风一证是儿科常见急诊之一。在临床上，某些患儿，一有外感，发热38℃左右常可出现惊风之状。对于这种情况，我每防病在先，在疏风散邪剂中参入蝉蜕、钩藤等祛风之品以防微杜渐。

肾常虚，亦是小儿的病理特点。肾者，主骨生髓充脑，内寄真阴真阳，为封藏之本。若为先天不足，常可导致骨弱髓空，筋脉失养，而出现五迟、五软，解颅等证。对此治疗，可予补肾填精之法，常在六味地黄丸中加入血肉有情之品缓图之。

2. 是纯阳之体，变化迅速：小儿患病，以外感热病最为多见，即使是感受风寒，亦易化热入里，故就诊患儿，初诊即见气分或气营两燔症状。如肺炎喘嗽，可由痰热壅肺而变为内闭外脱、心阳衰微。我们必须掌握时机，观其脉证，随证治之，防止疾病传变恶化。

3. 是随拨随应，易趋康复：小儿生机蓬勃，发育迅速；加之病情单纯，无动五志之火，无房劳忧思之伤。患病之后，若能辨证准确，多可一药而愈，易趋康复。

新生儿胎黄灵

| 李宏仁 |

新生儿黄疸，古代医家称为“胎黄”“胎疸”。余在50年代行医时，创制

"新生儿胎黄灵"方，使用三十多年来，疗效显著。方剂组成：茵陈15g、羚羊角1g（先煎）、淡竹叶5g，水煎服。频频给患儿喂饮。方中茵陈清利湿热，为退黄要药。羚羊角清肝热，解胎毒。淡竹叶清湿热，利小便，使湿热之邪从小便排出。3药合用，具有清热利湿、凉血除黄之功。湿重于热者，加猪苓、白术；热毒炽盛者，加生地黄、板蓝根；神昏惊厥者，加服安宫牛黄丸；便秘者，加生大黄；属阴黄者，去羚羊角，加干姜，太子参；气血虚弱者，加黄芪、当归。曾治患儿周某，出生4天后，全身发黄、色鲜明如橘色，神烦少乳。因系亲属，急求诊治。嘱用茵陈15g、羚羊角1g（先煎）、淡竹叶5g，2剂，水煎，频频喂饮。后其祖父欣喜告余，仅服1剂，患儿胎黄即消。

重症胎黄治愈一得

薛昌森

胎黄多因妊母受湿热之邪传于胎儿而成，故出生后即见面目、一身悉黄如橘子色，小溲黄赤，大便灰白。轻症经一般调治可获痊愈，重症可危及患儿生命或遗留严重后遗症。

余治重症胎黄，自拟矾黛散合香砂胃苓汤加味，每获佳效。回忆1977年9月曾治愈一关姓患儿，4个月。出生后第2天即发现巩膜及全身皮肤发黄，逐渐加深。1个月后全身皮肤黄染有所减轻，但近半月来又见加重，间吐奶汁，腹胀，大便灰白，一日便七八次，小便色黄。在某医院门诊求治，治疗1个月余无效。后住某院儿科，3次查肝功：黄疸指数40～50U，凡登白复相反应；直接胆红素4.2～5.0mg%；间接胆红素1.0～1.2mg%，余项正常。诊断为"阻塞性黄疸"，疑为"先天性胆道畸形"，报病重。家长要求服中药。余拟白矾13.5g、青黛9g，混合研细末拌匀分35包，令给患儿每日早晚各服1包，又予香砂胃苓汤加郁金、鸡内金，连服半月，患儿症减大半。再将前药制小剂，间断给服汤剂，治疗月余，患儿巩膜及全身黄染消失。后以四君子汤加鸡内金、炒谷芽等调治十余日，患儿肝功复查完全正常。随访7年余，患儿一直健康。

于此一得，治疗重症胎黄的关键有二：一是必须抓住本病脾胃虚弱、肝胆湿热的特点。脾胃虚弱为本，肝胆湿热为标，本虚标实，虚实夹杂，与一般黄疸迥异。脾胃何以虚弱？乃因胎婴娇嫩之体，脾胃未健，气血未充，感受母体湿热之邪，脾失运化，胃失和降，阻于肝胆，漫于三焦，溢于肌肤，故见症既有面目、一身皆黄，溺黄的阳黄表现，更有呕吐腹胀，大便灰白而稀等脾胃虚弱征象。二是立法用药以健脾疏胆，淡渗利湿为主。余选用白矾、青黛二药，矾重于黛近1.5倍。仿《金匮要略》硝石矾石散方意，不用火硝，恐胎婴娇嫩之体，不任苦寒攻下；重用白矾，取其酸咸无毒，入脾胜湿；青黛入肝，利胆退黄。二药相合，一敛一利，敛而不滞，利而不泄。更合香砂胃苓汤，健脾利湿和中，脾健湿运而助消疸。加郁金、鸡内金疏胆健胃消积。全方健脾和中不留邪，疏胆利湿不伤正。由于切合病机，击中肯綮，故见效甚快。最后以四君子汤加味，健脾助运消积，资补后天之本，以善其后。

解颅治议

张景祥　孙连礼

解颅是以囟门哆开，头颅逐渐增大，目珠下垂为特征的一种病证。其病因病理是“肾气亏损，胎禀不足”。肾的生理功能为藏精、主骨、生髓，充脑。储之于肾的先天之精，既是形成胚胎的物质基础，又是其后天生长发育的物质保障。若胎气怯弱，肾气亏损，脑髓不足，易致胎儿发育畸形。

患本病预后欠佳。《婴童百问》云：“凡得此者，不远千日，其间亦有数岁，乃成废人。”

医治之法，“补肾益髓”为第一要义。但根据我们的临床体会，若漫以“润药”腻之，往往疗效不著，而“滋补”与“渗利”相济，才能相得益彰。

我们宗“补肾地黄丸”意，化裁鹿角胶合剂，治疗解颅，疗效满意，对西医诊断为交通型脑积水者尤佳。方剂组成：鹿角胶12.5g、山药10g、牛膝10g、当归10g、牡丹皮10g、茺蔚子10g、泽泻10g、熟地黄10g、山茱萸10g、茯苓10g、猪苓10g。每日1剂，水煎服。以上所载药量以1周岁婴儿为准，根据年龄大小可相应加减。

此方由填精补髓和渗湿利尿两组药物组成。方中鹿角胶能温肾壮阳，补精益血，强筋壮骨，利尿生新，为此方之君；熟地黄、山药、山茱萸滋补肝肾之阴；当归、牛膝补血活血，强筋骨壮腰肾，为阴阳俱补之剂；茯苓、猪苓、泽泻均有渗湿利尿作用；茺蔚子、牡丹皮凉血而不留瘀，活血而不妄行，且与猪苓、茯苓、泽泻为伍能增强泻水湿，荡瘀浊，导滞下行。两组药物协同作用，既可滋阴壮阳，填精补髓，强筋壮骨，又能渗湿利尿，活血祛瘀，导滞下行，有标本同治之功。

1970年1月，我院收一名4个月的女婴。患儿生后枕部长有一鹅卵大肿物（12cm×12cm），4个月来骤长，入院时肿物比头颅还大（头围40.5cm，纵径22cm，肿物横径41cm，纵径32cm）。西医诊断为先天性颅裂、脑膜膨出症。1

月21日手术切除肿物后，头围于术后3天即增至47cm，较术前增加6.5cm，囟门饱满突出（7cm×7cm），患儿烦躁哭闹，呕吐，项强。用甘露醇、醋氮酰胺治疗13天，头围不减，症状有增无减。

2月5日邀中医会诊，症见其头大颈细，囟门加宽、开解、膨隆，眼楞紧小，头倾，面色不华，烦躁哭闹过后神识呆滞，脉象沉细而弱，指纹青紫而暗。中医诊为解颅，治以补肾益髓，降浊利尿。用鹿角胶合剂后，患儿头颅渐小，共用50剂，其头围恢复正常，囟门凹陷，缩小(3cm×3.2cm)，4月20日痊愈出院。1年后随访未见复发。1974年随访，其发育和精神状态与同龄儿无异。1983年随访，该女孩已读初中，学习成绩中等。

小儿惊悸证治有异

王庆文

小儿惊悸，本非一证，惊者惊恐，悸者怔忡，分别施治，方可收功。

惊因小儿神志未定，气血未充，心虚胆怯，触事易惊；或目见异物，耳闻异声；或偶触临危，心为之怍，使患儿有惕惕之状，发热不安，夜寐不宁，哭闹不停。惊发于偶然，容易恢复，治以镇惊安神为主，可选安睡散(《证治准绳》）加减：朱砂、乳香、血竭各5g、人参、炒酸枣仁各7.5g、蜈蚣1条、全蝎2个、白附子5g、制南星2.5g，共为细末，每次0.5～1g，薄荷汤下。癸亥仲夏，曾治患儿田某，女，5岁，周日随父母去公园坐“飞船”游玩，开始十分高兴，待到转动时，患儿突然惊叫，因其坐于母亲怀中，急安抚之。患儿当夜寝不实，惊数次，翌日烦躁不宁，喉中有痰声，大便干，小便黄，服安睡散，2日告愈，家属大喜过望。

悸者怔忡，心血不足，血不养心，心失所养，使人有怏怏不快之状。王肯堂曰：“怔忡者，本无所惊，自心动而不宁。”病程已久，恢复较慢。治以养心安神，常选用《杂病广要》所载怔忡汤加减：当归5g、黄连2.5g、茯神5g、甘草生炙各2.5g、朱砂（研细另包）0.3g、川芎2.5g、白芍7.5g、熟地黄5g、生地黄5g，水煎服。曾治孙某，女，13岁，5个月前西医诊断为感染性心肌炎，住院2个月有余，对症治疗病情明显好转，唯余怔忡，面色苍白，语声无力，活动后心悸气短。家长延余诊治，诊其脉数无力，心动不安，为小儿悸证。疏怔忡汤间服益荣汤（当归、黄芪、甘草、炒酸枣仁、炒柏子仁、麦冬、茯神、白芍、紫石英、木香、甘草）3个月，患儿病愈，心率不快，心电图恢复正常，随访1年未见复发。

临证体会，小儿惊悸，要区别新久。惊者偶发、初发多实，以全身症状为主，治重镇静安神；悸者病久多虚，以心脏症状为主，治宜养心安神。

小儿狂躁证治疗一得

兰一清

小儿狂躁，临床颇为多见。其症状虽各有不同，但其主因均为内有伏热所致。由于临证不易观察热伏何脏何腑，其症状错综复杂，故辨证亦难。

曾有患儿，男，3岁，尚不能站立行走，语言不清，终日烦躁不安，如痴如狂，不时头欲撞墙、啃指甲，得人便咬，尤其两手不停地搔鼻柱两侧、已至露骨，脓血淋漓，令人目不忍视，且制止不得，日间无暂安之时，夜晚入睡方息，已年余未愈。

余认为患儿出现以上症状，皆与其肝、脾、肾三脏有关，兼内有痰火而成。宋代钱仲阳治小儿行迟、齿迟、脚软、囟开、阴虚、发热诸病，皆属肾虚。以纯阴重味滋肾之法，方用六味地黄丸治之。

此患儿行迟、语迟、不独肾之为病，其狂躁搔鼻、啃指甲、撞头，皆由肝脾而发。肝经热盛，惊狂不安；脾胃积热，可见弄舌，咬嚼齘齿等，肾主骨生髓，脑为髓海，肾热则脑胀而闷、躁而不宁，故头欲撞墙，以解胀闷之苦。且阳明经脉，起于鼻交頞，交上下齿，齿为骨之余，少阴与阳明之热，必循经及齿，齿热则痒痛，故欲啃指甲或欲咬人，以解痛痒。鼻为面王，属于脾，故脾热则痒痛。痒则必搔，搔可解痒，久搔则皮破溃烂，甚至露骨。

治以滋阴降火，清胃化痰、镇肝开窍则愈。滋肾水以养肝，清脾胃之热而鼻痒可止，痰火清则惊狂可安矣。方药由生地黄15g、石斛10g、白芍10g、牡丹皮10g、胡黄连7g、胆南星7g、天竺黄5g、石菖蒲10g、远志10g、寒水石15g、代赭石10g、甘草5g所组成，水煎服，日3次。

小儿多动症辨治

倪蔼然

小儿多动症，表现为注意力不集中、小动作过多、情绪不稳等。我对此病的治疗，主要是滋补心肾、清热豁痰，安神定志。选用磁朱丸，朱砂安神丸，六味地黄丸、百合知母汤、甘麦大枣汤等数方加以化裁。

曾治5岁男孩白某。其面部表情异常：常常挤眉弄眼，过度顽皮，整日手忙脚乱。或在房里来回走动，或上下爬楼梯，翻箱倒柜，损坏玩具，经常打翻瓶罐等物，夜间不能安睡，或说梦话，或哭闹而醒，大便干燥，小便短赤，食欲不振等。在发病就诊时也不能配合，乱跑乱动，并将处方撕碎。查其舌质红少苔，脉滑数。给予滋补心肾、清心火、镇静安神法治之。处以桑椹10g、生地黄9g、何首乌10g、黑豆9g、杭白芍9g、茯苓9g、钩藤10g、磁石9g、朱砂1.5g（冲）。服药6剂后，患儿睡眠较前安静，食欲增加，但仍表现多动，口渴欲饮。按前方又加黄连3g、淡竹叶6g、莲子心5g。又服6剂，患儿挤眉弄眼的发作次数大为减少，烦躁多动现象也显著减轻。服十余剂后，基本控制了多动现象。继续予患儿服药3个月巩固疗效。追踪观察1年，未见复发。

另一患儿李某，自幼性情孤僻，经水来潮前独言独语，心神不定，情志抑郁，执拗任性，反应迟钝，夜寐不安；或夜不能寐而自言自语，学习时精神不集中，上课时经常低头自语或玩弄衣角，对学习缺乏兴趣及主动性。学习成绩差，跟不上班，家长甚为苦脑焦急。观患儿面部神情呆滞，羞涩少言，舌红少苔，脉沉细数。给予清心养阴、豁痰开窍、安神定志法治之。投生地黄12g、茯苓10g、莲子心6g、龙齿15g、炒枣仁10g、石菖蒲6g、百合15g、浮小麦20g、知母8g、郁金6g、大枣10枚。服10剂后，患儿睡眠明显好转，自言自语的时间及次数大为减少，面部表情较前活泼。按前方略加更改，继服药两月，患儿之病情基本得到控制，记忆力明显恢复。

综上所述，我体会到以中医辨证施治理论为指导，从滋补心肾入手，是治疗“小儿多动症”的一个途径。

小儿汗证小议

倪藹然

汗出，是儿科临床上较为常见的一种病证。一般来说，由于小儿体质的特点，在治疗上应用桂附之类药物的机会较少。我曾治一刘姓患儿，其母述说患儿平素汗出较多，容易感冒。近日出汗更多，甚则衣衫湿透，手足发凉，胃纳较差。曾到其他医院检查，均未发现异常，故未用药。家长见其冷汗淋漓，面色皖白，鼻流清涕，而来我院求治。患儿还有精神倦怠、蜷卧恶寒的表现，舌淡苔薄白。根据上症，余诊为表阳不固，复感风邪而致营卫失和之证。投以桂枝加附子汤治之。方以桂枝汤调和营卫，加附子温经扶阳。患儿服药2剂后，手足转温，身暖，汗出大减，面色转为红润，精神振作。继以玉屏风散调理善后，患儿病获痊愈。

桂枝汤为《伤寒论》中治疗太阳中风之主方，有滋阴和阳、调和营卫，解肌发汗之功。加附子可壮在表之阳，故能止汗回阳。玉屏风散属补中兼疏之剂。服本方后，患儿卫气振奋，腠理致密，自当痊愈。

对此证的治疗经过，说明小儿虽为纯阳主体，患病后热证居多，但如辨证确当，桂附之类，未尝不可用之。

阳长有余论与小儿多汗证

孟庆云

小儿多汗，有生理性和病理性两种情况。小儿为稚阳之体，生机勃勃，在休息、睡眠及运动时，照常生长发育。和成人比较，小儿代谢率高，消耗大，处于“阳长有余”状态。小儿睡眠之时，能量消耗远较运动时为少，有余之阳气蒸腾阴液于外，便有汗出；决不可诊为虚劳或佝偻病等，无须用药治疗。如误投止汗之剂，则反影响发育，甚至会因阳气发越不出而导致发热。但是，这种阳长有余的生理情况，可因环境因素幡然致病。例如在华北地区，当夏季异常干热之时，气温接近于体温，抑制了小儿的阳余汗出，便会发生小儿夏季热之证，症见发热，无汗、皮肤干燥，小便黄，大便不通等，可用发汗的香薷饮及通便的小承气汤治之。

病理性小儿汗证，虽有表虚不固、营卫失调、气阴两虚和脾胃积热之别，但从病机上看，也仍与阳长有余的因素有关，以致属湿热者多，属虚证者少。小儿阳有余便多运动，运动过多发生劳累，导致气化缓慢，造成体内湿存，湿郁化热，郁积于脾胃，熏蒸迫津液外泄为汗。此为湿热汗出，虽有脾胃之虚，也不是虚证，治从化湿健脾、利水清热，用异功散加猪苓、焦三仙之品治疗。治小儿汗证用药当注意两点：一是小儿用药，药味宜少，药量宜轻，否则药反过病；二是小儿用药最忌滋腻，纵当必须滋阴之时，也应选黄精等滋而不腻之品。

“阳长有余论”，是朱丹溪从天大地小、相火论和男八女七的天癸论等所引申出来的立论，多有偏颇和不严密之处，但该说也能解释一些生理或疾病现象，也有一定的实践意义，如按照其滋阴的理论，治疗老年病就具有临床价值。故朱丹溪学术思想的建立，是有实践基础的。

小儿失明证治

李桂森

1973年5月中旬，余诊毕欲归，友人带一妇携儿而入。妇人曰：吾儿年9岁，旬日前，突患两目失明，多则一日，少则半晌，时而复明，时而不能视物，视之外观正常。余闻此述，甚觉症奇，详诊六脉弦细而数，验其舌红无苔，两颧红赤，他无查者。审证深思，断曰：此乃肾阴不足，水不涵木，肝风上逆，蒙闭清窍之故也。友人谓：他医曾予清热退翳之药罔效。余曰：小儿之体，脏腑娇嫩，肾精未充，肝阳易旺，何耐再进苦寒直折乎！遂拟滋水涵木、平肝熄风之剂4剂：枸杞子10g、石斛10g、白芍12g、五味子6g、石决明10g、磁石12g、盐知母6g、盐黄柏6g、牡丹皮9g、钩藤6g、菊花10g、防风9g、薄荷6g。每日1剂，水煎分3次服。5日后二诊，其母曰：药后失明二三日1发，一时许即能视物；观其舌象如前，切其脉弦细稍数，守原方加熟地10g，以增补水益肝之力，续进4剂而愈，继投杞菊地黄丸以巩固疗效，暇日，友人问其故，余曰：目为肝之外候，两瞳乃肾所属，肾阴不足，必导致肝木失养，木燥火生，火性炎上，形成风阳上扰，势必影响清窍，致两目失明。风阳主动，时而上升，时而下降，故此证时而发作，时而复明。余遣方以枸杞子、石斛、五味子、熟地黄滋肾水，盐知柏以平相火，磁石、石决明以潜肝阳，且磁石有养肝血、益肾阴的功能，白芍、牡丹皮以清肝热，钩藤、菊花、防风、薄荷以熄肝风。诸药合用，使阴升阳降、相火归源，肝风自平，目疾得疗，睁视如常。若非辨证详确，何能见病知源，获得显效矣。

舌出口外治验

孙润斋

1969年8月，余诊一患儿，年3岁，舌出口外寸余，已3日矣。其舌不肿，舌质微红无苔，不啼哭，不流涎，亦无其他异常变化。患儿父母恳求治疗。余踌躇良久，用泻法针刺内关，神门、少冲等穴，患儿一啼，舌即缩回，但为时不久，舌仍出口外。此时余忽忆及《本事方》中有以蒲黄治舌胀满口之方，于是处以蒲黄末研入冰片少许，用纱布绕指上以水浸湿，蘸蒲黄末频涂舌面。次日患儿家长告知，用此法擦舌面数次患儿即愈，喜形于色。

事后余检阅文献有关此证的治法，尚有数种。如用梅花片脑（即冰片）散舌上；舌肿胀出寸余者，以蓖麻油燃烧烟熏之；无故舌出口寸余者，用鸡冠血涂舌，再令人隐其后，将铜钲掷于地，舌即收入；先用冰片 1.5g 撒舌上即缩入，再用黄连、人参、白芍各 10g，柴胡、石菖蒲各 3g 水煎服等等。舌为心之苗，心经有热，经脉弛缓，故舌弛而出，用蒲黄者以蒲黄能疏通经络，再配冰片以祛心腹邪气，风湿结聚。

口　疮

赵　光

口疮常见，尤其复发性口疮，时发时愈，迁延缠绵。患者常常进食疼痛，更有一些小儿，发热伴有口疮，啼哭不休。治以清热解毒之品，常获效应。余常用：生地黄、生石膏、蒲公英、干芦根、板蓝根或大青叶、知母、黄连、玄参、金银花、生甘草等，水煎，分早晚服。另用黄连酌量煎水漱口，细辛凉干研末，水调敷脐部，24 小时换药一次，可收到良好效果。

1976 年曾治一患口疮多年的病人。他经常应用核黄素治疗无效。余即以上方、上法给予治疗，患者获痊愈。后其在部队曾发作一次，其母来索取处方，患者服药后又痊愈。

余于 1984 年夏，遇一患口疮的两岁儿童，也给予上方 3 剂，而其只服 1 剂口疮即痊愈。因其邻居小儿也患同病，他们便把剩下 2 剂药分别给两个患儿服下，取得了同样的疗效。两个月后，第一个患儿因发热伴口疮，医院拟收其住院治疗，其姥姥信服中药，又将患儿带来要求服中药，余仍拟以上基本处方给 3 剂。复云："一剂后身热退，口疮也愈，剩下的药自己留着，再不送人了。"本法简便，疗效高，仅服 2 或 3 剂可取效果。本方生石膏、黄连必用，可清胃火、心火。细辛研细末水调敷肚脐，属民间土法，在治疗过程中，内服和外用结合，比单纯内服疗效高，疗程短，受病人欢迎。但细辛敷脐可治口疮，其理何在，有待探讨。

鹅口疮治法小议

李留振

鹅口疮，又名雪口，为婴儿常见口腔疾患之一。金银花、黄连、乌梅、生甘草煎汤频服治此证，颇有良效。1981 年秋，邻居小儿满口白色糜点，哭闹不能吮乳，曾用青霉素、冰硼散等治疗 4 天无效。余以黄连 5g、金银花 10g、乌梅 10g、生甘草 5g，煎汤，令其每次喂药两汤匙，每日 8 次。用药两天，患儿告愈。十多年中，余用此法治鹅口疮数十例，每治皆效。

鹅口疮为心脾二经湿热上蒸于口所致，本方黄连苦寒，清热燥湿；生甘草、金银花清热解毒；乌梅有化腐解毒之效，药证合拍。另外，此方之妙，还在于频频饮服，频饮可使药液接连冲洗口腔，起到局部解毒之效。因本方为汤剂，汤液入口，会使整个口腔接触到药液，比冰硼散等粉剂用之方便。

小议退热代茶饮

胡景瑞

小儿发热是一常见多发症状。为了避免解热镇痛药对造血系统、肝肾的损害作用，从而设计了退热代茶饮，用以治疗小儿感冒等病的发热，也较多的使用于成人。方用金银花 10g、干芦根 10g、荆芥穗 7.5g、薄荷 7.5g、淡竹叶 5g、甘草 5g。若偏寒者加紫苏叶 7.5g，水炙麻黄 2.5g；暑夏时加香薷 5g，藿香 7.5g；夹食者加生山楂片 10g；夹惊者加钩藤 7.5g；夹痰者加枇杷叶 7.5g，款冬花 7.5g。此为周岁小儿的用量。用时将诸药加开水 1000ml 浸泡。每服 50ml，2～4 小时 1 次。以小儿微有汗出，体温接近正常为度。

曾治一患者，于发病 35 分钟时，因“上感、高热惊厥”进入病房。体温 39.2℃，咽部充血，心肺正常，手足抖动，未见项强、窜视。用上方加钩藤 7.5g，开水浸泡，首服 60ml。服药 30 分钟后，体温 38.6℃，未见明显汗出。又 30 分钟后，体温 37.2℃，微有汗出。入院 2 小时后，又服 60ml，一夜体温未再升高。经观察 2 日，体温正常，咽部充血消退而出院。经反复使用，疗效均佳。

本方之所以有效，在于用药以轻清发散的原则，选用了疗效可靠，又能被开水浸泡发挥作用的药物；而泡用又最大限度地减少了药气的散失，从而保存其发散作用。用此方不仅有可靠的暂时退热作用，而且又可控制病情的进展，从而减少了体温再度升高的可能性。同时本方又有温凉并用的解表药、清热药、利尿排毒药、解毒药合用，从病因、病机、解毒、排毒、解表发散等多种渠道以达到退热效果，因而该饮退热作用可靠、持久。且制剂简捷，方法简便，效果明显，确为临床可用之法。

谈小儿外感热退复热证治

兰一清

小儿外感发热、热退复热之证，虽为临床常见，但往往易被忽视，或屡用解表，致使内虚，热仍不退。若一误再误，则发热不休，变病多端，以致危殆。

小儿初次外感发热一般易诊易治。若热退病愈，不数日仍发热者，此证并非全为外邪、已有内虚之证。若热退反复多次，其热仍不退，此为内虚之热，不宜再用解表法，应以引热归原之法，其热可退。

据余临床治疗体验，小儿外感热退后复发热者，为外邪兼有内虚之变证。治以补散兼施之法，单纯解表其热不退，亦可反复。适应方药，外邪重者，用人参败毒散；内虚重者，用补中益气汤。小儿复热，必耗津伤气，导致内虚。故纯用解表、使正气愈伤、补散兼施，则可助正祛邪。如正气虚馁、单纯解表，不能鼓邪外出，使邪气有欲出难出之势，以致发热不休，此因不得正气之助。

小儿外感热退复发热，或反复时发时止，此已表里俱虚，气不归元，为阳浮于外之热，非为外邪作祟。于此之际，治法最为关键，须补胃益气，使胃气和正气旺，则浮阳内归、热退身凉而自愈。方以四君子汤为基础，轻者加白扁豆、粳米；热重者，加银柴胡、黄芩；再重者，加胡黄连；咳者，加知母、贝母。

小儿禀赋怯弱，先天不足者，初次外感发热，即可用补散兼施之法，方如上述。若再次发热，则仍用补胃益气之法，方法同上。小儿热退复热，临证必须细察，问其发热之经过与次数，以及患儿禀赋如何，作为治疗立法、临床处方依据。上法补胃益气，方法虽易知，但临证难辨。四君子汤加以甘凉，或配以微寒之品，并非纯以甘温所能退其热，余屡用之，获效甚速。

明代三方治小儿久喘

王庆文

余在临床实践中，将小儿喘咳3个月以上者辨分3证。应用明代之人参紫菀汤、马兜铃丹、玉芝丸三首古方治疗，皆获效验。现分述如下：

气虚证：人参紫菀汤（见明代方贤《奇效良方》）：人参、紫菀、桂枝、五味子、杏仁、砂仁、罂粟壳、乌梅、生姜3片为引，水煎服。

虚热证：张涣马兜铃丹（见明代王肯堂《证治准绳》）：马兜铃、紫苏子、人参、款冬花、木香、杏仁，水煎服。

痰湿证：玉芝丸（见明代方贤《奇效良方》）：人参、茯苓、枯矾、制天南星、薄荷、半夏、白术、甘草，水煎服。

曾治一患儿，女，4 岁。先天不足，生后柔弱，气喘微微，动如幼柳拂风。患儿经常感冒，每每继发肺炎。3 个月前因患感冒喘咳，曾用青霉素、麦迪霉素等药治疗少效；某医以麻杏石甘汤治之，反增心悸气短，病情时轻时重，延余诊之，见患儿面色苍白，咳喘微微，四末不温，舌质淡，薄白苔，一派虚象，乃卫气不足，无力驱邪。疏方：人参 10g（单煎）、紫菀 7.5g、桂枝 5g、五味子 5g、杏仁 5g、砂仁 2.5g、补骨脂 10g、生姜 3 片为引，水煎服。服 3 剂患儿症轻。加红参 5g，又服 3 剂，患儿病去大半，去罂粟壳、乌梅，共服 9 剂病痊愈。唯患儿体弱，每日予人参 2.5g、银耳 10g，冰糖少许，水煎频服，调理善后。随访 1 年，虽偶有感冒，再未作喘。

三首古方皆有人参，以扶正固本，补其元气，有利于驱邪，使邪乘药势以去。否则，气从中馁，使初伤之邪不得从表解，反而内含于肺，或已恋之邪因虚缩入，致使喘咳无休矣。所以本人认为久喘之患儿，不问虚实寒热，必用人参。此诚举古方，验治今病，以期继承发展矣。

小儿燥咳之我见

|张远炎|

地处丝绸之路的新疆喀什噶尔，四季温差昼夜悬殊，雨量稀少，日照时长，温度甚低，季节转换之际风沙尤大，故《内经》“西方主燥”之说完全符合本地区实际。

喀什噶尔地区小儿咳嗽，多以燥咳为主，四季无差。临证特点是频咳少痰或无痰，或伴音瘖，或见血丝痰，或伴呕吐，或伴小便失禁。此因燥从阳化，灼烁肺阴，甚则伤络，肺气不宣之故。胃气上逆则呕，肾气不固则溺失禁；亦有兼外风，而出现咽喉肿痛、音瘖、脉浮诸症；若从热化则可见发热、舌边尖红、苔黄而燥、脉多浮数；若从寒化，则便溏、苔白、脉多浮弦、指纹青黑而肤凉；若久咳气虚，则表卫不固，虚汗不止，咳嗽无力，面白少华，脉多虚弱。治疗上应以润燥敛肺为主，兼顾风热、虚寒的证因论治。取清燥救肺汤之方义，以桑叶、枸杞子清肺润燥；沙参、乌梅润肺敛气；兼风寒者，佐以前胡、荆芥；兼风热者，佐以连翘、菊花；兼气虚者，佐以党参、五味子；若频咳不息，呕吐食物者，则加罂粟壳、沉香（为末冲服）；若音瘖、喉肿者，则加射干、蝉蜕、马勃；若属病毒感染，则重用板蓝根、金银花；若属过敏者，则佐以防风、地龙、蛇蜕。

余20年来，以此论治，无不应验。可见，祖国医学关于临床辨证施治应结合环境——内在、外在条件的特点的论述，是具有现实意义的。

寒热并用巧治小儿肺闭

郭秀莲

新疆地区寒冷季节较长，儿体柔嫩，气血未充，卫外功能薄弱，最易患风寒闭肺。单纯发散风寒，当以辛温解表为主。若风寒化热或热为寒闭，形成寒热夹杂之肺闭证，则以发热寒战、咳喘、痰多、舌苔白腻间有厚黄、脉数有力等症，在治疗上辛凉发汗、辛温发汗则均非所宜，余常以辛凉、辛温并用，自拟桂枝细辛青银汤，效果颇佳。本方以桂枝、细辛合用，辛散温通，透达营卫；大青叶、金银花合用，清热解毒，疏散风热；杏仁、前胡合用，降气下痰，气下则火消；桑白皮、蝉蜕合用，宣肺解痉，止咳平喘。亦可视有无出血、动风与食滞等证而分别选用清热止血、平肝熄风、消食导滞之品。

小儿肺闭易虚易实，易寒易热，然以寒热夹杂者多，寒热并用实系变通之法，临床可为一试。

救逆一得

杨文蔚

1963年春，一患儿3岁，咳嗽，喘急，高热已六七天，汗出，昏迷不醒。经他医给发汗药，药后汗出不止、咳喘更加严重。经人介绍前来我处医治。出示药方见有升麻、葛根、荆芥、防风等辛温发汗药，知他医误投辛温使然。症见高热、汗出、咳嗽、喘急、烦躁不安、神昏谵语、舌謇肢厥、口渴、小便短而色黄、脉细数。吴鞠通云：“太阳温病不可发汗……汗出过多者，必神昏谵语，舌謇肢厥。”此病乃他医误汗之坏病。

上为风温闭肺，逆传心包证。值此千钧一发之紧急关头，不容忽视。治以救心、宣肺、清热、生津、养阴之重剂。投石膏10g、知母5g、大生地黄10g、玄参5g、麦冬5g、川贝母5g、连翘10g、胆南星5g、犀角2.5g、羚羊角2.5g、西洋参5g、五味子3粒、甘草5g、灯心草少许。用大米汤煎药送服安宫牛黄散，1次0.3g，1日3次。少食米粥静养。次日午后见效，患儿热降、喘平，要水果吃。因其大便不通，按上方加大黄3g、丹参5g、桃仁5g，如法服用，连续治疗十余日，病痊愈。

上方是白虎汤、增液汤、生脉散、安宫牛黄散等方套用。白虎汤有清热保津之效，增液汤有滋阴通便泻热之功，生脉散能保肺清心，安宫牛黄散有清热解毒、开窍启闭的作用。加西洋参大补元气，用米汤保护胃气，用五味子收敛肺气，加胆南星、川贝母止咳化痰，重用羚羊角、犀角解毒熄风。群力合作，故能收回生之效。

小儿水逆证

|齐集贤|

余曾遇一小儿，症见发热，烦渴饮水，水入则吐，饮食减少，胃脘胀满，舌苔淡黄而不燥，小便不利。前医曾以藿香正气散未效。又以二陈汤加藿香、砂仁。患者胀虽得减，而呕吐不止，历时7天，病情转重。后延余诊治，切脉浮滑，身热，胃胀时呕，吐水则胀减。水食不入，小便不利。此乃邪传膀胱，气化不行，胃内停水，水不化气，故水入则吐；水不上布而化津则渴；水潴于中而不降，州都乏液分利失权则尿少。证属水逆，当予五苓散为治。前医用温胃止呕剂而不效，是为医者仅知温胃而不知行水化气耳。若能执中枢以运上下，调畅气机，则水从下降，呕吐自止。予五苓散化气行水，3剂呕吐即止。

止泻散妙用

|郭有昌|

一位中医前辈告诉我，他早年从师学徒，先师每年秋天买好几百斤胡萝卜，用锅蒸熟后晒干，压成细末备用，治小儿腹泻，每获良效。此法简单易行，既经济又无毒，喜被患儿服用。我效仿试用，但临床观察其疗效较慢，视其小儿腹泻多有脾胃虚寒，故在此基础上加几味中药，制成小儿止泻散，临床效果甚佳。本方由白术15g、干姜10g、白芍10g、乌梅10g、茯苓10g、车前子10g、党参10g、鸡内金10g、陈皮10g、木香5g、甘草5g所组成，上述各药共为细末，调匀，5g 1包，3~4岁小儿取胡萝卜末15g，加糖适量，用开水冲后搅拌

均匀，待温时送服1包止泻散。大于4岁者，可适当增加，小于4岁者宜减之。

胡萝卜是人人皆知的食品，健胃消食，可除胀止泻，现代医学认为胡萝卜营养丰富，含有一定量的蛋白质、脂肪、无机盐、维生素C、胡萝卜素和糖，可增加机体的抵抗力，并促进肠道上皮细胞的修复，降低肠道的酸性，促进大便成形，并可吸附细菌和毒素，党参、茯苓、白术、甘草健脾益气，干姜温中散寒，白芍缓急止痛，木香、陈皮健脾行气，车前子利小便实大便，分利水道，鸡内金健脾消食，乌梅涩肠止泻，共为健脾消食、行气止痛、祛湿止泻之方。临床用于饮食生冷，饥饱无度，脾胃阳伤所致的不欲饮食，食后腹胀，腹痛泄泻之证，疗效可靠。

分利止泻法与小儿腹泻

曲凤阳

小儿腹泻，每年秋季发病较多，故有“小儿秋季腹泻”或“新米泻”之谓。6个月至两岁小儿发病居多。此病起病甚急，腹泻兼有呕吐，大便呈黄色或黄绿色水样便，或似“蛋花汤”样便，有酸臭味。较重的病儿，可出现低热、眼窝内陷、口唇干裂、精神萎靡、尿少等症。

对此病的治疗，一般多采取综合的治疗措施，即服一些助消化药物，如乳酶生、酵母片等，中医则常用保和散、六一散等，也有采用推拿和针灸治疗的。这些药物对轻度、中度腹泻患者疗效尚可，而对较重之失水，津液大伤的病儿来说，就无济于事了。现代疗法还往往要适量地补液、纠正电解质紊乱等，可是通过输液，纠正电解质紊乱后，往往一般状况好转，但腹泻仍然数日不止，转为慢性的情况颇多。

余经多年临床体验，对本病的治疗原则主张采用分利止泻法，及早止住腹泻，然后再投以消导之剂调养善后，以防伤津耗液造成难医之证。此法经多年临床施用，屡试皆验。方用胃苓汤加减，药物有苍术、厚朴、甘草、陈皮、猪苓、茯苓、泽泻、白术、肉桂、神曲、麦芽、焦山楂、莱菔子、车前子、板蓝根。剂量根据年龄酌定。

我院口腔科单某之子，14个月；内科韩某之子，16个月，于1984年秋季同时患腹泻，均为黄绿色水样便，日数十次，夜卧不安，时有呕吐。静脉点滴生理盐水、5%葡萄糖和庆大霉素，同时口服新霉素治疗三四日，失水现象虽有好转，但腹泻一直不止。当患儿即将出现二次脱水征兆时，其母求治于余。余按上述分利止泻法的原则处汤药1剂，仅花4角6分钱，服药3次后，患儿小便通利，大便成形，腹泻即止。又治数例患同样病状的腹泻患儿，均用此法加减变通，皆 1 剂而愈。此实为既经济又有效之良方，同道们在临床中不妨一试。

小儿泄绿色便的治疗

王士相

小儿泄绿色大便，为治疗小儿一般腹泻之最难收效者，常迁延数月不愈。凡治小儿腹泻之一般通套药物，如健脾利湿、消导、清热对其均不奏效。

其大便色绿，可呈草绿色或绿而如苔，或为墨绿色。大便或为水泻，或稠黏如胶，或稀薄而多泡沫。且食后多肠鸣漉漉，肠鸣后大便即下。对此证的病机，古代医家论述不一：钱乙认为系脏冷所致。万全则名惊泄，主为热证。《普济方》谓此证便胶黏为热，清稀为寒。秦景明又谓之为伤风泻。余则主张凡小儿泄泻绿色便均为热证。

为了验证古代医家的论述，1981～1982 年余指导研究生对 62 例泄泻绿色大便患儿进行了辨证分析。病例验证结果表明：此类腹泻确有热证、寒证之分。热证多由肝胆热盛所致；寒证是由脾胃虚寒，肝木乘脾而发。62 例中热证最多，占 61 例，寒证极少，仅 1 例。寒、热证中皆可兼见睡中惊惕的症状，经详细询问病史，卒受惊恐并非此类泄泻的主要病因。

属于热证者，多面红、唇红，不论发热或不发热，手心热，眉部之皮肤隐约发红，多数患儿肛门焮红，舌红，脉数。其治疗关键在于清泻肝胆热邪，宜用仲景黄芩汤、芍药甘草汤加味。方用：柴胡 1～1.5g、黄芩 1.3～1.5g、黄连 1～1.5g、白芍 3～4.5g、甘草 1.5～2g、木香 1.5～3g、泽泻 1.5～3g、防风 1～1.5g。

此方乃先父之经验方，良效。余临证后，据《幼幼集成》意，加防风一味，其效果尤著。李时珍谓：柴胡、黄芩清少阳胆火；柴胡、黄连泻厥阴肝火。白芍、甘草、木香缓急止痛。加防风者，以其辛甘微温，行脾胃二经，《内经》谓：“风胜湿”，故防风为胜湿、健脾之要药。

热证之绿色泄泻，有高热不退，大便日 20～30 次，口大渴，饮水无度，烦躁不安者。曾治一 5 岁患儿，状如上述，已 4 日，因其大渴引饮，央求其父母谓：“救命吧，渴死了”。余于上方加葛根 6g、白术 6g，每日 1 剂 2 煎，服 2 日，诸症大减，5 日而安。其加葛根、白术系据钱氏七味白术散意。

属于寒证者，是由脾胃虚寒，肝木乘脾所致，患儿面色青白，神衰形羸，四肢清冷，大便清稀而气腥，治宜理中汤加防风、柴胡、茯苓等味。

小儿脾虚泄泻治验

马新云

小儿泄泻，乃脾胃失调所致。无论外感六淫，内伤乳食，或脾胃虚寒等，均可致病。证有冷泄、热泄、伤食、水泄、脾虚泄、惊泄等种种不同。

脾虚泄泻者，脾气虚弱。症见乳食不消，水谷不化、食后即泄，胸脘闷满、不思饮食，面色萎黄，神疲倦怠。

曾治3岁患儿陈某，患腹泻月余。身瘦体弱，疲惫不堪，大便昼夜十余次，便稀无味，完谷不化，小便清白，腹胀如鼓。舌心苔厚干燥无津，其色灰黑。入院时儿科医生诊断其为中毒性消化不良。住院月余，曾用多种药物及输血浆、输液等法治疗，症状日趋严重，该院邀余会诊。患儿六脉细缓无力，形体瘦弱，水谷不纳。舌苔灰黑干燥，厚如铜钱。某医曾数次试图将其剥掉，终不能脱。余据其脉症，即以参苓白术散加减。方中人参改为西洋参（先煎取汁），白术改用苍术，重用山药、莲子，另加生黄芪，以此助术补益脾气，培补中虚之药力。方中减薏苡仁、桔梗，防其伤液、宣散之弊。是方服两剂后，先见黑苔整个脱落，大小圆如铜钱。患儿口干减，精神渐复，微欲进食，腹胀亦消，但大便次数仍未减少。二次复诊，苍术用量加至25g，黄芪改为20g，另加陈仓米50g，诃子肉5g，连服20余剂，患儿痊愈出院。

此患儿，舌苔灰黑干燥无津，系因胃气已败，肾不化生津液，津液不能上承之故。诊时考虑，如方中重用养阴药物，恐其大便泄次更多，益阴反而伤阳；若重用补气健脾之品，更有助阳耗阴之虞。当此关键时刻，以方中的党参改为西洋参，补气而不伤阴；白术改为苍术，健脾而不燥。其他药物随证加减，方获良效。服药期间如能用大米浓汁调以咸味，并令患儿静养多睡，少加骚动，获效更捷。

随证变法治寒积

马新云

余业医儿科40载，验之临床，疾病类型实属繁多。

曾治同道高某之孙，年4岁，体质素虚，身瘦面黄。不慎于春末夏初，因过食生冷，略贪肥甘，骤然腹痛甚剧，曲腰而啼，额汗如珠，神疲肢冷，大便泄泻次密而量少，小便清白，脘腹胀满，厌食干呕。患儿祖父疑为“虫证”，遂以乌梅汤加减服之。连进两剂，患儿症状不减。邀余往诊，患儿脉象六部沉滑细弱，舌苔薄白，肢冷不温，腹痛频作。证属寒凝中焦，即以匀气散原方（陈皮、桔梗、炮姜、砂仁、木香、炙甘草），另加炒白芍、焦山楂、鸡内金、木香改煨木香服之。服 1 剂后，患儿腹痛微减，仍有神疲嗜睡，腹满大便不通。

翌日复诊，患儿四肢转温，便结不下，时作肠鸣，故继以原方配以小儿七珍丹 10 粒与服之，服药约半日后（下午 3 时许），忽闻患儿腹中雷鸣，患儿大便骤下，稀而量多，腥臭刺鼻。家长喂温水少许，其继而入睡。斯时患儿额汗已尽，睡意更浓，四肢温，至晚仍以原方两煎继服，未加丸药。3 日后患儿诸症全消，神振思食，遂告痊愈。

漫话小儿厌食症

倪蔼然

小儿厌食症，是指小儿食欲不振，甚至拒食的临床表现，多因脾胃功能失常所致。而造成脾胃失调的原因是多方面的。因而，必须本着整体观念、辨证施治的精神，给予恰当处理，绝非一方一药所能通治。小儿厌食，常见的有脾胃虚弱、气阴两虚、食积内热等几种。

不久前我曾治一患儿王某，厌食两个月，伴有贫血，经服消化药及补血药未见显效。患儿头发稀疏，面色萎黄，手足心热，多汗出，舌红少苔。诊为气阴两虚。给予沙参麦门冬汤，重用滋阴清热药：生地黄 6g、沙参 6g、白扁豆 8g、黄连须 6g、麦冬 6g、玉竹 6g、杭白芍 6g、当归 6g、甘草 3g。经服 3 剂后，患儿食欲增加，精神好转，舌红已减，苔薄白。服数剂后，患儿食欲复常，已不贫血。一学员问道：“为何未用任何消导药而食欲增加？为何只用了一味当归，贫血就见好转？”我回答说：“脾胃为气血生化之源，该患儿出现诸症，是因脾胃失调，气阻两虚，阴虚生内热，热盛复灼津液所致。在治疗上调补脾胃、益气养阴清热，脾胃功能得以恢复正常，则患儿食欲渐增，气血生化有源，贫血自能纠正。

对小儿厌食症，要区别不同情况进行辨证施治。从整体观念出发，调理患儿的机体状况。脾胃为后天之本，故调理脾胃为纠正厌食的根本方法。

小儿血虚治从消导

|李一卿|

贫血属于祖国医学“血虚”“虚劳”的范畴。历代医家根据虚则补之的原则，多采用益气、养血、健脾、滋补肝肾等法，投以八珍、归脾、左归、右归之类。现在运用此法治疗小儿贫血，往往不能奏效。

贫血是如何形成的？本来，人体气血的生化，需要饮食的摄入，脾胃的腐熟。近年来，由于我国家庭结构的改变，对独生子女过分宠爱，缺乏科学喂养方法，小儿每日都是多进精细食品，鱼、肉、炙、甘，品种过杂，给量过大。然而过食肥腻则阳气滞而不达，易生内热；过食甘味则中气缓而胃呆。另外，因家长工作过忙，照顾欠周，使小儿饥饱无度，然乳贵有时，食贵有节。吾认为，近年来小儿贫血症，并非营养不良所致，乃是营养过剩，供过于求，造成积滞内停，脾胃之气受伤，小儿乳食不能进，气血焉能化生？此时若循常规治疗，积而愈补，非但不能收效，反使小儿增加厌食之症。

我治疗此症，采用以消代补、从导受益的方法，组方“增血汤”，重用山楂、槟榔等消导之品。山楂甘酸，善消肉食健胃，促进脂肪类食物的消化，其所含物质是小儿发育时期不可缺少的。槟榔虽味苦而不甚，能促进唾液分泌，消积导滞，行气除胀，并具缓泻之功，可导积食从大肠缓泻而出，邪去病除。此时小儿胃气生，乳食有味，水谷得进，生血有源。中焦气机调和，脾运功能增强，气血生化有力。

经多年临床验证，“增血汤”能补气养血，增强体质，促进小儿发育。本方不用大剂补益，主要针对现在小儿脾胃的特点，立足于恢复机体本身的功能。通过临床治疗200例总结，有效率达94%，处方已被制药厂采用。

小儿风热内闭证杂谈

|齐集贤|

一患儿初病壮热无汗，神昏嗜睡，闭目不语，面赤唇红，舌质红而燥，小便赤，大便稀，脉浮数。医者以辛温发散十神汤为治。患儿服后汗出，热仍不解，遂致手足抽搐，日数次。时有谵语，医者又以惊风治之，投琥珀抱龙丸，不效，医者推辞请另延医。余据症诊断，认为系风热内闭之证。热甚动风，首

误于辛燥伤津，逼邪热内扰，肝火横逆，上犯心包，故神昏谵语，抽搐不休；其便溏，则知热不在胃而在心肝。治宜用清热熄风，宁心开窍法，以羚羊钩藤汤变通其用。处方：羚羊角0.5g、生地黄10g、钩藤9g、菊花5g、龙胆草5g、淡竹叶3g、石菖蒲3g。服2剂，药后患儿神清，搐搦减少。身复发热，烦躁不安，口渴欲饮，脉细数。此乃内热外透由营转气之征。复以清营汤化裁加减：犀角1g、生地黄9g、麦冬5g、连翘10g、栀子5g、生石膏25g。服3剂后患儿搐止，神清热退，亦进食，诸症平息。

慢惊风证治体会

孔庆武

慢惊风一证，为小儿常见病。此证多由急惊风治疗欠妥转化而来；或由吐泻后形成；或患痘疹后得之。若迁延失治，或治不对证，多有性命危险。俗云："急惊风吓死爹娘，慢惊风吓死医生"。急惊风吓死爹娘者，爹娘见其高热抽搐、角弓反张，身挺颈痉，目睛上窜，痰涎上壅，故惊惶失措，而医者不惧。慢惊风吓死医生者，因其证或吐泻交作，或四肢抽搐，神昏露睛，治风治痰均非所宜，医治颇感棘手，稍有疏忽，孤阳外越，投药欠当，变证多端，多有性命之虞。多年来余治斯证，每用《福幼编》之逐寒荡惊汤和加味理中地黄汤，涤沉寒扫阴霾，温煦肾阳，起沉疴化险为夷，救危亡其效颇宏。

逐寒荡惊汤：胡椒、炮姜、肉桂各3g，丁香10粒，共捣细渣，以伏龙肝90g，煮汤澄清，煎药大半茶杯，频频灌之（因碎为渣，故不宜久煎）。继服加味理中地黄汤：熟地黄15g，焦白术9g，当归、党参、炙黄芪、补骨脂、炒枣仁、枸杞子各6g，炮姜、山茱萸、炙甘草、肉桂各3g，生姜3片，红枣3枚，胡桃2个（打碎）。仍用伏龙肝60g，煮水煎药，取浓汁1杯，加附子1.5g，煎水兑入，量患儿大小分次灌之。如咳嗽不止者，加罂粟壳、金樱子各3g；如热不退者，加生白芍3g；泄泻不止者，去当归加丁香7粒。隔二三日，只用附子0.6~0.9g。盖因附子大热、中病即宜去之，如用附子太多，则大小便闭塞；如不用附子，则脏腑沉寒，痼结不开。若患儿虚寒至极，量儿大小，附子不妨多用。若小儿但泻不止，或微见抽搐，尚可受药、吃乳者，可不必服逐寒荡惊汤，只服加味理中地黄汤，待其吐泻止而神识清，抽搐定而进饮食，即用香砂六君子汤或近效白术散加重山药用量，略用消食化积之品，并加红莲子、芡实，徐于调理，冀其康复。

积我多年运用此二汤调治小儿慢惊风证，治儿甚众。虽拾摭于古方而无创见，而验之于临床，得心应手，其效甚佳。虽谓述而不作，亦可启迪思维，贤者哂之。

乳痫证治疗有术

李树勋

乳痫证，在古代中医文献中并无记载。但在现实医疗实践中确有此病。个人根据小儿每当吃奶时才出现抽风的现象，不吃奶时好如常儿，所以给命名为“乳痫”。在治疗方面，经分析发作过程：在小儿吃奶后，先引起憋气，口唇指甲发青，继而出现肢体抽动。再根据中医标本先后的施治理论，所以按气滞血瘀，气血不调治疗，自拟理气活血汤，临床应用收到了满意的效果。

患儿王某，一般情况良好，吃奶、睡觉和大小便都正常。但在满月后的一次喂奶中，发现孩子突然喘不上气来，同时口唇、指甲发青，接着出现肢体抽动。发作约两三分钟后恢复常态，在以后喂奶时仍然出现上述情况。经几个医院检查，医生听孩子妈妈介绍病情经过后，都半信半疑。随即当场做吃奶试验，情况正如家属所述的一样。后经多次化验和心、脑检查，都找不出病因。众医束手无策，转由中医诊治。余根据小儿的神色、哭声、指纹、舌诊等按气滞血瘀，脑腑气血不相顺接，诊断为乳痫，治以疏肝理气，活血化瘀法。用自拟理气活血汤：川楝子 3g、香附 5g、青皮 5g、枳壳 5g、丹参 7.5g、赤芍 7.5g、红花 3g。两剂药后，患儿症状明显好转，吃奶时虽有憋气现象，但时间很短。因其吃奶后打嗝，在前方中加入蒲黄 2g，五灵脂 2g。继进 4 剂后，患儿病已痊愈，未复发。

小儿中风治验

邹德琛

小儿中风，自古即为儿科一大难证。本病多见于外感风邪、壮热、神昏之后，临床上以口眼㖞斜、偏瘫不遂为其主要特点。明代王肯堂在《证治准绳》中称其为“类中风”，至明代鲁伯嗣《婴童百问》一书问世，始明确为“小儿中风”。二人均以内、外因立论，所不同者，王肯堂主张属肝血不足、肝火生风，治宜滋补肾水、养肝血、壮脾土；而鲁伯嗣则强调小儿中风可据五脏分类。在治疗上，又有在表者散之，在里者利之，在上者涌之，当消息权度而投剂。

余临证多年，谨守前人“消息权度”之训，根据小儿“元气未充，皮毛不固，易虚易实”“肝常有余，脾常不足”的生理病理特点，随证处方，审因用药，每获桴鼓之效。

1982 年 4 月，曾治一男婴冯某，年方周岁，其祖母告余：数日前发现患儿左侧面部肌肉抽动，继则右侧面部亦有抽动，而后高热、神昏 2 日。某医院以“局灶性癫痫”收留住院。初服“安宫牛黄丸”十余丸，不效。继服“抱龙丸”而止，惟右侧肢体瘫软。诊为“脑炎后遗症”，再治无效而出院。后向余求治，初诊时患儿右侧肢体瘫软不遂，意识尚清，二目呆滞，面色淡黄少华，喉中痰鸣，腹胀纳少，舌质淡，苔薄白，指纹淡青，脉缓弱。余询其饮食及便溺之情，其祖母曰：患儿素日食少而便溏，频且量多。余以为此乃脾土虚衰，健运失职，痰浊内生、阻络闭窍而致之小儿中风病。宗《证治准绳》“指迷茯苓丸”法，取治中脘停痰，臂痛难举之意，遂处方：党参 10g、白术 10g、茯苓 10g、陈皮 5g、砂仁 5g、半夏 5g、石菖蒲 5g、远志 5g、竹茹 10g、天竺黄 5g、甘草 5g，嘱以水煎频服之。

服上方 3 剂，即见显效，患婴右侧上下肢已能活动，但尚无力。患儿意识清楚，目光有神，腹胀已轻，便次减少，乳食有增，痰鸣若失，惟低热未除（体温 37.1～37.3℃）。视其证情，脾气已运，痰浊已化，但仍气血虚弱，运行不畅，营卫失谐。治当益气活血、调和营卫，遂予黄芪桂枝五物汤加减，服 2 剂后，患婴病情明显好转，嘱其继服上方数剂，低热已退，肢体活动如常，症状消失，体质渐复，迄今病未复发。

可见本例非健脾益气不能复其脾运之职，非化痰通络不能畅其周身气血，故用上两方以壮其脾土，逐其痰壅。脾运有权，痰浊得化，气血畅通，四肢得养，故诸症皆除。

小儿急性肾炎不可概作“风水”

| 王庆文 |

诊暇读书，尝见文章著述中称小儿急性肾炎为“风水”者不乏其人。论治多宗“开鬼门、洁净府、去菀陈莝”之法。余以为此论不全，小儿急性肾炎不可概作“风水”论，也有“正水”“皮水”“石水”等。其治亦可“因其衰而彰之”，应用补法。

临床中，见到患儿急性肾炎者出现浮肿，轻者眼睑浮肿，“目下有卧蚕”“如新卧起状”，伴有“其脉自浮，外证骨节疼痛，恶风”，出现这类证情者可作“风水”论治；但有些病人病势急骤，浮肿明显，如《金匮要略》所说：“外证浮肿，按之没指，不恶风，其腹如鼓，不渴”的“皮水”，也时有所见；在合并水气凌心或水毒内闭时，“其脉沉迟，外证自喘”的“正水”，“其脉自沉，外证腹满”的“石水”，也经常见到。1983 年曾治患儿李某，女，12 岁，初患乳蛾发热，半月后忽然浮肿，尿少、喘促，治疗失宜，三四天后即出现腹满而喘，脉沉而细，诊为石水，经治 1 个月而告愈。可见，对小儿急性肾炎，不可仅以“风水”一言以弊之。

在治法上，余之举“补”，其理论基础是小儿急性肾炎从肾治。肾具有司开阖的生理功能，肾从阳则开，阳太盛则关门大开，水直下而为消；肾从阴则合，阴太盛则关门常合，水道不通而为肿，由此推之，肿为水盛伤阳，肾阳不足。李中梓曰：“火盛水亏则病燥，水盛火衰则病湿，故火不能化，阴不从阳，而阴气皆化为水，所以水肿之证多属阳虚”。更何况三焦司纳、司化、司出的功能也都本之肾中阳气。所以，小儿急性肾炎在肺为标，在肾为本，肾阳不足是主要的病理基础。在治疗上不仅要“宜汗、宜下、宜渗、宜清”，也要“因其衰而彰之”，重视以扶正固本为主的补法在临床中的应用。

据上理组方（黄芪、防已、白术、淫羊藿、附子、车前子、白花蛇舌草、苦参），治小儿急性肾炎 30 例，获较好疗效。方取防己黄芪汤以益气利水，培土生金，使风邪去而不复侵入，脾阳旺盛，水湿行而不致复聚，加淫羊藿、附子温阳，补火而生脾土，脾旺则水有所制而平，加苦参、白花蛇舌草祛湿解毒。总之，本方以补为主，补中兼清。

从脾论治多尿

王佩明

临诊遇一垂体性尿崩症患儿，为早产婴儿，喂养不当，但喜饮水，小便频数，量多色清，不思饮食，大便稀溏，形体瘦小，体重 9kg（当时 2 岁零 3 个月），面色萎黄，两目少神，舌苔薄，质淡红，指纹淡红入风关，按其指末微温。余当时忆及《灵枢·口问》有云：“中气不足，溲便为之变”，故从脾虚而健运失司、清阳不升则津不上承、气虚下陷则统摄失职立法，投补中益气汤加肉桂、金樱子（以助膀胱气化并缩尿）。处方：炙黄芪 8g，炒白术 5g，广陈皮 2g，升麻、柴胡各 1.5g，当归身 3g，金樱子 4g，肉桂（后下）0.5g，怀山药 5g。原方服 1 个月，患儿口渴缓解，尿量大减，体重增加，面呈红润，精神转佳，知饥欲食。效不更方，再投月余，其诸症均消。

尿崩症，分垂体性与肾性两种。中医乃属消渴证范畴，论治大多从阴虚着眼，分上、中、下三消之别。大抵上消为肺胃热盛，气津不足；中消因阳明热盛，灼伤津液；下消由肾精亏损，虚火上炎导致。故见上渴、中饥、下溲多之症。而综观本例为早产先天不足，但不能单纯考虑肾之不足，必须估计到由先天不足而带来后天脾气之薄弱。临床上常因脾气亏损为主要病机而导致很多病证，本例就是其中之一。中气不足，则津液不化，就会出现渴引尿多之象。症见其面色萎黄，不思饮食，形体消瘦，肢末微温，均与脾虚有关。况且，幼儿为稚阴稚阳之体，脾常不足。故从健脾升清论治，俾脾运得健，生化气血，津液上承，气化有权，不治渴而渴自止，不治尿而尿自少。

五苓散与水疝

李树勋

中医熟知，五苓散是《伤寒论》中的方剂。原为太阳腑证的微热消渴、小便不利的蓄水证和渴欲饮水、水入即吐的水逆证而立。用这个方剂治疗水疝证，看来似乎不对证，因水疝证除阴囊无痛性肿大外，别无其他症状，属小儿杂病范畴。但经过个人扩大思路，分析该方剂的药物组成（白术、泽泻、猪苓、茯苓、肉桂），具有温阳化气行水的综合药理作用。而水疝证的发病机制，乃系水湿在阴囊内蓄积不去，且湿从寒化。据此，用温阳化气行水方药论治，完全对证。多年来，余反复应用于临床，收到了肯定的效果。说明《伤寒论》的六经辨证法则也可用于杂病，古方能为今用。

余诊一男童，平素健康，只是生后不久，发现其阴囊较大，但不哭不闹，也不影响吃、睡。曾去西医院检查，确诊为鞘膜积液。医生说："暂不进行治疗，等孩子长大些如仍不回缩，可穿刺抽水或施手术。后家属带孩子来求中医治疗。

接诊时患儿除阴囊大如鸡卵外，别无他症。按肾囊湿郁辨证，治以温阳化气行水消郁法。处方：茯苓15g、白术10g、泽泻10g、猪苓10g、肉桂5g、丹参10g、红花7.5g。服3剂后，患儿尿量增多，但大便干燥，于前方中加大黄7.5g。服9剂后，患儿阴囊见小，表面开始出现皱纹。1个月后，其阴囊已回缩如常儿大。又继进数剂，停药后未复发。

香葱冰糖饮与小儿麻疹

张国范

香葱冰糖饮，由香菜根、大葱根各约15g，冰糖60g，泡水代茶，每日1剂。在小儿麻疹流行期间，服用此方具有良好的效果。

香菜、葱根味辛香窜，性温，有解表清热、散寒通窍和透达之功能；如再加以冰糖甘寒养阴之品，即为辛温解表、甘寒益阴、清热之良剂。此方药味简单，价格低廉，容易自备，故为治疗小儿麻疹的优良方法。

患麻疹初期发热或疹出不快，服用此饮可透达。清热、解毒，尤其在出疹前后患儿高热不退，热毒有入肺之可能，坚持服用此饮可预防麻疹肺炎。

在患麻疹期间，如有其他变化时，可坚持服此药到麻疹退净为止，如果疹期体温稽留高或疹后热度不退时，可加入羚羊角1～2g。

为了预防意外，如小儿原有其他旧病而引起复发，或由其他原因引起病情转化时，可去医院治疗，不必拘泥。

小儿为稚阳之躯，肌肤脆弱，不耐风寒侵袭；再有小儿寒热不能自理，饮食不知饥饱，易受内伤、外感的侵害。虽然小儿一般都可表现为热象，如果一旦经受外邪侵袭，反容易使寒化火，或热被寒闭，易致寒热夹杂、虚实夹杂，麻疹合并肺炎是由热被寒闭，疹毒陷入肺系而然。

小儿热证初期，辛凉透表解肌，单用往往力不速达；辛温透表解肌虽快，单用往往汗出较多，易使邪热稽留，如果辛温、辛凉合用，常常获得较好的疗效。

百晬嗽刍谈

王庆文

小儿生后百日内喘咳，谓之百晬嗽，亦名“乳嗽”“胎嗽”，多发于新生儿。初起症状不明显，若治疗失宜，易生变症，后果严重。《婴童百问》曰：“此名乳嗽，实难调理，亦恶候也”。此病在古医籍中辟为独立病证，且对病因、症状、预后有所记载，如王肯堂的《证治准绳》，李伯嗣的《婴童百问》，万全之《育婴家秘》《幼科发挥》，陈复正之《幼幼集成》等。实则该病在临床中也属常见，但在现代医学教材或医家著述中却鲜有所见，使后学者无所遵循。

本病主要特点是生后百日内咳嗽，喘促，鼻煽，有痰，大便干或自调，轻度发热或无热。究其原因，多为幼儿初生，洗浴不慎，将养失护，为风冷所乘；或喘哭不定时急予哺乳，气逆呛出，错行气道，使肺失清肃，致生咳喘等症。临床上要依据具体情况辨证施治。虚证者，面色苍白，哭声无力，咳嗽低沉，不吃奶，口中常有细小泡沫，严重时呼吸不整或有口唇发绀。治虚则补之。选用补肺汤（人参5g、黄芪5g、熟地黄2.5g、五味子2.5g、紫菀5g、桑白皮5g、甘草2.5g），或惺惺散（桔梗5g、细辛1.5g、人参5g、炙甘草5g、白茯苓5g、炒白术2.5g、瓜蒌根2.5g、薄荷1.5g）。

实证者，咳嗽气急，面赤壮热，痰鸣鼻煽，烦躁不安，大便干，小便黄。实则泻之。选用麻杏石甘汤加味（蜜炙麻黄1.5g、杏仁2.5g、石膏5g、黄芩2.5g、柴胡5g、甘草5g），或玉液丸化裁（寒水石7.5g、炙半夏5g、枯矾2.5g、柴胡5g、金银花5g，水煎服）。

变证者，惊厥用抱龙丸或天麻丸加减（天麻2.5g、僵蚕2.5g、川芎2.5g、人参5g、甘草2.5g、天竺黄2.5g、胆南星1.5g、白附子2.5g），水煎服。合并心阳衰微者宜用生脉散和柴胡龙骨牡蛎汤加减（人参5g、麦冬5g、五味子2.5g、柴胡2.5g、龙骨5g、牡蛎5g、附子5g、金银花7.5g、甘草5g），水煎服。

本病预后一般多良好。若患儿抽搐频繁，手足徐动，口噤不能吮乳，喘不休，四末不温者预后不良。

青龙饮治疗百日咳一得

|张凤舞|

百日咳，又称顿咳，时行顿咳、鸡咳、鹭鸶咳等，常发于冬春，5岁以下儿童较为多见。忆1982年9月，余同实习生应诊时，有一岁半之女孩儿就诊，患百日咳二十余天，顿咳作呛，咳时面部憋紫，涕泣俱出。夜咳四五次，咳时吐乳，曾多方治疗无效。余目睹患儿眼睑浮肿，诊其脉数，苔薄黄。诊毕对学员曰：患儿之咳，已呈“痉咳”。遂疏方：青龙饮1剂，煎60ml。日分3次服，连服10余剂后，患儿痉愈。

百日咳乃疫疠之邪，由口鼻犯肺。肺气失宣，气郁化热，酿液成痰，阻塞气道，气机上逆，肺窍失利，而致“痉咳”。症见颜面潮红，涕泪交流，眼睑浮肿，痰鸣气促，呼吸不利，甚至口唇发绀，咳毕有吼声。如延期不愈，肺失宣降，胃气上逆，则咳时伴有恶心呕吐、食欲不振等症。至邪入营分，血被热迫，伤及肺络，故有咳血、衄血、巩膜充血或合并肺炎等。本病为时行疫毒犯肺而发病，属呼吸道传染病之一。余临床探索多年，几修方药，拟一青龙饮。经临床实践，效果较好。基本方：大青叶9g、龙胆6g、橘红6g、前胡6g、知母6g、栀子6g、竹茹6g、白茅根9g、侧柏炭6g、藕节6g、车前子6g。水煎60ml，日服3次，此为6个月至1周岁的用量。可随患儿年龄大小酌情增减。如患病初期或有表邪者，加薄荷；痰壅气促，不易咯出者，加瓜蒌皮或三棵针；衄血、咳血、巩膜充血严重者，加广角。余对本病之立法处方，首重清热解毒，故以苦咸寒之大青叶，苦微酸寒之龙胆、苦寒之栀子、知母，清热解毒；以苦辛之前胡、橘红；甘寒之竹茹、车前子，利肺化痰止咳和胃；以甘凉甘平之白茅根、藕节、侧柏炭，清营凉血而止吐衄。上药配伍，共收清热解毒，利肺止咳化痰、凉血止呕和胃之效。临证时，初期或“痉咳”期，辨证加减，即可收效，无需泥于三期矣。其效果，轻者服3~5剂，重者服12~15剂可愈。

余对本证已积累一百余例，本方之用量需要大于正常量，方能奏效，需1日服3次，使药力衔接发挥效能。

顿咳与百咳灵

|陈有恒|

顿咳，是儿科常见病，最难速愈，古医有“今冬发病，来春方愈”和“必待百日可痊”之说。治疗本病古籍无有定方，历代医家多运用“降火清金，清痰祛风”之法。余临证，遵先贤之法，自拟“百咳灵方”治之，取效甚捷。

曾治患女，4岁，于1979年9月初诊。症见其发热，咳嗽2周。咳呈阵发性，咳时曲背弯腰，涕泪交流，面红目赤，咳后吸气有鸡鸣样叫声，每咳必呕出痰涎。夜间尤甚。体温37℃，神烦颊赤，目赤胞肿如拳击，舌紫、苔黄、咽赤、舌系带溃破，脉滑数。诊为顿咳（痉咳期）。拟方百咳灵：百部15g、苦参15g、白前15g、车前草50g、鲜马齿苋50g，3剂水煎服，每次30ml，日3次。药后患儿症状明显好转，咳次减少，憋气减轻，夜寐较前安宁，惟不欲饮食，脉沉细小滑。再进原方3剂加陈皮10g。3诊患儿咳嗽大减，喉鸣消失，惟咽干音哑，舌红少苔，脉细数。继用百咳灵方加玄参10g、白芍10g、石斛10g，药后诸症悉愈。

百咳灵方以苦温之百部止咳平喘润肺为君，以辛甘微温之白前祛痰降气止咳为臣，以苦寒无毒之苦参解毒燥湿胜热，配酸寒之马齿苋清热解毒和甘寒无毒之车前草化痰止咳共为佐使。泻火葆金，药入病痊。

瓜蒌泻肺汤治疗百日咳

丁世名

百日咳，初期发病缓慢，症状较轻，多不被重视。临床所见多属中期（痉咳期）。我于临床常用自拟“瓜蒌泻肺汤”治疗痉咳期的百日咳患儿，效果颇佳。方用：瓜蒌30g、桔梗30g、黄芩30g、桑白皮30g、杏仁10g、百部12g、半夏10g、槟榔12g。鼻衄咳血者加栀子10g，白及10g。口干咽燥，午后发热甚者加百合10g，玄参10g，天冬、麦冬各10g。水煎浓缩，按患儿年龄大小酌情分服，每日4~6次，1剂可服1~2天。本方药少量重，1岁以下患儿用量减半。

曾治侯姓女，7岁，其母云：咳嗽半月，病初咳轻，继则加重，咳嗽频频，阵作，痰多而黏，咳后有回吼声，反复不已，入夜尤甚，口干，午后发热。舌质红，苔微黄，脉弦细数。诊为百日咳（痉咳期），投以“瓜蒌泻肺汤”加白及10g，天冬、麦冬各10g，百合10g，玄参10g，服1剂患儿呛咳大减，连服5剂而愈。

本病主要由于患儿素体不足，调护失宜，内蕴伏痰或时行风邪侵袭肺卫，肺失清肃，故咳频而多痰。治法当以泻肺化痰为主，故拟“瓜蒌泻肺汤”施治。方中取瓜蒌、桔梗、桑白皮、黄芩量大力雄，以开肺豁痰；杏仁、百部以润肺止咳；半夏降逆燥湿化痰，用槟榔者是取其无气不降，无痰不除之性，使至高之气下行，共奏辛开苦降、泻肺清热化痰之效。

本方药味虽少，但量大力猛。小儿脏腑娇嫩，形气未充，为纯阳之体，易虚易实，始用应小量频服。

百日咳治验

何复东

百日咳病程长，缠绵难愈，尤其是中期的痉挛性咳嗽，对小儿健康影响较大，家长也为之苦恼。1982年冬至1983年春，我县百日咳流行，当时中西医治疗皆疗程较长。适有一患儿家长多次来我处购买川花椒，询知以川花椒七粒，置于鲜梨中心，放于碗内，再加入冰糖一小块，蜂蜜1匙，久蒸至梨熟，梨与汁一起服用，每天1个至愈。一般需服10天左右，已治愈自己小孩和邻家多个小孩。当时我治疗本病也需服药10剂以上，乃将川花椒、蜂蜜、冰糖加入治疗百日咳的方中，经数名患者试服，疗效确有提高，但仍需服药七八剂，乃重点在川花椒用量上进行探索。自己以川花椒10g加入冰糖、蜂蜜水煎，服后口内微麻，从咽喉至胸部皆有松弛宽缓之感，无任何不适之不良反应。临床用量从1g递增至6g，5岁以下儿童皆用此量，疗效迅速提高，能明显的缓解痉挛性咳嗽。余统计了112例患者常在服2～4剂时咳止病愈，因此将方定名为百日咳验方。方由生津润肺止咳之沙参，润肺止咳之百部，下痰、降气、止咳之白前，止咳缓急之甘草各10g，加入主邪气咳逆之川花椒6g及冰糖、蜂蜜适量组成。全方有润肺止咳、降气下痰、平逆缓急之功，故用以治疗百日咳有较好疗效。

小儿慢性肝炎治验

|张连城|

小儿慢性肝炎多由急性肝炎失治、误治转来；也有由于饮食停滞而成。不论何种病因，在症状上皆有胸胁痞满、两胁发胀、烦躁不安、食少、四肢无力、消化欠佳等。辨证属于“木胜克土”和“土虚木贼”之列。余临床多年，常见之小儿慢性肝炎多属此种类型。在治疗中，余体会到本病气滞者多，血瘀者则不多见。重点在于运脾健胃、消积调肝。为此，用自拟疏肝化积汤（当归、柴胡、川厚朴、鸡内金、水红花子、砂仁、三棱、莪术、白术、白芍、焦三仙、炙甘草）以治之，效果多验。余曾治一患儿，患慢性肝炎已半年，各处求医治疗，但收效不显。其体质逐渐消瘦，全身乏力，胸满胁胀，饮食欠佳，大便不畅，脉弦缓，苔薄白，面黯唇白。触其肝体不大，无胁痛。属于肝郁不舒，脾失运化，中塞土湿，积滞不消。按前方服12剂，停药后，服逍遥丸一周，检查肝功正常。在服药过程中，或加肉桂以温脾寒，或加党参以益气，或加莱菔子以消食。至四诊时，患儿食欲渐增，腹胀渐消，大便通畅，面色转润，身体恢复正常。

消导清化法治疗儿童肝炎

|王力智|

儿童饮食不节，贪图口腹，每致饮食停滞、积生郁热。脾胃食积而致肝胆疏泄不利，是以由土及木，所谓土壅则木郁。故肝炎患儿往往先见食积郁热表现，而后出现肝胆症状。若能抓住时机，消导饮食、清化湿热，使湿热不与宿

食相搏结，则有利于肝脾疏运功能的恢复。脾胃健运、肝胆疏利，即是肝炎的向愈。对肝炎的一切治疗，就在于从不同角度、用不同方法来最终实现肝脾的疏运功能。

曾治一5岁男童杜某，晨起突然呕吐，量多，味酸腐，随之两目上吊，知觉丧失，约十数秒。至9时来诊已吐3次。患儿精神萎靡，疲惫嗜睡，面颊潮红。巩膜、皮肤无黄染，腹胀如鼓，肝于右肋下2cm，质软，压痛。唇干红，口有食臭，舌红，苔白腻，脉滑数。西医诊断为急性无黄疸型肝炎，中医辨证为呕吐（食热积滞）。取中药治疗，予以消导清化，保和丸改汤剂加栀子、滑石、大黄，日1剂。服用1周，患儿饮食、玩要如常。遂改成丸剂，调理脾胃，以善其后。

又治一童男，12岁，患急性黄疸型肝炎，用中西药近2月，黄疸仍未尽退。所用中药皆以败酱草、板蓝根、金银花、蒲公英等清热败毒药为主。查其腹胀，食欲不振，偶有嗳气食臭，尿黄，便软而黏滞，舌红，苔薄白，脉沉弦。给保和丸改汤剂，加茵陈、栀子、枳壳、车前子，2周后黄染尽退，身体恢复正常。

有的人囿于“抗病毒”“降酶絮”之见，而忽略辨证施治，实为不妥。例一若不用消清，反因转氨酶高而以五味子降之，势必实实，恐难期速愈。例二则因清凉太过，有湿遏热伏、搏于宿食之势，故黄染久而不退。对肝炎的治疗，务在审证求因，按因施治，因去则脾运肝疏，病自向愈。唯在儿童，辨证之际需注意其食积的有无，若辨证确实，早用消清，每多事半功倍。

八脉与八法使用管见

高玉瑃

八脉与八法，均是针灸传统取穴方法。笔者临证时经常使用，深感此法之妙。八脉是将奇经之会穴相互配合，例如任脉会穴列缺与阴跻会穴照海相配；冲脉会穴公孙与阴维脉会穴内关相配。使用之时必须两穴先后针刺，首取之穴为主，次取与主穴相应之穴为客，若单独只取某穴，则不能称之为八脉。八法亦使用八脉之会穴，配合时间开穴，可辨证约定时间治疗，亦可随诊临时开穴。

用八脉取穴时须先辨证，因八脉各组腧穴均有独特的适应证。例如，脾胃不健、气血失调证，当首选公孙。因公孙为冲脉之会，又系脾经络穴，冲脉主血，敌公孙可健脾和胃调利血脉，配穴内关。因内关为阴维脉会穴，有维络诸阴经功能，内关又系心包之络穴，公孙属土，内关属火，二穴同用相得益彰。若肺阴不足，肾阴亏损，则应以列缺、照海一组为宜。因列缺本系肺经络穴，亦属任脉之会，任脉为诸阴之海，故列缺有滋阴理肺之功，相配照海乃肾之经穴，又为阴跻之会，可养阴益肾，滋水涵木，二穴合用，金水相生，其效甚佳。

曾治刘某，男，50岁，工程师。1982年10月初诊。患者因工作劳累又无暇饮水，遇急恼之事后出现咽部疼痛，平素总似有物卡于咽中，吞咽无碍，对食管曾作钡剂造影，未见异常，1年来每至下午5点之后疼痛加重，口干不喜饮，精神苦闷，睡眠不佳，食量减少，大小便正常，脉弦细而数，咽红不肿，舌嫩淡红少苔。咽为肺系，证属肺肾阴虚，肝气郁结，金水不生无以制木。取列缺穴为主，照海相应。双侧均用补法，连治5次，诸症基本消失。后又配以健脾和胃之穴，增加食欲，复其体质。

八法是以时间为取穴依据，但应区别病种，以脏腑经脉病为宜。曾治张某，男，3岁。其母代诉：患儿自一岁半时种牛痘后高热，引起抽搐，热退后抽搐仍不时发作，近1个月加重，日抽数十次，不抽时精神尚可，智力低于同龄儿童，睡眠经常不安，大便干燥，指纹气关紫红，舌尖边红，苔白。采用八法计时开穴，正当巳时，开申脉配以后溪，泻法不留针。第1次针后，患儿抽搐次数减少，每日计时取穴，治3个疗程时抽搐基本停止，后改每周针刺1次，巩固疗效。现此患儿已上学2年级，发育良好。

一例经络感传特殊现象

| 遇广生 |

针感，除酸、麻、胀、痛外，近年来又发现有发痒，出皮疹、白线、红线等特殊现象。我在临床曾遇一例病患，其经络感传现象实为特殊。针治时，注重感传，使其气至病所，确获显效。

女患曹某，朝鲜族，右臀部及小腿疼痛，逐渐加重，已3月余。用过中西药治疗，均无疗效，由其爱人背来就诊。病人被动体位，臀部及腓肠肌压痛（+++）、拒按，肢体抬高试验（+），局部肌肉凉感，脉弦缓，舌淡苔白，X线检查无著变，诊为痛痹。治以舒通经络，调气活血，祛风散寒之法，取秩边穴为主，配以承扶、殷门、承山、昆仑。用1cm长、26号毫针，用由深出浅的泻法，留针30分钟。当针秩边穴2cm深时，患者感到右侧臀部及腓肠肌出现明显跳动、颤动，出针后即能站立扶床行走。次日患者拄双拐走来门诊，诉说昨日针后，夜间右臀至足如流水样倏倏往下串，每次4～5分钟，多至10分钟，一夜未停，小腿及足不自主抬起数次，但无痛感。三诊时患者拄单拐。四诊时患者丢拐自己走来，但已无初诊时夜间之反应。连针8次取得显效。

本例初针秩边穴，针感即由臀部至小腿，疼痛立即缓解。再捻针“催气”，并加刺殷门、承山等穴激发其经气，看到肌肉跳动，颤动，正所谓“其气之来，如动脉之状”使经络感传“气至病所”。该患既有水流样舒适感，并有局部跳动、颤动，出针12小时又自发重复出现，由此联想到不留针亦可取得较好的疗效，似与感传后遗作用（包括隐性感传）有关。针该患秩边穴所出现的现象，证实经络感传现象是客观存在和气至病所方有效。说明感传、镇痛、疗效三者密切相关，而感传是其重要一环。

按时和循经取穴刍议

遇广生

子午流注即按时取穴，是祖国医学的独特针法之一。余临床运用此法，配以循经选穴，对定时性疼痛及久治不愈之痼疾，取得满意的疗效。

1982年，一女学生，两月前患感冒，病后视力下降，视物成双，模糊不清，来诊时左睛斜向左上方，眼眶及颊部轻度浮肿。平素患有鼻渊。服中西药效果不显著，来我科诊治。

诊其脉三部沉弱，视其舌色淡红，苔薄白，面色皖白，精神疲惫。还有头晕、耳鸣、失眠、腰酸痛、月经不调等。该患者素体虚弱，久患鼻渊，卒受外感，经气受阻而成疾。基于本病缘由肺、肾、肝三脏俱虚，参以五轮八廓之说，在重视整体治疗之同时，侧重于肝胆二经，故取风池、太冲、光明、瞳子髎、阳白等穴，由推而内之补法。但针旬日无明显改善。

余于1982年9月21日改用子午流注纳甲法，按该患病在肝胆，时值丁日甲辰时开阳陵泉，系阳日阳时开阳经穴。阳陵泉为胆经合穴，用“随而济之”以扶其正，使经气通顺，配穴同前，补法留针20分钟，针后患者症状即明显改善。9月24日庚日甲申时开临泣过合谷、液门，系阳日阳时取阳经穴，配穴同前，患者病去大半。9月29日乙日甲申时开液门，为阴日阳时取阳经穴，配穴同前，患者基本康复。三次取得显效。

对上述病例，用循经取穴治之不效，改用按时开穴再配以循经取穴，在同一病人身上出现两种不同之疗效，说明子午流注针法确有独到之处，适于临床应用。

此外，对头痛，头、肢震颤，偏头痛等，痛势较剧、较顽固者，用循经取穴不效，改用纳甲法开穴仍配以循经取穴，或接诊时即用此法，勿论虚实、或虚中夹实，重在补泻之分，同样取得显效。

太昊制砭，砭从东方来

李一清

太昊（音号 hào）一名伏羲，古代三皇之一。罗泌撰《路史》中说："太昊尝草制砭，以利民疾"。皇甫鉴著《帝王世纪》中也提到伏羲"尝味百草而制九针"，这是太昊制砭的根据。

《山海经·东山经》云："高氏之山，其上多玉，其下多箴石"，又云："有石如玉，可以为针"，这里的"东山"即指现今山东一带。《素问·异法方宜论篇》中更阐述了砭石的发源地是在我国的东部"东方之域，……其病皆为痈疡，其治宜砭石，故砭石者亦从东方来。"近年在山东微山县两城山出土的石碑图像，据考古学家研究认为是"扁鹊针灸行医图"，半鸟半人的神物是古代崇拜的图腾。扁鹊长于针灸治病，公元前 5 世纪，曾给虢太子治尸厥，针砭外三阳五会（百会穴）而愈。据以上佐证，故谓砭从东方来。

阿是穴史话

杨元德

从针灸腧穴学的分类法来考究"阿是穴"，它应当是人体十四经穴的萌芽阶段。那么，阿是穴的由来究竟起源于何时呢？这还得从古石器时代说起。相传，那时有一户庄稼人和一户猎人为邻居，他们种田打猎相依为生。一次，猎人腿痛，在家躺了几天仍不见好转，只得咬牙外出。当他上山时，一不小心把石头登翻了，摔倒在地，恰巧把小腿外侧摔伤流了些血，可是出乎意料，腿竟然一点也不痛了。他轻松地上山去，这一日比往常猎取的野兔、山鸡更多。时隔不久，邻居种田人也患腿痛病，卧床不起。猎人去看望，并告诉他，自己上次腿痛是摔在石头上才好的。种田人听后甚喜，求猎人扶他到那块石头处，故意摔了一下小腿外侧，腿痛竟然也减轻大半，从此渐渐而愈。

后来，聪明的劳动人民磨尖石块，拿着它往病痛处碰，同样起到"石到病除"的效果。当时人们不称为"穴位"，而笼统地称作"砭灸处"。最早的穴位无准确定位，也无名称，凡是痛点就可施灸或用砭石刺之，也就是"以痛为输"。"输"同"腧"，有转输之意。脏腑经络之气输注于体表的部位即是穴位。

确切地说，阿是穴首见于《灵枢·经筋》"以痛为输"；次见于《千金要方》，称“天应穴”和“不定穴”。唐朝更有文献记载，“阿”即指“痛”而言，“阿是”也就是“痛是”，就是人体的体表压痛点。

唐朝，有位猎人请孙思邈给治疗腰腿痛。由于猎人距家遥远，就留在孙医生家中观察。光阴荏苒，半月过去了，孙医生针药并施，但猎人的腰腿痛依然不见好转。他全神贯注地在猎人疼痛的腿上按压、寻找，突然患者皱着眉头喊：“啊！疼、疼……”“这里最疼吗？”孙思邈问道。“是，是。”猎人答道。这时，孙医生胸有成竹地拿过一根银针，迅速地往猎人腿上的痛点刺了进去，并施用了捻转手法。起针后，患者的腰腿痛竟然减轻八成，次日又继续针刺一次，猎人完全康复。孙思邈对全身已有的腧穴是十分精通的，可是这个穴确实没有记载。他思索了很久很久，忽然高兴地说：“就叫阿是穴吧！”从此，在祖国的针灸医学里，又增添了一朵奇葩——阿是穴。

孙思邈对阿是穴颇为重视，在他的名著《备急千金要方》第29卷里写着：“人有病痛，即令捏其上，若里当其处，不问孔穴，即得便快或痛，即云‘阿是’，灸刺皆验。”可见，阿是穴就是压痛点。它是穴位的起源，是各类穴位发展的最初阶段。在临床上，有时按压到敏感的地方既不是“经穴”，又不是“经外奇穴”，那就可以称为阿是穴。

阿是穴在临床的应用，多以治疗经筋患病或局部气血失调而发生的疼痛病。

辨证定浅深，同身是法度

杨子雨

笔者素常思想，针灸取穴，据同身骨度分寸、手指同身寸之法度；针刺深浅须辨证，亦当有法度，惟吾不知。捧读《素问》，看王冰之注，茅塞顿开，原古人针刺深浅分寸，亦以患者同身寸为准。

1981年12月，有一李姓农村妇女，右前臂挛急似龙摆尾。自述去年秋收在谷场劳动汗后当风，引起右前臂阵阵抽动。每发作时，手臂向内侧抽动，不能持物，经当地治疗不效，而来诊治。据其主诉，此乃外感风邪，久而未解，致经脉失调，阴急阳缓而手臂向内侧抽动。遂选用患侧内关、小海二穴，皆按中指同身寸针入5分，得气后，挛急顿止。旁观者大惊。留针40分钟。二诊时，患者手臂挛急幅度大减。改由他人针刺，虽仍取前穴，针入寸余，但未能得气，患者挛急不止。复出针，重新刺入中指同身寸5分深时，患者得气并挛急立止。三诊时，依前法再给患者针治一次而告痊愈。仅此一案，辨证定浅深，同身是法度，得以验证。

云门与同身寸小议

李一清

云门，是经穴中二十二“门”之一。该穴定位于巨骨（锁骨）下，任脉旁开六寸，举臂取之。

云门穴乃手太阴脉气所发，专治胸中烦满、热痛、喘咳诸疾。刺法适当，屡见卓效；浅深不得，反为大贼。《针灸甲乙经》云：“刺七分，刺太深令人逆息”。然而浅深的标准是什么？王冰强调了同身寸。《医宗金鉴》亦云：“行针以同身寸为准”。吾认为用中指同身寸是有道理的。不仿小议一下：按人体解剖，成人前胸壁的厚度为1.3～1.7cm，其平均值为1.5cm，按1cm相当于同身0.5寸，云门刺0.7寸，则等于1.4cm。所以，同身寸法符合于同一人体组织器官解剖部位之比例关系。至今，中指同身寸法仍不失其为取穴之法度。

小议留针久暂与深浅

杨子雨

1982年，余随津门针灸名医李毓麟老师练习针灸。李老师从事针灸临床工作近50年，除注重辨证之外，对针刺手法尤其重视。曾口授：“针刺‘留针’有妙用，久留、暂留须分明，深留、浅留辨证定，万病一辙针不应。”

当年9月治马姓妇女，自述两年前秋天产后淋雨感受寒湿，两肩疼痛，不能劳作。虽经中西医多方诊治，效果不显，后来我院门诊。遂用祛寒除湿，通经活络之法，选取双侧天宗、肩贞、曲池穴，行针后，静留针20分钟，即予出针，连治3次，患者未见好转。至四诊时，患者已失去信心，痛哭不已。余再三思之，其患虽为寒湿之邪伤于肌腠，然病已2年之久，邪已深入，仍取上穴刺之，惟改用较长时间（40分钟）静留针，直至患者针下酸胀消失，方予出针，出针后患者即觉两肩膀轻松大半。继续针治5次，患者已能活动自如，操持家务。

此案启示，留针久暂与深浅，运用之妙，存乎一心，当据辨证而定，不可拘泥一格。

小议针法

石 荣

对同样的病证，采取同一个穴位，用同类的针具，为什么术者不同疗效就不同呢？道理很简单，就是针术有别。

针术，又称针法。针下的确有术，手上的确有法。好的进针术是进针时患者不感到痛或微痛。具体操作手法众多，如“指切法”“扶持法”“执笔法”“捻转法”“管针弹进法”等等。我个人总结认为快速捻进法较好。此法以右手的拇指、中指执针，无名指抵穴，快速捻进皮肤，使针进入体内，这叫进针术。继而针进皮内，继续深入，在达该穴的标准深度或针下“得气”“气至病所”后，进而施行“补虚泻实”的手法，这叫运针术。概括古今中外运针手法，不下五十余种。如：令针在体内上下提动的提插法、快速提插的震颤法、慢速提插法的雀啄法、使针左右转动的捻转法、还有随经气流注的迎随法、随呼吸而进退的呼吸法、进退速度不一的疾徐法，以及起针开闭针孔的开阖法等等。此外，尚有一些复式手法，如：“烧山火”“透天凉”“阴中隐阳”“阳中隐阴”“苍龙摆尾”“龙虎交战”“赤凤迎源”“凤凰展翅”等等。我认为，这诸般手法，既有玄虚之说，也有迷人之见，不可拘泥。正确的原则应是：学古而不泥古，古为今用；学洋而不媚外，洋为中用。无论何种针术针法，判断其优劣的标准就看它“得气”是否充分？收效是否迅速。故综合古今各家针法之长，结合我个人二十多年的针法实践，总结出“捻转刮针术”，临床得心应手，收效较理想。该法易学易行，即用刺手的拇、食二指交叉捻动针柄，拇指向后，食指向前，令其“得气”，继而用中指易食指，并以刺手的中指指甲，由针柄下端向上刮动针柄到针尾部，令其震动频频，此时“经气”可随之到达“病所”，收到立竿见影的效果。尤其是止痛、消炎、退热、降压效果最佳。病人“得气”时必有酸、麻、胀、痛、冷、热感或水波、蚁走、电击、跳动等复合感，而对某些神志昏迷、哑人等不能回答针感者，此时医者的手感十分重要。吾人体会：凡“得气”时针下必有沉、紧、涩的饱满感，古人称“如鱼吞饵”；若没“得气”时，则手感为轻、松、滑的空虚感，古人称“如插豆腐”。一般规律为：针感越明显，标志“得气”越充分，疗效则越显著。

最后是起针术（法）：针刺终了，将针拔出体外的手法即起针术。常用的有“捻出术”“速提术”等等。其起针术的优劣就看拔针后是否出血和疼痛。我采用的是“缓慢捻退法”。即用拇、食、中指缓慢捻动针柄而退出。起针之要：先令“失气”，再行拔针。针一拔出，对针孔立即加压棉球一枚。如是针术，一般不会发生出血或留有疼痛。

毫针刺法效应小议

鲍治安

《灵枢》论述刺法作用时说：“用针之要，在于调气”，就是调节经络脏腑之气的偏胜和调和气血的运行。《标幽赋》又叙述了针刺能“住痛移痛”，都是通过“补虚泻实”这一法则而达到“通则不痛”之治疗目的。我在实践中深深体会到要达到上述效应，除熟练掌握各种针刺手法外，尚需掌握以下几种要素才能提高针刺效应。

1. 是聚神：在治病时病人和术者都必须集中精神，密切配合，专心致志，共同守神。这样就能得到理想的针感，取得满意疗效。曾见一位熟悉解剖的外科医生，针肩贞穴引起气胸一案。此穴本是安全穴，针此穴为何会引起气胸？原因是医生和病人熟悉，边聊天边治疗，体位移动使针芒移向胸腔，此乃不守神之弊。

2. 是注意针感：针感即“得气”“气至而有效”，只要手法得心应手，有良好针感，即能显著提高疗效。一般情况下很容易气至，假如气至缓慢或根本没针感就要“候气与催气”，候气比较容易，留针10数分钟等候气至。催气方法较多，一般是未刺中穴位，只要调正针刺方向和角度，就能够得气。也可以用辅助手法，如轻微捻转、提插、刮针、震颤等以引导经气，催促出现针感。或改用双针单穴法、三针单穴法、滞针刺法，均易得气。但某些体弱患者，虽多次行针引气，针下仍感虚滑，则往往效慢。“气速至效速，气迟至效迟”，说明得气快慢直接影响疗效。为了进一步提高疗效，还要控制针感的方向和针感的强弱。根据临床经验，循经感传具有可激性，我们可以在远端穴位上使用手法来控制，使针感循经传导，感传明显，传程又长，则效果必好。

3. 是注意条件和时机：刺法效应决定于机体的功能状态，环境、条件和时机对疗效也很重要。就病情来说，要根据“八纲辨证”来决定补泻刺激量。就体质来说，要看病人的身体素质和得气如何，以及年龄、性别、胖瘦、精神状态等条件，由于每人的气血盛衰各异，给补泻刺激量也不同。就个体来说，正常人的体温、呼吸、能量代谢、血流速度、皮肤温度等在24小时内也有变化，即是同一天因时辰不同给的补泻量也不同。针刺时机也不能错过，如神经痛要在发病当时治疗，失眠要在睡前半小时治疗，针麻要在术前20~30分钟开始治疗才有明显效应。

4. 要掌握穴位的特异性：穴位具有相对的特异性，如在选穴时利用这些特点，自然会提高疗效。治疗特异性：同一个穴位能治疗多种疾病，如合谷对头面部疾病疗效好，对下肢较差。协同性：常用的许多配穴法都起互相协同作用，如俞募配穴法治脏腑等疾病效果较佳。双相性：要充分利用穴位的双相调节作用，如内关能使心动过速缓慢下来，还能使心动过缓增快。主治性：如足三里主治胃肠病，合谷则退热、镇痛较好。

小谈运动针法

石 荣

吾从医30年，会西医懂中医，偏爱针灸，尤其认为研究针法妙趣横生。积针灸治验首创运动针法，并已经有十几年的临床验用。

古今中外的针法目前不下50种，而多数偏重于局部如何取穴、进针、候气、守气，或研究手技的提插、捻转、刮针。吾人与众不同，从整体立论，主张局部有病要全身协调，要在运动中协调。乃因机体是内外统一的整体，人的经气从生到死在机体内不停地循环。这就是运动针法的基础。

何谓运动针法？凡属运动障碍性疾患，或在其局部，或在其远端取穴扎针，边进针边行手法，并令患者随针法而运动患部。由被动到主动，由小动到大动，由慢动到快动，直至局部症状消失，以功能基本恢复正常为度。这就是运动针法。该法即在进针的同时运动患部，则止痛作用迅速而持久。若进针不加运动则止痛作用不显或微显；若不进针而只是运动患部则出现运动痛。目前该法尽管机制不清，然而无任何不良反应，故深受医患欢迎。

如金某，在劳动中扭伤腰部当即不能转侧，行路跛，以强迫体位来诊。经骨科会诊为“急性腰扭伤”。吾取腰部压痛处为穴，用2寸毫针行捻转刮针法（自创），充分得气后起针，又刺右手的后溪透三间穴。边进针边令患者运动腰部，经5～6分钟，患者蹲起自如，行路正常，腰部痛点消失惊喜而归。3天后复诊未犯。1周后已上班。

吾不久前用此法治疗150例急性腰扭伤的学术报告，受到同道的好评。有效率为98%，治愈率为96.5%，其中1次治愈者占60%。

刺血小议

刘之谦

刺血，俗称放血，也称泻血、刺络。提起放血，常令人闻而生畏，似乎对身体会产生危险或造成莫大损失，其实不然。它是用三棱针或粗针刺破病人身体上某些穴位或体表小静脉而放出少量血液的治病方法。此法由来已久，历数千年，古人常有应用，提出了“菀陈则除之”的治疗原则，并主张血脉“盛坚横以赤”“小者如针”“大者如筋”等凡有瘀血现象的，泻之万全。说明历代医家认为这种疗法，安全可靠，效果确实，对此是很重视的。

书载唐高宗苦风眩头，目不能视，召侍医秦鸣鹤诊之，秦曰：风毒上攻，若刺头出少血愈矣。天后自帘中怒曰：此可斩也，天子头上岂是出血处耶！鸣鹤叩头请命，上曰：医人议病，理不加罪，目我头重闷，殆不能忍，出血未必不佳，朕意决矣。命刺之，鸣鹤刺百会及脑户出血。上曰：我眼明矣。言未毕，后自帘中顶礼以谢之曰：此天赐有师也。躬负缯宝以遗之。后疾又作，武氏时欲自立，盼高宗死，乃借故阻挠，不令再针，遂驾崩。本例足以证明此法确有立竿见影之效。古代帝王尚可接受，可知确无危险，而今人反多畏之，使用渐少，将失去一简捷效验之法，殊为可惜，故此有必要重提，以期引起同道的重视。

早在20世纪60年代曾有一位中年农民患坐骨神经痛，剧痛难熬，呻吟辗转，经多方医治，痛终未减，求治于我师张继有，与以委中穴刺血后痛止颜开，传为妙手回春的佳话。笔者多年来对急性扁桃体炎均取少商穴刺血，同时在耳廓背面小静脉放血后，可立即缓解咽痛，除能立进流质饮食外，还有解热作用。患感冒头痛兼咽痛，取双侧太阳穴，双侧少商穴，刺血后疼痛减轻或立止。小儿疳症，用三棱针或粗针消毒后刺左右四缝穴约一分深，刺后拔针时，从针穴溢出黏性黄白色透明液体，每2日1次，直至没有液体溢出或烦躁症状消失为止，对单纯性消化不良患者疗效可靠。急性软组织脓肿化脓波动明显的，用三棱针刺破局部出血，于其上再拔罐，两法合用，疗效更高。

临床实践证明，刺血疗法具有开窍泄热、活血消肿等作用。这种方法，操作简单，收效很快，便于普及，费用极低，确有实用价值。刺血操作时，用一手持针，用另一手指捏起皮肤刺血，在严格消毒下刺血，刺以不过深为宜。一般一次出血量数滴到3ml左右。除上述适应证外，还常用于急性昏迷、急性扭伤、中暑、疔疮等。但禁用于孕妇、产后以及血管瘤、出血疾病，贫血、体弱、低血压等症。

治病方法要精

申旭德

古人尝谓："用药如用兵"，系指作战中根据敌情而决定用什么军队和武器，治病亦需根据病情确立治法，选用药物。

今人治病多喜繁杂，用药常为复方大方，动辄10余味药，多者竟达数十味。更有甚者，药包之大，竟无法从发药窗口拿出。冀图此药不效有彼药，彼药不应有它药，总可中病。其实不然。有的药物之间，互相牵制，常难见功。昔日李时珍仿李杲治肺热，只用一味黄芩名曰黄芩汤，效如桴鼓。

本人从事针灸工作二十余年，熟视针灸界治病方法，亦是杂乱无章，遇一病人既针又灸，针刺又有毫针、电针、温针、梅花针、三棱针，甚而还加上穴位注射，穴位埋线或结扎，如此繁多之治法，同用于一人一病，指望病能速愈，结果欲速则不达，愈治愈不瘥。

1981年6月，余治一例苗姓面神经麻痹患者，先在某县医院用青霉素、庆大霉素不效，转来本市某医院采用西药维生素B_1、维生素B_{12}、他巴唑、路丁、强的松、吗茚酮、654-2，治疗1个月余无效。改服中药，并用针灸，而针灸则同时用体针、头针、耳针、水针、电推拿，每日1次。又治疗1个月，仍然无效。患者转来我院，患侧面颊肿胀，口眼歪斜甚剧，收入院治疗。

收入我科后，停用所有中西药物，采用单纯针刺治疗，取病人患侧面部翳风、下关、阳白、巨髎、夹承浆及手部合谷数穴，每日轻刺1次，患者有酸麻胀痛感时就停止行针，留针15~20分钟，历10余次，病情迅速好转，面部肿胀逐渐消散，耳后压痛消失，额部皱纹渐渐出现，眼睑已可闭合，嘴角可以活动，漱口已不漏水，共治1个月，完全恢复正常。以后，凡遇此类疾病，皆采用这种治疗方法，均获得满意效果。

故大凡治病，治法要精，取穴要准，恰到好处，病即可愈。

上病取下治脑鸣

李保中

患者何某，58岁，来黑龙江省探亲。邀余诊病。自述：时常感觉脑内有虫鸣已5年，曾用多种药物和针灸治疗，均无疗效，而且逐年发作，次数频繁，脑内鸣声也较前增大，常伴有耳鸣目眩，这次因长途旅行过度疲劳，脑内虫鸣声加重，影响睡眠。余诊其头面，外观及血压均正常，舌苔薄白，舌质淡，脉细弱，神疲纳呆。取穴：关元、气海、足三里、太溪穴，均用补法。次日复诊，患者精神饱满，高兴地说："昨晚睡眠很好，脑鸣也有好转。"配方同前，继续针刺5天，患者不仅脑鸣痊愈，而且食欲大增。患者求问："以前我的头部经针灸多次无效，今天您既没有给我用药，也没有针灸我的头部，却治愈我的沉疴痼疾，是何缘故?"余曰："按中医辨证，此属元气亏虚，髓海不足所致。上病治下，取下面4穴，补肾健脾，大补元气，定获奇功。如果只头痛医头，脚痛医脚，则无效果。"

癔病失语刺天突

董桂兰

癔病失语，是一种发音功能障碍性疾病。祖国医学称为失音。多由暴怒、惊吓、恐惧等精神刺激，所致肝肺气逆，肝气厥于上，肺气不得降，肺不能主声，故声音语言不能出而成哑人。

余在临床，选用天突穴为主，配用足三里针刺治疗105例癔病失语病人，获得满意疗效。其方法简便，疗效确切，深受患者欢迎。具体方法是选用4寸毫针，让病人采取坐位，使其头部稍向后仰（防止肌肉紧张）。医者以快速进针法直刺天突穴，深入到胸骨切迹后缘，约1cm左右，以捻转手法使患者感到胸前有酸麻胀闷感为度，留针5分钟即可。

曾针治一孙姓女患者，年23岁。该患者失语7个月余，声音全无。曾就诊于哈尔滨、长春等地较大医院，服用多种中、西药物，花费四百余元，未见好转。来时仍如哑人，一语难出。据陪诊者介绍，患者是由于暴发怒气，精神受刺激而突然不能说话，痛苦至极。当时医者审其病因视其病体，取天突穴快速针刺施以捻转手法。起针后，患者感激得热泪盈眶，立即说出"我病好了，谢谢医生"，并一再说"万分感谢"。

1978年5月，女性患者庞某，66岁。由于生气太过突然晕倒，不省人事。经抢救后虽苏醒但已失语不能言。诊视患者体肥、桶状胸、颈项短、呼气粗，且素有痰湿过盛之证，复因暴怒，痰随气逆，上蒙清窍，阻塞气道，致肺气不宣，语声不出，而成失语。遂取主穴天突，配足三里穴，按上法施术。针后患者神志清醒，并能正确对话，语言流畅，神态自若。经连诊两次，病告痊愈。

针刺治疗无脉症

赵国新

无脉症为西医病名，无理想疗法。本病是指寸口处触及不到脉搏跳动，即扪不到桡动脉搏动。笔者参加援外医疗队，在索马里工作期间曾治疗两例。

其一，Mako，女，32岁，索马里宗教与法律部秘书。继发热、咳嗽、咽喉疼痛1个月后，又因发热恶寒，经索马里卫生部介绍来诊。余切脉时发现触不到患者两侧寸口处脉搏，同时也测不到其两臂肱动脉血压。患者自觉两臂麻木无力，时有头晕。

其二，Maliyan，女，38岁，欧洲共同体官员，比利时国籍。自述3个月前自觉上肢麻木畏寒，休息后好转，精神紧张。切诊其右手，脉搏触不到，亦测不到血压。左手正常。曾在欧洲3个国家治疗，用ACTH等药治疗效果不显。

对上述二例均系用针刺疗法，选用内关、太渊、神门、曲池、尺泽等穴。

因“内关”穴为手厥阴心包络经之络穴，八脉交会穴之一。《灵枢》云：“心主手厥阴心包络之脉……，是主脉所生病者”；《针灸大成》云：“相抵手心主之络”，故本穴作为治疗本病之主穴。

“太渊”为手太阴肺经之原穴，该穴位于寸口，寸口为脉之大会，为诊脉之处，故称“脉会太渊、为八会穴之一。《素问·经脉别论篇》曰：“脉气流经，经气归于肺，肺朝百脉”说明肺能辅助心脏，主宰人体血液循行，并有治理调节作用，亦是作为主穴选用。

“神门”穴为手少阴心经之原穴，有安神宁心通络之效能。再配以曲池（手阳明大肠经之合穴），尺泽（手太阴肺经之合穴）辅佐治之，获得满意疗效。两位患者均可清楚触及寸口脉搏，测到血压。并能跑步、打高尔夫球或游泳。说明针刺疗法对于治疗无脉症能取得可靠疗效。因此，外国人对中国的针灸疗法给予高度评价。

针拨显奇效

解生田

在临床工作中常常遇到一些难治疾病，治疗上往往感到棘手，如哮喘、顽固性咳嗽、疮疡等。

1979年，笔者在千山结核病医院工作时，遇到一家4口从丹东市专程来医院看病。其妻王氏，41岁，患哮喘病十余年，严重时喘得死去活来，十分痛苦。这次把全部希望都寄托在我们医院了。经详细询问患者病史和治疗经过，方知几乎所有的中、西药物都用过了。当时我沉思片刻，决定不用药物治疗，改用针拨治疗，根据背俞穴可治本脏病的规律，大胆采用肺俞、内定喘两对穴试治。治疗后王氏自觉气管轻松，出气通畅，当晚睡了一宿好觉。第2天上午兴致勃勃地告诉我："这回得救了。"经连续治疗1周，没有犯病，一如常人，高高兴兴地返回丹东市，至今没有复发。此事对我启发很大。

又如鞍钢结核防治所一位干部患咳嗽病二十余年，经各地名医治疗未愈，十分痛苦，严重影响睡眠和工作。根据其咳嗽为肺气肃降功能失常，用中西药物治疗又无效，故用针拨肺俞穴4次，患者咳嗽基本治愈，又巩固治疗3次，至今未复发。

又如鞍山市卫生局一位干部，1983年患颈部疮疡1年余，经各种治疗均未愈，10月份又患"砍头疮"，红肿如鸡蛋大小，十分痛苦。根据"诸痛痒疮，皆属于心"，取心俞穴，针拨1次而愈。至今也未复发。

针拨方法：用不锈钢焊条如钢笔长短，一端磨成扁细如针样即成。先常规消毒穴位之皮肤，采用快速进针法，深度约1cm，即达到皮下浅筋膜处，进针后可做"#"字划割，并可听到响声，然后出针，稍加按压片刻，可防出血。

指针膈关疗胃痛

李一清

1965年初冬，我借讲学之便，专程来到郭家店镇，拜访了此地颇有声望的张老先生，老先生虽年过花甲，但犹有壮容，谦逊好客。交谈之中，进来一位四十多岁的患者。他双手护着胃脘，痛苦呻吟，老先生经过检查确定是"胃气痛"之后，嘱患者俯伏坐位，将棉衣扣解开，医者立于患者背后，右手伸入患者背部棉袄内，只见医者全神贯注，指针手固定不移，约5分钟，病人疼痛解除，面带笑容，道谢而离去。

据张老先生介绍，右手指针邻位是第7胸椎下旁开约4横指处，按针灸经穴而论，此处恰是足太阳膀胱经的"膈关"穴。多年来，我在临床上每遇胃气痛、肝胃气痛患者，都指针此穴，屡用屡验。尤其是对胃痉挛患者，如施术得当，此穴确有手到病除之妙。

指针膈关疗胃痛的操作方法：患者取坐位或俯卧位，医生站在患者背后，或站在床的右侧，右手握拳，以中指中节尖端（手指的持续力量不及拳尖），对准右膈关穴，力量由小到大，徐徐加重，用力的程度以患者能耐受为度。然后保持一定恒力，不得乍轻乍重，不宜忽大忽小。指针过程中如患者唾液增多可咽下，口内唾液愈多往往预示着疗效愈佳。如指针 15 分钟不效者，可再取左侧膈关穴。一般情况下，只取右膈关穴即可收到良效。

四关穴的临床应用

| 李一清 |

所谓“四关”穴，是指两侧的合谷与太冲。合谷穴乃手阳明大肠经原穴，太冲穴乃足厥阴肝经之原穴。前者位居第 1 和第 2 掌骨间，后者位于第 1 和第 2 跖骨间。“四关”可谓对穴，对穴犹如对药一样，配合使用，协同力强。其功能主要有解痉止痛、理气疏肝之效，是针麻止痛常用要穴。

古籍文献中多不主张深刺；近世医书记载可刺 5 分至 1 寸许。笔者认为此类敏锐俞穴，除因人、因证而异外，尚应本着“刺不在深，得气则灵”的原则去施术。怎样易于取气呢？合谷之定位应在手背第 1 和第 2 掌骨近端交接处，稍偏次指微前缺陷中，毫针直刺可沿第 2 掌骨缘进针，能产生较强的酸麻胀感：太冲之定位可在第 1 和第 2 跖骨间隙中点处，避开跖骨动脉取之。刺之可有麻胀感或向足心放散。

以“四关”为主穴，不仅适应于消化系统病证，也适应于神经系统病证。例如：四关配中脘穴，主治神经性呕吐、溃疡病；四关配天枢穴，主治肠炎、菌痢、胃肠神经官能症；四关配内关、膈关穴，主治胃痉挛、肝炎、蛔厥、胆道疾患以及呕吐哕证；四关配曲池、丰隆穴，主治癫痫、癔病；四关配身柱穴主治破伤风角弓反张；四关配归来穴，主治痛经、血滞经闭；四关配印堂穴，主治小儿惊厥；四关配翳风穴，主治肌痉挛等。

指针中枢穴，立止蛔厥痛

| 袁世华 |

读书时阎洪臣教授曾讲过针中枢穴治胃脘痛甚效。余验之临床，确知此言不谬。后又推而广之，用治蛔厥（胆道蛔虫症）所致上腹部钻顶样绞痛，亦有良效。余在临床中还体会到，以指按压中枢穴，不仅方便、安全，且每可收到

立竿见影之效。

指针时，患者既可俯卧床上，亦可取坐位，上体前倾。先自大椎穴向下数至第10椎之下，找准穴位，然后用一手拇指指腹由轻至重用力揉按，其痛多可在3～5分钟内得以缓解。再痛还可再按。亦可令病人家属依法按之。其痛缓解后，再施其他疗法根治之。

余曾以此法治疗蛔厥五十余人，十之八九均可立即显效。后将此法传与农村大队医生，亦皆云有效，实为值得推广之良法也。

中医无药可施以针，无针又可以指代之，堪称便利。

腹肌挛痛

刘冠军

1970年间，余因公同客于哲盟宾馆。晚11时许，敲门者甚急。询知一客友王某，胃痛呼救，余前往诊视。

见一壮年男子，俯卧在床，以手捧腹，急呼胃痛。询知其连日长途跋涉，过食生冷油腻，乃发胃脘疼痛，胀满不舒，吞酸嗳气，曾吐泻2次，均为不消化食物。时至午夜11时许，胃痛大作，痛不可忍，乃邀余诊治。查其面呈痛苦表情，时皱眉咬牙，以忍其痛。其诊脉沉紧，舌苔白腻，体温36℃，心肺未见异常，腹平坦，肝脾未触及，可望见上腹肌肉跳动，以手扪之板硬，但无压痛。

根据患者素有胃疾，今又长途劳累，必耗其气，又兼犯生冷，使其胃失和降，脾失健运，诊为虚寒型胃脘痛（胃痉挛）。乃针刺中脘、梁丘、内关，行强刺泻法，针后患者胃痛不减，腹肌挛动更甚，痛不可忍，头汗淋漓，呼叫不止。余观其状，细思之：其胃虽痛，而肌挛动是其主要矛盾。乃根据《内经》“从阳引阴”之理，选取具有镇静止抽、缓解筋挛之“筋缩”穴，针入3分，强力捻转，则腹肌挛动迅速停止，胃痛亦随之消失。患者因病痛疲劳，乃安然入睡。次晨起，来我处拜谢。

考“筋缩”一穴，为督脉经穴。督为阳经之海，主惊厥抽搐诸疾，加之“筋缩”位于肝俞之间，由于肝属风木，在体主筋，故“筋缩”具有镇静止抽之力。今取“筋缩”，证治相应，故只下1针，乃奏奇效。可见，随证施治，活法圆机，此为医者必须遵循之原则。乃记一小诗谓“客友胃痛苦难言，症结之处腹肌挛，寻得筋缩针泻后，痛止挛除笑开颜”，以资留念。

急性肠道病针治琐谈

杨元德

以针灸治疗急症，在我国古代有许多先例。扁鹊用砭石治愈虢国太子尸厥；华佗用银针治愈曹操的头风病。这都早在我国医史中传为佳话。

建国以来，据资料报道，以针灸治疗的380多种适应证中，有60余种是急性病。针灸治疗急症的良好效果，已成为我国医学的突出特色之一。针灸对休克、抽搐、急性疼痛等急症的治疗，可收到立竿见影的效果；针灸对急性肠道病的治疗亦颇负盛名。

笔者在插队农村时，每年曾于夏秋季节用针灸治愈一些急性痢疾病人。实践证明针灸对急性肠道病的效果是惊人的，因而久久不能忘怀。1981年，我偶然翻阅杂志，得知世界卫生组织早在1979年就已经向全世界各国宣传、推广针灸主治的43种病症中有急性细菌性痢疾、急性结肠炎、腹泻等3种急性肠道疾病。

急性细菌性痢疾相当于中医的“湿热痢”，多由于疫毒乘虚侵入肠腑，大肠传导功能失职，湿热相搏，气血凝滞，肠腑脉络受损，而致痢下脓血、里急后重、小便短赤、全身发热、口渴、苔黄腻、脉滑数。笔者临床治疗此病应用两组针刺处方：①天枢、上巨虚、合谷、曲池、内庭穴。②大横、阴陵泉、地机、三阴交穴。毫针刺，用泻法，留针30～120分钟，并于每10分钟施提插、捻转泻法1次，重者每日针刺2或3次。

曾治患者宫某。其每日便脓血七八次，里急后重明显，身发热（体温37.8℃），经化验确诊为急性细菌性痢疾。用第2组处方，每日针刺两次。经3天后患者症状消失，改为每日针刺1次。1周后，大便化验检查两次均正常而告痊愈。

针灸治疗急性细菌性痢疾效果良好，为国内外公认。许多学者观察到针刺可以加强肝脏网状内皮系统吞噬异物的能力；通过对痢疾病人血清蛋白电泳影响的试验结果，表明针刺还能增强机体的防卫能力，故对本病有效。

第1组处方的天枢为大肠之募穴，上巨虚为大肠之下合穴，合谷为大肠经之原穴，曲池为大肠之合穴。本病在大肠，以上4穴可通调大肠腑气，共奏化湿行滞之效；内庭为足阳明之荥穴，可清肠胃之湿热，故能治愈本病。

第2组处方是以足太阴脾经穴为主。大横穴为脾经分布在腹部的要穴，可通调肠腑气机；阴陵泉为脾经合穴，“合主逆气而泄”；地机为脾经之郄穴；三阴交为足三阴之交会穴，均可调脾胃之气机而化湿滞，故治痢有效。

先父杨逢伦，从1959～1964年在沈阳市传染病医院善长用针刺脾经穴治疗急性细菌性痢疾，尤其对氯霉素等抗生素过敏者，采用针刺治疗，每每效果良好。由于家传之故，我也常用脾经穴治疗本病。同时，对急性结肠炎、急性腹泻，均可按异病同治，选用以上两组处方，在临床同样有效。

必须强调一点，针刺治疗急性细菌性痢疾等肠道急症，手法操作很重要，应以泻法为主，留针时间长，每日针刺2或3次。针感越强，效果越好。

治热结旁流与湿热下痢当刺天枢、大横

李一清

治热结旁流与湿热下痢，刺天枢、大横穴，属于异病同治。热结旁流得之于外感热病，邪从阳化，成阳明腑证，突然发热为患。它本是《伤寒论》中之一证，肠中燥屎内结，而见热迫大肠，泻下如注，肛门灼热。

湿热下痢，多由于进食不洁之物，或受暑湿疫毒，客于肠胃，气机不利，湿热偏胜而发病。该证在痢疾的发病率中居首位，其特有症状是里急（腹窘痛）后重（频下坠），下痢赤白。上述两种疾患的共有症状是腹痛、泻下黄糜热臭、魄门灼热、小便短赤、脉多滑数。前者苔黄干，后者苔黄腻。

以上二证，可通取天枢与大横穴。天枢，穴属足阳明胃经，定位在脐旁2寸，左右各一，是特定穴大肠之募；大横，穴属足太阴脾经，该穴位于脐旁4寸，左右各一，是足太阴、阴维之会穴。4穴相配，针刺得气后，施以捻转泻法、盘摇法，具有调气整肠、健脾和胃之功能，从而达到泻下去实、导滞下行。若有发热可加曲池、内庭穴，以泻手足阳明之实热；恶心呕吐加内关、足三里穴，通利三焦、升清降浊，每日针2或3次，效果佳良。

1980年仲秋时节，我曾治一男患，自诉宿有胃病，两日前去水果园，饱食各种水果，傍晚出现腹痛、恶心、呕吐酸臭，频频入厕，呈水样便。观患者身材高大，但面黄消瘦，两目无神，舌苔黄腻，舌质红尖赤，并兼有烦躁、头晕、乏力等症。切六脉滑数。此系平素脾胃虚弱，偶因饮食不洁，秽物复伤肠胃，胃浊秽毒相搏，邪从阳化，下迫大肠，标在邪客肠胃，本在脾虚不运。遂取主穴天枢、大横，用捻转泻法和盘摇法，健脾和胃，升清降浊；加曲池、内庭穴泻手足阳明郁热；加内关、足三里穴止呕并导滞下行，日针2次，两日痊愈。

康复疗法小议

戴铁城

中风是以突然昏仆，不省人事、半身不遂、口眼㖞斜、言语不利为主症的一类疾病。这里所谈的中风病，是指现代医学中的脑血栓形成、脑供血不全、血管内膜炎等急性闭塞性脑血管病。

祖国历代医家对中风病的治疗和研究，均有较深刻的认识。我在临床治疗本病过程中体会到，早期使用康复疗法，对改善临床症状和促进病人瘫痪肢体功能的恢复有重要作用。余曾治周某，女，47 岁。该患者左半身瘫痪半月，被确诊为“脑血栓形成”，住院半月，但左侧肢体瘫痪未改善，故来我院求治。

病人面色萎黄，言语欠流利，抬入病房，左上、下肢全瘫，无二便失禁，舌质紫暗有瘀斑，舌苔薄白，脉沉弦。当即施头针，令病人在床上活动，左下肢即刻抬起，后每日针 1 次，共治疗 10 次。之后，患者在家属搀扶下能站立，1 个月后自己能迈步行走。

治疗中风的方法虽然很多，但早期就配合进行肢体功能锻炼，可防止因长时间卧床而造成肢体挛缩、爪型手及足内翻，同时由于发病早期就进行功能锻炼，不仅能促进小关节的功能改善，同时可收到通经活络、活血化瘀的功效，从而使闭阻的经络通畅。

康复疗法近几年来受到国外医家的重视，而我们的祖先早在远古就认识到康复疗法的重要价值。如气功，太极拳、五禽戏等在临床上的应用，就充分证明了这一疗法的作用。对于中风病人早期采用康复疗法，收到了满意的效果，所以应广泛推广使用。

针刺痫证一得

孙申田

行医多年，偶有所得。是年，遇一老翁，50 岁而得子，其子弱龄聪颖，3 岁识字数百，5 岁时能诵唐诗百余首，真乃“神童”。然而世间事情又不能完全从人心愿，此童 8 岁时，因遇狗惊吓，突然抽搐，以后经常发作，口吐涎沫，四肢抽搐，二便失禁，移时苏醒。医者皆诊为“痫证”。老者视此童为掌上明珠，四处投医诊治，中、西药服之皆无效。经友人介绍，托余诊治。当我问清患儿得病经过之后，确认此属督脉为病，必针其龟尾穴（位于尾骨端）。果真，针治3个疗程、45次之后，患儿一直未犯病，现已3年未再复发。患者家属感谢万分，要重谢于我。吾谢之曰："医乃仁术，济世活人乃属本分，千金之偿，我决不取其分文。"

督脉电针加灸治疗痿证

戴铁城

痿证是一种顽固难治之证。它是以肢体筋脉弛缓，软弱无力，或因日久不能随意运动而致肌肉萎缩的一种病证。我在临床上使用督脉电针加灸关元穴治疗痿证，收到满意的效果。曾治一侯姓患者，女，30岁。该患于3个月前腰部不慎扭伤，后发觉背部疼痛，继而双下肢麻木，行走困难，尿潴留，诊断为"脊髓蛛网膜炎"，住院2个月出现尿失禁，不能行走，故来我院求治。

病人面色萎黄，双腿活动困难，由别人背入病室，二便失禁，舌质淡红，舌苔薄白，脉弦滑。取督脉，用电针，日针1次，30次后病人能下地站立，二便仍失禁，此后又加灸关元穴，日1次，20次后二便不失禁，自已能行走，告愈。

余用督脉电针治疗脊髓病，已有同道者使用。但对改善病情加灸关元穴，比单用督脉电针有更满意的效果。督脉总督人身三阳经之经气，阳经经气都汇于督脉大椎穴，所以督脉有督率阳气和统摄真元之功。而任脉同人身之三阴经脉密切相连，足三阴经经脉之气都交会于任脉的关元、中极穴。所以督、任二脉能调正人身十二经脉的气血运行功能。

施术时，用毫针直刺入患者两椎之间隙，深达2~2.5寸，上自大椎穴，下至阳关穴，依病情需要选取穴位，针下有麻木酸胀感最好，通以电流，以病人能耐受为度，通电20分钟起针，后再灸关元穴5壮，日1次，连续15次为1个疗程。

临床观察，督脉电针加灸关元穴有调节经脉气血，补益精血，通经活络，活血化瘀之功效，所以筋骨得坚，筋脉得濡润，痿软无力诸症得以纠正，收效迅捷。

磁圆针治疗痛症神效

解生田

有关磁石的文字记载，最早见于《管子》一书（约公元前6世纪），用磁石治病在我国也有很长的历史。公元2世纪的《神农本草经》载："磁石味甘辛，主周痹、风湿，肢节肿痛不可持物……"。磁石外用，相传始于扁鹊（约公元前5世纪）治子宫脱垂方；16世纪前的《乾坤秘韫》已经记载各种肿毒的处方："吸铁石二钱……如常熬膏贴之。"1596年出版的《本草纲目》载磁石治"大肠脱肛"方；近代张锡纯用口含磁铁，耳插细铁棍治神经性耳鸣。这些前人的经验对我们很有启迪。

磁的镇痛作用有二，其一是经络调整。如牙痛，可在非痛点的"温溜""二间"和对侧的"迎香"贴敷磁珠，可收到立时止痛的效果。其二是局部调整，亦即"以痛为俞"的原则。

笔者使用的磁圆针，就是从古代"九针"中的圆针脱胎而制成的。其形如叩诊锤，锤的两端配有磁性的圆针头（头呈圆形如绿豆大小）。使用方法简单，本着"以痛为俞"的原则，一是按压揉动，二是按压滑动。

鞍钢第二炼钢厂的一位干部，由于负重不慎而扭腰，当时坐在地上一动也不敢动，不敢深呼吸和大声说话，不敢轻咳，痛得呻吟不止。经中西药治疗无效。当晚腰部疼痛加剧，求治于余。经检查后确诊为急性腰扭伤。用磁圆针本着"以痛为俞"的原则，在痛点最明显处用按压揉动法，治疗1分钟左右，病人立即能做各种活动，第二天正常上班工作。

又如，北京电影制片厂一位工人，因打球不慎把右踝关节扭伤，出现局部皮色青紫，肿痛难忍。曾外敷、扎针、口服各种消肿止痛药均不效，求治于余，经检查后诊为右踝关节扭伤。用磁圆针在其右踝关节最痛处按压揉动，并在周围肿胀处行滑动按压法，仅治疗两次就痛止肿消。

总之，用磁圆针治疗各种疼痛病，见效快，复发少，可谓手到病除，故患者赞颂磁圆针为"神锤"。

以痛治痛

石　荣

古代名医孙思邈首创"阿是穴"风行于世，针灸大兴。而今针界同道有所忽视，吾人甚感不安。"阿是穴"即敏感点、压痛点、反应点、良导点、阳性反应点，也叫不定穴、天应穴，追其实质，就是内脏疾病在体表的反应点。该点与五脏六腑、四肢百骸、五官七窍等紧密相关。吾多年临证认为："有病必有点，点中有重点，病变点也变，点消病即散。"故临床治疗痛证若选用痛点，每收奇效。此乃"以痛治痛"也。

患者张某，右侧头痛绵绵不去近4年，药不效，针不解，痛苦异常，走遍大小医院十几家，终无根治之法。1984年5月来诊，经神经科会诊为“右偏头痛”，属脑血管神经痛。吾选用“以痛治痛”法，在患侧太阳穴附近找到2个明显压痛点，针刺并施以震颤针法，2分钟后患者痛止，随访1年从未复发。

又如王某，食不洁之物而呕吐不止，胆汁倒逆，胃脘阵阵剧痛2小时，注射吗啡不效而来诊。检查：急性痛苦病容，屈身收腹，强迫体位，呻吟不止。在胃区压痛（++），反跳痛（-），经内科会诊为急性胃炎。吾遵“有病必有点”之理，在其右腿足三里穴处找到反应点，重压痛减，去之痛剧，故以此为穴，用26号2寸长毫针扎入，并行“捻转刮针术”，不到2分钟，患者胃痛停止，呕吐消失。起针后压之，痛点已无。3天后复诊，已上班工作。

几年来余遵此理，守此法，医治各类众多疼痛患者，均收奇效，特书此文，供同道参考。

遗尿症的针刺疗法

赵国新

凡3周岁以上的儿童，在睡眠中不自觉的排尿，谓之遗尿。症见睡眠中遗尿，轻者数夜1次，重者每夜数次，久病患儿常有精神委顿，肢倦乏力等症。

医者临证多以补关元、肾俞而充益肾气，固摄下元；配以三阴交调理三阴经气；因病在膀胱，又取膀胱俞与中极之俞募配穴而增益膀胱的功能，一般会取得较好的疗效。

然而，对于遗尿日久、年岁较大之女孩，精神苦闷而自卑者，以前述穴位治之常收效甚微。

读《百症赋》中有：“倦言嗜卧，往通里大钟而明”之句，颇受启发。考其通里穴为手少阴心经之络穴；大钟穴为足少阴肾经之络穴，其经络足太阳膀胱经。针此二穴，可起到交通心肾二脏，使其平衡协调的作用。肾气足则有助于膀胱开阖以约束膀胱的作用。

在临床上对于嗜睡不易叫醒之遗尿患儿，笔者遂以通里、大钟二穴治之而奏效，其疗效颇佳。针5~7次后，再配合前述诸穴，以巩固疗效。

对于前人之宝贵经验，我们不应仅以“一句话”高度概括而忽视，只有潜心体会，方得其奥。

艾条灸治遗尿

郑艺钟

艾灸素有通经络、利气血等许多作用，而被古今医家所沿用。它的作用价值并不是针法所能全部取代的，而采用艾灸疗法能治疗针刺效果较差的某些病证。故《本草从新》曰：“艾叶……，以之灸火，能透诸经而除百病”。余在临床中常用艾条灸治疗遗尿证，尤以小儿遗尿每获良效。曾治邢某，女，14 岁，因病人幼年丧母，生活照料不周，经常睡凉铺，又因学习与家务劳动繁重，身体疲劳，夜寐深沉，经常发生遗尿已达 10 年之久。观其形体，发育较差，营养欠佳，面容憔悴，肢冷畏寒，舌苔薄白质淡，脉沉尺弱，辨证当属肾阳虚，下焦不固。治疗取穴关元，用艾条温和悬灸，每日 1 次，每次 30 分钟。经治疗 30 次而痊愈。半年之后追访，患者未复发。

遗尿之症临床中较为常见，其症状有重有轻，轻者经治疗或者随年龄增长而症状逐渐好转，甚至消失。重者则夜夜尿床，影响患者身体健康。《景岳全书》曰：“凡睡中溺者，此必下元虚冷，所以不固”，艾灸关元以温补下焦，又可增强小肠泌别清浊之功，故获良效。

灸可长寿

杜毓来

常读针灸古籍，无不推崇灸法的却病疗疾，并可延年益寿之作用者。当今老年医学方兴未艾之际，用灸法疗疾、灼艾长寿，实为简廉之举。今录一则灸法延年、满门长寿的故事，聊救时弊。

日本朝野倡导灸法保健由来已久，甚至订为学校课程以考察学生，可见其重视之程度。据日本《名家漫笔》记载：在德川幕府时代，三河国（县）有一位叫满平（又译作万兵卫）的百姓，祖传灸足三里穴，高龄达二百四十多岁，有人向他求教长寿秘方，答曰每月从初一到初八，从不间断施灸，不过男女有别，逐日变更艾灸壮数。

男：初一日九壮，初二十壮、初三十一壮，初四十一壮，初五十壮，初六九壮，初七九壮，初八八壮。

女：初一八壮，初二九壮，初三十一壮，初四十一壮，初五九壮，初六九壮，初七八壮，初八八壮。

至元保15年9月11日，江户府（今东京）永代桥梁改建竣工，召满平全家参加初渡仪式，当时他们的年龄实在惊人。每人的年龄为：满平242岁，庆长7年生；满平妻221岁，元和9年生。满平子满吉196岁，庆安元年生；满吉妻193岁，承庆元年生。满吉子万藏151岁，元禄8年生；万藏妻138岁，宝永4年生。

以上逐日施灸壮数，不一定胶柱固执，然年年、月月持之以恒，实为可贵。上述各人年龄无从细考。长寿的原因很多，以不单灸足三里穴能竟全功。但坚持常灸此穴，有益无损，故孙思邈也说："若要身平安，三里常不干"，即足三里穴常有灸疮浸润之意。

考足三里穴为胃经合穴，内通胃腑，脾化胃纳为后天化生之源，灸此穴以强中土，灌四旁使食欲消化畅旺，气血有滋。据今日之研究，针灸足三里穴均有增强网状内皮系统的功能而获免疫抗病能力，抗病能力增强则病不生、不生病则长寿，此理浅显易明。《扁鹊心书》云："岂不闻土能成砖，木能成炭，历千年而不毁，皆火之力耳。"如是灸足三里穴可助长寿，信不诬也！

水沟穴一议

|郭士奎|

原天津中医学院蒋伯兰主任，乃一代名医，尤善针灸。余有幸从之学医，受益匪浅。余于1968年8月返里，遇一老妇，年逾五旬。步履艰难，需人挽扶，呻吟呼嚎，腰痛似折，辗转困难。自谓收秋，用力过常，夜间寒袭而罹，痛处固定，按之皱眉，显有痛处。诊脉弦而细。诊断为急性腰扭伤。

余常守蒋师之授，"痛为经气不通""腰为肾之府""取穴宁失其穴，亦不失其经"。痛处属督脉之经，则急疏导督脉。取督脉水沟穴，一针疗法，进针斜刺，捻转泻法。以患者双目流泪为度，并令患者微动其腰。针拔痛止。患者致谢，弃杖舍车而走之。

今重温针灸，奇术也。《难经》云："督脉者起于下极之俞，并于脊里，上至同府入于脑，上巅循额，至鼻柱"。针鼻柱下，水沟穴，能治腰痛之疾，实为病在下，取于上，受"宁失其穴，不失其经"的理论指导而收捷效。

针刺乳疖

|张静波|

乳疖，即乳痈（急性乳腺炎）的初期阶段。好发于哺乳期妇女，尤以初产妇更为多见。多由忧思恼怒，肝气郁结；或多食厚味，胃经热毒壅滞，以致乳汁不通而引起；或因乳头皮肤破裂，外邪火毒侵入乳房，或婴儿有口腔感染，致使脉络阻塞，排乳不畅，火毒与积乳互凝，结阻成疖；或因不慎，挤压乳房，气血阻遏而发病。

治以清热散郁，利气止痛。故独取胆经肩井穴针刺，用泻法。肩井穴是足少阳胆经、手少阳三焦经、足阳明胃经和阳维脉的交会穴，能疏肝胆，清胃热。是余治乳疖的经验效穴。针刺时，严禁直刺深刺，以免造成气胸，可将针尖呈60°角向后斜刺1寸，留针20分钟，其中间再捻泻1次，1天可针刺两次。

同时取白矾1块，新鲜鸡蛋数个。在瓷盘内，先放入鸡蛋清后，持白矾块研之，研成浆糊状为止，涂于洁净布上，再贴敷于患乳的红肿硬疖处。每隔2~3小时，更换1次，即可起到清热、消炎、散郁、止痛的作用。多则24小时，少则12小时，患者即可痊愈，治愈率为100%。

带状疱疹的刺络疗法

|石　荣|

带状疱疹，是病毒同时侵及周围神经和皮肤的病毒性疾患，俗称“蜘蛛疮”。此病初期乏力，纳欠，身热，1~3日后，局部皮肤出现不规则的红斑，继而呈现簇集成群的粟粒到绿豆大小的丘疱疹，迅即变成透明发亮的水疱，重者偶发大疱或血疱，甚者发生坏疽。数日后水疱内容物可混浊化脓或部分破裂、溃疡，最后干燥结痂，大多数不留瘢痕，病程2~4周。目前对此症，中西医皆无特效疗法。吾近5年用刺络疗法，即用毫针7~8支为一撮，点刺水疱，继而用吾创制的“医用负压罐”吸液，最后外敷紫金锭。用此法治疗三百余例，皆收到较好的效果。

曾治赵某，34岁，男，右第8肋间区满布红斑，水疱4块，簇集成群，剧痛3天，夜不得寐，用止痛剂不解，前来求治。吾用撮针点刺水疱，加罐4枚，

10分钟后去罐，外敷紫金锭。次日复诊，患者昨夜安眠，高兴之至。经检查，其局部皮肤干燥，结痂形成。对余下水疱再施上法患者痊愈。

又如张某，42岁，女。患者从会阴至大腿内侧水疱簇集成群，有的破溃感染，发病4天，剧痛不解，呻吟不止。吾用撮针点刺水疱，加罐4处8枚，吸出5~10ml水血样液体，外用紫金锭。次日患者安宁，局部大多结痂，干燥痛减，随访7日，未发新疹而愈。

此法立论之理，乃因带状疱疹为湿热蕴于肌肤，侵及络脉而成。而刺络之法，能吸血排瘀，通调气血，疏通经络。

沿皮针刺“缠腰火丹”

田素琴

缠腰火丹，证属肝胆火盛，湿热内蕴。外感毒邪，毒邪化火，与肝火、湿热相搏结，阻遏经络，气血不通，不通则痛；毒邪蕴于血分，则发红斑；湿热凝结则起水疱。

出疹前3~5天，病人皆有局部灼热痛。疹发生在疼痛区域呈带状分布，为簇集丘疱疹。皮疹多在胸胁、腹部、头面、四肢部位春秋多见。虽经2~3周可自愈，但疼痛难忍。应用沿皮针刺治疗，经2或3次，疼痛即可减轻或消失，皮疹消退。

余在临床发现患者周身皮肤都可发疹，接受针刺后疼痛即刻大减。应用针刺多在发疹区，沿皮损走行，从健康皮肤刺入、平行于皮疹下面，达到健侧止。留针20分钟，每日进行1次。面积大者可以围刺。曾治一患者，左眼眶痛4天、不能入睡，服止痛药无效。晨起见其痛区起疱，疼痛呻吟不止。精神紧张，舌质红、苔白、脉弦数。左眼睑及额部肿胀，从目内眦向上至头顶见有数个聚簇丘疱疹，呈带状分布。此属足太阳膀胱经湿热蕴阻，诊为蛇串疮。采用沿皮针刺治疗，每日1次，留针20分钟。经3次医治，患者疼痛消失。疱疹干涸结痂，又针2次而愈。

应用沿皮针刺治疗缠腰火丹，收到清热利湿、解毒化瘀、通络理气、调和气血之功。通过经络传到病所及五脏，发挥机体的调节功能，使其气血运行得以通畅、营卫调和、阴阳平衡，达到扶正祛邪的目的。

针刺治疗恶阻小议

纪青山

恶阻，又称妊娠呕吐。多发生于妊娠1.5～3个月这段时间，主要表现为厌食呕吐，是妇科临床常见病之一。我在临床上采用针刺调中降逆之法，取得满意的效果。一般取中脘、天枢、内关、足三里穴，均用补法。偏于痰盛者加丰隆、阴陵泉穴；偏于肝热者加太冲穴。

我曾治贾某，女，24岁。1984年8月来就医。妊娠五十多天，不思饮食，恶心，食入即吐，周身乏力，嗜卧，头目眩晕。经当地治疗无效而来长春求医。取用中脘、天枢（双）、内关（双）、足三里（双）穴，用补法。针后患者症状大减，食入而未吐，共针3次而愈。

妊娠呕吐者，多数都是食入即吐，严重者滴水难进，故用中药治疗是比较困难的。而针刺治疗疗效快、效果好，且不用口服药物，避免吐药的弊病，所以临床上对恶阻患者应首选针刺治疗。因中脘穴是八会穴中腑之会穴，又是胃之募穴，还是任脉、小肠经，三焦经、胃经4条经的会穴，有健脾和胃降逆之效；天枢穴为大肠经的募穴，有调理胃肠、使浊气下降之效；内关为心包经的络穴，别走三焦经，又是八脉交会穴之一，通于阴维脉，具有宁心安神、疏肝降逆、调和脾胃之效；足三里穴是足阳明胃经的合穴，“合治内腑”病。诸穴相配，具有调理胃肠的作用，能使胃肠蠕动加快，浊气下降，加速胃肠内容物的排出，而不使胃肠产生逆蠕动，恢复胃肠的正常生理功能，达到调中降逆、理脾和胃的目的，故对恶阻用针刺治疗而愈。

谈针治难产

高玉琫

曾遇一农村妇女，年24岁，体格健壮。第1胎足月临产时，有产兆后，即请当地接生员接生，由于胎儿较大，接生员经验不足，产妇初期用力过猛，至宫口开全时，已全身无力，宫缩亦弱，时延2日，经用催产素等，宫缩未见加强，当地医生束手，始送石家庄市接产。入院之后因无宫缩，采用各种催产方法，效不佳。欲手术取胎，此时胎儿早已无心跳。余此时恰有事至产房，值班医师问余可否用针灸催产。因此，始用针灸治疗，首取合谷2穴，补法；次取三阴交2穴，泻之；再取催产2穴（关元旁开3寸）针约5分深，双侧同时捻转，补法，针后立即出现宫缩，约1分钟后宫缩增强，死胎随之产出，出血不多，产妇无其他不适。

又一农民，年约25岁，体格健壮，系第2胎，足月临产时始发现横位，在家经产婆接生，两日未能产出，胎死腹中，始来石家庄市医院，经产科大夫手术，牵拉胎儿两足将其躯干及上肢拉出宫腔之外，由于无有宫缩，不能产出已数小时，欲行断头术后，再在宫腔之内将其头颅破碎分部取出，此时主管大夫问余可否针灸，余答试治，当即针合谷2穴，补法；三阴交2穴，泻法；催产2穴，补法，留针之时手抚产妇腹部，感有宫缩，即嘱值班大夫准备接产，再次运针，宫缩加强，死婴自然产下，胎盘亦随之排出，出血不多，医护为之快慰。

针药合治死胎不下

刘世英

胎死腹中常不能及时自产，危害性大，有时病情又很急。1982年我在妇产科病房工作期间，凡遇到经适用芫花、天花粉、已烯雌酚引产，日期常达10天以上无效的，经我改用针灸配合中药治疗，能诱发产妇动产，进而排出死胎。针刺取穴：维胞、中极、合谷，三阴交，每日1次，强刺激手法并配合汤剂，达生饮合平胃散加减，其药物：牛膝50g、代赭石25g、蝉蜕15g、瞿麦20g、牵牛子20g、大黄15g、苍术15g、川厚朴20g、甘草5g，水煎服，每日1剂。

经治疗可使多数病人的死胎和胎盘完整排出；个别病人娩出死胎后，胎盘粘连而施刮宫术。

曾治佟某，女，25岁，孕4个月时曾腹痛，孕6个月时阴道流褐色血液，超过月经量，于3月3日住院，超声诊断为死胎。下腹坠痛，胎动停止，胎心音消失，口出恶臭，舌质紫暗偏青，舌苔白腻、脉涩，诊断为死胎不下。3月6日开始针药合治，针药后遂即引起宫缩，腹痛下坠，随着针药的次数增加逐渐加剧3月9日娩出一男性死胎，已发酵恶臭，长约20cm，胎盘完整，阴道流血不多，产后3天一切如常，出院。

又治谢某，女，26岁，孕6个月胎动停止，胎心音消失，腰腹痛，舌淡紫，脉沉缓，超声诊断报告死胎，诊断为死胎不下。先用芫花引产，口服已烯雌酚，治疗15天无效后方于3月7日针药合治，遂针刺4次，服汤剂5付，病人渐渐下坠腹痛，3日15日8时，娩出一女性死胎约200g，产后住院3天，一切正常出院。

“胎死不下”主要是“瘀阻气塞而不下”，气滞不行，死胎难以外出。针刺：中极、维胞穴，助气化加三阴交配合谷穴有坠胎的功效。汤剂中牛膝引血下行，代赭石质重下坠以助牛膝之力。大黄、牵牛子通腑下气，助气化并下血，使瘀祛气复胎自下。前药为主加蝉蜕、瞿麦辅助坠胎之功为佐药，古人即有用平胃散治死胎不下者，达生饮用大黄，牵牛子又合平胃散，目的在于加强通下之力，以逐死胎。

古书强调：胎死不下的孕妇，必见舌青口臭，针药配合能提高疗效，但不能单一归功于针或药的哪一方面，应该说是针药在治疗上互相为用的效果。

针刺治疗产后尿闭

刘世英

肾虚妊娠，胎儿较大，或产程过长，产力过猛，损伤冲任，累及肾气不化，膀胱气化无力以致发生尿闭，插管导尿不仅使病人痛苦，而且容易引起感染。

我曾用针灸治疗产后尿闭数十例，多是住院产后 12 ~ 28 小时不能自行排尿者。临床见症多有：小腹胀痛，下腹隆起，膀胱充盈，腹胀，尿之不出，精神紧张，表情痛苦，呻吟不安，脉沉滑有力而数。

大部分病人经针灸 1 次，即能自行排尿，少数病人需重复再针，一般病人均在针刺后 20 分钟内自行排尿。

对该病取效，必须掌握三个关键：处方合理、取穴准确和手法有术。处方：主穴是利尿穴，配穴：气门、营池穴。

利尿穴位取法：量取由印堂到鼻尖的长度，按此长度作一取穴标尺。然后将此标尺的一端放于脐中，标尺按小腹正中线垂直向下，标尺的另一端是穴。

气门穴位取法：脐下 3 寸，旁开 3 寸。

营池穴位取法：足内踝下缘前后之凹陷处，每侧两穴，左右计 4 穴。

手法：针刺利尿穴，选 5 寸不锈钢针，轻快点刺于皮下，徐徐捻压直入深达膀胱腔内，此时开始运行两步，候气手运法，第一步施展常规，“候气十六字手运法”，即：急提慢插，弹动振颤，上下诱导，左右捻转，催促产生小腹缩坠感为度，其意在于借针刺运动的激发，复苏已经麻痹的膀胱逼尿肌再度收缩。第二步，待第一步候气法完成后，立即把针体提升 3/4，然后改换进针角度为 45°角，再向下延深徐徐刺入后提升约 3/4 针体，仍然施展“候气十六字手运法”以促使患者尿意感明显增高为度。第二步候气动机，借针的刺激，引动内括约肌舒张。经过两次候气，引动了膀胱逼尿肌收缩；内括约肌舒张，一收一缩形成了排尿反射，则尿液即可排出。

针刺气门穴手法：选4寸不锈钢针，徐徐直入，针尖稍偏内侧，深度3寸，然后施展手运法，候缩坠感为度。以助利尿穴之功效为佐。

针刺营池穴手法：选1.5寸不锈钢针，针刺凹陷深层进针8分，候气至局部酸胀热为度。

以上3穴针入得气后，稍待即可起针，均不留针。取穴准确，手法有术，借针刺引动阳气气血疏通，代谢正常，气化则能出矣。

针刺长强治婴幼儿泄泻有奇效

王秀莲

婴幼儿时期，其体质特点，除了“纯阳之体”与‘稚阴稚阳”外，“脾胃薄弱”又为其一大特点。脾胃薄弱非但吐泄常发，而且易导致肾气不足。

笔者临床二十余载，但见婴幼儿有因泄泻而求治者，不论其为急性、慢性或痢疾，均以针刺长强治之。经治患儿不下五百余例，均收显效。1964年曾治一陈姓男婴，自生后3个月于寒冬时节其母为其洗浴，随患泄泻，1年多来，泻下每日十数次，泻物为蛋花样混杂鱼冻样黏液便，腥臭味，伴有脱肛。面色萎黄，皮肤皱褶，手足发凉，神疲乏力，食少，以牛奶饼干为主食，尚未断奶。大便经多次检查有脓细胞及红、白细胞，细菌培养阴性，诊断为“慢性痢疾”，延请中医诊治。经针刺2次后，患儿大便次数减少到1日3次，鱼冻样黏液减少；又针刺5次后，大便粥样，1日2次以下，化验检查有少许白细胞。后嘱其调摄饮食，并教其母捏脊方法，自行调治，1个月后患儿大便成形软便，饮食增进，精神好转。

针刺方法：令人紧抱患儿项，屈膝，身体呈弓形弯曲，显露臀部，取长强穴，常规消毒，医生以左手拇指抠住其尾骨尖，并施以揣穴法，右手持1.5寸毫针，沿左手拇指尖刺入1寸许，施以捻转（不许提插），3次1停，如是者3，随即出针，以棉球按压针刺点片刻即妥。虚弱者加灸神阙或隔姜灸，有疳积表现者加刺四缝。对大便基本正常后而有脾胃虚弱者，可停针刺治疗，改施捏脊以善其后。

针刺水分治疗婴幼儿腹泻

张华珠　孙文先

我们采用针刺水分穴治疗婴幼儿腹泻，一般1～3次即可痊愈，简便易行，疗效满意。

手法：直刺水分穴1.5～2寸，强刺激，留针30～50分钟，留针期间，捻转2或3次。

治疗：伤食者：腹胀痛，拒按，不思食，苔腻，脉滑，泻下物不消化，有明显的酸腐臭味。直刺水分穴，留针30分钟，一般1次即可见效；脾虚者：面色萎黄，神疲倦怠，纳差，腹喜按，苔薄白，脉濡细，泻下不消化物，食后泻下加重。直刺水分穴，留针50分钟，加艾灸，留针期间捻转2或3次，一般2或3次可愈；若属湿泻：病儿身热不扬，精神困倦，嗜睡，口渴不欲饮，肢体酸软，苔白腻，脉濡，泻水样便而繁，甚者日数十次。直刺水分穴，留针50分钟，一般1或2次可愈。

非洲疟疾诊治一得

诸云龙

笔者在随中国医疗队去扎伊尔工作期间，治疗疟疾甚多。非洲之疟疾发病急骤，症状多变，多数无寒热往来之症状，更无间日、三日发作之规律。临床上或仅见头痛、眩晕，或只见恶心纳呆，有的以神疲乏力为主症，有的见关节疼痛等表现。与国内所见之疟疾症状表现迥异。

在治疗上，西医之各种抗疟药对非洲疟疾疗效甚微，加之毒性及反应不良甚多，故外国朋友多来我医疗队求治。吾常以针刺治疗该病，并收到满意之疗效。

吾常用之主穴为：大椎、风池、间使。如发热明显加曲池、合谷穴；头痛眩晕加太阳、印堂穴；恶心纳呆加内关、足三里穴；失眠心悸加安眠、神门穴。每日针治1次，5次为1个疗程。针刺期间停用一切药物。两年来共治疗本病48例。临床有效45例。血涂片镜检，治疗前均找到疟原虫无性体，治疗后原虫消失者42例。由此可见，针刺治疗疟疾，无论在控制症状方面，还是在血涂片转阴率方面，效果均明显的优于药物治疗。故不揣愚陋，予以赘述，一得之见，聊作引玉之砖。

师训按摩经

陈志华

古人留下按摩经，一般手法人不明。人身经络有十二，三百六十五络通，周流一日零一夜，气滞血凝病即生。肿痛有余古来理，酸麻之间气血行，不用汤药来导引，按摩须得手法平。手法深深按住病，重按轻抬要少停。余今按摩已多载，酿作歌诀传后生，学者如能明此诀。疗病犹如火化冰，庸医多不明此理，莫把按摩术看轻。头痛左右太阳穴，风池风府一样攻，连捏带按十余次，须臾头上即觉轻。双目昏暗视不明，按觅睛明运目眶。鼻塞无闻香和臭，通利鼻窍按迎香。耳聋浑焞不闻声，耳旁各穴均能聪。口眼歪斜面不正，面部诸穴皆可用。肩臂痿痹不能举，肩髃按之效无疑。两肘挛痛动艰难，按罢曲池将肘牵。头面手足诸般症，合谷一按可收功。按定人迎有动脉，二七呼吸臂上通。锁骨窝内按缺盆，呼吸二七臂上行。云门肩头巨骨下，按定动脉在内生，此乃要摧肺中气，二十一度气要行。极泉腋窝心脉始，按定此穴心窍清。乳房期门是肝脉，重按腹内亦有声。大包穴在乳筋内，此是脾经脉络通，斜按能调五脏气，心胸之病往下冲。两手齐拢胸膈骨，大指深按巨阙中，指下气动即是病，随手重切向下攻。上中下脘俱按到，呼吸二七把手松，两腿宛如火来烤，热气走到两脚中。左右有动石关穴，此是积聚在内横，一样按法往下送，淤气下降病觉轻。肓俞穴动肾气走，抬手热气散如风，一样按法二七次，腹中轻快病无踪，是寒是火随气降，七疝原来是肾经。盘脐有块俱是气，按住犹似石块形，重按轻揉在指下，朝夕按摩要费功，按来按去气血散，脏腑调和病不生。脐下二指名气海，按之有动气脉横，丹田不通生百病，体衰身懈气力空。小腹不宜按摩法，曲骨动脉名气冲，一连按动二七次，小腹淤气往下行。阴股动脉通五里，伸手摩脉抓大筋，能调五脏阴阳气，疼痛难忍方为真。阴陵穴在麦辅骨，手指振动筋有声，正面按摩通到底，肚腹之中气自通。胸腹按摩手法尽，再从背后一程行，君若试探劳心记，胸腹疾病定扫清。平肩大筋真气聚，捏此开通气血行。脊骨两旁一寸五，此是太阳膀胱经，两条大筋伸手捏，上下抓着筋有声，内连五脏与六腑，风寒暑湿尽皆通。伸手抓到肾俞穴，按之大痛穴为真，此穴善治下寒病，腰痛之病立见功，若要不痛拿至痛，此乃仙术定非轻。肾旁左右名带脉，大筋揪起痛更增，能降胁下阴阳气，六脉调和甚分明。脆肓脊骨第十九，去脊三寸在两旁，伸手连揉十数次，背气相通到腿上。承扶闭结用脚踩，此穴阴股绾中央，腿上酸麻气血降，患者不觉细参详。阳陵穴在膝外侧，振动小筋痛难当。承山能治五脏病，伸手摸捏痛非常。踝上大筋着力起，疼痛难言不要忙，此穴能调周身气，寒火腹痛立消亡。按摩能调阴阳气，总使气血归位卿，运妙手功胜良药，着手成春病安康，救灾济世行方便，存仁施德寿延长。

此训为先师胡秀璋教授所传，余结合二十余年的临床实践整理录上。

小儿面瘫治验

赵国新

小儿面瘫，即小儿“口眼歪斜”。国内成人患本病者多，而索马里小儿面瘫在临床上占有很大比重。考其病因，该国地处赤道，气候炎热，人多喜纳凉，经常在树荫下席地而睡卧所致。为减轻患儿痛苦，由针刺而改用推拿疗法治之。运用推拿疗法共治疗9例（其中男性患儿7例，女性2例）。其主要症状为眼裂大，流泪，鼻唇沟变浅或消失，嘴歪、漏气漏水，患侧面部感觉迟钝、麻木等。

运用推拿手法及选用穴位是：①令患儿仰卧，医者站于其患侧，以大鱼际揉法从其前额、太阳穴下至患侧整个面颊，治疗10分钟左右。②以一指推法重点在印堂、攒竹、睛明、太阳、承泣、四白、耳门、颊车、人中、承浆、地仓、大迎等穴位上刺激，反复刺激数次。③再以拇指揉法在承泣、四白，迎香、下关，颊车、人中、承浆等穴处强刺激，并分拨人中、承浆之筋。④令患儿取坐位，医者左手握住患儿四指，以右手中指端或中指屈曲捣其小天心穴，10分钟左右。左侧面瘫捣患儿右手，反之右侧面瘫捣其左手。

经用上述方法治疗，多则推拿14次，少则6次即愈。深受索马里人民欢迎。

应用推拿手法治疗，受刺激的局部产生热的生理效应，使皮温增高，改善血液循环、新陈代谢及营养状况，使麻痹的肌肉得以恢复，以达到“疏通经络，调和阴阳，以通气血”的作用。笔者认为，推拿治疗面瘫实为疗效颇佳，易为患儿乐于接受的一种好方法。

漫谈小儿肌性斜颈

陈志华

小儿肌性斜颈，又称“小儿歪脖”。本病的病因、病理，目前虽无统一的说法，但多由于分娩（特别是臀位产和产钳助产）时，一侧胸锁乳突肌因受产道或产钳挤压、牵拉而受伤出血，血肿肌化并造成挛缩所致，故又有“初生儿肌性斜颈”或“初生儿胸锁乳突肌挛缩性斜颈”之称。

对本病的发现并不难，在小儿出生后数日或数月，如留心观察，则可见小儿头部常向一侧（患侧）倾斜，颜面旋向健侧，若勉强用手转动纠正，常激惹小儿哭闹，将手松开，其头部又随即回复原位。在为小儿擦洗颈部时，常可发现患侧颈部皮肤皱襞多，在襞纹之间积存有不洁之污垢，患侧乳突与锁骨间距小于健侧，并可在患侧胸锁乳突肌的中部或胸锁骨端的附着处，触及到大小软硬不等、并可随肌移动的犹如梭形的肿物。如发现较晚，肿物虽已不甚明显，但因血肿机化，形成挛缩，紧张变硬，突出如条索，头颈部的活动受限，患侧颜面的发育也受影响，使患儿双侧颜面不相对称。病期较久，甚至还会产生代偿性的胸椎侧凸畸形。

推拿对本病有较好的疗效，通过对770例小儿肌性斜颈的临床观察，其中痊愈者653例，好转者98例，无效者19例。

医者一手托扶患儿项部，使患儿头部后伸，以加宽颈部便于操作；用另一手拇食中三指捏法和拇指揉法，沿患侧胸锁乳突肌自上而下反复操作，重点在肿物周围，作用力要深透，以疏调经筋，行气活血。操作时，注意不要用手滑动或扭绞皮肤，尤其对初经治疗的患儿，因皮肤对手法的刺激阈低，尤当注意防止皮肤损伤。

用拿捏法对肿物部位进行挤压，宛如将肿物拿起捏瘪，挤散一样，反复操作3~5次，如肿物范围较大，可沿肿物的形态自上而下反复操作2~3次，以挤压血肿。操作时，手法不宜过重，并需与揉法相交替进行，以避免因疼痛而激惹患儿剧烈哭闹。

医者一手扶住患儿患侧肩部，一手扶住患儿头顶。将患儿头部渐渐向健侧肩部倾斜，反复进行多次操作，以使其患侧胸锁乳突肌得以伸展。

捏揉患侧斜方肌，以缓解斜方肌反射性肌紧张，并拿肩井穴结束操作。

此外，在治疗期间，还可在婴儿睡眠、哺乳之时，用硬枕夹持其头部两侧进行矫正，经常用玩具诱引患儿，使其颜面向患侧旋动，均可起到辅助治疗的作用。

本病以婴儿月龄越小，发现越早，疗效越好。绝大多数患儿在治疗过程中，肿物逐渐缩小，变软，头颈部活动的幅度逐渐恢复，经1~3个月的治疗，可获痊愈。但对极少数病期较长胸锁乳突肌结构性的形态改变严重者，则一时尚不能完全纠正。

小儿腹泻的推拿疗法

赵国新

采用小儿推拿治疗婴幼儿腹泻疗效颇佳，一般经3～5次推拿即愈，无任何痛苦，易为患儿接受。凡经推拿治愈的患儿母亲，多主动向他人推荐小儿推拿的可靠疗效及其优越性。

但某些医者在治疗时简化为只取三两个推拿穴位及手法，如摩腹、揉脐、推上七节骨等，而不以患儿症状为依据进行辨证施治，更谈不到选用适当穴位及手法，这样是达不到预期治疗目的的。

笔者治疗本病有些粗浅体会：①伤食泻：其治疗原则为消食导滞，健脾止泻。临床多以清板门、补脾经、清大肠、点揉天突等穴位和手法治之。清板门可健脾强胃，消食导滞；补脾经健脾燥湿；摩腹通滞而止痛；清大肠则疏通大肠之积滞；点揉天突穴可降逆止呕。治疗伤食泻重在消食导滞，兼健脾止泻，是先标后本之治法。②脾虚泻：其治疗原则为健脾益气，温阳止泻。当选用椎三关、补脾经、摩腹、补大肠、推上七节骨，按揉脾俞、胃俞及大肠俞穴位和手法。因推三关性温热，能温脾散寒；补脾经可健脾益气，为治疗脾虚而致的阳气不足、四肢厥冷，面色无华，食少之要穴；补大肠固肠止泻；推上七节骨温阳止泻；摩腹健脾和胃、理气消食；揉脾俞能健脾胃、助运化、祛水湿；揉胃俞、大肠俞可消腹胀肠鸣而止泻。故上述诸穴重在强健脾胃，增强运化功能，实为治本之法。③寒湿泻：其治疗原则是温中散寒，化湿止泻。治疗时除选用补脾经推三关、补大肠外，宜加用揉外劳宫、推上七节骨、揉脐、揉龟尾等穴位和手法。揉外劳宫可温阳散寒；推三关温阳散寒，健脾燥湿；推上七节骨可温阳止泻；揉脐健脾化湿；揉龟尾可温中止泻。加之补脾经、补大肠的治疗作用，则是标本兼顾之治法。④湿热泻：其治则为清热利湿、调中止泻。临床多选用清脾胃、清大肠、清小肠、退六腑、揉小天心等穴位和手法治之。清脾胃以清中焦湿热，健脾助运；清大肠与退六腑可清利肠腑之湿热积滞；清小肠能清热利尿除湿；揉小天心除烦镇惊。所以本法亦是标本兼顾之治法。

在运用推拿治疗期间，停用一切药物。病情较重或病程长者，以每日推拿两次为佳。

按摩排尿治疗尿潴留

陈志华

临床上常规采用不同形式的膀胱引流治疗尿潴留，但是经过反复应用或长期应用，都可能发生泌尿系感染。但采用按摩排尿的方法，既能解除尿潴留之苦，又能防止泌尿系感染之弊。自1970年以来，运用本法治疗因脊髓疾病、脑血管疾病、前列腺肥大、下腹部手术以及一氧化碳中毒等所引起的尿潴留约120例，均收到立竿见影的疗效。

患者仰卧位，腹部放松。医者在患者左侧，依据充盈的膀胱上界的不同位置，相应地按压关元、石门、气海穴。在按压时，医者的手掌（或指）应顺着患者的呼气，由浅入深地徐徐向耻骨联合、脊柱方向按压。按压的深度以患者能耐受为度，当下腹部出现强烈的坠胀感时，不再继续向深部按压，应维持30秒~2分钟，尿即可排出。当尿排出时，不要抬掌（或指），要随着膀胱充盈程度的降低继续深压，直至膀胱空虚，尿完全排尽，方可将掌（或指）缓缓抬起，结束操作。

尿潴留属于祖国医学的“癃闭”范畴。《素问·宣明五气论篇》中说：“膀胱不利为癃。”《灵枢·本输》篇中说：“三焦者，……实则癃闭。”究其病因，责之三焦气化功能失司，导致膀胱气化不利所致。腹部按摩具有疏调人身气化功能的作用。按压法所按压的腧穴（气海、石门、关元）又均为肾之原气所聚的部位，而三焦与命门一气相通，故通过按压可借以调节三焦的气化功能。三焦的气化功能复职，则水道得通，小便得利，尿潴留得解。

略谈指法按摩

刘洪涛

清代吴谦说过，手法是正骨之首务。说明手法在治疗骨伤病方面的重要性。施法得当，病情缓解，减轻痛苦，效果显著。要想施法自如，必须苦练基本功，方可做到发力准确，柔和，协调，灵活。手眼心并用，以达到得心应手之程度。

手法之要领：即稳、妥、准、匀，要做到持久有力，重而不滞，轻而不浮，刚中有柔，柔中有刚，从而达到深透之目的。力了达到预期的疗效，必须根据患者的体质、性别、年龄，部位、婚否，查清病情，作出正确诊断，制定治疗方案。

我受家传师授，积40年临床经验，总结了一套伤科辨证手法十六部，现仅将指部手法简介如下：

施法时常用拇、食、中指。着力部位指尖、指侧、指腹。姿势：沉肩屈肘，手指发力。

1. 点穴按摩又叫指针法：以拇指尖着力，拇指立起，戳在痛点或穴位上，点而不移，持久有力，至病人有舒适感和传导感为宜。也可根据经络循行，远端取穴。其作用为通畅经络，镇静止痛。

2. 指振法：用拇指尖，紧压应振之处。可随呼吸起伏，有节奏地施力，切勿突然发力。由于此法振颤，故能缓解局部紧张、瘀肿、并有活血止痛之功能。

3. 指滚法：以拇指侧面贴于患处，从上而下，从内而外，灵活滚动。手法要柔和，深透有力，避免触伤皮肤。作用疏通经络，活血止痛，滑利关节。

4. 指刮法：又称分理法。用拇指侧面，紧压皮肤，在患处进行分理手法。操作时，应深透有力，最深达到粘连组织。作用祛风散寒，温通经络、疏通气血、剥离粘连之功。

5. 指按法：以拇指腹，按压在痛点或穴位，可用单手拇指或双手拇指叠按。但用力必须适宜，勿使疼痛。其作用为理通气血，除滞镇痛。

6. 指揉法：以拇指腹，着力在身体某部或穴位上，做回旋揉动。轻揉达皮下组织即可，重揉时可作用到肌肉。适用于身体小部位局部红肿处。作用促进血液循环，消肿散瘀。

上述系在自己临床多年的一点体会，简单加以归纳。总之，手法为骨伤科传统治疗的一重要组成部分，疗效之高，非他法所能比拟。作者认为，提高手法效用的关键，在于基本功之锻炼。故提出此见解，希同道们共同研究。

推拿治疗骨伤病

薛　增

推拿，属中医外治法范畴，运用手法治疗骨伤病，是本科临床治疗的一个重要方面。在《医宗金鉴》一书中就有“手法者，诚正骨之首务哉”的记载，并详细地介绍了骨伤常用的“正骨八法”。说明古人在骨伤病中是非常重视手法治疗的。直至目前，临床上常见的骨折、脱位、伤筋以及内伤等疾病，均可运用手法进行治疗。假如骨折错位、关节脱位不首先运用手法进行复位，仅靠药物进行治疗，其后果将不堪设想；对软组织损伤，如不进行手法治疗，收效不但较慢且易留下粘连、拘挛等后遗症。

祖国医学认为，人体四肢百骸均应气血旺盛，经络通畅，营卫调和。如由各种病因所致的气滞血瘀，经络不通，寒凝湿阻，气血不足，营卫不和等病证，都可以运用推拿手法直接作用于病位或穴位，以行气活血、舒筋通络、通利关节、温经散寒、调和营卫气血。

从现代医学上分析，关节韧带的急性扭挫伤（如腰、膝、踝关节等），或慢性退行性疾病（如肩周炎等）及非感染性炎症（如坐骨神经痛）等所致的骨、软组织损伤疾患，其病理有的是造成小关节错位、滑膜嵌顿压迫神经血管；有的为软组织过伸拉伤、撕裂，毛细血管破裂，局部瘀血、充血或渗出；损伤日久形成粘连萎缩或功能障碍等。通过推拿手法的治疗可以促进局部血液循环，解除错位、嵌顿和压迫，减少渗出、促进吸收，达到止痛、消肿、化瘀、改变萎缩及功能障碍，使损伤的组织尽快修复的目的。因此，对一些骨伤病，采用推拿手法治疗，直接作用于受伤部位，要比用药物治疗收效快、简便易行。对此，本人在二十余年的临床工作中深有体会。当然，手法的熟练程度、恰当的运用等等，对治疗效果亦有直接影响。

总之，推拿手法在治疗骨伤病中的作用是相当明显的，应该学习，运用和推广。

推拿“梳法”治疗胸部内伤

薛 增

医者一手或双手五指分开，指端着力，向内、向外、向前推挤患者的肌肉，谓之“梳法”。取其五指分开，形象如梳子之意。此法多用于胸部内伤中的伤气、伤血及气血俱伤之疾患，为家父所传手法之一。

胸为肺府，肺主气，朝百脉。因此，凡胸部内伤，大多出现气滞血瘀之征象。患者多有胸闷气急与呼吸、说话、咳嗽时痛甚等症状，在患处的肋间隙运用梳法，可宽胸理气、疏经通络，使留瘀停积于肌肉肋膜之间的瘀血迅速消散，缓解临床症状。

余于1978年6月接诊一吴姓女患者，因搬运货物时用力过猛，随即出现胸痛，胸闷气急，不能大声说话，用力呼吸及咳嗽时痛剧。翌日晨起，其诸症未减，并有痛无定处之感。X线显示其胸胁部未见异常，诊为胸胁迸伤，治以宽胸理气，疏经通络之法。嘱患者取仰卧位，在胸胁部沿肋间隙用双手梳法，继用搓法于两胁，约10分钟。仅按此法治疗1次，患者诸症缓解，恢复工作。通过多年临床实践，笔者体会到，在运用梳法时，五指用力要匀、稳、动作宜缓，不得过急、太猛。不然，非但不能取得满意的疗效，反而容易造成新的损伤。

过敏性鼻炎临证一得

奚忠贞

北方寒冷，易生鼻病，中医谓之鼻渊、鼻鼽，鼻窒等，西医称之鼻炎。鼻炎种类不一，其中过敏性鼻炎难愈。此病虽不能危害生命，但经常鼻塞、鼻痒、流泪、不闻香臭，也很痛苦。由于医学的迅速发展，给过敏性鼻炎病人带来了福音，临床治愈甚多，但其中也有不愈者，吾用苏合香丸治疗此病，颇有效验。余曾治一患者王某，因中寒吐泻，心腹痛，来我科诊治。自述 3 年来，鼻塞流涕，嚏泪不绝，反复发作，体力渐衰，经医院诊断为过敏性鼻炎，求治诸医，久治未效，病情不减。今投苏合香丸 3 盒，药后病愈，经随访无复发。

另有本院何姓女工，素对煤油、油漆过敏，触之即鼻塞，涕泪俱出，哈欠不止。吾亦投予苏合香丸 1 盒服之，也愈。为此，该人常备苏合香丸，以防病发。后来，我即用此药治疗过敏性鼻炎，均有效验。

过敏性鼻炎，也称变态反应性鼻炎，是对某些物质过敏所致。中医认为鼻炎也有寒热虚实之分，如鼻渊流浊涕是脑受风热，鼻鼽流清涕是脑受风寒。苏合香丸对鼻鼽的治疗，颇有效验。虽然方书未曾记载，但是，此方有温中行气清脑之功，故有治疗过敏性鼻炎的作用。本方集中苏合香，沉香，麝香、檀香、丁香、乳香、青木香、安息香、香附、冰片 10 种芳香开窍，行气解郁，散寒化浊药物；并以荜茇配合诸药以增强散寒、止痛、开郁之力；犀角解毒；朱砂镇静；白术健脾化浊；诃子温涩收敛而化痰涎。

另外，鼻为肺之窍，故其病多始于肺气虚，又复感风寒或移浊之气，闭塞肺窍，致肺气不宣，卫外功能减弱，故易患感冒伤风之症，如鼻塞、流涕、喷嚏、头痛等。主要病机是风寒秽浊之气，闭塞肺窍。投予苏合香丸，芳香辟秽、开窍，故病痊愈。

鼻渊证治小议

张凤舞

鼻渊证，包括现代医学鼻窦炎。虽非危症，若失治，则拖延病程，患者苦之。忆昔日门诊时，遇一搬运工人，年近五旬。其形体羸瘦，精神萎靡不振，语言无力，自谓前额痛1年余，经多方调治未愈，问余曰："求治中医能否治之？"余曰："试诊之。"询及病情，始知其除前额剧痛外，鼻梁骨、眉棱骨均痛。且鼻息窒塞，时流浊涕，不闻香臭，食不知味，纳呆。诊其脉弦数，舌质赤，苔薄黄。诊为"鼻渊证"。余以散风通窍、利湿清热法，选辛夷散化裁主之。"疏方：辛夷5g、川芎3g、白芷6g、苍耳子6g、桔梗9g、麦冬9g、藁本3g、甘菊9g、木通9g、黄芩9g、玄参9g、甘草3g，嘱服3剂。患者复诊，谓其前额及鼻梁骨痛减轻。药证合度，继进前方3剂。再次复诊时，谓前额及鼻梁骨、眉棱骨痛，鼻腔肿痛均显著减轻，浊涕已少，鼻能闻味矣。嘱继服前方5剂。四次复诊，诸痛基本消失，饮食知味，精神转佳，为巩固疗效，继进前方10余剂，诸症悉愈。

患者谓余曰："吾患此证一年余，经君之治，短期获愈，其因安在？"余曰："贵恙系外感风寒，日久未解、肺窍闭塞，肺气失于宣降，郁而化热，温热蕴蒸，上炼于脑。清阳不升，浊阴上逆。《灵枢·脉度》篇曰："五脏常内阅于上七窍也，故肺气通于鼻，肺和则鼻能知香臭矣。"经旨阐明，致此证之机制，常与肺脏密切相关。故余之治，以辛温芳香开窍为主，甘寒苦降、滋阴清热利湿、升清降浊为辅。肺气得宣，升清降浊，鼻渊自愈矣。

余在多年的临床实践中，运用此方，辨证化裁，治愈本证三十余例，效果良好。

顽固口疮管见

孔令诩

口疮一证，早见于《内经》。病因则有心胃火盛，脾肾阳虚，阴虚火旺等多种。一般主张，初发者实热居多，久延者虚证为主，甚至有认为反复不愈者主要是由于脾肾阳虚所致。但原因是多方面的，故不可泥于此说，对慢性口疮患者亦须灵活辨证。

吾师张继有所长曾治一女患者，年逾50而体素健，患口疮越3年，疮面多处，灼痛难忍，艰于食饮，多方求治，总未能愈，苦恼异常。吾师视其面赤，询其便燥，诊脉细数，系实火内郁，阴液不足，虚实互兼，故拟兼治。投以生地黄、麦冬、玄参、石斛重剂滋阴；以石膏、黄连、黄芩、大黄而清心胃之热，通其腑滞；以灯心草、淡竹叶使邪从窍出；用当归以顾其脉细，兼养血治血润燥。服药后患者症缓，便调，去大黄继服，所苦顿愈。

治疗口疮并非必用寒凉药

李佃贵

治疗口疮一证，世医多用寒凉之品以泻其实火，或用滋阴清热之药以降其虚火。不知此证除阴虚火旺或火毒上攻者外，尚有脾土气虚，阴火上炎或下焦阴寒太甚而致虚阳上扰发病者，虽外观呈一派热象，但用寒凉滋阴之药必不能奏效，须用干姜、肉桂之类辛热药方能获效。曾治一男病人宋某，患口疮二十余年，反复发作，久治不愈。重时口腔、唇、舌等处约有二十余块溃疡，大者如蚕豆大小，小者如绿豆粒大，饮食不能入，颇感痛苦。1 周后开始逐渐消退，愈后又重新出现新的溃疡。如此反复发作，无有休止。曾多方求治，服用中西药及外用药涂擦，效果均不显著。余阅其前服诸药，西药皆抗生素和维生素之类，中药不是清热解毒之苦寒药，即是滋阴清热药，共服 300 余剂。余思之，若因火毒或阴虚所致，已服 300 余剂尚未奏效，当变法治之。遂用附子理中汤加黄芪 12g、茯苓 12g、广木香 6g、藿香 6g。俗话说：”久病成医”，患者几年来常请中医诊治，又因病久不愈而经常自学中医，故当处方后，惊问此方是否对症？余向其解释开此方之理，嘱其不必忧虑。患者服 4 剂后来复诊，口疮已大部消失。后又以前方加肉桂 2g，服 4 剂而愈。此后，又有一实习学生带来一口疮病人，邀余诊治，余谓非温之而不愈，学生当时表示怀疑，后从余言施治而愈。我体会到，用寒凉泻火或滋阴清热药不效者，当认真辨证，求其病源，变方治疗，才能取效。

顽固性口腔溃疡

邢须林

顽固性口腔溃疡，临床表现为口腔黏膜溃疡反复发作，迁延难愈。临床分为虚、实两类：实证以心脾火热上炎，治以清热凉血，选用清胃散，导赤散之类；虚证阴虚治以养阴，选用甘露饮、六味地黄丸之类，以治一般。但顽固性口腔溃疡，时愈时复，可达十几年之久，缠绵难愈。究其病因，寒热错杂，虚实并见。从部位分析：心之脉系舌本，脾之脉散舌下，阳明之脉环绕口唇，肝之脉，从目系下颊、环唇内。从病因分析：口腔溃疡与脾之湿、胃之燥、心之火、肝之风相关。此风火燥湿可互为因果，由湿化热，热蒸湿郁，伤津耗液，血燥生风，升降停滞，后天失运，脏腑虚损，以致口腔糜烂，故饮食言语均为之受累，热盛痛甚，热退痛减，湿盛糜烂，燥盛皲裂，风盛痒痛，病因繁多，故难愈。调理宜从虚实并治，寒热并用，从虚从实，量其多寡。

曾治一女患王某，患口腔溃疡19年，经中西名医诊治罔效，时愈时复。经省某医院检查为口腔黏膜溃疡。发时急躁易怒，疼痛难忍。大便初硬后溏，溲淡黄。溃疡面边红中白而亮，舌边尖红，苔白滑中厚少津，脉弦缓，两关略大，此属脾虚胃燥，升降停滞，肝郁不舒，心火失降，经络不宣，清窍蒙眬所致。

方药：黄连、白术、青皮、茯苓、厚朴、土贝母、羌活（全蝎）、石斛、干姜、甘草。

以上方服3剂，患者病减大半，6剂而愈。后以调理肝脾续服10剂，以善其后，至今两年未发。

郑老治喑证之绝技

杜福权

建国前后，北京前门医院郑英甫老先生在北京京剧界享有盛名。梅、荀、程、尚等京剧名家声音嘶哑或咽喉不适时，都请郑老调治。早在30年代，一次梅兰芳准备登台演出《霸王别姬》。一块银元的戏票，40天前在西安早已售空。但临开演的前1天，梅先生因声音嘶哑不能登台演出，心急如焚。于是立即派飞机将郑英甫接到西安给予治疗，结果1剂汤药服下，顿时打开了梅先生的嘶哑咽喉，使梅兰芳能按时上演了《霸王别姬》。

1963年郑老先生已72岁高龄，卫生部指示北京市卫生局派人前往学习，继承郑老先生治声音嘶哑的绝技。吾有幸受市卫生局和北京中医学院党委的派遣，到北京前门医院随郑老学习。

郑老严肃少言，医疗作风严谨。我随他学习3个月后，才允许我抄方。在抄方时，我留心搜集每一个处方，列表分析，终于找出规律。其主方是：金银花、连翘、苦杏仁、苦桔梗、黄芩、麦冬、胖大海、杭菊花、蝉蜕、凤凰衣，一般用量6～10g水煎服。其加减有胸闷脉弦者加柴胡10g、枳壳15g；咳嗽有痰者加清半夏10g、旋覆花15g、白前6g；有咽红、口渴者加生石膏15g、生地黄25g、玄参12g、沙参15g；有头痛者加桑叶10g、白芷、羌活6g，视症而定。

此后凡遇嘶哑患者，用郑老之方每获佳效，至今亦用之有效。

暴喑治疗小议

吴崇奇

临床上常常见到有的人突然音哑不能言，此为暴喑。以教师患此病者多见。得此病证之人精神紧张，负担较重，有时怀疑自已患了“喉癌”，甚为苦恼。

暴喑多属实证，本证病变主要在肺系，而关系到肾，因肺脉通会厌，而肾脉夹舌本。肺主诸气，声音由气而发；肾藏精，精足则能化气，精气充足则能上荣于会厌而发音。《直指方》说：“肺为声音之门，肾为声音之根”，《灵枢》认为“会厌为声音之门户”，所以发音与肺，肾二脏关系极为密切。

余诊治此证多用“清咽宁肺汤”加减，取效速捷。此方出自《统旨方》一书，其药物有木蝴蝶15g、桔梗15g、蝉蜕12g、浙贝母12g、前胡12g、桑白皮10g、薄荷10g、知母7g、甘草5g。

余曾治一例男性患者程某，小学教师。家属代诉，病人突然音哑已7天。该患者1个月前曾患感冒，发热鼻塞，口渴喉痛，伴有声音嘶哑，经服银翘散而病情减轻。但近来因工作疲劳过度，讲话太多，遂致声音嘶哑，以致不能出声，痰黄黏稠。经当地中西医诊治未效，故来长春以求确诊。余检查其喉部未发现异常，舌苔黄腻，脉象滑数。此为痰热内盛之征，余以清咽宁肺汤加减，以清肺利窍化痰。疏方：石膏30g（打碎先煎）、木蝴蝶15g、桔梗15g、蝉蜕15g、浙贝母15g、黄芩15g、前胡10g、桑白皮10g、薄荷10g、知母7g、甘草5g。经服4剂后，患者已可讲话，略有声音嘶哑，余又用增液汤化裁，以养阴生津益气，服用2剂后患者讲话正常，其病痊愈，欣然返回通化。

对本证治疗分两步进行，初期治宜清肺利窍为主，方用清咽宁肺汤加减。后期用增液汤化裁，滋阴益气，以善其后。

一般地说暴喑易治，但贵在速效，久喑难疗。所以临床辨别虚实，非常重要。

中医治急证小议

王圣云

余曾在广西南宁，逢湖南同道某教授，言中医治疗耳鼻喉急证用清热解毒与活血化瘀药物之经验，深受启发。临床上，遇一耳病重证患者，症见右耳疼痛难忍，局部肿胀，突出于耳窍表面，肿物色红稍有破溃，有少量血性分泌物，舌红苔白腻，脉弦数。随选用“五味消毒饮”加减治疗，药用金银花20g、菊花20g、蒲公英50g、紫花地丁25g、赤芍20g、当归尾10g、皂角刺15g、乳香20g，投两剂。3日后患者来诊，耳痛大减，肿已消。依前方继投两剂，药尽，患者病愈。

临证时，常以清热解毒与活血化瘀药物相配合，治疗耳鼻喉科急重证效著。例如咽部之喉痈（类似扁桃体周围脓肿），其肿势甚，咽剧痛，饮食难下，口水多，病情甚重，曾用西药无效而来求诊，余皆用“五味消毒饮”加减治疗，疗效显著。耳病之耳疖脓耳，鼻病之鼻渊，咽喉之喉痈、乳蛾等，皆可用“五味消毒饮”加减治疗，达到热除瘀散之目的。现代医学认为，清热解毒与活血化瘀药物具有抗炎、抗感染、扩张血管、增加血流、改善微循环、促进新陈代谢、增强组织营养、促进炎症吸收等作用。

“睢目”的治疗

刘吉年

“睢目”亦称为“睑废”“睑皮垂缓”。主要症状是上胞不能提举，遮盖部分或全部瞳仁而影响视力，给患者带来很大痛苦。我用内服中药与按摩结合治疗此病，收到较好的效果。

几年前，我曾治疗过一位患者：双眼上睑下垂3个月，自己完全不能睁开，肤色正常，曾多处求医治疗，服用过维生素等无效。就诊时症见心烦喜呕，性情急躁，头晕，纳呆，脉沉弱。证属脾虚肝旺，气血不和，脉络失养，血不荣筋。治疗当柔肝健脾，调和气血而通络。内服“平肝丸”，药用：当归、茯苓、甘草、白芍、栀子、牡丹皮、柴胡、龙胆草、香附，配合局部按摩，助气血运行。取穴：四白、头维、睛明、攒竹、鱼腰、丝竹空、太阳、风池、百会、上星等。第一次按摩后立效，连续治疗10天，病人痊愈，至今未发。

胞睑属肉轮，在脏属脾，脾化生精血，运化水谷精微，通过肝的疏泄，以营养周身，濡润空窍。若脾气虚弱，气血不和，脉络失养，血不荣筋而致肌肤松弛，就形成本病。此外，脾失健运，聚湿成痰，外受风邪，风痰阻塞经络，或先天禀赋不足，脾肾两虚，睑废而成“睢目”。

临证时，通过辨证施治，用药物与按摩配合治疗，多能使患者恢复正常。按摩一般每日1次，手法可逐渐加重，每次10～15分钟，10天为1个疗程。

通腑泻下与眼疾

张广庆

保持大便通畅与预防眼疾的发生、发展及其预后关系十分密切。

清泻阳明，釜底抽薪法：阳明邪热上攻于目，可见胞睑肿赤，眦多黄稠，目痛畏光，白睛暴赤，黑睛生翳，甚则视惑。其病如：眼丹、针眼、血灌瞳神、凝脂翳、暴盲等。若邪热内攻，则见燥屎内结，腹满硬痛而拒按，舌红苔黄燥等症。此时若用泻下法，犹如“釜底抽薪”，上焦（目）之火自可熄矣。方如凉膈散、三花神佑丸、眼珠灌脓方等，可随症选用。凡眼疾暴起之实证或部分眼外伤合并前房出血或积脓者，速用本法，可得痊愈。

1. 清脾泻热，磨积导滞法：脾热胃实，水谷升降失常则浊气上泛于目，症见胞睑红肿或痰核，睑缘赤烂，视物昏眇变形等；因中焦积滞，症见便秘，纳呆偏食，腹胀嗳腐，舌苔厚腻者，可用本法导滞降浊。方选内疏黄连汤，清脾饮、大黄保和散等。本证多见于胞睑疾患，尤以小儿眼疾应用本法，常获良效。

2. 滋阴养液，增水行舟法：阴亏血少，肠燥津枯，糟粕内停，虚热下闭上扰，症见便硬难下，口干、烦渴、潮热、失眠盗汗、两目干涩、畏光羞明、白睛暗红、黑睛翳膜，眼前黑花或视力减退等。常见病有金疳、火疳、聚星障、暴盲等，则用本法增水行舟，燥润便下，眼疾得解，方如保阴煎，滋阴退翳汤等，随症化裁。本法适用于老年、病后或产后患者，津液亏损而患眼疾兼见便干，服用本法则收效较快。

3. 宣肺行气，提壶揭盖法：肺气壅塞，升降失司，肠腑气机为之不通，或肺热下移肠腑，则糟粕蕴积肠道，症见白睛浮肿，目痒赤涩，眵多泪流，视物昏蒙等，其病如金疳、流金凌木，风轮赤豆、赤丝虬脉等。若肠道气壅热积，则症见大便不坚而排便不畅，或兼气粗喘息、胸满烦闷或外感而诱发眼疾。凡此证者，施以本法，表里得解，升清降浊，目疾得痊，方用泻白散、清肺饮等加减。

便秘可使眼疾发生或加重，而许多眼疾又多兼便秘。通腑泻下法则是首选治则，是针对眼疾的治本之术。如果患眼疾只治眼而不顾全身，必然事倍功半，甚则病势迅速发展，这就是“凡治病，必查其下”的重要意义。

我用大黄治目病经验点滴谈

庞泗泉

大黄味苦性寒，有通腑导滞，泻火解毒，凉血行瘀，消肿止痛之功，生用力猛，熟用力缓，酒制清上部火热，炒炭则化瘀止血。大黄随产地之不同其性质亦有差异，北大黄泻下力强，多用易产生腹痛；四川、陕西出产的大黄较柔和，故常用以治疗内科之阳明腑实、外科之瘀血肿痛、妇科之瘀血经闭等证。余之先祖擅长治眼疾。余幼承庭训，常用大黄治疗炎性目病，黄液上冲，凝脂翳，物伤其睛，血灌瞳神，眼底出血等眼病，其效如应桴鼓。

1978年8月有韩姓男患者，56岁，登门求诊。自诉3天前劳作时不慎右眼受伤，在某医院将异物取出后，引起疼痛，流泪，畏光，纳少兼口苦，便秘。检查、胞睑红肿，白睛混赤，黑睛中央有圆形之陷翳，浮嫩污秽，风轮内下际有黄液水平面，苔黄，脉弦有力。诊断：右眼凝脂翳，兼黄液上冲，证属热毒上攻。方拟：大黄30g、生地黄12g、知母12g、黄芩12g、黄连10g、龙胆草10g、天花粉10g、桑白皮10g、蒲公英30g、金银花30g、枳壳10g、防风3g、前胡3g、甘草6g，水煎服，每日1剂。服6剂后患者黄液基本消退，口苦消失，大便通畅，圆形陷翳有所平复，浮嫩污秽已减，苔黄已减，脉弦。守前方半月后，患者来复诊，黑睛留有斑翳而告愈。

黄液上冲一症，常见于凝脂翳、急证瞳仁干缺、眼外伤后感染等证中，为眼科急重病之一，中医辨证多为热毒上攻，故重用生大黄以泻火解毒，乃取“釜底抽薪”之法，但对脾胃素弱、妊娠妇女不可妄投，免犯“虚虚”之戒。

1979年4月有张姓女病人，年方30岁，突然右眼底出血，达半月之久，视物模糊，右眼视力0.7，西医诊为视盘血管炎静脉阻塞型。询其所苦，视物昏糊，伴有口干，便秘，舌红，脉象弦细而数，证属热灼阴血，瘀阻络脉，迫血妄行。方拟：大黄炭10g，生地黄、白茅根、夏枯草各30g，蒲公英15g、牡丹皮、赤芍、当归尾、炒樱桃仁、炒枳壳、郁金、黄芩炭各10g，水煎服，每日1剂。服20余剂后，患者视力基本恢复正常，口干消失，大便通畅，舌红消退，脉象较前好转，眼底出血明显吸收。宗原方加减继服40余剂，患者视力1.5，眼底亦恢复到正常状态。

眼底出血一证，系血热妄行所致。治在凉血散瘀，用大黄配合凉血散瘀之品，意在引瘀热下行，量不宜大，且炒炭用之，既增止血之功，又无留瘀之弊。

总之，大黄用于眼科不但可治炎性目病，而且也可治出血性目病，尤其是可用大黄炒炭治疗眼底出血。经临床观察，凡眼底出血者，无论何种起因，常常瘀久化热，故常用大黄炭治之，且多多应手。

谈红眼病

刘吉年

红眼病，即急性结膜炎。中医称之为“天行赤眼”。其主要特点是发病急，患眼痒痛，怕热羞明，眵多黏结，睡起尤甚。常见胞睑浮肿，白睛红赤，或白睛溢血。严重者可见黑睛表面星点簇生，畏光加剧，视物模糊，愈后遗留翳障，影响视力。

此为卒感时气邪毒或风湿热交炽于脉络，瘀阻不散而发之。多年来，我根据红眼病的病因，用清利湿热，疏风散郁之法。采用中药五倍子、双叶苦参、防风、白芷、薄荷各10g，用温开水冲泡。先用其热气熏患眼，待稍冷后用纱布醮此药液洗眼，最后再用其局部湿敷，每日2次，每次持续15分钟，连用2或3天即愈。辨证加减：若胞睑浮肿，痒痛羞明甚者，为风盛于热，应以散风解郁为主，重用防风、白芷，最多不能超过20g，另加茺蔚子10g。若结膜赤痛，白睛突起或溢血，眵多黏稠者，为热盛于风，宜清热解毒为主，重用桑叶、薄荷，最多不能超过20g，另加蒲公英10g。

病情严重者，有便干、口干、苔黄、心烦等症状，需同时服用疏风清热剂，则疗效更好。大多数用局部治疗，即可十人九愈。余诊一汪姓患者，两天前开始双眼痒痛交作，灼热涩痛，畏光，眼眵黏结，患眼红丝密布。其证为风热并重。即用五倍子、苦参、防风、桑叶、白芷、薄荷、蒲公英，煎好熏洗。3日后，患者诸症悉减，唯感时痒。上方去蒲公英、白芷，患者2日而愈。他人用同方，同样有效。

“花翳白陷”“聚星障”治验

刘吉年

此病乃是眼科多发病、常见病。余诊一患者，就诊时曾述：左眼怕光，流泪，疼痛2个月余；视力0.1，上睑肿胀，白睛胞轮红赤，黑睛大片白色浸润，瞳仁不能透见，荧光素染色强阳性，黑睛知觉减退。曾在其他医院诊为病毒性角膜炎。曾用疱疹净，环疱苷点眼、口服病毒灵、维生素等治疗，未见明显改变。此病即是“花翳白陷”，其病因为风湿热之毒客于目所致。治宜清利湿热、祛风解毒佐以活血；药用：百部、芜荑、苍术、鹤虱、防风、桑叶、金银花、茺蔚子、苦参、大青叶、甘草，水煎服，早晚饭后各1次。

患者服4剂后来院复查，眼睑肿胀，睫状充血皆消失，角膜刺激症状减轻。又按此方连服10剂。复诊：患者视力0.1，自觉无不适感，黑睛的浸润面缩小，溃疡面也缩小变浅；荧光素染色弱阳性。这时风湿热邪皆退。治则改为退翳明目、活血通络。前方去百部、芜荑、鹤虱、金银花、大青叶，加木贼、蒺藜、桑白皮、密蒙花，患者服15剂，视力增至0.3，溃疡面平复，只遗留2mm×2mm的黑睛斑翳。

花翳白陷和聚星障类似于现代医学的病毒性角膜炎。初期多表现为聚星障，发展下去可致花翳白陷；后期多以黑睛斑翳为主。多因外感风邪热毒，或内因肝火炽盛复感风邪，风湿热相搏，上攻于黑睛所致。

我治此病分为两个阶段。早期：对症重者，治疗原则从清利湿热，祛风解毒为主，佐以活血。处方同前述第一方，可随证加减。治疗时间一般在半个月左右可奏效。第二阶段，对症状减轻者，治疗原则以退翳明目为主，佐以活血通络之剂。方药见前第二方，随证加减。时间大约半个月。在不同阶段进行不同的治疗，效果很好。

我治“视瞻有色”

刘吉年

“视瞻有色”，又称为“视正偏斜”。病因复杂，主要与脾、肝、肾三脏密切相关。

我曾治疗一个成年男患者，右眼患“中网炎”，服西药治疗无效。二十多天后，来我院门诊就医。右眼视力0.4，左眼视力1.2。右眼黄斑区水肿，有黄白色点状渗出，中心凹反射消失，全身症状：头晕耳鸣，身倦乏力，口干苦，脉细数。此证属肝肾阴虚，虚火上炎。治疗以滋补肝肾兼清虚热，用知柏地黄汤加减：知母、黄柏、生地黄、山药、泽泻、茯苓、牡丹皮、枸杞子、桑椹。患者连服9剂，自觉眼前暗影变小，其色变淡，黄斑区水肿基本消失，仍有散在黄色点状渗出物，中心凹反射（±），全身症状减轻。此时重用活血化瘀兼补肝肾之法治疗，原方中加赤芍、丹参，患者连服9剂，视力恢复到1.0，黄斑区水肿全部吸收，仅留有少数黄色小点状渗出，中心凹反射（+）。改服知柏地黄丸，以巩固疗效。

对本病从六经辨证来看，黄斑部为眼底的中心位置，中心属脾，脾虚则清阳不升，浊阴不降。“肾为肝母”“肝开窍于目”，肝肾正常，精气得注，神光充沛。我把这个病大致分为三型：一种是肝肾阴虚型，用知柏地黄汤加减：知母、黄柏、生地黄、山药、泽泻、茯苓、牡丹皮、枸杞子、桑椹等；其次是脾气虚弱型，治疗用参苓白术散加减：党参、炒白术、茯苓、神曲、焦山楂、麦芽、苍术、桑白皮、薏苡仁、皮甘草等；再次是情志郁结型，用逍遥散加减治疗：药味有当归、白芍、柴胡、茯苓、白术、甘草、香附、牡丹皮、苍术等。

临床往往病情错综复杂，最关键的是要辨证施治。病之初期无论属哪一型，都表现黄斑部水肿和不同程度的渗出，治疗都应以健脾利湿为主，佐以活血通络之剂。后期水肿消退，血行不畅，往往有肝肾阴亏之征象。此时应以补肝肾为主，佐以活血化瘀，收效更为显著。

蝶鞍肿瘤治验

石守礼

一宋姓同邑老乡之妻赵氏，患“蝶鞍肿瘤”，症见头痛，双眼视物昏暗，头晕，心慌，失眠，步履艰难，饮食尚佳，面色红润，苔薄白，脉滑。中医虽无此病名，然有形之物多属痰湿结聚，气血凝滞而成，遂遵经旨：“坚者软之”“坚者削之”，拟以化痰软坚之法：当归15g、桔梗10g、草决明15g、薏苡仁30g、瓜蒌15g、海浮石15g、玄参15g、浙贝母10g、海藻12g、昆布12g、黄药子15g、川芎9g、土茯苓30g，煎服。

服四十余剂后，患者纳佳，体力大增，头已不痛，眼前飞蚊症状时有时无，可操持家务，睡眠佳，惟大便干燥。查其视力：右0.2，左0.1，苔薄白，脉左弦细，右滑数。效前方减黄药子，加赤芍15g、丹参15g，以助化瘀之力。越2年，其子来告，其母继服后方四十余付，疾病已愈。

10年后，该妇人前来就诊，见其面色红润，步履尚健。妇人云从过去治疗后一直很好，惟视力日渐下降。查其视力，右眼眼前手动，左眼0.02。双眼晶状体已混浊，眼底不能窥见。右眼色觉不准，1米光定位颞侧缺损；左眼5米光觉，色觉及光定位正常。惜因经济关系，患者不愿再拍颅片，诚属憾事。蝶鞍肿瘤，乃一严重疾病，今按痰瘀论治，竟以取效，余特志之，虽一例不足以视为经验，然对同道临床也许不无参考价值。

黄液上冲的治疗

庞赞襄

黄液上冲，又名黄膜上冲，是证最凶。治之得法，可力挽狂澜；少有失当，则有目珠毁灭之虞。古今医家治疗此证，多系泻火解毒之法，《龙木论》有羚羊角饮子，《审视瑶函》有通脾泻胃汤，《韦文贵眼科临床经验选》有眼珠灌脓方，余在《中医眼科临床实践》中曾创银花复明汤，均行之有效。但余在数十年临床中亦屡有失败之例。因此，近年来，诊余之暇，余常思黄液上冲一证，为热毒上攻之候，热邪最易耗伤津液，患者就诊之时，除见一派火热证外，尚见口干渴，大便秘结等津液不足之证，此津液已伤矣。故余又创加减养阴清热汤一方，其药物组成有：石膏30g、生地黄30g、知母12g、天花粉12g、青黛10g、芦荟10g、大黄5～30g、龙胆草10g、黄芩10g、荆芥12g、防风12g、枳壳10g、甘草3g，寓泻火解毒于养阴清热之中。用此方化裁治疗黄液上冲，经临床验证数十例，不效者寥寥无几。曾治王姓患者，女，35岁。左眼疼痛，羞明，黑睛生翳半月余，诊为角膜溃疡合并前房积脓，经用泻火解毒药及局部点消炎药水，无效而加重。症见：左目视力为眼前手动，左眼胞睑浮肿，白睛抱轮转深红，黑睛中央白翳浮嫩凸起，周边锐利，犹如贴于黑睛表面之异物，约4mm×5mm大小。兼见患者头痛，口苦，咽干，大便秘结，舌红苔黄，脉弦实，证属火毒伤津。治宜泻火解毒，养阴退翳，方用加减养阴清热汤（大黄用30g），每日1剂，局部仍配合消炎药水及散瞳剂点眼。7天后，左目视物较前清晰，黄液消退，诸症悉减，原方去大黄，又进10余剂，左目视力为0.2，以黑睛遗留云翳而告愈。

黄液上冲不是独立的疾病。因此，加减养阴清热汤一方，对于上述疾病不伴有黄液上冲者，亦可应用，但必须证属实热，对伴有黄液上冲者尤为适用。余临床所见，实热体质者居百分之九十七、八，然虚寒体质者亦有百分之一、二，切不可忽视。对虚寒体质患黄液上冲者，应以调理脾胃为主。如治患者张某，女，6岁。平素消化不良，便溏，日行数次，近20天来，右眼羞明，流泪，眼红生翳，用西药治疗无效而来求余医治。望其右眼睑浮肿，白睛红赤，黑睛中央有凝脂泛起，瞳孔不见，黑睛下方有黄液积聚约4mm水平面。面色黄白，舌淡苔白，脉象虚数，此谓黑睛凝脂翳合并黄液上冲，据脉证参伍，证属脾胃虚寒，目失所养所致，法当调理脾胃为主，遂给予归芍八味汤(《中医眼科临床实践》）加味：当归5g、白芍5g、枳壳5g、槟榔5g、莱菔子9g、车前子9g、金银花15g、蒲公英15g、吴茱萸5g、龙胆草5g、甘草3g。服7剂后复查，患儿眼睑浮肿消失，黑睛凝脂翳较前消退，下方黄液完全吸收。又按前方去蒲公英服20剂，患儿右眼视力0.3，黑睛留有云翳，同时体质亦康复如常。由此可见，中医治疗黄液上冲急症，必须从病人的整体出发，详审病情，探求病因，严守病机，辨证施治，才可能收到预期之效。

治目病要首顾脾胃

庞赞襄

余曾治一目病，诊为视瞻昏眇之证，投以清肝解郁益阴渗湿汤(《中医眼科临床实践》）加金银花、蒲公英方，无效，且出现腹冷、腹泻等脾胃虚寒症状。问知脾胃素虚，遂改投温中散寒之加味附子理中汤，迅速取效。

今人治目病，多着重于眼的局部辨证，而忽略眼与人体整体的关系，尤其忽略脾胃，虽药证相符，但有时事与愿违。目乃精血聚而成形，赖水谷以滋养，然水谷之司在于脾胃。脾胃健则肾精充足，肝血旺盛，精足血旺则神光充沛。若脾胃失健，则五脏之精气皆失所司，不能归明于目矣。故余治目病，均首顾脾胃，脾胃得健，则生化之源不竭，气血充盛而有利于目病好转。故调理脾胃，遣方用药，使之阴阳相合，升降相因，燥湿相济，纳化有序，而生化无穷。治目病得此法者，事半功倍矣。

目病有急有缓。急者，如凝脂翳、黄液上冲、血灌瞳神、绿风内障、暴盲等；缓者，如圆翳内障、视瞻昏眇、高风内障、云雾移睛、青盲等。但不论目病缓急，均应详辨脾胃之寒热虚实，再处以方药。一般目病急，脾胃健者，治从眼科辨证。但急者多实证和热证，多投泻火解毒之品，为防苦寒伤伐脾胃，可于治目之时或目病将愈之时，投以调理脾胃之品，使邪去而正不伤。目病缓，脾胃健者也应照顾脾胃，因有些目病如青盲，高风内障等，需长期服药才能收效，脾胃更易受药所伤，故调理脾胃为必用之法。对脾胃素虚者，无论目病缓急，则应首顾脾胃，若不然，药不中病，会变症丛生，而贻误病人。

眼球外伤治疗浅议

庞万敏

中医眼科所称的“异物入目”“真睛破损”“撞击伤目”，均属于眼外伤的范畴。眼外伤临床常表现为出血、感染、水肿等主要症状。目珠内的出血，又称血灌瞳神、目衄。早期，时日较短，出血新鲜，血脉不稳，宜凉血止血，佐以祛瘀，方用清热止血汤（自拟方，生地黄、玄参、丹参、金银花、炒茜草、大黄炭、黄芩炭、栀子炭）。或加蒲黄炭、川芎炭。这两种炭类药物兼有止血、活血的双重作用，具有活血不伤正、止血不留瘀的优点。

出血时日较久、目内留有瘀血，血脉已经稳定者，宜活血解郁，软坚散结。方用清肝解郁益阴渗湿汤(《中医眼科临床实践》：银柴胡、菊花、木贼、蝉蜕、苍术、白术、羌活、防风、生地黄、赤芍、菟丝子、女贞子各10g，甘草3g）加珍珠母、夏枯草各30g。如果瘀血久而不散，系痰瘀互结者，宜活血消瘀，化痰软坚。方用消瘀软坚汤（自拟方：炒桃仁、红花、当归尾、川芎、丹参、玄参、赤芍、珍珠母、夏枯草、鳖甲、法半夏、橘红、郁金、木贼、蝉蜕、炒茜草）。有瘀热者，可加黄芩炭、大黄炭、栀子炭，以防再次出血。

患眼外伤后，由于正气较弱，容易发为花翳白陷、凝脂翳、黄液上冲、瞳神紧小、突起睛高、鹘眼凝睛以及某些青盲等。轻者，症见红、肿、痛、泪、羞明，系瘀热之征，宜活血清热，方用除风益损汤(《原机启微》）加大黄、黄芩。重者，症见红、肿、痛烈、翳、疡、脓、眵等，系瘀毒蕴遏，治宜活血解毒。方用泻肝解郁汤(《中医眼科临床实践》：桔梗、茺蔚子、车前子、夏枯草、芦根、葶苈子、防风、黄芩、香附、甘草）加金银花、蒲公英、大黄。再重者，症见黄液上冲，宜用大剂解毒散瘀之剂（金银花、蒲公英、连翘、皂角刺、天花粉、贝母、陈皮、防风、白芷、黄连、黄芩、生地黄、赤芍、大黄、甘草）。患者服上药后不见好转，兼见渴饮便秘、苔黄脉弦者，系实热伤津之患。宜泻火生津、开瘀导滞，方用养阴清热汤(《中医眼科临床实践》：生地黄、天花粉、知母、芦根、石膏、金银花、黄芩、荆芥、防风、枳壳、龙胆草、甘草）加青黛、芦荟、沙参、石斛等。后期，为巩固疗效，亦可用养阴清热汤减量服用。

眼球受外伤后，血瘀气滞，目络受阻，津液不行，气不化水可致水肿。外伤后，眼部组织发生的混浊、肿胀、渗出等均可视为水肿。如外伤性白内障、视网膜震荡等病变均属此类。

外伤性白内障系气滞血瘀，津不化水，湿郁凝聚之故，证属瘀热结聚，宜散郁除湿，退翳明目。方用除风益损汤加郁金、夏枯草、鳖甲、蝉蜕、白蒺藜、珍珠母。视网膜震荡属水郁（瘀）脉道，宜燥湿散郁（瘀）。方用清肝解郁益阴渗湿汤加茺蔚子，或加泽兰、苏木。

金银花蒲公英伍用善治目病火热证

庞万敏

金银花性寒味甘，外可宣散透热，内可凉血消痈，为清热解毒之要药。蒲公英亦性寒味甘且苦，为解毒散结之良品。二药常用于临床各科的热毒证。在眼科用于如实热生疮、目疔疮、土疡、眼丹、漏睛疮、天行赤眼、花翳白陷、凝脂翳、黄液上冲、火疳、瞳神紧小、突起睛高，以及某些视瞻昏眇、青盲、暴盲等，类似于现代医学的眼睑皮肤炎、角膜炎、结膜炎、巩膜炎、视网膜炎，视神经炎、眼眶筋膜炎等病。局部症见红肿热痛、羞明、流泪、星膜翳障（包括眼底渗出）、目络紫胀（主要指视网膜血管迂曲怒张）、出血、积脓、视力骤降等。

金银花和蒲公英性均寒。“寒能清热”。若热毒挟风可配荆芥、防风以宣透；挟湿可配龙胆草、黄芩以燥湿；挟燥可配沙参、麦冬以润燥；挟火可配石膏、知母以清火；挟寒可配附子、肉桂以温寒；在气可配黄芪、白术以养气；在血可配丹参、生地黄以凉血。

金银花和蒲公英味均甘。“甘药守中”，能润脾土，使气血生化之源不竭，四肢百骸、五官九窍皆有所养，所谓实中州以御四旁是也。金银花、蒲公英二药性虽寒，但不伤胃。热毒兼有中焦阳虚者宜甘温益气，可伍异功散；阴虚者宜甘凉濡润，可伍麦冬；阴阳两伤，寒热错杂者、治阴碍阳，治阳碍阴，非偏寒、偏热之所宜。此时应先固中州，脾胃健则气血充盈，以致阴阳和平。金银花、蒲公英二药相伍，随症加减，对于目病火热证，多用之无任何不良作用。其用量少则10g，多至120g不等。尤其与调胃和中之品相配效果更佳。余得家传奥旨，常将金银花和蒲公英二药伍用治疗眼科火热证，颇多效验。曾治患者李某，男，23岁，右眼玻璃体积血，久治不愈。视力眼前指数，近日左眼亦发病，视力0.7，查见其玻璃体出血性混浊，眼底周边部静脉迂曲，有少量出血，诊为双眼视网膜静脉周围炎，玻璃体积血。全身兼有阴虚证。予金银花、蒲公英各12g，银柴胡、菊花、木贼、蝉蜕、白术、防风、女贞子、菟丝子、白及、阿胶各10g，生地黄、藕节、白茅根各12g，黄芩炭、黑栀子各6g。用此方加减治疗3个月后，患者右眼视力达0.3，左眼视力恢复正常，随访半年未复发。

“暴盲”治验

刘吉年

“暴盲”是眼科急重证。余诊治一“暴盲”患者。双目突然视物模糊不清，渐致失明。其到处医治，未发现眼底有病理上的改变。其他医院曾诊为视网膜循环障碍，用血管扩张剂治疗无效，来余处诊治。

就诊时，见患者精神抑郁不乐，目珠微有内陷，仅能辨别眼前指数，按之目珠虚软，言语迟钝，舌上无苔，脉弦细。按祖国医学的理论，此病机实属郁怒伤肝，致气逆于上，而使气血郁闭不行，脉络受阻，五脏六腑之精气不能上注于目，而目失所养。我用“加味逍遥散”“当归养荣散”配成两种散剂。“加味逍遥散”药用：当归、白芍、柴胡、茯苓、白术、生甘草、牡丹皮、栀子等。“当归养荣散”药用：当归、熟地黄、川芎、白芍、羌活、防风、白芷，每剂2.7g，早饭后服“加味逍遥散”1剂。晚饭后临睡前服“当归养荣散”1剂。患者第3天来院复诊，视力由眼前指数增加到0.2，再服药半个月后，视力恢复到1.0，至今未复发。

对于这类急重证，只要辨证准确，因证施治，每多获效。

暴盲治验而复明

庞泗泉

唐姓暴盲患者，男，谓其左眼忽然盲而不见，已有8天。经医院检查，诊断为玻璃体出血、视网膜静脉周围炎。经中、西药治疗8天罔效，且日益加重，痛苦异常。

余望其眼睛外观形如常人，面色赤，舌质红少苔。询其所苦，曰：左眼视物不见，心常忧闷，几致废寝。余查其视力，左眼仅能看到手动，右眼视力1.5。眼底镜检查左眼底窥视不见，玻璃体（神膏）高度混浊，有积血，但略显红光反射。切其脉弦细数。询其病史：谓一向体健，未曾患病，否认有高血压、糖尿病史，亦无烟酒等嗜好。二便正常，纳食如常。此患者年逾40岁，肾阴渐衰，水不函木，相火上炎，迫血妄行，目之络脉损伤，血不循经而溢于神膏。离经之血，血运迟缓，久而成瘀。瘀血遮蔽视线，故目盲矣。拟凉血止血，清热散瘀之法调治。

方用：生地黄15g、炒白芍10g、牡丹皮10g、炒茜草10g、炒大蓟10g、川牛膝10g、夏枯草30g、白茅根12g、当归尾6g、川大黄5g、三七粉3g（另包冲服）、甘草3g，水煎服，每日1剂。方中生地黄、白芍，滋阴清热；牡丹皮凉血；炒大蓟、炒茜草，白茅根，凉血止血；夏枯草清肝泻火；川牛膝引热下行；大黄、三七、当归尾合用，既能凉血、止血，又有活血破瘀生新之功，有“上病下取”“釜底抽薪”之妙；甘草调和诸药，既可缓大黄泻下之力，又可解药之苦涩。以上药物配伍具有滋阴泻火、凉血止血之功，使血止瘀消。患者按上方连服10剂，视力好转，服用20剂后，神膏之血吸收大半。药既对症，效不更方，又服上方10剂，患者视力明显恢复，右眼1.5，左眼达到1.2，左眼神膏轻度混浊，嘱其再进5剂，以巩固疗效。再次复诊时，患者左眼已恢复到1.5，随访至今，未再复发。

视神经萎缩针药兼施取捷效

郑艺钟

针药兼施，两法并用治疗各种病证，在我国医学发展史上源远流长。而针药兼施治疗眼科疾病，更为中医治疗学中一大特点，其临床效果确实显著。

我曾用上法治愈一双眼视神经萎缩患者于某，女，39岁，教师。于某头痛，目干涩已7年，近两个月视物模糊，伴有四肢无力等症，于1972年10月来就诊。病人曾在省医院作视力测定，检查眼底、视野、暗点等，诊断为视神经萎缩，测视力：左0.2~0.3，右0.3。

中医辨证：病人头痛目涩，视物模糊，尚有四肢无力，五心烦热，口干喜冷饮，脉弱而涩，苔净，舌质光滑色绛。诊断为“青盲”。按其脉症所见，病人应属精虚血亏，肾水不得涵养肝木。《内经》上说：“肝开窍于目”“肝受血而能视”，今肝肾两虚，精不化血，血不荣睛，故目不明。治取滋阴补肾、养血柔肝为法，使肾水足肝木得养，而视力自可恢复。施以针刺外关、阳白、攒竹穴（一组），足三里、合谷、睛明穴（二组）。以此二组腧穴为主，轮换交替使用，捻转提插（除睛明穴外），得气为准，留针20分钟。并投以方药助治：杭菊花50g、桑叶20g、鸡血藤30g、当归30g、白芍15g、何首乌30g、女贞子30g、红花15g、密蒙花15g，水煎服。

经过1周针药相兼施治，患者头痛即除，视力自感好转。治疗1个月时测视力左眼0.8，右眼0.9。唯有午后头略痛，视物模糊。宗上之法，继续治疗1个月。12月28日经眼科复查其视力：左1.2，右1.2。

病人自觉症状消失，全身有力，诸症皆愈。

治病贵在辨证

|石守礼|

某西医曾随余学习中医眼科，临证见其治疗炎症性眼病，常用苦寒药。一日遇一患中心性视网膜炎之男性患者，伊投以苦寒清热利湿之剂，服至8剂，患者病情有增无减，乃请余诊治。余根据其脉症，处以苓桂术甘汤加味，服3剂后患者眼前黑影大减，视力渐增；又加减服至10余剂后，患者眼前黑影消失，视力转为正常，伊甚奇之，问曰："该患者病属视网膜炎，黄斑区水肿明显，当给予苦寒清热之剂，且清热解毒之品，具有消炎抗菌之力，因何不效，而用温药反而病愈?"余曰："君只辨其病，而未辨其证，今患者胸胁胀满，头晕心悸，咳唾短气，大便不实，舌苔白滑，当属脾阳不足，脾之失健，水湿不化，湿浊上泛，清窍被阻，故视瞻昏眇而眼前有黑影也。君不闻仲师《金匮要略》有云：'病痰饮者，当以温药和之。'余今用温药温阳化气，水湿得行，故其病当愈矣。"余又告之曰："中、西医学乃是两个理论体系，不可生搬硬套，西医治病关键在辨病，中医则在辨证。辨证施治乃是中医之精髓，同属一个疾病，由于证不同，而用药亦异，断不可一见炎症，动辄即用苦寒之剂，徒伤正气而病不愈，慎之!"伊领首应诺。嗣后，伊每诊治一病，必详细询问病情，辨证施治，受益匪浅。

视网膜静脉周围炎不当用桂枝

|庞万敏|

某院中医眼科治一男性视网膜静脉周围炎患者，20岁。该患者双眼发病2年余，右眼玻璃体反复出血，左眼虽未见明显出血，但眼底周边部小静脉迂曲，有白鞘及较为陈旧的萎缩灶。曾用清热止血，凉血散瘀之法收功不小，其右眼玻璃体积血日渐吸收，医患皆喜。一日，一医生查见某书云：对陈旧性出血用活血化瘀法可促进其吸收。遂改投血府逐瘀汤加桂枝方，取桂枝通经以助散瘀之力。药进3剂，患者尚感平稳。再服，患者眼底出血复发，双眼几至失明。众医束手，苦无良策，患者亦信心大减，邀余会诊。余曰：视网膜静脉周围炎一病，以青年人多见，但青年人阳盛或阴虚火旺体质较多。对于陈旧性眼底出

血，虽可用活血化瘀之法，但不可过用，尤其不当用桂枝一味。盖桂枝辛温燥烈，可助热化火，易伤阴动血。火热上炎，燔灼目络，血液沸腾而外溢，安有不再度出血之理？问曰：有何妙方？余曰：不敢言妙。查此患者除双眼病变外，尚兼有性情急躁，脘腹胀闷，舌淡红，苔薄白，脉象稍弦。证属肝脾郁热，治宜清肝健脾，解郁明目，佐以止血。据余多年之临床经验，投清肝解郁益阴渗湿汤(《中医眼科临床实践》：银柴胡、菊花、木贼、蝉蜕、赤芍、苍术、白术、羌活、防风、生地黄、菟丝子、女贞子各10g，甘草3g）加夏枯草30g、鳖甲30g、珍珠母30g、白及10g、阿胶10g（烊化）、侧柏炭10g，水煎服，日进1剂。10剂收效，患者出血开始吸收。30剂大效，患者感觉良好。共进120余剂，患者右眼视力达0.3，遗留玻璃体机化物；左眼视力1.2，眼底查无血迹而告愈。

或问曰：方中用羌活、防风，其燥何异于桂枝乎？答曰：无妨。羌活、防风之燥非比桂枝之烈，取其辛以散肝脾郁热，促进瘀血消散吸收，况佐生地黄、赤芍可制其燥性，有利而无弊矣。

自拟逍遥饮治疗中浆病

庞泗泉

余自14岁悬壶业医，至今40年有余。临床遇有中浆病，用自拟加减逍遥饮治疗，每获良效。

中浆病，临床表现可分为三期，即：水肿期，渗出期，恢复陈旧期。

其主要病理变化为黄斑区水湿停聚。水液之代谢有赖肺气之肃降，脾气之转输，肾气之开阖及膀胱之气化。然肺、脾、肾与膀胱的化湿功能，必须赖肺气之疏泄，肝开窍于目，若肝失调达，气机不畅，气化不利，气不行水，水湿上泛于目则为水肿；水湿郁结，日久化热，耗伤津液，湿热凝聚而为渗出；久病累及肝肾，肝肾不足，精亏血少，不能上荣于目，神光失养，而为黄斑陈旧改变。

自拟加减逍遥饮，药物组成有：银柴胡10g、白芍10g、茯苓10g、白术10g、当归10g、牡丹皮10g、炒茜草10g、白茅根12g、甘草3g，加减逍遥饮治疗中浆病，对兼有头目胀痛、口苦、胸胁胀满者更为适宜。但临证时不必拘泥，根据兼证灵活变通，方能取效更捷。

余曾治一何姓男患者，年逾50，自诉左眼前有黑影，视物变形已半月余。西医诊为中心性脉络膜视网膜病变，应用维生素、血管扩张剂及激素半月罔效，遂就诊于余。查其左眼视力0.5，眼底黄斑区水肿，间有渗出，中心凹反光消失。全身症见：神烦、性急善怒，胸胁胀满，食欲不振，苔白腻，脉弦细。证属肝经郁热，脾虚湿困，治宜疏肝清热，健脾利湿，方用加减逍遥饮化裁。患者服6剂收效，连服12剂黄斑区水肿消失，中心凹光反射复现，黄斑仍有散在性渗出，左眼视力1.2，神烦、胸胁胀满已愈。腻苔消退，脉平，告愈。此后每遇这种眼病患者均用此方治疗，皆收良效。

祖传疏肝解郁益阴汤治疗视神经萎缩症

|庞泗泉|

余对炎性视神经萎缩，常用祖传疏肝解郁益阴汤治疗，每获良效。

炎性视神经萎缩，是由于视神经的炎症而导致其逐渐萎缩，使视力发生严重障碍，甚至完全失明，为眼科顽疾之一。余认为：本病的发生是风热之邪袭于目系后，又入里化火，上郁目络，下灼肝肾之阴，精血被耗，不能上荣于目，目系失养而发为萎缩。治当疏肝解郁，滋阴养血，化瘀通络。

疏肝解郁益阴汤一方，原系家传治疗慢性眼底病变的有效良方，由以下药物组成：当归、白芍、茯苓、白术、丹参、赤芍、银柴胡、生地黄、熟地黄、山药、枸杞子、焦神曲、磁石、栀子各10g，升麻、五味子、甘草各3g，适用于治疗肝肾阴虚，气滞不行，且络脉郁阻之视瞻昏眇、云雾移睛、青盲等病证。近年来，我将此方用于治疗炎性视神经萎缩，取得了良好的效果。

炎性视神经萎缩是一种顽固的疾病，应用此方时，取效亦缓，但医者应能守方，患者要耐心服药，疾病自会逐渐好转。

1979年孟秋，有一李姓男孩，年方9岁，发热10天后双目先后失明，诊为双眼视神经乳头炎，视力右眼0，左眼光感不确，经用激素、抗生素、维生素、血管扩张剂治疗半个月，视力恢复到右0.2，左0.6，但继续用药2月余，视力毫无进展，经眼底检查，诊断为继发性视神经萎缩。邀余治疗，投疏肝解郁益阴汤加减化裁；当归6g、白芍6g、茯苓6g、白术6g、丹参6g、赤芍3g、银柴胡6g、生地黄6g、山药6g、枸杞子6g、熟地黄6g、升麻2g、五味子2g、车前子6g、甘草2g，水煎服，每日1剂。患者连服20剂，视力开始提高，连续用药5个月共约130余剂，视力恢复到右0.8，左1.0，因故终止治疗。

漫谈中医治疗眼底出血

李恩生

眼科虽为专科，但必须精通岐黄，善晓龙水，更应通达内科。

笔者临证几十年，用凉血止血法少佐化瘀行气之品，效为桴鼓。余医患者沈某女性，年近五旬。4天来左眼突出、视物不清，延余诊治。当时检查视力右0.9；左眼前手动，查瞳孔区无红光反射，眼底不能窥入。此乃玻璃体出血也。诊其脉来弦数，舌淡红少苔，综合脉症此乃血热妄行，蒙蔽清窍而致暴盲证也。故拟方：大生地黄20g、润玄参20g、炒蒲黄10g、粉牡丹皮10g、茜草10g、鲜白茅根30g、大黄炭10g、茺蔚子10g、青皮10g、三七冲10g，水煎服。患者连服10剂，视力上升至0.8。复予前方继进7剂，其视力上升至1.0，脉平证去痊愈。

我治眼底出血

庞泗泉

对眼底出血，若不及时治疗帮助吸收，瘀久化热即成为瘀热。因此，余认为凡眼底出血，无论何种性质，皆属于瘀热。若为炎症性者，多热重于瘀；若为血管阻塞性者，多瘀重于热；若为退行性病变所致的出血，多为阴虚火旺或气不摄血，日久也可为瘀热。

眼底瘀热出血，全身无明显证候。脾胃尚健者，治宜凉血散瘀，方用凉血散瘀汤（自拟方：生地黄、牡丹皮、夏枯草、芍药）加减。

实火瘀热出血，多见于炎症性眼底出血，病程较短，兼有目赤、口苦、便秘、舌红苔黄、脉数实。治宜清热泻火，凉血止血，方用凉血地黄汤(《医宗金鉴》：生地黄、玄参、黄连、黄芩、栀子、当归、甘草）加减。

阴虚瘀热出血，多见于长期或反复发作性之眼底出血，病程较长，兼有烦躁失眠、五心烦热、颧红盗汗，遗精，舌红少苔，脉沉细数。治宜滋阴凉血，清热散瘀，方用滋阴解郁汤(《中医眼科临床实践》：生地黄、山药、枸杞子、女贞子、知母、沙参、白芍、生龙骨、生牡蛎、栀子、木贼、蝉蜕、胡芩、赤芍、旱莲草、甘草）加减。

气虚瘀热出血，多见于退行性病变或长期不愈的眼底出血，兼有眩晕、面色萎黄、体倦乏力，食欲不振，心悸失眠，舌淡脉细。治宜补气摄血，方用加减归脾汤(《中医眼科临床实践》：党参、黄芪、当归、白芍、茯神、远志、炒枣仁、生地黄、五味子、栀子、阿胶、木香、甘草)。

气郁瘀热出血，多见于血管阻塞性及陈旧性眼底出血，兼有头晕眼胀，两胁胀满，烦躁易怒，舌质暗红，脉弦细涩。治宜活血理气，祛瘀通脉，方用疏肝破瘀通脉汤(《中医眼科临床实践》：当归、白芍、茯苓、白术、甘草、丹参、赤芍、木贼、蝉蜕、羌活、防风、银柴胡）加减。

肝脾瘀热出血，多伴有渗出，或外伤性者，兼见头痛，目眩，烦躁易怒，食少腹胀，舌淡，苔薄白，脉弦细。治宜清肝解郁，健脾渗湿，方用清肝解郁益阴渗湿汤(《中医眼科临床实践》：银柴胡、菊花、木贼、蝉蜕、苍术、白术、羌活、防风、赤芍、生地黄、菟丝子、女贞子、甘草）加减。

以上虽将眼底出血分为六个类型，但在临床治疗时，必须照顾出血之各个阶段的不同特点，对症治疗。

清肝解郁益阴渗湿汤运用一得

庞万敏

清肝解郁益阴渗湿汤，系家传治疗眼底病变的良方之一。其药物组成如下：银柴胡、菊花、木贼、蝉蜕、苍术、白术、羌活、防风、赤芍、生地黄、菟丝子、女贞子各10g，甘草3g。此方具有清肝解郁、健脾燥湿、滋阴明目的作用，多用于治疗中浆病。余临床常将此方在辨证的基础上用于其他眼病的治疗，亦获良效。曾治外伤性黄斑区脉络膜破裂患者赵某，因急跑时不慎撞在墙壁上，后渐感视物不清7天。查其视力右眼0.8，左眼0.1，双外眼（-），屈光间质清，右眼底（-），左眼底视盘及网膜血管大致正常。黄斑中心凹颞侧及鼻侧各有一弧形灰白色病灶，其间有少量出血，边缘有少量渗出，中心凹反光隐约可见。西医诊断为外伤性黄斑区脉络膜破裂，给予维生素及碘剂治疗，并转中医科会诊。观其面色红润，声息和匀，舌淡胖，苔薄白，脉弦。证属脉络郁阻，气血不畅，法当解郁散结，方用清肝解郁益阴渗湿汤加茜草10g、藕节15g，每日1剂。患者服5剂后复诊，查其视力右眼1.2，左眼0.6，眼底无明显改变。自述有头晕、视物变形。继用前方加珍珠母30g。患者服5剂后来诊，查其视力右眼1.2，左眼0.8，黄斑区出血全部吸收，灰白色弧形斑仍存在，中心凹反光仍不清。嘱其继服前方并加服明目地黄丸以巩固疗效。

又曾治男性患者张某。1984年10月底经西医确诊为右眼中浆病而转中医科治疗。查其视力右眼0.4，左眼0.2，面红目赤，口干咽燥，性情急躁，便秘，舌红少苔，脉弦数。证属肝经郁热，耗伤阴液，治宜清肝解郁，滋阴明目。用清肝解郁益阴渗湿汤去苍术、羌活、加牡丹皮、栀子各10g，金银花、蒲公英各15g。患者服15剂，诸症大减。查其右眼视力0.6，眼底出血及渗出部分吸收。效不更方，因其热象已退，为防苦寒伤胃，改牡丹皮、栀子各6g。患者又服15剂，诸症悉除，查其右眼视力0.8，眼底仍有少量出血及渗出，嘱继服前方并配合针灸巩固疗效。

老年性眼底病补肾为要

庞万敏

人体的生、长、壮、老，是生命发展的自然规律。在生命的过程中，肾气的盛衰至为关键。人在40岁以前，由于肾气充盛，阴易生，阳易化，生机勃勃；40岁以后，由于肾气渐衰，阴易乏，阳易折，生机渐息。人到60岁以后，即进入老年期。此时，机体各脏腑组织的生理功能日渐衰退，并由此而产生一系列病理改变。这种病变表现在眼底，称为老年性眼底病变。但是，老年性眼底病变目前尚无确切的概念。临床常见的动脉硬化性视网膜病变、高血压性视网膜病变、视网膜静脉和动脉阻塞、缺血性视乳头病变、糖尿病性视网膜病变、老年性黄斑盘状变性等，均属老年性眼底病变。

肾为先天之本，主藏精。精是构成人体的基本物质，也是人体各种功能活动的物质基础。人到老年，则天癸数穷，肾气虚衰，必导致以肾为主的各脏腑功能活动衰减，甚至造成包括眼底病变在内的一些老年疾病。

老年性眼底病变的突出表现为目络老化（指视网膜血管硬化）和神光减弱，乃是由于肾亏、五脏六腑之精气皆失所司，不能上注于目，目络日渐老化，气血瘀滞，神光失养所致。所以，老年性眼底病变的发生以肾虚为本，目络老化是标。此外，局部尚表现有风、湿、痰、瘀诸证。风证：表现为目络挛急（视网膜血管痉挛）、暴盲，或伴有目痛、目瞤、目涡等；湿证：表现为视衣水肿等；痰证：表现为内障翳障等；瘀证：表现为目络阻滞、迂曲怒张、出血或瘀血、视衣积滞（指色素紊乱）；赤丝缕纹（指新生血管）等。以上风湿痰瘀诸证，皆为有余之证。因此，老年性眼底病变以本虚标实为其特点。

肾气虚衰是造成老年性眼底病变的根本原因，且肝肾同源，所以，滋补肝肾当为治疗老年性眼底病变的基本法则。但是，临床治疗时，须结合其病变特点，按照标本兼治的原则，可在滋补肝肾的基础上随证加入熄风、活络、化痰、逐瘀、除湿、止血之品，则收效益彰。

辨证必准，用药必果

刘文兴

笔者治陈某72岁翁，因股骨干骨折入院，经手法正复、对位对线良好，在夹板加牵引外固定治疗中。周余后老翁渐不思饮食、口微渴，腹胀痛著，大便7日不行。

经治医生曾于2日内分别投予：双醋酚酊片、开塞露、牛黄清胃丸、蜂蜜、豆油及辅以对其腹部顺时针方向按摩等法，均不见效。后改用清洁灌肠（肥皂水1500ml），灌肠时患者述腹胀痛益甚，灌肠后，只便燥屎几枚，坚硬且黑。至暮腹胀痛再作，患者努便不出、汗泪皆下、痛苦难状。无奈，护士带胶手套协助于肛门抠硬便少许，患者仍胀痛难忍。故邀余会诊：观患者面色皖白，呈痛苦状，因努便而面有微汗，舌质淡，苔黄腻居中，脉弦细且数，切诊腹部膨隆、切之微痛、叩之鼓调。余嘱用调胃承气汤。方如：大黄20g、芒硝10g、甘草15g。药后，患者自述腹中有响声，但仍未便。

余再诊，患者女儿述其父汤水不下，日渐消瘦，患翁抚腹而泣，呼号不欲生。舌脉症仍同前，听诊腹中肠鸣音弱至近无。再处一方；大黄20g、芒硝15g、厚朴15g、甘草20g。服药片刻患者述腹中咕咕作响，稍舒，余喜。至晚再服约1刻钟后，患翁将药尽呕出，其女慌然，邀再视。余观其舌苔黄似稍减，脉如前，然何故致吐，辨证错焉？余回诊室冥思苦索其理，遂在前方中加厚朴5g，枳壳10g，再投2剂。余临床观之，鼓老翁及其女志，食虽不能服，应以药液克其滞。其如嘱，再服得舒，腹中咕咕作响明显，稍作矢气，老翁及其女大喜。嘱其2剂每隔6小时分进，余随时观其变，以防伤伐正气，中病即止。翌日晨，老翁有便意，嘱其余药暂停服，其渐圊出便，初如燥屎，继之大量软便，诸症愈。

反省余其治疗过程中，初不辨证，滥用导泻药，后轻拟调胃承气汤，不中的而失效。殊不知该患者年高体弱，气血亏乏，伤后瘀血化热累及气机不利，肠胃积滞不下，证虽有积滞蕴于肠中，然而气机失降为其主弊。虽方中用了大黄、芒硝只有燥屎，然不知气不行则滞不去之理。故药后患者腹虽稍舒，然气逆反吐；三方中加大厚朴量、辅以枳壳降逆导滞理气之功，气顺降而滞通矣。

对年事虽高，虚中夹实之证，认证确实，加剂短服，严观其变，故疾克矣。从中悟出辨证必准，药之必果之理。

正骨八法之外罐法

刘福春

正当1965年春季大忙季节，一天午饭刚过，由十几里外急忙赶来一位农民，上气不接下气地说："我的孩子由火炕上掉在地下，把脑袋摔瘪啦！好医生，你们快救命吧！"当时我队骨科名医陈占魁老师急忙询问患儿的发病过程以及骨折部位后，立即带着我和另外一位医生出发去农民家抢救患儿。

当时我想，根据小孩家长的叙述，小孩是颅骨骨折，回想学过的中医正骨八法——摸接端提，按摩推拿，无一法可施于颅骨骨折，使之凹陷复平。实为中医整骨之难题。

陈老师到达患儿家里，忙接过患儿，视其头部，发现有一直径5cm、深1cm左右凹陷性骨折，局部血肿不明显。这种骨折病例实为罕见。

当时陈老师嘱其家长准备理发刀，剃去小孩局部头发，再准备面粉少许，以水和之，摊成薄饼，敷于患处，取火罐一枚，其口约5cm多一点，当即施术：用闪火法将火罐扣于患处，当时听到罐内有响声，然后取下火罐，小孩头部凹陷骨折已复平，患儿啼止，家长邻里皆大欢喜。我也感到这一整骨方法，是正骨八法之外的陈氏家传经验，效果良好，方法简便。经随访，患儿健康无恙，未留任何残疾，火罐法可谓中医正复小儿颅骨凹陷性骨折的神奇妙术。

"错缝"小议

邱德久

一老年妇女跌伤腕部后立即来诊，经临床检查和X线检查，诊为桡骨下端伸直型骨折。经用手法整复后进行X线复查，其解剖对位，效果满意，用纸压垫和小夹板固定，予以屈肘中立位悬吊于胸前，嘱其练习握拳活动，配以活血消肿止痛的内服药。

次日复诊，患者述其伤处疼痛，练功受限，调整布带松紧后嘱其3日后再诊。

三诊，病人患腕肿胀，仍述局部疼痛，练习握拳活动时腕部疼痛，临床常见老年患者怕疼不敢练功。练功少肿胀消除慢，可予以适当的药物。

1周后患者复诊，仍述局部疼痛且无明显减轻，拆开外固定观查其局部情况，伤处仍有肿胀，皮肤完好，此时移动患肢，用手触摸患处的一瞬间，腕部出现了轻微的弹响声，患者感觉疼痛明显减轻，再经固定，练功顺利进行，直至愈合，无明显疼痛出现。

骨折整复后，造成疼痛的主要原因有对位欠佳，压迫溃疡、捆扎过紧等，上述原因患者均不存在。这奇怪的疼痛在移动患肢、按压患处的一瞬间竟消失。这提示用手法整复骨折后，患者局部残留有“错缝”现象，也会引起疼痛。

这种“错缝”的现象，其病理变化是局部解剖位置的微细变化，正如民间所形容的“骨错缝、筋出槽”。当这种病理变化得到纠正时疼痛即消失。在大量的软组织损伤的病例中，广泛存在着这种现象，临床上应引起足够的重视。

“嵌插法”

邱德久

“嵌插法”，是使骨折断端紧密接触的一种方法，它有促进骨折愈合的作用，在临床上有一定的治疗意义。现举一例病案治验以说明之。壮年女性患者王某左肱骨中下1/3交界处因机械绞伤而骨折，病程10周，在外地治疗后转至我科。X线片显示骨折端分离约1cm，无骨痂形成。临床诊查其局部皮肤外伤已愈合，上臂肌肉萎缩，肘关节肿胀且有粘连，呈屈肘90°的强直位，屈伸活动受限。据此情况，我们运用“嵌插力”作为主要治疗手段，获得了满意的结果。方法：将患臂伤处包扎好，将绷带从肩峰上至肘下尺骨上端做纵形缠绕，用力使骨折断端接触，再运用纸压垫、小夹板适当外固定，把缠绕好的绷带一起捆扎在夹板里，然后令助手双手紧握四块小夹板保护断端；术者一手以肩峰向下，另一手从肘下尺骨上端向上做对抗挤压，使挤压力作用在肱骨干骨折的断端，继续挤压，5~6分钟即可，隔日治疗。疗程5周，X线片即显骨痂，10周后，骨折断端已有连续性骨痂生长，骨折愈合。

此外，治疗期间，要求患者做端肩、握拳等功能锻炼。练功时之肌肉收缩、绷带的纵向捆绑，以及术者的纵向挤压，致使三个力量合一而作用在骨折断端，使“嵌插力”充分发挥作用，促进骨折愈合。

肩肘带小议

邓福树

锁骨外1/3骨折，临床较常见。锁骨骨折近侧端因胸锁乳突肌的牵拉，向后上方移位，远侧端因肩胛带自身的重量作用，向前下方移位；肩锁关节脱位是因肩锁韧带，喙锁韧带断裂所致，亦是因胸锁乳突肌和肩胛带的作用发生肩锁关节移位；肱骨干中段或中下1/3粉碎、横断小斜形骨折，局部夹板外固定后，可常发生骨折断端分离，处置不及时致成迟缓连接或不连接，其主要原因之一，是由于骨折远段肢体重量牵拉力未被控制的结果。

肩肘带的作用：有沿肱骨纵轴上提上肢，控制肩胛带和肱骨干骨折远段自身重量牵拉力及下压锁骨的作用。使锁骨外1/3骨折保持对位，矫正向上成角，肩锁关节分离复位，肱骨干骨折断面接触紧密，可防止断端发生分离，有分离者可得到矫正。

肩肘带的构成：用毛巾2条连接成1条，或用布绷带经患侧肩上、健侧腋下缠数圈称为肩腋环形带；用硬纸壳一块长30cm、宽20cm，在两长边中1/3处分别横行剪断为其宽度的1/3，两端对折成90°角，用胶布固定成为硬纸槽内衬脱脂棉一层，肘关节屈曲90°装进硬纸槽中，绷带“8”字形缠绕固定于肘上，绷带相互交叉于肘窝处，称为提肘带；患侧肩上用硬纸壳垫毛巾和健侧腋下毛巾衬垫，用2条布带或松紧带将提肘带与肩腋环形带的肩上端前后侧连接拉紧。前臂置于胸前，三角巾悬吊颈部。

肩肘带使用时注意事项：锁骨外1/3骨折，肩腋环形带的肩上端应压在锁骨骨折的近侧端上，对抗胸锁乳突肌的牵拉移位，保持断端对位；锁骨骨折单纯向上成角畸形，肩腋环形带的肩上端压在成角处；肩锁关节脱位，肩腋环形带的肩上端压在锁骨外端上；肱骨干中段或中下1/3横断、粉碎，小斜形骨折，手法复位后按再移位方向放置压垫，四块局部夹板固定之后，肩腋环形带的肩上端压在肩锁关节处。肩肘带的提压力可沿肱骨干纵轴发挥对骨折断端的挤压力，避免断端发生成角，一旦发生成角可调节连接带的松紧来矫正。

伸直型肱骨髁上骨折手法复位要点

张文泰

肱骨髁上骨折多见于10岁以下的儿童。伸直型肱骨髁上骨折约占儿童肘部骨折的80%。此病一旦发生，应及时地给予治疗，否则将遗留机体本身不能矫正的各种后遗症，如肘内翻、关节僵硬等。所以，每当我们在临床上遇到这样的病人时，要及时地进行手法复位，小夹板外固定，以防止肘内翻和关节僵直。在复位时，既不要反复多次地进行，更不要外固定时间过长，同时应鼓励病人早期自主地进行肘关节的屈伸功能锻炼。暴力的被动运动，只能起反作用。

我在运用手法复位治疗伸直型肱骨髁上骨折时，首先在屈肘40°位置上（0°法）牵引矫正重叠移位，正如《医宗金鉴·整骨心法要诣》指出的“欲合先离，离而复合”的道理。肘关节伸直位牵引是矫正不了骨折端重叠移位的。在矫正重叠移位的基础上用侧方挤压的手法来矫正侧方移位，最后用两手拇指向前推挤肱骨髁部，同时屈肘90°来纠正前后的移位。用这样的手法复位比较容易，防止先矫正前后移位、后矫正侧方移位。否则的话，复位容易失败。

曾治张某，10岁，因练习骑自行车而摔伤右肘部，经拍片诊断为右肱骨髁上伸直型骨折合并尺偏。当即进行上述手法复位，同时使其徐徐屈肘达90°位置，然后用小夹板外固定，并将患肢悬吊于胸前。经拍X线检查，已达解剖复位。3周后解除夹板外固定，进行肘关节的伸屈功能锻炼。经过1个月的治疗，患童骨折部已愈合，肘关节也恢复了正常的功能。

推抓法治疗肩背痛

张文泰

我从事骨科临床多年，常见肩背疼痛的患者以女性患者为多。症状以肩背部酸痛，沉重为主，背屈曲时疼痛加重，背伸展时稍感松快，遇寒凉潮湿则症状加重。疼痛多在脊柱两侧、肩胛骨中下部、内上角、内下角和冈上肌处均可有广泛性压痛。此症往往被误诊为骨性疾病，其实系肩背部肌肉劳损出现渗出、无菌性炎症，导致肌肉痉挛、粘连，复感风寒湿邪而成。正如《素问·痹论篇》指出的：“风寒湿三气杂至，合而为痹也。”

对于肩背疼痛的病人，我采用推抓法治疗之。推法是用手掌逆足太阳膀胱经脉而推，有消除壅滞、疏通气血之功效；抓法是用手指抓提皮肤及皮下组织，能促进经脉气血的流通，并有消除和缓解肩背部软组织痉挛、松解肌肉肌腱粘连，减轻或解除肩背部疼痛的作用。曾治一女患者苗某，自述肩背部疼痛半年余，如背物感，遇寒凉疼痛尤甚。近半个月来疼痛加重，经拍X线片证明，其骨质未见明显变化。检查身体见其背部肌肉紧张，第5、6胸椎棘突压痛，肩胛骨中下部及内上角处压痛明显，背部前屈时自觉疼痛加重，活动轻度受限，背伸时感觉正常。诊断为肩背痛。用推抓法进行治疗，隔日1次，5次为1个疗程。经3个疗程的治疗，患者诸症消失，恢复原来的工作，至今未见复发。

骨质增生与肝肾

|张文泰|

我师刘柏龄教授，精通骨伤科学，尤其对骨质增生病颇有研究。一日，随师出诊，见一男子约五旬，背曲肩随，极为痛苦。自谓腰背疼痛多年，虽求医多处，未能见效。现在不能直立行走，特来求治。自带 X 线片表明，胸腰椎均有不同程度的骨刺形成，增生明显。经作体格检查，其腰活动为 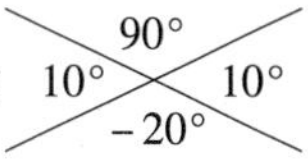

，舌苔薄白，舌质淡红，脉沉缓。诊断为增生性脊柱炎。以金匮肾气丸合六味地黄丸治之。余问刘师：“此病系骨质增生，给补肝肾之药治之，何也?”师曰：“虽是骨质增生，实属骨的退行性改变，即骨质退化的表现。肾主骨生髓，肝主筋荣爪，肝肾同源，故滋补肝肾，以强壮筋骨是也。”

诊后思之，骨质增生病是随着人的年龄增长而症状逐渐加重，如再遇到外伤、劳损、炎症等则骨质增生更甚，疼痛加剧。于此可见，骨质增生的出现，实乃肝肾之精气亏损，筋骨随之衰退而成。故其治责之肝肾，实为吾师之至理明言。

5 日后，病人复诊，腰背疼痛明显减轻，腰部可以活动。法上述原理，经两个月的施治，患者的症状与体征已基本消失，已恢复正常工作。

小夹板外固定弛张辨

|张文泰|

小夹板外固定，是治疗四肢长管状骨骨折行之有效的方法之一。它既能提高治疗效果，缩短骨折愈合时间，又能防止发生功能障碍、关节僵硬的弊病。小夹板固定，在骨伤科历史上曾经起过重要作用，现在它仍是固定骨折的重要工具之一。但如果运用不当，将会发生严重的后果。我于 1979 年在临床上曾遇到两例骨折病人因夹板外固定过紧致使肢体坏死，最后截除患肢，造成终生残废的患者。此种教训应引起我们骨科医生的特别注意。

一男性患者石某，被车压伤右小腿，致使右胫腓骨中 1/3 骨折。经一位私人医生给予小夹板外固定，并嘱其疼痛也不能拆除夹板。第二天患者自觉肢体疼痛严重且有麻木感，约 1 周后小腿下段及足部坏死而来我院入院治疗，最后行小腿上段截肢术。

又一女患者宋某，6 岁，摔伤，致使右前臂肿胀疼痛。某医生误诊为前臂骨骨折，给予小夹板外固定。患儿前臂掌侧逐渐出现严重疼痛，手麻木，知觉消失，手指丧失功能 3 天而入院治疗，最后因肢体坏死而作了前臂上段截肢术。

治疗上述两例病人的严重教训，我们应当记取。但小夹板外固定的松紧度究竟怎样掌握？我的体会是，小夹板上的布带的松紧度是关键，也就是捆在夹板上的布带以能够上下移动 1cm 为适合。这样，夹板的压力既能束缚骨折移位，又不阻断肢体的静脉回流。如果伤后肢体肿胀严重，应首先抬高患肢，待肿胀消退后再用小夹板做外固定为妥。若夹板固定后伤肢出现血液循环障碍时，应及时松解夹板上的布带，并给口服活血、消肿、渗湿等中药，能收到良好的效果。

下颌脱臼的治疗经验

刘洪涛

下颌脱臼是伤科中常见疾患，多发生于老年病人。本人从事医务工作 40 年，对下颌脱臼的认证、复位、善后处理等，积累了一些经验。现将点滴体会介绍如下：

我认为下颌脱臼的原因，不外乎以下两种。一是内因。肾气虚弱，或年老体衰，元气不足，筋肌松弛，约束力减弱，不能维持对关节的支持和固定作用，则易于脱臼。二是外因。由于轻微碰撞和呵欠、呃逆、大笑、嘴嚼硬物、张口过大等，均可致发本病。其症状：不论单脱或双脱，除具备应有的症状外，其主要特征是闭口时下齿较上齿在前。

复位手法，首先让病人靠墙或椅背坐定，与术者位置适当得手，另一助手立在后侧用双手固定患者头部，防止病人在使用手法时摇动。然后术者站在患者前面，用纱布或毛巾包好双手拇指，防止在复位时被病人合口咬伤。

双脱复位法：口内复位。整复时术者双手拇指伸入患者口腔内，按于两侧最后的大臼齿，余指在颊面同时拿住下颌骨下角外缘，十指按照步骤，分布就绪后，具体操作：两拇指先往下轻微用力按压两侧臼齿，俟骨体移动时，再往里推，余指同时协调地将下颌骨向上端送，这时可感到滑入关节的响声，脱臼已复，拇指速向两旁滑开，随即从其口腔内退出，其余四指慢慢松开。

习惯性脱臼，中医又名“滑节”，形成后稍不留神便可脱落，有的甚至 1 日脱落数次之多，复位比较容易，有的患者还能自行复位，但不能巩固，经常出现局部酸痛，张口不便，嘴嚼无力等症状。在临床上除及时给予手法复位外，还应根据中医辨证施治，须先扶正、补肾虚、坚筋骨之法，常用方剂补肾壮筋汤加减。

杜仲10g、忍冬藤15g、五加皮10g、川芎6g、杭白芍12g、何首乌10g、川羌活10g、钩藤丁15g、黄芪20g、全当归10g、粉甘草3g、汉三七1.5g，水煎服。治肾经虚损，其目的是使气血疏畅，强健筋骨，促进筋络的约束力或弹力恢复正常。

下颌关节脱位有新法

杨大鹏

今秋某日傍晚，学生吴某匆匆来告："邻居一老太太，不慎下巴脱位，曾用口内复位方法整复几次未能奏效，特来找老师。"余立即同往视之，老太太年已花甲，因吃东西张口过大，突发口角向左歪斜，下颌亦向左倾斜，口半开不能主动张闭，流口涎，言语不清，右颧弓下可触及下颌骨的髁状突，耳屏前方可触及一凹陷，是一例右下颌关节脱位的病人。

术前让病者坐在靠背椅上，放松，不要紧张，余站其病侧，使病者头向健侧偏斜45°，以左手掌心前部托住颏下部，右手拇指放于脱位的髁状突的前缘，其他四指放于项后部。此时右手拇指先按"颊车"穴、"下关"穴，产生酸麻胀痛，使肌肉放松，然后向后推脱位的髁状突，同时左手协同压病侧推颏下部，常感骱内有滑动感及感到"咯嗒"一声，则表示复位成功。病者嘴可闭拢；术者手放松托住病者下巴骨，稍等片刻，自感疼痛消除，上、下牙齿对齐，讲话正常，嘴张闭自如。然后嘱患者近日忌食硬物，嘴不要张大。此例因患者年老体弱，肾气虚，气血不足，血不能养筋，骱位松弛，筋无束骨能力，不能维持对关节的正常维系。

小儿髋关节假性脱位小议

樊春洲

30年前一天，《黑龙江日报》刊出"难忘的一件事"，摘要如下：某日我下班回家，未见小儿在门前小树下等我，疑其病，疾步入堂。闻儿哭声，见卧床不能走，乃问其母，答说昨日曾与小朋友顽闹，今晨起右胯痛，不敢走，已去三处医院诊治，摄X线片说无病，回家后疼不愈。我当即携儿走四大医院看夜诊，诊断如旧。一夜不眠。翌日，与其母携儿至樊春洲整骨所。室小而设备简单。医诊查后令患儿卧床，妻以脚触我示意勿诊，医觉之随说："小病，勿惊。"乃以一手握踝，一手扶膝，屈其胯，顺势外旋。仅瞬息之时，手法已毕。医令患儿自起。其母说"腿痛，不能动"话语间，患儿已起，步履如常。喜甚。当晚下班又见小儿立门前树下等我，见我归展双臂飞奔过来，当我用双手举起这仅4岁的爱儿时，不禁感激的想到：小诊所治大病，着手立愈，给患者及家属解决多大的苦痛！该文见报后，胯痛者盈门。

本病是小儿常见的髋部软组织损伤，有许多病名，如胯　伤、扭伤、挫伤等，这是从病因上命名的；急性滑膜炎、滑膜嵌顿、髋臼错缝，这是从病理变化上提的；关节半脱位是从症状上提的。但是从解剖4例小儿尸体进行观察与X线片的证实，却既不是关节脱位，又不能出现关节半脱位，故而以"假"名之。假者，非真之谓也，以示髋关节没有脱位之意，但是本病有脱位的类似症状，因而采用髋关节脱位手法治疗，能立即恢复其功能。

小儿髋关节软组织损伤后均出现髋部疼痛、屈曲功能障碍、下肢一长一短、骨盆倾斜、走路跛行、腹股沟压痛等临床症状。治疗方法如上所述。

该病本属轻伤，新伤者手到病除。若治不及时，运用手法虽能治疗，复发率较高，且恢复也较慢，需卧床休息，长至数日。

骶髂关节错位的诊治方法

樊春洲

骶髂关节错位这一损伤，在我国不论传统医学还是现代医学，都未有明确的记载。我在反复的临床实践中，肯定了有本病的存在。我在30年前就已经提出这一论点。近20年来由于国外医学的影响，才逐渐被少数医家所承认，但应用于临床者仍为数寥寥。

关于骶髂关节错位的诊断和治疗，我在有关医学杂志上已几次提及，但仍有些医师来信诊问，看来还是有再谈的必要。本病的诊断不是单纯依靠X线片，也不是用"切诊"可以完全摸到的，主要是根据受力时的体位，以及所受力量的大小，加以辨证分析而作出诊断。

如有一女采购员，乘坐在一辆满载货物的三轮汽车上面。在急转弯时，被甩至车下。右侧臀部着地，当即行动困难，右下肢不敢负重、弯腰、下蹲右骶髂关节处痛重，仰卧翻身、咳嗽、喷嚏的震动均能引起疼痛。诊查时，可见其右侧骶髂关节部位稍隆起，局部压痛，叩打痛明显，右下肢后伸、屈髋、外展、外旋、内收、内旋均能产生疼痛，摄X线片骨质未见改变，骶髂关节间隙正常。诊为骶髂关节错位（缝）。

嘱其俯卧，令一医生用两手重叠放在右侧髂骨嵴后部，准备向下推之。我以同一姿势将手放在健侧坐骨结节上，准备向上推之，此时二人同时用力，重复两次，尔后令患者起床活动，疼痛立除，惟其右患部稍有不适感，嘱其卧床休息1周，余症皆消。

腰骶小关节扭错的治疗手法

| 邓福树 |

腰骶小关节扭错，亦称腰骶小关节综合征，或腰骶小关节滑膜嵌顿。腰骶小关节呈冠状位构成，有关节囊和滑膜稳定关节。30岁以后由于腰椎间盘变性、椎间隙狭窄，关节突、关节重叠，关节囊和滑膜松弛。当腰椎前屈时小关节后侧张开、突然伸直腰部，关节闭合同时将松弛的滑膜挤压或咬住，致使小关节发生扭错。

该病均为突然发病，如弯腰刷牙，洗脸或取脸盆突然直腰时，腰部剧痛难忍，腰段呈前屈状，直腰受限剧痛，腰前屈活动则正常或痛轻，俯卧位下腹部不能贴床面，需腹部垫枕才能俯卧，腰$_5$骶$_1$棘突旁压痛，下肢感觉运动无障碍。

手法：病人先右侧卧位，双上肢在胸前交叉抱肩肘内侧靠紧胸壁，上侧的下肢屈髋、屈膝，大腿靠近腹壁，下侧的下肢伸直位，术者立于床侧一手扶推肩部，另一手压膝部，使躯干沿纵轴旋转，用力急促有时可听到响声；然后改换左侧卧位，姿势同前，一手压肩另一手压膝，同样产生躯干旋转。

由侧卧位改为仰卧位，髋膝屈曲，助手一手握持双足前部，另一手放置双膝前部，用力屈髋、屈膝，使大腿靠紧腹部腰椎发生卷曲，臀部离开床面，然后使双小腿左右摆动，转扭腰骶部，双手握持双小腿踝上部猛拉直下肢。

俯卧位患者双手握持床头端，助手向上拉两侧腋窝并固定，两名助手分别握其小腿踝上部进行对抗性牵拉3～5分钟。同时术者双手握持两侧髂嵴前段，进行左右旋转骨盆，反复操作3～5次。

此法重点作用在腰骶小关节部位，将小关节滑膜从嵌夹中释出，使关节恢复正常位置，使腰部畸形、疼痛消失，活动范围恢复正常。如受伤时间较长，滑膜被夹挤充血水肿，创伤炎性反应存在，施行手法后腰部仍有轻度疼痛，卧床休息数日，症状可很快消失而恢复工作。

进行上述手法治疗时，应掌握此病的体征和诊断要点。必要时进行腰部平片检查，排除腰椎骨质病变，避免因手法操作发生意外。

“摇扇子”治疗腱鞘囊肿

|杨大鹏|

立夏访友，席间友人杨某系工程师，知我从事骨科，便问：“我偶然发觉手腕长一疙瘩，呈大枣一般。久则变硬，压之有坚韧感，但不觉疼痛，仅觉碍事，能否治之。”余视之：其右腕背中央有一硬物，如软骨样之肿块，推之微有移动，但根底连结甚牢，表面尖锐，皮色正常，其周围软组织肿，边界清楚。余曰：“此为腱鞘囊肿，又称‘筋聚’，因您常年累月用手画设计图纸，由久劳伤筋，气血郁聚不散，筋膜聚结，成为内含胶状物之囊肿。一般囊肿表面光滑，按之柔软。有波动感，无痛或酸痛，自觉手腕无力，本可用传统手法挤按即可愈，但你腕背这肿块坚硬如软骨样，不便用力推挤，以免受皮破之痛”。余突生动机，让他在夏天用扇子取凉，其意加强腕关节活动，对本病有益。翌年，邂逅相遇，杨某主动招手道谢！因其夏天手不离扇子之故，后发现手腕肿块已消失，甚为满意。余视其右手腕原囊肿已无，皮肤正常。后余在门诊见与其类似的腱鞘囊肿，均嘱患者加强腕关节活动，治愈6例，医患均高兴矣。

毫针治疗手掌侧腱鞘囊肿

|邓福树|

腱鞘囊肿，多发生在手背腕中央偏桡侧，而手指掌关节掌侧则次之。手掌侧腱鞘囊肿，常见于青年女性。其病因是由于经常用手握持硬物磨擦挤压，引起屈指肌腱鞘滑膜充血、渗出、肥厚、变性形成囊性包块。好发部位多见于食指或中指、环指掌关节掌侧。初期有较小的突起包块，如赤豆大。按之坚硬如骨，无移动，与皮肤不粘连。X线检查骨质无异常变化。

针刺方法：使患侧手心向上，手指伸直平放诊桌上，以包块为中心用碘酒、酒精涂擦、消毒皮肤。然后取消毒的1寸长毫针1根，针体与皮肤成锐角，从包块一侧刺穿对侧，进行反复提插3~5次。一般拔针后包块立即消失。如有残余可用酒精棉球在包块上揉按至完全消失为止。

应用此法治疗手指掌关节掌侧腱鞘囊肿，方法简单，病人容易接受，无痛苦，效果好，无复发病例。

膝关节半月板移位议

樊春洲

我过去在论述半月板移位时，曾经着重强调正常半月板移位，而不是异常半月板移位。关于过度“活动性半月板”和“盘状半月板”的移位已有过报道，但是正常半月板移位问题尚未明确地提出。

半月板移位的病机，与半月板损伤（破裂）基本相似，只是因为发展程度不同而导致不同的结果。如果是异常半月板，那么复位后还会发生再移位。若经复位后不再移位，不容置疑的是正常半月板，所以正常半月板移位是存在的。我之所以这么说，是因为有些医师对正常半月板的移位有不同的看法，因而在治疗上也就难免有些差异。

10 年前我院的一位年轻青外科医生，因骑自行车跌倒，扭伤右膝关节，伸屈功能受限，伸 20°屈 80°，超过这个活动范围就会引起剧痛，但在此范围内活动疼痛不显著，走路屈膝跛行，患膝肿胀不明显。在我院骨科曾被诊为“半月板损伤”，拟予手术摘除。因患者不愿接受手术，其妻趋而求治，我应之。见其依墙而坐，患膝屈，健膝伸，我询其因，查其体，乃诊为右膝半月板移位，继之以手握患肢踝上。患者嘱咐我说：“勿过屈，前有医为我屈之，疼欲昏而不愈。”我慰之曰：“我屈无痛宜配合。”患者欣然与我合作。我突然屈其膝至极度，我嘱其虽痛勿伸膝，早晨例会后我来看他。约 15 分钟会毕，见患者步行自如，来于众前，蹲起如常，已无痛，众愕然问：何故？患者答：经治方愈。有一医肃然道：勿喜过早，后必复发，此乃半月板损伤后的“解锁”现象，如不摘除半月板，必再发。在两个月间曾复言 3 次，患者疑之问我，我笑而未答。又 3 个月患者告我说，虽彼等仍催我摘除半月板，我已不信。今已数年，朝夕相见，未闻其患膝有不适感。在此前后遇有十数患此病者，经治后无一例再发，均属正常半月板移位。

腰肌扭伤手法之选择

樊春洲

腰肌扭伤，是属常见病和多发病。采用手法治疗，确有手到病除的效果，因此患者常能“抬进来，走出去”。不过，手法要用之得当，否则会有相反的结果。

腰肌扭伤症状典型，诊断容易，多因扭、闪、搬、抬动作用力失调而引起。突然腰痛如折，立即不能俯仰转侧。检查时可有一侧或双侧腰肌压痛。活动受限，筋肉紧张。

治疗手法可根据腰前屈痛重，还是后伸痛重来选择。如后伸时单侧腰痛者，令其侧卧，患侧在上，医生立于背后，一手拇指压在患侧腰部最痛处，同时以髋部抵住患者臀部，另手拉患肢踝部向后伸，反复操作二三次，即可立效。如不宜用此法者，改用双手拇指压在腰肌痛处，用力由轻到重，同时令病人深呼吸或咳嗽，从而起到牵伸筋肉的作用，反复3~5次可愈。若为双侧疼痛者，可按前法双侧分别治疗。

如前屈时腰痛，令患者坐于凳上，医生立于其后，用双手拢其腰向后突然拉之，一次即愈。亦可令患者蹲下用双手抱膝，医者用两手分别按患者双肩向下按之，二或三次可愈。

若为陈旧性损伤，要多次运用手法，并佐以药物治疗。

指压臀部痛点治疗腰腿痛

施于仁

腰腿痛是一种令人十分痛苦的疾病。笔者在临床工作中发现臀中肌损伤性腰腿痛较多。对本病通过指压手法治疗多能治愈，并且治疗时间短，方法简单，不受条件限制。

急、慢性损伤，是促使本病发生的原因。日常生活中弯腰、直腰、下蹲、起坐等动作，都需要腰臀部多肌的协同动作。当没有精神准备，臀部其他肌肉无应力的情况下，突然发生屈髋、伸髋，并有一定旋转时，诸肌不能协调一致，即可发生臀中肌或肌膜水肿、渗出，重则部分撕裂、出血引起疼痛，因此临床表现轻重不等。

急性扭伤后，下腰部疼痛，不能活动，伴一侧臀部不适或沿大腿外侧向下肢放射，患侧下肢无力，卧床后腰痛减轻，翻身，咳嗽或打喷嚏时加重，患侧臀部肌肉紧张。

慢性损伤者无明显外伤史，只表现腰痛，弯腰时加重，起坐时腰部用不上力，多须扶持桌椅或双手支膝部，才能免强站立，患侧屈髋时疼痛加重，不能完成穿袜、提鞋等动作。

臀部压痛点是诊断本病的可靠依据。压痛点多位于臀部上方中部，臀中肌附着处，用拇指重力按压时，伤侧呈刺痛，十分严重，难以忍受；健侧则呈酸、胀、痛伴有不适感。检查时应两侧对比。

指压手法是治疗本病的最好方法。实践证明，只要诊断正确，手法确实，无论急性或慢性损伤，都能取得疗效，并且简便易行。指压手法多与检查同时进行。患者俯卧于床上，全身肌肉放松，医者站立患侧，于臀上部找准压痛点，以单拇指指腹或双拇指指腹重叠重力按压，使压力集中在最痛的病变部位，左右弹拨，约20秒钟即可。此时伤部剧烈疼痛甚难耐受，施行指压手法每3日1次，直至臀部压痛消失，腰腿疼痛亦消除。急性损伤者多于施行1～3次指压手法后治愈，慢性损伤施行3～5次手法可治愈。

对患高血压，心功能不全和年老体弱者慎用本法，以免因指压时产生的疼痛刺激使其发生意外。

损伤之瘀血治则小议

郑顺山

损伤之患，由于恶血留内，阻塞经络，气血凝滞不通，可见肿痛并见，功能障碍等症。专从血论，此乃血病碍气所致之气滞血瘀也。血溢脉外，败血已成，不能生气。习以实证治之，多选攻下逐瘀之法。苦寒泻下之品，误伤阳气。先贤之训，“血行则气行，血瘀则气滞”“气为血帅，血为气母”，血得温而行，遇寒而凝。寒为阴邪，过之则耗伤阳气而气虚，血行无气推动之力，血不活而瘀不去，气血运行愈加受阻，且气血又无生化之源，内不能洒陈于五脏六腑，外不能充养四肢百骸，故久之内损脏腑，外则皮、肉、筋、骨失荣。针对其气虚之候，在用活血化瘀之品时酌加黄芪，用其甘温之味，补中益气，以复气血生化之源。正气复，血行有帅，气滞可散，以助活血化瘀之功，不怕瘀血不消，气血不行。瘀血既去，新血已生，气血充盈，畅行于血脉，气血调和，诸症自除，此乃用黄芪之妙也，屡验屡效。

七厘散之妙用

刘洪涛

七厘散是《良方集腋》中治疗骨伤科疾患之名方。在伤科运用相当广泛，内服、外敷均可。我在总结前人治疗经验的基础上，于多年临床实践中，对于早、中期患者凡具备跌打损伤、瘀血作痛、筋伤骨断，创伤出血等主要症状的，经用七厘散加减化裁，治疗均获显效。对手部伤患者加忍冬藤、桂枝、桑枝；对足部伤患加黄柏、茄根；对腿部伤患加牛膝、虎骨；对腰部伤患加入杜仲、地龙、桑寄生；对胸部外伤加入郁金、茵陈；对于左胁损伤加栀子、降香；对右胁损伤加陈皮、枳壳；对肩部外伤加川芎、姜黄；对骨折患者加土鳖虫、自然铜；对风寒疼痛加防已、肉桂；理气加柴胡、香附；理血加丹参、当归尾；止痛加汉三七、延胡索。

本人认为用此药治疗一切跌打损伤，除早期蓄瘀、大便不通、舌红苔黄、脉数的实证患者外，其他损伤早、中期具有气滞血瘀、壅阻经脉、局部肿痛者，均为七厘散的适应证。

曾治妇女赵某，因其不慎扭伤左足，半小时后，外踝足背瘀肿，触痛广泛，关节不能活动、行走困难。经查排除骨折后，予内服七厘散加汉三七、黄柏、茄根为引，冲服送下，日服2次；外敷酒调七厘散，2日后患者症状大减，5日全部症状基本消失。

活血消肿汤刍议

张万芳

跌打损伤，每多使络脉破损，受损处肿胀作痛，若伤在关节，则出现渗液，关节肿胀，屈伸不利。余治此病，特别注重两点：一是活血化瘀；二是渗湿利水消肿。因为血不活则瘀不去，瘀不去则肿不消。瘀滞不通，积久则水湿外渗，其至瘀而化热，更加重了患处的肿胀，故以活血消肿汤治之。经多年临床观察疗效颇佳，对急性损伤，效果更为显著。

本方药物有：土鳖虫20g、红花15g、赤芍15g、薏苡仁50g、苍术25g、泽兰20g、茯苓15g、乳香15g、没药15g，水煎取汁，用纱布滤过，50ml，日3服。若伤在上肢者加桂枝；伤在下肢者加牛膝；局部灼热者加生地黄、黄柏；肢体寒凉者加蜜麻黄、附子；经络瘀滞加地龙、蜈蚣；胃纳不佳者加砂仁、鸡内金。

余在临床运用活血消肿汤治疗各种伤科疾患，颇为得心应手，略举几则以说明之。

损伤初期肿胀：患者王某，男性，34岁。因左腿肿胀7天而就诊。查其左下肢肿胀，局部有瘀斑，按之硬，压痛（+），X线片未见骨折。诊断为左大腿软组织挫伤。以活血消胀法治之。用原方加牛膝15g、地龙15g，水煎服。患者连服6剂而愈。

损伤后期肿胀。患者张某，男性，20岁。初诊时主诉：左腿肿胀4个月。查其左下肢明显肿胀、布满湿疹，扪之皮肤热，按之凹陷不起，左膝关节活动范围仅20°。X线片显示其左股骨粉碎性骨折，对位尚可，骨痂形成中等，骨质广泛脱钙。诊断为：左股骨粉碎性骨折并发晚期骨折病。此乃瘀久化热，湿热外渗所致，以活血消肿、清热渗湿法治之。处方：薏苡仁100g、苍术25g、茯苓15g、生地黄25g、黄柏20g、苏木20g、赤芍20g、红花15g、乳香15g、没药15g、防己10g、金银花30g、连翘20g、牛膝15g。患者连服20剂，诸症悉除。

外伤性渗出性滑膜炎。患者李某，女性，30岁。初诊时因其右膝关节肿胀痛行走困难，患病8天而就诊。查其右膝关节肿胀、有瘀斑，扪之微热，穿刺抽出淡红色液体，右膝关节X线片未见骨质异常改变。诊断为右膝关节外伤性滑膜炎。此乃外伤，血瘀经络，脉络不通，水湿外渗所致。治以活血渗湿之法。药用：薏苡仁100g、苍术30g、泽兰25g、防己10g、西瓜翠衣20g、五加皮20g、红花15g、土鳖虫20g、赤芍20g、牛膝20g，水煎服，日2次。肿消上方加威灵仙20g，连服12剂而愈。

余用此方，在活血化瘀的基础上，着重用薏苡仁、苍术、茯苓等药，三药具有健脾燥湿利水之功能，再配以活血祛瘀之药，二者相得益彰，其消肿作用大为增强。

胸胁宿伤证治浅议

张万芳

胸胁宿伤，是因胸部内伤治疗不彻底而遗留的一种反复发作的慢性疾病。症见胸胁满闷，隐隐作痛，呼吸不畅，咳嗽，纳少。其发病机制，乃为胸部内伤迁延日久，气血凝结积久不去，经络阻塞不通而为患。我治此病注重三点：即行气止痛，祛瘀通络，扶植正气。若气血调和，经络通畅，正气内充，病必自愈。治此病，余在临床多以三棱和伤汤为基本方，使用多年，具有较好的效果。方剂组成：三棱20g、莪术15g、青皮10g、陈皮10g、白术10g、枳壳10g、当归15g、党参15g、乳香10g、没药10g、甘草10g，水煎取汁，纱布滤过，50ml，老酒为引，日2服。若属瘀滞重者加土鳖虫、苏木；经络阻滞者加地龙、蜈蚣；痛甚者加延胡索、细辛。

曾治一男性患者，因右侧胸胁部被汽车撞伤，经检查未见骨折，因此未引起注意，口服云南白药、索密痛片等药，病情稍见好转后，就又继续参加劳动。嗣后，每因劳累右胸胁部即感闷痛，不能继续坚持劳动，虽经多方治疗无效，后来我院就诊。症见胸胁满闷，牵引作痛咳嗽，便秘。查其胸廓外形正常，两侧对称，右侧5～7前肋压痛（±），叩击有闷痛感，舌质红薄黄苔，脉沉细而涩。肝功正常，超声检查稀疏微波。诊断：右侧胸胁宿伤。处方：三棱20g、莪术15g、青皮15g、陈皮15g、枳壳15g、乳香15g、没药10g、郁李仁15g、炙大黄10g，水煎日2服。服药后胸胁胀闷减轻，但仍感疼痛，时有刺痛。气机虽调，但瘀滞较重，经络不通，故在原方基础上加土鳖虫20g、苏木15g、柴胡10g、蜈蚣3条、细辛10g，患者连服12剂，诸症悉除。后改服加味八珍汤扶植正气，调养正气，以巩固疗效。随访10年未见复发。

胸部内伤分为伤气、伤血、气血两伤、宿伤四型。在治疗上有以行气为主的复元通气散，以活血为主的复元活血汤。我认为治疗胸胁内伤，特别是胸胁部宿伤，其症状有侧重于气滞者，有以伤血为主者，但在用药上不能单打一，因为气血互根，互相依附，伤气必伤血，气滞则血瘀；伤血必及气，血瘀则气滞。所以在用药上要活血与理气兼顾，调阴与和阳并重；尤其是宿伤，二者更应相伍，只不过在临证时孰轻孰重，有所侧重罢了。三棱和伤汤为治胸胁宿伤之代表方剂，具有行气活血调和营卫的作用，但在临床应用时，又感到其活血祛瘀力量之不足，故在原方基础上加土鳖虫、苏木行积血之药，适当佐以地龙、蜈蚣通经活络之品，更能增加其治疗效果。

中医治痔史话

张有生

中医治痔，历史悠久，经验丰富。早在《山海经》里就记载：劳水多飞鱼，其状如鲋鱼，食之已痔。指出飞鱼能治痔。并记有四种中药也能治痔。《庄子·列御寇》也有记载，秦王有病召医，破痈溃痤者，得车一乘；舐痔者，得车五乘。说明在两千多年以前的春秋战国时代，就有了治痔的方法。

根据长沙马王堆汉墓出土的帛书《五十二病方》中记载，就有五种痔疮。还记有“巢者”（肛瘘）、“人州出”（脱肛）等疾病及许多治疗方法。如熨痔法、敷药法、涤法（熏洗法）和灸法。还有“絜以小绳”的系痔法（结扎法）和“剖以刀”的割痔法（手术法）等等。那时不但能做手术，而且能用狗膀胱穿进竹管，放入直肠后吹气，再拉出肛外，进行检查和手术。确实了不起。这是世界上最早记载的手术疗法。

以后《神农本草经》又介绍了槐实、豚卵、蜂房、桐叶等21种治痔药物。汉代张仲景炼蜜为条，塞入肛门治疗便秘，叫做蜜煎导法，还用猪胆汁灌肠通便。晋代的针灸法，隋代的导引法（医疗体育），唐代孙思邈用鲤鱼肠、刺猬皮治痔。宋代发明了枯痔法。宋高宗患痔，朝中黄院子推荐临安（今杭州）痔科专家曹五，用取痔千金方（枯痔散的一种）治愈了高宗的痔疮。黄院子被加官为观察使。当时枯痔法还传到了日本及东南亚各国。元代又发明了挂线法治疗肛瘘。明清时代又创制了检查和手术器械，如银丝（探针）、探肛筒、穿肛套针、挂线用的挂子、割痔用的弯刀、钩刀、方头剪子、过肛针等，使手术疗法提高到相当的水平，并能做较复杂的手术。如明代孙志宏所著《简明医彀》记载用手术法治疗先天性锁肛：罕有初生儿无谷道，大便不能者。旬日后必不救。须用细刀割穿，要对孔确切，开通之后，用绢帛卷如小指，以香油浸透插入，使不再合，傍用生肌散，敷之自愈。

单就治痔方剂、单方、验方竟有五百多种。熏洗方也有300多种。真可谓“历史悠久，丰富多采”，颇有独到之处。这对世界肛肠学科的发展，曾经作出了重要的贡献。如用切开挂线治疗高位复杂性肛瘘，疗效好，无肛门失禁后遗症，已达到国际先进水平。美国肛肠杂志于1976年曾转载了这种方法，1970年笔者又用切开挂线法治疗肛周脓肿，取得了一次手术治愈而未后遗肛瘘的效果。目前全国已普遍应用这些方法。那种认为手术都是西医的方法，显然是片面的。我们必须继续发掘祖国医学治痔的宝贵遗产，使之发扬光大，为患者造福。

话说痔与肛肠病

| 张有生 |

一提到痔，人们就会不加思索地，马上想到是痔疮。其实并不完全准确。“痔”字，古时写作寺。据长沙马王堆汉墓出土的秦汉医书《足臂十一脉灸经》中就写作寺。其含意与现代也不完全相同。现代的寺字是名词，多半当庙宇讲，什么千山的龙泉寺，杭州西湖著名的灵隐寺等等。可是，古代却不然，它具有移行、变迁的意思。日本的古代汉医岸本亮一先生，经过考证曾经这样说过：上一个世代和下一个世代的交接点叫做寺。即世代的移行、变迁为寺。日（太阳）的移行、变迁为时。即日字旁加个寺字而成时字。人之九窍是体内与外界的出入口，或者说是交接部位，也是人体移行、变迁的部位。所以把人之九窍发生的疾病都叫做痔，即寺字上面加上一个“病”而成为痔。肛门直肠（简称肛肠）属中医五脏六腑的大肠腑。我国最早的一部医书《黄帝内经》说：“大

肠者、传导之宫，变化出焉。”说明肛肠也是人的九窍之一，是移行、变化的部位。所以把肛门直肠发生的疾病又都叫做肛痔。这是“痔”的由来之一。

另外，痔与峙同义，具有高突的意思。如《医学纲目》说：“如大泽之中有小山突出为峙，在人九窍中，凡有小肉突出皆曰痔。不独生于肛边。”故又有鼻痔（鼻息肉）、耳痔、眼痔、牙痔之分，但以肛痔为最多。俗话说“十人九痔”即指肛痔而言。这是“痔”的由来之二。

上述这些痔的概念，都是中医用取类比象的方法，把自然界的移行、变化现象，用来说明人体的部位和病变。从而把寺字上面加一个“病”而成为痔，就赋于疾病这个新概念或新定义。根据这个定义，痔就是泛指肛门直肠疾病而言。因而痔与肛肠在某种情况下，具有一个意思。这些疾病包括狭义的痔疮、痔瘘（肛瘘）、痔裂（肛裂）、脱肛、直肠息肉及肿瘤……。如《外科大成》记载：“锁肛痔，肛门内外如竹节紧锁，形如海蜇，里急后重，便粪细而扁，时流臭水，此无治法。”这些描述与直肠癌极为相似。由此看来，中医痔科绝不是仅仅治疗痔和肛瘘一两个疾病，而是包括所有肛肠疾病在内的，范围比较广泛的一个临床专科，所以有些中医院也改为肛肠科或肛肠病医院。

小儿脱肛怎么治法

张有生

小儿得病，父母担心，甚至全家不得安宁。特别是当今时代，多是一对夫妻一个孩儿，对孩子更是关切备至。而小儿脱肛又是多发病、常见病。反复脱出、送回，经久不愈，非但患儿痛苦，父母麻烦尤多。小儿脱肛又常常不易治好，最后还得作手术。一提手术，父母更是心疼万分。那么，就需要研究用药治病，不受什么痛苦就治好病，才能受到患儿和家长们的欢迎。

中医治疗小儿脱肛，早有成方，就是众所周知的补中益气汤。但是，效果往往不是那么理想。

小儿脱肛的主要病因是：小儿气血未旺，或久泻久痢，病后伤气伤血；或呼叫耗气；劳倦，导致气虚下陷而脱肛。中医认为，病之虚实，入者为实，出者为虚。肛门脱出，非虚而何？所以气虚为本。而肛门反复脱出，大肠升提无力而易滑脱。另外，病久气虚，湿热亦可乘虚下注，外感毒邪而致肿痛，此为病之标。中医治病，必求其本，标本兼治，内外兼施，方能收效。标本兼治，单以补中益气之法，则显不足，故必须加以升提固摄之法。笔者在补中益气汤的基础上，加减化裁，自拟成方曰补中提肛肠。

方中用人参、黄芪以补气；炙甘草、白术补脾健中；升麻、柴胡性善升提，能使陷者举之；再用五倍子、诃子、石榴皮以涩大肠。固涩一法，能巩固补中益气、升提的疗效，是不能缺少的一法，这就比补中益气汤原方，略胜一筹。

应内外兼施，单以内治也不完善，还必须结合外治。用我院已故王品三名老中医的一效散（朱砂、炙炉甘石、冰片、滑石粉研细为末），外敷患处，然后送回肛内。取其燥湿、消肿、收敛之功而增强疗效。通过临床观察，外敷药后，渗湿力强，渗水增多而自肛门流出，脱出肠段黏膜水肿消退，并能自行还位、脱出渐轻而治愈。

笔者用此方随证加减治疗小儿脱肛，取得一定的疗效和经验。尤其对 5 周岁以下，病史 1 年以内者，效果较好。少者 10 余剂，多者 20 余剂，内外兼用，不宜间断，否则就会影响疗效，延长疗程。用得恰当，就会使病儿痊愈，避免手术。

痔疮的辨证与内治法

杜克礼

痔疮是以肛门出血，便时脱垂为主症的肛门疾患，包括内痔、外痔、混合痔等病。本病好发于中、壮年。由于经常便血，可招致继发性贫血及其他疾病的侵袭，危害人体健康。

痔疮的内治法，是祖国医学宝贵遗产之一。历代医家虽强调内治法，但内服药多是复方，又不易搞实验研究，因而易被人忽视。余结合临床，在细心辨证的基础上，总结治法有四。

1. 是实热型：适于风热肠燥便血，症见血色鲜红，血出如箭，伴有口渴、尿赤、便秘、舌红、脉数等实证，宜清热凉血，疏风润燥，用凉血地黄汤合止痛如神汤，本法适于以便秘、出血、疼痛为主的各期内痔、血栓及炎性外痔，属燥热下迫大肠，血热妄行之实热证。如兼有表证者，用槐花散加味；湿甚瘀热者，用当归郁李汤。

2. 是虚寒型：症见神疲倦怠，面色皖白，大便溏薄，小便清长，夜寐难安，便血色淡，便时痔核脱出，舌淡苔白，脉沉迟或细弱。宜温中健脾，固脱止血。用归脾汤或黄芪建中汤加减，本法适于老年体弱，中气不足导致痔脱出，因便血过多而致继发性贫血的中、晚期痔疮等。脾虚便溏者，选黄芪建中汤加味；出血多者，用归脾汤加味。

3. 是湿热瘀滞型：症见肛门肿坠，纳少，腹胀，大便不爽，或身热，肛门疼痛，内痔脱出或嵌顿，舌红苔腻，脉濡数。宜清热化瘀，活血解毒，用五神汤或止痛如神汤加减。本法适于嵌顿内痔，炎性及血栓外痔，肛裂等。如湿热蕴结、疼痛甚者，首选止痛如神汤；如热重于湿者，用五神汤加减。

4. 是气血两虚型：症见面色无华，少气懒言，心悸失眠，周身乏力，或年老体虚，气陷肛坠，痔脱垂难上收者，便血色淡，舌边有齿痕，脉细弱无力等。宜升提固涩，益气养血，用补中益气汤、八珍汤加减。本法适于气血俱虚，以脱垂为主的晚期内痔。

凉血地黄汤：当归、生地黄、赤芍、枳壳、升麻、槐花、天花粉、地榆、甘草。

当归郁李汤：当归、郁李仁、泽泻、生地黄、大黄、枳壳、苍术、火麻仁、皂角刺。

黄芪建中汤加味：黄芪、白芍、桂枝、生姜、大枣、升麻、山药、熟地黄、茯苓、侧柏叶、甘草等。

止痛如神汤加味：秦艽、桃仁、槐角、槟榔、黄柏、当归、白术、防风、泽泻、大黄、地榆、仙鹤草、乳香、没药、车前子、灯心草等。

中药内服法治疗肛门病

芮恒祥

肛门病以便血、脱出、痛疡为主要症状，多发于青壮年，一旦罹患，经年不愈。由于长期便血、脱出、痛疡，故患者常有意减少进食，而导致机体衰弱、贫血。临床表现为面色䀮白，脉弱无力，舌质淡，证属气血双虚。现今各家治疗多以局部外治法，但中药内服法治肛门病，也是祖国医学宝贵遗产之一。

曾治患者张某，男性，教师，年方四旬，患痔半年余，便时出血，滴沥成线。就诊时见其形体健壮，声音宏亮，但唇焦咽干，口渴喜饮，大便秘结，小便赤黄，近两三日肛门疼痛如割，坐卧不宁。脉弦数，舌质红，苔黄燥。肛门局部右侧肿胀，皮纹消失，色焮红、硬如石，热痛拒按。发病以来大热难寐。证属血热肠燥，为肛痈症。经清热解毒，润燥通便之剂，方用：黄连6g、黄芩10g、栀子8g、地榆10g、连翘10g、郁李仁12g、甘草8g，水煎服。患者服药后肛门痛消，身热退、大便畅、小便清。后患者17年便不见血。至年近60岁时，又见便血但无痛感，自行服用上述方药后便血非但未止，反而腹满胀痛，大便日数解。患者因疾苦难忍，再度千里就医。但见其面色萎黄，唇白无华，气短心悸，精神倦怠，懒言少语，步态蹒跚。自述常夜梦纷纭，纳差乏味，肛门坠重，痔脱难收。诊其脉细弱，舌质淡而无苔。见其肛门松弛无力。截石位可见3、7、11点三处母痔均脱出肛外，需用手托送方可还纳入肛内。此属三期内痔，气血双虚之证，法当气血双补。方宗八珍汤，服20剂后，患者面色光润，精神较前大振，便血亦明显减少，但痔仍有脱出，尤以便时为著。又以补中益气汤兼十全大补丸服月余，乃便血止，脱出明显减轻，且不需手托即可还纳。遂欣兴而归。

同一患者，服前方无效而加重，何故也？细究其因，前者该患正值壮年，中气不衰，病程不久。而大便秘结，小便赤黄，肛门焮痛，肿硬如石拒按，证候属实，为热注大肠，故用清热凉血、润燥通便而收良效。而后患者年近六旬，中气已衰，阳气不振，再服清热凉血之剂，如寒加霜，更损其阳，故患疾非但不瘥，反愈加深重。阳气不足，脾胃之气不运则胃脘胀痛，大便溏泻，中气衰陷则痔脱不收。故必服温补之剂以补气养血，中气升则痔脱好转。若虚实不分，寒热不辨，必难收效。

治疗肛周脓肿有新法

| 张有生 |

挂线法，是中医手术法之一，原本是治疗肛瘘的传统疗法，早在元明时代就已广泛应用。不过，当时是用蜘蛛丝或药线，引入瘘管，两线端各挂上一个铅锤，以其重力坠开瘘管而达到治愈的目的。故名曰挂线疗法。

以后医家因挂铅锤，病家很不方便，肛门处有两锤悬吊，时而挤撞，在裤内作响，行走困难。所以改为将两端线头收拢、拉紧打结，每日紧线一次，逐渐勒开瘘管而治愈。建国以来，医生又觉得本法每天需要紧线，也太麻烦，灵机一动，计上心头，改用胶皮筋引进瘘管，两线端拉紧用丝线结扎，利用其弹力，逐渐勒开瘘管，也取得良好的效果。

挂线法可治好肛瘘。那么肛瘘是怎样得的？原来绝大部分肛瘘是肛周脓肿破溃或切开排脓后遗而成的。溃后余毒未清，不得外泄，疮口通肠，虽溃难痊，脓水淋沥不尽，时有肿痛，最终成瘘。

我想挂线法既然能治愈肛瘘，那么能否在肛周脓肿切开排脓后当时就挂线治之，而不后遗肛瘘呢？两者同理，以理相推，不妨一试。既或失败，也不增加患者任何痛苦，和切开排脓法一样，待其后遗肛瘘后再行二次手术罢了。

自1970年起，余大胆试用于临床，果真获得了预期效果。通过临床观察发现。挂线之后，疮口脓水，水逐线流，引毒外泄，挂线日紧，肠肌随长，辟处即补，挂破大肠而线脱落，疮口以药生肌，收口而愈，未后遗肛瘘。

诊余之暇，熟思斯理，后有数百人，依法同治，十人九愈。又经一些兄弟单位推广应用，验证可靠。治愈近千人很少成瘘，大大降低了后遗肛瘘的发生率。这不仅缩短了病程，又使病人免遭二次手术之苦，并减轻了患者的经济负担。实在是一个好办法。这不能不归功于祖国医学宝贵遗产给予的启发。

科学贵在探索，实践才出真知。有人曾对此法怀疑，岂知温故而能知新，继承才能发扬，对待祖国医药遗产，就是要取其精华，去其糟粕。精华、糟粕总是要通过实践才能加以区别。否则，就没有发言权。旧法革新，赋于科学内容，加以科学解释，就会变成新法，或者说是旧法新用，也会造福于病人。这就是一种辩证法。

硝矾洗剂的由来

| 张有生 |

中药熏洗治痔，由来已久。长沙马王堆汉墓帛书《五十二病方》里叫做涤法。至唐代已广泛应用于临床，叫做熏洗法。熏洗药方，种类繁多，至今已有300种以上。

余临诊多年，每用洗药，悉遵古方。什么祛毒汤、五倍子汤、朴硝葱头汤等等，疗效虽好，但病人使用非常不方便，都需要煎药，尔后才能熏洗。这对独身职工、学生来说，确实困难重重。哪里有药壶和火源？因而常常是望药生畏，扫兴而归。

怎么办？只有另想出路。余遂于1958年开始收集古往今来的所有熏洗药方。上自《五十二药方》，下至《古今图书集成·医部全录》，近自辽宁民间草药，远至全国各省、市、自治区出版的《秘、验、单方汇编》。共搜集了300多个药方。但每个药方都有草药，须要煎药。只好从中筛选不须煎药的单味中药，重新组合配方。

肛门熏洗药方，要求具有消肿、止痛、收敛、止血的功能，而且还能直接溶于水中，价格还要便宜、药源供应充足。按着这个要求，最后选定芒硝、硼砂、明矾三味。而每味药量需要多少，浓度需要多大，才能发挥最好效能？经过临床反复实验证明，10%溶液有抑菌作用，而无刺激性，洗后患处颇感舒适爽快，滑润不涩轻快感，肉芽新鲜，创面清洁，脓水减少。因其主要药物为芒硝、明矾，故各取一字，名曰硝矾洗剂。

经临床应用二十余年证明，本方疗效显著，使用方便，不须煎药，只用开水冲化即可，趁热先熏后洗。但须注意掌握温度，防止烫伤，以不烫手为度，坐盆洗浴约20分钟，充分发挥药效。如有熏洗坐浴椅架，患者更感舒服。

本方对急性炎症外痔、血栓外痔、内痔嵌顿水肿、脱肛、肛裂、肛瘘感染化脓，肛周脓肿破溃后，手术后创面等均能消除症状，减轻痛苦，颇受患者欢迎。真可谓“有病能治，无病能防”，是保持肛门清洁之佳品。

痔疮熏洗，痛消血止

|袁金宝|

俗话说：十人九痔。本病时好时犯，犯时肿痛，便血、治痔方法很多，熏洗患处却简便有效。熏洗方药更多，如何选方用药，需要考究。经过筛选，自拟熏洗方，经二十余年临床观察，效果显著，一般用2剂，即痛消血止。如一男患，患痔10年，反复发作，灼痛便血，肛门坠胀，用药熏洗2剂奏效，随访半年，未再复发。

若问方药，则有金银花30g、紫花地丁15g、蒲公英15g、大戟6g、刺猬皮15g、蛤蟆草15g、一支蒿6g，加水2L煎开20分钟，趁热先熏，候温用毛巾浸进药液外洗肛门，每日1剂，每剂可用3或4次。如若患痔，不妨一试。

槐榆承气汤在肛肠手术后的应用

|杜钰生|

本人在多年的外科临床实践中，应用槐榆承气汤防治肛门、直肠手术后病人大便秘结，创面出血等症，均获得满意效果。槐榆承气汤由槐花12g、生地榆12g、生地黄15g、紫草15g、生大黄10g（后下）、枳实6g、厚朴12g、玄明粉3g（冲）组成。凡作肛门、直肠手术后不需禁食的病人，舌红苔黄，脉沉有力，术后两天无大便，或大便秘结出血者，或为预防便燥难下，肛门剧疼，出血，均能用此方防治。若便燥带血，腹胀满痛，舌红苔黄燥，脉沉实有力者加生大黄15～24g、元明粉6～10g，以增加泻下力量；若舌红苔黄燥或有芒刺，便燥硬不能排出者，此伤津甚也，加玄参30g、麦冬15g、莲子心3g，以增水行舟；若兼便血量多者，加生地黄至30g、紫草至30g、棕榈炭10g，三七末3g冲；若舌淡边有齿痕，苔黄脉沉细，便燥难者去玄明粉，加生黄芪30g、当归6g，益气血以通便。每晚1剂，水煎服，若不下可每日2剂分服。若服后大便通畅，

每日一行，大便成形者，为药物适量，以后去玄明粉，其余药物可逐渐减量，维持大便正常。若服后大便每日 2 次以上，且便稀者，停服，待大便成形后，服用麻仁滋脾丸维持。

肛门、直肠手术前，因常规清洁洗肠，加之术后病人怕疼不敢大便，故手术后病人大便干燥、出血是临床常见症状。因素有的大肠湿热与糟粕相搏结而致大便秘结，便时外伤损害，迫血妄行而出血为其病机，故以槐、榆清大肠之湿热；紫草、生地黄以凉血止血；承气汤以下糟粕，疏通肠府。合而用之则能防治术后便秘出血及便秘导致的剧痛。临床如能灵活运用加减法，可收到满意的防治效果。

怎样预防痔疮

| 张有生 |

中医古书里有一句名言叫做“上工治未病”。所谓“上工”就是高明的医生。“治未病”就是治未发现病的人。看来，我们祖先也是提倡预防为主的。对痔瘘等肛肠疾病，也是如此。注意预防，可以不得病，就是患病也能维持，不使其发展和加重。就要做到无病早防，有病早治。

首先要把好“病从口入”这一关

一要节制饮食，注意卫生：切忌暴饮暴食，饥饱无度。要少量多餐。忌食不洁、腐败、发酵变酸之食物。饭前洗手，饭后漱口。这样可避免和减少肠炎、痢疾等疾病。

二要忌食辛辣和酗酒：多吃蔬菜和水果。如多吃含纤维素多的韭菜、芹菜、丝瓜、白菜、菠菜等，少吃辣椒、芥末和生、冷、硬食物。

其次还要把好“排便”这一关

一要养成定时排便的习惯：每日 1 或 2 次，以起床后、饭后排便为宜。有便即排，不能久忍大便。排便要缩短时间。不能蹲厕过久与暴力排便。排便时不要看书。

二要防止便秘和腹泻：如发生便秘，每晨空腹喝凉开水一杯，可刺激胃肠蠕动。或早睡早起、增加运动量，促进排便。注意腹部保温，防止腹泻。患肠炎、痢疾、肠虫病等要及时治疗。否则易诱发痔疮。

三要保持肛门清洁卫生：便后用软手纸揩拭肛门。如有条件最好用温水清洗肛门。勤换内裤，保持肛门干燥。坐椅、骑车、骑马要有软垫。切忌损伤肛门皮肤，不能直接搔抓。防止受潮凉，不要坐潮地。

四要适当运动：锻炼身体，增强体质。经常参加体育运动和适当的体力劳动，避免久坐、久立，负重远行。如做工间操，打太极拳，作气功和肛门保健操（缩肛运动），以及按摩肛门等活动。

五要节制生育：注意孕期卫生，防止分娩时受损伤。胎位不正要及时矫正。产程不能过长，防止肛门裂伤。白带过多、子宫后倾时应及时治疗。

六要早防早治：肛门疼痛、瘙痒、便血，脱出肿物，分泌物增多、出现脓血便，应及时到医院检查和治疗，防止发生恶变和对癌症的漏诊、误诊。

桂枝附子汤小议

陈国恩

桂枝附子汤是《伤寒论》方，亦见于《金匮要略》。为治疗太阳病类证“伤寒八九日，风湿相搏，身体疼烦，不能自转侧，不呕不渴，脉浮虚而涩者”的方剂。原方由“桂枝四两、附子三枚、生姜三两、大枣十二枚、甘草二两”组成，水煎取汁服。因该方有温经散寒、祛风除湿之功，根据“异病同治”的原则，我常以该方为基本方剂加减治疗“心动过缓”“坐骨神经痛”“雷诺病”等内科杂症数种，疗效满意。患心动过缓加丹参、黄芪、红参、五味子；坐骨神经痛加麻黄、细辛、牛膝、续断、炙乳香、炙没药；雷诺病加丹参、桃仁、红花。

曾治傅某，男，42 岁。2 年来经常心悸，气短活动后加重，伴畏寒肢冷，神疲乏力，背酸痛，甚则头晕目眩，二便如常，面白少泽，舌体胖，色淡隐青，脉沉迟无力。心阳不振，气机受阻则胸闷气短；诸阳受气于胸中而能行于背，阳气不运故肩酸背痛；心阳虚衰，心失温养、气运无力，血行迟滞，肌肤失于温养故肢冷畏寒；阳虚营弱，无力鼓动脉道则脉沉迟无力。《内经》云：“损其阳者益其气”“损其心者调其营卫”，治以益气通阳法，以桂枝附子汤加味。桂枝 20g、生姜 15g、大枣 7 枚、炙甘草 15g、红参 10g、丹参 30g、附子 20g（先煎）、黄芪 20g、五味子 10g，水煎取汁服。服药 6 剂，患者胸闷气短症状减轻，继服 6 剂，隐青舌转红，脉虽迟但较前有力，乃心阳渐复之象，效不更法。再以前方加减调服 30 剂，诸症消失。

治疗该病，附子用量宜酌情增加，但必须先煎，且任以炙甘草以减其毒性。

麻黄附子细辛汤议

严玉林

已故长春中医学院王海滨教授，乃医界名宿，以治疗伤寒名重一时，且博学多识，论精善断。余有幸从之学，获益匪浅焉。尝与王师门诊，一男子年近三旬面身尽肿，睑肿几不能视。时方八月竟重裹绒衣。自谓数日前涉水贪凉，致发热恶寒，头痛甚，腰痛似折，从公主岭来求治。余急令验尿：红细胞满视野，蛋白（+++），颗粒管型与细胞管型均有所见。诊其脉沉中带紧，舌苔薄白，余初诊印象乃慢性肾炎急性发作，以询王师。王师曰："是矣。方可用麻黄附子细辛汤合五皮饮。"余即以常规量付之3剂使去，令其剂尽复诊。

闲时余询王师曰："此证何以不用真武汤之属?"王师笑曰："真武汤似可用，然用之则谬。汝不忆仲景《伤寒论》第301条'少阴病，始得之，反发热，脉沉者，麻黄附子细辛汤主之'之语? 病在少阴，不应发热，病在太阳，其脉应浮。今发热而脉沉，可见太少同病，表里俱急，故治宜麻黄细辛附子汤以解其表而温其里。而真武汤证属少阴病迁延日久以致肾阳虚衰，则必是太阳病发汗太过，损其阳气、以致肾阳虚衰，盖无表证矣。观此患者身面浮肿、脉象沉紧、舌苔薄白，主诉恶寒发热，腰痛头痛，化验单证实为急性肾炎，非麻黄附子细辛汤而何? 合五皮饮者，宗《医宗金鉴》意也。麻黄得细辛，其发汗之力尤强；而附子可温少阴之里，补命门真阳，加之细辛之气温味辛专走少阴，助麻黄辛温发散，而又无损于阳气；五皮饮利小溲，其得麻黄宣肺，可收提壶揭盖之效。全方遵开鬼门、洁净府之法。此证与单纯阳虚水泛之真武汤证，应严加区别，方不悖仲景意也。"余闻之恍然有所悟。

越3日，患者复诊。余视其浮肿尽消，已恢复本来面目。患者谓："服药后汗出尿多而周身轻快，头痛、恶寒、发热悉除，惟腰痛身疲耳。"经尿常规化验所见，患者除红细胞略有减少外，余同前。诊其脉沉细略数，舌红少苔。彼时王师已于日前因病住院。余乃思之：患者服药大效，表证解，水泛除，惟剩本证耳。今其直呈一派虚证，当调补其肾之阴阳。乃化裁六味丸合五子衍宗丸，处方：生地黄、熟地黄、山药、山茱萸、茯苓、泽泻、牡丹皮、枸杞子、菟丝子、五味子、车前子、覆盆子、女贞子、何首乌，以善其后。经治3周，患者诸症悉除，尿常规化验惟剩蛋白（±），后返乡里。

大黄附子汤的运用

岳伟德

大黄附子汤来源于《金匮要略》腹满寒疝宿食病篇。后世《本事方》《千金方》均有温脾汤，即根据本方增损而成。笔者用以治疗寒实便秘，获得卓越疗效。曾治一患者，于1973年1月来诊。素有关节痛，消化不好。现病1个月余，腹胀满，脐周尤甚，绵绵作痛，触之板硬，少腹有冷感，大便秘结不通，已有6日未大便。下肢逆冷，频频嗳气，喜热饮，纳食欠佳，有时食后呕吐。望之面色晦滞，形体消瘦，全身畏冷，精神不振，舌苔薄白微腻，脉沉紧。诊为寒实便秘，治当温下，以大黄附子汤及温脾汤加减。方用：制附子6g、生大黄10g、干姜6g、芒硝3g（化冲）、枳壳10g、厚朴10g、陈皮6g、当归12g、半夏10g、茯苓15g、党参12g、甘草3g。上方服后，患者大便已通，腹胀痛基本消失，微腻之舌苔已退，脉象趋于和缓，原方继进3剂，以巩固疗效。

笔者认为，大便不通有阴结与阳结之异，所谓“发表不远热，攻里不远寒”。是针对阳结（热实）便秘而言。本病属于阴结，也称寒实便秘，是脾肾阳虚，寒凝气滞，大肠传导失职所致。大肠之所以能够传导，主要靠阳气来推动。所谓“有火则转输无碍，无火则幽阴之气闭塞。”在治疗方面应根据“留者攻之”“寒者温之”的原则，选用温下剂治疗。因为寒邪非温不化，附子、干姜温阳散寒；实邪非攻不除，生大黄、芒硝推陈出新；气滞非通不行，枳壳、厚朴、陈皮苦温行气，消除胀满；气逆非降不平，半夏、茯苓和胃降逆止呕；体虚非补不能纠正，党参、甘草、当归甘温益气。此方既是温下剂，亦是攻补兼施之剂。因寒实便秘，阳气已伤，病理变化是正虚邪实，必须于温下剂中寓有攻补兼施之义，方能归于至当。

小柴胡剂浅议

孟庆云

小柴胡汤能和解少阳，益气扶正，用于伤寒邪在少阳，汗吐下三法俱不能用之时，故又称为三禁汤。此方临床应用很广，可用于治疗各种情况下的寒热往来及原因不明的周期性发热，还可以通过加减，收推陈致新之效以治胃肠结气、饮食积聚及由寒热邪气所致的胁痛、心下痞等病。近世有人用以治肝炎晕眩、糖尿病腹胀等，又有人以此方合旋覆代赭汤，一升一降治疗妊娠恶阻，取得比较满意的疗效。日本医家吉益东洞因善用此方而被称为“东洞柴胡”。但越是应用范围广的方剂，就越不可滥用，故蒲辅周先生有“和而勿泛”之训，颇为中的。

使用小柴胡汤还有另一个要点就是必须去渣煎服。这一点就连著《南阳活人书》的朱肱也有引以为训的案例。朱肱曾治一病人，其往来寒热，胸胁苦满，默默不欲饮食，心烦喜呕，胸中烦，心下痞而眩晕，投小柴胡剂后，患者胸胁痞满非但不消失反而加重。既然正合符节，何以药后病重呢？后来找到原因，就在于用的是散剂而非煎汤。煎剂除取速效之用外，还有通过煎煮而去柴胡之刚燥，取其散性的用意，朱肱当时忽略此要诀，以致有此一剂之误。后世陈修园深得其意，故在他所著的《长沙方歌》中强调：“柴胡八两少阳凭，枣十二枚夏半斤，三两黄芩参姜草，去渣再煎有奇能。”在我国北方，大叶柴胡也入本药。大叶柴胡如生用做丸散或生用单用，皆有中毒致死的报道，但如用为煎剂，则不见有害。依此可知，使用柴胡去渣再煎，可能有去毒作用。另外，张凤奎在《伤暑全书》中，有“柴胡劫肝阴”之说，《临证指南》也承袭是论。但从近年的临床实践看，并非如此，有人甚至用柴胡桂枝干姜汤治阴虚型的肝炎而收功效。不过，当患血分病时，如用柴胡其量宜轻。

柴胡汤大量用柴胡效果卓著

吴少和

大、小柴胡汤，原载仲景《伤寒论》。余在临床工作中，用大、小柴胡汤，治疗情志不舒、少阳之气不得升、厥阴之气不得降，邪气滞阻、疏泄失常、中焦浊气壅闭，而致胸胁苦满，或呕吐、或目眩、或口苦咽干，或大便不畅、或心下急等疾病。根据所见症状，投大柴胡汤或小柴胡汤，或随症加减药味，每用之无不得心应手。

有人认为柴胡气味具轻，是升发烈性之药。有“细辛不过钱，柴胡不过五”的说法。其实不然，我对细辛过钱没有经验，但对柴胡用量我有把握。我每用柴胡都是30~50g，已近40年之久，从未因用柴胡量大而发生事故。吾平素常以大、小柴胡汤为主，随症加减，治疗湿热型黄疸、胆系感染，肝气郁滞所致消化不良和妇女各种疾患等等，用之得当，无不效如桴鼓。正如日人《汤本求真》所云：“大、小柴胡汤，既为解热剂，又可作健胃剂。既为通便泻下剂，又可作止泻剂。既为镇咳祛痰药，又可作镇呕利尿药。其他难以枚举，此古方之所以微妙也。”

逍遥散的临证化裁

段富津

逍遥散出自《太平惠民和剂局方》，是妇科之常用方，主治肝脾不和，营血虚少诸证。原方是由等量柴胡、白芍、当归、白术、茯苓、炙甘草（减半），煨生姜、薄荷（少许）所组成。其功效可概括为疏肝、养血、健脾三个方面。从组成原则分析，方中柴胡为君药，白芍为臣药，故三者之中侧重于疏肝，而健脾养血之功略逊。临床实践中，此方证以肝郁为主者固多，但脾虚偏重者，或血虚较显者，亦往往有之。因此，运用逍遥散时，又需随证化裁，疗效方能显著。余治一女，年 40 岁，患肝炎 2 年，近两个月来，除右胁疼痛，心悸失眠，善惊易怒外，下肢明显浮肿，身重乏力，饮食减少，食后腹胀，胁痛因之而甚。察其舌苔白腻，脉左弦右缓。问及月事，常后期而至，血色浅淡而量少。此乃肝郁脾虚，营血不足之逍遥散证。但病者自诉，已服逍遥散（汤剂）20 剂不效。再细辨之，确认逍遥散证无疑，遂处以茯苓 50g、焦白术 25g、柴胡、当归、白芍各 15g、甘草 8g、薄荷、生姜少许，加大腹皮、橘皮各 10g。煎服两剂，患者尿量增多，浮肿渐消。继用 4 剂，患者肿平痛减，饮食有增。后以此方加减。共服 10 数剂，自觉病愈而出院工作。

该患者现证以脾虚停湿为主，湿阻气机，则肿胀痛甚。遂变茯苓为君，重在淡渗利湿，明代虞抟说：“治湿不利小便，非其治也”。臣以白术，健脾燥湿。脾喜燥恶湿，脾虚失运，则湿气内停。茯苓、白术合用，使湿去脾健，水不复聚。湿去则肿消，气机得以调畅，故其胀痛亦减。以柴胡、白芍疏肝，当归、白芍养血，其气滞血虚诸证，随之而愈。

厚朴生姜半夏甘草人参汤证小议

张　琪

《伤寒论》载有用姜朴夏草人参汤治汗后腹胀满。综观本方药味结构及用量比重，乃治虚实挟杂之胀满，为消补兼施之剂，且消多于补。近贤冉雪峰曾有精辟的分析，他说：此方“消八补二。”“虽攻补兼施，重心却放在‘攻’上。厚朴宽气，生姜宣气，半夏降气，三药均用 8 两，（400g），人参只用 1 两

(50g)。补的数量不及攻的数量的1/20，即将甘草2两加入补的栏内，两两比较，仍只1/10强。”由此不难看出本方适用之胀满为虚实夹杂之胀满，并非虚满，且实多于虚，纯补则因假实已成，虚不受补，强补之必胀满愈甚；纯攻则愈攻愈虚，是为虚虚，必使正气涣散，胀满更甚。唯攻中寓补，补中寓攻，方能适合病机，可见仲景制方之妙。当然必须说明此“实”，并非有形之糟粕或实热内结，乃无形之气壅滞，故用厚朴、半夏、生姜除胀满而下气，不用厚朴三物以泻实。余生平用此方甚多，辨证凡属虚实夹杂之腹胀，往往有得心应手之效。

珠黄散用法新解

孔令诩

就我所知，以珠黄散命名的方剂不止一个，药物组成也不一样。这里所谈的，系单指由珍珠、牛黄二味组成的珠黄散。

本方出处，有说为《医级》方，有说为《太平惠民和剂局方》，孰说为是，因未加详考，不敢定论，但对此方用法并无争议。本方具有清热解毒，化腐生肌的功效，主要用于口舌及咽部的溃疡，以外用吹喉为主，很少内服。除此之外，鲜有他用。珠黄散的应用尚不止于此。

我曾将此方用于一例肝火犯肺咳血患者，因求偶未遂，抑郁不快，渐至咳嗽、潮热、盗汗、咳血、颧赤、面青、舌红、苔黄带黑，脉弦数，投清肝润肺汤剂，加服珠黄散每次0.3g，服数剂后患者血止，月余痊愈。原已诊为肺结核，不意迅速治愈，且愈后体渐丰肥，后未再发。

我又将此方用于治疗胰腺漏患者，对这种内脏漏液，我未找到恰当的中医病名，故仍用西医诊断。所治为敦化县某教员，因车祸造成肋骨骨折，胰尾损伤，脾破裂。当时经急救手术，切脾后缝合，未发现胰腺受损。后因患者发生无名高热、化脓性腹膜炎及脓胸而送长春医治，行切腹、开胸大手术各一次，唯剩胰腺损伤，延久无法缝合，行引流术，嘱慢慢调养。患者因愈病心切，来我院就医。问其每日分泌胰液20ml左右，视其体已瘦弱不堪，面色黄白，语声低弱，常有虚汗，查舌光红无苔，脉细弱而数。投生脉散加黄芪、山药、白芍、黄连等品，配服珠黄散每次0.3g。服3剂后，患者漏液减少，服6剂后已减至每日6～7ml。

对以上两例的治疗，均加用了珠黄散。我的体会是，前例属所愿不遂，五志化火，阴津被耗，木失涵养，化火上炎，灼伤肺络所致。珍珠能养阴生肌，牛黄可解毒化痰。用于此，有凉肝、滋肺、化痰、生肌之功。既治本，又顾标。肝火清则血不妄行，络损修复则血无处渗漏，故奏效甚速。后例之胰腺漏患者，因接连几次大手术，身体伤重已弱，故气阴两亏之表现颇为明显。此时不顾其本，则长养无力，难以求功；不治其标，助其创口速愈，则势必拖延时日。《本草汇言》记载，珍珠除有安神定智等功用外，尚有“解结毒，化恶疮，收内溃破烂”之功，与牛黄合用则化腐生肌，不留后患。其见效之快，亦出我预料。

竹叶石膏汤临床应用

魏雅君

竹叶石膏汤见于《伤寒论》，云：“伤寒解后，虚羸少气，气逆欲吐，竹叶石膏汤主之。”本方有生津益气、清热养阴之用。笔者运用该方治疗多种急、慢性疾病，倘辨证明细，均可收到满意疗效。

方药组成：淡竹叶 9g、石膏 30g、半夏 9g、麦冬 15g、人参 6g、甘草 6g、粳米一匙。

本方由白虎汤加减而成，是为邪热未清，气阴已伤者设。方中淡竹叶、石膏除烦清热；人参、甘草益气生津；麦冬、粳米滋养胃液；再佐半夏和胃降逆。

笔者初学医时，长春市名老中医高升三老师曾传授此方。高老说：“竹叶石膏汤不但宜于热病后期余热未清之证，凡热病过程中见有气阴两伤者，均可酌情用之。对内科杂病、妇儿等科，加减变通，每获良效。”余深感高老用经方尊古而不泥古，为医者所敬，为患者所仰。

余曾治一消渴病人王某，男，49 岁。1977 年 5 月初诊，患者身体消瘦，神疲无力，口渴引饮，溲多，多食，尿量 6500ml/d，夜寐欠佳。查其尿糖阳性，定量 1.7g%，舌质红，少津，脉细数。诊断：消渴。此胃热内盛，津气俱损之证。治宜清胃热，益气阴。方用竹叶石膏汤加味：淡竹叶 12g、生石膏 30g、麦冬 12g、法半夏 6g、甘草 3g、北沙参 12g、天花粉 12g、怀山药 15g、粳米一撮，水煎，1 日 3 次。患者服 3 剂后症减，至半月后尿糖测定为 0.1g%，月后症大减。后辨证调治，随访 2 年未复发。是案：胃热灼津，气阴两伤。故用本方加怀山药、天花粉清热生津，益气和胃。

综观上述，竹叶石膏汤临床之用甚广。由是观之，异病同治的基础在于病机、方药，应用的关键在于识证。本方立方严谨，方意高妙，倘能善悟其旨，深晓药性，辨证精当，通权达变，常可得心应手，奏效卓然。

加味导赤散小议

田素琴

导赤散由生地黄、木通、淡竹叶、甘草梢组成。临床多用于心火亢盛或心火下移于小肠。症见口渴，面赤，心胸烦热，渴欲冷饮，口舌生疮，小便赤涩，溲时刺痛，舌红脉数。根据“诸病疮疡，皆属于火”的道理，近年来余应用加味导赤散治疗奶癣（婴儿湿疹），皮疹（药物皮炎）、顽湿结聚（丘疹性荨麻疹）等湿热性皮肤病，奏效迅速。

奶癣，多为儿在胎中，母食五辛，遗热于儿。生后不久，婴儿头面起粟，黄水浸淫，瘙痒不绝，复起白屑，此为内蕴湿热，外盛风湿热邪而致病。不宜内服苦寒之品，治宜清热利湿之剂。若偏热者加金银花、连翘以清热解毒；风盛加防风、蝉蜕、白鲜皮祛风利湿；腹泻加白术，焦山楂健脾利湿，便结加黄芩以泻肺火。

余在临床观察药物性皮炎患者皮疹形态各异，乃为禀赋不足，药毒入营，内传脏腑，脾湿不运，蕴湿化热成毒，湿热毒邪结聚发于肌肤。症见周身奇痒，心烦口渴，欲冷饮，皮疹有红斑风团、丘疹、水疱等。局部焮热色红。舌质红，舌尖糜烂，苔黄白，脉数有力。此时病人的嗜酸细胞计数可高达正常的3～4倍。应用导赤散加白鲜皮、牛蒡子祛风利湿透疹；加荆芥、防风解毒祛风；加川楝子开瘀行气。煎服3剂后，患者嗜酸性白细胞计数降至正常范围。应用此方治疗由湿热引起的皮肤病，效果良好。因湿热性皮肤病均有心胸烦热、肌肤瘙痒、口渴欲冷饮、口舌生疮、小便短赤等症，故用清心养阴、利水导热之加味导赤散，上治口舌生疮，下治小便短赤。使之心火清，毒邪从小便去，故药后瘙痒得以解除，湿热尽，皮疹消退而愈。

清热镇惊汤刍议

吴惟康

清热镇惊汤原载《医宗金鉴·幼科心法要诀篇》中，为治触异所致的小儿急惊风之常用方。余早年在哈尔滨市行医时，以本方治疗小儿热毒炽盛，出现壮热、喘咳、气促、鼻煽、烦躁、尿赤、便秘、舌红苔黄、脉滑数等症，疗效较好。以后随着临证渐多，感到本方清热解毒祛风之力不足，故又加入金银花、连翘、僵蚕、蝉蜕4药，名加味清热镇惊汤。通过多年临床实践，证明用本方治疗小儿高热效果很好，大多在24～48小时即可退热。药物组成：柴胡5g、薄荷3g、麦冬4g、栀子4g、黄连2g、龙胆草3g、茯苓5g、蝉蜕4g、生甘草3g、木通3g、金银花5g、连翘4g、钩藤3g、僵蚕4g，水煎服，日服4次。

全方具有清热解毒、化痰平喘之效。方中柴胡为祛邪热要药，黄芩清肺热，黄连、栀子清心热，龙胆草泻肝火，麦冬滋肺阴，生甘草和中清热解毒，木通、茯苓利小便以除热排毒。因本方能清泻肺肝之热，散内外之风，故取效甚捷。吾曾治一患儿，发病3天，气急喘咳，鼻翼煽动，喉中痰鸣，手足躁扰不宁，面红目赤，壮热，体温高达40℃，呼吸52次/min，心率147次/min，双肺布满湿性啰音，舌红苔黄燥，脉洪数。此为风温犯肺，热毒炽盛，有欲惊之势。急以加味清热镇惊汤，1剂，水煎服。次日患者热退，体温36.5℃，再服1剂，诸症消失，即告痊愈。

一方多用的八味肾气丸

张　琪

八味肾气丸，见于《金匮要略》。应用八味肾气丸，异病同治，其中既治小便不利，又治饮一溲一之多尿，不免使人迷惑不解，其实皆属肾元不足之证。

肾气丸，乃温补肾元之祖方，后世补肾之方，多以此方衍化而来。由于肾为水火之脏，肾中真阴内藏肾阳，阴阳协调方能保持肾的正常生理功能。因肾阳不能化气而生痰饮，则有短气、小便不利之症。临床观察，肺气肿病人多数皆小便少，而喉中痰声漉漉，呼吸不足以息，常用温补肾阳方法以化痰，则小便通利，痰饮明显减少，病情获得缓解。有合并感染者，出现发热、咳痰稠黏或黄痰等标证，当先治标，标证除后再图治本。消渴病下消病人，饮一溲一，乃肾阳衰微不能化气生津，以肾气丸温补肾气则口渴与多尿俱解。

余临床运用此方较多，不单限于《金匮要略》所论之范围。如治一鼻衄患者，每隔3～5天必鼻出血，量甚多，经过清热、凉血、止血之剂无效。诊其脉浮，不任重按，舌苔白而干，下肢无力，此乃肾元衰，龙火上奔，迫血妄行。张景岳所论之格阳证衄血，与李案病机符合。因本方加童便一小杯温服，患者连服10余剂而衄血止，远期观察已痊愈。

眩晕有属于肾精亏损者。“肾主骨生髓”“脑为髓海”，髓海不足则目眩耳鸣。此类眩晕多表现有腰酸而痛，下肢无力，脉沉弱或虚大而软。1984年8月余治一杨姓患者、眩晕，起则欲倒，两腿无力，脉虚大，舌润口和。余用八味肾气丸原方，患者连服10剂，眩晕大减，继续调治而愈。

肾盂积水为难治之病，常表现腰酸痛。余遇此病颇多，予八味肾气丸加车前子、猪苓、丹参、红花、桃仁以温阳、利水、活血，治疗大多有效。但须久服，守方不变，定能收功。

漫话六仙汤

张 林

六仙汤由椿根白皮、金银花、茯苓、焦山楂、红糖、白糖组成。余用此方治疗慢性非特异性溃疡性结肠炎百余例，均获良效。该病属于祖国医学之“大瘕泻”范畴。

1966年，余在洮安行医。正值立冬时节，诊治一高姓男患，49岁，有烟酒嗜好。该患者半年前因着凉腹泻，始为稀便，3日后便带脓血和黏液。某医院曾用中西药治疗，但均无效并日趋严重。后来竟然每日排便七八次，多则二十余次，并有肠鸣腹痛、里急后重、恶心，食少、乏力等症。诊查所见：其形体消瘦，面色皖白，舌淡苔白腻，脉沉细而涩，左少腹有轻度压痛；便检潜血阳性，钡剂灌肠X线透视呈炎症改变。诊断为大瘕泻，治用解毒止痢、健脾固肠、补气养血之法，用六仙汤原方：椿根白皮25g、金银花50g、焦山楂40g、茯苓25g、红糖50g、白糖50g，日服1剂，水煎服。患者服2剂即效，连服12剂痊愈。随访多年，未曾复发。此后余每逢该证，即投此方调治，无不获效。

本方煎服法：先将方中前四味药水煎剩1碗（约200ml），再煎剩1碗，二次药液混合一起，再兑入红糖、白糖，加热溶化，早晚空腹温服；切忌生冷、辛辣、油腻。对偏寒者加肉豆蔻、炮姜；偏湿热者加黄柏、苦参；便血多于脓者加当归；脓多于血而里急后重者加大黄；腹痛较重、左少腹有包块者加乳香、没药、延胡索、赤芍；兼有胁胀肠鸣、腹痛即泻、便质稀薄而有白色黏液者，酌加防风、白芍、白术、陈皮；兼有五更泻、消瘦乏力者，酌加肉豆蔻、补骨脂，五味子、炮姜、大枣。主证治愈，但体弱乏力，面白气短，食少纳呆，精神不振者可选用补中益气丸（汤）等，以调养善后。

余认为本病多因正气内亏，寒湿或湿热之邪蕴伏于中、下焦，复因情志不遂，饮食不节，疲劳过度，以致脾气滞结，运化失职，进而损伤肠间脂膜、脉络而成。故首选椿根白皮清热燥湿，固肠止痢；加之金银花功专解毒疗疡；茯苓渗湿而降浊；焦山楂消积导滞、散瘀血而消疮疡，更治泻痢肠风；红糖、白糖健脾和胃，缓肝气而补养气血。共奏解毒止痢，健脾固肠，补气养血之功效。

通关散与急救

吴崇奇

通关散：猪牙皂角、细辛各等份，研极细面，和匀。是治疗卒倒神昏，牙关紧闭的一首名方，千百年来用于临床而不衰。取少许吹鼻中取嚏，抢救重危病人，屡用屡效。

25年前，余随师实习，曾见一顽童因淘气将黄豆粒挤进鼻孔，哭闹不已。其父母急得满头大汗将患儿抱到医院求治。耳鼻喉科大夫要手术切开取豆，家人不同意而求中医治疗。当时周老不慌不忙地将通关散药面吹入患童鼻内，顷刻间，患童喷嚏不断，须臾便将带有血液、胀大的黄豆粒喷射出来。顿时，众人皆喜。

此后，余用本方抢救多例卒然人事不省，牙关紧闭之人，皆取得良效。

本方通过取嚏以达到开窍之目的，因肺开窍于鼻，肺又主一身之气，得嚏则肺气得以宣通，气机闭塞得解，诸窍得通，牙关得开，神志可醒。方中皂角辛散走窜，刺激鼻腔黏膜则嚏；细辛辛温燥烈，芳香走窜，宣散而通窍。二药相伍，通关开窍之功相得益彰。

临床上对于脱证神昏患者，应忌用本方。同时对高血压病、脑血管意外、癫痫及颅脑外伤而致昏厥者亦不宜用此方。此外，本方仅为治标之剂，专供抢救之用，故只可暂用，不可久用，醒后须辨证审因，以治其本。再需要说明的是，使用时以取嚏为度，用量不宜过多，以防吸入气管。

旋覆代赭汤加减治胃癌

马俊岭

旋覆代赭汤载张仲景《伤寒论》，为和中降逆之名方。如《伤寒附翼》说："旋覆半夏作汤合代赭末，治顽痰结于胸膈或痰沫上涌者最佳。"方以旋覆花下气消痰，代赭石重镇降逆；伍人参、甘草、大枣扶脾益胃；半夏、生姜降逆化痰，配合精当。临床用治反胃、噎膈、呕吐、呃逆而见心下痞满、胃气虚弱者颇宜。胃癌末期所现症状与旋覆代赭汤证大致相符，故余效此方加味，治疗胃癌，收到一定效果。

余治田某，男性，1982年在河北省医院确诊胃癌末期，已不能手术。主症：精神萎靡、面色青黑、消瘦无泽，日食少量奶粉，频频做噎，呕吐痰涎黏液，舌苔白腻，脉弱。遂投旋覆代赭汤加山慈菇1.5g、三七粉3g、血余炭18g、肉豆蔻10g，并嘱其用药液冲服山慈菇与三七粉，坚持服药半年，诸症消失，能参加轻体力劳动。

上方宗旋覆代赭汤立法，加山慈菇、三七粉、血余炭解毒抗癌；肉豆蔻燥湿健脾温中。如兼脾虚甚加白术10g、砂仁10g；肝郁加香附10g。临证加减，且莫拘泥死方。

补阳还五汤小议 |吴崇奇|

清代名医王清任善用自制的补阳还五汤（黄芪、当归尾、赤芍、地龙、川芎、桃仁、红花）治疗半身不遂，每收奇效。

王氏认为，半身不遂的本源是元气亏损。根据气血相互为用之理，气滞可产生血瘀，而气虚亦可产生血瘀。故本方是补气与活血化瘀二法相结合的代表方剂，王氏从而开创了补气活血治疗中风的先河。

余在多年临床实践中验证，只要属于气虚血瘀所致中风者，运用本方皆能获得良效。本方多用于中风恢复期（即中风后6个月之内）、中风后遗症（6个月以后）、中风轻证（即属于中经络者）等。

余曾治一妇女，年逾五旬，素有高血压动脉硬化病史，发病前半月常觉头晕，右手食指、中指麻木。于某日吃早饭之时，突然手不自主地将碗筷掉地，随之口歪流涎，言语不利，逐渐感觉右侧半身活动不利，但意识清楚，当即住院治疗。经治2个月之久，病情好转。但肢体活动仍感困难，生活不能自理。延余诊治，患者呈消瘦病容，气短乏力，舌质暗红，舌下络脉色清而淡，脉见细涩。余用补阳还五汤加味。处方：黄芪100g、当归10g、赤芍10g、地龙7g、川芎5g、桃仁5g、红花5g、鸡血藤30g、蜈蚣2条、全蝎10g、桂枝10g。

患者先后服药30多剂，效果较为明显，可用手持筷进食，并可扶杖步行。继照原方加养血扶正之品，再服20多剂而愈。

余在临床中亦发现滥用本方现象，由于治疗不当致使患者病情加重。因此，使用本方要注意：其一，用本方治疗的半身不遂，以恢复期的为主，属于后遗症及轻病者，效果较差；其二，久服缓治，疗效方显，不要急于求成，否则，欲速则不达；其三，要注意黄芪的用量，一般从30～60g开始，效果不显时逐渐加大其用量，而活血祛瘀药用量不宜过重；其四，阴虚血热之人，忌用本方。

补阳还五汤与滋补肝肾

王乃一

补阳还五汤，是治疗半身不遂之名方。方中重用黄芪，意在补气，气为血帅，气足则血行矣。然本病起因甚多，不独气虚，故一概用原方亦有不效者。余临床多年，治疗该病甚多，以原方加用淫羊藿、枸杞子、山茱萸、杜仲效果较佳。因其病源在肾，波及于肝，故除补气活血外，应伍用补肝肾之品。

曾治一孕妇偏瘫患者。其因暴怒致头痛，四肢麻木，舌本强直，当即卧榻休息。次日起床时出现右侧半身不遂，语言不利，送某医院救治，诊为血栓形成。住院两周病情无改变，故求治于余。见其右肢偏废，言语謇涩，脉沉弱无力，舌淡苔薄白。时值妊娠 3 个月，为求慎重至以补阳还五汤减桃仁、红花、地龙，加鸡血藤、丝瓜络、淫羊藿、枸杞子、杜仲、山茱萸。患者服 3 剂后，症状好转；服 6 剂后已能执杖而行。患者共服 30 余剂诸恙悉除。半年后其夫来院云“生一男孩，母子俱健康。”

又治一男患，唐山市某机关干部。素有高血压病史，因连日操劳过度，于起床时突然昏倒，醒后右侧偏瘫，经某医院治疗后有所好转。患者来诊时手能动而不能举，足能动而不能步，面色无华，善太息，脉沉弦。随投补阳还五汤原方加淫羊藿、枸杞子、杜仲、山茱萸治之。患者服 5 剂好转，连续服 25 剂痊愈。

试观以上所加用之药，皆有补肝肾、益精气、强筋骨之功。其中淫羊藿一味，功效益彰。《政和经史证类本草》引《日华子本草》云：“治一切冷风劳气，补腰膝，强心力，”“四肢不任，中年健忘。”引《圣惠方》云：“治偏风，手足不遂，皮肤不仁”等。此药与补肝肾之枸杞子、杜仲、山茱萸为伍，加入补气活血之补阳还五汤中，确有相得益彰之效。

桂枝茯苓丸运用小议

宋　儒

余在临床中常用《金匮要略》之桂枝茯苓丸，治疗癥瘕积聚，取得较好效果。曾治一农妇，42 岁，生有 3 男 1 女。素日月经延后，血色紫黑成块，质黏，经行前腹部闷痛，腰膝酸软无力，食欲缺乏，时下白带，量多。来诊前腹痛，经闭3月，午后发热，食欲锐减，形容枯槁，腹部按之痛。经多医诊治咸为血虚脾弱，血亏经闭，治以养血健脾，疏肝调经之品，屡治罔效，势濒危笃。视其腹部略有膨隆，脐下按之有一包块，坚硬如石，推之不移。痛当少腹，便秘溲赤。切其脉沉滑有力，右关更属明显，舌质紫黯有瘀点，病属症证无凝。因患者妊娠3个月，恐有半产之虞。家属恳求与治，仿桂枝茯苓丸意。桂枝15g、茯苓15g、牡丹皮15g、芍药20g、桃仁15g、三棱15g、莪术15g、大黄15g，2剂，水煎服。患者服药后变化不大。再诊时将前方中之桂枝增至20g、桃仁25g，投予3剂，服法同前。患者服后腹内雷鸣，翌晨大便2次，便色紫黑且硬，腹痛稍减。三诊时按之积块坚硬，固定不移，腹部拒按，皮肤不润，舌边紫，苔厚而干，脉沉涩，投原方2剂，牡丹皮增至25g。服后大便下血，紫黑污秽，家属为之一惊，患者腹部膨隆消失，按之柔软，疼痛明显减轻，食欲渐增，脐下包块减小，予桂枝茯苓丸（制成丸剂）缓缓图之，佐以饮食将息，患者日渐恢复，脐下包块消失，及至足月产一女婴。

本例系多产之妇，胞脉空虚，风寒乘虚侵袭， 血留止，气血凝滞，不通则痛，致使气血运行不畅，渐积而成。虽选用祛瘀化症之轻剂，而胎未殒，乃有病则病受之，《内经》曰：“有故无殒”，此之谓也。

失笑散方议

|邹德琛|

余幼年习医时，曾在《医宗金鉴》中学到此方，后始知出于《太平惠民和剂局方》。方以蒲黄、五灵脂各等份，为末，每用6g，醋水同煎，和渣热服。主治瘀血内阻，产后恶露不行，少腹急痛，月经不调及妇人血崩而心痛甚者。有活血祛瘀、散结止痛之效。

早年随父侍诊，常见治妇人崩漏之疾，必将此二药炒成焦炭，加于应用方中，救治危证，多获显效。余在30年来的临证中，凡遇崩漏之疾，常将此二药与四物汤合用，亦多见效果。其基本方：炒五灵脂20g、炒蒲黄20g、熟地黄20g、川芎10g、白芍（酒炒）15g、当归10g，水煎服之。血热者，将熟地黄改生地黄，加牡丹皮，白茅根；失血多者，加阿胶、艾叶炭，侧柏炭；血瘀者，改白芍为赤芍，加桃仁、红花、苏木；气虚者，加黄芪、白术、山药；气郁者，加柴胡、青皮、香附；气滞腹胀者，加川楝子、延胡索、乌药；日久滑脱者，加升麻、龙骨、牡蛎、赤石脂。此外还须综观脉症，随证加减。

曾治某女，罹经漏半年，诊为功能性子宫出血，住某医院治疗4个月，未见显效，遂求中医诊治。视其面色皖白，口唇与眼睑色淡，神疲嗜睡，肢体倦怠，语音低微，食纳甚少，食后腹胀，二便如常。自诉月经淋漓未断，血色淡红，无秽臭味，切其脉沉而细。综观此证，系血应经漏之疾。治宜养血止血法，方用：熟地黄20g、川芎10g、酒白芍15g、炒五灵脂20g、炒蒲黄20g、黄芪25g、当归10g。2剂，引以热醋一盅，水煎服。

2日后再诊，患者自诉服药后经血即见减少，昨晚已止，神情较好，欲持家务，食欲有增，脉沉缓，病已有向愈之机。但气血仍虚，乃疏以归脾汤，嘱服4剂，以善其后。半年后患者因患感冒来诊，询及该病未复发，现月经正常。

失笑散中二药，据《本草从新》载，五灵脂有“行血宜生，止血宜炒”之说。《本草纲目》言蒲黄有“生则能行，熟则能止”等记载，但原方系用于瘀血停留之证，取其祛瘀止痛之功。用本方于止血诸疾者少见。余用时必将二药炒炭，用量亦大，少则各20g，多则各40g。凡崩漏流血不止者，不论有瘀无瘀，原方服用或合于当用方中，皆有效验。

活血疏风汤小议

张　林

松皮癣系风、寒、热邪侵袭肌肤，闭塞腠理，营卫失和，气机阻滞，化燥蕴热，肌肤失荣而致。

余遵“治风先治血，血行风自灭”的法则，立活血疏风，清热解毒之法，并拟活血疏风汤调治，效果满意。方药：当归25g、川芎15g、红花15g、川羌活25g、独活15g、木通15g、荆芥15g、防风30g、麻黄10g、苍术25g、胡麻仁15g、蝉蜕25g、苦参40g、白鲜皮50g、甘草25g，1日1剂，水煎，早晚空腹温服。对偏风寒，皮肤损害冬重夏轻，虽痒不甚，舌淡，苔白薄，脉沉迟者，重用川羌活，防风、麻黄；对偏风热，皮损夏重冬轻，痒甚难忍，舌红苔黄，脉弦数者，重用蝉蜕、苦参、木通；对冲任不调，经前皮损较轻，经后皮损加重者，重用当归、川芎、红花；对病程长，多次反复者，重用白鲜皮、苦参、蝉蜕、红花、当归。患者服药期间及愈后百日内，忌食鱼、蛋、肥脂、辛辣、生冷及饮酒。

将煎剩的药渣，放入脸盆内加适量水，煎汤，趁热熏洗患处，每日1～3次。内外二法同用，奏效更快。

曾治尹某，于1978年12月闻余医癣，叩门求治。自述半月前劳累、出汗、受风后，周身瘙痒，并见较多的红色扁平丘疹，曾服中、西药半月余均无效。

余诊见：其周身有散在癣斑，肘膝关节的伸侧面为多见，胸腹及背部散在发生。境界明显，皮损直径在0.5～3cm，有的融合成片，上复多层银白色鳞屑，其屑脱落后，可见有出血点。其皮损形态有的呈点状，有的呈钱币状、盘状或地图状。舌淡红，苔白腻，脉弦无力。诊为松皮癣。治宜活血疏风，清营解毒，投以活血疏风汤，患者遵法服用，连用10剂痒止，脱屑多，大部分丘疹消退，未见新发。患者又用5剂，皮损基本消失。共服24剂治愈。今已数年，多次随访未见复发。

余认为方中川羌活、独活、荆芥、麻黄、防风、苍术解表疏风，宣通腠理；当归、川芎、红花活血通络；苦参、白鲜皮、蝉蜕、木通、胡麻仁、甘草泻热解毒，清营润燥。故诸药可奏活血疏风、清营解毒之效。

余多年使用此方，以用原方效果为好，病者虽有长幼、强弱之分，病势有轻重之异，季节有寒暑之别，待临床确诊后，只须调整方内之剂量，不宜轻易加减药味，以免影响疗效。

三妙丸浅见

陈国恩

三妙丸是治疗热痹的有效之剂。热痹多由素体阴虚，热蓄于内，复感外邪，郁而化火，熏灼经脉血络，致气血郁滞，产生局部红肿热痛而成。本证起病较急，治疗较为困难。余常以《医学正传》中的三妙丸加清热凉血、活血化瘀之品治疗此病，疗效较好。方药组成：黄柏20g、苍术20g、牛膝15g、薏苡仁30g、知母15g、防己10g、牡丹皮10g、桑枝25g、赤芍15g、炙没药10g，水煎取汁300ml，分早晚两次温服。

1980年余曾治一男性患者，近日之内双足微麻浮肿，有灼热感，热水浴后灼热麻木加重，以冷毛巾敷之或放冷凉处则舒，稍后双足出现密集红斑，米粒大小，触之不碍手，着鞋袜及行走时灼痛如刺，入夜症状加重。伴心烦懊侬，大便溏薄，小便黄赤。经某医院诊为“红斑性肢痛症”，服用西药疗效不佳。查其脉弦细而弱，舌红隐紫润而无苔，双足灼热，按之微凹，红斑退色，热去复现。由形盛体胖，湿热内蕴，复因热浴，湿热浸渍，内外合邪，痹阻经络而成。乃用上方加白茅根50g、木通15g，服药3剂，疗效已显。服12剂，患者诸症痊愈。

临床上凡遇关节红肿热痛，起病较急，或伴发热、头痛、多汗、舌红赤或干或润，脉沉弦、滑数等热痹者，均可用上方加减，多获良效。若高热、汗出、口渴，可加沙参、石斛、生石膏，五味子以清热，敛汗，生津；头疼、鼻衄，可加栀子、龙胆草泻火，凉血；便溏、溲赤，加大黄、木通清利二便；若破溃流脓，可加金银花、连翘、穿山甲珠、生地黄清热解毒。

砂淋丸议 |邓维滨|

砂淋丸，系张锡纯治石淋的一个处方。我以此方为基础，并与大柴胡汤、石韦散等合方加减治疗胆、肾、膀胱、尿路结石，具有排石快、疗程短的特点。方药组成：鸡内金 15g、黄芪 15g、知母 10g、生白芍 15g、火硝 4g、硼砂 4g、芒硝 4g。后三味药均冲服。余 3 年前曾治一朝鲜族老媪，巩膜、面、遍身黄染，色显明，右上腹部剧痛，经某医院诊为胆石症，住院 1 周未愈。请余诊治。患者右上腹部阵发性剧痛，大便十余天未便，小便黄赤，舌质红，舌苔黄白厚腻，寒热往来，心烦喜呕，脉弦数。投砂淋丸合大柴胡汤加郁金、金钱草、川楝子，重用大黄 20g 后煎，3 剂。进服 1 剂后 6 小时，患者右上腹痛突然发作，坐卧不宁，40 分钟后疼痛顿减，随之大便，便黏稠臭秽异常。老媪安稳熟睡一夜，晨起自觉全身轻爽，黄疸有所减轻，腹痛消失。后改服加味大柴胡汤，诸症消失。随访 2 年未复发。此后余按上述方法治疗结石症甚多，皆取得显著效果。

温胆汤小议 |王美君|

癫狂，相当于现代医学所说的精神分裂症。在中医方面素以阳狂、阴癫为别。癫者，性情颠倒，神志失常；狂者，无所畏惧，狂言妄为。

癫狂二证，其病变主要在心、肝、胆三经；病因与气、火、痰有关，实证居多。我治疗此病，强调以行气、泻火除痰、养心安神之法为主，方予温胆汤加味治之。经多年临床验证，效果颇佳。基本方药有：半夏 15g、茯苓 20g、陈皮 20g、枳实 15g、竹茹 20g、甘草 10g，煎煮取汁，日服 3 次。对痰气郁结者，加郁金、木香、石菖蒲、天竺黄；对痰火壅盛、便秘者，加大黄、牵牛子、青礞石、胆南星，对心神不安者，加酸枣仁、柏子仁、磁石、远志；对火盛伤阴者，加生地黄、麦冬。

余曾治一位中年妇女，该患者因与邻居发生殴斗，当即昏厥，不省人事，之后出现神志失常。当即去哈尔滨医科大学诊治，确诊为精神分裂症，经服苯妥英纳片，时好时犯。后由其爱人陪护，前来我院门诊治疗。病人表情呆痴，畏见生人，沉默不语，小便黄赤，大便秘结。多日未通，舌质稍赤，苔黄而腻，脉弦滑。投以温胆汤加味：半夏15g、茯苓15g、陈皮20g、甘草10g、枳实15g、竹茹20g、川芎10g、黑白牵牛子各10g、郁金15g。患者服用8剂，病告痊愈，已上班工作。两年后随访，未复发。此后，我每逢这类病人。根据病情的不同情况，都以温胆汤为主，加减调治，均收到了满意效果。

温胆汤一方首见于唐代孙思邈之《千金要方》，用于治疗大病后胆寒不眠之症。而后世方书记载，对此说均有发挥，如汪昂《医方集解》指出："胆为清净之府，又为气血皆少之经，痰火扰之则胆热而诸病丛生矣，非因胆寒而与为之温也。"这就是说，温者是因胆热而设，故立方用药当从其性。陈修园在《时方歌括》中也说："和即温也，温之者，实凉之也。"进一步说明了"温"的含义。温胆汤二陈汤加竹茹、枳实组成。二陈汤能祛痰利气，竹茹清膈上之烦热，枳实除三焦之痰壅，诸药配合，确为不寒不燥，能清净胆府，化痰降浊，使其气冲和，而取得疗效。

漫谈温胆汤的功效和运用

吴化林

温胆汤是临床常用方剂。多数医家把它视为清胆化痰，治疗痰热上扰之方。其实，本方为温胆化痰，治疗胆虚寒证之剂，《备急千金要方》胆腑·胆虚寒项下，明文写着："大病后虚烦不得眠，此胆寒故也，宜服温胆汤。"而且其组成为生姜200g（4两），半夏100g（2两），橘皮150g（3两）、竹茹100g（2两），枳实100g（2两），甘草50g（1两），〔后世加茯苓75g（两半）〕，方中温性药物大大超过寒凉药物，所以具有温胆、和胃、化痰之功，是治疗胆虚寒证的代表方剂。

胆虚寒证往往被人忽视，是临床上常见的病证。因胆主升发，胆气虚，其升发功能衰减，则导致胆虚寒证。凡大病、久病或因长期剧烈的情志所伤，超过胆的"中正之官"所能调节的能力，以及素体胆虚等原因，均可导致胆虚寒证。该证主要表现心悸多恐，如人将捕，虚烦不眠，多痰呕逆，口黏、咽中不适，舌苔白腻，脉滑等。治宜温养胆气，和胃化痰，用温胆汤。

但临床常用的温胆汤，确有一定的清胆作用，这是因为该方减姜加苓，成为接近平性的温和之剂，温胆而不热，化痰而不燥，再加上胆喜温和，温和胆腑即可促其升发疏泄，于是则郁热可解，所以临床常用的温胆汤具有一定的清胆化痰之功。但其力量较弱，用其清胆作用，往往加大竹茹用量，或酌加其他寒凉药，此已属本方的变法。

由于本方寒温并用，能温胆和胃化痰，加减化裁，又可清胆化痰。胆与其他十一脏腑在生理上密切联系，病理上相互影响，所以从胆论治成为临床上常用的治法，也就使温胆汤的应用颇为广泛。诸如癫、狂、痫、不眠、眩晕、头痛、梅核气、心悸、胃脘痛、胁痛、呕吐等病证，现代医学的高血压病、冠心病、癔病、胆囊炎、胃炎、耳源性眩晕、一氧化碳中毒，以及脑血管意外、支气管炎等，凡属胆虚寒，痰气上逆，或胆虚痰热，胆郁痰扰，胆胃不和等，均可用温胆汤加减治疗。余曾遇一弱女，因家住医院太平间附近，对此恐惧而产生了幻听，总听到邻居在骂她，于是进行还击，而与邻居吵闹不休，伴心悸、少寐等。某医按心肝火盛、热扰神明治疗。投以大黄黄连泻心汤，药后腹痛泄泻，幻听如常。此证为素体胆虚多恐，气郁痰扰，先以理中之剂以祛药寒，补脾止泻；再以温胆汤温胆和胃，理气化痰。服药6剂，诸症悉除。

又一男性青年患胃脘痛，喜按，伴恶心，口苦而黏，不寐，头痛，苔白脉弦滑，西医诊为浅表性胃炎，经治疗效果不佳。其证属胆胃不和，投温胆汤加减10余剂而痊愈。大致欲温胆者，重用生姜即可；清胆者重用竹茹，或加黄芩、黄连；气郁甚者加柴胡，不寐者加酸枣仁，便溏者枳实易白术，无不应手取效。

养阴清肺汤小议

柯利民

养阴清肺汤出于清朝郑梅涧编撰的喉科专著《重楼玉钥》，原用以治白喉。郑氏认为此证发于肺肾本质不足者，每遇燥气流行，或多服辛热之物而发。故方中生地黄、麦冬。玄参清热养阴，牡丹皮降伏火而凉血，贝母润肺化痰，白芍敛阴，甘草泻火解毒，薄荷上行清利咽喉，全方共有养阴清肺之功。余临床数十年体会到，此方不仅是专治白喉的有效方剂，而且可用于治疗因燥邪所致伤肺损阴的疾病，只要辨证准确，均可收到满意的疗效。记得1949年春，老家庆安县麻疹流行，多数患儿合并咳喘和咽喉症状，由于治疗不当，十死七八。车高屯8个小孩患此病，已经死了7个，最后杜家的女孩4岁，麻疹合并缠喉风，已奄奄一息，此时我由外地行医返故乡，应邻里相求去就诊。时小孩麻疹已出3天，全身皆是黑色疹块，摸之拈手，高热不扬，神昏谵语，食水不入已有3天，呼吸声如拉锯，其母抱之待死。查其舌红无苔，咽喉肿大，脉数，病势已危。患儿已服过草药，但效果不显。此时正值春季，万物生发，寒冷已过，温度偏高，气候异常，燥气较盛，于是急投养阴清肺汤加味。处方：生地黄15g、麦冬10g、牡丹皮10g、薄荷5g、白芍10g、川贝母7.5g、玄参10g、板蓝根10g、甘草5g。水煎2遍，取汁不拘时，徐徐灌之。第2天患儿苏醒，疹色较红，下午即能进米汤。又投上方两剂，每日服3遍，病儿转危为安。又投清肺化毒饮，以善其后。处方：前胡20g、桔梗7.5g、瓜蒌仁7.5g、连翘10g、桑白皮7.5g、黄芩7.5g、黄连7.5g、玄参7.5g、麦冬7.5g、甘草5g，2剂水煎服。患儿服药后疹退身凉，病已痊愈，嘱其先以稀粥调养5天，再进其他饮食。该患者经过治疗，恢复健康，现已40多岁了。至此之后，余用此方救治了很多患儿。此方对发热所致的阴虚，或素体虚弱而产生的发热、咳嗽等重证，均有较高的疗效。至今我还经常运用此方治疗一些发热病，均收到很好的效果。师古而不泥古，据天时、地理、气候的变化而辨证施治，充分发挥方药的作用，此乃是中医治病的一大特点。

仲景方中两药组

| 刘欢祖 |

所谓药组，就是三味或三味以上的药在方中形成一个组合，发挥其独特功效。仲景方中有两个药组值得特别重视。

一是“姜、草、枣”药组：生姜辛温，有温助脾胃之阳而散寒邪的功效；炙甘草甘温，温补脾脏之精，而益脾胃之气；大枣甘平微温；补脾而生血。三味药合成一药组，温补脾胃益气血。该药组在仲景方中用于解表、补益与和解等三类方剂中。

在发散风寒的解表剂中，这一药组起着温补脾胃，壮营卫之气，扶助正气以祛邪外出的作用。桂枝汤及其加减19个方剂中，都有“姜、草、枣”药组。此外，越婢汤、葛根汤、麻黄连翘赤小豆汤、大青龙汤及其加减方剂中，也都有这一药组，都起着扶正祛邪的作用。

在补益剂中，这一药组起着补益脾胃而有助于补益气血的作用。小建中汤、黄芪建中汤，炙甘草汤、当归四逆加吴茱萸生姜汤等方剂中，都有“姜、草、枣”药组，起着强壮后天生化之源而有助于补益气血的功效。

在和解剂中，这一药组起着温补脾胃而使清浊攸分、升降协调的作用。因为脾胃居中州，为全身气机上下升降的枢纽。脾胃气伤则上下升降失调，所以强壮脾胃是治疗气机升降失调的关键。桂甘姜枣麻辛附子汤、黄芩加半夏生姜汤、厚朴七物汤、桂枝加桂汤、生姜泻心汤、旋覆代赭汤等方中，均有“姜、草、枣”温补脾胃，以为升降气机的基础。

“姜、草、枣”虽为辅助药组，但在相应的方剂中却为必不可少的组成部分。

二是“夏、姜、辛、味”药组，半夏温燥化痰，干姜温脾肺之阳，细辛散内寒。夏、姜、辛皆为辛温燥热之品，为防其伤阴津，以五味子护阴保津。

仲景以“夏、姜，辛、味”药组温化痰饮，最为有效。小青龙汤、射干麻黄汤、厚朴麻黄汤方中，均有此药组合其他药，治疗痰饮阻肺所引起的咳喘胸满等症。

重视仲景方中的药组及其运用，对于提高临床疗效是十分有益的。

人参治心妙用

宋淑兰

人参大补，实可列为补药之首。其药在临床上应用很广泛，无论汤剂、丸剂，还是急症或慢性病，都有实际的应用，可谓举不胜举，如用药恰当真是功效奇妙，尤其应用在心脏疾患上，可谓高他药一等。就其治疗脉律异常而言，不仅能使脉数变慢，也可使缓脉变快，还能使脉律不整得到恢复，这是任何一种中西药物所无法与之媲美的。独参汤、参附汤、生脉散虽为古方，方剂构成简单，但当今仍不失其临床实用价值，而且还成为抢救、治疗急症的佼佼者。笔者以人参为主，在临床治疗心脏疾病中深有收益。

曾治一男患。近年来经常心悸，脉时数时缓，头晕，汗出乏力，少寐多梦，时而胸前有不适感，舌体胖、尖部有紫斑，脉虚数。曾在其他医院作心电图检查，诊断为窦房结病态综合征，在治疗中较难用药控制，故求治于中医。笔者认为：元气盛，心气充，方能完成心主血之功能，使血在脉中周流不休，如环无端；若元气衰，心气弱，则心就难以完成正常的充血功能，使血运无度，难持之以恒，其量时多时少，流速时快时慢，其因虚致瘀，因此表现在脉率上也就时快时慢，时强时弱。在治疗上采取益气活血、宁神益智，以生脉散加丹参治之，即人参粉5g（冲）、麦冬20g、五味子10g、丹参25g，水煎服，患者每日1剂，服至15剂后，脉律快慢交替发作次数明显减少，胸中不适，自汗头晕诸症明显减轻，随即改成丸剂，即人参100g、麦冬400g、五味子200g、丹参500g，共为细末，炼蜜为丸，9g重，1次1丸，日3次。患者服用1个半月后，脉律基本正常，诸症消失，恢复正常工作。笔者以本方先后治疗一些被诊断为冠心病（心动过缓）、心肌病（心律失常）的病人，皆取得较满意的效果。因深得其利，每每见到类似的心脏病患者多先考虑使用人参。当然，如虽患有心脏疾病，但有热者当分清情况慎用，正如《本草正》所述：“阴虚而火不盛者，自当用参为君；阴虚而火稍盛者，但可用参为佐；若阴虚而火大盛者，则诚为暂忌人参，而惟用纯甘壮水之剂。”这是值得我们临床借鉴的。

人参并非万灵丹

高长福

人参是一种名贵中药材，早在公元前两千年我国就已有人参入药的文献记载。近年国外有许多专门研究人参的机构，掀起了“人参热”。它的药理作用越来越被人们所认识和重视。

长期以来，人参被看作是大补元气、强身益寿的良药，经常服用可“有病治病，无病强身”。在封建社会，那些帝王达官显贵，把长命百岁希望寄托在人参身上，清代乾隆皇帝曾赋诗一首：“性温生处喜偏寒，一穗垂如天竺丹，”把人参封为仙丹。当今亦有人认为人参泡酒可强身健骨，延年益寿。

人参果然是灵丹妙药吗？其实不然。人参作为一种中药是用来治病的。它能大补元气、宁神益智、益肺健脾、生津止渴。主要用于慢性虚弱性病人或急性虚脱、大出血等情况下，若用于阴虚火旺、感冒发热、实火烦躁、肝阳上亢等证，则不但不效，反而会带来弊端。古书曾有记载，人参有轻微的毒性，久服或过量则令人口干舌燥，大便秘结，鼻孔出血。《五代医存》中说：人参若用之不对证，或助外邪，或助内热，痰滞不消，其患大矣。清代名医李冠仙的至亲丁吴氏，患肺热音哑，某医顺从病人之意，令服人参，服至数两而更无音。李冠仙诊病之后，嘱其停参，进泻白散，数剂而愈。近来国外曾有人报道，由于滥用人参，出现了一种新的疾病——人参滥用综合征，表现为服人参后出现高血压、神经兴奋、皮疹、清晨腹泻等。美国塞格尔研究了133名人参服用者，结果表明：长期服用人参大都有中枢神经兴奋和激动症状。我有位亲戚患肾病综合征，午后潮热，两颧红赤，五心烦热，夜间盗汗，便认为体虚当服人参。患者服至数天后，出现咽干口燥、烦躁失眠、鼻中出血等症。

临诊之时，患者往往请求医生多开些人参之类的“好药”。作为一名“上工”，不能逢迎患者的心理，而需要多做解释，使患者了解人参的使用宜忌。

人参虽为好药，但并非万灵之品，要改变“人参补死无过，大黄治愈无功”的旧俗。

人参畏五灵脂

黄永生

余初行医，诊一妇人，年四十有余，经水淋漓不断，每夹血块，少腹疼痛拒按，已1个月有余。余诊为“血瘀崩漏”，随拟“逐瘀止崩汤”，方用当归、川芎、五灵脂、没药、阿胶、三七、牡丹皮、丹参、乌贼骨、艾叶、龙骨、牡蛎以活血行瘀，但又虑其疲乏无力、气短、面色萎黄之气虚见证，故又加入人参一味。病人连服3剂不效，病情亦未发展。余思之，每当遇此证，投用上方，无不应手取效，此何也？细玩之，乃顿开茅塞，先人教我“人参畏五灵脂”。随即去掉人参，仍以原方再进3剂而愈。

余每思及于此，常为古人实践之至真至切所感动。虽医书汗牛充栋，然果能遍观而尽职，可以出而济世矣。

麻黄应用琐谈

魏雅君

麻黄发汗、平喘，人所熟知。外感风寒表实，宜宣散发汗，可用生麻黄；亦有视证情而用蜜炙麻黄者；体虚之人可用麻黄绒（麻黄捣烂去粉末留用）；喘而汗出用麻黄根。凡用生麻黄，当嘱先煎去上沫为好。

然麻黄之作用非仅限于此，举其临床运用数端以开用药思路。

麻黄可利水消肿。风水之肿，《金匮要略》治用越婢汤。其方以麻黄为主，取其入肺与膀胱经宣肺，发汗而利小便。张锡纯为擅用其方者，谓药后果能得汗，其小便即数能利下而肿亦遂消。《吴鞠通医案》载一水肿案，颇趣。陈医用麻黄附子甘草汤治某水肿患者不消，而鞠通仍用其方则验。盖前医恐麻附慓悍，用量极轻并以大量甘草监之。而鞠通用麻黄二两，附子一两六钱，甘草一两二钱。药煎五饭碗，得汗止后服，2剂尽而身上肿消。

麻黄可除湿宣痹。《金匮要略》所载麻黄杏仁薏苡甘草汤，用治风湿在表，一身尽疼。麻杏同用可宣肺；麻黄、薏苡仁同用可宣痹；麻黄、甘草同用可使微汗出而风湿尽去，治风湿伤于肌表多效。麻黄加术汤亦为除湿蠲痹之良方。麻黄得术，发汗而不过汗，术得麻黄，湿邪得以宣散。另有用麻黄散寒止痛者，如五积散即为治寒痛良方。

麻黄可透疹。如桂枝麻黄各半汤，即为疏达肌腠，调和营卫之方，用于风邪郁于肌表之荨麻疹确有疗效。日本人大冢敬节云：“荨麻疹而有本方之目，操时选方时有卓效。”叶橘泉医师遇小儿麻疹内陷，见诊后急隐，高热无汗而喘，有并发肺炎喘嗽倾向者，即以麻黄汤加黄芩，白芍可使疹现喘平。“皮毛者，肺之合”，宣通肺气，调和营卫因而疹透而喘平。

麻黄可解寒凝。外科阳和汤中用麻黄，意在开其肌腠，解其寒凝，不独阴疽可用，诸多寒邪郁滞，结而不散者皆可用之。

又麻黄连翘赤小豆汤治黄疸夹表邪；《千金方》麻黄淳酒汤，用淳酒煮麻黄温服发汗退黄，其效亦佳。今人见黄疸辄以茵陈苦寒之品，似当慎之。《珍珠囊》谓本品，泄卫中实，去营中寒，可谓得其要矣。

麻黄能令人烦

段富津

麻黄能令人烦，虽诸书早有记载，但知之者多，见之者少。余于1978年10月治一男子，年近50岁，患风水。肿从上起，未及5日，肿遍全身，腰以上肿甚。身热恶风，周身酸重，无汗，口微渴，舌苔白腻，脉见九菽之浮，略大而数。经某医院确诊为急性肾炎。本着“腰以上肿当发汗”的治疗原则，施以越婢汤：麻黄20g、生石膏40g、甘草10g、生姜15g、大枣6枚，投2剂，嘱其先煎1剂，初服取汗，如不汗，再煎服第2剂。患者取药后，观其剂量较小。遂将两剂合为1剂，于晚8时许顿服第1煎，约30分钟后，正欲卧床温覆取汗，竟觉心慌气短，胸中烦乱，逐渐坐卧不宁，以致全身震颤。辗转一夜，烦躁不休，时似欲汗，终未得出，直至平旦，方得少安。继之，小便频解，尿量渐多，中午即觉全身轻快，浮肿渐消。傍晚按常量又进2煎，啜热稀粥温覆取微汗。两剂服尽，肿消大半，后以健脾宣肺化湿之法，调理两周而康。

笔者恒以麻黄20g配生石膏40g治疗风水，不但未曾有烦者，且疗效甚佳。该患者将两剂并为1剂，麻黄用量为40g，实为太过，岂能不烦？幸而患者素日体壮无病，始免酿成大祸。

“细辛不过钱”之我见

金梦贤

“细辛不过钱”这句口头禅，在中医药界流传很广，时间很久，影响很大，司药人员首先要知道十九畏、十八反和剧毒药物，把“细辛不过钱”也列入在内，所以遇到一个细辛过“钱”的处方，不是拒不调配，就是要处方医生签字。问其然？答复是师傅传的“细辛不过钱，过钱命相连”。再进一步问其究竟，也答不出所以然，只是人云亦云、不求甚解的流传着。

1. 是否传讹：细辛辛温无毒，《神农本草经》将其列为上品，《本草经疏》论细辛曰：“细辛味辛温而无毒”，《名医别录》谓其温中下气，破痰开胸，除喉痹齆鼻。综述诸家之见解，并无把细辛列为剧烈之品，何以有不能过钱之说乎。不过，在采集和炮制方面应加注意。雷　曾说：“凡使用细辛切去头子，以瓜水浸一宿，曝干用，须拣去双叶者、服之害人。”可能由于采取不注意、炮制不得法，或误服双叶者，贻害于人，即归于细辛之毒性太大、不能多服，从而以讹传讹地流传下来。

2. 是否传简：在《本草三家注》中张隐庵曾有这样一段记载：“宋元佑陈承谓细辛单用末不可过一钱，多则气闭不通而死”，细辛不过钱之说可能来源于此，但是对“单用末”3 字避而不谈，可能传简了。为了进一步实验，余曾以细辛为末，冲服二钱，一小时后发现头晕欲呕、四肢有抽搐之感，因而本人分析，细辛入煎剂与群药配伍，既能互相制约又能互相佐使，通过煮沸，只能发挥其气味辛散之功能，而单药末冲服，直接入胃、量再大些、吸收多些，而引起不良反应，故有细辛单用末不可过一钱之记载。而张氏之立论仍谈到：“细辛乃辛香之药，岂能闭气，上品无毒之药何不可多用”，虽说是驳斥了细辛不过钱之说，可能也是指饮片汤剂而言。所以，我认为统称细辛不过钱是传简了。

3. 是否传错：细辛一味，经张仲景先师之实践，在伤寒论方剂中用之颇多，仅举三方就可说明细辛之用量问题。如小青龙汤治伤寒表不解，心下有水气，……。药味组成：麻黄三两、芍药三两、细辛三两、干姜三两、甘草三两、桂枝三两、半夏半升、五味子半升。又如麻黄附子细辛汤，药仅三味：麻黄二两、细辛二两、附子一枚。再如当归四逆汤，治手足厥冷、脉微欲绝者，药味组成：当归三两、桂枝三两、芍药三两、细辛三两、大枣 25 枚、甘草二两、通草二两。尽管汉代的度量衡与现代的不同，服药方法有差异，从整个方剂分量来看，细辛与其他药物的分量都是相等的。如果“细辛不过钱”之说能够成立，那么，对经方的同等份量又怎么解释呢？所以说：“细辛不过钱”之传说，可能是传错了。

4. 临床体会：依据各家的论述，尤其张仲景先师之立方，我在临床数十年，一直是按同等份量使用细辛的。例如小青龙汤的干姜、细辛、五味子，和当归四逆汤的当归、芍药、细辛都是用相同的份量，如五味子用 15g（三钱），细辛也用15g（三钱）；当归用25g（五钱），细辛也用25g（五钱），这样用疗效较好。如果把细辛减量，疗效就差。在治疗单纯的外伤性截瘫和手足冻伤之患者，有时细辛用到50g（一两），并没有发现什么不良反应，而疗效还是比较满意的。

肤浅之谈，并不是说细辛就可随意多用，而是不要被“细辛不过钱”所限制而已；主要的要根据辨证施治和因人因病而异，对证下药的原则，方能达到“有故无殒，亦无殒矣”。

赭石小议

柯利民

赭石，《神农本草经》列为下品，其他医药书也记载了很多别名，如血师、土朱、铁朱等。其功效论述较多，总归而叙，不外三条。一用于肝阳上亢所致之头痛、眩晕等症；二是用于嗳气、呃逆、呕吐及气喘等症，有降逆之功；三是用于吐血、衄血及崩漏等症，有凉血与止血之作用。余临床四十多年来，用赭石的经验，除前贤所论诸证外，还用于贫血（缺铁性贫血），每次用量50～100g，收效甚好。曾治一未婚女性，病已4个多月，面色晄白，无华，皮肤干燥，既往月经量多，现已两月未来潮，心悸气短，倦怠乏力，少食懒言，经某医院检查，诊断为“缺铁性贫血”，服硫酸亚铁，两周无效，且觉胃痛不舒，特来求余诊治。除上述症状外，患者身体瘦弱，语言低微，舌尖淡红，苔薄白，脉沉弱。据四诊所见，按中医辨证，此病属心脾虚弱。心主血，脾生血，生化之源不足，心脾功能失调而致贫血。治宜补益心脾。方用归脾汤加赭石100g（2两）。患者连服7剂，病情大见好转，前后共服20余剂，诸证消失，月经来潮时，经量正常，随访3年未见复发。

余用赭石治贫血之经验，已积累多年。早年余在外地行医时，曾治一呃逆的患者，除阵发性呃逆之外，素有贫血之疾，因其症状大都属肝郁气滞之证，所以采用旋覆代赭汤加逍遥散，而且重用赭石以降逆。患者连续服20余剂后，不但呃逆之证消除，并且贫血之证亦随之而愈。余玩味其因，发现赭石具有养血、生血之作用。由此之后，每逢贫血患者，即以赭石为主，配合归脾汤或逍遥散等辨证施治，每获良效。

代赭石与呃逆

王雨亭

呃逆一证，虽非大疾，但呃而不断，殊多痛楚。余临床多年，受《医学衷中参西录》之教益匪浅。治疗呃逆，重用代赭石即受惠于张锡纯之启发。组方或单煎，以之为主药，多获良效。今缘述如下：

呃逆，是由胃气上逆动膈而成。证分虚实，或寒、或火、或气逆、或食滞、或阳虚、或阴不足，导致胃失和降则疾作。依其证分别施以祛寒、清热、降气解郁、消食化痰、温补脾胃、生津养胃等诸法，每须加入和胃降逆、平呃之品。往昔临证，尝以丁香、柿蒂等为常用药物。余因丁香性辛热，且其“凡病非属虚寒，一切有火热证者均忌”，况市售之品，公丁香、母丁香往往不分，伪品参杂很多，用之极易误事。柿蒂虽性平稳，但北方药肆经常脱售。遂试用代赭石，结果疗效颇著。

1970年冬，余治一工人钱某，男，41岁。病起于野外作业后，寒风中进餐，返舍即呃而不停，虽服药、针灸亦罔效。处方：代赭石40g、高良姜15g、肉桂15g、厚朴20g、焦三仙各10g，水煎服，每日服两次。患者服2剂呃止，1个月后追访，无复发。

1974年秋，赵姓护士，年31岁。晚饭时与其夫争吵，气闷中卧睡，次晨自觉胸胁胀闷不适，头晕恶心，无食欲。上班后即呃逆连声，经注射西药两次无效。转中医诊治，投代赭石25g、郁金15g、香附15g、川楝子15g、半夏10g、生姜9g，水煎服。3剂尽，患者呃逆，未再复发。

余1977年，遇一胃溃疡术后月余之女职员，夜半突呃逆不止。次晨来诊，见其颜面苍白，四肢不温，呃声低弱，气短心悸。投附子理中汤加代赭石30克，水煎服。患者共进23剂，呃止。证属术后虚寒，赭石连投重用，未发现任何不良反应。可见，代赭石确系药性平和，足证“有是证，尽可放胆用之”之说，信矣。

炒莱菔子治肛裂便秘确有效

解生田

中药莱菔子，就是萝卜子。我用它治疗几例肛裂便秘病人，皆取良效。

我遇一女患，因分娩后患肛裂而便秘、便血，疼痛难忍，经常发作已近20年，后经某医院手术，术后仍然便秘，影响刀口愈合。故来求诊，以炒莱菔子治之，果真有效，刀口很快愈合，高兴而归。之后继续治疗几例，同样取效。

诊余之暇而思其理，为何其他药物未愈而莱菔子一味即奏效？书载此药性平无毒，味辛甘，长于利气，能治风秘、气秘。生用能升，可降气化痰，平喘止咳；熟用能降，可润燥通便，不伤正气，故须炒熟，研碎，有油脂溢出，始能滋润肠燥，软便通下而奏效。而大黄、番泻叶之类，乃以泻下通便为主。轻快一时，过后便秘反重，长期应用，有伤正气之弊。至于炒莱菔子用量，可视病情加减，一般用15g，研碎，白水送下，早晚各1次即可。正因其不伤正气，故术后可常规服用，以减轻术后便秘之苦。颇受病人欢迎。

斑蝥、蜂房均须去毒

穆云汉

斑蝥有毒，宜炒后用。操作方法，用糯米拌匀，用文火炒之，炒至糯米呈焦黄色，离火。冷却后拣出斑蝥，研细，呈咖啡色。目的是：因虫体有毛，入胃后刺激胃肠，容易引起不良反应；二是因虫毛在加工时不易碾碎，糯米性黏，拌炒可粘去其毛，用时去米；三是因虫体小，直接炒制，火候不匀，焦枯者失效，太嫩者其毒未减，糯米炒之，热度均匀。

蜂房，俗称马蜂窝，有毒，疡科外治疮毒，取其以毒攻毒。本品质轻，炮炙时，宜用武火急炒。先将蜂房剪成小块，大小基本相同，然后将铁锅烧热，放入蜂房，不断拌炒，至蜂房呈淡黑色，立将蜂房倾于木板上，摊开晾凉，研细用。

象皮、鳖甲外用宜炙

穆云汉

象皮为疡科外用生肌敛疮药，因其坚韧不易粉碎，必须炮炙。操作方法，先用水浸2日，待其膨胀，切成薄片，晒干，放入粗沙中微火拌炒，炒至象皮焦黄酥脆，离火，再拌炒片刻，筛去沙，俟冷即可研成粉面。外用治疗皮肤慢性溃疡、肉芽生长不良，能促使肉芽生长，促进愈合。张山雷的象皮膏，用治顽疮久不收口，确实有效，确为生肌良药。

鳖甲亦为外科生肌良药。鳖甲为骨质之硬壳，质地坚硬，不易粉碎，必须炮炙，制法与象皮不同，先将沙炒热，炒至烫手程度，再放入鳖甲拌炒，将甲炒至焦黄质脆，用手能折断鳖甲为宜，离火，筛去砂，冷定，将鳖甲研成细面。外治久不愈合之溃疡，尤其是大面积之溃疡，生肌用之，更为相宜。历来入药，用其上甲，弃其下甲，浪费药源，我认为上、下甲皆可利用，同样有效。

海藻甘草合用有效

|王 贵|

药物配伍禁忌中指出，在复方配伍中有些相反的药物应避免合用，否则会产生毒性及不良反应。如“十八”反中的海藻与甘草即属此类反药。药虽传自古人，但用竟出于己手，临床上疾病千变万化，医者绝不能拘古不变。笔者曾受李玉昆老师指教，将海藻、甘草合用治疗颈淋巴结核、缺碘性甲状腺肿及乳腺增生等病，颇为应手。此对反药合用是根据张仲景的有是证即用是药之论为宗旨，结合临床，只要病机契合，即可投药。

颈淋巴结核、缺碘性甲状腺肿、乳腺增生诸病，究其病因，三者除因肝肾阴亏与冲任失调外，均系情志不畅，肝郁气结，气滞伤脾，脾失健运，痰火内生，结于颈项及积聚于乳房所致。故其治疗当投以逍遥散加海藻、甘草，佐以扶正之品。

病虽不同，但用药基本相似，其效亦颇为满意。本人认为，二药合用后能显效者，其一：因海藻、甘草合用后所产生的毒性反应起到“以毒攻毒”的作用，促进了病灶的向愈发展。其二：海藻咸寒，咸可软坚，寒可泄热，合逍遥散以共奏疏肝理气，软坚散结，化痰之功。

巴豆与急证

|马 骥|

巴豆性味辛，热，有毒。若服用巴豆油 1 滴可致吐泻，亦有服用 20 滴而造成死亡者。所以有人不敢使用。我随侍先祖父、承先公临诊多年。公认为，巴豆之毒，正是其救人之用，用之得当，诚有神功，实为一种拯急济危之良药。

1932 年秋，在日寇的铁蹄践踏下，哈尔滨市又遭松花江水泛滥之灾，街水深越丈，疫疬流行，以霍乱、痢疾、湿温、温毒为最多。其间死人最快者为干霍乱，其证候表现为脘腹绞痛，欲吐不出，欲泻不下，四肢厥冷，冷汗如水，腓肠转筋，脉微欲绝。先祖父曾用《金匮要略》中的三物备急散救活较多危重病人。并说："此证最急，为秽浊之邪，壅遏中焦，若不急取吐下，则贻误病机，将祸速反掌。"故必急投三物备急散。其方由巴豆、大黄、干姜所组成，以温水或米汤送下。方中巴豆辛热峻下，开通闭塞，性虽峻猛，但得大黄相辅，因其性相畏，其辛热之毒可减。巴豆得干姜，其祛邪之功加强，且祛邪而不致伤脾。

我临证用巴豆，对病势剧而体强者，去皮炙用，取其峻猛效捷；病急、体不甚强者，则宜制成霜用，取其性缓。1949 年夏季的一天，忽抬来一病人，见其唇青口噤，呻吟叫号，冷汗淋漓，脘腹疼痛，颠倒起伏。其状吐不出，泻不下，躁扰之形，莫可名状。切其脉，伏而不见。我认为当时酷夏，病缘内伤饮食，外受暑侵，清浊相忤，乱于胃肠，遭此卒疾，必峻攻逐邪，方可以拯其急，迟则祸不旋踵。迅奔邻右药店，索巴豆、杏仁各两枚，去皮火炙，用纱布包之，捶烂后用热汤渍之，榨取其汁，待温，撬齿强行灌之。汤下咽，须臾，患者腹鸣、大吐浊水，喷射而出，远达 2 米左右。复灌以温水，再使探吐，俄更下利二行。移时患者神苏噤开，痛定汗止。再酌橘皮竹茹汤，加厚朴、半夏，煎汤频饮之，禁与它食。渴则以人参麦门冬汤呷之，藉以复其气津，翌晨家人邀诊，则患者精神大爽。更依前方投两剂，3 日尽剂，患者渐复常食，静息半月而告愈。

据先祖历年之经验，对此证，察其邪在脘膈者，则取《外台秘要》走马汤；重当脐腹以下者，则用三物备急散，服后得吐下，邪有出路，为有生机。服后其功不显者，宜饮热汤助其烈性，顷即可致吐下。若用上法仍不吐下者，预后不佳。若吐下太过，饮冷米汤，或冷水，其毒立解。

我还常用巴豆治疗寒积腹痛、食物中毒等急证。巴豆一品，其性极烈，能吐能下，可升可降，用之有节，能止能行，实为斩关夺门之猛将，治疗急证之良药。

大黄能攻善守补泻两用

李寿山

俗语说："人参杀人无过，大黄救人无功"。这句话虽有偏见，却可以从中看出两层涵义：一是说中医治病必须辨证施治。疾病是错综复杂的，往往本质与现象混淆交织，不易分辨。"大实有羸状"，设若辨证不明，误投人参温补，犹如火上浇油。此等药误常不被医病两家所察觉，以致病至不救，尚且不知，只好怨天尤人。二是社会人情习俗喜用补品，认为补药可以祛病延年，以致需补不需补，均与强补，壅递之祸，旋踵而至。

曾有一男性青年，以鼻衄不止来诊，询问之中，方知误服人参所致，本人不晓，仍认为服人参强壮身体，何害之有？经再三陈理，并投小剂苦寒清热之方，患者鼻衄3日而止，乃恍然觉悟。此种喜补之弊，何止一二人？因此世俗之语，应改为“大黄用之得当胜过参茸，人参用之不当犹如鸩毒”。

大黄苦寒泄降，气味俱厚，能泻下破结，荡涤肠胃实热积滞、泻血分实热，下瘀血，破症积，行水气，世人尽知。而对大黄安和五脏，补敛正气之功，却几被遗忘。大黄酒制变降为升，变泻为敛。剂量之中，亦有玄妙，多则泻下，少则性收。升与降，泻与敛，全在掌握炮制与剂量之间，此为医者必须知晓。

余积验多年，运用大黄颇为应手，其补通两用，能攻喜守，实为软硬兼施，克敌制胜之平安将军。大黄能攻之说甚众，不需赘述。善守之论，少有提及，故略述梗概，以启后学。

健脾和胃有功劳。大黄研末为丸，名曰独圣丸。有助消化、增食欲、健脾和胃之效。对胃弱不纳，脾虚不运，消化吸收不良，食欲不振，脘腹痞满，大便时溏时结，肌肉消瘦或异常肥胖者用之屡验。

一位患慢性胃肠炎者，胃痛腹满，食欲不振，大便溏薄，日二三行，迁延日久，面黄肌瘦，神疲乏力，进健脾益气药罔效。与服独圣丸，旬日大便成形，食欲增进，痞满胃痛尽除，月余后体重增加1.5kg。

又一女患，形体肥胖，身高不足1.60米，体重却达91kg，血脂甚高，服独圣丸2个月，体重减轻10kg，血脂恢复正常。临床用之，每获降脂减肥之效。大黄补通两用可见一斑。

祛瘀生新见伟效。余喜用独圣丸，单刀直入，治疗血证。尤其对血瘀经闭之干血痨，效应最佳。昔日有一名28岁之已婚妇女，因经期受惊而经闭15个月。来诊时，瘦弱不堪，肌肤不荣，毛发脱落，脉涩，舌暗见瘀点，舌下脉络淡紫怒张。用独圣丸1个月，经复如常。年后产一女婴，全家皆大欢喜，一举两得，医患皆悦。此大黄之又一功劳。

敛血止血出新案。大黄能否有敛血、止血之力，关键在于掌握剂量与炮制方法，掌握这一点则有瘀可祛，血溢可止，无恐无惧。余于临床常用此治疗肺胃热盛之吐、衄、咳血及下焦肠热便血证。年前有位溃疡病吐血便血者，就是用煎服大黄汁而血止功成的。

涩肠止痢病易消。余治久痢，选酒大黄炭，就是在这一经验指导下运用的。酒大黄成炭，苦寒大减，能入血分而祛瘀，止血便而敛疡，通腑不峻，导滞不破，泻中有收，敛中有通，实为疗久痢之佳品，临床颇见效验。

大黄既能攻又善守，一味兼有双用，故临床不可偏废。用之得当，桴鼓之效自会应手而得。

漫话蛇毒

马骥

近年来，有人应用蛇毒治疗脑血栓、脉管炎及某些肿瘤，获得一定的疗效。蛇毒一名，古人虽未直接命名，但在《神农本草经》中早已记载了蛇蜕治小儿惊痫、瘛疭癫疾、寒热肠痔、虫毒蛇痫的经验。唐以后又有蛇、蛇皮、蛇胆、蛇脂及蛇涎的记载，已收入《本草纲目》，谓其性味甘温、有毒，治疗恶疮瘰疬，口面㖞斜，皮肤顽痹，白癞和一些肿毒等疾病，均取蛇体内之毒来攻致病之毒，而达治病之目的。

谈起“蛇毒”，忆及我在青年时曾闻先祖父承先公所述一段医话。先祖父为清代之儒医，执业于京师，擅长伤寒热病及杂证治疗。曾与一道人艾莲如者时相过从，艾在京之西郊建一庙宇，权当诊所，为邻近群众诊治骨科疾病。

因艾与先祖同为清之儒生，且均精医术，故彼此交往较密。先祖亲眼见到，当艾进行整骨术前，先令病者以黄酒送下捣碎如绿豆粒大之丸药7～10粒，待片刻，以青布蒙病人面上，然后进行手法整复，只闻有骨之擦响声，却不闻病者之呻吟。术后若病人觉痛，则再捣服一二粒，便不觉痛。知其方药名为“龙虎丹”，系由乳香、没药、血竭花、藏红花、麝香、炙马钱子、蛇涎、蜥蜴涎[注]所制成，此乃该人整骨之秘方，效果神奇，未见诸书记载。遗憾的是，对其制法未能得知详情。

现代医学研究认为，蛇毒是以血循毒为主的血循、神经混合毒。日本曾有一古方名“伯州散”的内服剂，亦称“外科倒”，专治结核、肿瘤等外科疾病。其方是由蝮蛇霜、津蟹霜、鹿茸霜等量，共为细末以备用。蝮蛇在蛇类中乃属毒性较大之蛇，伤人可致死亡。先祖却常谓：“越是毒大之品，正是救人良药。”

我在多年诊治中，应用蛇类入药机会极少，现述及往日所闻，供作参考。热望广大医药科学工作者对蛇毒加以重视，深入进行研究。

（于福年　整理）

［注］　据艾连如谈，取蛇涎，蜥蜴涎之法，必在立秋节后，捉二物以细绳系尾倒悬之，久则吐涎，以磁器盛之，经处置后始可入药。因艾系道家，不肯损及生物，故用

后则命其徒携二物释放于远郊。

川萆薢治疗湿热遗尿

|侯士林|

遗尿一症，多属中气不足，下元不固，然湿热下注亦较多见。1958 年吾师授方：川萆薢 50g（小儿酌减）水煎，夜卧时顿服，治湿热下注遗尿痼疾。笔者近 20 年用本法治疗有录者 42 例（成人 18 ~ 21 岁者 4 例）。只要掌握辨证要点——遗尿腥臊恶臭，无不药到病除。余治一病人黄某，男，14 岁，遗尿十余年，每夜尿炕，尿腥臊恶臭。同屋人无法忍受，令其在外屋地铺而睡，病情渐加重。家长代诉：曾给患者大量服桑螵蛸、菟丝子、覆盆子之属，及八味丸、补中益气丸、尿崩灵等等，全然无效。1980 年 4 月改用川萆薢 30g 水煎，夜卧时顿服第 1 煎，次日晨服第 2 煎。患者连服 3 日，尿腥臊味大减。又连服 3 日病告痊愈。随访至今未犯。

萆薢治遗尿，医籍刊载颇多。《本草纲目》记萆薢“气味苦平，无毒”，入肝、肾、胃。治“白浊、茎中痛”“遗浊”。《本草备要》记萆薢“……固下焦……治膀胱宿水，阴痿失溺，茎痛遗浊……”。

苣荬菜运用一得

|张金良|

苣荬菜为菊科苦苣菜属植物，生长在地边、路旁，或庭院，或田间。在东北、西北、华北等广大地区均可见到。苣荬菜别名较多，如麻菜、苦卖菜、苦苣菜、苦菜等等。黑龙江农村在春末夏初，常取其芽或嫩叶用以佐餐，是三四月间农村常用的蔬菜之一。本品苦寒无毒，被叫作小蓟而入中药。其药有清热解毒和凉血止血两大作用，尤其对于血证治疗效果较好。余在临床诊病时，曾遇一患者：年 18 岁，女性，患有鼻衄和崩漏，二者交替发作，延续半年余。症见其头晕心悸，神疲懒言，纳减乏力，舌淡脉弱，血红蛋白仅 20g/L。当时我认为是心脾两虚的贫血症。治以益气健脾，药用党参 25g、白术 15g、黄芪 25g、当归 15g、远志 10g、炙甘草 5g、茯苓 15g、酸枣仁 15g、乌梅 15g，水煎服，每日 1 剂。后因家住农村，经济困难，想出院回家治疗。余偶见有的医书认为鲜苣荬菜可治功能性子宫出血，还可以治衄血和尿血。此正符合吾所治之患。余

将上方抄给患者家属，并告之，每隔日进 1 剂，嘱其每日可多挖苣荬菜吃。1 个月后其父来哈尔滨市，喜形于色告曰："小女鼻衄和崩漏出血已止，食量增大，已身强有力矣。"余细询之，其父曰："因家困，没有按时服汤剂，时偶进 1 剂，但苣荬菜每日都进 1 斤余。其饭量逐渐增大，身体渐壮。"去医院化验，其血红蛋白已达 90g/L。余想服汤剂有一定的疗效。但患者后期大量食苣荬菜，病情速好转，其药力作用不可忽视。其味苦，有凉血止血作用，血止脾胃功能恢复，化源充足，故而病见好转。农村广见的苣荬菜，虽然菜小味苦，其功用是很大的，有些出血疾患可试用苣荬菜治疗之。

郁李仁治愈臌胀

许寿全

臌胀又名单腹胀，它包括现代医学的肝硬化腹水，是一种比较难于治愈的疾病，所以陈修园说："单腹胀，实难除"。

余亲身经历，见到许多臌胀患者久治不愈，终致昏迷，呕泄血液而毙。有的即使能治好，也须有较好的生活工作环境，长期用药调养。我 1977 年下乡医疗，正巧在所住的大队见到以前治愈的一位肝硬化患者，了解到他不像患过肝硬化的病人，精力充沛，比一般健康人还能干。他出院后一直在工作，很少再用药物。真没想到肝硬化病人能恢复得这么健壮。该患者，男性，初诊时间是 1961 年 8 月，当年 38 岁，其时住院 3 个多月，既往有急性肝萎缩病史，西医诊为"坏死性肝硬化，腹水期，肝昏迷前期"。

中医依据其烦躁，嗜睡，恶心，厌食，鼻衄，发热，黄疸，身体消瘦，腹大膨隆（体重 60kg，腹围 95cm）大便秘结，小水赤短，舌绛无苔，脉浮大而数诸症，认为其病机是肝失条达，脾失健运，肾阴亏虚，湿热蕴结，邪热入营，病事危重。

基于患者已用多种中西药物（以甘遂为主的消水丹），病情不断加重，而想到民间用郁李仁消水的经验，参考《本草经疏》中说："郁李仁辛苦能润热结，降下善导癃闭，小便利则水气悉从之而出矣"。《神农本草经》也有"郁李仁主大腹水肿的记载"。遂用郁李仁研为膏，用小米汤送服 15g。患者服后腹泻 3 次，无恶心及脘腹灼热、疼痛等反应。次日患者服 20g，泻四五次，尿量稍增多。后改隔 2 日 1 次，又服 3 次。患者腹泻后尿量增多到每日 3000ml 左右，腹水显消，腹胀减轻，饮食增加，诸症均减轻。改每周 1 次，兼用小剂疏肝理气活瘀剂调理。到 10 月中旬患者腹水完全消失，体重 53kg，较治疗前减轻 7kg；

腹围68cm，较治疗前缩小27cm。遂让患者停用郁李仁，改用养阴柔肝理脾之剂来调理，患者于12月末痊愈出院。出院后一直在大队猪厂工作，现在乡副业站工作。由1962～1984年已23个春秋，该农民身体一直很好，未再出现消化系统的病症。这是在我观察中远期疗效最好的一个例子。

知母、黄柏并用清泻相火 |孙润斋|

黄柏与知母并用为清泻相火，治疗相火妄动梦遗之妙品。盖黄柏味苦性寒，泻火燥湿；知母滋阴降火，润燥；李时珍云："知母佐黄柏滋阴降火，有金水相生之意"，足以说明知母、黄柏并用相得益彰，有互增疗效之功。

1970年春季，余曾治赵某，男性，年方25岁，患遗精数月，白昼较甚，稍有妄想或衣裤摩擦阳物即易勃起而遗，医药屡更而症状有增无减，就诊于余。观其前医处方均以补涩之剂。四诊详断，症见头晕目眩，口苦咽干，小便黄，脉弦数，舌尖红、苔黄燥。证属君火偏亢，相火妄动，干扰精室。治拟清泻相火。疏方：龙胆草10g、生地黄10g、知母10g、黄柏12g（二者盐炒）、白芍15g、黄连8g，水煎服。遵方仅服两剂，患者之头晕目眩、口苦咽干均见好转，遗精次数亦减少。药既中病，宗方又服4剂而收全效。

前医补涩之剂实有助长君相二火之焰，抱薪救火，无怪乎其加重也。遗精之原因多端，治法各异，补涩不过是治遗精滑泄之一法耳，不能一概其全。曹仁伯云："虚则补之，未始不美，而实则泄之，亦此症之要义"，诚为经验之谈。

薤白治疗后重 |孙润斋|

薤白治疗痢疾后重，最早见于《伤寒论》第318条四逆散方后加减中。《汤液本草》"下重者，气滞也，四逆散加此（薤白）以泄气滞。"元代李东垣《用药法象论》论薤白曰："治泄痢下重，能泄下焦、阳明滞气。"《近代名医流派经验选集》宁波范文虎用四逆散加薤白治泄痢后重，常获良效。《全国中草药汇编》薤白抑菌试验："薤白水煎剂对痢疾杆菌、溶血性金黄色葡萄球菌有抑制作用。"古今文献记载证实，本药对痢疾后重确有良效，既不悖古亦与今通。

余在临床遇有痢疾后重，常以治疗痢疾的方剂（如白头翁汤、芍药汤、葛根芩连汤、香连丸等方）中加薤白15～30g，效果颇为满意。

1978年8月余曾治一中年男性，张某，患赤白痢四五日，发热，腹痛，里急后重，每日大便二十余次，小便短赤，肛门有灼热感。脉象滑数，舌质微红而苔黄腻。系湿热蕴结肠道，气血被遏所致。治以清热化湿，调气行血。用白头翁汤、芍药汤增损治之。处方：白头翁20g、秦皮30g、黄柏10g、当归30g、炒山楂12g、地榆炭10g，水煎服。患者进两剂后大便次数减少，但后重如故。在上方中加薤白30克，又服两剂而痊愈。

又治一马姓老妪，患阴道不规则出血，伴有赤白带下，经省某医院确诊为宫颈癌（后期）。患者面色萎黄，消瘦，下腹及尻膂酸痛后重较剧，夜间尤著，痛苦异常，影响睡眠。屡用中西药治疗，效果不著。余根据薤白可治痢疾后重之理，为缓解其症状，以单味薤白30g水煎，令服之。当晚下腹及尻膂酸痛后重顿减，已能入睡。连续服用5天，尻膂酸痛后重已除。薤白虽不能治愈宫颈癌之病变，但可改善宫颈癌所致的后重症状。此后对数例宫颈癌病人，伴有尻膂酸痛重坠者，用薤白煎汤服用皆效。

半夏与生姜

刘沛然

治病如操舟，用药如量刑，所贵酌量权度。配伍衡定是为活法，医权药衡主持在我，不嘱者不为也。不可偏徇病家所欲，应存不忘亡。安不忘危。

余童年戏野偶嗜老鸹食（即半夏）2枚，刹那间咽憋戟喉，急回乡里，街老云：嚼鲜姜，霍然而愈。又如唐崔魏公铉夜暴亡，有梁新闻之，乃诊之曰“食毒”。仆曰：常好食竹鸡，多食半夏苗，必是半夏毒命，生姜捩汁，折齿而灌之活。《证治提纲》云：有人喉间麻痒，医问其平日所嗜，曰：常吃鸠子，乃知鸠食半夏苗，以生姜治之而愈。

又如《澹轩方》载有食鸠子毒（半夏），令人面黑斑，生姜捣汁，焙滓干，研为细末，以姜汤冲服色渐退。《千金要方》治心下痞坚，不能食，胸中呕哕，生姜八两，半夏五合。

《重修政和经史证类备用本草》云：生姜杀半夏、莨菪毒。又云和半夏主治心下急痛。《伤寒论》半夏散及汤，着重提出半夏有毒，不当散服。《中医杂志》1983年9期，黄维谈“生姜配半夏加重止呕作用，且减轻半夏之毒性”

甚是。

《伤寒论》113 方，其中用半夏者 17 方，而有 13 方伍姜，伍生姜者 10 方。如厚朴生姜半夏甘草人参汤、黄芩加半夏生姜汤。足证半夏伍生姜之重要性。所谓毒性，实则味必厚烈而不适口。贾疏敛云："毒药，药之辛苦者。"《说文》㞢部云："毒，厚也"。《广雅释话》云："毒，苦也"。《素问·五常政大论篇》云："能毒者以厚药，不胜毒者以薄药"。笔者积四十多年临床经验有是论，非药无效而量不当也。其比例如半夏 20g，则生姜 20 片，夏量增而姜量亦递增。

每岁五月半夏生，故半夏启一阴之气，与戊土合非姜与谁；戊癸合而化火，亦赖姜之辛，生姜启一阳之气，一辛燥、一辛散，姜夏皆辛亦同气也，二者偕用，制其毒厚，对病态窦房结综合征、室性早搏、心动过速、病毒性心肌炎、风湿性心肌炎等，量宜则疗效甚著，而未发现不良反应。

余曾治张某，男，33 岁。于 1980 年 3 月感冒后，感觉心慌，气短，头晕。就诊时作心电图示：心房纤颤，内科诊断：特发性心房纤颤。经用心得安、苯妥英纳、异搏定等抗心律失常药物后，心房纤颤消失，后转为"频发房性早搏"，持久不愈。于 1981 年 7 月作心电图示"窦性心动过缓"，心率 48 次/min，伴频发房性早搏，伴阵发性房性心动过速。诊断："病态窦房结综合征"。1981 年 8 月转中医诊治：其心常动悸，怵惕易惊，短气上逆，胸憋气而闷，胸心愦愦无奈，面有脱色，善息，舌红淡光净无苔，脉取流失不整，胸闷善息为胸阳不畅，阳虚阴逆之机。心气虚馁，面脱不华，与心内虚，脉循不整则为虚阳外露，发作持续不愈为正气虚惫已极，故以回阳、补虚为主，令阳复则逆降，非宁心而心宁自安矣。

处方：浮萍 30g、五加皮 15g、麻黄 6g、附子 20～60g、半夏 30～50g、莲房 30g、蔓荆子 20g、干姜 10g、薤白 15g、杏仁 6g、陈皮 12g、鲜姜 40 片为引，煎服。

1981 年 10 月患者已第 4 次复诊，连服药 39 剂，反复作心电图数次，恢复正常，症状消失，饭后亦未发作。已恢复工作，至今未复发。

半夏与乌头、附子

刘沛然

笔者多年来用是药多为大象相求，而非两仇不共，实则不仇而友，乃是联袂同俦，相偕助效。关键在于辨证，也并非半夏反乌头不反附子，乃因乌头与附子疗效实有别焉。如乌头赤石脂丸、蝎梢散等，则乌头附子同用。虽属同株，有一岁莿，二岁乌喙，三岁附子，四岁乌头，五岁天雄之记载，认为皆不与半夏反，可说是则同其为是，非则同其为非。应实事求是，不应信者以为有，疑者认为无。应审症度势，因症选之。其相须、相使、相恶、相反，出北齐尚书会，西阳王徐之才撰《药对》以众药名品，所谓“毒性相反”。后世历代本草，多引以为据。考《伤寒论》《金匮要略》《千金方》诸方书所谓相畏、相反者多并用。有云：相畏者如将之畏帅，勇往直前，不敢退却；相反者彼此相忌，能各立其功，圆机之士，又何必胶执于时，袭之固陋。《金匮要略》赤丸（亦称仲景朱雀丸），乌头、半夏同用，与华佗神丹同，功能近玄武意，皆扶阳利水，但玄武主急，赤丸主缓，《方报》《类聚》皆有记载。《金匮要略》附子粳米汤、附子与半夏同用，但添干姜，《千金方》《小品》亦同。皆记脾阳受阻，阴寒结饮，水谷分利之雷鸣。余如生姜、半夏等。《普济方》二味亦并陈列。在《扁鹊心书神方》中记有附子半夏汤（附子、生姜、半夏、陈皮）治胃虚冷痰上攻，头目旋晕，眼昏呕吐等症。非妙达圣义，难有此理。

《千金翼方》第19卷中，痰饮、癖积、寒冷，分别半夏乌附皆偕用者10首，足证所用之广。诸如白术茯苓汤（千金大茯苓丸）、姜椒汤、半夏汤、三台丸、大半夏汤(《千金翼方》)、乌蛇丸(《传信适用方》)、润体丸、雄朱丹(《幼幼新书》)、撩痰散《经验方》、青州白丸子(《钱氏》)、乌龙丹、夺命散及乌喙丸(《世医得效方》)等等，皆半夏与乌头或附子同用之。曾治于某，男，63岁。右膝关节积液已1年，经治不效，于1971年5月来诊。右膝关节轻度肿痛，不红，不热。自觉怕风，喜用棉垫围裹，步履艰难。因疼痛时跌倒，膝围左49cm，右53cm。曾屡次抽液屡抽屡长。脉长象，舌淡白，小便清长，为寒痰化液，关窍为薮，聚而不行。拟通阳络，逐寒痰，利关窍，行浊阴之法。忍冬藤30g，川花椒炭、川乌、草乌各3g，半夏15g，附子10g、骨碎补10g、红花15g、蚕沙30g，狗脊10g，木贼20g，桑枝30g，鲜姜20片。另服小金丹3g，黄酒送下。上方服48剂，小金丹服20剂，肿胀显著见消，痛止，步履正常。更法活中兼收，固而不守。川乌6g、海螵蛸20g、骨碎补12g、木鳖子仁6g、川羌活6g、半夏12g、鹿角霜30g、木贼20g、延胡索10g、松节15g、鲜姜20片。患者服24剂，膝关节积液消失而愈，随访5年一直未发。

半夏辛燥用在痰证。风痰、寒痰、湿痰、食痰、冷痰皆相宜。至于劳痰失血非所宜，反能燥血化热。乌头、附子辛温用在“冷”证。如冷痰、冷痹、冷风、冷末、冷癖、冷气及偏寒冷虚证。半夏与乌头、附子偕用，辛开燥降，适于逆气冷痰、风痰冷痹、湿痹冷风、胃冷呕哕、瘫缓风冷、结痰饮澼、风痰冷气、痰饮冷虚、大风冷痰、痰厥头痛及妇人血风虚冷、胸中痰满冷气不下等证。但皆需伍鲜姜。用法上乌头、附子、半夏量增而姜量亦增。笔者积40年临床经验，有是证，则偕用之，尚未发现不良反应，而疗效甚殊。

《千金要方》干枣汤（甘遂、甘草、大黄、大戟、芫花、荛花、黄芩、干枣）治臌症水臌、截疟疾。二陈汤加藜芦、细辛以吐风痰。郁金、苦丁香同用非但不悖而可利胆。《证治准绳》防风羌活汤，甘草、海藻以攻坚积。盖其妙处，鉴诸临床，勿轻效古人之所用，亦勿泥于古人之所理，端本正源，防其医疗裹足不前。

用生半夏好

王廷璋

半夏是一味重要而又常用的中药。早在《神农本草经》中，就记载它有主治伤寒热、胸胀咳逆、心下坚、咽喉肿痛、下气肠鸣等症的作用。后在张仲景《伤寒杂病论》中，应用甚广。例如在小青龙汤、大小柴胡汤、半夏泻心汤、甘草泻心汤、厚朴麻黄汤、泽漆汤等方中均应用了半夏。详察仲景方中之半夏，无一字提及“法半夏”或“清半夏”者，方中只注有一洗字而已，可见仲景方中之半夏乃生半夏。后人忽视此注，方中不敢用生半夏，甚至畏夏如虎，其实，大可不必。所谓生半夏有毒者，乃指其“戟人咽喉”之性而已，非全身毒物也。按陶弘景说：“凡用以汤洗十许过令滑尽，不尔有毒，戟人咽喉。”可见其毒主要在于对局部黏膜具有强烈刺激作用，口服生半夏粉可发生口腔、咽喉或消化道肿胀、疼痛、流涎、痉挛、呼吸困难、腹痛、呕吐等症，但汤剂中则不然，经过水煎，其辛辣刺激成分消失，而其药理作用，依然如故。我在临床几十年工作中，汤方中多用生半夏，而且常用至两许，恒收其桴鼓之效，未见其毒人之过。不尔用所谓白矾半夏，几经浸泡，矾味浓厚，虽云解毒，实无药性，只存滓粕而已，欲其止呕吐、去心下坚、除胸胀咳逆、开胃健脾、利窍行湿已无能为力，徒有其名。因之我在汤方中必用生半夏，绝不用白矾半夏。根据生半夏有其良效，不仅可用治心下痞、妊娠恶阻、湿痰咳嗽、胃寒哕逆等症，而且用于黄疸喘满、脾湿饮停诸症，盖以其复有利窍行湿之功故也。总之，生半夏在汤剂中不失为良药，煎煮后无毒而有药效，绝不可将加热煎煮后之“生半夏”，仍与未煎之“生半夏”等同起来，遂矫枉过正，而在汤剂中，一概用白矾半夏之渣滓，自以为无毒而保险，实际上所用之清半夏，仅徒有其名，而绝无实效也。然也，否也，明者鉴之。

遵古而不泥古

李玉琴

海藻、甘草不可合用，明载于《十八反歌》，世皆遵之。先师梁恒新老先生早年毕业于华北国医学院，毕业行医，多有创新，治瘰疬，恒以二药合用。笔者亲睹其验，亦屡用之。某医之女，年方20岁，左颈部生一鸡卵大肿物，父诊女疾为淋巴结结核，治疗2个月，毫无反响，求用中药。投柴黄葛根汤加海藻，6剂而效。其医初见方，畏而不敢令服，恐生不测；及取效，乃笑问何以敢违古训？答曰：遵古而泥古，进退皆榛芜；遵古不泥古，无路可有路。

苦参运用一得

张子维

忆余童年，常随先父闲往田间，见遍地禾苗油然青翠，荒坡杂草间，有数簇类似灌木，高可二三尺，开穗状黄白花，其叶如槐叶，观之十分可爱，问父为何？示为野槐树，根名苦参，其味苦，可疗疾，用于外洗肿毒其效颇佳。后用数次皆获效，实为民间良方。

昔日从师学医，曾授我一方医治痔疮，外痔肿痛用以熏洗可获良效，其方乃以苦参为主：苦参30g、蒲公英30g、金银花15g、透骨草15g、白矾10g、芒硝10g、生铁120g、塔松30g，水煎熏洗。此方已用数十年，多获良效。若肛门肿疼久痢便脓血者，内服亦多获效。

30年前，往诊予乡，一村妪赠我一方，云乳房肿痛用之极效，其祖为医留此方已三世矣，观之药仅5味，亦以苦参、蒲公英为主，余则地丁、金银花、甘草。

医家常谓："苦参味苦性寒，玄参为使"。为治风热疮疹之良药。

近数年余用苦参治顽癣、湿疹其效颇佳，若脉浮数而热胜者其效更显，因此症多因湿热之邪浸于皮肤，淫于血脉，留滞不去，郁热甚而生风，湿热蕴而生虫，风行虫动故痒而难忍也。古人认为，风热湿虫为癣癞之主要因素，取苦参之苦寒，以其苦燥湿寒清热。湿气除，虫无复生之机；热气清而风自熄也。虽佐以诸药，其义乃同。

1984年秋，王叟年逾古稀，居城南郭，体丰壮，于8月上旬来院就医，自云患癣疾已数月，多治少效，诊其脉浮数有力，解衣观之遍体斑癣，及无完肤，白屑纷落，痒不可忍，余为乃因湿热淫于血脉，郁于孙络，风因热生，虫从湿化，治当清热燥湿、疏风杀虫，乃用：苦参30g、玄参13g、蒲公英30g、蒺藜17g、苍耳子17g、牡丹皮12g、白鲜皮12g、乌蛇10g、甘草5g。3剂水煎，日服1剂，忌五辛。患者服后症状小减；二诊苦参加至40g，服3剂后功效显著；原方续服10余剂，痒止屑脱，症状大减，共服20余剂病告痊愈。其翁乃曰："人皆谓我病此生难愈，谁知竟如此速效，实出意外"

韭菜子为温肾缩泉之要药

|阎洪臣|

1969年冬，余于怀德镇医院带实习生时，曾诊治一遗尿病人张某，女性，年不足20岁。彼自幼体弱遗尿，百药不效。近因涉水着凉，夜尿频作，甚至白昼小溲不能自禁，确有难言之苦。其少腹冷，时腰痛，月事延期而下，食少腹胀，气短乏力。视之形羸神疲，面黄舌淡，苔白略腻，诊之六脉沉缓无力，两尺尤弱。据其脉症断为"脾肾阳虚，膀胱失约"之候。

遗尿一证，多因膀胱虚寒，不能约束水道而成，经有"膀胱不利为癃，不约为遗溺"语。原其所由，膀胱虚寒失约，仅为斯病之标，其本者当责之于脾肾两脏。因脾为后天之本，主运化水湿之气。若脾虚运化失权，可使水湿下流。肾为先天之本，内寄元阴、元阳，其元阳者命火也，是火既可温煦诸脏，又能化气行水，布津于四体，且肾又与膀胱为表里。若肾气虚，命火衰，则寒从中生。膀胱失煦，则束约失职，故《仁斋直指方》曰："肾与膀胱俱虚，内气不充，故脬中自滑，所以多而色白，是以遇夜而阴虚愈多。"《诸病源候论》云："遗尿者，此由膀胱虚寒，不能约水故也。"尤怡辨遗尿原委云："脾肺气虚，不能约束水道而病为不禁者，《金匮要略》所谓：上虚不能制下者也。"言其是证与肺、脾、肾三脏最为相关，颇有见地。细穷其义，病者自幼夜尿，则因先天不足，肾气亏虚。肾虚久不得复，命火衰惫，不能温煦他脏，益虚于脾。脾肾阳虚，虚寒愈甚，膀胱寒冷，复涉水着凉，引动内寒，故夜尿、小溲失禁甚矣。腰为肾之府，肾气充于丹田。今肾虚腰府失养，更因虚寒内搏，故现腰痛腹冷。寒凝血脉，则月事错后。食少腹胀，为脾虚失运之候。脉沉缓无力，形削面黄，舌淡苔白者，皆为脾肾阳虚之征。宜健脾益肺、温肾缩泉法，投桑螵蛸散合巩堤散化裁治之。方用桑螵蛸30g、党参20g、茯苓15g、龙骨40g、熟地黄20g、菟丝子20g、山药30g、韭菜子15g、补骨脂15g、附子10g、白术15g、覆盆子40g，水煎服，进两剂。患者复诊曰：服药后遗尿大减，腹冷转温。脉同前，守原方，继投两剂，患者三诊曰：进二诊方两剂，纳食增，遗尿虽有好转，但不如初诊方药效速。余查所投之方，见少韭菜子一味，疑药力减，未及其病。念韭菜子温肾缩泉之性，考《本草从新》栽韭菜子“性辛甘温，补肝肾，助命门”之功，遂依前方去茯苓利邪水之力，嘱患者自投韭菜子一把，入剂同煎，继进4剂而愈。

又治一男患，水肿十数载，医治年余，肿消证复，唯遗腰痛、溲频，甚则不能自禁。苔白脉迟。投巩堤散（熟地黄、茯苓、菟丝子、益智仁、五味子、山药、韭菜子、补骨脂、附子、白术）易汤，倍韭菜子，患者服6剂而愈。上述一得，足证《本草纲目》所载：韭菜子能“补肝及命门，治小便频数、遗尿”，言之不谬。

庸医杀人不用“刀”

陈若昆

夫医之治病，人命关天。俗云：“行医先要明阴阳，次把望闻问切详，凭脉细分虚与实，先将药性知温凉。”历来医有名医、儒医、世医之称。至于庸医，听人说了几个方子，获为至宝，并不知阴阳病机、五脏六腑、十二经络、病在何处，亦不知寒热虚实，把自己所得之方，竟敢与人治病，岂不误杀人乎！

余自业医以来，屡见服用庸医所施马钱子中毒而亡者。如一农妇患中风后遗症，半身不遂数载，一庸医给服以马钱子为主所配的药面，初用最小量试治，服下后患者肢体有动感，庸医认为有效，翌日加倍给服之，患者立即死亡。一男性，国家干部，误用马钱子煎服，立毙。一男性，国家干部，患脑出血，庸人伪造所谓安宫牛黄丸高价卖与患者，以牟取暴利，患者服下后立即抽搐而丧命，与服马钱子中毒无异。诸如此类，层出不穷。

马钱子(《本草纲目》名番木鳖，列入草部蔓草类）别名：番木鳖、大方八(上海)，为马钱子科乔木番木鳖树的成熟种子，有剧毒，一般牲畜服之立死。因其毒性剧烈，古方多作外治药。入药时不可单服，配丸散时（必须经过炮制后方可入药）用量要小要慎重，且不可持续使用过久，体虚者及脾胃弱者忌服，以免中毒，若中毒时可出现肢体颤动，甚至麻痹不省人事。

枸杞漫话

徐阳孙

枸杞是人所皆知的常用药物。它是茄科灌木植物，春夏取苗，其名曰枸杞叶；夏秋取果，名曰枸杞子；冬取根皮，名曰地骨皮。全株均能入药，四季皆可应用，是中药之上品。

枸杞又有天精、却老、却暑、地仙苗、西母王仗、仙人杖等美名，从其名可知，用本品能助长生不老。甄权认为，枸杞可补诸精气之不足，能易容颜，黑白发，明目安神，使人长寿，是一味养生之仙药。

枸杞子，味甘，性平，能滋补肝肾，益精明目，生津解渴。主治肾虚腰痛，精血不足，神经衰弱，头目昏晕，视力减退，口渴引饮，尿频乏力等证。

《神农本草经》谓枸杞子“主治消渴，风湿，久服可强筋壮骨，轻身不老，耐暑抗寒”。我在临床最喜爱用枸杞子一味，常用杞菊地黄汤或单味枸杞子治疗由肝肾不足引起的头晕，眼目昏花，迎风流泪等症；用枸杞子配黄精、金毛狗脊治疗肾虚腰痛；配附子、肉桂、鹿茸治疗阳事不举，腰膝无力，脐腹隐痛之症；配天冬、麦冬、玉竹、知母治多饮、多尿之消渴证；配生地黄、何首乌治头发花白，或以二药（枸杞子、何首乌）泡酒长饮，确有健身乌发作用；配五味子治疗神经衰弱、夜寐不安，在临床上均取得明显效果。

枸杞叶，味苦甘而性凉，能清上焦热毒，平时可作食用，春夏取枸杞苗及嫩叶可作凉拌菜或炒用，清香鲜美可口，使人眼目清凉；取叶阴干，代茶饮服，能清肝明目，解暑止渴；日本人善用枸杞叶做饭，名为枸杞饭，着实令人喜爱；常服枸杞叶可使人目明神安，健康长寿。

枸杞根茎之皮，色褐，味苦，性大寒，名曰地骨皮，能清虚热，退骨蒸，是治阴虚内热，骨蒸潮热之要药。我在临床还常用地骨皮煎汤坐浴、外洗，治疗外痔肿痛，非常灵验，确有清热、消肿、止痛之功。

总之，枸杞一味长期服用，或以其叶煎汤代茶，能使机体代谢旺盛，起着滋养强壮、改善体质的作用，能消除烦症，强筋乌发，聪耳明目，抗暑耐寒，健康倍增，自觉有返老还童之感，确能达到健康长寿之目的，劝君不妨一试。

医当识药小议

郭有昌

作为一名医生，不但需要辨证准确，用药适宜，亦当识药。古人说："用药如用兵。"能否识药，可直接影响疗效。清代周岩在《本草思辨录》中说："人知辨证难甚于辨药，孰知方不效，由于不识证者半，由于不识药者亦半。证识矣而药不当，非但不效，而且贻害。"

识药是指对药物的采收季节、命名特点、形态产地、质地轻重、炮炙生熟、气味特性、真伪辨别等方面的了解。它是祖国医学理、法、方、药理论体系中的重要组成部分。早年行医多是自己处方、自己抓药，如无现成药物就亲手炮炙配方，或自采自用，对药性了如指掌。因此用药精当，手到病除。当代名老中医于诊病之余，亦习以为常地到药房看看，特别是对毒性较大或药力较强的药物更要亲自察看。观今之中青年医生往往对此有所忽视，不识药者不在少数，实属"普遍性弊病"。

究其"病因"，其一，不了解药物命名方法，望文生意。如将葫芦巴误认为是葫芦的尾巴，而叫患者去找。清代张志聪在《侣山堂类辨》中说："命名之义，各有思存，如黄连……以色而命名也；甘草……以味而命名也；桑皮……以体而命名也；夏枯草……因时而命名也；防风……以功能而命名也；钩藤……以形象而命名也。"其二，不熟悉药物产地，从而不能正确的掌握药效；如人参可分为吉林参、高丽参、东洋参等。药物产地不同、功效则亦有别，但以地道药材为佳。清代石寿棠在《医原》中曰："麦冬味甘，今甘中带辛，杭产者辛味犹少，川产者辛味较多。石斛本淡，今藿山产者，地近中州，味仍甘淡；川产者，味淡微苦；广西、云南产者，味纯苦而不甘。"其三，不熟悉某些药物特性，用法不当，如辛夷不能入水煎；果实须打碎；朱砂须细研；大黄须后下；附子须先煎；阿胶须烊化；菊花须轻煎；滑石须包煎；甘遂须研末冲服等。其四，不了解药物质地轻重，随意下量，如将灯心草按"两"处方。

作为一名医生，只有能正确的认识药，才能更有效地运用中药。因此，除在理论上认真学习有关的中药知识外，还要坚持多看药材，对比分析，了解其中药的特性，做到理论与实践相结合，才能更好地提高治愈率。

谈金银花止泻

李祖培

金银花为临床常用之品，医者多用其寒凉之性，清热解毒以治疮痈，或取其轻扬之性，疏散清宣以疗上焦风热。但鲜有以金银花止泻者。余临证之中，凡见泻下，毋分久暂，加用金银花，每获良效。余体会，金银花有收敛止泻之功，其用量15～30g。于止泻方中加之，有画龙点睛之妙。对泄泻夹有脓血，且感下坠者，可配大黄炭10g，黄连6～10g；便溏而腹痛甚者，另伍槟榔10g，鸡内金10g，久泻不止有脾虚之象者，可用健脾之四君子汤。如此治疗久泻屡起沉疴。

数月前一张姓患者，登门求治，诉罹便泻腹痛之疾已有年余，时轻时重，曾于某医院行钡剂灌肠检查，诊为慢性溃疡性结肠炎，遍投药石，疗效皆微。症见面色萎黄，大便溏泻，日行二三次，少腹隐痛，矢气频转，便后有下坠之感，舌质偏红，上有黄腻之苔，脉沉弦而滑。余思其泻日久，脉沉，为病在里，太阴脾土虚弱，健运失司，清浊不分。但从舌象而论，仍有湿热之征。故法立健脾化湿、清热止泻，处方：党参15g、苍术10g、茯苓12g、金银花15g、黄连10g、马齿苋12g、山药10g、石榴皮10g、甘草6g。日1剂，水煎服。患者服药12剂，登厕减少，大便渐已成形。惟腹痛时作，前方加木香10g，金银花15g为30g，如此服药月余，腹痛除、泄泻止，黄腻之苔亦去。逆嘱其注意饮食调理，并加强锻炼，以善其后。

“溃疡性结肠炎”一病，多见便溏腹痛，时兼大便脓血，缠绵难愈，非朝夕之间所能见功，医者每感棘手。今用金银花治之竟获佳效。可见金银花非但有寒凉清热之功，更有收敛止泻之力，对有湿热者，可用之清热止泻，无湿热者，用之则能收敛止泻。事中有师，只有勤于临床探讨，方能掌握药物之真谛，运用自如，收事半功倍之效。

临床用药小议

岳伟德

配伍中的协同作用

两味以上的药物相配伍，可以起到协同作用，增强其疗效。中医称“相须”和“相使”。仅举黄芩、紫苏叶、香附为例。

黄芩配：
- 柴胡——退寒热，利肝胆。
- 芍药——清湿热，治痢疾。
- 桑白皮——清肺热，治咳喘。
- 黄连、厚朴——清湿热，消胀满，治腹痛。
- 白术——清热安胎。

紫苏叶配：
- 陈皮、砂仁——行气安胎。
- 藿香、乌药——温经止痛。
- 香附、麻黄——发汗解表。
- 当归、川芎——活血散瘀。
- 桔梗、枳壳——利膈宽胸。
- 杏仁、莱菔子——祛痰定喘。
- 木瓜、厚朴——祛湿解暑。
- 黄连——清胃热、止呕吐。

香附配：
- 党参、白术——补气而不滞。
- 当归、熟地黄——补血而不腻。
- 三棱、莪术——消积破坚，治肝脾（脏）肿大。
- 茴香、补骨脂——暖肝肾、治疝痛。
- 艾叶——暖子宫，治痛经，闭经，白带多。
- 木香——和肝散滞。
- 檀香——理气止痛。

又如芍药配甘草（芍药甘草汤）酸甘化阴，缓急止痛，对平滑肌与腓肠肌痉挛、三叉神经痛均有明显疗效。冰片与青黛同用治肝炎，可降低转氨酶。冰片与丹参、桑寄生配合对胸痹心痛（冠心病心绞痛）有可靠的止痛作用。半边莲与陈葫芦同用，对单腹胀（肝硬化腹水）有利尿作用，如此等等，不胜枚举。临床应充分利用药物的协同作用。它具有药物少，疗效高，无不良反应之优点。

配伍中的拮抗作用

所谓拮抗，就是矛盾。当性味有殊，作用不一致的药物配伍在一起，往往相互抵消，或引起不良反应，就叫拮抗作用。中医称“相恶”和“相畏”，如“十八反”“十九畏”便是。相恶、相畏的原因虽然至今不明，有待进一步研究，但历来为临床医家所重视。

然而中医有攻补兼施，寒热并用之剂，则不属于拮抗范畴，它是出于病情需要，合理配伍而成。例如黄芩、黄连性味苦寒，干姜、人参性味辛甘温。其作用前者泻火解毒，后者温中散寒。它们的性味和作用完全不一致，可是芩连与参姜配伍不但不互相抵消其作用，反而并行不悖，相得益彰。所以，干姜黄芩黄连人参汤，寒热并用，苦辛合剂，具苦降辛通之功效，对胃热肠寒症颇具卓效。《伤寒论》中五个泻心汤皆具此理。再如治中风后遗症之资寿解语汤，以辛温之桂附与寒咸之羚羊角配伍。治虚寒便秘之温脾汤以参附之温补与大黄之泻下同用。枳术丸则以白术健脾，枳壳行气，一补一消相结合。以上都是中医处方用药的特点，自然不得称之为“拮抗”。

核桃仁的妙用

| 肖 飞 |

核桃仁一般为食用，系胡桃的种仁。性味甘温，入肺肾两经。有补肾固精、温肺定喘、润肠之功。治肾虚咳嗽、腰痛、脚弱、阳痿、遗精、小便频数、石淋、大便燥结等症。核桃仁营养丰富，内含脂肪、蛋白质、碳水化物、钙、磷、铁，胡萝卜素、核黄素。核桃仁实在是干果中的佳品。

二十多年来，我根据内经“毒药攻邪，五谷为养，五果为助，五畜为益，五菜为充，气味合而服之，以补益精气”的原则，对慢性肾炎、慢性支气管炎、神经衰弱，泌尿系结石的病人嘱其常服核桃仁，每日10枚左右，或配伍其他中药，疗效颇为满意。

曾治一男孩，6岁，患慢性肾炎两年余，尿蛋白（+++），症见面色皖白，胃呆纳少，神疲体倦，脉细苔白。久病必虚，脾气不足，肾精不固，治以健脾固肾：蜂蜜30g、核桃仁10枚为1日量。患者服半年后，尿蛋白消失，精神康复如常。8年未见复发。

又一男患，患支气管炎十余年，入冬即发，咳嗽气喘，动则加剧，胃呆纳少，阳事不举，脉沉两尺无力，苔白腻。为精气内虚、肾不纳气。治以温肾纳气，健脾化痰，仿人参胡桃汤、参蛤散意，丸以缓之。嘱其守方服药，力戒烟，谨避风寒。

方用核桃仁、紫河车、人参、蛤蚧、杏仁、甘草、茯苓、贝母、知母、桑白皮，蜜为丸。患者服药3个月，诸症俱轻。继服3个月。第二年冬患者又服药3个月，诸症俱失。纳食已香，阳事正常。近两年来随访，患者咳嗽气喘未见复发。10年顽疾，竟获痊愈。

核桃仁能消除慢性肾炎的尿蛋白，治疗慢性支气管炎，咳喘和神经衰弱健忘证，小儿遗尿证，扶正固本诚有奇效，且无不良反应，服用方便，老幼皆宜。

若有痰火积热或阴虚火旺，泻泄不已者，忌服胡桃仁。

附子运用经验点滴

马俊岭

附子辛热燥烈，通行十二经，功为峻补下焦元阳而逐在里之寒湿，阳虚诸证，必当首选。然其有利有弊，不可不辨。

昔治脱疽患者，主症：右上肢冷凉1年余，盛暑之季扪之手凉，冬季更甚，并伴有患肢肌肉轻度萎缩，寸口脉消失，指端肤色青紫。先予温补之剂，其效欠佳，后添加附子10g，患肢温度升高，无不适反应。附子量渐增至120g。患者服药月余，冷凉消失。诸症恢复正常，临床治愈。

又治一患者，患脱疽6年。余诊其右下肢肌肉萎缩，温度偏低，足背动脉消失，趾端颜色紫暗，投以十全大补汤加附子10g。服药后，患者体温突然升高，局部红肿，迅即溃破。概此因病久，寒郁化热，更凑附子之温，而使病情恶化。

余每将附子配入复方用治脱疽，甚获奇效。笔者认为，此药不仅温热性峻，而且扩张血管，促其血行，对阴寒之脱疽最为适宜。然临证明辨寒热，为其关键，否则用之不当，致祸甚速。

应该注意，附子毒性较大，当嘱其先煎，以去其毒，还须根据患者的体质及病情，灵活配伍，掌握用量。如服药后出现口干舌燥者，配天冬、麦冬等养阴之品，出现头晕者为其量之致极，乃附子之反应，当减量或停服，如此知其利制其弊，百用不殆。

寒带地区运用生石膏一得

孔庆武

我县属天山北麓，为古庭州府城所在地，距山近而气候冷。《伤寒论》启用石膏有先例，喻嘉言有“先议病、后议药”之明训。近贤张锡纯之变通白虎汤、阿司匹林石膏汤均以石膏为君。某些方剂石膏恒用半斤之多。诸如痢疾、哮喘、伤寒、温病、肺病、中风和产乳诸疾，用石膏者不乏其例，广开用石膏之法门。然而张氏究属河北人，虽属北方地带，其地理气候条件与北疆截然不同。

《神农本草经》虽谓石膏性微寒，然而身处寒带地区的医者，往往囿于寒带地区多寒证之成见，对生石膏虽不是畏为鸩毒，但亦不敢放手应用。我家居北疆已历三世。其地理气候虽属寒带，然每到夏秋之交，白昼气候燥热，夜来凉风习习，时疫患者每多热被凉风所迫，不能外越，生石膏可谓治时症之良药。曾治一谢姓小儿，甫3岁，时在夏秋之交，初起其热不扬，泄泻黄水，病家延医，医疏理中汤，认为脾寒泻。药未尽剂，患儿变症蜂起，泄泻反剧，喘息烦躁，热渴引饮，小溲短赤，延余医治时已历2日。据其症状，急书张氏变通白虎汤加味药用：生石膏60g、天花粉15g、白芍15g、生山药15g、滑石30g、车前子（包）9g、茯苓9g、甘草梢6g。1剂病去其七，仍以原方出入，调理而愈。冬初张姓患童，甫9岁，患呕哕，水药不能入口，口唇干裂，反不饮水，昏睡神迷。余用生石膏60g，加平冲降逆之杏仁、半夏、芳香化浊之佩兰、藿香、陈皮；宽中理膈之枳壳、瓜蒌仁；消食化积之神曲、麦芽等，以其不能饮，遂嘱其先用药趁热熏鼻，待药稍凉后徐徐服下。患儿服1剂后神清呕哕止，再剂知饮食。

低热呛咳、哮喘伴昏睡，西医称肺炎者，余每用麻杏石甘合泻白散，疗效满意，疗程缩短，两三剂即可诸症平息。

对痹证，余亦喜用生石膏。考痹证多缠绵难愈，久病热伤经络，余以疏风活络散瘀剂中加生石膏，协同诸药达经络以清其伏热，虽对痛痹证亦恒用之。刘姓驾驶员，冬月行车，将左边风挡玻璃摇起，则驾驶室前面玻璃冻冰，视线遮蔽，不能行车，故每于冬季行车之际，将左边风挡玻璃放下，左臂适露于外，久之左臂被风寒所袭、臂疼痛而不能上举。余用桂枝芍药知母汤佐活血通络之品复加生石膏30g，调理而愈。对伤寒壮热不已、大渴引饮、消渴之暴饮暴食，生石膏尤为必用之品，已为众医家所推崇。

北疆虽属寒带地区，然其人多食牛羊肉，禀赋厚而耐寒冷，且其昼夜温差悬殊，往往外热被新凉所袭，内热为寒风所扰。余取生石膏清热不伤正、润燥不恋邪、质重不黏腻、其性清轻上扬，与他药合用，相得益彰，功效显著，利多弊少。因其质重故每用必30g，重剂则数倍量用之，始能发挥效益。

书云：大黄救人无功，人参杀人无过。药贵精而恶庞杂，审因不明，辨证不确，杂药乱投，犹如操刀杀人，是为医者之忌。积我多年用石膏之经验，只要审因正确，辨证精当，有斯证而用斯药，虽不是效若桴鼓，疗重症于顷刻，亦可缩短疗程，能收意想不到之效果。

生石膏为治脑炎至当不易之品

| 刘延卿 |

流行性乙型脑炎，是我国多发传染病之一。从发病季节和临床症状来看，与祖国医学的“暑温”“伏暑”“暑痫”等病颇相类似。多年来，中医对本病的治疗经验已日臻完善，选方用药也是丰富多样的。1963 年 8 月上旬，河北省连遭暴雨，大涝成灾，人居湿热气交之中，疫病流行，患脑炎者尤多。人与自然息息相关，由于气候的关系，是年患脑炎者几多偏湿，且见症即现气分证，每重用生石膏配滑石、连翘、蝉蜕、山药、甘草（头闷、头痛者加佩兰、辛夷）治之甚效。偶有偏热者，以知母易滑石，疗效也很显著。如遇邪陷心包、热入营血，发现嗜睡、神昏、谵语、痉厥者，则随证冲服安宫、紫雪、局方至宝或苏合香丸、止痉散等。至转轻期仍以石膏为主，用竹叶石膏汤随症加减，疗效仍很满意。方中药量，一般配伍药，多者 10～15g，少者 3g 左右，不必拘执，随症情稍事增减即可；不过石膏必须重用，根据病情转化，可用 30～300g 不等，宽汤煎后，多次徐徐温服。药中肯綮，屡试屡效。从而体会到，石膏实为治疗脑炎至当不易之品。然有谓气候偏湿，患脑炎者石膏不可予服。其不知“石膏”凉而能散，非大寒之品，且有清凉退热、透表解肌之力，遇热证放胆用之，起死回生，功同金液，确有立竿见影之妙，绝无偾事之虞，可见关键问题不在于石膏是否能用，而在于用之恰当与配伍得宜。

炉甘石水飞，石膏宜煅

| 穆云汉 |

炉甘石性能燥湿、生肌，为外科临床上常用药，宜水飞后用。将炉甘石放入磁钵内，带水研细，研至细面呈混悬状或漂浮于水面为度。将轻浮之炉甘石，倾入于另一容器内，令其沉淀澄清，再将下余粗粒，继续研细，随研随收入容器，最后仅剩残渣少许，不易研细，弃之不用。然后可将澄清后之细面晒干，即成细腻之粉面，用以纱布脓腐已净之疮口，能使新肌生长又不致引起疮口疼痛。

外用石膏宜煅，有收湿、敛疮、止血作用，又可作为祛腐之赋形剂。煅法，将生石膏投入炭中，烧至白色即可取出冷却，研成细面，放置数月退火毒后用。

治瘀血痹之一得

赵椅金友

瘀血痹一证，多系由风、寒、湿诸痹久治不愈转变而成。张景岳谓：“痹者，闭也，以血气为邪所闭不得通行而病也”。风、寒，湿痹虽有风气胜、寒气胜、湿气胜之不同，然就其病机分析，则皆侵袭血气。《医学统旨》曰：“风痹者，游行上下，随其虚邪与血气相搏，聚于关节，筋脉弛纵而不收也”；《景岳全书》杂证类曰：“寒气胜者为痛痹，以血气受寒则凝而留聚，聚则为痛”“湿气胜者为著痹，以血气受湿则濡滞，濡滞则肢体沉重而疼痛顽固，留著不移”。风、寒、湿痹，病久则邪气入络，风、寒、湿邪与血气相搏，寒则血凝，湿则血濡滞，邪恋日久，正气受损，气血凝滞，瘀血阻络而成瘀血痹。

余曾遇一年近四旬之妇女，患风湿病多年。主诉周身关节串痛，以肩、膝关节为著，局部未见红肿，伴有腰痛及月经延期，每40~50天来潮一次，经行腹痛难忍，血有紫块；平素易头痛、头晕。望诊可见其面色黧黑，舌质稍暗。查其血沉稍快，抗“O”偏高，西医诊断为：风湿性关节炎、神经血管性头痛，月经不调。根据中医理论，久病人络，且症见面色黧黑，经行腹痛，血有紫块，舌质暗，均属于瘀血之证。故辨证为瘀血阻络之瘀血痹。于是投以瘀血痹冲剂，嘱每次服1包，每日3次，温开水送服。患者取药后，颇有疑意，自以为过去服大、小活络丹等中成药均无效，恐此冲剂来必见功。经余解释后，患者勉强开始服药。服药1周后，其月经35天来潮，且头痛减轻。患者再来诊，面见喜色，嘱其继续服用瘀血痹冲剂。又1周后，共肢体疼痛亦见轻。连续服药3周，其肩、膝关节疼痛亦消失，复查抗“O”恢复正常。后更方调理，3个月后再遇此患者，询其病情，已近愈。

按：前人治痹之方，多本“治风先治血，血行风自灭”之意，于祛风、散寒、祛湿之药中，加理血之剂。如独活寄生汤、三痹汤中之用当归、赤芍、川芎、地黄（即四物汤）养血活血。瘀血痹，多系风、寒、湿三气侵袭日久入络，与血气相搏而闭塞不通所致。证属正气虚，邪气稽留，本虚标实。故虽亦应宗前人治痹之法，祛风湿兼调理气血；然以余所见尤应重在扶正以固其本。因风、寒、湿邪与瘀血相搏，久阻脉络，不易外攘，使用一般祛散风寒湿之品，很难奏效。故必须首重扶正而兼顾驱邪；以调气血、通经络为主，而辅以祛散风寒湿。瘀血痹冲剂除既有调气血、散瘀通络、止痛消肿之当归、川芎、丹参、乳香、没药，又有祛风湿之威灵仙、姜黄之外；更加黄芪、鹿角等益气补阳之品，全方配伍得当，俾阳生阴长，使正气得复，血气得通、风湿得散。故临床用之对证，效如桴鼓之相应。

跋

祖国北方，历史悠久，地域辽阔。相传黄帝、岐伯论医学后成《内经》，扁鹊以医济世并作《难经》，均源于北方。尽管属于传说，但似可说明北方医学之源远流长。宋元以降，南北医学各有千秋：南崛伤寒、温病学派，北兴河间、易水学派；南出朱丹溪、张子和、李时珍、张景岳、叶天士等名医，北有刘完素、张元素、李东垣、王清任、张锡纯等贤哲。北方医家对中医学的发展呕心沥血，为我国人民的繁衍昌盛作出过巨大贡献，在祖国医学宝库中至今仍不失其光辉。解放以来，北方的中医工作者在临床实践中积累了丰富的经验，在理论研究上不断取得新的成果。他们继承了各医学流派的学术成就，结合北方特点，在防治常见病、多发病及疑难病方面不断有所创新。为挖掘这些学术财富，以使之流传于世，促进学术交流，我们受中华全国中医学会中医理论整理研究会之委托，组织编写了这部《北方医话》，特邀请黑龙江、吉林、辽宁、河北、新疆、天津等五省一市的部分中医专家及中医骨干撰写了千余篇医话，经过整理、编审、汇总成册。

本书所辑，每篇不过千字上下，虽是零金碎玉，但在一定程度上能反映出作者的学术思想和造诣，或集中讨论一个问题，或举述一病之验案，多要言不繁。所述案例或平中见奇，或奇中寓常，或常中有变。疏方各具特色，多为作者所创。然地处北方，由于地理、气候及人民生活习惯的特点，内、外、儿、妇病种繁多。如春季大风苛毒，痛疾易发，患感冒、痹证者居多；夏季酷热，患泄泻、肠澼者居多；秋季偏凉，患胃疾、咳喘、肝胆疾病者居多；冬季寒冷，患中风、咳喘、心痛、水肿、鼻疾、脱疽者居多，故北方有不同于其他区域的特点。医家们针对这些特点、精研覃思，创造出不少独具特色的预防、诊治疾病的方法。书中一论、一验、一法、一方，莫不凝结着医家十几年乃至几十年钻研的心血，颇有真知灼见。诚然，其中也可能有个别偏执之处，但从整体上看，还是体现了百花齐放、百家争鸣的学术特色，实为瑕不掩玉，颇值一读。

本着挖掘宝库、兼收并蓄、各取所长的原则，我们努力搜求遍及五省一市的医话著作，并得到了各级领导，特别是作者的热情支持。在编写过程中，我们力求尊重作者原意，对部分稿件做了适当改动，并再次征询了作者的意见。因来稿逾千篇，而本书容量有限，因而不得不忍痛割爱，只保留了700余篇。在整个工作中，承蒙中华全国中医学会中医理论整理研究会的专家和任继学、刘冠军、胡永盛、阎洪臣、刘柏龄、冷方南等专家审阅，多所匡正，并此致谢。

本书的计量单位，以法定计量单位为基本依据，同时对所引用的中医古典著作中的方药剂量及针灸推拿专业沿用的特定计量单位，仍按原计量单位标注。

《北方医话》编委会

1986年6月25日